nos films de toujours

Une réalisation Images & Loisirs

Cet ouvrage a été réalisé
par l'équipe de Monsieur Cinéma®,
(Les Fiches de Monsieur Cinéma®)

Auteur-Directeur d'ouvrage :
Marc Combier

Rédacteur en chef :
François Laffort

Conseillers cinématographiques :
Roland Lacourbe, Jacques Pinturault

Rédaction des textes :
Faustine Audureau,
Evelyne Crombez, Marion Vidal,
Claude Guiguet, Roland Lacourbe,
François Laffort, Jacques Pinturault,
Jean-Pierre Piton, Bernard Trout

Corrections et relecture :
Jean-Paul Martin

Iconographie :
Images et Loisirs
(Les Fiches de Monsieur Cinéma®,
Les Superfiches du Cinéma Mondial)

Et l'aimable participation
des sociétés françaises
de distribution de films

Et
Archives du 7e Art, Archives D.B.,
CAT'S Collection, Lucas Balbo,
André Bernard, Christophe L.,
National Film Archives Londres.

Collaboration :
Pascale Page

Conception graphique
et mise en page :
Catherine Combier

Photogravure :
Chromographique,
La Garenne Colombes

LAROUSSE
Direction éditoriale :
Dominique Wahiche

Édition :
Marielle Bruant

Fabrication :
Nicolas Perrier

© Larousse/VUEF 2002
© Larousse 2008

ISBN 978-2-03-582660-2

nos films de toujours

Par l'équipe de
Monsieur Cinéma

Prologue de
Pierre Tchernia

LAROUSSE

Monsieur Cinéma ! C'est une expression que j'entends souvent sur mon passage, elle marque en général le début d'une conversation avec un passant téléspectateur. Je dois à la vérité dire que ces deux mots évoquent en lui un bon souvenir.

En 1966, une réunion rassemble le directeur du Centre National de la Cinématographie et le directeur des programmes de la Télévision. Ils évoquent des chiffres éloquents : en dix ans le cinéma a perdu un spectateur sur deux, passant de quatre cents millions de spectateurs par an à deux cents millions. La télévision pendant ce temps grimpe dans l'autre sens : un million de postes en 1959, dix millions en 1969. La télévision enfonce le cinéma.

La situation est paradoxale car, dans les programmes télé les « cases » les plus regardées sont celles des films. Le cinéma allait-il cesser de faire des films dont la télévision avait tant besoin ? Il devenait nécessaire de célébrer le cinéma et de donner aux téléspectateurs l'envie de rester des spectateurs. Il fut décidé de créer des émissions nouvelles et tout d'abord un jeu qu'on me proposa. Le principe était simple : deux candidats s'affrontent en répondant à des questions d'ordre cinématographique justifiées par des projections de séquences de films nouveaux.

C'est avec Jacques Rouland que j'ai fait équipe pendant plus de vingt ans. Pierre-Louis se joignit à nous et Jean-Claude Romer rédigea 23 932 questions dont aucune ne fut jamais contestée.

De 1966 à 1988 l'émission connut bien des transformations. Elle naquit sous le titre de « SEPTIÈME ART, SEPTIÈME CASE », s'appela en 1977 « CES MESSIEURS NOUS DISENT », se transforma en « JEUDI CINÉMA », puis en « MARDI CINÉMA » mais ses amis fidèles évoquent surtout l'époque des duels de « MONSIEUR CINÉMA ».

Ce titre, c'est Jacques Rouland qui en eut l'idée. C'est un bon titre et ce fut, pour moi, un cadeau inattendu. Dans notre esprit Monsieur Cinéma c'était le gagnant du match de la semaine mais, pour le public, Monsieur Cinéma c'était le présentateur, c'est-à-dire moi. Je le suis encore.

Ce fut une bonne idée que d'apporter une aide au cinéma sous forme de jeu. Ce magazine présentait l'actualité et évoquait l'histoire des films mais le jeu, lui, donnait une armature dramatique qui opposait les deux candidats. Bien des spectateurs ne connaissaient pas la carrière de Jean Renoir, mais se demandaient avec intérêt si Monsieur Blazy gagnerait la semaine suivante.

Cinéma

Jacques Rouland,
Pierre-Louis,
Michel Serrault,
Jean-Claude Romer,
Marie-Christine Barrault
et Pierre Tchernia
sur le plateau
de « Jeudi Cinéma ».

Il y avait aussi chaque semaine, le dimanche, la présence d'un comédien ou d'un auteur. Les deux premiers visiteurs, venus en amis alors que l'émission était inconnue furent Lino Ventura et René Clair.

Je revois Jean Gabin qui était rare à la télévision : « Je suis timide... j'aime pas tellement venir à la télé... au cinéma je dis le dialogue d'un autre, ici ce sont mes répliques, alors je me méfie. »

Je revois Michel Simon : « Quand j'entends dire que j'ai été bien dirigé par un metteur en scène le rouge de la honte me monte au front parce que je n'ai jamais été dirigé même quand j'étais soldat de 2ᵉ classe ! »

En 1975 un éditeur, Marc Combier, nous proposa de créer une collection de fiches consacrées au cinéma, mêlant l'actualité et l'histoire, photos d'un côté, notices de l'autre. La chose était nouvelle et ce fut un succès. Elles étaient pour les téléspectateurs un complément utile. Tout cela constituait une ouverture vers la connaissance de la culture cinématographique, révélant qu'un film était le résultat d'une fabrication mais aussi d'une conception. Je me souviens de ce spectateur qui me dit « on ne doit pas dire un film de Belmondo, mais un film avec Belmondo ».

L'équipe de rédaction se constitua avec de jeunes journalistes de cinéma dont beaucoup sont aujourd'hui des auteurs célèbres. Elle se modifia, se renouvela, mais l'esprit du départ a été conservé : faire œuvre de chroniqueur, et non pas de critique.

Je viens de lire ce livre, je pense qu'il va répondre à beaucoup de curiosités. Les choix résultent d'une opinion collective où chacun a consenti à oublier une préférence pour faire œuvre commune. L'ensemble est bon : il constitue une base solide pour faire un tour de l'évolution du cinéma. Si quelqu'un avait vu les 346 films présentés dans ce livre et s'en souvenait, il lui manquerait tout de même des détails qu'il retrouverait ici.

Voyez, revoyez, lisez, relisez, profitez des reprises sur les chaînes de télévision, usez des cassettes, des DVD et du home-cinema mais n'oubliez pas qu'il y a des salles de répertoire dans toute la France et qu'un film de cinéma ça doit se voir dans une salle de cinéma.

Pierre TCHERNIA

Introduction

Rêver, frémir, s'évader : rien de mieux pour cela que le cinéma ; qu'on choisisse une « toile » dans les salles obscures, une vidéo ou un DVD en famille, la télévision ou les chaînes câblées, le cinéma est de tous les instants, de toutes les convivialités, de tous les plaisirs. Mais parmi le milliard de films produits depuis les débuts du cinéma et devant l'inflation de nouveaux titres, comment s'y retrouver ?

L'équipe de Monsieur cinéma vous propose un voyage à travers cette formidable mémoire, pour faciliter vos recherches et vous permettre de ne pas passer à côté d'un film... de toujours. Et ce livre n'aurait pas toute sa dimension sans l'opinion et le regard de Pierre Tchernia, celui qui nous a donné la passion de spectateur de cinéma.

Le cinéma pour tous ceux qui l'aiment

Constituée dès 1966 par Pierre Tchernia et Jacques Rouland pour l'émission « Monsieur Cinéma » et en 1976 pour les Fiches de Monsieur Cinéma, notre équipe réunit historiens, chercheurs et écrivains spécialisés. Attachés à faire œuvre didactique, sans parti pris ni esprit critique, nous avons voulu garder dans cet ouvrage le même point de vue : un regard informatif offrant le maximum de clés et de renseignements sur les films, la carrière des metteurs en scène, des comédiens et, plus généralement, des gens de cinéma.

Nous vous présentons des films que vous pouvez trouver facilement, et qui, plusieurs décennies après leur sortie, communiquent toujours une émotion et un plaisir inaltérables.

Un choix résolument restreint

Pour donner à cet ouvrage une réelle permanence dans le temps, nous nous sommes imposé une sévère sélection de 346 films. Celle-ci, fruit de la mise en commun concertée des choix des auteurs, a été dictée par les critères suivants : la pérennité des films, la permanence d'intérêt, l'accès facile pour le visionnage TV et DVD, l'intérêt et l'agrément persistant de la vision, le capital sympathie (films cultes), la représentativité.

Une approche différente

Écartant les classements thématiques traditionnels (fantastique, comédie, drame science-fiction, etc.) qui ne révèlent pas toujours l'esprit d'un film, de son atmosphère et de son contenu, l'ouvrage vous invite à une nouvelle lecture du cinéma. Les films présentés sont classés, par ordre alphabétique, en 20 chapitres qui sont autant de « portes d'entrée » aux grands thèmes abordés par le 7e Art : Amour, toujours ; Aux franges du réel ; Cow-boys et Indiens ; Divines… ; L'envers de la guerre ; Flics, détectives et truands ; Gags à gogo ; Grands spectacles ; Guerriers inoubliables ; Héros au grand cœur ; Histoires de famille ; Je t'aime, moi non plus ; Marginaux et décalés ; Le monde est une jungle ; Monstres, vampires, et Cie ; Le souffle du suspense ; Sur un air de musique ; Tranches de vies ; Univers futurs…

À chaque page, un film

Apprécier un film aujourd'hui n'est jamais aussi plaisant qu'avec la mémoire des films du passé qui réveillent la nostalgie du noir et blanc, l'étonnement des films muets et la fascination des monstres sacrés… Chaque film fait l'objet d'une fiche technique qui présente brièvement son intrigue, et livre, dans un style clair, anecdotes, informations inédites, évocations des moments les plus signés, témoignages des acteurs… mais aussi ce qui confère à l'œuvre sa singularité et sa personnalité. Deux à cinq photos évocatrices illustrent les commentaires des auteurs pour chacun des films, soit au total plus de mille images qui constituent autant de complicités retrouvées. Vous saurez également ce qui justifie la place de l'œuvre parmi les films éternels, les films de toujours, ces films qui malgré le temps, l'évolution et la critique, demeurent captivants. Des encadrés offrent un éclairage sur un acteur, un réalisateur, ou un genre, et donnent des références d'œuvres célèbres que vous pourrez découvrir ou revoir.

Trois index pour faciliter la recherche

Outre le sommaire détaillé par chapitres (pages 8 à 10), deux index en fin d'ouvrage vous offrent plusieurs parcours de lecture : par ordre alphabétique des titres de films (pages 377 à 380) ou par le nom des réalisateurs (pages 381 à 384).

Nous vous souhaitons de délicieux moments de cinéma.

Marc COMBIER

Sommaire

Amour, toujours

Le Quai des brumes

Un képi, un ciré, et deux beaux yeux...

1938

Drame de Marcel Carné, avec Jean Gabin (Jean), Michèle Morgan (Nelly), Michel Simon (Zabel), Pierre Brasseur (Lucien) • Sc. Jacques Prévert • Ph. Eugen Schüfftan • Déc. Alexandre Trauner • Mus. Maurice Jaubert • Prod. Ciné-Alliance • France • Durée 91'

Déserteur, Jean a échoué au Havre où il s'éprend de Nelly, jeune orpheline que convoitent Zabel, son tuteur, et Lucien, un malfrat.

Lucien (Pierre Brasseur) a provoqué Jean.

Jean (Jean Gabin) et Nelly.

Les amants du brouillard

Écrit et dialogué par Jacques Prévert d'après un roman de Pierre Mac Orlan dont l'action fut transposée de Montmartre au Havre, *Le Quai des brumes* fut accueilli avec enthousiasme par nombre de critiques et reçut les récompenses les plus prestigieuses : Prix Louis-Delluc et Méliès, Grand Prix du cinéma français ; une distinction au Festival de Venise pour ses « qualités artistiques » et le titre, aux États-Unis, de meilleur film étranger de l'année. Le public, pour une fois, partagea l'opinion de la critique : le film, en effet, resta à l'affiche plus de six mois en exclusivité. Comment expliquer cet engouement populaire pour une œuvre dont la noirceur absolue contrastait avec les succès de l'époque, comédies, vaudevilles, films

Zabel (Michel Simon) et Jean.

d'espionnage ou d'aventures exotiques ? Par la révélation d'un couple idéalement romantique et immédiatement mythique, celui formé par Jean, le déserteur, et Nelly, l'orpheline. Elle, c'est Michèle Morgan, 17 ans, presque débutante, avec son béret, son ciré luisant et ses yeux clairs affamés d'amour (l'échange des répliques : « T'as de beaux yeux, tu sais. – Embrassez-moi » appartient à la légende du cinéma) ; lui, c'est Jean Gabin, déjà vedette après *La Bandera* (1935), *La Belle Équipe* (1936), *Pépé le Moko* (1936), tous trois de Julien Duvivier, et *Gueule d'amour* (Jean Grémillon, 1937), où, prolo, mauvais garçon ou militaire, il s'était forgé une image de séducteur, victime de la fatalité et revenu de tout, sauf de l'amour qui illumine le regard de sa partenaire et lui arrache un bouleversant : « Tu me donnes envie de pleurer ! » Autre attrait pour le grand public, l'identification immédiatement perceptible du Bien, Nelly et Jean, et du Mal absolu : Zabel, le tuteur, ver de terre amoureux d'une étoile, sa filleule Nelly, « amoureux comme Roméo quand on a comme moi la tête de Barbe-Bleue », celle de Michel Simon que Jean compare à celle d'une scolopendre ; Lucien, le petit voyou, veule, hâbleur, froussard et pourtant meurtrier, interprété par un Pierre Brasseur qui se vautre dans l'abjection avec le génie d'un grand comédien.

Les gens qui voient de travers...

Devenu un classique du « réalisme poétique », figurant parmi les dix meilleurs films français parlants choisis par l'Académie des Césars en 1979, *Le Quai des brumes* eut pourtant une genèse mouvementée. Le film devait être tourné en Allemagne dans le cadre des accords de coproduction franco-allemands.

Mais les censeurs d'outre-Rhin – parmi lesquels Goebbels –, effarouchés par le pessimisme du sujet, refusèrent l'autorisation de tourner à Hambourg, et le film dut être rapatrié en France, au Havre. D'autres problèmes apparurent alors. Le producteur français n'appréciait guère certains détails, « sales » selon lui : la piste de danse où évoluent deux femmes enlacées, les variations autour d'un cadavre décapité, l'hôtel minable où le couple s'aime, les coups de brique assénés par Gabin à Michel Simon, etc. Carné dut ruser pour imposer ses vues. Par ailleurs, la censure, via le ministère de la Guerre, conseilla de ne jamais employer le mot « déserteur », tabou en ce début de 1938. Et les choses allèrent encore plus loin sous l'Occupation, le film étant déjà interdit totalement quand certains politiciens de Vichy l'accusèrent d'avoir constitué une des causes de la défaite de 1940, parmi d'autres éléments de délinquance morale ! Comme si, ironise Carné dans ses mémoires (« La Vie à belles dents », Belfond, 1989), « le baromètre était responsable du temps ».

Nelly (Michèle Morgan), jeune fille triste.

Casablanca

Les amoureux ne sont pas seuls au monde

Rick présente Ilsa (Ingrid Bergman) et Victor Laszlo (Paul Henreid) au capitaine Renault (Claude Rains).

1942

Casablanca, drame de Michael Curtiz, avec Humphrey Bogart (Rick Blaine), Ingrid Bergman (Ilsa Laszlo), Paul Henreid (Victor Laszlo), Claude Rains (le capitaine Renault), Conrad Veidt (le major Strasser) • Sc. Julius et Philip G. Epstein, Howard Koch • Ph. Arthur Edeson • Mus. Max Steiner • Prod. Warner Bros. • États-Unis • Durée 102' • 3 Oscars : meilleurs film, réalisation, scénario

Casablanca. Une foule cosmopolite se presse chaque soir « Chez Rick », le cabaret à la mode. La majorité des clients a fui l'Europe tombée sous le joug nazi. Parmi ces réfugiés, Laszlo et Ilsa, son épouse. Naguère, à Paris, Ilsa et Rick ont été amants…

Rick a connu Ilsa à Paris. Sam, le pianiste (Dooley Wilson), joue leur air favori. « Play it, Sam » l'a prié Ilsa.

Entre les deux, son cœur balance

Le scénario de *Casablanca* n'existait qu'à l'état de squelette lorsque le tournage débuta. Rien n'était précisé de manière définitive quant au comportement et aux sentiments des protagonistes et la fin, surtout, demeurait dans le flou le plus total. Ingrid Bergman a raconté dans quel brouillard psychologique elle dut composer son personnage d'Ilsa : « Mon problème était qu'il y avait dans cette histoire deux hommes, Rick et Laszlo, également amoureux de moi. Tous les jours, je demandais aux scénaristes : "Avec lequel partirai-je à la fin ?" et ils me répondaient : "Nous ne l'avons pas décidé et nous tournerons deux fins : dans l'une vous partirez avec Rick, dans l'autre avec Laszlo." "Mais c'est impossible, je dois le savoir tout de suite car on n'a pas le même comportement avec un homme qu'on aime et avec un autre pour lequel on n'éprouve que de l'affection ou de la pitié." "Eh bien, me répondaient-ils, ne montrez pas trop vos sentiments. Jouez dans la nuance et nous déciderons le moment venu." »

Amour et propagande

Tiraillés entre les exigences du producteur, Hal Wallis, qui réclamait sans cesse des modifications au scénario, et les sollicitations de Michael Curtiz – le réalisateur de chefs-d'œuvre du cinéma d'aventures comme *Capitaine Blood* (1935), *La Charge de la brigade légère* (1936) et *Les Aventures de Robin des Bois* (1938) –, légitimement désireux de savoir quoi tourner, les frères Epstein et Howard Koch optèrent enfin pour le départ d'Ilsa avec… Laszlo. Cette fin, à l'encontre du « happy end » attendu qu'aurait été la perpétuation de l'idylle, interrompue trois ans plus tôt, entre Ilsa et Rick, est justifiée par le contexte politique de l'époque, celui de la seconde guerre mondiale. En effet, Rick – spectateur ironique du petit monde des trafiquants, patriotes, traîtres, collaborateurs et résistants qui, à l'échelle microcosmique du cabaret, symbolise la tragédie qui ensanglante la planète – est un personnage désabusé et plutôt cynique dont la neutralité n'est plus de mise au moment où, depuis l'attaque japonaise sur Pearl Harbor en décembre 1941, les États-Unis se sont résolument engagés dans la lutte antifasciste. L'amour lui ouvrira les yeux et fera de lui un héros : en demandant à Ilsa de quitter Casablanca et d'accompagner Laszlo, l'un des organisateurs de la Résistance en Europe, il sacrifie ses propres sentiments sur l'autel de l'intérêt général. Sa bien-aimée sera plus utile auprès de son mari pour la défense des idéaux de démocratie, de liberté et de paix.
Ainsi l'amour entre deux êtres, réputé exclusif, égoïste et aveugle, est-il dans ce film l'accélérateur d'une prise de conscience des valeurs universelles qui le transcendent sans pour autant l'altérer.

À l'aéroport, Rick (Humphrey Bogart) dit adieu à Ilsa.

Un triomphe inespéré

Malgré l'indécision et la confusion qui persistèrent tout au long de sa réalisation, peu de films possèdent une aura de célébrité et de prestige comparable à celle de *Casablanca*. Type même du film classique et populaire à la fois, il est l'un des rares à réconcilier la critique et le public dans la même admiration. En 1983, 1 200 membres du British Film Institute le classèrent parmi les trente meilleurs films du monde, devant *Les Enfants du Paradis*, *Citizen Kane* et *2001, l'Odyssée de l'espace*.

Le début d'une merveilleuse amitié…

Brève Rencontre

Il n'y a pas d'amour heureux

Un regard…

1945

Brief Encounter, comédie dramatique de David Lean, avec Celia Johnson (Laura Jesson), Trevor Howard (Alec Harvey), Cyril Raymond (Fred Jesson), Stanley Holloway (Albert Godby), Joyce Carey (Myrthe Bagot) • Sc. David Lean, Ronald Neame, Anthony Havelock-Allan, Noël Coward, d'après la pièce de Noël Coward • Ph. Robert Krasker • Mus. Serge Rachmaninov • Prod. Noël Coward • Royaume-Uni • Durée 86' • Grand Prix et Prix International de la Critique au Festival de Cannes

Laura Jesson et le docteur Alec Harvey se sont connus sur un quai de gare. Une tendre liaison va les unir, secrète, puisque l'un et l'autre sont mariés, et platonique, comme l'exige la morale.

La pudeur n'est pas soluble dans l'amour…

Laura et Alec, des gens ordinaires tels qu'on pourrait en rencontrer des milliers dans les rues des grandes villes, noyés dans la foule anonyme. Laura, c'est Celia Johnson (1908-1983), rien moins qu'une beauté, incarnation, sur la scène comme à l'écran, de la femme de tous les jours, effacée, un peu grise. Alec,

Un repas partagé…

Jivago (1966) et *La Fille de Ryan* (1970) – se fit connaître de la critique internationale avec cette œuvre intimiste aux antipodes de ses futurs succès. Le jury du Festival de Cannes 1946 attribua au film son Grand Prix, saluant l'extrême sensibilité avec laquelle le cinéaste y dépeignait une passion amoureuse. En effet, les deux protagonistes de cette liaison adultère jamais consommée expriment l'intensité de leurs sentiments réciproques avec une pudeur, une retenue assurément cruelles pour leurs sens. Lors de leur rencontre, Alec a retiré une escarbille de l'œil de Laura et ce premier contact charnel restera sans doute aussi intense dans leur mémoire que le baiser furtif échangé dans une station

Un au revoir…

c'est Trevor Howard (1916-1988), comédien sobre au visage buriné qui ne fut jamais, au long de sa carrière, ni jeune premier, ni séducteur. Et ces deux anti-héros dérangés dans leur quotidien par l'irruption de l'amour vivent celui-ci dans le décor enfumé des trains et des gares de la banlieue londonienne, se donnent rendez-vous dans des cinémas de quartier, des restaurants sans chaleur ou des jardins publics, alors que la pluie et le brouillard accentuent encore la grisaille ambiante. David Lean (1908-1991) – qui sera plus tard le réalisateur prestigieux de fresques historiques et d'épopées romanesques à grand spectacle comme *Le Pont de la rivière Kwai* (1957), *Lawrence d'Arabie* (1962), *Le Docteur*

Laura (Celia Johnson) et Alec (Trevor Howard) s'offrent une promenade, comme un couple légitime.

de métro ou la pression de sa main d'homme sur l'épaule de la bien-aimée le jour de leurs adieux. Seul élément, extérieur à l'action, chargé de souligner l'émotion véhiculée par les images, le « Concerto pour piano N° 2 » de Rachmaninov, dont les poignants et romantiques accents couvrent parfois, sur la bande-son, les bruits froidement réalistes de la vie qui va, tandis qu'un amour éclôt, s'épanouit, se refuse et meurt.

…Et l'amour n'est pas soluble dans le sexe

Le grand public ne réserva pas à *Brève Rencontre* l'accueil qu'auraient mérité ses qualités cinématographiques et la justesse de ses notations sociales, psychologiques et humaines. Au lendemain de la seconde guerre mondiale, les spectateurs ne souhaitaient sans doute pas s'identifier à des personnages à leur image, trop ternes, et plongés dans un monde aussi déprimant que la réalité. Ils préféraient de beaucoup les héros jeunes, beaux et totalement mythiques des films américains dont ils avaient été frustrés pendant tant d'années. Quant au public d'aujourd'hui, saturé d'images plus pornographiques que chastes, il est à craindre qu'il comprenne mal ces amoureux d'autrefois qui ne sont ni jeunes ni beaux, se touchent à peine et ne se ruent pas sur un lit au premier regard.

Casque d'or

Les yeux dans les yeux

Les apaches de la bande à Leca et leurs « dames » – à gauche, debout, Raymond (Raymond Bussières).

1952

Drame de Jacques Becker, avec Simone Signoret (Marie, dite « Casque d'or »), Serge Reggiani (Manda), Claude Dauphin (Leca), Raymond Bussières (Raymond) • Sc. Jacques Becker, Jacques Companeez • Ph. Robert Le Febvre • Mus. Georges Van Parys • Prod. Speva Films / Paris Films Productions • France • Durée 96'

C'est en dansant la valse dans une guinguette que Marie, dite Casque d'or, et Manda, le charpentier, sont tombés amoureux. Ils vont vivre une passion aussi folle que brève qui conduira Manda, par deux fois, au meurtre.

Le chat de gouttière et la plante carnivore

Grand admirateur du film, François Truffaut comparait Serge Reggiani à « un petit chat de gouttière tout en nerfs » et Simone Signoret à « une belle plante carnivore ». D'après lui, la force de *Casque d'or* résidait dans

Manda (Serge Reggiani) et Marie (Simone Signoret).

Une grande dame du trottoir

Le point de départ du film est emprunté à la chronique judiciaire de la fin du XIXe siècle. « Casque d'or » était une fille de petite vertu, égérie d'une bande « d'apaches » et bien connue des services de police. Manda et Leca avaient chacun leur bande et se livraient une guerre sans merci. Becker et Companeez se sont éloignés des faits historiques et ont privilégié le couple de Casque d'or et Manda. En revanche, la reconstitution de l'atmosphère de l'époque a fait l'objet de recherches minutieuses, tant pour les décors (la guinguette, les postes de police, les ruelles sordides) que pour les accessoires vestimentaires (chapeaux, casquettes, ceintures de flanelle, robes des « petites femmes »).

« l'accouplement paradoxal » de deux êtres physiquement dissemblables et cependant capables, au premier regard, de concevoir l'un pour l'autre une passion exclusive et dévorante. Becker, sans recourir au dialogue, donne à voir la naissance, la maturité et la mort de cette passion hors normes en images d'autant plus efficaces qu'elles sont simples, poétiques, nimbées d'une lumière que les comédiens, incarnations du bonheur et de l'amour absolus, irradient. Trois séquences, à cet égard, sont exemplaires de l'art du cinéaste. La première, la naissance de l'amour : Marie et Manda valsent, étroitement enlacés, seuls au monde dans la foule des danseurs. Les yeux de Marie sont plongés dans ceux de son cavalier. Les autres couples s'immobilisent et les regardent, fascinés par l'évidence : ces deux-là ne font plus qu'un… La seconde, le bonheur : Manda et Marie ont passé leur première nuit dans une maisonnette au bord de la Marne. Au matin, la logeuse a préparé le café. Marie, manifestement comblée, va le porter à son amant. La vieille, complice, la questionne : « Ça colle bien vous deux, hein ? » Et Marie de répondre, épanouie : « Pourquoi, ça se voit tant que ça ? ». Elle ne croyait pas si bien dire… La dernière, la mort : Manda, provoqué, a tué le gigolo de Marie puis a réglé son compte

Par un matin blême…

Manda abat Leca (Claude Dauphin) comme un chien.

à Leca – chef de bande et amoureux, lui aussi, de Casque d'or – qui voulait faire endosser par Raymond, le meilleur ami de Manda, le premier meurtre. Condamné, il va être guillotiné. Au matin de l'exécution, Marie, à la fenêtre d'une chambre donnant sur la cour de la prison, attend, immobile, muette. Manda, le visage baigné de larmes silencieuses, entre dans la cour et s'avance vers la « veuve ». Le couperet tombe. Marie pousse un hurlement et s'écroule, évanouie. Sa chevelure d'or envahit l'écran, capte la lumière du jour qui se lève. Les dernières images montrent le couple dansant dans la guinguette déserte, les yeux dans les yeux, pour l'éternité. Un jour, Jacques Becker a écrit : « il vaut mieux ne pas filmer avant d'avoir connu l'amour ». Et Simone Signoret, évoquant le film dans son livre « La nostalgie n'est plus ce qu'elle était », confirme que l'amour de Jacques Becker pour l'amour illumine chacune des images de ce « grand chant très simple à la gloire de l'amour et de l'amitié » qu'est *Casque d'or*.

Jules et Jim

...aimaient tous deux Catherine

1962

Comédie dramatique de François Truffaut, avec Jeanne Moreau (Catherine), Oskar Werner (Jules), Henri Serre (Jim) • Sc. François Truffaut, Jean Gruault, d'après le roman d'Henri-Pierre Roché • Ph. Raoul Coutard • Mus. Georges Delerue • Prod. Les Films du Carrosse / SEDIF • France • Durée 100'

En 1912, dans le Paris de la bohème artistique, Jim, un dandy séducteur, est l'ami de Jules, un jeune Allemand généreux et naïf. L'un et l'autre sont épris de Catherine, qui les aimera tour à tour sans que leur amitié en souffre.

Jim (Henri Serre) et Jules (Oskar Werner) portent Catherine (Jeanne Moreau).

Un pur amour à trois

Ce film n'a été autorisé par la censure de l'époque qu'assorti d'une interdiction aux moins de dix-huit ans. Pourtant, l'émouvante histoire d'amour à trois qu'il raconte révèle chez son auteur, outre son talent de conteur, une rare pureté de sentiments et une totale absence de vulgarité que la suite de son œuvre confirmera.
Jules et Jim est d'abord la peinture d'une indéfectible amitié entre deux hommes que même la guerre, qui en fait des ennemis, ne pourra séparer. Le film, comme le livre d'Henri-Pierre Roché, brosse aussi le portrait d'une femme moderne et libre, maîtresse de son corps comme de son cœur, qui aime qui et quand elle veut, se donnant et se reprenant à sa guise.
Et le chassé-croisé amoureux entre Jules, Jim et Catherine, loin d'être le support d'un vaudeville classique, se présente au spectateur, selon le vœu de François Truffaut, « comme un hymne à l'amour, peut-être même comme un hymne à la vie ».

Quitte ou double

Les Quatre Cents Coups (1959) avait connu un tel succès que François Truffaut s'était trouvé propulsé du jour au lendemain, aux côtés d'Alain Resnais, Jean-Luc Godard et Claude Chabrol, parmi les chefs de file de ce courant du cinéma français baptisé « Nouvelle Vague ». Or, son deuxième opus, *Tirez sur le pianiste* (1960), avait subi un échec commercial assez grave pour mettre en péril Les Films du Carrosse, la société de production créée par Truffaut pour financer ses films. Il se remet au travail sur l'adaptation de « Jules et Jim », l'un des deux romans de l'écrivain Henri-Pierre Roché (1879-1959), pour lequel il éprouve une admiration et une amitié d'ailleurs partagées. En janvier 1961, il fait appel à Jean Gruault, scénariste d'expérience, pour mettre la dernière main au scénario dont le sous-titre est « Un pur amour à trois ». Grand et maigre, Henri Serre ressemble à Roché et c'est la raison pour laquelle Truffaut choisira ce comédien inconnu pour incarner Jim. Souhaitant un acteur étranger pour interpréter Jules, le cinéaste songe à Marcello Mastroianni puis se tourne vers Oskar Werner, célèbre au théâtre en Allemagne, dont il avait admiré la prestation

Le trio à la plage.

dans *Lola Montès* (Max Ophuls, 1955). Quant à Catherine, ce ne pouvait être que Jeanne Moreau car, selon Truffaut, « elle ne fait pas penser au flirt, mais à l'amour ». Le tournage fut euphorique – « un souvenir lumineux, le plus lumineux », écrira plus tard le cinéaste – et, malgré l'interdiction aux mineurs, le film connut le succès en France comme dans de nombreux pays étrangers. En 1971, Truffaut tournera *Deux Anglaises et le continent*, avec Jean-Pierre Léaud, adaptation du second roman de Roché.

Jim maquille Catherine sous l'œil amusé de Jules.

Catherine, par provocation, va se jeter dans la Seine.

Le tourbillon de la vie

Outre la musique originale de Georges Delerue, on entend dans le film, interprétée par Jeanne Moreau et accompagnée par son auteur à la guitare, la chanson « Le Tourbillon de la vie », paroles et musique de Cyrus Bassiak, alias l'écrivain Serge Rezvani : « On s'est connus, on s'est reconnus, on s'est perdus de vue, on s'est r'perdus d'vue, on s'est retrouvés, on s'est réchauffés, puis on s'est séparés... »

Un Homme et une Femme

La seconde vie d'un éternel amour

1966

Comédie dramatique de Claude Lelouch, avec Anouk Aimée (Anne), Jean-Louis Trintignant (Jean-Louis), Pierre Barouh (Pierre) • Sc. Claude Lelouch, Pierre Uytterhoeven • Ph. Claude Lelouch • Mus. Francis Lai • Prod. Les Films 13 • France • Durée 110' • Palme d'or au Festival de Cannes ; 2 Oscars : meilleurs film étranger et scénario

Anne Gauthier et Jean-Louis Duroc se sont rencontrés par hasard. L'un et l'autre sont veufs. Ils vont se revoir, se raconter, évoquer leur amour défunt et bâtir ensemble un amour tout neuf.

La première nuit d'Anne (Anouk Aimée) et Jean-Louis (Jean-Louis Trintignant).

À cœurs ouverts

Un Homme et une Femme doit l'essentiel de sa popularité à l'universalité de son thème : l'amour, tel que peuvent le vivre au quotidien tous les parents, les époux et les amants du monde. Veufs, Anne et Jean-Louis se sont rencontrés dans un « home » d'enfants où la fille de l'une et le fils de l'autre sont pensionnaires. Tous deux ressentent encore les séquelles d'une histoire d'amour qui s'est dramatiquement terminée et reste encore très présente dans leur esprit. Leur valse-hésitation les conduira, malgré l'impact des souvenirs, à se choisir.

Le film, Palme d'or à Cannes en 1966, obtient un succès immédiat et lance Claude Lelouch. Pourtant, s'étonne l'auteur-réalisateur, « *Un Homme et une Femme* ne correspondait pas à l'époque dans laquelle nous vivons. Les films qui ont actuellement du succès sont plus complexes, plus élaborés et plus érotiques. » Est-ce à sa position délibérément à contre-courant que le film dut en partie l'engouement qu'il suscita ? La silhouette délicatement poétique d'Anouk Aimée, le choix de personnages délibérément en marge du commun des mortels – elle est scripte de cinéma, lui pilote de course –, la mer, le ciel et la plage de Deauville, les belles voitures, tout contribue à fabriquer du rêve pour ce que le critique Robert Chazal a qualifié de « merveilleux roman d'amour à cœur ouvert ».

L'homme à la caméra

Réalisateur instinctif – « J'ai une caméra à la place des yeux », Claude Lelouch porte lui-même, à l'épaule, l'appareil de prise de vues – « Que dirait-on si un peintre donnait son pinceau à un autre ? » – pour suivre au plus près ses personnages et fixer sur la pellicule, la plus subtile, la plus fugitive expression de leurs émotions. Se comportant à la manière d'un reporter – « Je n'ai jamais cessé d'être un cameraman d'actualité qui fait de la fiction » –, le cinéaste transfigure l'apparente banalité de son récit et captive le spectateur en lui donnant l'impression que ce qui se déroule sous ses yeux est vrai. Soucieux d'accentuer encore cette impression de tournage sur le vif, à fleur de cœur, Lelouch favorise l'improvisation chez ses comédiens, sollicite leur spontanéité. Jean-Louis Trintignant a ainsi décrit la direction d'acteurs telle que la conçoit Lelouch : « Pour les scènes entre Anouk Aimée et moi, il ne nous parlait jamais à tous les deux ensemble. Il prenait Anouk dans un coin et lui expliquait ce qu'elle aurait à me dire. J'ignorais ce qu'il lui avait dit lorsqu'il venait vers moi pour me présenter à mon tour la scène et mes dialogues. Il nous plaçait ainsi dans l'obligation de réagir, devant la caméra, à ce que disait l'autre et nos dialogues, modifiés dans l'instant, avaient alors la fraîcheur et le naturel de ceux qu'on échange dans la réalité. »

Jean-Louis est un coureur automobile de haute compétition.

« Cha ba da ba da »

Les paroles de la chanson qui demeure emblématique d'*Un Homme et une Femme* ont été écrites par Pierre Barouh sur une mélodie de Francis Lai, qui a composé la musique de nombreux films de Claude Lelouch. À ceux qui regrettaient le caractère peut-être passe-partout de la musique, Lelouch rétorquait : « Francis et moi avons la même émotivité ; nous avons tous deux le sens du populaire, nous aimons l'accordéon, les musiques faciles qui vous restent dans l'oreille. Je n'en ai pas honte car j'estime qu'il faut être généreux pour s'adresser au plus grand nombre. »

Anne et Jean-Louis se promènent sur la plage de Deauville avec leurs enfants.

Manhattan
New York, my Love

1979

Manhattan, comédie dramatique de Woody Allen, avec Woody Allen (Isaac), Diane Keaton (Mary), Mariel Hemingway (Tracy), Michael Murphy (Yale) • Sc. Woody Allen, Marshall Brickman • Ph. Gordon Willis • Mus. George Gershwin • Prod. United Artists • États-Unis • Durée 96' • César du meilleur film étranger

Les démêlés sentimentaux d'Isaac Davis, un écrivain quadragénaire. Divorcé deux fois, il entretient une double liaison : avec Mary, l'ex-maîtresse de son ami Yale, et avec Tracy, une collégienne de 17 ans.

Isaac et Mary contemplent l'aube se lever sur le pont de Queensborough.

Isaac et Mary (Diane Keaton) à Central Park.

Imbroglio sentimental

Isaac Davis a lâché un job plutôt lucratif de scénariste d'émissions de télévision qu'il trouvait stupides pour se retrouver empêtré dans un imbroglio amoureux qui n'est pas sans rappeler les sitcoms qu'il vient de fuir. Isaac a l'âge de Woody Allen, né en 1935, et la grande affaire de sa vie, c'est l'amour, ce sont ses rapports avec les femmes, qu'il multiplie « avec la puissance sexuelle d'un félin de la jungle », mais dont la complexité le plonge dans des questionnements existentiels sans fin. « Quand on aborde le chapitre "rapports avec les femmes", je remporte le Prix August-Strindberg haut la main », reconnaît Isaac/Woody qui se décrit sans indulgence : « Je vais sur mes 43 ans, mes cheveux se font rares, je commence à devenir un peu sourd, du moins de l'oreille droite. » En réalité, pendant le tournage, c'est à l'oreille gauche que le cinéaste ressentit une douleur. Se souvenant que ce symptôme avait trahi la présence d'une tumeur au cerveau de George Gershwin peu avant la mort de celui-ci, Allen se soumit

en urgence à une batterie de tests qui s'avérèrent négatifs. À l'évidence, Woody Allen a mis beaucoup de lui-même dans le personnage d'Isaac. À cette époque, le comédien-cinéaste avait été, déjà, marié deux fois et avait connu de multiples aventures sans lendemain : « Ça ne doit pas tourner rond chez moi car je n'ai jamais eu de relation avec une femme qui dure plus longtemps que celle entre Hitler et Eva Braun. » Celles qu'il entretient avec Diane Keaton, qui jouera dans sept de ses films, et avec Mia Farrow, qui sera son interprète dans treize films, nuancent ce propos en ce qui concerne leur durée mais leur déroulement comme leur fin n'ont pas manqué de péripéties conflictuelles. Quoi qu'il en soit, dans *Manhattan* comme dans toute son œuvre, Woody Allen ne cesse de parler de lui et de ses amours avec un sens de l'humour et de l'autodérision qui tente de masquer ses multiples angoisses, de vieillir, d'être malade, de ne plus plaire, d'être trompé, de vivre, de mourir.

Rhapsodie en noir et blanc

Le début du film constitue un vibrant hommage à la ville de New York et particulièrement à Manhattan, à ses lumières, à ses gratte-ciel, à sa vie trépidante, à ses habitants. Sur les images en CinémaScope noir et blanc, la voix off d'Isaac risque un commentaire hésitant dont il modifie sans cesse la teneur mais dont il conserve l'immuable

Isaac Davis (Woody Allen).

Isaac et Tracy (Mariel Hemingway).

conclusion : « Il adorait New York. » Sur la bande son, comme l'ouverture d'un opéra visuel, la « Rhapsody in Blue » de George Gershwin. Le reste de la partition du film est tissé de mélodies connues du compositeur, contrepoint romantique aux images réalistes d'une métropole tentaculaire et violente. À l'évidence, Woody Allen, comme Isaac Davis, adore New York et il y a d'ailleurs situé l'action de presque tous ses films. Il aime sa ville comme il aime les femmes au point de ne pouvoir se passer ni de l'une ni des autres. Mais, comme avec les femmes, il craint d'être déçu, trompé par l'objet de son amour : « J'aime encore cette ville malgré ses problèmes, mais je voulais la montrer comme je l'ai vue quand j'avais cinq ans et, plus tard, à l'adolescence. Et cela allait très bien avec le thème du film, que peu de gens ont remarqué : le vieillissement. Malgré les apparences, c'est un film triste. L'histoire de quelqu'un qui voit sa ville comme elle n'existe plus depuis des années, sur une musique qui a l'âge de son rêve, celle de Gershwin, et en noir et blanc, comme tous les films de l'époque. »

NB : Toutes les citations sauf la dernière sont extraites du dialogue.

Out of Africa / Souvenirs d'Afrique

Passion sous les tropiques

1985

Out of Africa, drame de Sydney Pollack, avec Meryl Streep (Karen Dinesen), Robert Redford (Denys Finch Hatton), Klaus Maria Brandauer (le baron Bror von Blixen) • Sc. Kurt Luedtke, David Rayfiel, d'après le roman « La Ferme africaine » de Karen Blixen • Ph. David Watkin • Mus. John Barry • Dist. CIC • États-Unis • Durée 161' • 7 Oscars : film, réalisateur, scénario, photographie, décors, musique, son

En 1913, Karen Dinesen épouse le baron Bror von Blixen et s'installe avec lui au Kenya. Peu à peu, Karen se détache de son mari, volage et noceur. Tout en se consacrant à la mise en valeur de ses terres, elle vit une passion brève mais intense avec Denys Finch Hatton, un chasseur d'ivoire.

Entre Denys (Robert Redford) et Karen (Meryl Streep), le début d'une histoire d'amour.

Karen chez les Kikuyus.

« Un film sur le paradis »

Karen Blixen (1885-1962), qui devait signer ses œuvres du nom d'Isak Dinesen, vécut au Kenya de 1914 à 1931, à l'exception du séjour qu'elle dut passer au Danemark à se faire soigner de la syphilis contractée avec son époux, le baron von Blixen. Ernest Hemingway considérait l'ouvrage où elle raconte cette expérience (« La Ferme africaine », 1937) comme un chef-d'œuvre de la littérature mondiale et, lorsqu'il reçut en 1954 le Prix Nobel, regretta que celui-ci n'ait pas été attribué à la romancière danoise. En 1982, Kurt Luedtke qui, l'année précédente, avait signé son premier script, celui d'*Absence de malice*, pour Pollack, fut contacté par le réalisateur qui le chargea d'une première esquisse d'adaptation. Luedtke se rend à Venise pour acheter les droits de « Silence will Speak », la biographie de Denys Finch Hatton, l'amant de Karen Blixen, écrite par Errol Trzebinski. Il fit à cette occasion la connaissance de Judith Thurman, qui venait pour sa part de signer une biographie de Karen Blixen, « Isak Dinesen, Life of a Storyteller ».

Sydney Pollack souhaitait faire de *Out of Africa* « une pastorale, un poème en prose », « un film sur le paradis ». Avec Luedtke, puis avec David Rayfiel, le cinéaste écrivit au moins sept versions d'un scénario qui ne lui donnait jamais satisfaction tant il lui paraissait difficile de traduire en images un roman qui, pour lui, était une élégie, un morceau de musique. Il y parvint néanmoins. *Out of Africa*, en effet, est une œuvre somptueuse, romanesque, exaltante, comme le « Concerto pour clarinette » de Mozart qui en accompagne les séquences les plus chargées d'émotion. Une œuvre passionnée où le drame intime de l'amour humain est magnifié par la splendeur des grands espaces qui en sont le théâtre. Une œuvre empreinte de noblesse, de poésie et de grandeur, où l'individuel rejoint l'universel, où semble battre le cœur du monde.

Hollywood (Kenya)

Le tournage débuta le 14 janvier 1985 à Karen, un faubourg de Nairobi ainsi nommé en l'honneur de la baronne von Blixen. Les trois-quarts du film furent réalisés dans deux décors : d'une part, une ferme d'élevage où furent reconstitués la demeure et l'exploitation des Blixen ainsi que le village Kikuyu et la façade du club où Karen et Bror s'étaient mariés ; d'autre part, Langata où fut reconstruite Coronation Street, la grande rue de Nairobi, telle qu'elle était en 1914.

La baronne et le chasseur d'ivoire.

Le baron Bror von Blixen (Klaus Maria Brandauer) a épousé Karen.

Des extérieurs furent filmés dans les réserves naturelles du Kenya et de Tanzanie. Toutes sortes d'animaux sauvages mais apprivoisés, dont des lions et un aigle, furent importés de Californie car les autorités kenyanes avaient interdit d'utiliser ceux des réserves. Une partie du mobilier visible dans le film, en particulier celui de la chambre de Karen, avait appartenu aux Blixen. Ces meubles furent prêtés par les personnes qui les avaient achetés à Karen juste avant son départ définitif d'Afrique. Le tournage sur place dura 101 jours, pendant lesquels il fallut nourrir et loger, sous la tente, une équipe de plus de 200 comédiens, techniciens et collaborateurs. Des milliers de figurants, principalement africains et asiatiques, furent recrutés sur place, notamment dans les tribus Masaïs et Kikuyus.

Quand Harry rencontre Sally

Faits l'un pour l'autre

Sally (Meg Ryan) et Harry (Billy Crystal) : un long chemin ensemble.

1989

When Harry met Sally, comédie de Rob Reiner, avec Meg Ryan (Sally), Billy Crystal (Harry), Carrie Fisher (Marie), Bruno Kirby (Jess) • Sc. Nora Ephron • Ph. Barry Sonnenfeld • Mus. Marc Shaiman, Harry Connick Jr. • Dist. 20th Century-Fox • États-Unis • Durée 100'

Il aura fallu plus de douze ans pour que Sally et Harry, qui se croyaient simplement amis, réalisent qu'ils étaient faits l'un pour l'autre et se marient.

Couple d'amis ou couple d'amoureux ?

Promenade dans Central Park.

que son film séduit et amuse à la manière des comédies américaines de la grande époque hollywoodienne dans les années trente et quarante. Rob Reiner s'est inspiré de sa propre expérience de divorcé. Il s'était retrouvé seul, entouré de quelques amies dont il se demandait s'il pouvait continuer à les fréquenter sans que l'idée du sexe apparaisse dans leurs rapports. Fort d'une idée précise de la psychologie de son alter ego, Harry, Reiner se mit au travail avec la scénariste Nora Ephron pour avoir un point de vue féminin sur la problématique amour-amitié. Sally naquit de cette collaboration.

entre eux. Le cinéaste, conscient que l'attente du spectateur ne peut éternellement être déçue, parsème son film de courtes séquences au cours desquelles de vieux couples, filmés frontalement et en plan fixe, racontent comment trente, quarante ou cinquante ans auparavant, ils se sont connus avant de s'épouser. Rassuré, le spectateur peut attendre encore un peu l'événement…

Woody, Éric, Nora et Rob

Lorsque Harry et Sally déambulent dans Central Park en échangeant des propos sur l'amitié et l'amour, tandis que la bande son magnifie quelques-uns des standards les plus populaires de Gershwin, Rodgers et Hart ou Louis Armstrong – entre autres « It Had to Be You » (« Ça devait être toi »), qui aurait pu être le titre du film –, on pense irrésistiblement aux promenades sentimentales et bavardes de Woody Allen avec l'une ou l'autre de ses dulcinées dans *Manhattan*. L'atmosphère visuelle et sonore est certes comparable, mais Harry et Sally sont beaucoup plus familiers, « ordinaires », que le héros égocentrique et tourmenté qu'incarne habituellement Woody. En vérité, l'essentiel du film, construit autour de rencontres et de conversations, renvoie à un thème unique, l'amour et les chemins qui y mènent et, en cela, c'est plutôt à l'œuvre d'Éric Rohmer que le film de Rob Reiner peut être comparé. Toutefois, le cinéaste américain apparaît moins cérébral que son confrère français et plus enclin à laisser libre cours aux sentiments, qu'ils s'expriment par les crises de larmes ou les explosions de joie, de telle sorte

Suspense amoureux

Aussi curieux que cela puisse paraître, cette comédie sentimentale est aussi un film à suspense : mais quand vont-ils faire l'amour ? Harry et Sally se sont connus à la fin de leurs études ; au terme d'un voyage en voiture de Chicago à New York, ils ont fait un constat d'incompatibilité d'humeur tant leurs conceptions de l'amour divergeaient. Cinq ans plus tard, rencontre fortuite au cours de laquelle ils s'annoncent mutuellement leur prochain mariage avec l'homme, et la femme, de leur vie. Cinq années passent encore : nouvelles retrouvailles. Leurs mariages ont échoué, mais leurs épreuves les rapprochent et une amitié naît

Sally présente Marie (Carrie Fisher) à Harry, qui présente Jess (Bruno Kirby) à Sally.

Meg Ryan, blonde séduisante et drôle

La séquence la plus mémorable du film est sans conteste celle où Sally démontre bruyamment à Harry dans un snack-bar rempli de clients qu'une femme peut parfaitement simuler un orgasme. Meg Ryan prouvait à la même occasion qu'une jolie femme peut faire rire, et le film en fit une star. Après de petits rôles dans *Riches et Célèbres* (George Cukor, 1981) et *Top Gun* (Tony Scott, 1986), elle partagea l'affiche avec son mari Dennis Quaid (*L'Aventure intérieure*, Joe Dante, 1987, *Mort à l'arrivée*, Rocky Morton et Annabel Jankel, 1988), avant de devenir la partenaire romantique de Tom Hanks chez Nora Ephron (*Nuits blanches à Seattle*, 1993, *Vous avez un mess@ge*, 1998). Elle est aussi à l'aise dans le registre dramatique (*Pour l'Amour d'une femme*, Luis Mandoki, 1994, *In the Cut*, Jane Campion, 2003).

Pretty Woman

Coup de foudre sur Hollywood Boulevard

Edward (Richard Gere) et Vivian (Julia Roberts), un couple de rêve.

1990

Pretty Woman, comédie de Garry Marshall, avec Richard Gere (Edward Lewis), Julia Roberts (Vivian Ward), Ralph Bellamy (James Morse), Hector Elizondo (Barney Thompson, le directeur de l'hôtel), Jason Alexander (Philip Stuckey) • Sc. J. F. Lawton • Ph. Charles Minsky • Mus. James Newton Howard • Dist. Warner Bros. • États-Unis • Durée 117'

À Los Angeles, un homme d'affaires fait la connaissance d'une prostituée qu'il engage pour lui servir d'escorte pendant son séjour en Californie. D'abord vulgaire et provocante, elle se métamorphose en une élégante femme du monde.

Vivian vend ses charmes sur Hollywood Boulevard.

La rencontre de Cendrillon et de Pygmalion

Dans le conte de Perrault, Cendrillon est une orpheline belle et vertueuse épousant un prince grâce à la baguette magique d'une fée. Dans le film de Garry Marshall, la princesse arpente les trottoirs d'Hollywood et son prince charmant a les cheveux grisonnants d'un richissime homme d'affaires quelque peu blasé. Aux carrosses d'autrefois succèdent les limousines et les avions privés. Autres temps, autres mœurs, qui ont valu à *Pretty Woman* un succès auquel personne ne s'attendait. Dans cette histoire romantique qui, dans ses meilleurs moments, évoque l'âge d'or de la comédie américaine, tout commence par la rencontre de deux personnages opposés. Lui ne connaît que la vie facile des palaces ; elle, vit du commerce de ses charmes. Mais sous des apparences cyniques, cet homme qui ne semble s'intéresser qu'aux marchés financiers et aux cours de la Bourse, va goûter aux plaisirs simples de la vie grâce à une jeune femme pleine d'entrain. Le contraste est d'autant plus savoureux qu'il est rythmé par un « tube » des années soixante, signé Roy Orbison, qui donna son titre au film.

Couple de stars

À peine connue du grand public, Julia Roberts décrocha un rôle prévu à l'origine pour Darryl Hannah, qui l'avait jugé immoral… Quant à Richard Gere, qui n'avait encore jamais tourné de comédie, les producteurs hésitèrent à le retenir pour un emploi inédit où il se révéla finalement très à l'aise. Leur couple fonctionne admirablement. On se demande même pourquoi Hollywood attendit presque dix ans pour le reformer dans *Just married (ou presque)* (1999), signé du même réalisateur, où le comédien incarne un journaliste misogyne rencontrant le grand amour en la personne d'une séductrice plaquant ses conquêtes… devant l'autel.

Le directeur de l'hôtel (Hector Elizondo) sert de guide à Vivian.

Julia Roberts, la nouvelle fiancée de l'Amérique

Avant ce film où elle gagna ses galons de vedette, la comédienne, seulement âgée de 22 ans, s'était fait remarquer pour son rôle de jeune mariée diabétique dans *Potins de femmes* (Herbert Ross, 1989), où elle tenait la dragée haute à Shirley MacLaine, Dolly Parton et Sally Field… Ces deux films lui valurent une citation à l'Oscar, qu'elle finit par obtenir pour son rôle dans *Erin Brockovich, seule contre tous* de Steven Soderbergh (2000), avec qui elle tourna peu après *Ocean's Eleven* (2001), *Full Frontal* (2002) et *Ocean's Twelve* (2004). Issue d'une famille de comédiens, sœur d'Eric Roberts, elle est surtout apparue dans des comédies : *Tout le monde dit « I love you »* de Woody Allen (1996), *Le Mariage de mon meilleur ami* de P. J. Hogan (1997), *Coup de foudre à Notting Hill* de Roger Michell (1999), mais aussi dans des films dramatiques comme *L'Affaire Pélican* d'Alan J. Pakula (1993), *Mary Reilly* de Stephen Frears (1996) où elle jouait la servante du docteur Jekyll.

La Leçon de piano

La passion, touche à touche

1993

The Piano, comédie dramatique de Jane Campion, avec Holly Hunter (Ada), Harvey Keitel (Baines), Sam Neill (Stewart), Anna Paquin (Flora) • Sc. Jane Campion • Ph. Stuart Dryburgh • Mus. Michael Nyman • Distrib. Bac Films • Nouvelle-Zélande • Durée 120' • Palme d'or et prix d'interprétation féminine (Holly Hunter), au Festival de Cannes ; 3 Oscars : actrice (Holly Hunter), second rôle féminin (Anna Paquin) et scénario ; César du meilleur film étranger

Ada McGrath, jeune veuve muette, s'est remariée sans connaître son futur époux. Pour le rejoindre, elle débarque sur une plage de Nouvelle-Zélande avec sa fille Flora et son piano.

Ada, Flora, Baines et le piano reprennent la mer.

La leçon d'amour

À son arrivée, Ada ne sait rien de son époux, Alistair Stewart. Tout ce qu'elle aime l'accompagne : ses robes, quelques meubles, sa fille Flora et son cher piano. Or, le premier geste de Stewart est d'abandonner l'instrument sur la grève, sous prétexte qu'il pleut, que les chemins sont boueux et que l'objet, trop lourd, lui paraît inutile. Un autre colon, George Baines, qui a adopté le mode de vie des Maoris, devine le prix que la jeune femme attache à ce piano. Il le transportera chez lui et proposera à sa propriétaire de le racheter touche à touche en se soumettant à ses fantaisies. De cette intrigue qui pourrait osciller entre sordide et banal, Jane Campion fait une histoire d'amour d'un romantisme fougueux : l'éveil à la musique chez Baines

Ada épouse Alistair Stewart (Sam Neill).

coïncide avec celui des sens chez Ada. Le maître et l'élève ne communiquent jamais par les mots. Le savoir se transmet par l'oreille, l'œil, les mains, la peau ; il passe par des sons et des harmonies, des appels secrets et des reculs craintifs lisibles dans les regards échangés ; il s'exprime par des attouchements furtifs, du bout des lèvres, puis de plus en plus précis : doigt posé sur la chair, à travers un trou dans un bas noir, sous une jupe relevée.

Ada (Holly Hunter) et sa fille Flora (Anna Paquin).

Une atmosphère particulière

Une forte charge symbolique nourrit le film. De Baines, qui aux côtés des indigènes, les Maoris, et en a adopté certaines coutumes et croyances ancestrales, ou de Stewart, qui se prétend le héraut des valeurs occidentales, lequel est le sauvage, lequel est le civilisé ? Celui qui suscite la naissance d'un amour ou le mari, qui n'hésite pas à couper un doigt de sa femme pour l'empêcher de jouer du piano et mettre fin à sa liaison adultère ? Tout aussi lourd de sens est le moment où Ada, quittant enfin le pays avec son amant, jette à la mer le piano qu'elle a tant aimé : elle a choisi la vie et sa voix, désormais, sera celle qu'elle conquiert en apprenant à parler avec son amant.

Georges Baines (Harvey Keitel).

Le cinéma au féminin

Suivant l'exemple de quelques pionnières – les Françaises Agnès Varda (*Cléo de 5 à 7*, 1962) et Yannick Bellon (*L'Amour violé*, 1977), ou l'Italienne Liliana Cavani (*Portier de nuit*, 1973), pour les plus connues –, de nombreuses femmes ont montré, partout dans le monde depuis le début des années quatre-vingt, une créativité à tout le moins égale à celle de leurs confrères hommes. Cette féminisation croissante est particulièrement sensible en France : en 1960, dans l'Hexagone, aucun film n'est réalisé par une femme ; en 2000, 37 films, soit le quart de la production de l'année, portent la signature d'une réalisatrice. Le César du meilleur premier film a été attribué en 1985 à *Trois hommes et un couffin* de Coline Serreau, en 1999 à *Vénus Beauté (Institut)* de Tonie Marshall et, en 2000, au *Goût des autres* d'Agnès Jaoui. Le César du meilleur film a été attribué en 2002 à *Se souvenir des belles choses* de Zabou Breitman ; en 2003 à *Depuis qu'Otar est parti* de Julie Bertuccelli et en 2004 à *Quand la mer monte* de Yolande Moreau (et Gilles Porte).

Les Vestiges du jour

À la recherche de l'amour perdu

1993

The Remains of the Day, drame de James Ivory, avec Anthony Hopkins (James Stevens), Emma Thompson (Sally Kenton), James Fox (Lord Darlington) • Sc. Ruth Prawer Jhabvala, d'après le roman de Kazuo Ishiguro • Ph. Tony Pierce-Roberts • Mus. Richard Robbins • Prod. Mike Nichols, John Calley, Ismail Merchant • États-Unis - Royaume-Uni • Durée 134'

Mr. Stevens et Miss Kenton auraient pu s'aimer s'ils n'avaient été des domestiques – lui, majordome, elle, intendante – dévoués corps et âme au service de leur maître, Lord Darlington.

Miss Kenton (Emma Thompson) découvre ce que Stevens (Anthony Hopkins) lit en cachette.

Maîtres et esclaves

Responsable de la domesticité d'un somptueux château niché dans la verdure anglaise, un majordome aussi digne et efficace que l'est James Stevens s'interdit le moindre état d'âme. Son univers – magnifié par une caméra aux mouvements caressants, des tonalités chaudes, des éclairages tamisés et une ambiance sonore feutrée par des tapis, des tentures et des rideaux épais – c'est celui d'un luxe patiné par le temps, luxe d'un mobilier lourd et cossu, de bibelots rares et exotiques, d'une argenterie rutilante ; c'est celui de l'office où tous lui obéissent au doigt et à l'œil, comme lui-même est totalement au service du maître dont l'autorité semble de droit divin. Un majordome stylé comme Stevens se garde de juger les fréquentations douteuses de son châtelain avec les émissaires de l'Allemagne nazie, dont les propos racistes ne lui échappent pourtant pas. Et lorsque Lord Darlington exige que soient chassées deux femmes de chambre juives, Stevens s'exécute sans poser de questions. Car un majordome ne pense pas, même lorsqu'il est humilié par quelque aristocrate ou politicien hostile à la démocratie.

Stevens fixe à son père (Peter Vaughan) les tâches du jour.

Lord Darlington (James Fox) et ses invités allemands.

Tempête dans une tasse de thé

De même, un majordome digne de cette fonction ne peut se permettre l'expression d'un sentiment qui dérangerait son service, qu'il s'agisse de compassion envers son père agonisant ou d'amour envers Miss Kenton. Pourtant Stevens, ce bloc de conformisme, cet obsédé d'une étiquette qui lui tient lieu d'évangile, est fou, à sa manière, de cette femme qui lui tient tête et se comporte comme un être humain, imprévisible et complexe. Et lorsque Sally s'approche de lui, consciente de son trouble, jusqu'à le toucher, Stevens passe définitivement à côté du bonheur en fuyant craintivement ce contact qui le plongerait dans l'inconnu. James Ivory et ses interprètes – les mêmes qui avaient fait la réussite artistique et le succès public de *Retour à Howards End* en 1992 – manifestent, au long de cette scène qui est le climax émotionnel d'un film tout en retenue, un talent exceptionnel pour exprimer l'indicible avec une élégance, une finesse et une pudeur qui sont l'apanage des plus grands. Ces qualités, traditionnellement associées à la culture nippone, étaient déjà présentes dans le roman de Kazuo Ishiguro, fidèlement adapté par l'Indienne Ruth Prawer Jhabvala, scénariste attitrée d'Ivory : les deux œuvres résultant d'un métissage heureux de raffinement japonais et de distinction britannique.

Étiquette, hiérarchie, tradition

Anthony Hopkins avait peur de paraître ridicule dans sa livrée de majordome. Il souhaita donc avoir un professionnel expérimenté à ses côtés. Son conseiller fut Cyril Dickman, l'ex-stewart de la reine Elisabeth. Une grande demeure employait, dans les années trente, près de deux cents personnes. « Il y avait un ordre hiérarchique », raconte Ivory. « À la tête, un majordome, suivi d'une gouvernante, de valets de pieds, de femmes de ménage, de femmes de chambre, de laveurs de vaisselle, de grooms et de jardiniers. Parfois même, des serviteurs pour les serviteurs de rang supérieur. Un vrai petit royaume ! Quand nous avons tourné à Darlington Hall, le personnel de la propriété a joué son propre rôle sans que cela perturbe outre mesure les maîtres des lieux », se souvint le réalisateur. On retrouvera cette hiérarchie domestique dans *Gosford Park* (Robert Altman, 2001).

Jack Lewis (Christopher Reeve), le diplomate américain hostile au nazisme.

Quatre Mariages et un Enterrement

Pour le meilleur et pour le pire

Fiona (Kristin Scott Thomas) aime Charles (Hugh Grant) en secret.

1994

Four Weddings and a Funeral, comédie de Mike Newell, avec Hugh Grant (Charles), Andie MacDowell (Carrie), Kristin Scott Thomas (Fiona), Simon Callow (Gareth), John Hannah (Matthew) • Sc. Richard Curtis • Ph. Michael Coulter • Mus. Richard Rodney Bennett • Prod. Working Title / PolyGram / Channel Four • Royaume-Uni • Durée 117' • César du meilleur film étranger

Charles, célibataire endurci, assiste au mariage, et parfois aux funérailles, de ses meilleurs amis. Lui-même, amoureux de Carrie, refuse de s'engager dans une union à la pérennité de laquelle il ne veut croire.

Carrie (Andie MacDowell) évoque pour Charles ses nombreux amants précédents…

une délicatesse de ton, une finesse d'observation, une empathie à l'égard de ses personnages qui font tout le prix de ce moment de cinéma auquel le spectateur assiste la gorge serrée, au bord des larmes. Et, fût-ce confusément, des dizaines de millions de spectateurs à travers le monde ont salué, par le rire et les larmes, un film et des personnages dont la thématique et les comportements sont en phase avec leurs propres réflexions sur la vie, l'amour, la mort.

Le quatrième mariage, celui de Charles avec Henrietta (Anna Chancellor) n'aura pas lieu…

Du rire aux larmes

En consultant ses agendas des cinq dernières années, le scénariste Richard Curtis avait dénombré soixante-cinq mariages auxquels il avait dû assister. C'est, plaisanta-t-il, pour se venger de tous ces samedis perdus à l'église et en réceptions qu'il écrivit, empruntant à ces cérémonies et agapes maints détails cocasses, un scénario entièrement fondé sur le comique de situation. « C'était un script extrêmement drôle, raconte le cinéaste Mike Newell, sollicité par Curtis pour le mettre en images. Et même presque trop drôle. Ou plutôt, c'était seulement drôle et il y manquait une direction, un but. Tout et tout le monde était trop beau et trop gentil. Il manquait un côté un peu plus sombre. » Remanié en ce sens, le scénario final s'est enrichi d'un enterrement qui, à l'écran, donne lieu à une séquence d'une grande intensité, au cours de laquelle Matthew récite un bouleversant poème de W. H. Auden. Newell y manifeste, sur le registre dramatique,

Étrange ecclésiastique

L'un des quatre mariages est célébré par un prêtre bredouillant qui demande au fiancé, entre autres pataquès, s'il accepte de « prendre pour pelouse » la jeune fille à ses côtés. Ce personnage aux yeux ronds et écarquillés, à la bouche en cul-de-poule et au nez pointu n'est autre que le comédien Rowan Atkinson, alias Mister Bean, le comique gaffeur de la télévision et du cinéma britanniques.

…mais peut-être le cinquième.

Hugh Grant, séducteur gaffeur

Le film a révélé Hugh Grant, nouvelle personnification de l'Anglais charmeur et timide, maladroit et séduisant à la fois. Ce sont sans doute ses faiblesses, son immaturité apparente qui en ont fait la coqueluche du public féminin, notamment. On a moins retenu ses rôles antipathiques (*Le Don du roi*, Michael Hoffman, 1995) ou ses personnages de cynique séducteur (*Le Journal de Bridget Jones*, Sharon Maguire, 2001 ; *Pour un garçon*, Paul et Chris Weitz, 2002) que ses prestations romantiques (*Raison et Sentiments*, Ang Lee, 1995 ; *Coup de foudre à Notting Hill*, Roger Michell, 1999).

Breaking the Waves
À corps perdu

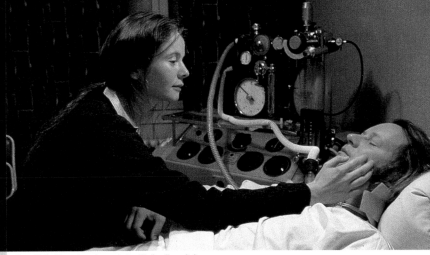

1996

Breaking the Waves, drame de Lars von Trier, avec Emily Watson (Bess), Stellan Skarsgård (Jan), Katrin Cartlidge (Dodo), Jean-Marc Barr (Terry) • Sc. Lars von Trier • Ph. Robby Müller • Mus. Joachim Holbek • Dist. Les Films du Losange • Danemark • Durée 158' • Grand Prix du Jury au Festival de Cannes, César du meilleur film étranger

En Écosse, au sein d'une communauté religieuse, une naïve et pieuse jeune fille, Bess, épouse Jan, qui travaille sur une plate-forme pétrolière. Par amour pour son époux, paralysé à la suite d'un accident, et croyant obéir à la volonté divine, Bess se prostitue.

Bess (Emily Watson) au chevet de Jan (Stellan Skarsgård).

Un mélodrame religieux

Le succès critique et public de *Breaking the Waves* (« Fendant les flots » en traduction littérale) a fait sortir Lars von Trier (né en 1956) du cercle étroit des cinéastes réputés difficiles où l'avaient jusqu'alors confiné *Element of Crime* (1984) et *Europa* (1991), films aux limites de l'expérimental et de l'abstrait. Dans ce « mélodrame religieux », ainsi que l'a lui-même défini son créateur, la prostitution apparaît comme une sublime preuve d'amour et celle qui s'y livre comme une sainte qui entretient d'ailleurs un dialogue direct avec Dieu. Personnages et intrigue auraient pu sombrer dans l'invraisemblable

Bess découvre l'amour dans les bras de Jan.

et le ridicule si le cinéaste n'avait eu l'intuition de les filmer avec réalisme, comme une tranche de vie. Dans cette optique, Lars von Trier, caméra à l'épaule, suivait ses acteurs tel un reporter, s'adaptant à leurs déplacements, laissant une large place à l'improvisation, plus soucieux de la vérité, des gestes, des expressions, des intonations, que de la qualité de l'image.

Le paysage d'une âme

Breaking the Waves fut tourné en langue anglaise dans les studios danois et, en extérieurs, sur les côtes du nord de l'Écosse et sur l'île de Skye. L'austérité et la beauté des paysages ainsi que les variations continuelles de luminosité s'accordaient parfaitement à la dimension spirituelle de l'intrigue. C'est la raison pour laquelle Lars von Trier, connu pour ses innombrables phobies, en particulier celle des moyens de transport, accepta de se déplacer. En revanche, il n'assista pas au triomphe de son film présenté en compétition au Festival de Cannes où lui fut décerné le Grand Prix du Jury. Emily Watson raconta qu'elle avait fait entendre au cinéaste, au moyen d'un téléphone portable, l'immense ovation suivant la projection de son œuvre. Quatre ans plus tard, en 2000, von Trier sera présent dans la salle du Festival lorsqu'un accueil aussi enthousiaste sera réservé à *Dancer in the Dark*, Palme d'or, autre mélodrame, musical celui-là, sur l'amour, maternel cette fois.

Amour charnel, amour divin

En mini-jupe et décolleté provocants, Bess est, corps et âme, vouée à l'amour, charnel et divin ; putain, elle n'en est pas moins sainte et bénie de Dieu. D'autres « soldats de Dieu » ont, eux, fait taire, non sans déchirements, tout désir sexuel. Ainsi apparaissent à l'écran l'abbé Donissan (Gérard Depardieu dans *Sous le Soleil de Satan* de Maurice Pialat, 1987) et *Léon Morin, prêtre* (Jean-Paul Belmondo dans le film de Jean-Pierre Melville, 1961). En revanche, dans *La Faute de l'abbé Mouret* (Georges Franju, 1970), Francis Huster s'abandonne aux plaisirs de la chair. Et, dans *Prêtre* (Antonia Bird, 1994), deux ministres de Dieu exercent leur sacerdoce en dépit des lois de la religion catholique : l'un vit maritalement, l'autre est homosexuel et tous deux, à la fin du film, sont en paix avec leur conscience.

Dodo, la belle-sœur (Katrin Cartlidge) de Bess, est aussi sa meilleure amie.

Shakespeare in Love
Le Grand Will est amoureux

Roméo et Juliette.

1998

Shakespeare in Love, comédie de John Madden, avec Joseph Fiennes (William Shakespeare), Gwyneth Paltrow (Viola De Lesseps), Ben Affleck (Ned Alleyn), Geoffrey Rush (Philip Henslowe), Rupert Everett (Christopher Marlowe) • Sc. Tom Stoppard, Marc Norman • Ph. Richard Greatrex • Mus. Stephen Warbeck • Prod. The Bedford Falls Company / Universal / Miramax • États-Unis • Durée 123' • 7 Oscars : meilleurs film, actrice (Gwyneth Paltrow), second rôle féminin (Judi Dench), scénario, décors (Martin Childs), musique, costumes (Sandy Powell).

Tombé amoureux d'une admiratrice, Viola De Lesseps, Shakespeare trouve dans leur relation passionnée la matière de son chef-d'œuvre, « Roméo et Juliette ».

La reine Elizabeth (Judi Dench).

Ned Alleyn (Ben Affleck), vedette de la troupe, face à Shakespeare (Joseph Fiennes).

Il était une fois... Shakespeare

Le producteur Marc Norman conçut pour la première fois l'idée de ce film lorsque son jeune fils, qui étudiait en classe le drame élisabéthain, lui demanda s'il s'était produit dans la vie de Shakespeare un événement qui justifiât l'apparition, dans son œuvre, de « Roméo et Juliette ». Norman ne sut d'abord quoi répondre : la biographie du dramaturge recèle en effet nombre de zones d'ombre.

On sait qu'il est né à Stratford-upon-Avon en 1554, dans la famille d'un riche gantier, et qu'il a épousé, à dix-huit ans, Anne Hathaway, qui lui a donné trois enfants, dont un fils, mort jeune. Mais on ne sait pratiquement rien de ce qui s'est passé entre 1585 et 1592. Or, c'est en 1592 que Shakespeare réapparaît à Londres, où il commence à être connu, comme acteur et auteur. En 1593, il publie un certain nombre de sonnets érotiques et, en 1594, il écrit « Roméo et Juliette ». L'historien Arthur Acheson avance cette hypothèse : « L'étude des sonnets m'incite à penser que Shakespeare rencontra une femme à Southampton aux environs de 1593. Je crois qu'il l'aima sincèrement et que cette vive passion lui inspira "Roméo et Juliette"

Viola De Lesseps (Gwyneth Paltrow) et son fiancé Wessex (Colin Firth).

et plusieurs autres pièces romantiques. » Dans cette optique, Marc Norman se mit à l'écriture d'un premier scénario, dans lequel il invente une idylle entre le Grand Will et une jeune fille travestie pour se produire sur scène puisque, à l'époque, les femmes étaient interdites de théâtre. Tom Stoppard, auteur dramatique déjà familier de l'univers shakespearien pour avoir trouvé dans « Hamlet » l'inspiration de sa pièce, puis de son film *Rosencrantz et Guildenstern sont morts* (1990), se joignit à Norman pour enrichir son scénario de notations, d'anecdotes et de personnages puisés dans sa connaissance de l'époque élisabéthaine.

Shakespeare à l'écran

On compte près de quatre cents films adaptés ou inspirés des trente-huit pièces de Shakespeare. En revanche, l'auteur, en tant que tel, n'est apparu qu'une douzaine de fois à l'écran et *Shakespeare in Love* est à ce jour le seul titre – et Joseph Fiennes le seul acteur – à avoir laissé sa trace dans l'histoire du cinéma.

« Roméo et Juliette », avec plus de quatre-vingt adaptations, est, devant « Hamlet », la pièce favorite des cinéastes. Les adaptations de George Cukor (1936), avec Norma Shearer et Leslie Howard ; de Robert Wise, musicale, *West Side*

Story, (1961) avec Natalie Wood et Richard Beymer ; de Baz Luhrmann (*Roméo + Juliette de William Shakespeare*, 1996) avec Claire Danes et Leonardo DiCaprio, sont les plus connues. Quelques grands cinéastes se sont fait une spécialité de l'adaptation shakespearienne, comme Orson Welles (*Macbeth*, 1948 ; *Othello*, 1952 ; *Falstaff*, 1966), Laurence Olivier (*Henry V*, 1944 ; *Hamlet*, 1948 ; *Richard III*, 1956) ou Kenneth Branagh (*Henry V*, 1990 ; *Beaucoup de bruit pour rien*, 1993 ; *Hamlet*, 1996 ; *Peines d'amour perdues*, 2001). Il en est des dizaines d'autres qui mériteraient d'être cités, comme *Jules César* (1953) et *Cléopâtre* (1963), de Joseph L. Mankiewicz, *Looking for Richard* d'Al Pacino (1996) ou *Le Château de l'araignée*, transposition de « Macbeth » par Akira Kurosawa (1957).

In the Mood for Love

Glissements progressifs du désir

2000

In the Mood for Love, comédie dramatique de Wong Kar-wai, avec Maggie Cheung (Madame Chen), Tony Leung (Monsieur Chow) • Sc. Wong Kar-wai • Ph. Christopher Doyle, Mark Li • Mus. Michael Galasso, Umebayashi Shigeru • Dist. Océan Films • Hong Kong - France • Durée 98' • Prix d'interprétation masculine au Festival de Cannes ; César du meilleur film étranger

Madame Chen et Monsieur Chow sont beaux, voisins et solitaires car leurs conjoints respectifs les trompent. Ils vont esquisser une histoire d'amour brève et platonique.

Deux solitudes, un fol espoir (Maggie Cheung, Tony Leung).

Dans la rue, sous la pluie, la nuit

Montrer sans dire, telle est la démarche subtile d'un film qui plonge au cœur d'un amour à l'état d'ébauche, mystère enfoui pour toujours au plus intime du couple qui l'a vécu comme en rêve. Colocataires d'une pension de famille, Madame Chen et Monsieur Chow se sont frôlés, jour après jour, dans un couloir étroit, se saluant d'un sourire discret, profitant de l'embrasure d'une porte pour s'imprégner d'une silhouette à peine entrevue mais encore plus émouvante d'être aussitôt soustraite au regard. Lorsqu'ils se retrouvent dans une rue à peine éclairée, un soir de pluie, la caméra garde ses distances : il ne s'agit pas de rompre le charme de cet instant d'éternité, arraché à la solitude et à la nuit, qu'un ralenti prolonge, exalte, qu'une valse entêtante vient rythmer, comme si Madame Chen et Monsieur Chow devaient à l'infini danser leur amour avant de le vivre. De caressants mouvements de caméra, une lumière et des décors subtilement impressionnistes, des ellipses temporelles trahies par les couleurs et les motifs changeants des robes de Madame Chen, impriment au film une élégance et un charme au diapason d'une intrigue et de personnages qui semblent jaillir d'une mise en scène aux glissements soyeux.

Un instant d'abandon, loin des regards indiscrets.

Chow se souvient…

Les chutes d'un autre film

Le tournage fut exceptionnellement long : quinze mois. Tony Leung, qui remporta pour son rôle le prix d'interprétation au Festival de Cannes, s'en plaignit, sans que sa longue amitié avec Wong Kar-wai – il a joué dans presque tous ses films et devait le retrouver avec Maggie Cheung en 2004 pour *2046*, dans lequel son personnage s'appelle Chow… – eût à en pâtir : « Chaque jour, il arrivait sur le plateau avec de nouvelles idées sur mon personnage. » Même son de cloche de la part de Maggie Cheung : « On savait à peu près ce qu'on allait tourner le lendemain, mais pas plus. » Et Wong Kar-wai de se justifier : « J'aurais pu continuer à faire ce film éternellement. J'adore cette période (le début de la décennie soixante, à Hong Kong), j'adore cette atmosphère. » Celle-ci, dans le film, s'exprime musicalement avec des standards latino-américains, chantés par Nat King Cole. Le résultat de cette méthode de travail est spectaculaire : il fut consommé trente fois plus de pellicule qu'il n'en faut pour un film de cette durée. « Le montage consiste à retirer ce qu'on ne veut pas, à garder l'essentiel », affirme Wong Kar-wai.

Madame Chen va retrouver Monsieur Chow dans sa garçonnière.

Dans le DVD du film, on découvre trente-quatre minutes – plans, scènes, séquence – ainsi écartées par le cinéaste lors du montage final. Entre autres, une scène, pudiquement filmée à travers des persiennes, au cours de laquelle les héros font l'amour. Il avait également été tourné une autre fin où les amants se retrouvaient dans les ruines du temple d'Angkor alors que, dans le film, Chow y est seul, avec ses souvenirs. À la vision de ces scènes abandonnées délibérément par leur créateur, on imagine que le film aurait pu être tout autre. Tel qu'il est, allusif, poétique, musical, *In the Mood for Love* prodigue, en douceur, un bonheur intense et rare.

Parle avec elle

Un amour plus fort que la mort

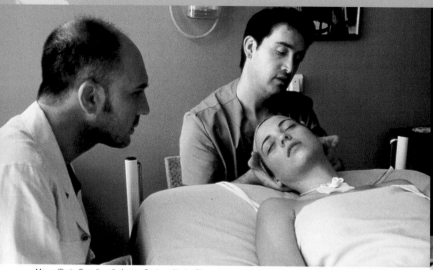

2002

Hable con ella, drame de Pedro Almodóvar avec Javier Cámara (Benigno), Darío Grandinetti (Marco), Leonor Watling (Alicia), Rosario Flores (Lydia), Geraldine Chaplin (Katerina) • Sc. Pedro Almodóvar • Ph. Javier Aguirresarobe • Mus. Alberto Iglesias • Dist. Pathé • Espagne • Durée 112' • Oscar du meilleur scénario ; César du meilleur film de l'Union Européenne

Marco, écrivain, est amoureux de Lydia, torera, et Benigno, infirmier, d'Alicia, une danseuse. Les deux femmes sont dans le coma…

Marco (Dario Grandinetti) observe Benigno (Javier Cámara) s'occuper d'Alicia (Leonor Watling).

L'un pleure, l'autre parle

Contrairement à la plupart des films de Pedro Almodóvar où les principaux protagonistes sont des femmes, celui-ci, comme le suivant, *La Mauvaise Éducation* (2004) est une histoire d'hommes. Benigno, l'infirmier (personnage inspiré de Roberto Benigni), parle sans s'arrêter à sa bien-aimée Alicia, persuadé qu'elle l'entend, qu'elle est vivante alors que, pour tout le monde, c'est une morte en sursis. Depuis l'accident qui l'a clouée au lit et laissée inconsciente, il ne la quitte plus.
Mario, tout au contraire, voyage sans relâche ; il ne tient pas en place. Son mutisme masque une sensibilité qui s'exprime par les larmes, celles qu'il verse lorsque Caetano Veloso chante « La Paloma », déchirant poème d'amour, ou lorsqu'il est confronté au ballet « Cafe Muller » de la célèbre chorégraphe allemande Pina Bausch, dont les pas expriment la fragilité de la condition humaine.

Où finit la vie, où commence la mort ?

Parmi les multiples thèmes – l'amour, l'amitié, la culpabilité, la mort – que le film aborde, on trouve l'absolue nécessité de la communication – en particulier par la parole – pour conjurer la solitude entre les êtres. Au cours du tournage, Almodóvar s'est retrouvé plusieurs jours quasiment muet. L'équipe était en extérieurs à Lucena, non loin de Cordoue ; soucieux de ne prendre aucun retard sur son plan de travail, le cinéaste dirigea acteurs et techniciens par gestes, mimiques et en écrivant ses instructions sur des bouts de papier ! Revenant après coup sur la primauté accordée aux rôles masculins, Almodóvar insista sur le fait que les deux femmes, bien qu'immobilisées sur un lit d'hôpital, n'en continuent pas moins

Marco et Lydia (Rosario Flores).

à provoquer chez les hommes à leur chevet le même amour que si elles étaient éveillées.
Quant au « miracle » qui réveille Alicia au moment de l'accouchement, Almodóvar en a trouvé des antécédents dans trois faits divers relevés dans la presse : une Américaine se réveille après seize ans de coma ; une autre, après neuf ans dans le même état végétatif, s'est retrouvée enceinte ; en Roumanie, dans une morgue, un gardien cédant à ses pulsions avait violé une morte et celle-ci était alors revenue

Attendant un possible réveil…

Alicia et Katerina (Geraldine Chaplin).

à elle car elle souffrait de catalepsie, et sa mort n'était qu'apparente… Ici, en dépit des situations dramatiques qu'il met en scène, Almodóvar ne sacrifie jamais à la sensiblerie. Un geste, une simple phrase, un angle de prise de vue insolite, un silence suffisent à créer l'émotion. L'œil du taureau qui vient d'encorner Lydia et tourne lentement la tête vers elle, ou la scène où Alicia, recouverte d'un drap apparaît comme morte jusqu'à ce que Benigno la découvre et l'habille, dans un plan filmé à la verticale qui transforme la tunique de la femme en une forme de robe de mariée sont autant de morceaux d'anthologie qu'on peut voir et revoir…

L'amant qui rétrécit

« J'ai longtemps rêvé de l'image d'un amant se promenant sur le corps de sa bien-aimée » : dans ce film, Almodóvar a réalisé son rêve. Benigno raconte à Alicia le court métrage qu'il vient de voir à la Cinémathèque : un amoureux devenu minuscule après absorption d'une potion magique, finit par pénétrer tout entier dans le sexe de sa maîtresse endormie, pour le plus grand plaisir de celle-ci. Réalisé en noir et blanc et joué comme au temps du muet (par Fele Martinez et Paz Vega), ce film dans le film évoque bien sûr le classique *Homme qui rétrécit* de Jack Arnold (1957).

Aux franges du réel

L'Île du docteur Moreau

Créatures mutantes

Le docteur Moreau (Charles Laughton) affronte les hommes-bêtes, ses créatures.

1933

Island of Lost Souls, film fantastique de Erle C. Kenton, avec Charles Laughton (le docteur Moreau), Richard Arlen (Edward Parker), Kathleen Burke (Lota), Leila Hyams (Ruth Walker), Bela Lugosi (le récitant de la loi) • Sc. Waldemar Young, Philip Wylie, d'après le roman de H. G. Wells • Ph. Karl Struss • Mus. Arthur Johnston et Sigmund Krumgold • Maq. Wally Westmore • Prod. Paramount • États-Unis • Durée 72'

À la suite d'un naufrage, Edward Parker échoue sur une île inconnue, dont le propriétaire est un certain docteur Moreau. Parker découvre bientôt qu'il est retenu prisonnier et que le docteur Moreau effectue des expériences sur les animaux, ce qui expliquerait l'étrange faune des êtres mi-hommes mi-bêtes.

À chacun ses monstres

Au début des années trente, pour pallier les effets de la grande crise qui avait atteint le cinéma, les grandes compagnies américaines s'étaient lancées dans un domaine qui semblait séduire le public : le fantastique. La Paramount avait rencontré le succès avec *Dr. Jekyll et Mr. Hyde* (Tod Browning, 1932), et, pour assurer sa remise à flot, porta à l'écran l'année suivante le roman de Herbert George Wells. Ce fut un échec : tout comme les « vrais » monstres de *Freaks* (1932) à la MGM, les êtres monstrueux choquèrent le public ainsi que la critique à cause de la cruauté et de l'aspect blasphématoire du sujet. C'est ainsi qu'à l'instar de *Freaks*, *L'Île du docteur Moreau* resta longtemps invisible.

En revanche, si Tod Browning vit son avenir sérieusement mis en question, Erle C. Kenton n'en poursuivit pas moins une brillante carrière, comptant jusqu'en 1950 quelque cinquante films (dont *La Maison de Frankenstein* (1944), *La Maison de Dracula* (1945), avec les trois créatures, Dracula, le monstre de Frankenstein et le Loup-garou).

Poésie fantastique

L'Île du docteur Moreau s'est révélé au fil des ans un film fantastique empreint d'une grande poésie, dont « l'épouvante » s'est quelque peu atténuée. Il n'en est pas sorti de personnage mythique comme Dracula ou le monstre de Frankenstein, la force venant de l'originalité de l'argument imaginé par H. G. Wells et de la personnalité du docteur Moreau : Charles Laughton a créé un personnage diabolique difficilement oubliable. Tout comme le personnage de Lota, mi-femme mi-panthère, dont le côté femme tombe amoureux de Parker, presque unique à l'écran – à l'exception des deux *Féline* de Jacques Tourneur avec Simone Simon (1942) et de Paul Schrader avec Nastassja Kinski (1982) – Kenton imprima à l'œuvre une atmosphère étrange et inquiétante, qui rappelle *La Chasse du comte Zaroff* de Schoedsack et Pichel (1932). Pourtant, H. G. Wells n'apprécia pas du tout cette adaptation, et le film fut interdit en Angleterre jusqu'en 1957.

Deux remakes

C'est Don Taylor qui signe une deuxième adaptation du roman de Wells en 1977 avec Burt Lancaster et Michael York. Le thème reste le même (la fiancée du naufragé n'apparaît plus), mais si une certaine poésie a en partie disparu, les péripéties se multiplient et les maquillages s'avèrent impressionnants. L'action est située au début du siècle et la fin, ouverte, laisse place à un certain pessimisme.
John Frankenheimer réalise une nouvelle adaptation en 1996 avec Marlon Brando, Val Kilmer et David Thewlis. Laughton opérait des greffes, Lancaster usait de sérums, Brando parle ADN et travaille sur ordinateur. La lecture de l'ouvrage de Wells est bouleversée, la sophistication est présente à tous les niveaux : scénario, protagonistes, maquillages.

Lota (Kathleen Burke) et Edward (Richard Arlen) tentent de s'évader.

Braddock (Michael York) et le docteur Moreau (Burt Lancaster), dans la version de 1977.

Montgomery (Val Kilmer) observe le docteur Moreau (Marlon Brando), dans la version de 1996.

Le Magicien d'Oz
Au-delà de l'arc-en-ciel

1939

The Wizard of Oz, film musical de Victor Fleming, avec Judy Garland (Dorothy), Jack Haley (l'Homme en Fer-Blanc / Hickory), Ray Bolger (l'Épouvantail / Hunk), Bert Lahr (le Lion Peureux / Zeke), Frank Morgan (le Magicien / le professeur Marvel) • Sc. Noel Langley, Florence Ryerson, Edgar Allan Woolf, d'après l'ouvrage de Lyman Frank Baum • Ph. Harold Rosson • Mus. Harold Harlen • Chor. Bobby Conolly • Eff. spéc. Arnold Gillepsie • Prod. Mervyn Le Roy • États-Unis • Durée 100' • 3 Oscars : musique, chanson, Oscar spécial pour Judy Garland

Dans une modeste ferme du Kansas, Dorothy est transportée au-delà de l'arc-en-ciel et y rencontre tout un monde magique que terrorise une méchante fée. S'étant liée d'amitié avec trois compagnons d'infortune, elle emprunte la route de briques jaunes qui mène au pays d'Oz...

L'Épouvantail (Ray Bolger) et Dorothy (Judy Garland) aux prises avec les arbres de la forêt enchantée.

Escortée par les Munchkins, Dorothy part pour Oz.

Troisième mouture

1937 : alors qu'il présidait aux destinées de la Metro-Goldwyn-Mayer, Louis B. Mayer avait décidé le tournage d'une troisième version du *Magicien d'Oz*, après *The Wizard of Oz* de Francis Boggs (1912) et *Le Prince qu'on sort* de Larry Semon (1925), avec Dorothy Dwann et Oliver Hardy. Mayer voulait Shirley Temple pour le rôle de Dorothy Gale. Celle-ci était sous contrat à la Fox, aussi proposa-t-il à Darryl Zanuck, en échange, de « prêter » Clark Gable et Jean Harlow pour le tournage de *L'Incendie de Chicago*. L'affaire capota, et Henry King insista pour Deanna Durbin, alors au faîte de sa gloire. C'est finalement Judy Garland qui obtint le rôle. On songea à W.C. Fields, qui jugea le cachet trop bas,

Le palais du Magicien est en vue...

puis à Wallace Beery, pour personnifier le Magicien. Ce fut en fin de compte Frank Morgan, un acteur « maison » qui fut retenu.

Le cinéma et l'onirisme

Les rêves ont depuis toujours visité le cinéma. Donnant lieu à des trucages (à base de surimpressions, puis de fondus enchaînés, de ralentis, de comédiens dédoublés), le rêve peut apporter l'effroi aussi bien que le rire. Méliès nous offre à l'écran, dès 1911 *Les Hallucinations du baron de Munchhausen*. Le rire : Charlot rêvant qu'il embrasse sa belle et se réveillant alors qu'il étreint son balai (*Charlot à la banque*); Danny Kaye se rêvant intellectuel dans *La Vie secrète de Walter Mitty*; Fernandel prédisant l'avenir à la cour de François Ier grâce au Petit Larousse, en rêve, bien sûr, dans *François Ier*; *La Nuit fantastique*, où rêve et réalité se confondent; Gérard Philipe, dormeur et poète invétéré dans *Belles de nuit*. Et *Sherlock Junior*, avec Buster Keaton qui se rêve nageur dans un mouvement de vertige : mais là, est-ce le rire ou l'angoisse ? Car le rêve peut avoir des consonances tragiques, comme dans *La Maison du docteur Edwardes*, où Gregory Peck se débat dans un cauchemar. *La Vie en rose*, où Louis Salou se rêve éveillé en

Dorothy (Judy Garland) et son chien Toto.

séducteur, avantageux et obéi, alors qu'il n'est que pion ridicule, méprisé et chahuté. *La Femme au portrait*, où Edward G. Robinson commet un crime... et se réveille. Jean Marais rêve-t-il lorsqu'il traverse la « Zone », guidé par François Périer dans *Orphée* ? Peter Ibbetson rêve si fort qu'il rejoint sa bien-aimée qu'il la rejoint vraiment dans *Peter Ibbetson*. Dans *Les Fraises sauvages*, les épisodes cauchemardesques sont signalés par la lenteur et le silence. Souvenons-nous que le cinéma est aussi un rêve éveillé que nous contemplons les yeux ouverts...

La chanson de Judy

Restait le metteur en scène : c'est Victor Fleming qui tourna les premières scènes (c'est son nom qui figure au générique); il fut bientôt remplacé par King Vidor, car appelé à prendre la place de George Cukor pour le tournage d'*Autant en emporte le vent*, Cukor qui était lui-même resté trois jours sur le plateau du *Magicien d'Oz*. 22 semaines de tournage menèrent à bien l'entreprise d'adaptation à l'écran de l'ouvrage de Lyman Frank Baum, que le succès éditorial avait incité à ouvrir sa propre maison de production cinématographique en 1914. Un des points forts du film, la chanson « Over the Rainbow », fut insérée in extremis, et valut l'Oscar à Harold Arlen et E. Y. Harburg. Depuis, plusieurs générations ont entonné cette mélodie, qui fut l'un des plus grands succès de Judy Garland. Quant au *Magicien d'Oz*, sa réussite artistique et commerciale en ont fait un des piliers du patrimoine cinématographique.

Les Visiteurs du soir

Le Diable, assurément...

Face à Gilles (Alain Cuny), à table, le seigneur (Pierre Labry), le baron Hugues (Fernand Ledoux), Anne (Marie Déa), Renaud (Marcel Herrand).

Un conte hors le temps

« Je crois que je serais à l'aise dans le Moyen Âge. Le style flamboyant me plairait assez... Celui, par exemple des Très riches heures du duc de Berry. – C'est pas con et le costume irait bien à Cuny. » Ce dialogue entre Marcel Carné et Jacques Prévert est le coup d'envoi des grandes lignes des *Visiteurs du soir*, film qui illumina, avec certes beaucoup d'autres, le cinéma français des années noires de l'Occupation. Prévert et Carné n'étaient guère en odeur de sainteté auprès des autorités du moment, Vichy dans la zone dite libre, Paris administré par l'Occupant. Et bien des sujets de films étaient impensables en regard des censures toutes puissantes ; aussi bon nombre de scénarios puis de films se tournaient vers un passé historique ou vers... le Diable et ses méfaits. *Les Visiteurs du soir* combine les deux, et on y trouve la plus parfaite illustration de la pensée de Prévert, son moralisme poétique où s'affrontent le Bien et le Mal. Le Bien, domaine de ceux qui savent aimer, le Mal, noir terrain de ceux dont le cœur sec ou dévoyé ne connaît pas l'amour.

En 1548... et en 1942

Hors le temps, ce conte se déroule dans un château-fort aux pierres blanches comme la neige, où le Malin dépêche deux de ses émissaires pour « désespérer le monde ». Il interviendra bientôt lui-même en gémissant « personne ne m'aime » : admirable Jules Berry. Pourtant, le présent et les difficultés de l'heure sont là, puisque, interdits de plateau, Trauner, le décorateur, et Kosma, le compositeur, participent à la production. Le secret est gardé, alors qu'avant même la sortie du film, on murmure que cette histoire fait allusion à la situation du moment. Le film a pourtant reçu une avance de six millions de francs sur un budget

Le Diable (Jules Berry) joue avec le feu...

de 12 400 000 francs de l'époque via l'organisme officiel mis en place par le COIC, instauré par Vichy pour assainir le financement des films.

Un tournage malaisé

Outre le fait que Marie Déa fut imposée par le producteur André Paulvé, la collaboration Carné-Prévert ne fut pas exempte de tiraillements, certes mineurs. Les difficultés matérielles étaient sans nombre en 1942. Le film fut tourné d'avril à septembre et présenté en décembre. Carné, dans son livre « La Vie à belles dents », raconte comment les fruits déposés sur la table du banquet, disparaissaient à vue d'œil. « Les assistants avaient beau ordonner aux figurants d'attendre... rien n'y faisait [...] quelqu'un imagina de piquer un à un au phénol tous les fruits exposés. » Le contexte de l'époque avait incité les auteurs à se replier dans l'intemporel. Pourtant, Gilles, enchaîné dans sa cellule n'est pas sans rappeler les martyrs de la Résistance, et les amants pétrifiés, fouettés par le Diable enragé, n'incarnaient-ils pas vraiment la France qui souffre sous la botte allemande mais dont le cœur continue de battre ?

1942

Film fantastique de Marcel Carné, avec Arletty (Dominique), Marie Déa (Anne), Jules Berry (le Diable), Fernand Ledoux (le baron Hugues), Alain Cuny (Gilles), Marcel Herrand (Renaud) • Sc. Pierre Laroche et Jacques Prévert • Ph. Roger Hubert • Mus. Maurice Thiriet et Joseph Kosma • Déc. et cost. Georges Wakhévitch et Alexandre Trauner • Prod. André Paulvé • France • Durée 120' • Grand Prix du cinéma français 1941-1942

Au Moyen Âge, le Diable envoie deux de ses émissaires dans le but de créer quelque désordre dans le monde des hommes. Alors que la femme accomplit sa triste tâche en tous points, l'homme tombe amoureux de celle qu'il devait perdre.

Gilles et Anne enlacés, surpris par le Diable.

Dominique (Arletty).

Satan à l'écran

Personnage fascinant aux aspects multiples, le Diable ne pouvait qu'intéresser le cinéma. Ainsi, en France, *La Main du Diable* (Maurice Tourneur, 1943, avec Pierre Fresnay), *L'homme qui vendit son âme* (Jean-Paul Paulin, 1943, avec Robert Le Vigan), *La Beauté du Diable* (René Clair, 1949, avec Gérard Philipe), *Marguerite de la nuit* (Claude Autant-Lara, 1955, avec Yves Montand) ; aux États-Unis : *Le ciel peut attendre* (Ernst Lubitsch, 1943, avec Laird Cregar), *L'Évadé de l'enfer* (Archie Mayo, 1946, avec Claude Rains), *Angel Heart* (Alan Parker, 1987, avec Robert De Niro), *L'Associé du Diable* (Taylor Hackford, 1997, avec Al Pacino).

La Belle et la Bête

L'horrible et le merveilleux

La Belle (Josette Day) affronte avec tendresse le regard de la Bête (Jean Marais).

Fantastique et poésie

L'œuvre de Jean Cocteau est un film fantastique emprunt de poésie, à l'opposé du réalisme, fût-il de qualité, qui déferlait alors sur le cinéma, un film dont l'univers féerique et insolite crée comme une réalité seconde. Les extérieurs sont tournés au château de Raray, près de Senlis, et les intérieurs, essentiellement le château de la Bête, sont dus à Christian Bérard, particulièrement inspiré : le cheval magique, les candélabres animés, les visages de statues vivantes, la porte et le miroir qui parlent, ajoutés au baroque dément des lieux induisent une indicible magie. Autre merveille du film : le maquillage de Jean Marais, la Bête. « Le maquillage durait cinq heures, nous dit Jean Marais dans « Histoires de ma vie », c'est Pontet, un grand perruquier qui confectionna le masque. Je lui donnai pour exemple le pelage de mon chien Moulouk (le chien vedette de *L'Éternel Retour*). Remarquez, lui dis-je combien la nature diversifie les coloris du poil… » La monstruosité de la Bête qui cache une âme noble fait pendant à la beauté d'Avenant – également interprété par Jean Marais – qui cache une âme noire, tout comme l'inquiétante étrangeté du château s'oppose à la banalité triviale de la demeure de la famille de Belle.

Avenant (Jean Marais), le père, Ludovic (Michel Auclair), et la Belle.

Une œuvre à part

1946 est une année exceptionnelle pour le cinéma. Les chefs-d'œuvre se suivent et ne se ressemblent pas : *Les Enfants du Paradis* quitte l'affiche après 52 semaines d'exclusivité ; *Laura*, *Le Faucon maltais*, *Adieu ma belle*, *Assurance sur la mort*, superbes films noirs américains tournés quelques années auparavant, sont enfin distribués en France ; *La Bataille du rail*, le film français sur la Résistance triomphe ; *Rome, ville ouverte* fait découvrir le néo-réalisme… *Le Mariage de Ramuntcho*, tourné en Agfacolor, ouvre la voie au film français en couleurs. Et *La Symphonie pastorale*, archétype de la qualité française remplit les salles. C'est pourtant l'éblouissement lorsqu'est projeté à Paris, en octobre, *La Belle et la Bête* : ce film signé Jean Cocteau semble jaillir d'une planète inconnue car il ne ressemble à rien de ce que l'on peut voir sur les écrans, pourtant abreuvés de chefs-d'œuvre en cette année florissante.

Le père de Belle (Marcel André) guidé par les candélabres vivants.

1946

Conte fantastique de Jean Cocteau, assisté de René Clément, avec Jean Marais (La Bête, Avenant, le Prince), Josette Day (La Belle), Marcel André (le père de Belle), Mila Parély (Félicie) et la voix de Jean Cocteau • Sc. Dial. Jean Cocteau d'après le conte de Mme Leprince de Beaumont • Ph. Henri Alekan • Mus. Georges Auric • Prod. André Paulvé • France • Durée 95' • Prix Louis-Delluc

Pour sauver son père, la douce Belle accepte de se rendre au château du seigneur, un être au visage monstrueux. En fait, la Bête souffre de sa laideur et Belle prend en compassion cet être effrayant. Ce sentiment fait bientôt place à l'amour. La Bête est blessée, Belle l'assiste avec tendresse. Mais la vie semble quitter la Bête…

Jean Cocteau et le cinématographe

Le premier film de Jean Cocteau remonte à 1930, c'est *Le Sang d'un poète* pour lequel il inventa certains effets spéciaux optiques, puis c'est *La Belle et la Bête*, *L'Aigle à deux têtes* et *Les Parents terribles* en 1948, *Orphée* en 1950 et *Le Testament d'Orphée* en 1960. Il fut également scénariste et dialoguiste avec regard sur la mise en scène de *Le Baron Fantôme* de Serge de Poligny (1943), *L'Éternel Retour* de Jean Delannoy (1943), *Ruy Blas* de Pierre Billon (1948), *Les Enfants Terribles* de Jean-Pierre Melville (1950). Même dans ces derniers films où il n'assura pas la réalisation, la marque de Jean Cocteau est patente.

Le prince (Jean Marais) et la Belle partent pour un monde radieux.

L'Homme qui rétrécit

Toutes proportions non gardées

1957

The Incredible Shrinking Man, film fantastique de Jack Arnold, avec Grant Williams (Scott Carey), Randy Stuart (Louise Carey), April Kent (Clarice), Paul Langton (Charlie Carey) • Sc. Richard Matheson, d'après son roman • Ph. Ellis W. Carter • Mus. Joseph Gershenson • Eff. spéc. Clifford Stine • Déc. Russell A. Gausman • Prod. Universal • États-Unis • Durée 81'

Scott Carey, au cours d'une promenade en bateau, traverse un banc de brouillard qui dépose une multitude de paillettes dorées sur son corps. Il constate bientôt qu'il perd du poids et qu'il rétrécit.

Scott Carey (Grant Williams) s'équipe pour survivre : une épingle et du fil à coudre.

Les angoisses de la guerre froide

Le cinéma américain de la fin des années quarante et cinquante témoigne, dans un certain nombre de films, de l'angoisse diffuse qui traversa la conscience collective du pays : la peur d'une invasion soviétique, la crainte d'une guerre atomique. Parmi ces films, *Le Jour où la Terre s'arrêta* (1951), *La Guerre des Mondes* (1953), *Le Météore de la nuit* (1953), *Des monstres attaquent la ville* (1954), *Tarantula* (1955), où s'inscrivent en filigrane les inquiétudes de la guerre froide. Ainsi Scott Carey, exposé à un nuage de fines paillettes mystérieuses (radioactives ?) doit bientôt se rendre à l'évidence : il rapetisse.

Le piège à souris devient un redoutable monstre.

Le combat avec l'araignée (géante !) s'engage.

Le familier devient insolite, puis terrifiant

Alors commence un parcours extrêmement éprouvant – tant pour Scott Carey que pour le spectateur – qui va crescendo, et dont le premier point fort est la scène où le malheureux est assis dans un fauteuil beaucoup trop grand pour lui du fait de son rétrécissement. La lutte pour la vie se révèle un combat incessant contre ce qui constitue habituellement un environnement familier : le moindre objet normalement amical devient une machine infernale.

Exploits techniques

Afin de donner l'illusion du rétrécissement continu de Scott Carey, le film fut tourné dans quatorze décors de tailles différentes, accompagnés de jeux optiques très élaborés, de transparences judicieusement construites, tout cela à une époque où les effets spéciaux numériques n'existaient pas encore. Le jeu des proportions étant bouleversé, s'impose une nouvelle vision de l'univers quotidien qui révèle un monde étrange, insolite. Orson Welles, à la sortie du film, avait exprimé publiquement son admiration pour *L'Homme qui rétrécit*, qu'il considérait comme une œuvre capitale.

Scott, qui a quitté sa maison de poupée, est poursuivi par le chat de la maison.

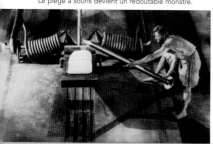

Nains (et géants) à l'écran

À l'instar des Lilliputiens de Swift et des Nains magiciens des frères Grimm, on rencontre des myrmidons de toutes tailles au cinéma. Qui a oublié les nains savoureux de *Blanche-Neige et les sept nains* (1937) ? *Freaks* met en scène des nains étranges et attendrissants. L'inquiétant Dr Pretorius de *La Fiancée de Frankenstein* (1935) est le créateur d'homoncules similaires aux créatures assassines des *Poupées du Diable* (1936), tandis que le Dr *Cyclops* (1940) se débarrasse de ses ennemis en les miniaturisant. Dans *Le Voyage fantastique* (1966) et *L'Aventure intérieure* (1987), les héros, réduits à des tailles infinitésimales, voyagent dans un corps humain. Moins inquiétants, les êtres minuscules à silhouette humaine du *Petit Monde des Borrowers* (1998) assurent la sécurité de la maison. Quant aux géants équivalents de Gulliver et Gargantua en littérature, ils sont globalement moins nombreux. On peut en voir dans les deux *Voleur de Bagdad* (1924 et 1940), *Le Fantastique Homme-colosse* (1957) – encore un « irradié » – et *Attack of the 50 feet Woman* (1958). Reste le savant (pour rire) de *Chérie, j'ai rétréci les gosses* (1989) et de *Chérie, j'ai agrandi le bébé* (1992), qui pourvoit les deux catégories.

Les Oiseaux

La peur venue du ciel

1963

The Birds, film fantastique d'Alfred Hitchcock, avec Rod Taylor (Mitch Brenner), Tippi Hedren (Melanie Daniels), Jessica Tandy (Mrs. Brenner), Suzanne Pleshette (Annie Hayworth) • Sc. Evan Hunter, d'après la nouvelle de Daphné du Maurier • Ph. Robert Burks • Effets spéc. Lawrence A. Hampton, Albert Whitlock • Prod. Alfred Hitchcock • États-Unis • Durée 120'

Melanie Daniels, jeune femme désœuvrée et quelque peu frivole, rencontre Mitch Brenner, séduisant avocat, chez un marchand d'oiseaux. Mitch désire acheter un couple d'inséparables pour sa jeune sœur Cathy. Par jeu, Melanie acquiert les oiseaux et les porte à Bodega Bay, où Mitch demeure avec sa mère et sa sœur. La jeune femme est alors attaquée par une mouette qui la blesse au front : c'est le commencement d'un cauchemar...

Inquiets Mitch et Mrs. Brenner (Jessica Tandy) soutiennent Melanie (Tippi Hedren).

L'angoisse du familier

Si tous les films tournés par Alfred Hitchcock portent sa marque, les modes choisis pour exprimer sa vision du monde varient, du film policier à l'espionnage, parfois par le biais de l'humour noir ou de la psychanalyse. *Les Oiseaux* relève à la fois du mystère et de l'horrifique, sans d'ailleurs que soit explicitée l'origine du mystère : pourquoi les oiseaux de Bodega Bay se comportent-ils ainsi ? On ne le saura jamais. Lors de son entretien avec François Truffaut, « Hitch » précisa : « Je n'aurais pas tourné le film s'il s'était agi de vautours ou d'oiseaux de proie. Ce qui m'a plu, c'est qu'il s'agissait d'oiseaux ordinaires, d'oiseaux de tous les jours. » Il va de soi que ceux-ci, personnages essentiels du film, posaient problème : certains furent dressés, mais on se sert surtout de volatiles empaillés. Les premières attaques (en piqué) exigèrent des effets spéciaux. Pour celles en gros plan, le recours aux oiseaux dressés fut nécessaire, ajouté à des prises de vues multiples avec trucages. Le musicien Bernard Herrmann apporta tout son art, contrôlant et supervisant la bande son composée électroniquement. Tout comme dans *Psychose*, elle sert de contrepoint fondamental à l'image et ajoute encore à l'effet de terreur.

Mitch (Rod Taylor) est cerné par les oiseaux.

Oiseaux agressifs, humains complexes

Côté personnages, si Mitch est le plus limpide, les trois femmes – il est flagrant qu'Hitchcock s'y intéresse davantage – portent en elles un passif plus ou moins lourd : Annie, qui fut fiancée à Mitch, dissimule mal la blessure profonde de l'abandon ; Mrs. Brenner, veuve, mère possessive et jalouse, voit en Melanie une ennemie et une intruse ; Melanie, enfant gâtée, inactive et frivole, vit au fond d'elle-même d'insondables tourments. Cette synergie de compétences – jeu des comédiens, musique, effets spéciaux, extrême savoir-faire du maître d'œuvre – fait des *Oiseaux* beaucoup plus qu'un simple exercice de style : un film accompli, où suspense et angoisse tiennent le spectateur en haleine jusqu'à la dernière image, après laquelle persiste même une délicieuse inquiétude.

Ni tout à fait une autre, ni tout à fait la même...

Les héroïnes hitchcockiennes présentent toutes une trouble ambiguïté. La limpidité et la simplicité extérieures dissimulent en effet le plus souvent une inquiétante opacité. Ainsi, la douce Ingrid Bergman de *La Maison du docteur Edwardes* et des *Enchaînés*, tout comme la diaphane Grace Kelly du *Crime était presque parfait*, de *Fenêtre sur cour* et de *La Main au collet*, masquent une volonté de fer et un tempérament de feu. Kim Novak, apparemment possédée par les ombres du passé, n'est qu'une comédienne aux pieds sur terre (*Sueurs froides*). Eva Marie Saint, blonde et extravertie, joue un double, voire un triple jeu (*La Mort aux trousses*). Janet Leigh culpabilise après avoir volé son patron (*Psychose*). La glaciale et cynique Tippi Hedren est en fait fragile et tourmentée (*Les Oiseaux*, *Pas de printemps pour Marnie*).

Rosemary's Baby
Conception diabolique

Rosemary (Mia Farrow) s'approche du berceau où se trouve son bébé…

1968

Rosemary's Baby, film fantastique de Roman Polanski, avec Mia Farrow (Rosemary Woodhouse), John Cassavetes (Guy Woodhouse), Ruth Gordon (Minnie Castevet), Sidney Blackmer (Roman Castevet), Ralph Bellamy (le docteur Abe Sapirstein) • Sc. Roman Polanski, d'après le roman de Ira Levin • Ph. William A. Fraker • Mus. Krzysztof Komeda • Prod. Paramount • États-Unis • Durée 137' • Oscar du meilleur second rôle féminin (Ruth Gordon)

Rosemary et Guy Woodhouse emménagent dans un vieil immeuble de New York. À la suite d'un cauchemar, Rosemary constate qu'elle est enceinte. D'inquiétants voisins, d'insupportables douleurs, perturbent la jeune femme.

Descente aux enfers

Roman Polanski distille ici savamment un angoissant suspense qui tourne peu à peu au cauchemar. Quelques scènes tournées dans les rues de New York segmentent le récit, sans pour autant réduire la tension. L'atmosphère d'angoisse témoigne de l'habileté de la mise en scène : tout semble banal alors que chaque objet familier est source d'inquiétude diffuse. De nombreux spectateurs étaient persuadés, à l'issue de la projection, avoir vu le bébé dans son berceau, alors qu'il ne fut jamais filmé. Un signe de réussite, pour Polanski. Le « Bramford », où se déroule l'histoire, existe dans la réalité : c'est le célèbre immeuble « Dakota », construit à New York en 1884, qui fut habité par Judy Garland, Leonard Bernstein, Lauren Bacall et son second mari Jason Robards, ainsi que par Boris Karloff : celui qui incarna la créature de Frankenstein cultivait ses roses au dernier étage. Et c'est au pied de cet immeuble que fut assassiné John Lennon, le célèbre Beatle, en 1980. Sa veuve Yoko Ono y vit toujours.

Mais d'où viennent ces marques de griffes ?

Choix et tournage difficiles

Sharon Tate, Jane Fonda, Tuesday Weld avaient été un instant pressenties pour le rôle de Rosemary, mais c'est finalement Mia Farrow qui personnifia cette jeune femme fragile et volontaire. Pour le rôle de Guy, Robert Redford, puis Warren Beatty furent approchés, mais refusèrent. Jack Nicholson fut récusé parce que trop inquiétant. C'est finalement John Cassavetes qui fut retenu, son introversion correspondant mieux au personnage. Mais Cassavetes, brillant cinéaste lui-même, s'opposa fréquemment à Polanski. Quant à Mia Farrow, alors mariée à Frank Sinatra, elle reçut pendant le tournage les papiers du divorce réclamés par le crooner. Bouleversée, elle n'en poursuivit pas moins son travail.

Guy (John Cassavetes) et Rosemary viennent d'emménager.

Minnie Castevet (Ruth Gordon) et Rosemary.

Roman Polanski, cinéaste de l'angoisse

Mis à part *Tess* (1979), et *Pirates* (1986), l'œuvre de Roman Polanski baigne dans une dimension tragique et anxiogène : ainsi son premier film hors de Pologne – où il avait signé sept courts métrages et *Le Couteau dans l'eau* (1962) – *Répulsion* (1965), où Catherine Deneuve, jeune femme névrosée, sombre dans la folie meurtrière (1965) ; *Chinatown* (1974), hommage réussi au film noir ; *Le Locataire* (1976), qu'il interprète, et où règnent la paranoïa et l'étrange ; *Frantic* (1988), avec Harrison Ford perdu dans un Paris étrange et étranger. Polanski a également signé *Lune de fiel* (1992), où un couple pervers détruit un couple rangé, *La Jeune Fille et la Mort* (1994), réflexion sur les rapports pour le moins troubles entre bourreaux et victimes, *La Neuvième Porte* (1999), où Johnny Depp découvre un monde irrationnel et maléfique, *Le Pianiste* (2002), traitant de la survie d'un musicien dans le ghetto de Varsovie, a remporté la Palme d'or à Cannes. Acteur, homme de théâtre (« La Métamorphose », « Amadeus »), auteur d'une autobiographie « Roman », Roman Polanski, qui vit en France, a été élu à l'Académie des Beaux-Arts.

L'Exorciste

Le Diable et le Bon Dieu

Le père Merrin (Max von Sydow) tente d'exorciser Regan.

1973

The Exorcist, film fantastique de William Friedkin, avec Ellen Burstyn (Chris McNeil), Max Von Sydow (le père Lancaster Merrin), Lee J. Cobb (le lieutenant Kinderman), Linda Blair (Regan McNeil), Jason Miller (le père Damien Karras) • Sc. William Peter Blatty, d'après son roman • Ph. Owen Roizman, Billy William • Mus. Jack Nitzsche, Krysztof Penderecki • Maquil. Dick Smith • Prod. Warner Bros. • États-Unis • Durée 121' • 2 Oscars : meilleurs adaptation et son.

Chris McNeil s'inquiète de voir sa fille Regan changer de personnalité tandis que d'étranges phénomènes se déroulent dans la chambre de l'enfant. Après une mort mystérieuse et la profanation d'une statue religieuse, l'impuissance des médecins incite Chris à faire appel à deux prêtres exorcistes.

Descente aux enfers

Reprenant l'éternelle lutte entre le Bien et le Mal, *L'Exorciste* est sans doute l'un des films les plus terrifiants jamais réalisés. Le combat incertain contre les forces maléfiques, et l'horrible dégradation physique de Regan, ponctuée par une effrayante logorrhée, plongent le spectateur au fond de l'horreur. C'est Mercedes McCambridge (Emma, la mal-aimée de *Johnny Guitare*) qui prête sa voix à Linda Blair lorsque celle-ci profère des insanités ordurières et blasphématoires. Cette contribution, qui devait au départ rester anonyme, donna lieu à un litige car, devant le succès colossal du film, l'actrice exigea que sa participation fût clairement indiquée. Quant à Eileen Smith, qui double Linda Blair dans les scènes de vomissements et les postures sexuelles provocatrices, son nom ne figure pas au générique. Des images subliminales et une « danse de l'araignée » ont été réinsérées dans la version du film diffusée en 2000, soit 11 minutes complémentaires, avec son et images restaurés.

Le Malin fait école

Après que Stanley Kubrick et John Boorman, contactés, aient décliné l'offre, c'est le succès de *French Connection* (1971) qui permit à William Friedkin de réaliser *L'Exorciste*. Pendant le tournage, il n'hésita pas à effrayer lui-même les acteurs pour obtenir de meilleures expressions de peur…
Lors de la présentation en salles, certains spectateurs américains furent pris de vomissements ou de malaises, ce qui contribua à la réputation… diaboliquement efficace du film.

Les damnés de l'enfer, dans *L'Exorciste, la suite.*

Le père Lamont (Richard Burton) et le docteur Tuskin (Louise Fletcher), dans *Exorciste II : L'Hérétique.*

Imitations, suites et préquelle

L'Exorciste inspirera *La Malédiction* (Richard Donner, 1976), avec Gregory Peck et Lee Remick, et ses suites, *Damien* (1978), *La Malédiction finale* (1981), tous films où se manifestent les forces de l'Antéchrist. Le film a aussi fait l'objet de très nombreuses imitations et parodies, dont *L'Exorciste en folie* (Bob Logan, 1990) : Linda Blair y pastiche elle-même son personnage, en compagnie d'un Leslie Nielsen loufoque à souhait. Dans *Exorciste II : l'Hérétique*, réalisé par John Boorman (1977), les analyses du docteur Tuskin (Louise Fletcher) prouvent que le démon est encore tapi au cœur de Regan (Linda Blair). Le père Lamont (Richard Burton), en un combat incertain contre Pazuzu, tentera, à ses dépens, de libérer la jeune fille. Dans *L'Exorciste, la suite*, réalisé par William Peter Blatty (1990), George C. Scott reprend le rôle du lieutenant Kinderman jadis tenu par Lee J. Cobb (1911-1976). Georgetown, la ville de Regan, est, seize ans après *L'Exorciste*, le théâtre d'étranges meurtres rituels. Kinderman, assurant le lien avec les films précédents, se charge de l'affaire. En 2004, Paul Schrader tourna une préquelle de *L'Exorciste*. Mais le studio Morgan Creek, mécontent de cette version, la fit refaire par Renny Harlin (*L'Exorciste au commencement*). C'est Stellan Skarsgård qui incarne le père Merrin dans les deux films, celui de Schrader étant finalement distribué en 2005.

Regan (Linda Blair), la possédée.

Shining
Hôtel des maléfices

Terrorisée, Wendy (Shelley Duvall) tente d'échapper à la folie meurtrière de son mari.

1980

The Shining, film fantastique de Stanley Kubrick, avec Jack Nicholson (Jack Torrance), Shelley Duvall (Wendy Torrance), Danny Lloyd (Danny Torrance), Scatman Crothers (Dick Hallorann) • Sc. Stanley Kubrick, Diane Johnson, d'après le roman de Stephen King • Ph. John Alcott • Mus. Bartok, Penderecki, Ligeti, Wendy Carlos, Rachel Elkind • Prod. Stanley Kubrick • États-Unis • Durée 120'

L'écrivain Jack Torrance s'installe comme gardien avec femme et enfant dans un hôtel montagnard déserté pour l'hiver, car rendu inaccessible par la neige. Déjà instable, Jack sombre lentement dans la démence, tandis que son fils Danny, qui possède un don de médium, le « shining », appréhende le séjour en ce lieu maléfique.

Hôtel Overlook

Hormis les scènes d'ouverture, inquiétantes à souhait, et l'arrivée à l'hôtel Overlook, le film fut entièrement tourné en studio : appartements, couloirs, cuisines, salle de danse, hall du palace, chambre 237, et même le labyrinthe, bref la totalité du champ d'action, furent construits aux studios d'Elstree, en Angleterre. Aussi les extérieurs enneigés nécessitèrent-ils, puisque tournés… en intérieur, quelque cinq tonnes de sel…

Danny (Danny Lloyd) possède un don très particulier.

L'Overlook constitue un vaste milieu clos où se déroule un drame à trois personnages : les autres silhouettes ne sont que le produit d'une imagination maladive – ou les manifestations d'un phénomène paranormal. S'installe alors une angoisse indicible allant crescendo, que Stanley Kubrick distille de main de maître. C'est dire si l'angoisse diffuse et latente, qui caractérise l'ouvrage de Stephen King, est parfaitement transposée à l'écran. Pourtant, le romancier, l'un des plus adaptés au cinéma (*Carrie, Christine, Stand by Me, La Ligne verte*, parmi beaucoup d'autres) se déclare insatisfait du résultat (il produisit lui-même une version télévisée en 1997).

Jack (Jack Nicholson) est-il fou ou possédé ?

Visions terrifiantes

Le film fut tourné en grande partie caméra sur l'épaule – la Steadycam –, ce qui confère à certains plans une efficacité accrue : ainsi, lorsque la caméra suit, presque au ras du sol, Danny dans sa voiture à pédales, on découvre avec le regard de l'enfant les apparitions jaillies du néant, matérialisées par le « shining ». De même l'équipement de prises de vues était complété par un ensemble vidéo, ce qui se fait couramment aujourd'hui, et permet de visionner instantanément les scènes et de contrôler le tournage.

Aux côtés de Shelley Duvall, épouse saine d'esprit mais terrifiée par les événements, et de Danny Lloyd, l'enfant ultra-sensible et tourmenté par ses visions (deux petites filles, vivantes ou assassinées, une marre de sang jaillissant de l'ascenseur…), Jack Nicholson, au jeu hypertendu et exacerbé, campe l'un de ses grands rôles, celui d'un père possédé par un instinct meurtrier. Initialement, le film durait 146 minutes. Il fut réduit à 120 minutes pour l'exploitation.

Hallorann (Scatman Crothers) fait visiter les réserves de l'hôtel à Wendy et Danny.

Maisons hantées

Il existe dans ce domaine deux types de films bien distincts : ceux où les phénomènes paranormaux sont en fait organisés par une main humaine – ils relèvent presque du film policier –, et les films où la demeure est réellement le théâtre de phénomènes mystérieux, sans explication cartésienne : c'est le cas de *Shining*. Parmi les réussites du genre, citons *La Maison du Diable* de Robert Wise (1963), dont Jan DeBont tira le remake *Hantise* (2000), *La Maison des damnés* de John Hough (1972), *Inferno* de Dario Argento (1979). *Amityville, la Maison du diable* de Stuart Rosenberg (1979), *Amityville 2 - Le Possédé* de Damiano Damiani (1982), *Amityville 3-D* de Richard Fleischer (1983), *Amityville* de Andrew Douglas (2005). *Poltergeist* (Tobe Hooper, 1982), *Poltergeist II* (Brian Gibson, 1986), *Poltergeist III* (Gary Sherman, 1988), où s'acharnent les esprits frappeurs et où les téléviseurs happent les enfants… Et, *Les Autres* de Alejandro Amenabar (2001), *Dark Water* de Hideo Nakata (2002), *Saint-Ange* de Pascal Laugier (2003), entre autres…

Le Projet Blair Witch

Faux-semblants

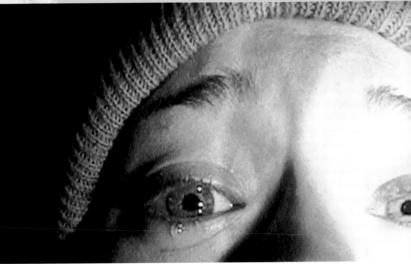

Heather (Heather Donahue) : « Tout cela est ma faute… je demande pardon ! »

1999

The Blair Witch Project, film fantastique de Daniel Myrick et Eduardo Sanchez, avec Heather Donahue (Heather), Michael Williams (Michael), Joshua Leonard (Joshua) • Sc. Daniel Myrick et Eduardo Sanchez • Ph. Neal Fredericks • Mus. Tony Cora • Prod. Haxan Films • États-Unis • Durée 85'

Trois étudiants décident d'enquêter, caméra à la main, sur les bruits de sorcellerie qui courent sur la forêt de Black Hills. Ils s'y perdent, et la panique s'empare bientôt d'eux…

Faux documentaire, vraie fiction

Un texte liminaire noir annonce que « trois étudiants, en octobre 1994, ont disparu dans les bois près de Burkillsville. Un an plus tard sont retrouvés leurs métrages ».

Josh et Michael filmés par Heather.

Les « métrages », films et vidéos, témoignent de l'équipée des trois jeunes gens qui se filmaient entre eux. On apprendra par les dialogues que le bois se nommait autrefois Blair (Blair Witch : la sorcière de Blair). En réalité, il s'agit d'un film de fiction, traité en documentaire, et c'est le premier long métrage réalisé pour le cinéma par Daniel Myrick et Eduardo Sanchez. Trois comédiens professionnels – qui ont conservé leurs prénoms dans le film – furent lâchés en pleine forêt, sans consignes précises ni indication de scènes, en des lieux qu'ils ne connaissaient pas. Disposant d'une caméra 16 mm et d'un caméscope format HI 8, équipés d'un système de navigation type GPS, ils tournèrent 18 heures de prises de vue que Myrick et Sanchez montèrent pour aboutir à un film de 87 minutes.

Mike (Michael Williams), Joshua et Heather photographiés avant leur tragique équipée.

Le film rencontra un succès immédiat et inattendu, damant ainsi le pion aux grandes productions hollywoodiennes : il avait coûté quelques milliers de dollars et allait en rapporter 128 000 000 !

Service après-vente élaboré

Format trompeur, images tantôt en couleurs, tantôt en noir et blanc, caméras extrêmement instables, prise de son parfois défectueuse, mise au point incertaine, tout cela semblait couler de source puisque les comédiens étaient des cameramen peu préparés, voire incompétents, mais donnait au film un aspect documentaire amateur… d'excellent aloi, puisque c'était le but recherché. Et les comédiens, à leur aise dans leur domaine, jouent parfaitement le jeu des porteurs de caméras amateurs vite terrorisés par des phénomènes inquiétants… Et bientôt viennent les disputes, la frayeur panique, la montée progressive de l'angoisse incontrôlable. Cet ensemble de savoir-faire, un choix judicieux des « rushes », un montage rapide, elliptique, apparemment erratique par instants, transmet bientôt le malaise au spectateur – un régal pour l'amateur de fantastique.

Joshua (Joshua Leonard) filmé de nuit…

Sorcières à l'écran

La sorcellerie et les sorciers-sorcières ont fréquemment visité le cinématographe. Il ne faut pas confondre les sorciers grands-prêtres païens des tribus indiennes ou des rites vaudous (voir les *Tarzan*) et les sorciers relevant de la sorcellerie, versions masculines des sorcières. Ainsi Piéral dans *Le Capitan* ou le couple Blackmer-Gordon de *Rosemary's Baby*. On a pu voir des sorcières maléfiques (Anna Svierker dans *Jour de Colère*), lapidées (Marina Vlady dans *La Sorcière*), séduisantes (Cher, Susan Sarandon, Michelle Pfeiffer dans *Les Sorcières d'Eastwick*), assoiffées de sang (Delphine Seyrig aux *Lèvres Rouges*, Lucia Bosé de *Ceremonia Sangriante*, Paloma Picasso des *Contes immoraux*). Moins éprouvante fut la blonde Veronica Lake (*Ma Femme est une sorcière*). En plus didactique et plus sérieux, il faut citer *La Sorcellerie à travers les âges* (Benjamin Christensen, 1922), qui dénonce les souffrances des soi-disant sorcières et l'intolérance religieuse. Enfin, rappelons les sorcières de *Blanche-Neige et les sept nains*, de *Merlin l'enchanteur* et du *Magicien d'Oz*.

Sixième Sens

Voir l'invisible

1999

The Sixth Sense, film fantastique de M. Night Shyamalan, avec Bruce Willis (le docteur Malcolm Crowe), Haley Joel Osment (Cole Sear), Toni Collette (Lynn Sear), Olivia Williams (Anna Crowe) • Sc. M. Night Shyamalan • Ph. Tak Fujimoto • Mus. James Newton Howard • Prod. Frank Marshall, Kathleen Kennedy, Barry Mendel • États-Unis • Durée 107'

Le pédopsychiatre Malcolm Crowe est agressé à son domicile et grièvement blessé par un ancien patient. Quelques mois plus tard, Malcolm commence à s'occuper d'un jeune garçon qui souffre de peurs pathologiques. Mis en confiance, Cole avoue détenir un terrible et terrifiant secret...

Cole (Haley Joel Osment) confie son lourd secret au docteur Malcom Crowe (Bruce Willis).

Un ton insolite

Né en 1970, M. Night Shyamalan, réalisateur d'origine indienne, avait précédemment tourné et interprété sur son propre scénario, *Praying With Anger* (1992), ainsi que *Wide Awake* (1998). Il va rencontrer avec *Sixième Sens* un succès aussi immense qu'inattendu, se positionnant deuxième au box-office américain en 1999, derrière *Star Wars Épisode I - La Menace fantôme* de George Lucas. Cette œuvre à l'accueil mérité surprend par un ton nouveau, qui laisse le spectateur moins dans l'angoisse que dans une inquiétude diffuse qui tend à s'amplifier. Peu d'effets effrayants, sans comparaison avec le « gore » fréquent dans les films récents nourris d'hémoglobine. L'inquiétude, à la limite du malaise, provient essentiellement du face à face Malcolm Crowe / Cole Sear, le premier tout en intériorité et retenue, le second écrasé par un terrifant secret, lourd et aliénant. Les extérieurs de *Sixième sens* furent tournés dans les quartiers un peu tristes du sud de Philadelphie, ce qui ajoute encore à l'étrangeté du banal. Cette atmosphère pesante et délétère se détend lorsque l'enfant se libère de son secret et que le psychiatre veut retourner à la femme esseulée. Toutes les obscurités s'illuminent, un certain soleil éclaire ce film sombre après la résolution de tous les mystères, laissant le spectateur pantois, soulagé, un peu attristé peut-être...

À voir et à revoir

Haley Joel Osment est étonnant de vérité et de sobriété dans ce rôle d'enfant en proie à des tourments intérieurs insupportables, mais maîtrisant ses angoisses. Il avait débuté à la télévision alors qu'il avait 5 ans, puis incarna Forrest Gump enfant dans le film homonyme de Robert Zemeckis (1994), joua dans *Bogus* (Norman Jewison, 1996) aux côtés de Gérard Depardieu. Quant à Bruce Willis, à contre-emploi, il campe, avec une extrême sobriété, un psychiatre tourmenté par la culpabilité – sa vie de famille perturbée, son jeune patient d'autrefois non guéri – et perplexe devant la pathologie de Cole. Compte tenu des divers coups de théâtre qui ponctuent le film, l'ultime surprise en particulier, il n'est pas inutile de le revoir : après la première vision, c'est sous un autre angle qu'on l'apprécie à nouveau, avec un plaisir égal, sinon supérieur.

Malcolm et sa femme Anna (Olivia Williams).

Lynn Sear (Toni Collette) ne comprend pas bien son fils...

Terrorisé, Cole va pourtant dialoguer avec Kyra, la fillette morte.

Bruce Willis

C'est l'époustouflant thriller de John McTiernan *Piège de cristal* (1988) qui fit de Bruce Willis une star hollywoodienne. Au faîte d'une gloire méritée, son charme inné s'alliant à un talent de comédien évident, il compte beaucoup de grands succès dans sa filmographie. Parmi les meilleurs : *58 Minutes pour vivre* et *Une Journée en enfer* (suites de *Piège de cristal*, 1990 et 1995), *Le Bûcher des vanités (1990)*, *Pensées mortelles (1991)*, *Le Dernier Samaritain (1991*, où il incarne un minable détective privé), *Pulp fiction* (1994, un personnage de boxeur un peu déjanté), *L'Armée des douze singes* (1995, étonnant film fantastique), *Le Cinquième Élément* (Luc Besson, 1996), *Bandits* (2001, une comédie à deux hommes et une femme, sur fond de hold-up). Il tournera le film suivant de Shyamalan, *Incassable* (2000), à l'atmosphère aussi étrange...

Harry Potter à l'école des sorciers

Apprendre la magie

2001

Harry Potter and the Sorcerer's Stone, fantastique de Chris Columbus avec Daniel Radcliffe (Harry Potter), Rupert Grint (Ron Weasley), Emma Watson (Hermione Granger), Richard Harris (le professeur Albus Dumbledore), Alan Rickman (le professeur Severus Rogue) • Sc. Steve Kloves d'après le roman de J.K. Rowling • Ph. John Seale • Mus. John Williams • Dist. Warner Distribution • États-Unis • Durée 152'

Orphelin brimé, Harry Potter découvre le jour de ses onze ans qu'il est admis à Poudlard, l'école des sorciers, car il possède des pouvoirs spéciaux...

Dans le réfectoire de Poudlard, le choipeau désigne les maisons auxquelles les élèves vont appartenir.

Pottermania

En partie pour surmonter des déboires dans sa vie privée et professionnelle et pour distraire ses enfants, Joanne Kathleen Rowling imagine les aventures d'Harry Potter, un jeune sorcier célèbre pour avoir résisté au maléfique Lord Voldemort. Elle prévoit une saga en sept tomes, dont le premier sort en 1997. Traduits en 47 langues et vendu dans 200 pays, « Harry Potter à l'école des sorciers », « Harry Potter et la chambre des secrets », « Harry Potter et le prisonnier d'Azkaban » et « Harry Potter et la coupe de feu » se sont vendus à 110 millions d'exemplaires et plaisent aux enfants comme aux adultes. Autant de spectateurs potentiels qui intéressent les studios d'Hollywood. Mais la romancière craint que l'on dénature son histoire.

Garder la magie du livre

Pour la Warner, David Heyman convainc J.K. Rowling. Elle aura un droit de regard sur l'ensemble du film et obtiendra que les comédiens soient britanniques et non américains. Comme elle refuse que l'action se déroule dans un lycée américain, Steven Spielberg abandonne le projet. Poussé par sa fille de huit ans à lire le livre, Chris Columbus est choisi parmi des réalisateurs

Harry (Daniel Radcliffe), Hermione (Emma Watson) et Ron (Ruper Grint) font face à une effrayante surprise.

tels que Rob Reiner, Terry Gilliam ou Tim Burton. Ce film doit être à la hauteur des attentes des lecteurs : mais Columbus est-il l'homme de la situation ? Ayant réalisé les films interprétés par le jeune Macaulay Culkin (*Maman, j'ai raté l'avion*, 1990), sera-t-il capable de restituer à l'écran les doutes et la tristesse d'Harry ? De même, Maggie Smith n'est-elle pas trop âgée pour jouer le professeur Minerva McGonagall ? La grande comédienne relève le défi. Et Chris Columbus respecte si bien la structure du livre qu'il réalise un film de 2 h 22, alors que c'est le plus court roman de la série. Le succès sera au rendez-vous.

Albus Dumbledore (Michael Gambon) dans *Harry Potter et le prisonnier d'Azkaban*.

L'apprenti acteur

Même si tous les fans pensent savoir à quoi ressemble Harry Potter, trois mois avant le tournage et après avoir auditionné plusieurs milliers de garçons, la production ne l'a toujours pas trouvé. Chris Columbus aimerait engager Daniel Radcliffe, qu'il a vu dans le téléfilm « David Copperfield », diffusé sur la BBC, et dans lequel était aussi présente Maggie Smith. Mais Daniel Radcliffe ne s'est pas présenté au casting car ses parents refusent qu'il soit distrait dans sa scolarité par un rôle. Heureusement, David Heyman connaît son père. On connaît la suite... Depuis, Daniel Radcliffe est devenu l'adolescent le plus riche du Royaume-Uni !

La garantie de la pérennité

L'auteur avait de bonnes raisons de protéger son œuvre, car six autres films devaient suivre celui-ci. La réalisation d'*Harry Potter et la chambre des secrets* (Chris Columbus, 2002) débutait alors même que le premier n'était pas en salles. Le tournage d'*Harry Potter et le prisonnier d'Azkaban* (Alfonso Cuarón, 2004) commença cinq mois après la sortie du deuxième, bientôt suivi par *Harry Potter et la coupe de feu* (Mike Newell, 2005) et *Harry Potter et l'Ordre du Phénix* (David Yates, 2007). Richard Harris étant mort le 25 octobre 2002, Michael Gambon a repris le rôle du sage professeur Dumbledore, directeur de Poudlard. Les acteurs (et notamment les jeunes) pourront-ils continuer à interpréter leur rôle jusqu'au dernier opus ?

Le Seigneur des anneaux - La Communauté de l'anneau

La saga d'un autre monde

2001

The Lord of the Rings: The Fellowship of the Ring, film fantastique de Peter Jackson, avec Elijah Wood (Frodon), Ian McKellen (Gandalf), Aragorn (Viggo Mortensen), Ian Holm (Bilbon), Cate Blanchett (Galadriel), Christopher Lee (Saroumane), Liv Tyler (Arwen) • Sc. Peter Jackson, Fran Walsh et Philippa Boyens, d'après l'œuvre de J. R. R. Tolkien • Ph. Andrew Lesnie • Mus. Howard Shore • Prod. New Line Cinema / Wingnut Films / The Saul Zaentz Company • Nouvelle-Zélande - États-Unis • Durée 165' • 4 Oscars : photographie, musique, maquillage, effets spéciaux visuels

Le Hobbit Frodon Sacquet a hérité de son oncle Bilbon l'anneau maléfique qui donne la toute-puissance. Or, Sauron, seigneur des ténèbres, menace la communauté des Nains, des Elfes et des Hobbits. Frodon et ses compagnons vont l'affronter et tenter de détruire l'anneau maléfique.

Aragorn (Viggo Mortensen), Gimli (John Rhys-Davies), Legolas (Orlando Bloom) et Boromir (Sean Bean) font face aux Orques.

Un esprit visionnaire

La publication en 1954 de « La Communauté de l'Anneau » de J. R. R. Tolkien, premier volet d'une vaste épopée en trois épisodes, « Le Seigneur des anneaux » constitua un événement littéraire, et il semblait impossible de matérialiser cet univers cohérent, crédible, et pourtant imaginaire. Ralph Bakshi s'y était essayé en 1978 avec un film d'animation

Gandalf le magicien (Ian McKellen).

Galadriel (Cate Blanchett) et Frodon.

correspondant à la moitié de l'œuvre. Deux téléfilms d'animation avaient été tournés par Jules Bass et Arthur Rankin : « The Hobbit » (1980), d'après « Bilbo le Hobbit » et « The Return of the King » (1980). Mais seul un visionnaire pouvait mener à bien une entreprise aussi ambitieuse que l'adaptation de la trilogie entière. Peter Jackson, déjà célèbre pour avoir évoqué visuellement le monde de l'imaginaire, du rêve et du cauchemar (*Créatures célestes, Fantômes contre fantômes*) y pensait depuis longtemps : « Je me suis mis au travail avec une idée en tête : emmener les spectateurs dans le monde merveilleux de la Terre du Milieu de la manière la plus réaliste qui soit ». Pour recréer visuellement ce monde, au décor à la fois familier et insolite, il décida de tourner dans son pays natal, la Nouvelle-Zélande, dont les paysages sont très variés.

Les Nazguls, maléfiques cavaliers de Sauron.

Différents peuples aux cultures diverses habitent la Terre du Milieu : Hobbits, Nains, Hommes, Elfes, Magiciens, Trolls, Ents, Orques, Spectres de l'Anneau, Uruk-Haïs possèdent chacun leurs coutumes, leurs tenues, leur façon de combattre.

La magie du numérique

C'est la société néo-zélandaise Weta qui réalisa les indispensables effets spéciaux du film, en trois dimensions. Hormis les paysages naturels, c'est un univers entièrement numérique qui fut créé pour matérialiser la Terre du Milieu. C'est par manipulation digitale que furent établis des éclairages d'ambiance, et certaines créatures maléfiques furent réalisées par la magie de cette technologie ; il fallut d'énormes moyens pour créer 200 000 personnages, des centaines d'armures, des milliers d'armes. C'est aux Three Foot Six Wellington Studios, chez Peter Jackson, que furent construits les principaux décors. Tournés en même temps que le premier, les deux épisodes suivants, *Les Deux Tours* et *Le Retour du Roi*, furent distribués en décembre 2002 et 2003. Tous trois remportèrent un succès mondial.

Les quatre Hobbits : Merry (Dominic Monaghan), Pippin (Billy Boyd), Sam (Sean Astin) et Frodon (Elijah Wood).

Quête initiatique

Frodon et ses trois jeunes amis, guidés par le magicien Gandalf, auxquels se sont joints des êtres d'origines diverses, vont s'efforcer de porter l'anneau jusqu'aux crevasses du Destin, anneau maléfique dont le possesseur est tenté d'exercer un pouvoir absolu et de ce fait bien vite malfaisant. S'engage un combat épique, la lutte entre le Bien et le Mal, où le courage individuel se heurte aux forces des ténèbres, au cœur de lieux bucoliques ou cauchemardesques.

Cow-boys et Indiens

La Chevauchée fantastique

Le western acquiert ses lettres de noblesse

1939

Stagecoach, western de John Ford, avec Claire Trevor (Dallas), John Wayne (Ringo Kid), Thomas Mitchell (Doc Boone), George Bancroft (Curly Wilcox), Andy Devine (Buck), John Carradine (Hatfield) • Sc. Dudley Nichols, d'après une nouvelle d'Ernest Haycox • Ph. Bert Glennon • Mus. adaptée de chants populaires américains sous la direction de Boris Morros • Prod. Walter Wanger • États-Unis • Durée 96' • 2 Oscars : second rôle masculin (Thomas Mitchell) et musique

L'odyssée pleine de périls d'une diligence et de ses neuf passagers, qui doivent traverser le territoire des Apaches sur le sentier de la guerre.

La diligence poursuit son chemin vers Lordsburg au cœur de Monument Valley.

Un ancêtre du film-catastrophe

Au début du parlant, les westerns, divertissement essentiellement populaire, n'étaient que des courts métrages réalisés à peu de frais, sans réelle structure dramatique, construits sur le schéma immuable de la bande de pillards, de voleurs de bétail, ou du gros éleveur qui dépossède les fermiers pour s'approprier leurs terres… Avec John Ford, pour la première fois, le genre s'enrichissait d'un contenu psychologique et social. Très inspirée de « Boule de Suif » de Guy de Maupassant, la nouvelle d'Ernest Haycox était parue dans le magazine « Collier's ». John Ford pensa qu'elle fournissait matière à une adaptation cinématographique, posant aussi, sans y prendre garde, les jalons du film-catastrophe en présentant un microcosme confronté à une menace imminente. Une situation qui permettait de mettre en relief le comportement de chacun face à une situation exceptionnelle. Il essuya plusieurs refus avant d'intéresser le producteur Walter Wanger, qui songea aussitôt à de grandes vedettes comme Gary Cooper et Marlene Dietrich. Mais Ford ne voulait pas qu'une star prenne le pas sur les autres comédiens : à ses yeux, chaque personnage avait la même importance. Lorsque Wanger lui demanda à qui il pensait, Ford proposa un ancien accessoiriste qui, des années auparavant, avait joué des petits rôles pour lui : « Il s'appelait alors Michael Morrison ; maintenant, il joue dans des westerns de série B et se fait appeler John Wayne. » Au générique, Claire Trevor, alors plus célèbre, obtint la tête d'affiche.

Les voyageurs fatigués font halte au relais (de gauche à droite : Donald Meek, John Wayne, Andy Devine, Claire Trevor, George Bancroft, Louise Platt, Tim Holt, Berton Churchill, John Carradine, Thomas Mitchell).

La « Route John Ford »

« Je ne vais jamais voir de westerns, se vantait John Ford, mais j'adore en faire. (…) Parce qu'ils sont tournés, la plupart du temps, en (…) pleine nature, loin du "smog" et des autoroutes. » C'est lui qui proposa Monument Valley comme lieu de tournage extérieur, un paysage peu connu d'Arizona qu'il trouvait pittoresque et sauvage et qu'il réutilisa maintes fois par la suite (notamment pour *La Poursuite infernale, Le Massacre de Fort Apache* et *La Prisonnière du désert*). *La Chevauchée fantastique* fut le premier film tourné dans ce site devenu grâce à lui un haut lieu touristique. La piste à peine carrossable qui le traverse, et qui n'a jamais été goudronnée pour ne pas détruire le panorama, s'appelle désormais la « Route John Ford ». Le film rencontra un succès public et critique considérable. Un remake en fut tourné en 1966 par Gordon Douglas, *La Diligence vers l'ouest*.

John Wayne, emblème de l'Amérique

C'est surtout sa collaboration aux films de John Ford, dont il fut un ami fidèle, qui fit de John Wayne le plus célèbre des cow-boys hollywoodiens. Mais, en travaillant avec quelques-uns des plus grands cinéastes américains – Walsh, Hawks, Hathaway, Farrow, Wellman – il est devenu le symbole même de l'Américain robuste, honnête, volontaire, conservateur et patriote. Il a tourné près de cent cinquante films, a fondé sa propre maison de production, la Batjac, et a même réalisé deux films (dont le célèbre *Alamo* en 1960). « John Wayne est sous-estimé, disait Howard Hawks. Il est bien meilleur acteur que sa réputation ne le laisse croire. Il donne à un film homogénéité et solidité. Il peut faire croire à beaucoup de choses. S'il grogne au cours du tournage, vous pouvez être sûr qu'il y a quelque chose de faux dans la scène que vous tournez. Il n'est peut-être pas capable de vous l'expliquer, mais c'est à vous de découvrir ce qui le tracasse. »

Dallas (Claire Trevor) et Ringo Kid (John Wayne).

La Flèche brisée

Le premier grand western pro-indien

1950

Broken Arrow, western de Delmer Daves, avec James Stewart (Tom Jefford), Jeff Chandler (Cochise), Debra Paget (Sonseeahray), Will Geer (Ben Slade), Basil Ruysdael (le général Howard) • Sc. Michael Blankfort (Albert Maltz), d'après le roman d'Elliott Arnold • Ph. Ernest Palmer • Mus. Hugo Friedhofer • Prod. 20th Century-Fox • États-Unis • Durée 93'

En 1870, révolté par les guerres incessantes entre Blancs et Indiens, un homme généreux prend l'initiative de rencontrer Cochise, chef de la tribu apache des Chiricahuas, et contribue à la signature d'un traité de paix.

Tom Jefford (James Stewart) et le général Howard (Basil Ruysdael) sont venus parlementer avec Cochise (Jeff Chandler).

Images de l'Indien au cinéma

En fait, dès les années dix, des westerns Pathé offraient une image sympathique des Indiens, parfois présentés comme plus nobles et plus respectables que les Blancs. Par la suite, bon nombre de réalisateurs adoptèrent la démarche libérale de Delmer Daves, tels William Wellman avec *Au-delà du Missouri* (1951), Howard Hawks avec *La Captive aux yeux clairs* (1952) et Samuel Fuller avec *Le Jugement des flèches* (1957). De son côté, Robert Aldrich donna le rôle du héros à un Indien dans son *Bronco Apache* (1954) avec Burt Lancaster. Tandis que, dans *Taza, fils de Cochise* de Douglas Sirk (1954), Rock Hudson, dans le rôle-titre, tentait de continuer tant bien que mal l'œuvre de paix de son père. Plus tard, les années soixante-dix virent la reconnaissance des Indiens et de leur spécificité. *Jeremiah Johnson* de Sydney Pollack (1972) racontait l'histoire authentique d'un trappeur épousant, lui aussi, une Indienne, *Un Homme nommé Cheval* d'Elliot Silverstein (1970) suivait les tribulations d'un lord anglais tenté par la culture sioux et *Soldat bleu* de Ralph Nelson (1970) démontrait que la colonisation brutale imposée par les pionniers n'avait été qu'un pur et simple génocide. Les plus récents exemples de cette lignée généreuse sont *Danse avec les loups* de Kevin Costner (1990) et *Geronimo* de Walter Hill (1993).

Un tournant historique

1950 est une année cruciale dans l'histoire du western. Présenté le 1er août, *La Flèche brisée*, produit par la 20th Century-Fox, montre pour la première fois que les femmes apaches peuvent pleurer leurs enfants morts… Terminé avant ce film, *La Porte du diable* d'Anthony Mann avait vu sa sortie retardée par la MGM qui ne croyait pas en son audience potentielle. Devant le succès considérable et inattendu rencontré par *La Flèche brisée*, il fut distribué le 15 septembre, soit un mois et demi après la sortie du film de Delmer Daves. Il racontait l'histoire d'un Indien qui, ayant combattu durant la guerre de Sécession, rentrait chez lui pour découvrir qu'il lui fallait désormais se battre contre ses anciens compagnons d'armes, pour défendre son peuple. Après l'impact de ces deux œuvres, rien ne sera plus comme avant dans la mythologie du western.

Tom s'est épris de Sonseeahray (Debra Paget).

Une étape décisive

Distingué par un grand nombre de récompenses internationales, comprenant même une citation des Nations-Unies mais aucun Oscar, *La Flèche brisée* marque le début de la réhabilitation de l'Indien dans le cinéma hollywoodien. « Nous désirions faire le premier film montrant l'Indien d'Amérique comme un être humain avec de la dignité, un sens de l'honneur, du courage », expliqua Delmer Daves. Basé sur une histoire authentique – l'amitié de Cochise et de l'éclaireur Tom Jefford –, il a aussi le mérite de montrer, l'un des premiers, un mariage interracial, bien que cette partie de l'intrigue soit totalement inventée : Jefford y épouse une jeune Indienne, avant qu'elle ne soit assassinée par une bande de renégats blancs.

L'initiative était tellement inattendue à son époque que le réalisateur fut célébré comme le premier cinéaste antiraciste d'Hollywood. À tel point que ses contrats ultérieurs stipulaient qu'il devait toujours raconter, dans ses films, des histoires d'amour entre gens de races différentes ! Remarqué pour sa composition jugée « digne et pondérée », qui lui valut une nomination à l'Oscar, Jeff Chandler devait reprendre le rôle de Cochise s'associant à la cavalerie américaine pour faire échec à Geronimo, le chef apache dissident, dans *Au mépris des lois* de George Sherman (1953).

Le Train sifflera trois fois

Gary Cooper, shérif seul contre tous

1952

High Noon, western de Fred Zinnemann, avec Gary Cooper (Will Kane), Grace Kelly (Amy), Thomas Mitchell (Jonas Henderson), Lloyd Bridges (Harvey Peel), Katy Jurado (Helen Ramirez) • Sc. Carl Foreman, d'après une nouvelle de John W. Cunningham • Ph. Floyd Crosby • Mus. Dimitri Tiomkin • Prod. Stanley Kramer • États-Unis • Durée 84' • 4 Oscars : acteur (Gary Cooper), montage, musique et chanson

Le jour de son mariage, un shérif qui vient de rendre son étoile doit reprendre les armes pour affronter un criminel revenu se venger.

Face au danger, le shérif Kane (Gary Cooper) demeure désespérément seul.

Will Kane épouse Amy (Grace Kelly).

L'homme seul face aux éléments hostiles

Ce n'est que quinze ans après sa distribution que l'auteur du scénario, Carl Foreman, avoua qu'il avait transposé dans l'univers codifié du western un drame vécu par lui-même. Intellectuel de gauche, il avait été l'un des premiers, au moment de la Chasse aux sorcières à Hollywood, à être inscrit sur la « liste noire » du sénateur McCarthy. « Pour moi, précisa-t-il, les trois hommes qui attendent à la gare devinrent les agents de la commission des activités antiaméricaines, celui qui arrive par le train, l'homme qui a le pouvoir de vous abattre. La ville devint Hollywood. [...] Et comme nous avions commencé le tournage, mes hommes de loi m'ont écrit que les affaires allaient mal pour moi et, sur le plateau, acteurs et techniciens ont fini par se comporter avec moi comme les personnages du film avec le marshall Kane. On me laissait entendre que je devais me "mettre à table" devant la fameuse commission. » « Quand les Artistes Associés virent le film, racontait-il encore, ils le trouvèrent très mauvais et essayèrent de le vendre à la Columbia. Mais Harry Cohn, qui présidait aux destinées de cette compagnie, s'exclama : "Ce n'est pas un western, il n'y a ni bétail, ni cavalerie, ni Indiens."

Alors les Artistes Associés furent bien obligés de sortir le film, qui obtint un succès considérable et valut son deuxième Oscar à Gary Cooper. Et, à ce moment, les gens ont admis que c'était un western. Parce que, en fin de compte, le film exploitait le thème originel du western : la mythologie de l'homme seul face aux éléments hostiles. » Trente ans plus tard, Peter Hyams signera une audacieuse transposition du sujet en science-fiction dans *Outland* (1981), avec Sean Connery.

Bien que quaker, et donc non-violente, Amy intervient pour sauver son mari.

Naissance du sur-western

À l'époque, Hollywood avait déjà tourné près de 2 500 westerns parlants et le genre était sur le point de se scléroser. Certains grands réalisateurs tentèrent alors de revaloriser la formule. Fred Zinnemann fut l'un de ceux-là et, à propos de son film, le critique André Bazin fut le premier à parler de « sur-western ». Car *Le Train sifflera trois fois* accumule les prouesses. Il s'apparente à la tragédie classique par son souci du respect de la règle des trois unités : unité de lieu – la petite localité de Hadleyville –, unité d'action – le shérif tente de trouver de l'aide parmi ses concitoyens avant de faire face à l'inévitable –, unité de temps enfin, avec cette gageure d'inscrire le déroulement des événements dans une durée équivalente à celle de la projection.

Réfugié dans une boutique, Kane guette les tueurs.

Gary Cooper, authentique chevalier de l'Ouest

Avec sa silhouette dégingandée, son allure empruntée et sa timidité naturelle, Gary Cooper (1901-1961) représente sans doute l'une des images les plus humaines et les plus chaleureuses de l'idéal américain. Interprète des plus grands cinéastes – Sternberg, Lubitsch, Borzage, Capra, Hawks, Wyler –, tout aussi à l'aise dans la comédie, le drame, le film de guerre ou le western, il est l'aventurier par excellence, à la fois loyal et audacieux, gardant au cœur des pires circonstances la parcelle de générosité qui fait la grandeur de l'homme. Parlant de lui à propos du tournage du film, Carl Foreman précisait : « Cooper fut extraordinaire. Ses opinions politiques étaient pourtant à l'opposé des miennes. C'était un homme de droite et un républicain. Mais il était très honnête et plein de bon sens. [...] Et plus tard, devant la Commission, il eut une attitude très digne, ne se conduisit jamais comme tant d'autres en vulgaire "mouchard". »

L'Appât

Western et tragédie classique

1953

The Naked Spur, western d'Anthony Mann, avec James Stewart (Howard), Robert Ryan (Ben), Janet Leigh (Lina), Millard Mitchell (Jesse), Ralph Meeker (Roy). • Sc. Sam Rolfe et Harold Jack Bloom • Ph. William Mellor • Mus. Bronislau Kaper • Prod. William H. Wright • États-Unis • Durée 94'

La traque difficile d'un criminel par un fermier ruiné que les circonstances ont transformé en chasseur de primes.

Lina (Janet Leigh) et Howard (James Stewart).

Voyage initiatique

Œuvre très épurée sur le plan dramatique, *L'Appât* se veut la description d'un itinéraire à la fois physique et moral : celui d'un homme qui a été dépossédé de ses biens et qui est prêt à tout pour les récupérer. Y compris à tuer. Dans sa poursuite acharnée d'un hors-la-loi – source de profit inespéré et immédiat –, il doit affronter les haines et les rivalités que fait naître la cupidité dans le cœur des autres.

Parallèlement, le film décrit une lente progression dans une nature de plus en plus hostile, qui prend les dehors d'un voyage initiatique. « Nous étions dans une région magnifique, Durango, expliquait Anthony Mann, et tout se prêtait à l'improvisation. J'ai voulu montrer la montagne et les torrents, les sous-

Howard et Jesse (Millard Mitchell) face à Anderson (Ralph Meeker).

bois et les cimes [...] : les personnages en sortent grandis. » Pour une fois, la critique et le grand public se sont retrouvés à l'unisson pour encenser ce film à la fois âpre et spectaculaire, bien que narré dans un style simple et dépouillé : tout en respectant les conventions du genre, Anthony Mann décrit une action et des motivations qui se rattachent à la tragédie classique. Certains critiques évoquèrent d'ailleurs Racine à son propos, ce qui en dit long sur la considération qu'il a pu faire naître au sein d'une intelligentsia peu encline, a priori, à défendre le western.

Les grands artisans du western

Les cinéastes qui ont contribué à donner au western sa forme classique et ses règles ne sont pas nombreux : John Ford, Howard Hawks, Raoul Walsh, Budd Boetticher, John Sturges, Delmer Daves et Anthony Mann. Si Budd Boetticher en fut le grand architecte, John Sturges le stratège et Delmer Daves l'humaniste, Mann peut aisément revendiquer l'honneur d'en avoir été le poète. De 1950 à 1955, il a réalisé cinq westerns avec James Stewart en vedette qui demeurent des chefs-d'œuvre : outre le présent film, *Winchester 73* (1950), l'histoire d'un fusil passant de main en main (l'un de ses films préférés) ;

Les Affameurs (1952), qui décrivait la vie difficile des pionniers des temps héroïques s'aventurant dans les terres lointaines ; *Je suis un aventurier* (1955), qui évoquait l'épopée des chercheurs d'or ; et *L'Homme de la plaine* (1955), qui s'intéressait au problème de l'annexion des territoires par les grands propriétaires terriens.

Un cinéaste d'exception

Anthony Mann a tourné quarante films entre 1942 et 1966. Après avoir fait son apprentissage dans une dizaine de séries B, il se fait remarquer en signant deux films noirs au style semi-documentaire, *La Brigade du suicide* (1947) et *Marché de brutes* (1948). Après *Les Furies* (1950), audacieuse transposition de Dostoïevski dans l'univers de l'Ouest américain, il devient célèbre avec ses cinq grands westerns. Parallèlement, il signe une biographie de Glenn Miller, *Romance inachevée* (1954), un film de guerre très violent pour son époque, *Cote 465* (1957), et une adaptation d'Erskine Caldwell, *Le Petit Arpent du Bon Dieu* (1958), qui prouvent l'étendue de son répertoire. Au début des années soixante, il dirige *Le Cid* (1961), l'une des plus belles superproductions en costumes de l'histoire du cinéma, et *La Chute de l'empire romain* (1964), le dernier grand péplum – dont le sujet servira de ligne dramatique (non mentionnée) à Ridley Scott pour son *Gladiator* (2000) –, avant de mourir sur le plateau de *Maldonne pour un espion* (1968), terminé par son acteur principal, Laurence Harvey.

Johnny Guitare

Naissance du western féministe

1954

Johnny Guitar, western de Nicholas Ray, avec Joan Crawford (Vienna), Sterling Hayden (Johnny), Mercedes McCambridge (Emma), Scott Brady (Dancing Kid), Ward Bond (McIvers), Ernest Borgnine (Bart) • Sc. Philip Yordan, d'après le roman de Roy Chanslor • Ph. Harry Stradling • Mus. Victor Young • Prod. Herbert J. Yates • États-Unis • Durée 110'

Johnny Guitare retrouve Vienna, qu'il aima jadis, devenue tenancière de saloon, et prend sa défense lorsqu'elle est accusée injustement d'être complice d'un hold-up.

Emma (Mercedes McCambridge) se réjouit d'assister à la pendaison de Vienna (Joan Crawford).

Un film « sur mesure »

L'Ouest, terre de violence, est une contrée sauvage dominée par les hommes. Pour la première fois, une femme s'y affirmait leur égal. Vienna est une femme libre, consciente de ses droits, une femme de caractère qui dirige un saloon, sait se faire obéir et manie le « six coups » sans faiblir. Engagé comme réalisateur, Nicholas Ray avait reçu cette consigne de Herbert J. Yates, patron de la Republic Pictures : « Prenez Joan Crawford et faites en sorte qu'elle soit heureuse pendant le tournage. » Star adulée, l'actrice n'avait pas tourné de western depuis l'époque du muet. Comme le fit remarquer François Truffaut, *Johnny Guitare* a été fait sur mesure pour elle, comme *L'Ange des maudits* de Fritz Lang (1952) pour Marlene Dietrich : « Joan Crawford fut l'une des plus belles femmes de Hollywood, expliquait-il ; elle est aujourd'hui hors des limites de la beauté. Elle est devenue irréelle, comme le fantôme d'elle-même » (dans « Les Films de ma vie », 1975).

Un vibrant poème d'amour

Du roman de Roy Chanslor – dont le contenu était « tout à fait nul », selon l'opinion de Nicholas Ray – seul le titre a été conservé. Par la volonté du cinéaste et de son scénariste, *Johnny Guitare* est devenu, de surcroît, une allégorie antimaccarthyste * : Vienna et Johnny incarnent les exclus d'Hollywood pour leurs opinions ; Emma et McIvers représentent symboliquement la commission des activités antiaméricaines. Ajoutons que Nicholas Ray avait joué un bon tour à Ward Bond, l'un des meneurs à l'époque du parti fasciste en Californie : « Nous lui avons fait jouer le rôle du chef de la milice, un extrémiste fascisant faisant régner la terreur. Et lui croyait que son personnage était un héros, un bonhomme sympathique ! »
La photographie était en Trucolor, un procédé très vite abandonné car le temps en altère les couleurs. Ce qui inspira au cinéaste d'accentuer les noirs et les blancs (la robe blanche de Vienna, les costumes noirs de la patrouille). Ces teintes aujourd'hui un peu irréelles confèrent au film une patine véritable tout en accentuant un peu plus son apparence incongrue, marginale. Une particularité stylistique qui fait écho à la singularité d'un film délaissant quelque peu les longues chevauchées et les duels chers au genre, au profit d'un vibrant poème d'amour.

* De 1947 à 1952, le sénateur d'extrême droite Joseph McCarthy conduisit une violente « chasse aux sorcières » visant à épurer Hollywood des communistes et de leurs sympathisants.

Mc Ivers (Ward Bond) et Emma conduisent la patrouille.

La femme émancipée dans le western

Dans le western classique, la femme a toujours été un personnage secondaire – épouse effacée ou « repos du guerrier ». Pourtant, périodiquement, cette image a été remise en cause par des cinéastes audacieux et des actrices téméraires. C'est Marlene Dietrich qui, dans *Femme ou démon* de George Marshall (1939), en patronne de saloon, prête main-forte au timide shérif pour purger la ville ; c'est elle encore qui, dans *L'Ange des maudits* de Fritz Lang (1953), règne en maîtresse sur un repaire de hors-la-loi. Dans *Convoi de femmes* de William Wellman (1951), les femmes partent à la conquête de la Californie avec un courage et une détermination que pourraient leur envier bien des hommes. Plus près de nous, *Belles de l'Ouest* de Jonathan Kaplan (1994) raconte les aventures de quatre femmes indomptables dans l'Ouest sauvage ; et la belle Sharon Stone, dans *Mort ou vif* de Sam Raimi (1995), triomphe de tous les « gunfights » grâce à sa dextérité au revolver.

Vienna a retrouvé en Johnny (Sterling Hayden) un amour d'autrefois.

Johnny a été engagé par Vienna comme guitariste.

La Prisonnière du désert

Le plus beau western ?

Martin (Jeffrey Hunter) et Ethan (John Wayne) recherchent inlassablement Debbie.

1956

The Searchers, western de John Ford, avec John Wayne (Ethan Edwards), Jeffrey Hunter (Martin Pawley), Vera Miles (Laurie Jorgensen), Ward Bond (le révérend Samuel Clayton), Natalie Wood (Debbie Edwards) • Sc. Frank S. Nugent, d'après le roman d'Alan Le May • Ph. Winton C. Hoch • Mus. Max Steiner • Prod. C. V. Whitney, Merian C. Cooper • États-Unis • Durée 110'

Accompagné d'un jeune métis, un aventurier se lance à la recherche de sa nièce, enlevée par une bande de Comanches.

Ethan et Martin encadrent Look (Beulah Archuletta), « épouse » du jeune homme.

Martin retrouve Laurie Jorgensen (Vera Miles) et sa mère (Olive Carey).

visuelle incomparable – le travail le plus accompli de l'opérateur Winton C. Hoch –, mais aussi une élégance et une simplicité exemplaires de la part d'un cinéaste à qui François Truffaut estimait qu'on aurait dû décerner le « prix de la mise en scène invisible » : un raconteur d'histoire chez qui la réalisation s'efface toujours derrière le sujet qu'elle traite. Faux modeste – il se défendait d'être un penseur –, John Ford a pourtant voulu faire de son film une œuvre à résonance universelle, ainsi qu'en témoignent les prénoms d'origine biblique donnés à certains personnages – baptisés autrement dans le roman –, Ethan, Aaron, Moïse.

Une résonance universelle

Adapté de l'un des plus grands romanciers de l'Ouest, *La Prisonnière du désert* traite avant tout du racisme et de l'intolérance, et démontre, par l'absurde, la stupidité de ces préjugés : Ethan Edwards voue une haine farouche aux Indiens mais, à bien des égards, est plus proche d'eux que de ses « frères » blancs et Debbie, ravie à sa famille dès son plus jeune âge, est devenue une Indienne après avoir vécu dix années au milieu d'une tribu. Le sujet du *Vent de la plaine* de John Huston (1960), adapté d'un autre roman d'Alan Le May, s'appuie sur le déchirement vécu par une Indienne élevée par une famille de Blancs et réclamée par ses frères de race. L'écrivain, on le voit, était obsédé par le thème, et John Ford l'illustrera à nouveau dans *Les Deux Cavaliers* (1962) et *Les Cheyennes* (1964). La quête interminable des deux héros – elle dure dix ans : la traduction du titre original pourrait être « Ceux qui cherchent » – est décrite tout à la fois avec une splendeur

La tragédie d'un solitaire

Le film est centré sur la personnalité à la fois attachante et ambiguë d'Ethan Edwards. Un aventurier au passé trouble, taciturne, amer et violent, autoritaire et individualiste, mais au charisme irrésistible, tout comme John Wayne, qui l'incarne. Cet homme qui cache sa nature profonde a souvent été comparé à John Ford lui-même, en apparence bougon et fruste, mais qui cachait, par pudeur, l'étendue véritable de sa culture et de sa sensibilité.
Le film rassemble toutes les vertus et toutes les caractéristiques du genre : les grands espaces, la présence des Indiens sur le sentier de la guerre, la condition difficile des premiers pionniers… De l'avis de beaucoup de critiques, *La Prisonnière du désert* est peut-être le plus beau western de l'histoire du cinéma. Le meilleur film américain tout court, estime pour sa part Martin Scorsese – qui en parle en termes élogieux dans son livre (et film) documentaire *Voyage à travers le cinéma américain* (1997).

Un grand maître du cinéma

D'origine irlandaise, John Ford (1895-1973) – de son vrai nom Sean O'Fenney – n'a cessé dans ses films de glorifier les vertus de l'idéal américain (il fut blessé à l'œil à la bataille de Midway). Après avoir fait ses premières armes dans le cinéma muet (ses débuts remontent à 1917), il a marqué le cinéma américain en abordant tous les genres : la comédie (*Toute la ville en parle*, 1935), le film biographique (*Vers sa destinée*, 1939), le drame social (*Les Raisins de la colère*, 1940), le film de guerre (*Les Sacrifiés*, 1945). Mais c'est au western que se rattachent ses plus belles réussites : *La Poursuite infernale* (1946), *Le Massacre de Fort Apache* (1948), *La Charge héroïque* (1949), *Le Convoi des braves* (1950), *L'Homme qui tua Liberty Valance* (1962), *Les Cheyennes* (1964).

Debbie (Natalie Wood) est devenue une jeune squaw.

Règlements de comptes à O.K. Corral
Glorification d'un mythe

1957

Gunfight at the O. K. Corral, western de John Sturges, avec Burt Lancaster (Wyatt Earp), Kirk Douglas (« Doc » Holliday), Rhonda Fleming (Laura Denbow), Jo Van Fleet (Kate Fisher), John Ireland (Ringo), Lyle Bettger (Ike Clanton) • Sc. Leon Uris • Ph. Charles B. Lang Jr • Mus. Dimitri Tiomkin • Prod. Hal B. Wallis • États-Unis • Durée 120'

L'étrange amitié qui lia Wyatt Earp à « Doc » Holliday, et le duel sans merci qui les opposa au gang Clanton dans la petite bourgade de Tombstone.

À Tombstone, Wyatt Earp (Burt Lancaster) et « Doc » Holliday (Kirk Douglas) font respecter la loi.

La vérité derrière la légende

Prenant comme credo la formule avancée par John Ford dans *L'Homme qui tua Liberty Valance* (1962) – « Lorsque la légende est plus belle que la réalité, on imprime la légende » – *Règlements de comptes à O. K. Corral* constitue sans doute l'apothéose de ces films qui tentèrent, durant plus d'un demi-siècle, de donner de l'Ouest une image glorieuse, séduisante et… aseptisée. Conçu par son producteur comme une œuvre de prestige, le film bénéficia d'une analyse psychologique approfondie pour un western, d'un dialogue peaufiné par un grand écrivain – Leon Uris, auteur du célèbre roman « Exodus » (1958) –, et de séquences d'action filmées par un maître de la stratégie visuelle.

Forgée surtout par lui-même, la légende de Wyatt Earp (1848-1929), incorruptible défenseur de l'ordre, avait fait du personnage une figure emblématique du Far West au début du XXe siècle. À tel point qu'au soir de sa vie, Earp recevait la visite d'illustres comédiens comme William S. Hart ou Tom Mix, qui participèrent les premiers à l'établissement de la mythologie du western au cinéma. Ainsi fut occulté, pour près d'un siècle, le fait qu'il avait été pistolero, joueur professionnel et employé de saloon. John « Doc » Holliday (1851-1887), lui, était un ancien chirurgien-dentiste devenu joueur professionnel, que sa déchéance morale et physique (il était tuberculeux) avait rendu alcoolique. Incarnés l'un et l'autre au cinéma par des comédiens charismatiques et talentueux, ils sont devenus des héros. Et l'on oublia bien vite que le duel fameux survenu à Tombstone (Arizona) le 26 octobre 1881, ne fut sans doute rien d'autre qu'un simple combat entre hors-la-loi.

« O. K. Corral » au cinéma

Depuis *Frontier Marshall* d'Allan Dwan (1939) et *La Poursuite infernale* de John Ford (1946), tous deux fidèles à la mythologie, le combat sanglant qui opposa les frères Earp et « Doc » Holliday au gang d'Ike Clanton (et qui fit trois morts dans les rangs de ces derniers) a inspiré un nombre considérable de films. *Un Jeu risqué* de Jacques Tourneur (1956) évoquait, de manière tout aussi idéalisée, la carrière de Wyatt Earp à Dodge City, tandis que *Sept Secondes en enfer* de John Sturges (1967) s'attachait au destin de Wyatt Earp et de « Doc » Holliday dans les années qui suivirent *O. K. Corral*. Mais il fallut attendre les années quatre-vingt-dix pour que *Tombstone* de George Pan Cosmatos (1993) et *Wyatt Earp* de Lawrence Kasdan (1994) proposent enfin une retranscription des événements plus conforme à la réalité. On y apprit ainsi que la distinction entre représentants de l'ordre et hors-la-loi n'était pas aussi tranchée, et que la durée du fameux « gunfight », étirée jusqu'à sept minutes de projection dans le film de Sturges, n'avait pas dépassé quinze secondes…

« Doc » joue avec Laura (Rhonda Fleming).

Le combat final à O. K. Corral.

Les « jumeaux terribles » d'Hollywood

Burt Lancaster et Kirk Douglas ont suivi une carrière curieusement parallèle et forment un duo à part dans l'histoire d'Hollywood. Révélés au public à la fin de la guerre, ils n'ont cessé de tenter des paris audacieux pour se montrer dignes de leur réputation de comédiens émancipés. Approfondissant des relations basées sur « un curieux mélange d'amour et de haine » (dixit Kirk Douglas), ils sont apparus cinq fois ensemble au générique d'un même film. Outre celui de John Sturges, ils étaient déjà côte à côte dans *L'Homme aux abois* de Byron Haskin (1947) et devaient se retrouver à l'affiche de *Au fil de l'épée* de Guy Hamilton (1959), *Sept Jours en mai* de John Frankenheimer (1963) et *Coup double* de Jeff Kanew (1986).

Rio Bravo

Le western par excellence

1959

Rio Bravo, western de Howard Hawks, avec John Wayne (John T. Chance), Dean Martin (Dude), Walter Brennan (Stumpy), Angie Dickinson (« Feathers »), Ricky Nelson (« Colorado ») • Sc. Jules Furthman et Leigh Brackett, d'après une nouvelle de B. H. McCampbell • Ph. Russell Harlan • Mus. Dimitri Tiomkin • Prod. Howard Hawks • États-Unis • Durée 141'

Aidé d'un alcoolique et d'un vieillard boiteux, un shérif tient tête à un gros propriétaire terrien qui va tenter de libérer son frère emprisonné pour meurtre.

L'attente pèse sur les adjoints de Chance : Stumpy (Walter Brennan) s'énerve et Dude (Dean Martin) commence à craquer.

Qu'est-ce qu'un bon shérif ?

Bien qu'il ait été entrepris en réaction contre une certaine tendance d'humanisation du genre, *Rio Bravo* s'inscrit dans la lignée de renouvellement du western typique des années cinquante. Howard Hawks expliqua qu'il l'avait tourné parce qu'il n'aimait pas *Le Train sifflera trois fois* (1952), estimant que le personnage incarné par Gary Cooper était l'antithèse du héros de l'Ouest : « Pour moi, un bon shérif ne se mettait pas à courir la ville comme un poulet auquel on a coupé la tête en demandant de l'aide ; et pour couronner le tout, c'est finalement sa femme quaker qui devait le sauver. » En outre, Hawks avait également détesté *3 h 10 pour Yuma* de Delmer Daves (1957) où le shérif gardait prisonnier un hors-la-loi qui l'accablait de sarcasmes et le menaçait des pires représailles : « C'est un tissu d'inepties, continuait-il. Le shérif n'aurait qu'à répliquer : "Vous feriez mieux d'espérer que vos amis ne vous rattrapent pas, parce que vous seriez le premier à y passer." » Mis au défi de faire un film qui prendrait ces deux situations à contre-pied, Howard Hawks entreprit donc de tourner ce qui serait exactement

le contraire des westerns de Fred Zinnemann et de Delmer Daves. Dans *Rio Bravo*, adapté d'un sujet écrit par la propre fille de Hawks, le shérif est un homme fort qui n'accepte l'aide des autres qu'avec réticence. Ici, on ne peut donc guère parler d'innovation : la situation de base avait servi de nombreuses fois auparavant. « Hawks ne s'inscrit jamais en révolutionnaire, écrit Jean Wagner : sa manière de renouveler le genre, c'est de le consacrer. » À partir de là, les thèmes chers au cinéaste, mais qui appartiennent à la mythologie hollywoodienne, refont surface avec évidence : le destin, le courage et la détermination, l'amitié virile entre des hommes de même trempe qui ont chacun un problème à surmonter.

Stumpy et Chance luttent contre les Burdette à coups de dynamite.

Grâce à l'aide de « Colorado » (Ricky Nelson), Chance parvient à éliminer des tueurs qui le menaçaient.

Howard Hawks et le western

Les deux autres westerns importants du cinéaste sont *La Rivière rouge* (1948) et *La Captive aux yeux clairs* (1952). Le premier illustre le thème classique de la migration du bétail ; le second, celui des trappeurs qui, les premiers – l'action se situe en 1830 –, se sont aventurés sur les terres indiennes pour tenter d'établir un commerce avec les tribus indigènes, avant la conquête de l'Ouest par les pionniers.

Chance (John Wayne) succombe aux charmes de « Feathers » (Angie Dickinson).

« Il y a toujours deux manières... »

Howard Hawks signa lui-même deux remakes non avoués de *Rio Bravo* : *El Dorado* (1967) et *Rio Lobo* (1970). Pour se justifier, il déclarait que lorsqu'un cinéaste aime raconter une certaine histoire, il pense toujours qu'il pourrait la raconter une nouvelle fois en empruntant des chemins divergents pour certaines péripéties et en améliorant certains éléments. Toutefois, si les films, bénéficiant du même style et de la même écriture, accusent de nettes ressemblances, ils divergent sur bien des points. Ainsi dans *El Dorado*, à l'inverse de *Rio Bravo* où « Colorado » est un expert, le jeune garçon (« Mississippi ») ne sait pas tirer ; dans *Rio Bravo*, John Wayne était le shérif et se faisait aider par son adjoint ivrogne, dans *El Dorado*, le shérif (Robert Mitchum) est un ivrogne, alors que son adjoint (John Wayne) est sobre. « Il y a toujours deux manières, vous pouvez choisir l'une et l'autre, et nous savions que les deux étaient bonnes, constatait Hawks. Nous avons simplement tout inversé. »

Il était une fois dans l'Ouest

Le triomphe du « western-spaghetti »

1968

C'era una volta il West, western de Sergio Leone, avec Henry Fonda (Frank), Charles Bronson (« Harmonica »), Jason Robards (« Cheyenne »), Claudia Cardinale (Jill McBain), Gabriele Ferzetti (Morton) • Sc. Sergio Leone et Sergio Donati, d'après une histoire de Sergio Leone, Dario Argento et Bernardo Bertolucci • Ph. Tonino Delli Colli • Mus. Ennio Morricone • Prod. Rafran / San Marco / Paramount • Italie - États-Unis • Durée 170'

Aventurier solitaire, « Harmonica » poursuit de sa vengeance implacable Frank, le chef d'une bande de hors-la-loi au service de la compagnie du chemin de fer.

Frank (Henry Fonda) et ses tueurs viennent de massacrer la famille McBain.

Arrivée après la tuerie, Jill (Claudia Cardinale) décide de s'installer au ranch.

Le « western-spaghetti »

L'art de Sergio Leone était alors à son apogée, après le succès phénoménal rencontré sur le plan mondial par sa trilogie, dominée par la présence de Clint Eastwood : *Pour une poignée de dollars* (1964), *Et pour quelques dollars de plus* (1965) et *Le Bon, la brute et le truand* (1966).

Bien que son impact ait eu une importance historique considérable, la vogue du western italien ne dura guère plus d'une dizaine d'années, jusqu'en 1974. Il fut essentiellement produit par des capitaux européens et dirigé par un petit groupe de cinéastes italiens dont les plus connus sont Sergio Corbucci, Sergio Sollima, Damiano Damiani et Tonino Valerii. De célèbres comédiens américains contribuèrent à son succès, comme Jack Palance, Arthur Kennedy, Eli Wallach ou Robert Ryan. Si le western classique mourut avec lui, on peut le voir aujourd'hui comme une dernière tentative de faire renaître de ses cendres un genre déjà moribond.

Quoi qu'il en soit, le cinéma moderne lui doit quelque chose : un style de mise en scène plus osé, somme toute plus réaliste, et une dégénérescence morale chez les personnages qui imprime désormais sa marque sur toute la production contemporaine.

L'Ouest vu par les Européens

Le western déserte les grandes plaines de l'Ouest pour fleurir en Italie, dans les studios de Cinecittà. Les nombreuses innovations apportées par l'iconoclaste Sergio Leone touchent à la fois le sujet, le rythme, le traitement des images, l'utilisation de la musique. Les situations, extrêmement violentes, sont exposées dans un style baroque symbolisé par ces gros plans sur les yeux des tueurs et les mains prêtes à dégainer leurs armes, et ce temps démesurément allongé pour faire croître le suspense jusqu'au paroxysme. Les personnages, souvent revêtus de longs cache-poussière, toujours sales et mal rasés, affichent le plus profond cynisme. À tel point que le spectateur finit presque par avoir du mal à reconnaître « le bon » de « la brute » ou du « truand »... Et la musique d'Ennio Morricone, inventive, toujours obsédante, parfois extravagante, contribue puissamment à parfaire ce traitement à la limite de la caricature.

Pourquoi Frank a-t-il été sauvé par « Harmonica » (Charles Bronson) ?

Destruction du héros américain

Avec *Il était une fois dans l'Ouest*, Sergio Leone ne s'est pas contenté de détourner l'image mythologique perpétuée par Hollywood depuis plus de cinquante ans. Pour en finir une fois pour toutes avec un certain romantisme de l'Ouest, il a aussi offert à Henry Fonda, symbole de l'Américain intègre et humain, son premier et seul rôle de criminel cruel et débauché. Si Henry Fonda avait tenté, quelquefois, par provocation ou pour le plaisir, de détruire son image de marque, ce personnage de tueur sans pitié dans le film de Sergio Leone est un aboutissement. Dans la première scène où il apparaît, il massacre une famille entière, dont un enfant de huit ans ! L'acteur le reconnaissait lui-même : « Je sais que les gens me considèrent comme le citoyen-type, avait-il confié à « Playboy » : l'homme digne de confiance, loyal, amical, plein de dignité. » Si le film a connu des records d'affluence dans le monde entier, le public d'outre-Atlantique le bouda, ne pardonnant pas au cinéaste italien d'avoir perverti à ce point un de leurs acteurs fétiches, symbole d'une Amérique droite et honnête.

Jadis, Frank avait pendu un homme...

La Horde sauvage
Chant du cygne ou renaissance ?

1969

The Wild Bunch, western de Sam Peckinpah, avec William Holden (Pike Bishop), Ernest Borgnine (Dutch Engstrom), Robert Ryan (Deke Thornton), Edmond O'Brien (Old Freddy Sykes), Warren Oates (Lyle Gorch), Ben Johnson (Tector Gorch) • Sc. Walon Green et Sam Peckinpah, d'après une histoire de Walon Green et Roy N. Sickner • Ph. Lucien Ballard • Mus. Jerry Fielding • Prod. Phil Feldman • États-Unis • Durée 145'

Dans l'espoir d'échapper aux chasseurs de primes lancés à ses trousses, une bande de pillards se réfugie au Mexique et se heurte à l'armée fédérale.

Sykes (Edmond O'Brien), Angel (Jaime Sanchez), Pike et Dutch découvrent une automobile.

Ne plus tricher avec la violence

La Horde sauvage, qui commence et se termine par deux massacres mémorables, a surtout frappé les esprits par des déchaînements de violence qu'on n'avait encore jamais vus au cinéma. Après les meurtres sanglants de *Bonnie et Clyde* d'Arthur Penn (1967), il ne serait désormais plus possible de filmer la mort d'un homme par balle sans montrer l'éclatement des chairs et le sang qui jaillit de la blessure. « Tout le monde triche avec la notion de violence, spécialement dans le western, expliquait Sam Peckinpah. Quand on reçoit une balle, on ne tombe pas comme dans un ballet. Le sang gicle, tout explose en vous. Tuer, ce n'est pas drôle, ni joli. Dans *La Horde sauvage*, je montre avec le maximum d'authenticité toute l'horreur et la cruauté de la mort. Je veux que le spectateur ressente de la manière la plus forte, la plus terrible possible, la violence cataclysmique, irresponsable, qui peut s'emparer de l'homme. Voilà pourquoi j'ai utilisé les ralentis. Je veux prolonger le moment de l'impact, afin de donner à la mort une horreur individuelle, ce qui oblige le public à réagir. La seule manière de condamner la violence, c'est de se placer à la fois sur le plan moral et physique. Il faut montrer avec le maximum d'honnêteté ce qu'on cache d'habitude, ce dont on a honte, et traiter le public en adulte. »

Un opéra barbare

Trois semaines furent nécessaires pour mettre en boîte la seule séquence finale où l'art du cinéaste atteint sa plénitude. Peckinpah montra en outre tout au long du tournage un souci permanent d'authenticité. Après avoir visionné une grande quantité de documents filmés sur la révolution mexicaine, il exigea de tourner sur place la totalité des extérieurs et engagea de véritables soldats pour incarner les « Federales » du film. La scène de bataille qui oppose ceux-ci aux partisans de Pancho Villa fut reconstituée sur les lieux mêmes de l'événement, et le camp du général de l'armée régulière fut installé dans le village natal du président Madero.
Sam Peckinpah n'avait rien pu mener à bien depuis que le montage final de *Major Dundee* (1965) lui avait été refusé par son producteur. Contacté par la Warner Bros., c'est lui qui proposa le scénario écrit à partir d'un sujet de Roy Sickner, ancien « stuntman » et co-fondateur de l'Association

Les frères Tector (Ben Johnson) et Lyle Gorch (Warren Oates) en pleine beuverie.

des cascadeurs d'Hollywood. La date où se situe l'action du film (1913), marque en quelque sorte le vrai début du XXe siècle. « Avec *La Horde sauvage*, le western devient opéra barbare et chant funèbre », nota le critique Jean de Baroncelli. Le « film de cow-boy » de jadis avait vécu. Allait lui succéder un nouveau western imposant un réalisme plus grand et une volonté de cerner au plus près l'Histoire et sa réalité ethnique, politique et sociale.

Coffer (Strother Martin) et T. C. (L. Q. Jones) accompagnent Deke Thornton (Robert Ryan) dans sa traque.

Un cinéaste de l'excessif

Sam Peckinpah (1925-1984) avait la réputation d'un homme inflexible, refusant toute compromission. Un visionnaire dont les films s'appuient sur une morale constamment ambiguë. Des *Chiens de paille* (1971) au *Guet-apens* (1972), de *Pat Garrett et Billy le Kid* (1973) à *Apportez-moi la tête d'Alfredo Garcia* (1974), on lui a reproché sa complaisance apparente à montrer la violence, mais beaucoup de commentateurs estiment que ces excès étaient avant tout motivés par sa vision désenchantée d'une nature humaine trop bestiale, et sa soif d'un monde où de tels débordements n'existeraient plus.

Dutch (Ernest Borgnine) et Pike Bishop (William Holden) livrent un baroud d'honneur contre les « Federales ».

Little Big Man
À l'Ouest, du nouveau !

Les grandes plaines habitées par les Indiens.

1970

Little Big Man, western d'Arthur Penn, avec Dustin Hoffman (Jack Crabb), Faye Dunaway (Mrs. Pendrake), Martin Balsam (Merriweather), Richard Mulligan (Custer), Jeff Corey (Wild Bill Hickok) • Sc. Calder Willingham, d'après le roman de Thomas Berger, « Mémoires d'un visage pâle » • Ph. Harry Stradling Jr. • Mus. John Hammond et John Strauss • Prod. Cinema Center Films • États-Unis • Durée 147'

Âgé de 121 ans, Jack Crabb raconte sa vie à un jeune historien. Orphelin à 10 ans, recueilli par les Cheyennes avant de revenir parmi les Blancs, il devient tueur professionnel. Puis il sympathise avec Wild Bill Hickok, rencontre le général Custer, qu'il tente d'assassiner, échappe au massacre de Little Big Horn grâce à un Indien à qui il avait sauvé la vie auparavant.

Entre drame et comédie

Connu sous son titre original, le film d'Arthur Penn est parfois accompagné d'un sous-titre français, *Les Extravagantes Aventures d'un Visage Pâle*, indiquant à quel point il se démarque du western traditionnel. *Little Big Man* mêle en effet des éléments tragi-comiques au récit d'un homme blanc constamment partagé entre deux cultures et dont l'existence mouvementée, s'étalant sur plus d'un siècle, croise celle de personnages légendaires. Parmi eux, Wild Bill Hickok, joueur professionnel et tueur, devenu, à la fin de sa vie, acteur dans la troupe de Buffalo Bill, et le général Custer, responsable du carnage de Little Big Horn où, à cause de son incompétence, tous ses hommes furent massacrés.

Jack (Dustin Hoffman) face à Custer (Richard Mulligan).

Un anti-héros

Loin du héros invincible et courageux, Jack Crabb est présenté comme un lâche. Dans ce récit picaresque où le drame côtoie la comédie, tout en proposant une vision particulièrement ironique de l'Ouest, nombre de clichés attachés au western sont ainsi détournés. Plusieurs scènes demeurent à cet égard significatives : Jack, tireur inexpérimenté, croisant les pieds sur la table pour tenter en vain d'imiter Hickok, ou encore l'attaque de la diligence parodiant *La Chevauchée fantastique* de John Ford (1939). Les autres personnages que Jack, témoin involontaire, croise sur son chemin, n'échappent d'ailleurs ni au ridicule ni à la dérision, la sympathie du cinéaste allant vers les Indiens, avec notamment la figure pleine de noblesse du vieux Cheyenne, campé par un authentique Indien, Chief Dan George. Dans l'esprit d'Arthur Penn, il s'agissait de dénoncer les boucheries perpétrées par la cavalerie américaine contre les Cheyennes qui faisaient alors écho à une autre guerre, celle du Viêt-nam et plus particulièrement au massacre de My Lai, deux ans plus tôt. La contestation était alors très vive dans la société américaine. En 1970, un autre western, *Soldat bleu*, de Ralph Nelson, distribué aux États-Unis une semaine avant le film d'Arthur Penn, dénonçait lui aussi, avec une violence inhabituelle, le massacre d'une tribu pacifique, le 29 novembre 1864.

Custer à Little Big Horn

La fameuse bataille entre des tribus sioux et cheyennes et les troupes du général Custer, commandant le 7e régiment de cavalerie, eut lieu le 25 juin 1876, sur les bords de la rivière Little Big Horn, dans le Montana. Après sa mort, Custer, représenté une épée à la main au milieu de ses hommes, devint un héros de l'histoire américaine. Le cinéma s'en emparant, plusieurs grands acteurs prêtèrent leurs traits au personnage. Parmi eux, Errol Flynn en 1941 dans *La Charge fantastique* de Raoul Walsh, soutenant l'idée d'une mort héroïque. Avant Arthur Penn, qui fit de Custer un officier stupide et borné, le personnage avait été incarné (sous un autre nom) par Henry Fonda dans *Le Massacre de Fort Apache* de John Ford (1948) et par Robert Shaw dans *Custer, homme de l'Ouest* de Robert Siodmak (1967) qui, l'un et l'autre, en dressèrent des portraits beaucoup moins glorieux.

Jack Crabb et Mrs. Pendrake (Faye Dunaway).

Danse avec les loups

Plaidoyer écologique et anti-raciste

John Dunbar (Kevin Costner), un soldat en phase avec la nature.

1990

Dances with Wolves, western de Kevin Costner, avec Kevin Costner (John Dunbar), Mary McDonnell (Christine), Graham Greene (Oiseau Bondissant), Rodney A. Grant (Cheveux au Vent) • Sc. Michael Blake, d'après son roman • Ph. Dean Semler • Mus. John Barry • Prod. Jim Wilson, Kevin Costner • États-Unis • Durée 181' (version longue : 223') • 7 Oscars : film, réalisation, adaptation, montage, photographie, son et musique

Au lendemain de la Guerre de Sécession, un officier nordiste se fait muter dans un poste à la frontière de l'Ouest encore inexploré, et finit par partager le destin d'une tribu de Sioux.

La chanson de geste de l'Amérique

Avec ses simplifications historiques outrancières et sa mythologie partiellement inventée par le cinéma, le western est devenu la chanson de geste de l'Amérique. Et les guerres indiennes qui se déroulèrent essentiellement entre 1860 et 1890 – les dernières révoltes ayant eu lieu à la veille de la Première Guerre mondiale – ont fourni une mine inépuisable de sujets à Hollywood. *Danse avec les loups* s'inscrit à sa manière dans cette continuité. Mais il juge sans concession la conduite inqualifiable des pionniers – Walter Hill, avec son *Geronimo* (1993), le suivra dans cette voie – et contribue à réhabiliter le peuple indien par sa volonté de lui redonner sa place au sein de la collectivité américaine. Fait significatif

et signe des temps, cette remise en cause s'accompagne d'une prise de conscience écologique qui avait pris naissance aux États-Unis en même temps que la contestation suscitée par la guerre du Viêt-nam. Et, après les dernières agitations des réserves indiennes, à la fin des années soixante, apparut soudain un sentiment de culpabilité vis-à-vis des Indiens. *Danse avec les loups* prend donc le contre-pied des premiers westerns où s'étalait sans complexe la bonne conscience du colonialisme : les Indiens y étaient dépeints comme un peuple archaïque et sanguinaire, que ses traditions figées et rétrogrades condamnaient impitoyablement à l'extermination. Mais certains films étaient déjà venus nuancer ce point de vue manichéen, notamment *La Flèche brisée* de Delmer Daves (1950).

Dunbar et Oiseau Bondissant (Graham Greene).

Les derniers sursauts d'un genre en perte de vitesse

Les défis relevés par *Danse avec les loups* sont nombreux : donner des conquérants de l'Ouest une image sans concession dans un genre considéré comme moribond, dépasser les trois heures de projection et introduire des dialogues en langue lakota traduits par des sous-titres (deux pratiques jugées rédhibitoires pour l'exploitation cinématographique aux États-Unis). Kevin Costner résista à toutes les pressions : le film existe aujourd'hui tel qu'il l'avait rêvé, dans une version longue de près de quatre heures. Aussi peut-il exhiber fièrement ce qu'il appelle sa « lettre d'amour au passé » : la prise de conscience amère et lucide par un Américain contemporain d'un Paradis perdu.

Kevin Costner, acteur et réalisateur

Né en 1955, Kevin Costner a débuté au cinéma en 1981 pour devenir en dix ans une star à Hollywood. Qualifié avantageusement de « nouveau Gary Cooper », il avoua un jour : « Je suis né trente ans trop tard pour le genre de cinéma que j'aimerais faire. » Mais c'était avant ses sept Oscars. Depuis, poursuivant sa carrière de comédien – *JFK* d'Oliver Stone (1991), *Wyatt Earp* de Lawrence Kasdan (1994), *Waterworld* de Kevin Reynolds (1995), *Treize jours* de Roger Donaldson (1999), *Apparitions* de Tom Shadyac (2001) –, il a fait sa seconde incursion dans la réalisation avec *Postman* (1997), avant de signer le très beau *Open Range* (2003) qui célèbre la renaissance du western, genre que l'on croyait agonisant.

Dunbar et ses amis indiens observent les bisons.

Christine (Mary McDonnell) et John, un couple de Blancs chez les Sioux.

Impitoyable

Le « dernier des westerns » ?

1992

Unforgiven, western de Clint Eastwood,
avec Clint Eastwood (William Munny),
Gene Hackman (Little Bill Daggett), Morgan
Freeman (Ned Logan), Richard Harris
(English Bob), Jaimz Woolvet (le Kid
de Schofield) • Sc. David Webb Peoples •
Ph. Jack N. Green • Mus. Lennie Niehaus •
Prod. Malpaso • États-Unis • Durée 130' •
4 Oscars : film ; réalisation, second rôle
masculin (Gene Hackman), montage

**Pour subvenir aux besoins de sa famille,
un ancien bandit devenu paisible fermier
reprend les armes pour venger
une prostituée et toucher la prime offerte.**

Le Kid de Schofield (Jaimz Woolvet) et Ned Logan (Morgan Freeman) ont accompagné William Munny (Clint Eastwood).

Un univers de misère et de désespoir

Impitoyable est le western naturaliste
par excellence. Celui qui montre sans aucune
complaisance que l'Ouest n'a jamais été
ce monde rêvé par les poètes, traversé
par le souffle de l'épopée et de l'aventure tel
que le cinéma l'a imaginé et exalté durant
plus d'un demi-siècle, mais, au contraire,
un univers de pauvreté, de sadisme
et de violence, où le plus fort imposait sa loi,
où le faible et le marginal n'avaient aucune
chance. Un univers de pluie et de boue,
de misère et de désespoir, où la seule
différence entre le tueur et le shérif n'était
qu'une question d'insigne. En ce sens, le titre
ne décrit pas seulement le caractère de son
héros singulier... William Munny fut jadis un
tueur sans foi ni loi. « Un homme notoirement
dépravé et de tempérament violent », précise
un carton liminaire. Mais le destin lui a donné
la chance de rencontrer une femme qui a su
le réformer. Sous son influence, Munny a juré
désormais de consacrer son énergie
à sa famille et à la culture de ce petit coin
de terre misérable du Wyoming.
La démystification du genre atteint son
paroxysme lorsque le héros vieillissant souffre
de rhumatismes et a du mal à monter
à cheval. Quant aux scènes de combat,
elles n'ont plus rien à voir avec ces duels
de légende où le « gunfighter » le plus rapide
abattait son adversaire dans un combat loyal.
Clint Eastwood s'est clairement expliqué
sur cet aspect du film : « Ces tueurs qui sont
entrés dans la légende étaient en fait
des types qui vous tiraient dans le dos,
pas face-à-face, au beau milieu de la rue,
comme on le voyait jadis dans les westerns. »

La fin du lyrisme et de la légende

Dès le début des années quatre-vingt, Clint Eastwood
avait lu le scénario original écrit par David Webb
Peoples – le scénariste de *Blade Runner* de Ridley
Scott (1982) – et en avait acheté les droits après que
Francis Ford Coppola ait abandonné l'idée
de le porter à l'écran. Il attendit d'avoir 62 ans, l'âge
du rôle : « Ça m'a paru le sujet idéal pour réaliser
ce que j'appellerai le "dernier des westerns", dit-il
encore. C'est un film qui résume au fond ce que le
genre représente pour moi. »
Impitoyable est un cas à part dans l'histoire
du cinéma : un film dans lequel son réalisateur-acteur
a dressé le bilan d'une carrière dominée par des rôles
d'aventuriers peu soucieux de morale. Vieux, retiré
des affaires et devenu simple fermier, William
Munny pourrait avoir été l'étranger
fantomatique de *L'Homme des hautes plaines*
(1973), le héros ambigu de *Josey Wales
hors-la-loi* (1976) ou le mystérieux pasteur
de *Pale Rider* (1985), trois westerns réalisés
par Clint Eastwood : une série de
personnages qui trouve son origine
dans l'« homme sans nom », le « gunfighter »
sardonique du film de Sergio Leone *Le Bon,
la brute et le truand* (1966). Avec l'âge,
l'aventurier s'est assagi, mais son regard,
déjà sans illusion sur les hommes, est devenu
encore plus âpre et plus désenchanté.

W. W. Beauchamp (Saul Rubinek) face à William Munny.

English Bob (Richard Harris), tueur à gages.

Alice (Frances Fisher) et Little Bill Daggett
(Gene Hackman).

Divines...

L'Ange bleu

Déchéance d'un homme, avènement d'une star

Lola-Lola (Marlene Dietrich) sur la scène de l'Ange bleu.

1930

Der Blaue Engel, drame de Josef von Sternberg, avec Emil Jannings (le professeur Rath), Marlene Dietrich (Lola-Lola), Kurt Gerron et Rosa Valetti (le directeur de la troupe et sa femme), Hans Albers (Mazeppa) • Sc. Carl Zuckmayer, Karl Vollmöller, Robert Liebmann, d'après le roman d'Heinrich Mann • Ph. Gunther Rittau, Hans Schneeberger • Mus. Friedrich Hollænder • Prod. Erich Pommer - UFA • Allemagne • Durée 107'

Un digne professeur célibataire vit une passion tardive pour Lola-Lola, belle et fantasque chanteuse-entraîneuse dans un beuglant, « L'Ange bleu ». Il l'épouse, la suit en tournée, s'exhibe comme clown et, pour elle, perd toute dignité…

Un film pour Emil Jannings

En 1929, le projet est présenté en Allemagne comme le premier rôle parlant de Emil Jannings (1884-1950), alors très célèbre, qui, après une longue carrière au théâtre et au cinéma – plus de vingt films muets, dont *Le Dernier des hommes* (1925), *Tartuffe* (1925), et *Faust* de Murnau (1926) –, a même reçu un Oscar d'interprétation en 1927 pour *Crépuscule de gloire*, tourné aux États-Unis et déjà signé Sternberg. Dans *L'Ange bleu*, l'acteur impressionne par la densité qu'il donne au personnage du professeur, tour à tour risible et touchant, solennel et puéril, accusant Lola-Lola de débaucher ses élèves, mais cédant à ses propres pulsions destructrices face à elle, avant de revenir mourir de désespoir et de honte, seul dans sa salle de classe.

Lola-Lola, « faite pour l'amour, de la tête aux pieds »

Moins connue que son partenaire, Marlene Dietrich est choisie et imposée par Sternberg, pour un cachet de cinq mille dollars, contre deux mille deux cent mille à Jannings. Et c'est elle qu'on remarque : son personnage, une brave fille qui fait son métier, aguiche le public dans un cabaret minable, avec des chansons qui deviendront célèbres, des postures, des accessoires qui renforcent encore son potentiel érotique, chapeau claque, perruque blonde, bas noirs et déshabillés suggestifs, mais surtout une grâce paradoxale, en contraste avec la vulgarité des lieux. Artistiquement, Marlene Dietrich était née.
Lola-Lola est-elle perverse ? Candide, inconsciente, elle est surtout le révélateur de la déchéance de Rath, plus que l'agent actif qui le perdra.
Le film est un de ceux qui a fixé l'image de la vamp cinématographique. Jannings fut mécontent du succès remporté par Marlene Dietrich, avec qui il s'était très mal entendu. Et Heinrich Mann, auteur du roman adapté, peu fidèlement d'ailleurs, avait vu juste en prédisant : « Le film devra son succès aux jambes dénudées de mademoiselle Dietrich. »

Le digne professeur s'encanaille…

Marlene

« Marlene Dietrich… Votre nom débute par une caresse et s'achève par un coup de cravache », lui dit Jean Cocteau. Déjà apparue dans une quinzaine de films, l'actrice (1901-1992) n'a pas été « inventée » pour les besoins de *L'Ange bleu* par Josef von Sternberg (1894-1969), cinéaste américain d'origine autrichienne, mais plutôt installée définitivement par lui dans son statut de star internationale après ce succès. En sept films, leur carrière en couple se hisse à des sommets, l'actrice peaufinant sous la direction inspirée du cinéaste son personnage de femme très, très fatale, qui culminera en 1935 dans *La Femme et le Pantin*, leur dernier fleuron. Marlene tournera beaucoup ensuite, sans Sternberg qui aura, lui, du mal à poursuivre une carrière régulière.

Mazeppa (Hans Albers) et Lola-Lola dans la loge du professeur.

Le professeur Rath (Emil Jannings) est ridiculisé dans sa classe.

La Reine Christine

Divine, rebelle et inaccessible

La reine Christine (Greta Garbo) au milieu de son peuple.

1933

Queen Christina, film historique de Rouben Mamoulian, avec Greta Garbo (la reine Christine de Suède), John Gilbert (Don Antonio de la Prada), Ian Keith (Lord Magnus), Lewis Stone (Alex Gustafsson Oxenstierna) • Sc. H. H. Harwood, Salka Viertel, S. N. Behrman d'après Salka Viertel et Margaret P. Levino • Ph. William Daniels • Mus. Herbert Stothart • Prod. Metro-Goldwyn-Mayer • États-Unis • Durée 101'

Suède, 1632. Christine, encore enfant, succède au roi, son père, mort durant la guerre de Trente Ans. Devenue adulte, elle impose la paix. Indépendante et cultivée, elle défie la raison d'État lorsqu'elle tombe passionnément amoureuse de Don Antonio, envoyé du roi d'Espagne...

Garbo, visage du siècle et sphinx

En 1933, l'actrice est au faîte de sa gloire. Elle est « la Divine » – c'est à son propos que l'expression est née – depuis 1924 et *La Légende de Gösta Berling*, où elle parvient à allier dans son jeu froideur et incandescence, sous la direction de Mauritz Stiller, qui, après l'avoir découverte à Stockolm, l'amena à Hollywood et y façonna sa beauté et sa photogénie. « Un visage comme celui-là »,

dit-il, « on n'en voit qu'un par siècle. » Le public est hypnotisé. Mais son pygmalion meurt en 1928, faisant de Garbo à jamais une grande solitaire, qui trouve vite comme Christine de Suède que le poids de la gloire est lourd à porter. Malgré plus de vingt succès, elle prendra prétexte de son premier échec, *La Femme aux deux visages* (George Cukor, 1941), pour choisir elle aussi, sinon l'abdication et l'exil, comme la reine, du moins la fuite et le secret.

Ebba Sparre (Elizabeth Young) et Oxenstierna (Lewis Stone), alliés de Christine.

Christine et Antonio (John Gilbert) son amant.

Christine et Lord Magnus (Ian Keith).

Rouben Mamoulian, un grand « petit maître »

Choisi par Garbo et fasciné par elle, Mamoulian (1898-1987) lui offrit avec *La Reine Christine* le plus beau des écrins – ce fut d'ailleurs le film préféré de la star – et le meilleur révélateur de sa personnalité profonde. La scène finale, restée célèbre, avec la caméra qui avance jusqu'au très gros plan de son visage impassible, cheveux au vent, les yeux perdus au loin, à la proue d'un navire, porte la marque d'un réalisateur inspiré auquel on doit des réussites comme *Les Carrefours de la ville* et *Dr Jekyll et Mr. Hyde* avec Fredric March, tous deux en 1931, *Le Signe de Zorro*

(1940), *Arènes sanglantes* (1941) ou encore *La Belle de Moscou* (1957), remarquable comédie musicale servie par le couple Fred Astaire / Cyd Charisse.

Christine, reine de Suède.

De la gloire à l'isolement

Et pourtant, quelle carrière! Passée sans problème du muet au parlant, magnifiée par les studios MGM, la firme au lion, elle verra sa popularité grandir de *La Chair et le diable* (Clarence Brown, 1927) au *Roman de Marguerite Gautier* (George Cukor, 1936), dans lequel elle exprime à merveille la passion dévorante et la quête du bonheur impossible. Elle saura encore s'illustrer dans la comédie avec *Ninotchka* (Ernst Lubitsch, 1939) et y rire à gorge déployée, peut-être de son suicide artistique qu'elle préparait déjà. Après Stiller, on ne lui connaît guère de liaison masculine, sauf avec John Gilbert, son partenaire d'élection dans quatre films, qu'elle imposa dans *La Reine Christine*, à la place de Laurence Olivier, remercié. Seule, elle s'enfoncera dans une retraite énigmatique, dont personne, pas même Visconti, ne parviendra à la sortir. Mais elle ne sera jamais oubliée, comme le prouve le film de Sidney Lumet, *À la Recherche de Garbo* (1984), sur elle mais sans elle. Elle disparaît discrètement à quatre-vingt-cinq ans en 1990.

Laura
Le rêve incarné

1944

Laura, policier d'Otto Preminger, avec Gene Tierney (Laura Hunt), Dana Andrews (Mark McPherson), Clifton Webb (Waldo Lydecker), Vincent Price (Shelby Carpenter) • Sc. Jay Dratler, Samuel Hoffenstein et Betty Reinhardt, d'après le roman de Vera Caspary • Ph. Joseph LaShelle • Mus. David Raksin • Prod. 20th Century-Fox • États-Unis • Durée 88' • Oscar de la meilleure photographie

L'inspecteur McPherson, qui enquête sur l'assassinat de Laura Hunt, interroge Lydecker, son Pygmalion, et Carpenter, qui la courtisait, puis tombe amoureux d'elle, subjugué par son portrait. Jusqu'au moment où Laura réapparaît, vivante…

Laura (Gene Tierney), qu'on croyait morte, apparaît devant McPherson (Dana Andrews).

Une femme envoûtante

Trois hommes face à Laura… Chacun cherche à s'approprier la jeune femme, le spectateur aussi, au terme d'une intrigue qui distille à chaque instant ses incertitudes. Classique du film noir, *Laura* est autant une histoire d'amour fou qu'un drame psychologique aux accents quasi fantastiques. Le film tire sa force d'une construction en flashes-back mais surtout d'une mise en scène organisée autour de plans longs et d'arabesques de la caméra. Le tournage du film subit bien des vicissitudes : Rouben Mamoulian, le premier réalisateur, fut congédié et Preminger, qui n'était au départ qu'initiateur du projet et producteur, prit la direction, imposa ses idées et devint célèbre. La musique du film créa un standard interprété inoubliablement par Charlie Parker et Frank Sinatra, notamment.

Gene Tierney, fragile papillon

1938 : Anatole Litvak remarque une jeune fille de dix-huit ans qui visite les studios Warner Bros. Il lui dit – et ce sera le titre français de l'autobiographie de l'actrice : « Mademoiselle, vous devriez faire du cinéma. » Intéressée, Gene Tierney se dirige vers le théâtre, puis se retrouve sous contrat à la Fox. Sa beauté féline et mystérieuse la prédispose d'abord aux rôles exotiques. Angélique ou démoniaque, mais toujours ensorcelante, elle tourne beaucoup pendant les années quarante et cinquante, avec les plus grands noms : Ford, Sternberg, Lubitsch, Dassin… Preminger la dirigera encore trois fois, dans *Le Mystérieux Docteur Korvo* (1949), *Mark Dixon détective* (1950) et *Tempête à Washington* (1962). Elle fut remarquable dans *Péché mortel*, mélodrame flamboyant de John Stahl, qui lui valut en 1945 une nomination à l'Oscar, et dans *L'Aventure de Madame Muir* (Joseph L. Mankiewicz, 1947).
Elle accumula les problèmes dans sa vie privée : échecs sentimentaux (John F. Kennedy, Ali Khan…), santé fragile, graves dépressions, handicap mental de sa première fille. Autant de raisons qui l'éloignèrent du cinéma au milieu des années cinquante. Décédée en 1991, elle continue, telle Laura, à alimenter nos rêves et à fasciner les cinéphiles.

McPherson soupçonne aussi Waldo Lydecker (Clifton Webb).

Shelby Carpenter (Vincent Price), le fiancé de Laura.

Otto le Terrible (1906-1986)

Autrichien d'origine juive, disciple d'un grand homme de théâtre, Max Reinhardt, Otto Preminger gagne Hollywood en 1935, tâte du cinéma, se fâche temporairement avec Zanuck, patron de la Fox, puis se tourne vers la scène. *Laura* sera son premier film important. Intelligent, éclectique, montrant une prédilection pour les thrillers construits autour de personnages ambigus, essentiellement féminins (*Un si doux visage*, 1953), il aborde aussi le western (*Rivière sans retour*, 1954), le film musical (*Carmen Jones*, jazzy et « black », 1954), les sujets audacieux (la drogue dans *L'Homme au bras d'or*, 1955, les failles de la justice dans *Autopsie d'un meurtre*, 1959, l'histoire contemporaine dans *Exodus*, 1960 ou *Tempête à Washington*, 1962). Presque toutes ses actrices, et surtout Jean Seberg, qu'il révéla (*Sainte Jeanne*, 1957, *Bonjour tristesse*, 1958), furent marquées par sa direction tyrannique. Il fut un des premiers à défendre les droits du réalisateur face aux abus de la télévision (censure ou coupures publicitaires des films, non-respect des formats d'image).

Gilda
La bombe Rita Hayworth

1946

Gilda, drame de Charles Vidor, avec Rita Hayworth (Gilda), Glenn Ford (Farrell), George Macready (Mundson) • Sc. Marion Parsonnet, d'après E. A. Ellington • Ph. Rudolph Maté • Mus. Morris W. Stoloff, Marlin Skiles • Prod. Virginia Van Hupp - Columbia • États-Unis • Durée 110'

Buenos Aires, après la guerre. Farrell, joueur professionnel et tricheur, devient le protégé de Mundson, louche propriétaire de casino. Mais ce dernier épouse Gilda, ex-maîtresse de Farrell. La cohabitation va être difficile…

Gilda tente de reconquérir Farrell (Glenn Ford).

Le triangle infernal

Les liens entre les deux hommes du film sont tortueux. Rapports père-fils ? Homosexualité suggérée ? Quel rôle symbolique joue la canne-épée de Mundson, qui se dresse à plusieurs reprises entre Farrell et lui ? Quand la femme entre en scène, les relations triangulaires deviennent d'une complexité infernale, chacun jalousant ou provoquant celui (ou celle) qui lui fait face, tout en guettant la réaction du (ou de la) troisième. À quoi s'ajoutent les aspects rocambolesques du scénario, orchestrés avec brio : des anciens nazis, des règlements de comptes, des trafics autour de Mundson, qui rêve de contrôler le marché du tungstène, passe pour mort… et ressuscite ! Le film, coup d'éclat dans la carrière de Charles Vidor (1900-1959), suggère beaucoup en montrant peu, cultive les allusions amorales ou ambiguës, comme pour défier une censure hollywoodienne alors puissante et pudibonde.

Le strip-tease de Gilda (Rita Hayworth).

Rita Hayworth

Danseuse comme ses parents, Margarita Cansino joue de petits rôles à l'écran dès 1935. Elle a dix-sept ans et les cheveux bruns. Devenue rousse et rebaptisée Rita Hayworth, elle est dirigée par Howard Hawks (*Seuls les anges ont des ailes*), Raoul Walsh (*The Strawberry Blonde*), ou Rouben Mamoulian (*Arènes sanglantes*), puis danse remarquablement avec Fred Astaire (*L'Amour vient en dansant* et *Ô, Toi, ma charmante !*) et Gene Kelly (*La Reine de Broadway* de Charles Vidor, déjà). Après *Gilda*, point culminant de sa popularité, elle incarne en 1948 une *Dame de Shanghaï* blonde et maléfique pour Orson Welles, deuxième de ses cinq maris. Le film, devenu un classique, est mal reçu. Elle tourne une vingtaine de titres jusqu'en 1972, dont *Tables séparées* (Delbert Mann, 1958) et le méconnu *Du Sang en première page* (Clifford Odets, 1959). Disparue en 1987, celle qui restera la « sex-symbol » de l'après-guerre déclara que *Gilda* avait imposé d'elle une image qui perturba sa vie privée.

Farrell, face à l'inquiétant Mundson (George Macready), brandit la canne-épée de celui-ci.

Gilda enlève ses gants

Pour reconquérir Farrell, Gilda, prête à tout, chante et danse en public le fameux « Put the blame on Mame ! », clou du film et triomphe personnel pour Rita Hayworth. Dans une robe-fourreau, épaules et dos largement dénudés, elle se déhanche lascivement tout en enlevant lentement de longs gants noirs qui couvrent ses bras. L'effet est immédiat sur Farrell autant que sur les spectateurs du film et conserve, plus de cinquante ans après, son pouvoir érotique. Grâce à cette scène et à Rita, dont les photos sont épinglées (« pin-up ») par ses admirateurs, le film est un succès. Conséquence : une bombe atomique expérimentale lancée sur l'atoll de Bikini est baptisée… Gilda ! En France, « Le Canard enchaîné », lui, parle de « bombe anatomique ». Jacques Siclier voit dans le film « une anthologie du refoulement érotique et de la frustration sexuelle ». *Gilda*, très souvent taxé de misogynie, a été produit et écrit par des femmes.

Les Hommes préfèrent les blondes
...surtout Marilyn, diamant éternel

La blonde (Marilyn Monroe) ou la brune (Jane Russell) ?

1953

Gentlemen Prefer Blondes, comédie musicale de Howard Hawks, avec Marilyn Monroe (Lorelei Lee), Jane Russell (Dorothy Shaw), Charles Coburn (Sir Francis Beekman), Tommy Noonan (Gus Esmond), Elliott Reid (Malone) • Sc. Charles Lederer, d'après Anita Loos et Joseph Fields • Ph. Harry J. Wild • Mus. et chans. Lionel Newman, Jules Styne, Leo Robin, Hoagy Carmichael, Harold Adamson • Choróg. Jack Cole • Prod. Sol C. Siegel • États-Unis • Durée 91'

Deux amies, artistes de music-hall, prennent le bateau pour la France en quête, l'une, d'un homme fortuné, et l'autre, d'un homme, tout simplement...

Jane Russell

Lancée par Howard Hughes, magnat excentrique, elle fit scandale dès son premier film, *Le Banni* (Howard Hawks et Howard Hughes, 1943), à cause de l'échancrure de son corsage. Elle prouva ensuite son talent d'actrice sous la direction de Sternberg (*Le Paradis des mauvais garçons*, 1952) ou Raoul Walsh (*Les Implacables*, 1955). Elle est la brune des *Hommes préfèrent les blondes* et son numéro chanté et dansé au milieu d'athlètes olympiques indifférents aux appels pourtant explicites qu'elle leur lance (« Pas de candidat à l'amour, ici ? », « Anyone Here for Love ? ») vaut bien celui, célébrissime, de sa collègue Marilyn susurrant sa profession de foi : « Les diamants sont les meilleurs amis d'une femme » (« Diamonds are a Girl's Best Friends »).

Tragédie hollywoodienne

En 1955, la robe de Marilyn se soulève au-dessus d'une bouche d'aération du métro new-yorkais (*Sept Ans de réflexion* de Billy Wilder). D'autres succès suivent – *Arrêt d'autobus*, Joshua Logan (1950) ; *Certains l'aiment chaud*, Wilder encore (1959) – qui ne la rassurent pas, elle qui, pour s'accomplir, a fréquenté l'Actor's Studio puis produit *Le Prince et la Danseuse* de Laurence Olivier (1957), qu'elle joue avec lui mais qui est un fiasco. Prisonnière d'une image, désavouée par les studios pour ses caprices et ses retards, Marilyn perd progressivement le contrôle d'elle-même. Elle tient un dernier grand rôle dans *Les Désaxés* de John Huston (1961) et meurt en 1962, à trente-six ans, de façon mystérieuse, après bien des échecs personnels et une gloire acquise au prix fort, mais toujours vivace.

Le sacre de la blonde incendiaire

Au début des années cinquante, Marilyn Monroe est une starlette en qui personne ne croit, sauf son agent Johnny Hyde, qui voit en elle l'étoffe d'une star. Après des rôles intéressants dans *Quand la ville dort* de John Huston (1950), *Eve* de Joseph L. Mankiewicz (1950) ou *Le Démon s'éveille la nuit* de Fritz Lang (1952), son talent pour la comédie est révélé par Howard Hawks dans *Chérie, je me sens rajeunir* (1952), face à Cary Grant,

et surtout dans *Les Hommes préfèrent les blondes*. Avec ces films, le réalisateur imprime d'elle dans l'inconscient collectif une image sexy, conforme aux débuts de Marilyn comme pin-up girl et d'un fameux calendrier où elle posa nue : regard mi-clos, bouche entrouverte, chevelure platine, démarche ondulante et vêtements moulants. Outre cette silhouette, qui joue sur l'érotisme, l'humour et la fausse innocence, Marilyn Monroe impose aussi ses dons de chanteuse et de danseuse. Le mythe est en place et va prospérer.

La Comtesse aux pieds nus

Cendrillon et femme fatale

1954

The Barefoot Contessa, drame de Joseph
L. Mankiewicz, avec Ava Gardner (Maria
Vargas), Humphrey Bogart (Harry
Dawes), Edmond O'Brien (Oscar
Muldoon), Rossano Brazzi (le comte
Torlato-Favrini) • Sc. Joseph
L. Mankiewicz • Ph. Jack Cardiff •
Mus. Mario Nascimbene • Prod. Joseph
L. Mankiewicz • États-Unis • Durée 128'
• Oscar du second rôle masculin
(Edmond O'Brien)

**Sur la Riviera italienne, on enterre Maria
Vargas, star hollywoodienne à la brève
et fulgurante carrière, jeune Espagnole
issue du peuple et devenue, pour
son malheur, comtesse Torlato-Favrini.
En une série de flashes-back, les hommes
qui ont traversé sa vie se souviennent...**

Entre la star (Ava Gardner) et le cinéaste Harry Dawes (Humphrey Bogart), une amitié est née.

Maria, Harry et Jerry (Elizabeth Sellars).

Inoubliable Maria / Ava.

La force du destin

Un monstre sacré qui se désintéresse
de sa propre carrière : toute la mythologie d'Ava
Gardner se décline dans un film qu'elle a voulu
jouer, alors que Mankiewicz avait d'abord pensé
à Rita Hayworth. Son rôle dans *La Comtesse
aux pieds nus* l'inscrit, plus que tous ceux qu'elle
a tenus, dans l'histoire du cinéma : une femme,
Cendrillon moderne à la recherche du prince
charmant et du bonheur qui se dérobe, autant
qu'une actrice, soucieuse de donner le meilleur
d'elle-même, mais en rébellion contre ceux
qui l'utilisent et qu'elle méprise. Authentiques,
déconcertantes et attachantes, Ava Gardner
et Maria Vargas sont des marginales en quête
de liberté et d'absolu, face au monde frelaté
du cinéma, aux exilés richissimes et dérisoires,
et à l'aristocratie décadente. Omniprésente
dans le film, la statue grandeur nature de Maria /
Ava écrase de sa splendeur ceux qui se tiennent
à ses pieds et rêvent de la posséder.
La destinée d'Ava Gardner, comme celle, tragique,
de Maria Vargas, est liée à l'Espagne, dont l'actrice
eut la révélation en 1950 lors du tournage
de *Pandora* d'Albert Lewin, pays des hidalgos
triomphants, où le tourbillon des amants,
dans l'étourdissement de l'alcool et des fiestas,
masque une recherche de l'amour qui se refuse,
de Frank Sinatra à George C. Scott, en passant
par Luis Miguel Dominguin, « le matador des jolies
femmes ». Comme Ava Gardner, Maria Vargas
est celle qui proteste avec classe et refuse son titre
de femme fatale, osant vivre les pieds nus
dans une boue qui la rassure, assumant la force
du destin qui domine sa vie et s'inscrit en épitaphe
sur la statue du cimetière : « Che sarà sarà. »
(« Ce qui sera sera »).

Mankiewicz face à lui-même

Treizième film de Mankiewicz, qui en signa vingt
en une prestigieuse carrière de scénariste-
producteur-réalisateur, *La Comtesse aux pieds
nus* est le seul dans lequel il cumula entièrement
les trois fonctions.
Ce conte de fées moderne et amer trace aussi
le portrait d'un cinéaste, Harry Dawes, seul ami-
pygmalion de Maria Vargas et double de
Mankiewicz. Ce dernier y livre ses interrogations
sur l'art, la société qui l'entoure, la place
qu'il y occupe et celle qu'il veut y conquérir,
la recherche inquiète de sa propre vérité
en adéquation avec les révoltes de Maria. Tout
en jeux de miroirs fascinants, la narration
en forme d'enquête distille son chant funèbre
dans une œuvre secrète et complexe,
la plus personnelle du cinéaste.
Mankiewicz, qui magnifia Gene Tierney
(*L'Aventure de Madame Muir*, 1947),
Jean Simmons (*Blanches Colombes et vilains
messieurs*, 1955) et Elizabeth Taylor (*Soudain
l'été dernier*, 1959, et *Cléopâtre*, 1963), savait
à quel point Hollywood est un leurre,
comme il le montre ici autour de la flamboyante
Ava Gardner, proclamée alors « le plus bel
animal du monde ».

Ava Gardner entre deux cinéastes, le personnage du film
(Humphrey Bogart) et Joseph L. Mankiewicz. (Photo de tournage)

Lola Montès

Splendeurs et misères d'une courtisane

1955

Film historique de Max Ophuls, avec Martine Carol (Lola Montès), Peter Ustinov (l'écuyer), Anton Walbrook (le roi Louis Ier de Bavière), Ivan Desny (le lieutenant James), Oskar Werner (l'étudiant) • Sc. M. Ophuls, Annette Wademant, Jacques Natanson, d'après Cecil Saint-Laurent • Ph. Christian Matras • Mus. Georges Auric • Prod. Gamma Films / Florida Films / Unionfilms • France - Allemagne • Durée 110'

1880. Un cirque de la Nouvelle-Orléans. L'attraction en est la scandaleuse Lola Montès. Anoblie au faîte de sa gloire pseudo-artistique par le roi de Bavière, elle déroule à la demande des spectateurs le fil des aventures et des amours qui l'ont brisée.

Sur la piste du cirque, Lola Montès (Martine Carol) ; au-dessus, l'écuyer-bonimenteur (Peter Ustinov).

Une œuvre audacieuse et inclassable

Film maudit, rejeté par le public habituel de Martine Carol et par une grande partie de la critique (« lourdeur de style », « tonitruant avant-gardisme », etc.), *Lola Montès* a coûté cher, ruiné ses producteurs, qui tentèrent sans succès d'en présenter une version remontée et raccourcie, puis provoqué la mise à l'écart de Max Ophuls, qui mourut peu après, et déstabilisé la carrière de sa vedette. Même si sept cinéastes, dont Cocteau, Rossellini, Becker et Tati, prirent la défense de l'œuvre dans une lettre ouverte et si quelques critiques (parmi lesquels François Truffaut) vantèrent la maîtrise du récit et l'éblouissante virtuosité de la mise en scène, surtout dans les scènes de cirque. De fait, Ophuls, à l'apogée de son goût du baroque et loin de se complaire dans les fastes de la superproduction, réalisait un film démystificateur, stigmatisant la publicité, l'exhibitionnisme et l'exploitation du scandale, mais marquant aussi le triomphe du style sur le contenu dramatique.

Écrin somptueux pour star déchue

Le destin de Lola Montès, femme fatale et héroïne pathétique, présentait des points communs avec celui de son interprète, dont les évidentes imperfections dans le jeu et la danse ajoutaient même à la vérité du personnage. Comme Lola,

Lola Montès et sa caMériste (Paulette Dubost).

Martine Carol défraya souvent la chronique pendant les années cinquante, époque de sa plus grande popularité, d'amants en maris (elle en eut cinq), de scandales en suicides manqués. À partir de *Caroline chérie* de Richard Pottier (1951), son rôle fétiche, et jusqu'à l'arrivée de Brigitte Bardot, elle devint la « Martine chérie » du public grâce à sa gentillesse, son éclatante beauté, son abattage et son érotisme bon enfant, qui consistait à montrer furtivement un sein, surtout dans six films de Christian-Jaque – un de ses maris –, dont *Lucrèce Borgia* (1953), *Madame du Barry* (1954), *Nana* (1955) et

Nathalie (1957) furent les plus populaires. Pour *Lola Montès*, elle devint brune, cassa son image et prit un risque qui lui fut fatal. Elle disparut prématurément en 1967, à quarante-six ans.

Max Ophuls (1902-1957)

Né dans la Sarre de parents allemands, il fut d'abord acteur et metteur en scène de théâtre, puis, fuyant le régime hitlérien, naturalisé français en 1938, il devint un exilé qui dut s'adapter à la France et aux États-Unis, ses principales patries d'adoption. Ses meilleurs films (*Liebelei*, 1932 ; *Le Roman de Werther*, 1938 ; *De Mayerling à Sarajevo*, 1940 ; *Lettre d'une inconnue*, 1948 ; *La Ronde*, 1950 ; *Le Plaisir*, 1952 ; *Madame de...*, 1953, et *Lola Montès*) composent une œuvre subtile et secrète, hommage constant à la femme, cinéma d'émotion pure, art de l'arabesque dans les mouvements de caméra et de l'ellipse raffinée dans le récit, par-delà la diversité des sujets, les conditions de production et les contraintes de tous ordres.

La Dolce Vita
Marcello, Anita et les paparazzi

Marcello (Marcello Mastroianni), la star (Anita Ekberg) et la fontaine de Trevi.

1960

La Dolce Vita, comédie dramatique de Federico Fellini, avec Marcello Mastroianni (le journaliste), Anita Ekberg (la star), Anouk Aimée (la femme riche), Yvonne Furneaux (l'amie du journaliste), Alain Cuny (l'intellectuel), Magali Noël (la danseuse), Nadia Gray (la divorcée) • Sc. Federico Fellini, Ennio Flaiano, Tullio Pinelli, Brunello Rondi • Ph. Otello Martelli • Mus. Nino Rota • Prod. Riama Films / Pathé Consortium Cinéma • Italie - France • Durée 178' • Palme d'or au Festival de Cannes

À Rome, un journaliste évolue dans les milieux du cinéma, parmi la haute société, les oisifs et les parasites, à la recherche, avec Paparazzo, son photographe, de ragots et de scandales. Arrivée d'une star, faux miracle, orgies tristes… Futilité, désespérance…

Les paparazzi attaquent !

La prestation d'Anita Ekberg, pourtant assez brève (trente minutes sur trois heures), fit beaucoup pour la renommée du film. Allure sculpturale, poitrine hypertrophiée, l'actrice d'origine suédoise correspondait à un type féminin fréquent chez Fellini qui sut la magnifier et lui donner le rôle le plus marquant de sa carrière. Avec le journaliste, son chevalier servant, nous suivons fascinés l'agitation provoquée par son arrivée, le ballet des photographes, la conférence de presse, mais restons conscients du vide et du mauvais goût qui transparaissent à chaque instant. La star visite le Vatican et, pour être dans le ton, s'habille… en ecclésiastique, moment qui fut, parmi d'autres, jugé blasphématoire, et faillit entraîner l'excommunication du cinéaste. Mais surtout, grâce au bain qu'elle prend en fin de nuit dans la fontaine de Trevi, Anita Ekberg est devenue un emblème romain et son fantôme hante désormais le lieu et ses statues baroques.

La débauche aux portes du Vatican

La fresque de Fellini étonne toujours. Ce qui fit scandale en 1960 apparaît aujourd'hui comme lucidité et prémonition. Paparazzo, devenu un nom commun, désigne une fonction qui reste détestable ; la presse dite « people » et la « jet-set » étalent partout leur vacuité. Le film conserve sa force et sa cruauté, son émotion, sa terrible douceur. Le cinéaste observe la décadence sans moralisme étriqué, avec ce qu'il faut de saine provocation, en situant le lieu des turpitudes à deux pas de chez le bon pape Jean XXIII. « Marcello ! Marcello ! » On entend encore Anita Ekberg inviter son compagnon d'un soir à venir la rejoindre dans l'eau rafraîchissante – et purificatrice ? – de la fontaine de Trevi. Fellini retrouva l'actrice en 1962 pour un sketch de *Boccace 70* (ses seins y rendaient un vieil homme fou), puis dans *Les Clowns* (1970) et surtout dans *Intervista* en 1987, où Mastroianni et elle évoquaient le passé de façon émouvante. Et dans *Nous nous sommes tant aimés* (Ettore Scola, 1974), film-bilan sur l'Italie d'après-guerre, une scène se passait près de la célèbre fontaine, lors du tournage d'un film : *La Dolce Vita*, bien sûr !

Une orgie typiquement romaine…

Le journaliste et la star.

La star au Vatican : l'habit fait-il le moine ?

Cannes 1960, année faste

Georges Simenon, président du jury, défendit avec ardeur le film de Fellini et l'imposa comme Palme d'or. La sélection était, cette année-là, particulièrement brillante, et la concurrence rude : *La Source* (Ingmar Bergman), *La Jeune fille* (Luis Buñuel), *La Dame au petit chien* (Iossif Kheifitz), *L'Avventura* (Michelangelo Antonioni), *Celui par qui le scandale arrive* (Vincente Minnelli), *La Ballade du soldat* (Grigori Tchoukrai), *L'Étrange Obsession* (Kon Ichikawa). Et même *Ben-Hur* (William Wyler), *Les Dents du diable* (Nicholas Ray), etc.

Et Dieu... créa la femme

Vadim/BB, une création simultanée

Danse frénétique de Juliette (Brigitte Bardot) en présence de Michel.

1956

Comédie dramatique de Roger Vadim, avec Brigitte Bardot (Juliette), Curd Jürgens (Éric Carradine), Christian Marquand (Antoine), Jean-Louis Trintignant (Michel) • Sc. Roger Vadim, Raoul J. Lévy • Ph. Armand Thirard • Mus. Paul Misraki • Prod. Raoul J. Lévy • France • Durée 90'

À Saint-Tropez, une jeune orpheline à la beauté provocante sème la perturbation en attisant la convoitise de trois hommes.

Naissance d'un mythe érotique

1953 : Marilyn vient d'être sacrée star mondiale et objet de tous les fantasmes. Dans le même temps, la France s'enflamme pour Martine Carol, quand arrive celle que le public attendait : Brigitte Bardot. En 1956, mariée depuis quatre ans à Vadim, bourgeoise émancipée, danseuse et cover-girl, elle n'est plus une débutante avec déjà quinze rôles d'ingénue libertine. Rien ne laissait présager, sauf *Manina, la fille sans voile* de Willy Rozier en 1953, ce que Vadim libère dans son premier film : une créature affranchie de toute morale, dont le corps en mouvement est une perpétuelle invite à l'acte sexuel. Femme-enfant à la moue boudeuse et à la blonde crinière botticellienne, Juliette/Brigitte revendique son droit au plaisir. Cette libération de la femme à l'écran, condamnée par les ligues de vertu mais savamment orchestrée par l'association Lévy-Vadim-BB, devient un phénomène de société révélant selon Vadim « la psychose de la génération d'après-guerre ». Spontanée, radieuse et extravagante, BB est alors l'étoile du cinéma français. Très vite, Vadim et elle divorcent.

Sea, sex and sun : et Brigitte créa BB

Le succès est international, le mythe et le culte sont attisés par les paparazzi. BB impose des lieux (La Madrague et Saint-Tropez), des modes (robe vichy, coiffure choucroute), un style de vie (maris et amants nombreux : Trintignant, Sami Frey, Sacha Distel, Gainsbourg, etc.), des hobbies (danse, guitare, chant)…

Juliette à Saint-Tropez, sur la plage abandonnée.

Quand elle le veut, et bien dirigée, elle sait convaincre : *En cas de malheur* de Claude Autant-Lara, *La Vérité* de H. G. Clouzot, *Vie privée* de Louis Malle et surtout *Le Mépris* de Jean-Luc Godard, qui traduit la confusion entre intimité et cinéma, ce monde factice qui ne lui conviendra jamais. Adulée partout, elle inspire des chansons, des artistes comme Picasso, et ses films rapportent presque autant que la Dauphine de Renault. Les choses se gâtent au milieu des années soixante : prisonnière de son image et n'ayant jamais eu d'ambition démesurée, elle perd sa joie de vivre et craque sous la pression du public et des médias. Amours difficiles, tentatives de suicide,

Juliette et Michel (Jean-Louis Trintignant).

dérive artistique, retraite prématurée à trente-huit ans, tout cela est évoqué dans son autobiographie, « Initiales BB ». En 1973, elle devient Marianne pour la République. Elle utilise désormais sa célébrité, toujours réelle, pour la défense des animaux.

Vadim, le Pygmalion de ces dames

Au printemps 2000, Vadim nous quittait, entouré d'un parterre de femmes célèbres et éplorées : Brigitte Bardot, Catherine Deneuve, Annette Stroyberg, Jane Fonda, Marie-Christine Barrault, toutes à l'unisson dans une secrète harmonie. Ses muses, ses créations, ses amours, c'était là son prodige. Sa carrière l'a beaucoup moins intéressé que sa vie, comme le montre son autobiographie « Mémoires du Diable ». Il y avait un réel talent cinématographique dans *Et Dieu créa la femme* et, l'année suivante, dans *Sait-on jamais ?* Mais celui qu'on prit pour un précurseur de la Nouvelle Vague revint à un académisme léché dont la marque de fabrique restera l'érotisme : *Les Liaisons dangereuses 1960*, *Le Repos du guerrier*, *La Curée*, *Barbarella*, etc.

Juliette avec Carradine, un autre soupirant (Curd Jürgens).

Cléopâtre

Le phénix qui renaît de ses cendres

1963

Cleopatra, drame historique de Joseph L. Mankiewicz, avec Elizabeth Taylor (Cléopâtre), Rex Harrison (Jules César), Richard Burton (Marc Antoine), Roddy Mac Dowall (Octave) • Sc. Joseph L. Mankiewicz, Ranald Mac Dougall, Sidney Buchman, d'après Plutarque, Suétone, Shakespeare, George Bernard Shaw... • Ph. Leon Shamroy • Mus. Alex North • Prod. 20th Century-Fox • États-Unis • Durée 189' à 243' selon les versions • 4 Oscars: photographie, direction artistique, costumes, effets photographiques

Jules César, maître de Rome, rétablit Cléopâtre sur le trône d'Égypte et l'épouse. Triomphante, elle le rejoint à Rome avec leur fils. Mais César est assassiné et elle regagne l'Égypte, aidée par un lieutenant de César, Marc Antoine, qui s'est également épris d'elle...

Le bain de Cléopâtre (Elizabeth Taylor).

Liz, extravagant monstre sacré

À son zénith, Liz Taylor, passionnée, orgueilleuse et resplendissante, incarne magistralement la femme qui sut séduire Jules César puis Marc Antoine. La carrière de l'actrice résume le cinéma hollywoodien de la grande époque : beauté, intelligence du métier, célébrité durable, pour celle qui avait débuté à neuf ans en 1941 et dont la presse scruta en permanence l'existence agitée (santé précaire, mariages tumultueux, rôles provocants...).

Plus qu'un sex-symbol et une grande star, elle est en outre une brillante comédienne, comme le prouvent *Une Place au soleil* et *Géant* (George Stevens, 1951), *La Chatte sur un toit brûlant* (Richard Brooks, 1958), *Soudain l'été dernier* (Mankiewicz, déjà, 1959), *Qui a peur de Virginia Woolf* (Mike Nichols, 1966), *Reflets dans un œil d'or* (John Huston, 1967) et les deux Oscars qu'elle a reçus. Richard Burton, qui l'a épousée deux fois, en parlait ainsi : « Maîtresse sauvage et magnifique, qui ne se laisse influencer par personne, belle au-delà de tous les rêves pornographiques, arrogante et têtue autant que généreuse et aimante, elle est un catalogue qu'on n'a jamais fini de feuilleter, elle est l'almanach du pauvre Richard et je l'aimerai jusqu'à ma mort. »

Passion fatale entre Marc Antoine et Cléopâtre.

Un tournage pharaonique

Film à problèmes qui faillit ne jamais être terminé (météo déplorable au début, éviction de Rouben Mamoulian, le premier réalisateur, conflits de production, maladie de la vedette, dépassement de budget, etc.), renié par Mankiewicz qui le considérait comme un immense gâchis, *Cléopâtre* fut, selon ses termes, « conçu dans l'urgence, tourné dans l'hystérie et achevé dans une panique aveugle ». Cette superproduction maudite, montée sur le nom d'Elizabeth Taylor, la seule constante en trois années d'aléas, mit la 20th Century-Fox, compagnie productrice, au bord de la faillite. C'est la publicité considérable engendrée par la liaison Taylor-Burton qui lui permit d'amortir tout juste son coût. Et pourtant le caractère grandiose de l'entreprise – qu'on se souvienne de l'entrée de Cléopâtre à Rome ! – n'occulte jamais la majesté et la profondeur d'une œuvre à couleur shakespearienne. D'une écriture raffinée, mêlant fresque et intimisme, le film parle autant de conquête et de politique que de l'épanouissement d'un amour. Et Mankiewicz n'y explore finalement que son sujet favori : l'ambiguïté de la réussite et de l'échec.

Cléopâtre à l'écran

La reine d'Égypte et son fameux nez inspirèrent maints cinéastes, de 1899 à nos jours : Georges Méliès en 1899, puis Charles Gaskill en 1912 (avec Helen Gardner), J. Gordon Edwards en 1917 (avec Theda Bara), Cecil B. De Mille en 1934 (avec Claudette Colbert), Gabriel Pascal en 1945 (avec Vivien Leigh), Mario Mattoli en 1954 (avec Sophia Loren), Vittorio Cottafavi en 1959 (avec Linda Cristal), Victor Tourjanski et Piero Pierotti en 1962 (avec Pascale Petit), Fernando Cerchio en 1963 (avec Magali Noël)... jusqu'à *Astérix & Obélix : mission Cléopâtre* d'Alain Chabat en 2002, avec Monica Bellucci.

Marc Antoine (Richard Burton) à la bataille d'Actium.

Jules César (Rex Harrison).

Angélique, marquise des Anges
Héroïne française des sixties

1964

Aventures de Bernard Borderie, avec Michèle Mercier (Angélique), Robert Hossein (Joffrey de Peyrac), Jean Rochefort (Desgrez), Giuliano Gemma (Nicolas) • Sc. Claude Brûlé, Francis Cosne, Bernard Borderie et Daniel Boulanger, d'après le roman d'Anne et Serge Golon • Ph. Henri Persin • Mus. Michel Magne • Dist. Prodis • France • Durée 115'

XVIIe siècle. Dès sa sortie du couvent, Angélique, jeune noble ruinée, est mariée de force au comte de Peyrac, qui saura l'apprivoiser et s'en faire aimer avant de l'entraîner dans de multiples aventures.

Marquise altière, Angélique (Michèle Mercier)…

Une saga romanesque (et polissonne) à grand spectacle

« Angélique » est née de l'imagination d'Anne et Serge Golon, coauteurs de treize livres traduits dans le monde entier pour environ quatre-vingts millions de lecteurs. Cette passionnante série donna lieu à cinq films, un par an de 1964 à 1968 : le premier fut suivi de *Merveilleuse Angélique*, *Angélique et le roy*, *Indomptable Angélique* et enfin *Angélique et le sultan*. Alors que les livres traçaient un véritable panorama historique à la Dumas, les films en édulcorèrent de plus en plus le contenu mais devinrent néanmoins des classiques du cinéma populaire français des années soixante. Sans cesse repris à la télévision, ils ont toujours comblé les spectateurs friands d'action, de grands espaces, de romanesque et de spectacle et de sensualité, le tout lorgnant vers Hollywood. On ne peut d'ailleurs en nier le charme et l'érotisme bon enfant. Grâce en soit rendue à leurs interprètes, le ténébreux Robert Hossein, le subtil Jean Rochefort et, bien sûr, Michèle Mercier, marquise légère et court vêtue.

« Angélique à cœur perdu »

Parue sous ce titre, l'autobiographie de Michèle Mercier évoque abondamment un personnage devenu mythique, une beauté dotée d'une superbe chute de reins et guidée par ses passions. Soufflant le rôle à Annette Stroyberg, Catherine Deneuve, Jane Fonda et Marina Vlady, celle qui s'est finalement identifiée à Angélique remarquait : « Le public n'est pas idiot, il a senti qu'on était sœurs et il a applaudi. » La carrière de Michèle Mercier n'est pas allée beaucoup plus loin que le succès de la série, en dépit de son rôle dans *Tirez sur le pianiste* de François Truffaut (1960) et de ceux tenus en Italie, sous la direction de Dino Risi (*Les Monstres*, 1963) ou Mario Monicelli (*Casanova 70*, 1965). Elle avait débuté en 1957 dans *Donnez-moi ma chance* de Léonide Moguy ; *Angélique* fut cette chance. Laissons-lui le dernier mot : « Pour une actrice, savoir qu'on vit ou qu'on survit dans les mémoires, en laissant des souvenirs qui brillent et qui, peut-être, aident ceux qui vous aiment à mieux exister, concrétise le plus beau des rêves. »

…n'est guère frileuse…

Robert Hossein, diable boiteux

Robert Hossein, à la fois tendre, trouble et dur, imposa Joffrey de Peyrac, véritable diable boiteux pour qui le public eut les yeux d'Angélique. Le rôle le marqua et il le reprit dans le spectacle qu'il monta au Palais des sports en 1994. Depuis 1954, il a joué dans une centaine de films, dont certains méconnus et intéressants : *Le Chevalier de Maupin* de Mauro Bolognini (1966), *La Musica* de Marguerite Duras et Paul Seban (1967) ou *Les Conspirateurs* de Luigi Magni (1972). Il en a également réalisé : *Toi, le venin* (1959), *Le Vampire de Düsseldorf* (1965) ou sa version des *Misérables* (1982). Mais il a trouvé sa vraie voie quand il a décidé de « marcher au-devant du public qui n'était jamais venu au théâtre » en montant des grandes fresques populaires : « Notre-Dame de Paris », « Danton et Robespierre », « Crime et Châtiment », reprise de sa première mise en scène de 1971 et « Ben Hur » en 2006. Il réalise son rêve en prenant la direction du théâtre Marigny.

Joffrey de Peyrac (Robert Hossein) a épousé Angélique. (*Indomptable Angélique*)

Desgrez (Jean Rochefort), fidèle ami de la marquise…

L'Été meurtrier

« Elle » allait, légère et court vêtue...

1983

Drame de Jean Becker, avec Isabelle Adjani (Éliane, dite « Elle »), Alain Souchon (Florimond, dit « Pin Pon »), Suzanne Flon (Cognata), Michel Galabru (Gabriel) • Sc. Sébastien Japrisot, d'après son roman • Ph. Étienne Becker • Mus. Georges Delerue • Prod. SNC / CAPAC / TF1 • France • Durée 130' • 3 Césars : actrice (Isabelle Adjani), second rôle féminin (Suzanne Flon), scénario

Dans un village du sud de la France, « Elle », belle et imprévisible, jette son dévolu sur « Pin Pon », brave garçon fou amoureux qui l'épouse sans se douter qu'elle va faire de lui l'instrument d'une terrible vengeance.

« Elle » (Isabelle Adjani) a décidé de séduire « Pin Pon » (Alain Souchon).

Une garce troublante et pourtant sympathique

Reposant entièrement sur le mystère du comportement d'« Elle », le film maintient la curiosité du spectateur en éveil grâce à la force de conviction qu'y déploie son actrice principale. Amis de longue date, Sébastien Japrisot et Jean Becker ont décidé dès la parution et le succès du livre en 1977 d'en faire ensemble l'adaptation à l'écran.
Ils recherchent d'abord une inconnue pour le rôle, ne trouvent pas, pensent à Adjani qui tergiverse et refuse, optent enfin pour Valérie Kaprisky. Le tournage est programmé quand Adjani se reprend et accepte. Elle n'eut pas à le regretter, révélant un tempérament explosif, une plastique irréprochable et généreusement dévoilée qui en firent la star érotique du moment. « J'ai adoré ce film, et trouvé l'un de mes personnages fétiches dans cette petite fille traumatisée qui vit dans un corps complètement féminin qu'elle exhibe à tout va pour trouver de l'amour », déclara-t-elle par la suite.

Adjani, star ou anti-star ?

En 1969, à quatorze ans, elle tourne son premier film mais c'est le théâtre qui la révèle, « L'École des femmes » de Molière puis « Ondine » de Giraudoux à la Comédie-Française. Beauté, regard bleu marine, talent et travail acharné, tout cela attire les cinéastes : Prix Suzanne-Bianchetti pour *La Gifle* de Claude Pinoteau (1974), puis, en 1975, *L'Histoire d'Adèle H.* de François Truffaut et *Le Locataire* de Roman Polanski (1976). *Possession* d'Andrzej Zulawski (1981) et *Quartet* de James Ivory (1981) lui valent respectivement un César et un prix d'interprétation à Cannes. *Mortelle Randonnée* de Claude Miller (1982) et *L'Été meurtrier*

Si la tante Cognata (Suzanne Flon) comprend la jeune fille, la mère de « Pin Pon » (Jenny Clève) ne l'apprécie guère.

ouvrent sur une période faste qui la conduit à *Camille Claudel* de Bruno Nuytten, projet porté par elle à bout de bras de 1985 à 1988, couronné par cinq Césars, dont celui de la meilleure actrice. En même temps, elle se lance dans la chanson et le clip avec pour guide Serge Gainsbourg ; elle milite à SOS Racisme, préside la Commission d'avance sur recettes, organisme qui finance des projets de films. La presse juge son caractère difficile et lui attribue le Prix Citron. Après une dépression et quelques films moins réussis, *La Reine Margot* (Patrice Chéreau) marque son grand retour en 1994 (quatrième César). Elle revient à la comédie avec *Bon voyage* (Jean-Paul Rappeneau, 2003) et triomphe au théâtre avec « La Dame aux camélias ».

« Elle » a retrouvé Leballech (Jean Gaven), qu'elle croit coupable.

Jean Becker, une difficile hérédité assumée

Le fils de Jacques Becker a grandi dans le sérail, a assisté son père sur *Le Trou* (1960) et dirigé trois fois Jean-Paul Belmondo (*Un nommé La Rocca*, 1961 ; *Échappement libre*, 1964 ; *Tendre voyou*, 1966). Il se consacre pendant vingt ans au film publicitaire et à la télévision (« Les Saintes chéries », un triomphe). Il reste un cinéaste à l'écart des modes (*Élisa* avec Vanessa Paradis, 1995 ; *Les Enfants du marais*, 1999 ; *Un Crime au Paradis*, 2001 et *Effroyables Jardins* avec Jacques Villeret, 2003).

Indochine

Divine Deneuve au cœur de la tempête

1992

Drame de Régis Wargnier, avec
Catherine Deneuve (Éliane Devries),
Vincent Perez (Jean-Baptiste Le Guen),
Linh Dan Pham (Camille), Jean Yanne
(Guy Asselin), Dominique Blanc (Yvette) •
Sc. Régis Wargnier, Erik Orsenna, Louis
Gardel, Catherine Cohen • Ph. François
Catonné • Mus. Patrick Doyle • Dist. Bac
Films • France • Durée 160' • Oscar
du meilleur film étranger ; 4 Césars :
meilleure actrice (Catherine Deneuve),
actrice dans un second rôle (Dominique
Blanc), photographie et décor

**En Indochine coloniale, Éliane Devries,
à la tête d'une grosse exploitation
d'arbres à caoutchouc, et sa fille
adoptive Camille, princesse annamite
orpheline, vont aimer le même homme,
l'officier de marine Le Guen, et vivre des
événements qui aboutiront à la naissance
douloureuse du Viêt-nam indépendant.**

Éliane Devries (Catherine Deneuve) dirige une plantation en Indochine.

Une Scarlett O'Hara franco-indochinoise

Les scénaristes et le réalisateur n'ont pas caché
leur ambition de s'approcher du meilleur romanesque
hollywoodien, celui de *Autant en emporte le vent*
par exemple, et de bâtir une intrigue dont le cœur
serait un personnage féminin séduisant et fort pris
dans les soubresauts de l'Histoire. Le vieux Sud
américain déchiré par la Guerre de Sécession
est remplacé par l'Indochine française saisie
à une période charnière, alors que le charme
et le faste de la vie coloniale sont perturbés
par la naissance de la conscience nationale indigène
et par les signes avant-coureurs de la guerre
d'Indochine. Le film souligne la fascinante beauté
des coutumes et des lieux – l'enterrement
des parents de Camille, le mariage à Hué,
les scènes se déroulant dans la baie d'Along –
mais surtout regarde sans concessions
la période coloniale et ses à-côtés pervers :
le racisme, les violences sur la population,
le bagne de Poulo Condor, où les Français
enfermaient les récalcitrants à leur présence.
Le rôle d'Éliane, femme libre, forte en affaires
mais vulnérable sur le plan personnel,
a bien sûr été écrit sur mesure
pour Catherine Deneuve, qui lui donne
un relief particulier.

Éliane et Le Guen (Vincent Perez) s'affrontent.

Deneuve, le noir et le feu sous la blondeur

Ses parents sont acteurs, ainsi que Françoise
Dorléac (1942-1967), sa sœur aînée et non pas
jumelle, contrairement à ce que disait la chanson
des *Demoiselles de Rochefort* (1967), leur seul film
commun. Débutante en 1956, à treize ans,
elle s'impose d'abord par sa blondeur et sa
photogénie. Son jeu s'affine quand elle rencontre
des cinéastes importants, certains sensibles à sa
beauté (Jacques Demy, Michel Deville, François
Truffaut, André Téchiné), d'autres au trouble,
à la noirceur et à la schizophrénie qu'elle peut
exprimer (Roman Polanski, Luis Buñuel, Marco
Ferreri). Son succès dépasse les frontières ;
elle tourne partout, en Italie, aux États-Unis,
où son nom est difficile à prononcer (« Diniouvi »…)
et ses films oubliables, sauf *La Cité des dangers*
de Robert Aldrich (1975). On peut malgré tout rêver
au projet qu'elle eut avec Alfred Hitchcock, grand
connaisseur en actrices blondes. La maturité venue,
Catherine Deneuve est de plus en plus présente,
autant dans des films populaires – *Belle Maman*

Camille (Linh Dan Pham), future princesse rouge,
et Éliane, sa mère adoptive.

de Gabriel Aghion (1999), où elle affole
Vincent Lindon, son futur gendre –
qu'auprès de grands cinéastes plus en
marge – *Agent trouble*, Jean-Pierre Mocky,
1987 ; *Le Couvent*, Manoel de Oliveira,
1995 ; *Pola X*, Leos Carax, 1997 ; *Le Temps
retrouvé*, Raoul Ruiz, 1999 ; *Le Vent de
la nuit*, Philippe Garrel, 1998 ; *Rois et Reine*,
Arnaud Desplechin, 2004 –, dispensant
dans tous les cas son talent avec la même
générosité.

Asselin (Jean Yanne), le chef de la Sûreté.

L'envers de la guerre

La Grande Illusion

La der des ders ?

1937

Drame de Jean Renoir, avec Erich von Stroheim (le commandant von Rauffenstein), Jean Gabin (le lieutenant Maréchal), Pierre Fresnay (le capitaine de Boëldieu), Marcel Dalio (Rosenthal), Julien Carette (l'acteur), Dita Parlo (Elsa) • Sc., adapt. et dial. Charles Spaak, Jean Renoir • Ph. Christian Matras • Mus. Joseph Kosma • Prod. Réalisation d'Art Cinématographique • France • Durée 120' • Prix du meilleur ensemble artistique à la Biennale de Venise ; Prix du meilleur film étranger décerné par la critique américaine

Pendant la guerre de 1914-1918, le capitaine de Boëldieu, officier de carrière, et le lieutenant Maréchal sont, à la veille d'une évasion, déplacés d'un camp de prisonniers à une forteresse. Ils font la connaissance d'autres compatriotes et du commandant von Rauffenstein.

Les prisonniers (Julien Carette, Jean Dasté, Jean Gabin, Marcel Dalio, Pierre Fresnay, Gaston Modot) à l'appel.

Au nom de tous les hommes

Emprunté à un ouvrage sur l'utopie des guerres économiques, le titre du film auquel se réfère le dialogue final entre Dalio et Jean Gabin, évoque l'idée que la guerre de 1914-1918 pourrait être la dernière. Jean Renoir lançait ainsi, à la veille du second conflit mondial, un message d'espoir et de fraternité très diversement accueilli. Alors que Roosevelt déclara « Tous les démocrates du monde devraient voir ce film », Goebbels le désigna comme « l'ennemi cinématographique numéro un » et l'Italie de Mussolini le fit interdire.

Inspiré des souvenirs d'un compagnon de guerre qui avait plusieurs fois sauvé la vie du futur réalisateur, alors pilote dans l'armée

de l'air, le film dépasse le simple récit de prisonniers préparant une évasion pour montrer qu'au-delà des frontières, la fraternité entre les hommes ne relève pas d'une quelconque utopie. « Les frontières sont une invention des hommes, la nature s'en fout », dit l'un des personnages. *La Grande Illusion* frappe en effet par l'attention accordée aux individus et ce, quelle que soit leur nationalité.

Une guerre de chevaliers

Au cours des trois parties qui le composent, ce film témoigne du plus profond respect pour l'ennemi. Si de temps à autre, les Allemands sont gentiment moqués, en revanche, ils ne sont jamais considérés comme des tortionnaires. C'est le côté chevaleresque d'une guerre où les officiers de carrière allemands et français font assaut de courtoisie, d'amitié et d'estime réciproques qui est privilégié dans le film. Quant aux simples soldats, ils entretiennent les meilleures relations amicales avec leurs geôliers. « J'avais le désir, dit Renoir, de montrer que même en temps de guerre, des combattants peuvent rester des hommes. » *La Grande Illusion*, qui figure dans la liste des douze meilleurs films du monde établie à Bruxelles en 1958 par un jury international réunissant plus d'une centaine de critiques, conserve aujourd'hui encore toute sa portée humanitaire.

Maréchal (Jean Gabin) et Rosenthal (Marcel Dalio) s'apprêtent à franchir la frontière suisse.

Gabin, gueule d'amour

Parmi les quatre-vingt-quinze films dont Jean Gabin fut l'interprète, figurent de très nombreux chefs-d'œuvre du cinéma français, essentiellement dans la période allant de 1935 à 1940 où il travaille avec Jean Renoir (*Les Bas-Fonds*, 1936, *La Grande Illusion*, *La Bête humaine*, 1938), Marcel Carné (*Le Quai des brumes*, 1938 ; *Le Jour se lève*, 1939), Jean Grémillon (*Gueule d'amour*, 1937 ; *Remorques*, 1939) et Julien Duvivier (*La Bandera*, 1935 ; *La Belle Équipe*, 1936 ; *Pépé le Moko*, 1936). C'est l'époque où, tout en symbolisant les aspirations du Front populaire, l'acteur peut également être séducteur ou victime du destin. André Bazin l'a qualifié de « héros tragique par excellence du cinéma français d'avant-guerre ».

Le commandant von Rauffenstein (Erich von Stroheim) prend connaissance de la liste des prisonniers.

Les prisonniers récemment arrivés visitent la forteresse commandée par von Rauffenstein.

Le Dictateur

Appel à la fraternité humaine

1940

The Great Dictator, comédie dramatique de Charles Chaplin, avec Charles Chaplin (Hynkel / le barbier juif), Jack Oakie (Benzino Napaloni), Henry Daniell (Garbitsch), Paulette Goddard (Hannah) • Sc. Charles Chaplin • Ph. Roland Totheroh, Karl Struss • Mus. Charles Chaplin • Dist. MK2 • États-Unis • Durée 130'

Grièvement blessé pendant la guerre de 14-18, un barbier juif retrouve la mémoire après plusieurs années d'hôpital. Le dictateur Hynkel, son parfait sosie le fait déporter dans un camp de concentration. Rêvant de devenir empereur du monde, il tente d'obtenir l'accord de son allié Napaloni pour envahir l'Austerlich.

Hynkel (Charles Chaplin) s'apprête à recevoir Napaloni en grandes pompes.

L'arme de la dérision

Le Dictateur, dont le scénario fut entrepris dès 1938, suscita immédiatement de violentes protestations de la part du IIIe Reich, qui menaçait Hollywood de boycotter l'ensemble de la production américaine si Chaplin persistait dans son projet. Le cinéaste avait en effet déclaré : « Les dictateurs sont comiques. Mon dessein est d'en faire rire le public. » Inquiété, menacé de mort, il ne céda pas et son film put sortir aux États-Unis le 15 octobre 1940. En Europe, il fallut attendre la fin de la guerre pour découvrir cette satire irrésistible du nazisme dans laquelle Chaplin, utilisant la dérision, eut le courage et le génie de faire d'un barbier juif le parfait sosie du Führer. Jouant à la fois la victime et le bourreau, Chaplin répondait ainsi à ceux qui avaient noté sa ressemblance physique avec Hitler qui, dit-on, aurait emprunté la même moustache pour tirer profit de la popularité de Charlot. En outre, les deux hommes étaient nés en avril 1889, à quatre jours d'intervalle seulement…

Le barbier séduit par Hannah (Paulette Goddard).

Le premier film parlant de Chaplin

Pour incarner le dictateur hystérique, Chaplin consacra une grande partie de son temps à étudier les actualités de l'époque et les discours d'Hitler, parvenant ainsi à une caricature d'une vérité saisissante tant dans les gestes que les attitudes ou le langage. Venu du cinéma muet, réticent à l'égard du parlant, le cinéaste alla jusqu'à inventer un jargon purement imaginaire, donnant lieu à un gag aussi irrésistible que celui du micro ployant sous les vociférations d'Hynkel. Par contraste, le barbier juif, cousin de Charlot – comme le rappelle un prologue tout droit issu de *Charlot soldat* –, a plusieurs fois la voix étranglée par l'émotion. En particulier, quand il doit monter à la tribune où est inscrit le mot « liberté » pour un appel déchirant à la fraternité humaine.

Hynkel tente de s'imposer auprès de Napaloni (Jack Oakie).

Arrêté, le barbier sera envoyé en camp de concentration.

Charles Chaplin (1889-1977)

Créateur de Charlot, seul personnage de l'écran à avoir atteint une dimension universelle, Charles Chaplin, issu d'une famille d'artistes, débute à l'écran en 1914, puis enchaîne une soixantaine de films. De 1918 à 1922, il réalise plusieurs moyens métrages dont *Une vie de chien* (1918), *Charlot soldat* (1918) et *Une Idylle aux champs* (1919), tout en étant producteur et en acquérant ses propres studios. Avec Mary Pickford, Douglas Fairbanks et D. W. Griffith, il fonde en 1919 les Artistes Associés, réalisant ensuite *L'Opinion publique* (1923), dont l'échec est compensé par le triomphe de *La Ruée vers l'or* (1925).

Nouvel échec avec *Le Cirque* (1928), muet alors que le cinéma est devenu parlant, suivi des *Lumières de la ville* (1931), film sonore mêlant comique et tragique, qui bouleverse le public. Achevé en 1935, *Les Temps modernes* fait l'objet de nombreuses attaques, de même que *Le Dictateur*, puis *Monsieur Verdoux* (1947), d'après une idée d'Orson Welles. Inquiété par le maccarthysme, Chaplin refuse de comparaître et réalise encore *Limelight* (1951), *Un Roi à New York* (1957) et *La Comtesse de Hong-Kong* (1967). Il meurt pendant la nuit de Noël 1977.

To Be or not to Be / Jeu dangereux

Courage, rions!

Maria Tura (Carole Lombard) et son mari Jack interprètent la pièce « Gestapo ».

1942

To Be or not To Be, comédie d'Ernst Lubitsch, avec Carole Lombard (Maria Tura), Jack Benny (Joseph Tura), Robert Stack (le lieutenant Stanislas Sobinsky), Lionel Atwill (Rawitch) • Sc. Edwin Justus Mayer, d'après une histoire de Melchior Lengyel et Ernst Lubitsch • Ph. Rudolph Maté • Mus. Werner R. Heymann • Prod. Ernst Lubitsch, Alexander Korda • États-Unis • Durée 99'

Varsovie, août 1939: Joseph Tura et ses amis acteurs se préparent à jouer « Gestapo », une pièce qui sera vite interdite pour ne pas provoquer le voisin allemand. Lequel ne se gêne pas pour envahir la Pologne. Un espion allemand est dépêché pour démanteler la résistance polonaise. Tura et ses amis rendossent leurs uniformes de scène pour infiltrer la Gestapo locale.

Entre le rire et la gravité

Ce film, hommage à la Pologne dépecée et occupée par les Allemands – et par les Russes jusqu'en juin 1941 –, développe avec humour noir un épisode imaginaire mais vraisemblable de la résistance polonaise. Les comédiens doivent ici mettre leur talent au service de la démocratie, et leur survie dépend de la justesse de leur jeu. Servi par des dialogues étincelants, avec une réflexion sur théâtre et réalité, c'est aussi un film courageux: à l'instar du *Dictateur* de Chaplin, attaqué par les neutralistes américains parce qu'il s'en prenait aux nazis, *To Be or not to Be* fut conçu avant que les Américains n'entrent en guerre aux côtés des Anglais contre l'Allemagne hitlérienne, et glorifiait la résistance polonaise à Londres.

Ironie au vitriol

Cette ironie douce-amère, occasionnellement trempée dans le vitriol, distingue le film des productions de guerre et de propagande qui vont devenir légion. L'œuvre est servie par sa distribution remarquable: Jack Benny en tête, dans le rôle du « grand acteur Joseph Tura », mari vaniteux et jaloux mais bon comédien; le jeune Robert Stack – futur Eliot Ness de la série télévisée « Les Incorruptibles » – en pilote patriote polonais; enfin Carole Lombard, qui ne vit jamais son « jeu dangereux », puisqu'elle périt dans un accident d'avion le 16 janvier 1942, huit semaines avant la présentation publique du film.

L'admiration qu'il éprouve pour Lubitsch incita Mel Brooks à produire et à reprendre le rôle de Jack Benny dans *To Be or Not To Be* (1983) aux côtés de son épouse Anne Bancroft, avec Alan Johnson pour metteur en scène. Ce remake-hommage en couleurs, qui reprend presque plan par plan le découpage ainsi qu'une partie des dialogues, est marqué de la patte burlesque de Mel Brooks.

Le lieutenant Sobinsky (Robert Stack) ne se doute pas que Siletsky (Stanley Ridges) est un espion allemand.

Grimé en Hitler, Bronski (Tom Dugan) atterrit en Angleterre.

Joseph (Jack Benny), Maria et leurs camarades attendent la fin de l'alerte.

Ernst Lubitsch, de Berlin à Hollywood

Venant du théâtre allemand – acteur élève de Max Reinhardt –, puis metteur en scène en 1914, Ernst Lubitsch arrive à Hollywood précédé d'une solide notoriété. Il excelle dans le film historique (*Carmen*, 1918; *La Du Barry*, 1919, muets), mais son domaine est l'ironie mordante (*Ninotchka*, 1939), la comédie sentimentale et sophistiquée (*Haute Pègre*, 1932; *Sérénade à trois*, 1933; *Ange*, 1937). Metteur en scène raffiné, au sens du spectacle et du comique innés,

Ernst Lubitsch a marqué son œuvre de ce que certains ont appelé la « Lubitsch touch ». Citons *Le Prince étudiant*, 1927; *Parade d'amour* (1929, avec Maurice Chevalier); *L'Homme que j'ai tué*, 1932; *Si j'avais un million* (1932, un sketch); *La Veuve joyeuse*, 1934; *La Huitième Femme de Barbe-Bleue*, 1938; *The Shop Around the Corner*, 1940; *Le Ciel peut attendre*, 1943; *La Folle Ingénue* (1946).

La Traversée de Paris

Marché noir

1956

Comédie dramatique de Claude Autant-Lara, avec Jean Gabin (Grandgil), Bourvil (Martin), Louis de Funès (Jambier), Jeannette Batti (Mariette), Robert Arnoux (Marchandot) • Sc. Jean Aurenche et Pierre Bost, d'après une nouvelle de Marcel Aymé • Ph. Jacques Natteau • Mus. René Cloerec • France - Italie • Dist. SNA • Durée 80' • Victoires du meilleur film français et du meilleur acteur (Bourvil), également prix d'interprétation masculine à la Biennale de Venise

En 1943 à Paris, Martin, un chauffeur de taxi au chômage, et Grandgil, un artiste-peintre rencontré par hasard, traversent la ville avec quatre valises pleines de viande de porc pour le marché noir.

Grandgil (Jean Gabin) a accepté d'accompagner Martin (Bourvil) dans son équipée nocturne.

La rage dans le cœur

Dans la nouvelle de Marcel Aymé, Martin tuait Grandgil. Jean Aurenche et Pierre Bost, célèbre couple de scénaristes du cinéma français des années cinquante, modifièrent la fin du récit en ajoutant, à la demande du producteur, un épilogue adoucissant l'amertume du propos. Pourtant, Autant-Lara avait tourné une autre fin où Martin était fusillé alors que Grandgil, le peintre admiré par un officier de la Gestapo, s'en tirait. Le cinéaste qui a toujours eu « la rage dans le cœur », pour reprendre le titre de son autobiographie, a vu sa carrière émaillée d'une série de scandales (*En cas de malheur*, 1958 ; *Tu ne tueras point*, 1961). Elle démarre d'ailleurs vraiment sous l'Occupation avec des films qui ne manquent pas d'épingler la société bourgeoise tel *Le Mariage de Chiffon* (1942), aussitôt suivi par *Douce* (1943). Celui qui qualifia l'Occupation de « temps de tous les courages et de toutes les lâchetés » s'est très souvent attaqué à cette période qui lui sert plusieurs fois de décor dans *Le Bois des amants* (1960), *Le Franciscain de Bourges* (1968) et *Les Patates* (1969).

Grandgil chez l'épicier Jambier (Louis de Funès), rue Poliveau.

Deux acteurs à contre-emploi

En Marcel Aymé, le cinéaste trouva un auteur qui partageait avec lui le même anticonformisme. Le regard féroce qu'il porte sur ses concitoyens a évidemment fait la joie du cinéaste qui signa ici l'une des œuvres les plus justes, quoique parfois exagérée, sur la période de l'Occupation. Peu de films ont, en effet, abordé de front le trafic du marché noir et décrit les mille et une petites combines des Français pour survivre dans une période trouble. Aidé de deux « monstres sacrés » utilisés à contre-emploi – Jean Gabin en artiste-peintre fort en gueule, lançant dans un moment de colère son fameux « Salauds de pauvres ! », alors qu'il roule sur l'or, et Bourvil, minable trafiquant prêt à toutes les lâchetés –, il brosse une peinture cynique des comportements sociaux et individuels qui n'épargne personne. D'abord prévu en couleurs, *La Traversée de Paris* fut finalement tourné dans un noir et blanc proche du « vert-de-gris », retrouvant le « côté froid, verdâtre de l'Occupation » souhaité par Autant-Lara.

À la Kommandantur, Grandgil se tire d'affaire.

Bourvil (1917-1970)

Vedette de la chanson, de l'opérette et du cabaret, Bourvil débute au cinéma en se composant un personnage d'idiot de village largement exploité par des comédies signées Jean Boyer, André Berthomieu ou Gilles Grangier. Tout au long de sa carrière, l'acteur demeura fidèle à la comédie en travaillant sous la direction de Jean-Pierre Mocky, dans des films à l'humour grinçant : *Un Drôle de paroissien* (1963), *La Grande Frousse* (1964), *La Grande Lessive (!)* (1968), et Gérard Oury, auteur de films aussi populaires que *Le Corniaud*, (1965) et *La Grande Vadrouille* (1966). Au contraire, d'autres réalisateurs révélèrent ses capacités dramatiques : André Cayatte dans *Le Miroir à deux faces* (1958), Alex Joffé dans *Fortunat* (1960) et *Les Culottes rouges* (1962), Robert Enrico dans *Les Grandes Gueules* (1965) ou encore Jean-Pierre Melville qui, dans *Le Cercle rouge* (1970), son avant-dernier film, en fait un commissaire bourré d'humanité.

Retrouvailles à la Libération, sur un quai de gare…

La Vache et le Prisonnier

Road-movie à la française

Charles Bailly (Fernandel) et Marguerite, qu'il va devoir abandonner pour prendre le train.

Au passage du fleuve, les militaires allemands, pour un peu, présenteraient les armes !

1959

Comédie d'Henri Verneuil, avec Fernandel (Charles Bailly), René Havard (Bussières), Albert Rémy (Colinet), Inge Schöner (Helga), Bernard Musson (Pommier) • Adapt. Henri Verneuil, Henri Jeanson, Jean Manse, d'après une « Histoire vraie » de Jacques Antoine • Dial. Henri Jeanson • Ph. Roger Hubert • Mus. Paul Durand • Prod. Films du Cyclope • France • Durée 119'

Charles Bailly, prisonnier de guerre en Allemagne, est affecté aux travaux dans une ferme dont le propriétaire combat sur le front de l'est. En 1943, il décide de s'évader. Accompagné d'une vache prêtée par la fermière, il part sur les routes et à travers champs, n'attirant guère l'attention.

Dans le train… pour Paris ?

Fernand et Marguerite

Ce film a souffert d'une naissance difficile, puisque l'« Histoire vraie » de Jacques Antoine inspira dans le même temps Henri Verneuil et Claude Autant-Lara, qui pensait confier le rôle de Bailly à Bourvil. On en vint au procès pour les départager, et c'est Verneuil qui l'emporta et réalisa *La Vache et le Prisonnier* avec Fernandel dans le rôle principal. Certes, *Charlot soldat* avait fait rire des horreurs de la guerre, et la captivité des malheureux soldats vaincus de mai-juin 1940, retenus en Allemagne, relevait d'un registre moins tragique, mais il y avait là un exemple de la misère que l'homme inflige à l'homme en temps de guerre. Il fallait donc bien du talent pour réaliser une comédie sur la captivité, et précisément l'évasion d'un K.G. (« Kriegsgefangen » ou prisonnier de guerre, peint en lettres énormes sur la capote en guise d'humiliation…) ayant eu une idée simple et judicieuse : se faire accompagner d'une vache en laisse, porter un seau de lait de l'autre main, et ainsi « voyager », mine de rien, jusqu'à une gare avec train direct pour la France.

Le savoir-faire des pros

Verneuil disait avoir demandé à Fernandel de jouer « un ton au-dessous », ce qu'avait parfaitement compris le grand comique, qui disait avoir voulu ne pas faire une « fernandellerie ». Même Henri Jeanson, bien connu pour ses répliques à l'emporte-pièce, ses textes au vitriol et souvent « vachards », s'est astreint à écrire un dialogue mesuré, pratiquement dépourvu de « mots d'auteur ». C'est ainsi que cette promenade-évasion dans les vallées allemandes devint une succession de faits et gestes drôles, relevant d'un comique sans aucune amertume – sans message non plus, et sans même que soient ridiculisés les Allemands côtoyés.

Charles et deux faux officiers de la Wehrmacht (Pierre-Louis et Richard Winckler).

Un comédien hors pair : Fernandel

Fernand Contandin, dit Fernandel (1903-1971), a tourné plus de 140 films entre 1930 et 1969, en dirigeant trois, dont un aux côtés de Sacha Guitry (*Adhémar ou le jouet de la fatalité*, 1951). Il a fait rire plusieurs générations. Comédien complet, il sut aussi émouvoir, et faire pleurer (*Angèle*, 1934 ; *Naïs*, 1945), mais son domaine demeure le comique. Tous ses films ne furent pas d'inoubliables succès, mais tous ont fait rire grâce à son physique particulier et son sens du comique inné. Beaucoup de ses productions « militaires » un temps méprisées, comme *Ignace* (1937), sont regardées aujourd'hui avec plus d'indulgence. Parmi ses meilleurs films, citons *Un de la Légion* (1936), *François Ier* (1937), *Regain* (1937), *Le Schpountz* (1937), *La Fille du puisatier* (1940), *L'Armoire volante* (1948), *L'Auberge rouge* (1951), *Le Petit Monde de Don Camillo* (1952). Sa disparition, à l'âge de 68 ans, émut la France entière.

Docteur Folamour

Apocalypse bientôt

Dans la « salle de guerre » du Pentagone, le général « Buck » Turgidson (George C. Scott) tente d'analyser la situation.

La détente ou le doigt sur la détente ?

Tragédie ? Comédie ? Bouffonnerie ? Tout cela à la fois, ce qui rend le film difficilement classable. « J'ai eu l'idée de cette comédie cauchemardesque, a dit Stanley Kubrick, après avoir entendu le président Kennedy dire que la guerre atomique, que l'on déclenche uniquement en pressant un bouton, a mille fois plus de chance d'avoir lieu à la suite d'une erreur ou d'un geste de folie que de se déclarer sur l'ordre effectif des responsables ! »
C'est une galerie de têtes pour le moins bouffonnes qui nous est offerte : un général en pleine paranoïa anti-rouges, un autre bouffeur de « cocos », dément névropathe. L'ambassadeur Kissov est un pitre bardé d'appareils photo miniaturisés, sans parler de Folamour, le conseiller scientifique allemand « récupéré » après la fin de la dernière guerre, un invalide qui ne peut retenir son salut

L'ambassadeur Kissov (Peter Bull), le général Turgidson et le président Muffley (Peter Sellers).

À bord du B-52, King Kong (Slim Pickens) jubile.

hitlérien. Échappent – relativement – au massacre l'Anglais et le président américain. Humour noir : le nom du général Jack D. Ripper évoque celui du célèbre assassin de prostituées Jack l'éventreur (en anglais Jack the Ripper).
Le film devait se terminer sur une gigantesque bataille de tartes à la crème opposant dans la « salle de guerre » du Pentagone le président et l'ambassadeur soviétique, mais cette scène burlesque ne fut pas retenue.

Le group captain Lionel Mandrake (Peter Sellers) tente d'enrayer la catastrophe.

1964

Dr Strangelove or How I Learned to Stop Worrying and Love the Bomb, film de politique-fiction de Stanley Kubrick, avec Peter Sellers (le group captain Mandrake / le président Muffley / Herr Doktor Folamour), George C. Scott (le général « Buck » Turgidson), Sterling Hayden (le général Jack D. Ripper), Peter Bull (l'ambassadeur Kissov) • Sc. Stanley Kubrick, Terry Southern, Peter George, d'après l'histoire de Peter George • Ph. Gilbert Taylor • Mus. Laurie Johnson • Déc. Ken Adam • Prod. Stanley Kubrick • Royaume-Uni • Durée 93'

De son propre chef, le général américain Ripper a envoyé une escadre de bombardiers B-52, chargés chacun de quarante mégatonnes d'armes nucléaires, bombarder les centres nerveux d'URSS. Les Soviétiques vont probablement riposter avec leur arme absolue : la « machine à apocalypse », capable d'éradiquer toute vie sur terre. Mais personne ne peut plus entrer en contact avec l'escadrille...

Les films de l'apocalypse

Peu de films sont allés jusqu'à l'explosion nucléaire finale, car cela suppose une terre ravagée et irradiée. Certains ont pourtant affronté l'« après-bombe ». Ainsi *Le Monde, la Chair et le Diable* (Ranald MacDougall, 1959), où un mineur remontant du fond découvre un désert à la place de New York ; *Le Dernier Rivage* (Stanley Kramer, 1959), où ne survivent que les passagers d'un sous-marin, *Le Survivant* (Boris Sagal, 1971), dans lequel Charlton Heston est en proie à des mutants car une guerre bactériologique a presque mis fin à l'humanité ; *La Bombe* (Peter Watkins, 1966), qui reconstitue, à la façon d'un documentaire, l'apocalypse nucléaire ; *Malevil* (Christian de Chalonge, 1981), une parabole apocalyptique sur le fascisme et le socialisme ; *Le Dernier Combat*, le premier film de Luc Besson (1982) ; *Le Jour d'après* (Nicholas Meyer, 1983), où une bombe thermonucléaire soviétique explose sur Kansas City ; *Le Dernier Testament* (Lynne Litman, 1989) qui voit disparaître l'humanité.

La Grande Vadrouille
Le plus grand succès du cinéma français

1966

Comédie de Gérard Oury, avec Bourvil (Augustin Bouvet), Louis de Funès (Stanislas Lefort), Terry-Thomas (Sir Reginald), Marie Dubois (Ginette) • Sc. Gérard Oury • Adapt. Gérard Oury, Marcel Jullian, Danièle Thompson • Dial. Georges et André Tabet • Ph. Claude Renoir • Mus. Georges Auric • Prod. Les Films Corona • France - Royaume-Uni • Durée 122'

Été 1942. Trois parachutistes britanniques atterrissent dans Paris occupé. Ainsi commence une chasse à l'homme où sont mêlés à leur corps défendant un brave peintre parisien et un chef d'orchestre irascible.

À Meursault, la patrouille allemande passe, les fugitifs Augustin Bouvet et Stanislas Lefort (Louis de Funès) se dissimulent.

Un pari réussi

La Grande Vadrouille est basé sur un thème récurrent : deux Français plutôt pleutres vont devenir des héros presque malgré eux. Christian-Jaque avait déjà tourné, dans le même registre, *Babette s'en va-t-en guerre* (1959). C'est l'énorme succès du *Corniaud* (1965) qui incita Gérard Oury à réunir la même équipe – en y adjoignant sa fille Danièle Thompson, future réalisatrice elle-même – et tenter la passe de deux : le duo Bourvil/de Funès cette fois gentiment – et comiquement – patriotique.

Les clandestins se cherchent aux bains turcs.

Un rude pari, puisque *Le Corniaud* avait été vu par plus de treize millions de spectateurs. Une préparation soignée, une internationalisation des interprètes, des Anglais sympathiques, des Allemands ridicules, un énorme budget (trois fois celui du *Corniaud*) devaient garantir le succès du tandem renouvelé. Cette fois, le personnage de de Funès n'est plus un trafiquant pittoresque, mais un chef d'orchestre colérique et imbu de lui-même. D'autre part, le danger est réel et omniprésent, puisque c'est le temps de l'Occupation allemande. Cette odyssée comique nous promène allègrement de Paris à la Bourgogne, ponctuée de gags en cascades – le film ne souffre d'aucun temps mort.

Certains effets relèvent du vieux fond comique du cinéma, certes renouvelé, mais bien d'autres sont nouveaux et bien venus ; tout cela engendre une drôlerie bon enfant, au premier degré. Le film ne transmet pas de message, il entend faire rire sainement, et y parvient. Il reste à ce jour le plus grand succès du cinéma français.

Une complémentarité exceptionnelle

Aux côtés d'Henri Genès, Paul Préboist, Grosso et Modo, Jacques Bodoin, Mary Marquet, Andréa Parisy, Marie Dubois, Colette Brosset, Mike Marshall ainsi que Terry-Thomas et ses fameuses moustaches, triomphe le tandem efficace de Funès-Bourvil. La disparition de Bourvil, hélas y mettra terme. Un troisième duo Bourvil/de Funès était à l'étude pour *La Folie des Grandeurs*, ce qui ne put se réaliser. De Funès disait : « Bourvil avait quelque chose en plus. Un je ne sais quoi de gentillesse qui ajoutait à son jeu. Moi, je n'ai qu'un seul registre, mais les ressources sont grandes ».

La fuite en carriole : Bouvet (Bourvil), Lefort et Sir Reginald (Terry-Thomas).

Gérard Oury

Acteur, il participa notamment au *Dos au mur* (Édouard Molinaro, 1958) et au *Miroir à deux faces* (André Cayatte, 1958), dont il co-écrivit le scénario. Mais c'est surtout avec de solides réalisations qu'il acquit la notoriété. On lui doit dix-sept films, dont *Le Corniaud* et *La Grande Vadrouille*, *Le Cerveau* (1969), où Bourvil fait équipe avec Jean-Paul Belmondo, *La Folie des Grandeurs* (1971), une adaptation de « Ruy Blas » avec de Funès et Yves Montand, *Les Aventures de Rabbi Jacob* (1973), où l'on retrouve de Funès dans une fable prônant l'œcuménisme, *Le Coup du parapluie* (1980), avec Pierre Richard, *L'As des as* (1982), entraînant Belmondo aux Jeux Olympiques de 1936, *Fantôme avec chauffeur* (1996), avec un nouveau tandem, Philippe Noiret/Gérard Jugnot. Son nom est indissociable de celui de Michèle Morgan, qui fut parfois sa partenaire et demeura sa compagne pendant plus de quarante ans.

Un curieux attelage.

L'Armée des ombres
Résistance pure et dure

1969

Drame de Jean-Pierre Melville, avec Lino Ventura (Philippe Gerbier), Paul Meurisse (Luc Jardie), Simone Signoret (Mathilde), Jean-Pierre Cassel (Jean-François), Paul Crauchet (Félix) • Sc. Jean-Pierre Melville, d'après le roman de Joseph Kessel • Ph. Pierre Lhomme • Mus. Éric Demarsan • Prod. Les Films Corona / Fono-Roma • France - Italie • Durée 150'

Philippe Gerbier, résistant échappé des locaux de la Gestapo, rejoint d'abord Marseille pour exécuter un traître, puis Lyon afin d'organiser l'embarquement d'un chef de réseau. Mathilde tente de faire évader Félix, l'un de ses camarades arrêté par la Gestapo.

Gerbier (Lino Ventura) est conduit au quartier général de la Gestapo pour y être interrogé.

À la recherche du temps perdu

L'œuvre de Jean-Pierre Melville ne se limite pas à quelques-uns des plus beaux films policiers du cinéma français. La période de l'Occupation, qui a marqué sa jeunesse, servait déjà de cadre à son tout premier long métrage, *Le Silence de la mer* (1949), dans lequel le refus d'un vieil homme et de sa nièce d'adresser la parole à un officier allemand logeant dans leur maison, incarnait déjà l'esprit de résistance. Et *Léon Morin, prêtre* (1961), récit de la fascination d'une veuve pour un jeune prêtre, était également situé au cours de cette période trouble.

Mathilde (Simone Signoret) fait partie du réseau parisien.

Échappé de la Gestapo, Gerbier trouve refuge chez un coiffeur (Serge Reggiani).

« Mauvais souvenirs, soyez pourtant les bienvenus... vous êtes ma jeunesse lointaine »

C'est par cette phrase empruntée à... Courteline que débute *L'Armée des ombres*, tout à la fois inspiré d'un roman de Joseph Kessel publié en 1943, auquel Jean-Pierre Melville songeait depuis vingt-cinq ans, et de souvenirs personnels liés à son passé d'agent de liaison. Ainsi, le film ne montre que des choses vues ou vécues par le réalisateur, qui n'a pourtant pas cherché une reconstitution réaliste mais plutôt, « une rêverie rétrospective, un pèlerinage nostalgique à une époque qui a pourtant marqué ma génération ». (in « Le Cinéma selon Melville. Entretiens avec Rui Nogueira. » Éditions de l'Étoile, cahiers du Cinéma, 1996). Comme tous ses films, *L'Armée des ombres* a des allures de tragédie. Il décrit la lutte quotidienne d'un groupe de résistants inspirés de personnes qui ont réellement existé, parfois condensées en un seul personnage, par exemple Philippe Gerbier. Pour Luc Jardie, c'est évidemment Jean Moulin qui a servi de modèle. Melville s'attache ainsi à la vie de ces combattants de l'ombre unis par une volonté infaillible de repousser l'occupant nazi. Lutte marquée par la peur du danger qui rôde à chaque instant, la mort étant constamment présente, mais où la détermination, le courage et la solidarité réunissent des hommes vivant dans la clandestinité. Melville ne cache pas la difficulté à accomplir une telle mission, y compris dans ses moments les plus pénibles, comme le montre une séquence où un traître est froidement exécuté.

Sous l'apparence d'un grand bourgeois reclus, Luc Jardie (Paul Meurisse) cache ses activités de chef de réseau.

La Résistance dans le cinéma français

René Clément fut l'un des premiers à évoquer la Résistance avec *La Bataille du rail* (1946), consacré à la lutte des cheminots contre l'occupant, suivi par *Le Père tranquille* (1946) et *Les Maudits* (1947). Au cours de ces mêmes années, Jean Grémillon réalisa *Le 6 juin à l'aube* (1946), sur le débarquement allié et la bataille de Normandie, et Jean-Pierre Melville *Le Silence de la mer* (1949), adapté d'un roman de Vercors. *Le Chagrin et la Pitié* de Marcel Ophuls (1971), documentaire de plus de quatre heures à base d'archives et de témoignages, causa un véritable émoi en apportant une note discordante sur l'attitude des Français sous l'Occupation. Il fallut attendre *Papy fait de la résistance* (Jean-Marie Poiré, 1984) pour que le cinéma français offre une vision comique et irrévérencieuse de ce mouvement héroïque.

M.A.S.H.

Ah Dieu, que la guerre est drôle !

1970

M.A.S.H., comédie de Robert Altman, avec Elliott Gould (« Trapper John » McIntyre), Donald Sutherland (« Œil-de-lynx » Pierce), Tom Skerritt (« Duke » Forrest), Sally Kellerman (le major « Lèvres-en-feu »), Robert Duvall (le major Frank Burns) • Sc. Ring Lardner Jr, d'après le roman de Richard Hooker • Ph. Harold E. Stine • Mus. Johnny Mandel • Prod. Ingo Preminger • États-Unis • Durée 116' • Palme d'or au Festival de Cannes ; Oscar du meilleur scénario

Pendant la guerre de Corée, à quelques kilomètres du front, trois chirurgiens partagent le même goût pour les femmes et l'alcool. Rebelles à toute discipline militaire, ils tournent en ridicule un officier et une infirmière. Deux d'entre eux, envoyés au Japon, se couvrent de gloire en réussissant une intervention sur le fils d'un député avant de revenir affronter l'équipe de football d'une autre unité.

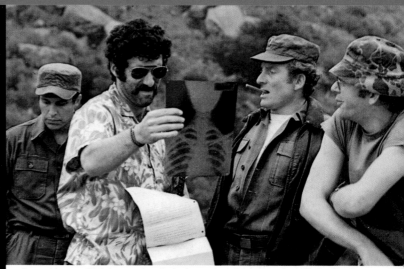

« Trapper John » et « Œil-de-lynx » reçoivent l'ordre de se rendre au Japon pour opérer le fils d'un député.

La « Cène » sous l'antenne chirurgicale militaire…

Un film de guerre pas comme les autres

Lorsqu'il tourne *M.A.S.H.* en 1970, du nom donné à l'hôpital chirurgical de l'armée américaine en campagne (« Mobile Army Surgical Hospital »), Robert Altman, réalisateur de quatre longs métrages, est un parfait inconnu. Avec ce film, il remporte un succès inespéré qui lui vaut non seulement la Palme d'or à Cannes mais aussi un triomphe commercial se poursuivant peu après, mais sans qu'il y soit impliqué, par une série télévisée reprenant les mêmes personnages. Le scénario de Ring Lardner Jr, jadis victime de la Chasse aux Sorcières, avait auparavant été refusé par une bonne douzaine de réalisateurs, sans doute effrayés par le rapprochement avec l'engagement américain au Viêt-nam. Robert Altman y voit, lui, une belle occasion de rompre avec le film

de guerre tel qu'Hollywood l'a jusqu'alors pratiqué. Ainsi, à propos des médecins de son film, il déclara : « J'ai essayé de montrer qu'ils étaient aussi pourris et détestables que le reste des gens. C'était juste leur boulot qui les rendait différents. J'essayais de gommer toute trace d'humanité à la fois des scènes et du lieu où elles se déroulaient. Vous savez, ces petits détails humains qu'on nous a montrés pendant des années dans des centaines de films de guerre, au premier plan. Moi, je voulais détruire cela, sans aucune continuité de sens ou de style. C'était un film à plat, une tapisserie mêlant le sang, la mort, les cadavres et toute la merde. » (Entretien avec Robert Altman par Michel Ciment et Bertrand Tavernier, in « Positif », n° 147, février 1973)

« Œil-de-lynx » (Donald Sutherland) et « Trapper John » McIntyre (Elliott Gould) en pleine partie de golf.

Mieux vaut en rire

À l'instar de Robert Altman, certains cinéastes, et non des moindres, se sont plu à tourner la guerre en dérision. De Charles Chaplin (*Charlot soldat*, 1918 ; *Le Dictateur*, 1940) au réalisateur bosniaque Danis Tanovic (*No Man's Land*, 2000), d'autres, comme Ernst Lubitsch (*To be or not to be*, 1942), Gérard Oury (*La Grande Vadrouille*, 1966) ou Roberto Benigni (*La Vie est belle*, 1997), ont préféré rire de la guerre. Leur œuvre n'en a que plus de portée.

« Lèvres-en-feu » (Sally Kellerman).

Une farce militaire

Sans jamais rien montrer des combats, mais seulement les soldats atrocement blessés baignant dans des mares de sang, le réalisateur peint des anti-héros, obsédés sexuels, amateurs de plaisanteries de corps de garde, de parties de golf et de matches de football. Semblant s'accommoder de leur situation sans trop en souffrir, « Trapper John » et « Œil-de-lynx » demeurent presque totalement insensibles à la souffrance de leurs semblables. Irrespectueux aussi bien envers l'institution militaire qu'à l'égard de ceux qui la servent, gradés et même simples soldats, tous ou presque présentés comme stupides et bornés. Robert Altman a réussi une farce militaire d'une telle vigueur que son film fut interdit dans les cinémas des forces armées américaines…

Johnny s'en va-t-en guerre

La guerre mutile les corps et broie les âmes

1971

Johnny Got his Gun, drame de Dalton Trumbo, avec Timothy Bottoms (Joe Bonham), Kathy Fields (Kareen), Jason Robards (le père), Marsha Hunt (la mère), Donald Sutherland (le Christ), Diane Varsi (l'infirmière) • Sc. Dalton Trumbo, d'après son roman • Ph. Jules Brenner • Mus. Jerry Fielding • Prod. Robert Rich Productions • États-Unis • Durée 111' • Grand Prix du jury et Prix de la critique internationale au Festival de Cannes. Prix du meilleur film au Festival des festivals à Belgrade

Grièvement blessé à la fin de la première guerre mondiale, Joe privé de ses quatre membres, est réduit à l'état de tronc. Seul son cerveau miraculeusement épargné fonctionne encore et perçoit des sensations. Il revit ainsi quelques souvenirs heureux.

Johnny (Timothy Bottoms) part au front après avoir dit adieu à sa fiancée (Kathy Fields).

En rêve, Johnny attend d'être exhibé dans une baraque foraine.

Le cinéma contre la guerre

À l'encontre des films reconstituant de grandes batailles militaires, il en est d'autres qui préfèrent dénoncer l'absurdité de la guerre. Ce fut le cas avec *Quatre de l'infanterie* de G. W. Pabst et *À l'Ouest rien de nouveau* de Lewis Milestone, réalisés en 1930 et contenant tous deux un message pacifiste très proche. En France, *J'accuse* d'Abel Gance (1919) faisait se relever les morts au cours d'une scène d'un lyrisme exacerbé, alors qu'en 1932, Raymond Bernard avec *Les Croix de bois*, puis Jean Renoir avec *La Grande Illusion* (1937) lançaient un appel à la fraternité. Quant aux *Sentiers de la gloire* de Stanley Kubrick (1957), *Pour l'exemple* de Joseph Losey (1964) et *Les Hommes contre...* de Francesco Rosi (1971), ils s'en prenaient ouvertement à l'irresponsabilité de certains chefs militaires.

L'absurdité de la guerre

D'un fait authentique dont il avait eu connaissance, l'histoire d'un militaire britannique blessé au point d'être réduit plusieurs années durant à l'état de larve vivante, Dalton Trumbo a tiré un récit atroce faisant abstraction de toute image d'horreur. Mieux encore, le cinéaste réussit le pari d'un film à la sobriété exemplaire par la seule vue d'un lit occupé par un corps sans forme et sans visage. Rêves, fantasmes, souvenirs se succèdent au sein d'un récit alternant scènes en noir et blanc renforçant le réalisme quasi documentaire de la chambre d'hôpital, avec une série de retours en arrière filmés en couleurs. Entièrement réalisé selon le point de vue d'un mort-vivant cloué dans un lit, le film bouleverse sans attendrissement excessif, par la volonté de cet homme luttant pour communiquer avec son entourage, Johnny étant capable de différencier le jour de la nuit, de sentir les larmes couler sur sa poitrine ou de deviner la silhouette d'une infirmière.

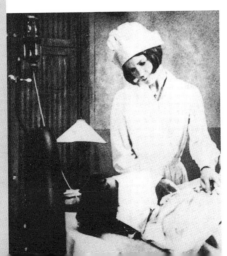

Film unique

Unique, *Johnny s'en va-t-en guerre* l'est à plusieurs titres. Non seulement, il s'agit de l'un des réquisitoires les plus implacables contre la guerre et sa folie destructrice, mais c'est aussi le seul film réalisé par Dalton Trumbo, scénariste réputé de films comme *Spartacus* (1960), *Exodus* (1960) ou *Seuls sont les indomptés* (1962), également auteur du roman original, publié trois jours avant la déclaration de la deuxième guerre mondiale. Aussitôt, de nombreuses offres d'adaptation, toutes refusées par Trumbo, commencent à affluer. Esprit indépendant, accusé d'activités anti-américaines, il se retrouve en 1947 sur la liste noire des « Dix d'Hollywood » et doit emprunter divers pseudonymes pour continuer à exercer sa profession jusqu'au début des années soixante où Luis Buñuel envisage de porter le roman à l'écran. Mais le film demeure à l'état de projet et après avoir essuyé plusieurs refus, devient enfin réalité avec l'aide de capitaux privés, Trumbo exigeant d'en être le seul responsable artistiquement et financièrement.

Une infirmière (Diane Varsi) communique avec Johnny en traçant des lettres sur sa poitrine.

Cabaret
Entre spectacle et terreur nazie

Sally sur scène en compagnie du maître de cérémonies (Joel Grey).

1972

Cabaret, comédie dramatique de Bob Fosse, avec Liza Minnelli (Sally Bowles), Michael York (Brian Roberts), Helmut Griem (le baron Maximilian von Heune), Marisa Berenson (Natalia Landauer), Joel Grey (le maître de cérémonies) • Sc. Jay Allen, Hugh Wheeler, d'après le drame musical de Joe Masteroff, John Kander et Fred Ebb et la pièce « I am a Camera » de John van Druten et le livre « Chroniques berlinoises » de Christopher Isherwood • Ph. Geoffrey Unsworth • Mus. Ralph Burns, John Kander • Prod. Allied Artists / ABC Pictures • États-Unis • Durée 124' • 8 Oscars: meilleurs actrice, second rôle masculin (Joel Grey), réalisateur, photographie, décors, adaptation musicale, montage, son

À Berlin en 1931, les nazis font régner la terreur. Chanteuse au Kit Kat Club, Sally s'éprend de Brian, un étudiant anglais donnant des cours de langue à Fritz Wendel et Natalia Landauer qui, juifs tous les deux, se marient. De son côté, Sally forme avec le baron Maximilian von Heune et Brian un ménage à trois.

Une tragédie musicale

Inspiré par les souvenirs de Christopher Isherwood relatés dans ses « Chroniques berlinoises », où l'auteur évoque notamment une chanteuse de cabaret des années trente, *Cabaret* fut d'abord un spectacle musical créé à Broadway avant d'être porté à l'écran en 1955 par Henry Cornelius sous le titre *Une Fille comme ça* avec Julie Harris et Laurence Harvey. Pour cette deuxième version, Bob Fosse, acteur et surtout chorégraphe de nombreuses comédies musicales des années cinquante, fait d'un cabaret fréquenté par des danseuses, des homosexuels et des travestis, le théâtre

Sally (Liza Minnelli), partagée entre le baron von Heune (Helmut Griem), qu'elle va épouser, et Brian.

d'une tragédie retraçant la montée du nazisme selon une alternance quasi régulière de séquences dramatiques et musicales. Au chant des Jeunesses hitlériennes repris en chœur par les convives d'une auberge de campagne – à la seule exception d'un vieil homme conscient du danger qui se présente – répond le numéro du meneur de revue dansant avec une guenon comparée à la race juive. Bob Fosse retrace l'atmosphère trouble, confuse et équivoque d'un lieu de plaisir et de spectacle refermé sur lui-même qu'on pourrait croire épargné par la barbarie nazie qui, au-dehors, fait des ravages. Les croix gammées et les affiches de propagande hitlérienne envahissent les rues. Les opposants sont passés à tabac, les communistes poursuivis et les Juifs victimes de persécutions. Dans cette Allemagne en proie au chômage qui n'est pas sans évoquer celle de *M le Maudit* de Fritz Lang (1931), le cabaret se révèle le symptôme d'une société en totale décomposition.

Hommage à Marlene / Lola Lola.

Sally incite Brian (Michael York) à se défouler en criant au passage du métro.

La montée du nazisme

Si très tôt, le cinéma a dénoncé avec vigueur les dangers du nazisme, en particulier avec les films de Frank Borzage (*Trois camarades*, 1938, et *The Mortal Storm*, 1940) ou de Charles Chaplin (*Le Dictateur*, 1940), les années soixante-dix voient plusieurs grands cinéastes décrire, sous des formes très différentes, l'arrivée d'Hitler au pouvoir. Dans *Les Damnés* (1969) situé à la même époque que *Cabaret*, Luchino Visconti raconte, à la manière d'un opéra wagnérien, l'histoire d'une famille d'industriels de l'acier confrontée à la « Nuit des longs couteaux ». Dans *L'Œuf du serpent* d'Ingmar Bergman (1977), l'ambiance du Berlin de 1923, bénéficiant de la collaboration du directeur artistique, Rolf Zehetbauer, titulaire d'un Oscar pour le film de Bob Fosse, était reconstituée à travers la vie d'un couple plongé dans la terreur. Un cabaret y jouait aussi un rôle important.

Voyage au bout de l'enfer

L'Amérique dans la traversée des ténèbres

1978

The Deer Hunter, drame de Michael Cimino, avec Robert De Niro (Mike), Meryl Streep (Linda), John Savage (Steven), Christopher Walken (Nick), John Cazale (Stan) • Sc. Deric Washburn, Michael Cimino, Louis Garfinkle, Quinn K. Redeker • Ph. Vilmos Zsigmond • Mus. Stanley Myers • Prod. Emi Films / Universal • États-Unis • Durée 176' • 5 Oscars : film, réalisation, second rôle masculin (Christopher Walken), son, montage.

Trois jeunes gens de Pennsylvanie partagent leurs vies entre l'usine et la chasse au daim. Ils doivent bientôt partir pour le Viêt-nam. De cette guerre éprouvante, aucun ne reviendra indemne...

Steven (John Savage) à l'épreuve de la roulette russe.

Trois camarades

Deuxième film de Michael Cimino, *Voyage au bout de l'enfer* est une épopée guerrière, en fait dénonciatrice de la guerre.
Cette œuvre comporte trois parties bien distinctes : l'attente impatiente du départ pour le Viêt-nam, exacerbée par les récits d'anciens combattants, en particulier lors d'un mariage orthodoxe, puis les souffrances des trois amis après leur capture, leur évasion, et enfin le retour. La première partie fut tournée dans les petites villes de Junction (Ohio) et Duquesne (Pennsylvanie). L'attente du départ est merveilleusement mise en scène par Cimino.

Au Viêt-nam, Mike retrouve Stan et Nick (Christopher Walken).

Les scènes censées se dérouler au Viêt-nam furent tournées près de la frontière birmane : la capture, les scènes de roulette russe – jeu sinistre qui deviendra une drogue mortelle pour Nick – d'un réalisme à la limite du soutenable, puis l'évasion de Mike, Nick et Steven.

Mike (Robert De Niro) et Linda (Meryl Streep).

Un tournage éprouvant

C'est à Bangkok que Cimino installa ses caméras pour filmer l'évacuation démentielle de Saïgon par les Américains et les Sud-Vietnamiens. Le tournage des scènes d'évasion s'avéra particulièrement difficile, d'autant qu'un coup d'État mit un moment l'équipe en danger. Le producteur, sur place, obtint l'assurance qu'aucun dommage ne serait causé à l'équipe du film ; mais le scénario exigeait des prises de risques que John Savage et Robert De Niro assumèrent pleinement : ainsi leur sauvetage, repérés par un hélicoptère américain alors qu'ils dérivent épuisés sur le fleuve. Ils sont à grand peine hélitreuillés. Cette scène demanda deux jours de tournage et quinze prises. Tout cela par une chaleur et une humidité étouffantes.
D'autres problèmes assaillirent Cimino : ainsi, quand le cancer qui devait emporter John Cazale – compagnon de Meryl Streep – se déclara, la production voulut remplacer le comédien, mais Cimino insista pour qu'il tînt son rôle. La mort l'emporta peu après la fin du tournage. Problème encore, et non des moindres : le dépassement du temps de tournage de sept semaines, l'inflation du budget du film, estimé à sept millions de dollars initialement, puis remonté à douze millions de dollars.
Une certaine critique snoba le film, le taxant de propagande pro-américaine : en fait c'est plus une dénonciation de la guerre qu'un film militariste, puisque l'on y voit des hommes détruits par la guerre dans leur chair ou leur conscience.

Tous les amis de Steven l'entourent le jour de son mariage.

Michael Cimino

En 1974, Cimino tourne *Le Canardeur*, un casse exécuté... au canon, une intrigue habile avec Clint Eastwood et Jeff Bridges. Après *Voyage au bout de l'enfer*, il réalise *La Porte du paradis* (1980), flamboyant western épique avec Kris Kristofferson, Isabelle Huppert et Christopher Walken. Puis *L'Année du Dragon* (1985) avec Mickey Rourke, haletant policier sur fond de quartier chinois à New York ; *Le Sicilien* (1987), avec Christophe Lambert en Salvatore Giuliano ; *Desperate Hours* (1990), remake de *La Maison des otages*, de William Wyler avec Bogart, (1955) ; *Sunchaser* (1996), road movie avec Woody Harrelson. Presque tous ces films furent des échecs financiers (surtout *La Porte du Paradis*), alors qu'ils sont appréciés comme de grandes œuvres par l'ensemble de la critique. Michael Cimino est également écrivain.

Apocalypse Now

Descente au cœur des ténèbres

1979

Apocalypse Now, film de guerre de Francis Ford Coppola, avec Marlon Brando (le colonel Kurtz), Robert Duvall (le lieutenant-colonel Kilgore), Martin Sheen (le capitaine Willard), Frederic Forrest (Hicks) • Sc. John Milius, F. F. Coppola • Ph. Vittorio Storaro • Mus. Carmine et F. F. Coppola • Prod. Omni Zoetrope • États-Unis • Durée : copie 70 mm, 146' ; copie 35 mm, 153' ; copie Redux, 203' • Palme d'or au Festival de Cannes ; Oscar de la meilleure photographie

En plein conflit vietnamien, le capitaine Willard se voit confier une mission délicate : ramener ou exécuter le colonel Kurtz qui, au cœur de la jungle, mène sa guerre personnelle. Willard remonte le fleuve… et effectue une descente aux enfers.

Un photographe un peu fou (Dennis Hopper) accueille Willard (Martin Sheen) sous l'œil de Colby (Scott Glenn) et de Hicks (Frederic Forrest).

Kilgore (Robert Duvall) demande à Willard de décliner son identité.

Conrad revisité

Le film commence sur un large plan d'une forêt tropicale dense et touffue, qui soudain s'embrase : l'enfer, ouvrant grand ses portes, annonce l'apocalypse. *Apocalypse Now* est bâti sur un scénario de John Milius qui prend ses sources dans l'ouvrage de Joseph Conrad « Au Cœur des Ténèbres ». George Lucas, réalisateur ami, l'avait encouragé à adapter ce roman (qui avait jadis intéressé Orson Welles), lequel sera transposé pendant la guerre du Viêt-nam. C'est en mai 1976 que débute aux Philippines le tournage d'*Apocalypse Now* – titre inspiré d'un badge que portaient les hippies, « Nirvana Now » – après que George Lucas ait préféré réaliser *La Guerre des étoiles*, et que Francis Ford Coppola ait obtenu de haute lutte un budget de 30 millions de dollars. Le grand Marlon Brando fait partie de l'expédition. Harvey Keitel tient le rôle convoité de Willard. Après quelques scènes, Coppola le renvoie, car il veut un Willard « passif », ballotté au gré des événements et non « actif », comme l'est Keitel.

Obsession du Viêt-nam

Aux Philippines, l'équipe doit affronter les pires dangers : deux typhons, un tremblement de terre faillirent mettre fin à l'entreprise. De surcroît, Martin Sheen, ayant remplacé Keitel, fut victime d'une crise cardiaque en plein tournage. Pourtant, Coppola rentrera aux États-Unis avec 600 km de pellicule impressionnée, et le montage sera dantesque. Après *Le Retour* (1978), *Voyage au Bout de l'Enfer* (1978) et *Hair* (1979), *Apocalypse Now* est le quatrième film important sur la guerre du Viêt-nam : c'est une œuvre foisonnante, qui va bien au-delà d'une polémique sur une guerre contestée, un passionnant film d'action et de réflexion sur la déraison humaine.

Apocalypse Now Redux

Coppola a établi en 2001 un nouveau montage de son œuvre titrée *Apocalypse Now Redux*. Cette version réinsère entre autres un épisode se déroulant dans une plantation française, avec des colons déterminés à conserver leur bien coûte que coûte. À propos de cette réédition, Coppola a déclaré : « Il nous restait du matériel, et comme nous n'avions pas de contrainte de temps, nous pouvions (…) choisir ce que nous voulions ajouter. »

Le colonel Kurtz (Marlon Brando).

Le patrouilleur est parvenu au camp de Kurtz.

Francis Ford Coppola

Né en 1939, fils du chef d'orchestre et compositeur Carmine Coppola, fou de cinéma dès son plus jeune âge, il apprend le cinéma avec Roger Corman. Il est, aux côtés de Lucas, Spielberg, Scorsese, de ceux qui assurent dès les années soixante la relève des grands du cinéma américain. On lui doit la saga du *Parrain*, histoire de la famille mafieuse Corleone, traitée à la façon d'un opéra italien, *Conversation Secrète* (1974), déjà Palme d'or à Cannes, *Cotton Club* (1984), grandiose évocation du temps des gangsters et du jazz, *Jardins de pierre* (1987), sur le retour des dépouilles des morts du Viêt-nam, *Tucker* (1988), sur un constructeur d'automobiles (trop) en avance sur son temps, *Dracula* (1992), l'immortel vampire de Bram Stoker revisité… Cinéaste de la démesure maîtrisée, technicien hors pair, Francis Ford Coppola est un des grands du cinéma moderne.

Le Dernier Métro

Scène du Paris occupé

Jean-Loup Cottins (Jean Poiret), le metteur en scène, Arlette Guillaume (Andréa Ferréol), la costumière, et Marion.

1980

Comédie dramatique de François Truffaut, avec Catherine Deneuve (Marion Steiner), Gérard Depardieu (Bernard Granger), Jean Poiret (Jean-Loup Cottins), Heinz Bennent (Lucas Steiner) • Sc. Suzanne Schiffman, François Truffaut • Ph. Nestor Almendros • Mus. Georges Delerue • Prod. Les Films du Carrosse / Sedif / TFI / S.F.P. • France • Durée 130' • 10 Césars : film, réalisateur, acteur (Gérard Depardieu), actrice (Catherine Deneuve), scénario, photographie, décors, musique, montage et son.

1942. Marion Steiner dirige le théâtre Montmartre que son mari Lucas, Juif allemand, a dû abandonner. Elle se prépare à monter « La Disparue », une pièce scandinave, que devra interpréter Bernard Granger. En réalité, Lucas est caché dans les caves du théâtre, et peut suivre ainsi les répétitions de la pièce.

Marion (Catherine Deneuve) et Bernard (Gérard Depardieu) jouent « La Disparue ».

Le paradoxe des comédiens

Hommage au Lubitsch de *To Be or not to be* (1942), le film se veut aussi une réflexion sur la mise en scène : celle de la pièce « La Disparue » est en fait assurée par Lucas, le proscrit, le « disparu » qui doit se cacher parce qu'il est juif, Marion lui servant de porte-parole. C'est aussi par ce biais qu'il comprend que celle-ci est en train de tomber amoureuse de Bernard, tout comme son personnage dans la pièce. Le paradoxe est porté à son comble lorsqu'une conversation dans un hôpital entre Bernard et Marion s'achève… sur la scène du théâtre, où les comédiens saluent le public, Bernard, Marion et Lucas étant bras dessus bras dessous : l'ambiguïté triomphe. Où est la fiction ? Où est la réalité ?

Le théâtre et la vie

C'est la lecture du livre de souvenirs de Jean Marais « Histoire de ma vie », particulièrement le chapitre co●:ernant la période de l'Occupation, qui passionna François Truffaut, l'incitant à entreprendre un film sur une pièce montée en 1942, lui permettant ainsi d'évoquer à la fois le théâtre et le Paris de cette période. Ce sont surtout des Français dont parle Truffaut, avec un regard à la fois bienveillant et lucide : le régisseur qui s'adonne au marché noir, le metteur en scène qui navigue entre la neutralité politique et les compromissions avec l'Occupant – dans l'intérêt supérieur du théâtre… Et le personnage, odieux, de Daxiat, décalque précis d'Alain Laubreaux, critique théâtral collaborateur et qui, également auteur à ses heures, signait ses œuvres… Michel Daxiat. Laubreaux que Jean Marais rossa publiquement, pour avoir bassement attaqué Jean Cocteau dans la presse contrôlée par l'occupant.

Pour Lucas Steiner (Heinz Bennent) comme pour des millions de Français, la Libération approche.

Cinéma et théâtre

Le cinéma muet conserva longtemps l'empreinte théâtrale : l'intrigue était filmée en plans fixes, frontalement. Dès qu'il sortit dans la rue, la perspective, la profondeur de champ apparurent, et avec elles l'espace et la grammaire du 7e Art. Au parlant, les rapports devinrent beaucoup plus étroits, le cinéma faisant appel à la scène pour transposer à l'écran pièces de boulevard et classiques. Quant aux pièces adaptées à l'écran, transposées, interprétées, rénovées, elles furent légion, n'échappant pas toujours à la critique de théâtre filmé – sans inspiration originale : ce n'est plus du théâtre, ce n'est pas tout à fait du cinéma. Sacha Guitry émerge nettement, en ce qu'il adapta parfaitement à l'écran ses pièces à succès (*Mon Père avait raison*, 1936 ; *Le Mot de Cambronne*, 1936 ; *Désiré*, 1937), le théâtral devenant vraiment cinéma sans aucune hybridité. Parmi les réussites du genre, il faut citer *Pygmalion* (Anthony Asquith, 1938), *Occupe-toi d'Amélie !…* (Claude Autant-Lara, 1949), *Le Limier* (Joseph L. Mankiewicz, 1972), *Piège Mortel* (Sidney Lumet, 1982), où, en fin de film, la caméra semble s'éloigner pour faire apparaître… la scène et les spectateurs de la salle de théâtre.

Le Mariage de Maria Braun

Portrait d'une femme allemande

1979

Die Ehe der Maria Braun, drame de
Rainer Werner Fassbinder, avec Hanna
Schygulla (Maria Braun), Klaus Löwitsch
(Hermann Braun), Ivan Desny (Oswald),
Gottfried John (Willi), Gisela Uhlen
(la mère) • Sc. Peter Marthesheimer, Pia
Froelich, d'après le livre de Gerhard
Zwerenz • Ph. Michael Ballhaus •
Mus. Peer Raben • Prod. Albatros Film /
Trio Film / W.D.R. • Allemagne • Durée
120' • Ours d'argent,
prix d'interprétation féminine (Hanna
Schygulla) au Festival de Berlin

En 1943, Maria vient à peine d'épouser
Hermann qu'il est envoyé sur le front
russe et aussitôt porté disparu.
Elle l'attend jusqu'au jour où, devenue
entraîneuse, elle fait la connaissance de
Bill, un soldat américain dont elle tombe
enceinte. Et Hermann finit par revenir...

Maria (Hanna Schygulla), persuadée que son mari est vivant, part à sa recherche.

Une Mata-Hari du miracle économique

C'est ainsi que Fassbinder qualifiait
son héroïne à propos de laquelle Hanna
Schygulla, son interprète déclara :
« J'ai trouvé que, sur un certain plan, Maria
Braun était l'exemple parfait de l'Allemagne
dans la façon dont elle travaille pour un but
et dont elle met ses émotions bien en arrière,
bien accumulées. Mais d'autre part j'ai trouvé
que c'était un personnage exceptionnel aussi
parce qu'il n'y avait aucune hypocrisie
en elle, elle était très stricte. » Car ce film
sur l'Allemagne est aussi un film
sur une femme. Une femme qui traverse avec
courage toutes les épreuves de son pays
et qui, refusant de croire à son amour perdu,

se bat de toutes ses forces pour survivre. Une femme
supportant sans broncher les privations, la faim et
le froid. Avec ce personnage, Fassbinder inaugurait
l'un de ses premiers portraits féminins dont
le destin individuel croise celui de son pays. Suivront
Lili Marleen (1981), sur les années 1938-1945, *Lola,
une femme allemande* (1981), sur l'Allemagne du
miracle économique, et *Le Secret de Veronika Voss*
(1982), sur la déchéance d'une ancienne star
dans les années cinquante.

Le film qui a fait connaître Fassbinder au grand public

L'une des révélations du cinéma des années soixante-
dix est incontestablement l'œuvre de Rainer Werner
Fassbinder (1945-1982), auteur d'une quarantaine
de films entre 1969 et 1982, découverts en France
sans aucun souci de la chronologie. Le cinéaste
y dresse un tableau sans concession de l'Allemagne
contemporaine découvrant une société
de consommation écartant impitoyablement
les marginaux et les émigrés. Ses films,
qui se penchent sur des problèmes de société,
se présentent ainsi comme de violents réquisitoires
contre toutes les formes d'exclusion et d'intolérance.
On a souvent parlé à leur propos de mélodrames
tant le cinéaste s'est déclaré influencé par les films
du réalisateur américain Douglas Sirk,
d'ailleurs d'origine allemande, et dont Fassbinder
était un admirateur inconditionnel.

Maria et son amie Betti (Elisabeth Trissenaar).

Il est vrai que *Le Mariage de Maria Braun*
reprend des situations de mélodrame (le mari
qu'on croyait disparu) et sa description
de l'Allemagne ravagée par
les bombardements rappelle l'arrivée
du soldat en permission dans *Le Temps
d'aimer et le temps de mourir* (1957),
de son homologue d'outre-Atlantique.
Du mélodrame, *Le Mariage de Maria Braun*
possède encore le fil dramatique d'un amour
contrarié par l'Histoire, disparaissant
définitivement au moment où les deux amants
allaient enfin connaître le bonheur. À travers
son héroïne, ce sont dix années de l'histoire
du pays (1943-1954) que retrace Fassbinder,
plus précisément de l'Allemagne de la défaite
à l'Allemagne de la reconstruction.

Chez son médecin, Maria apprend qu'elle attend
un enfant.

Au revoir les enfants

Chronique d'un collège sous l'Occupation

1987

Drame de Louis Malle, avec Gaspard Manesse (Julien Quentin), Raphaël Fejtö (Jean Bonnet), Francine Racette (Madame Quentin), Philippe Morier-Genoud (le père Jean), François Berléand (le père Michel) • Sc. Louis Malle • Ph. Renato Berta • Mus. Franz Schubert, Camille Saint-Saëns • Dist. MK2 • France - Allemagne • Durée 103' • Lion d'or au Festival de Venise 1987 ; 7 Césars : film, réalisateur, scénario original, photo, décor, son, montage ; Prix Louis-Delluc

En janvier 1944, Julien, pensionnaire dans un collège de la banlieue parisienne se lie d'amitié avec un nouveau venu, Jean Bonnet, dont les résultats sont particulièrement brillants. Julien découvre que son camarade est juif.

Bonnet (Raphaël Fejtö) et Julien (Gaspard Manesse) assistent à une projection de *L'Émigrant* de Charles Chaplin.

Un douloureux souvenir d'enfance

Les paroles du père Jean, arrêté par la Gestapo, donnent son titre à un film largement autobiographique, la voix entendue, alors que la dernière scène s'achève, étant celle de Louis Malle. Ce fut aussi la première écrite par le réalisateur, qui, après un séjour d'une dizaine d'années aux États-Unis, ressentit le besoin, pour son retour en France, de raconter une histoire inspirée d'un souvenir d'enfance à jamais inscrit dans sa mémoire. On sait à quel point l'enfance fait partie de l'univers du cinéaste, qui attendit plus de trente ans après ses débuts pour la porter enfin à l'écran : « J'avais, dit-il, directement écrit de mémoire. Je n'avais pas cherché à peaufiner le dialogue, il était venu tout seul. La scène dans la salle de classe, quand l'homme en civil, le type de la Gestapo, entre, puis la scène à l'infirmerie et dans la cour… il y avait différentes manières de les traiter, mais je savais que cette séquence-là ne changerait pas. C'était l'aboutissement de tout le film. J'ai donc presque travaillé à reculons. » (in « Conversations avec… Louis Malle », Philippe French, Denoël, 1993)

La guerre au collège

C'est aussi la scène la plus poignante d'un récit qui, s'il n'était situé sous l'Occupation, ressemblerait à une chronique de la vie de collège comparable à celle de Jean Vigo dans son célèbre *Zéro de conduite* (1932). On pourrait en effet croire ce collège à l'abri de la guerre. Elle y est, au contraire, bien présente, non seulement avec Joseph, l'aide-cuisinier renvoyé injustement parce qu'il fait du marché noir avec certains élèves (un personnage qui servit d'ébauche au film *Lacombe Lucien*), mais aussi à travers des notations tout juste suggérées, par exemple : l'établissement de bains interdit aux Juifs, ou une scène plus explicite, celle du déjeuner au restaurant perturbé par l'intervention de la milice. Refusant tout pathos, tout effet mélodramatique – et aussi sans grands discours – Louis Malle retrouve l'ambiance d'une époque où règnaient la délation et la corruption. D'où l'émotion d'une belle retenue dégagée par son film.

Avant d'être emmené par la Gestapo, un enfant se jette dans les bras du père Jean (Philippe Morier-Genoud).

En classe, Jean Bonnet est rejeté par les autres garçons.

Dans le dortoir, le père Jean présente Bonnet à ses camarades.

Lacombe Lucien

Au revoir les enfants est le second film de Louis Malle consacré à l'Occupation. En 1974, le réalisateur avait tourné *Lacombe Lucien*, écrit avec le romancier Patrick Modiano. Le portrait de ce jeune paysan du Sud-Ouest qui, en juin 1944, s'engage dans la milice après avoir tenté de rejoindre la Résistance et qui devient ensuite meurtrier avant de sauver de la déportation une jeune fille et sa grand-mère, déclencha, de par ses ambiguïtés, un véritable scandale. Pierre Blaise, son interprète, se tua dans un accident de moto l'année suivante.

La Liste de Schindler

Un juste au cœur de la tourmente

Ne pensant d'abord qu'à son profit, Oskar Schindler (Liam Neeson) va prendre conscience de l'horreur qui l'entoure.

1993

Schindler's List, film historique de Steven Spielberg, avec Liam Neeson (Oskar Schindler), Ben Kingsley (Itzhak Stern), Ralph Fiennes (Amon Goeth), Caroline Goodall (Emilie Schindler) • Sc. Steven Zaillian, d'après l'ouvrage de Thomas Keneally • Ph. Janusz Kaminski • Mus. John Williams • Prod. Universal / Amblin Entertainment • États-Unis • Durée 195' • 7 Oscars : film, réalisateur, adaptation, photographie, musique, décors et montage

1939. Oskar Schindler, industriel allemand, ouvre une fabrique de casseroles en Pologne occupée, employant sans scrupules une main-d'œuvre juive à très bon marché. Lors de la liquidation du ghetto de Cracovie, il prend conscience de la barbarie nazie et entreprend de sauver le plus possible de Juifs.

Le devoir de mémoire

C'est dès 1982 que Steven Spielberg décida de porter à l'écran le livre de Thomas Keneally, établi d'après le témoignage de Leopold Page, survivant polonais de la Shoah. Il en avait vendu le récit à la M.G.M en 1963, qui confia l'adaptation à l'un des scénaristes de *Casablanca*, Howard Koch : Sean Connery, pressenti pour le rôle principal, se désista et le projet avorta.

Amon Goeth (Ralph Fiennes) dirige le camp situé à côté de l'usine.

Spielberg, s'y intéressant en tant que producteur, songea à faire appel à Sydney Pollack, à Martin Scorsese, puis prit en charge la mise en scène. Il précisa qu'ayant connu de grandes satisfactions, entre autres financières, avec ses précédents films, il avait tenu à tourner *La Liste de Schindler* quelles que puissent être les pertes éventuelles, sans doute parce qu'il s'était rapproché de la pratique religieuse. Il confia le rôle d'Oskar Schindler à Liam Neeson, assez peu connu du public, alors que Kevin Costner, Mel Gibson et Harrison Ford avaient postulé.

Tourné en 72 jours, pour un budget de 23 millions de dollars, le tiers du budget de *Jurassic Park*, ce film nous plonge dans l'enfer de la « solution finale », avec pour personnage principal Oskar Schindler, dont les motivations profondes sont peu claires, mais qui, à ses risques et périls, sauva la vie de 1 100 déportés juifs. Son parcours intérieur est suggéré plus par ses faits et gestes que par ses propos. Ce riche jouisseur, amateur de femmes et âpre au gain – les employeurs allemands ne payaient pas les travailleurs juifs déportés – se ruina totalement pour acheter ses interlocuteurs. Il saborda même sa production. Un documentaire américain signé Jon Blair, *La Véritable Histoire d'Oskar Schindler*, confirme en tous points l'approche de Spielberg, dont le film est à la limite du supportable : la sauvagerie pathologique du S.S. Amon Goeth laisse pantois et terrifié. Il fut tourné en noir et blanc, à la façon d'un documentaire : seul élément coloré, une petite fille en manteau rouge qui apparaît à diverses reprises en arrière-plan, tache sanglante et muette, témoin silencieux d'une foule vouée à l'anéantissement.

La déportation

Les camps dits de concentration sont apparus sur l'écran dès le début des années quarante, à titre épisodique, mais comportant les caractéristiques que nous savons : enfermement derrière des barbelés, miradors, gardiens féroces, souffrance, faim, mort. Ainsi *The Mortal Storm* **(Frank Borzage, 1940),** *Train de nuit pour Munich* **(Carol Reed, 1940),** *La Dernière Étape* **(Wanda Jakubowska, 1948),** *L'Enclos* **(Armand Gatti, 1961),** *Kapo* **(Gillo Pontecorvo, 1960),** *Samson* **(Andrzej Wajda, 1960),** *La Vie est belle* **(Roberto Benigni, 1997).**

Stern, Oskar et Emilie Schindler (Caroline Goodall).

Itzhak Stern (Ben Kingsley) et Schindler établissent la liste de ceux qui seront sauvés…

Quant à l'Holocauste des Juifs, nul n'en a mieux parlé qu'Alain Resnais dans son documentaire *Nuit et Brouillard* (1956), voyage au bout de l'horreur, et Claude Lanzmann dans *Shoah* (1985) – où les camps d'extermination n'apparaissent pas mais sont terriblement présents – et dans *Sobibor, 14 octobre 1943, 16 heures* (2001).

Underground

Fresque baroque et burlesque

1995

Underground, drame d'Emir Kusturica, avec Miki Manojlovic (Marko Dren), Lazar Ristovski (Petar « Blacky » Popara), Mirjana Jokovic (Natalija Zovko), Slavko Stimac (Ivan Popara), Ernst Stotzner (Franz) • Sc. Emir Kusturica, Dusan Kovajevic • Ph. Vilko Filac • Mus. Goran Bregovic • Dist. Ciby Distribution • France - Allemagne - Hongrie - République tchèque • Durée 170' • Palme d'or au Festival de Cannes

Le 6 avril 1941, alors que Belgrade est sous les bombes, deux résistants communistes, Marko et Blacky, se réfugient dans une cave avec leur famille et d'autres compagnons. Pendant vingt ans, Marko leur fait croire que la guerre continue.

Sous les bombardements, Marko vient chercher son père pour se réfugier dans la cave.

Le rêve de tout cinéaste

Après l'expérience américaine d'*Arizona Dream* (1993), Emir Kusturica retrouva son pays d'origine pour une grande fresque consacrée à cinquante ans de l'histoire de la Yougoslavie, depuis le début de la seconde guerre mondiale jusqu'au conflit serbo-croate. Pour mener à bien son entreprise, il bénéficia de moyens exceptionnels rarement accordés dans son pays à un cinéaste. Aucune limite de temps ni de budget ne lui fut imposée. Le tournage dura ainsi une quinzaine de mois au cours desquels Kusturica réalisa, parallèlement au film, une version beaucoup plus longue destinée à la télévision, qui totalisera plus de cinq heures de projection.

Blacky au mariage de son fils.

Blacky (Lazar Ristovski), Natalija (Mrjina Jokovic) et Marko (Miki Manojlovic) font la fête.

Truculence, accordéon et rock'n'roll

Démesuré dans ses conditions de production, le film l'est aussi à l'écran tant il fourmille de séquences où le cinéaste laisse libre cours à son imagination et au sens visuel qui caractérisent toute son œuvre. Une multitude de séquences insolites et baroques sont filmées au rythme d'une musique omniprésente mêlant accordéon et rock'n'roll. Découpé en trois périodes, il débute par la lutte contre l'occupant nazi, se poursuit avec la période communiste de la guerre froide avant de s'achever par le conflit ethnique des Balkans dans les années quatre-vingt-dix. Cependant, la majeure partie du film se situe dans une cave habitée par des personnages truculents, grouillant de vie, avec des échappées oniriques de toute beauté. On a ainsi pu justement comparer l'univers de Kusturica à celui de Fellini. En dépit de ces qualités, le film fut violemment attaqué en raison des prises de position du cinéaste à qui on reprocha de ne pas avoir pris fait et cause pour la Bosnie-Herzégovine. C'est un article d'Alain Finkielkraut paru dans « Le Monde » sous le titre « L'imposture Kusturica » qui divisa la classe intellectuelle française, au point que le réalisateur annonça son intention d'abandonner le cinéma. Une promesse qu'heureusement il ne tint pas. Moins d'un an plus tard, il réalisait *Chat noir, chat blanc*.

Blacky retrouve Natalija dans leur abri.

Emir Kusturica, un habitué des festivals

Emir Kusturica partage avec Francis Ford Coppola, Bille August, Shôhei Imamura et les frères Dardenne, le rare privilège d'avoir obtenu deux fois la Palme d'or du Festival de Cannes. D'abord en 1985 pour *Papa est en voyage d'affaires* et dix ans plus tard pour *Underground*. Entre-temps, Cannes lui avait décerné, en 1989, le Prix de la mise en scène pour *Le Temps des gitans*. Né en 1954 à Sarajevo, ce diplômé de la faculté de cinéma de Prague est un habitué des récompenses internationales, puisqu'il obtint également l'Ours d'argent et le Prix spécial du jury à Berlin en 1993 pour *Arizona Dream*, le Lion d'or de la première œuvre à Venise pour son premier film, *Te souviens-tu de Dolly Bell ?* (1981), et enfin le Lion d'argent à Venise en 1998 pour *Chat noir, chat blanc*. Emir Kusturica est parfois acteur, par exemple dans *La Veuve de Saint-Pierre* de Patrice Leconte (2000). Il dirige aussi un groupe musical, le « No Smoking Orchestra » auquel il a consacré un documentaire : *Super 8 Stories* (2000).

La Vie est belle

Et si on jouait à la guerre ?

1997

La Vita è bella, comédie dramatique de Roberto Benigni, avec Roberto Benigni (Guido), Nicoletta Braschi (Dora), Giorgio Cantarini (Giosuè), Giustino Durano (l'oncle) • Sc. Roberto Benigni • Ph. Tonino Delli Colli • Mus. Nicola Piovani, Jacques Offenbach • Dist. Bac Films • Italie • Durée 117′ • Grand Prix du jury au Festival de Cannes ; 3 Oscars : film étranger, acteur, musique ; César du meilleur film étranger

1943. Déporté avec les siens dans un camp de concentration, Guido cache la vérité à son fils en lui faisant croire qu'il s'agit d'un jeu de survie dont le premier prix est un char d'assaut, un jouet qui manque à sa panoplie. Ainsi, l'enfant, bien que pas totalement dupe, est-il à l'abri. Jusqu'au jour où un vrai char pénètre dans le camp...

Guido (Roberto Benigni) s'évade du camp avec Giosuè (Giorgio Cantarini).

Guido laisse Dora (Nicoletta Braschi) pour conduire leur fils à l'école.

« Et si ce n'était qu'une blague, tout ça ne peut pas être vrai »

Peut-on rire de tout ? À en juger par le triomphe international de *La Vie est belle*, Robert Benigni semble avoir fait l'unanimité autour de lui. Charles Chaplin, avec *Le Dictateur* en 1940, et Ernst Lubitsch avec *To Be or not to Be* (1942) et dans un contexte autrement dramatique, avaient osé se moquer de cette manière de la barbarie nazie. Le film de Benigni est venu rappeler à d'autres générations de quoi l'homme peut, en certaines circonstances, se montrer capable. D'autant que le réalisateur s'est appuyé sur l'expérience de Primo Levi qui, dans son livre « Si c'est un homme », décrivant l'appel au petit matin, des détenus nus et immobiles dans la cour, pense soudain : « Et si ce n'était qu'une blague, tout ça ne peut pas être vrai. »

De là, l'idée du voyage organisé puis du jeu d'où découle logiquement le refus de tout réalisme dans la reconstitution du camp, réduit à quelques décors stylisés et dont le spectateur ne sait rien de plus que ce que Guido et son fils voient. La même absence de réalisme se retrouve dans une première partie tournant en dérision l'attitude des fascistes italiens et à laquelle le cinéaste donne parfois des allures de conte de fées.

Conserver l'espoir malgré tout

Le propos de Benigni vise plutôt à montrer qu'il est possible de conserver l'espoir dans les circonstances les plus dramatiques, ce que suggère le titre, ô combien optimiste, emprunté au testament de Trotski qui, dans l'attente de ses assassins, trouvait, en regardant sa femme cueillir des fleurs, que la vie valait malgré tout la peine d'être vécue. Cette fable, où l'émotion constamment à fleur de peau, est aussitôt compensée par le rire, a reçu un accueil délirant lors du palmarès du Festival de Cannes 1998 : on se souvient de Roberto Benigni s'agenouillant devant le président du jury, Martin Scorsese, pour lui baiser les pieds. Auparavant, son film avait connu un accueil enthousiaste en Italie, où l'acteur-réalisateur jouit d'une immense popularité.

La première rencontre entre Guido et la « princesse ».

Roberto Benigni

Né en 1952, Roberto Benigni débute au théâtre et, après diverses expériences de poète ambulant ou de magicien de cirque, devient comédien de cinéma en 1982. L'année suivante, il fait ses premiers pas derrière la caméra avec *Tu mi Turbi* (1983) suivi de *Non ci resta che piangere* (1984) tous deux inédits en France. Considéré comme le successeur de Toto, il avoue son admiration pour Charles Chaplin, Woody Allen et Jacques Tati. Avant *La Vie est belle*, le public français avait pu le voir dans *Le Petit Diable* (1988), *Johnny Stecchino* (1991) et *Le Monstre* (1994), trois films qu'il a réalisés et dont il a également écrit le scénario. Mais des cinéastes comme Bernardo Bertolucci (*La Luna*, 1979), Jim Jarmusch (*Down by Law*, 1986, et *Night on Earth*, 1992), Federico Fellini (*La Voce della Luna*, 1990) et Blake Edwards (*Son of the Pink Panther*, 1993) l'ont également dirigé. Après *La Vie est belle*, il tourne en 2002 *Pinocchio* et en 2005, *Le Tigre et la Neige*.

Au camp, Guido est employé à porter des enclumes.

Amen.
Quand la croix était gammée

2002

Amen., film historique de Costa-Gavras, avec Ulrich Tukur (Kurt Gerstein), Ricardo Fontana (Matthieu Kassovitz), Ulrich Mühe (le docteur), Michel Duchaussoy (le cardinal), Marcel Lures (Pie XII) • Sc. Costa-Gavras et Jean-Claude Grumberg d'après la pièce « Le Vicaire » de Rolf Hochhuth • Ph. Patrick Blossier • Mus. Armand Amar • Dist. Pathé Distribution • France - Allemagne • Durée 130' • César du meilleur scénario

Un officier SS, chargé de perfectionner les techniques de gazage des Juifs, tente d'alerter les gouvernements étrangers et le Vatican afin de faire cesser leur extermination. Un jeune jésuite tente de lui apporter son soutien.

Ricardo (Mathieu Kassovitz) et Gerstein (Ulrich Tukur) tentent de faire éclater la vérité.

Une démonstration d'efficacité...

Quand réalité et fiction se mêlent

Le film de Costa-Gavras puise une inspiration très libre dans la pièce de Ralph Hochhut, le Vicaire, qui met en cause l'immobilisme du pape Pie XII devant la déportation et l'extermination des Juifs et provoqua un véritable scandale lors de sa présentation en 1963. Deux histoires y sont étroitement imbriquées. L'une, véridique, est issue du témoignage du lieutenant SS Kurt Gerstein sur les atrocités nazies commises dans les camps de Belzec et de Treblinka : cette dénonciation, qui parvient aux Alliés dès 1942, servira de pièce à conviction

Gerstein se heurte au cardinal (Michel Duchaussoy).

lors du procès de Nuremberg. L'autre, une fiction, met en scène le théâtre d'ombres du Vatican où évolue Ricardo Fontana, jeune jésuite, l'intermédiaire entre Gerstein et la papauté. Le film dénonce la prudence excessive du souverain pontife, « pape de paix » dans un monde en proie à la guerre, qui se veut « au-dessus de la mêlée » pour demeurer « le Père de tous » et se garde de toute intervention vis-à-vis du régime nazi, mais il stigmatise aussi la lâcheté et l'hypocrisie des Alliés qui refusent d'intervenir. Au-delà de l'évocation des deux personnages, l'officier et le prêtre, aux prises avec l'Histoire et lancés dans un combat sans issue, Costa-Gavras dépasse l'événement historique pour nous entraîner, volontairement, à réfléchir sur notre propre situation actuelle, notre démobilisation, notre indifférence face aux problèmes de la société contemporaine.

Ricardo est reçu par le pape Pie XII (Marcel lures).

La puissance de l'image

Des images fortes ponctuent un film où l'horreur des camps n'est jamais montrée mais seulement suggérée. Costa-Gavras fixe des visages : celui de Gerstein, l'œil rivé au judas des chambres à gaz résonnant des souffrances endurées par les suppliciés ou celui des bourreaux détournant la tête face à leurs monstruosités. Il souligne le mouvement : celui des trains en route vers les camps d'extermination, celui du dossier administratif qui, passant de main en main,

fixe le sort sans appel des déportés, mais aussi le ballet feutré et ininterrompu des prélats. Il l'oppose à l'impossibilité de faire du témoignage de Gerstein un moteur pour l'action, une arme contre l'horreur, et à l'immobilisme dont font preuve les autorités alertées : avoir raison ne suffit pas, et vouloir expier, comme le fait Ricardo qui arbore l'étoile jaune et s'embarque dans les trains de la mort, n'apporte pas la solution. Ironie amère : Gerstein sera sauvé par un médecin tortionnaire, pourtant chargé de le surveiller, alors que les Alliés le pousseront au suicide, l'ayant accusé de complicité de crime contre l'humanité.

Une affiche au parfum de scandale

L'affiche du film, dessinée par le photographe italien Oliviero Toscani, concepteur des campagnes publicitaires Benetton, alimenta, plus encore que le film lui-même, les braises de la polémique : la croix du Christ, avec ses branches inégales s'y transforme en croix gammée, provoquant la colère de l'épiscopat français qui y vit une « atteinte à la dignité de tout croyant ». Au-delà de la provocation qu'elle constituait, on peut regretter que cette image ait réduit le propos à une simple dénonciation de la politique de l'Église, alors que le propos du réalisateur apparaît plus complexe. Quelques années plus tôt, les affiches d'*Ave Maria* de Jacques Richard (1984) et de *Larry Flynt* de Milos Forman (1996) avaient, elles aussi, fait scandale. La première, parce qu'une jeune fille nue était attachée sur la croix, la deuxième parce que le créateur de « Penthouse », nu lui aussi, le drapeau américain noué autour des reins, figurait crucifié sur le bas-ventre d'une femme.

91

Le Pianiste

Musique dans l'obscurité

Wladyslaw joue pour le capitaine Hosenfeld (Thomas Kretschmann), qui l'a épargné.

2002

The Pianist, drame de Roman Polanski avec Adrien Brody (Wladyslaw Szpilman), Thomas Kretschmann (le capitaine Hosenfeld), Frank Finlay (le père), Maureen Lipman (la mère) • Sc. Ronald Harwood d'après le livre de W. Szpilman • Ph. Pawel Edelman • Mus. Wojciech Kilar • Dist. Bac Films • Royaume-Uni - Allemagne - Pologne • Durée 148' • Palme d'or au Festival de Cannes ; Oscars des meilleurs acteur, réalisateur et adaptation ; Césars des meilleurs film et réalisateur

Wladyslaw Szpilman, pianiste juif polonais, a échappé à la déportation. Contraint de vivre au cœur du ghetto de Varsovie, il en partage les souffrances et les luttes. Après l'écrasement par les Allemands de l'insurrection de 1943, il trouve refuge dans les ruines de la capitale. Un officier allemand, le capitaine Hosenfeld, lui permettra de survivre.

Tourner au plus près de la vérité

« Dès la lecture des premiers chapitres des mémoires de Wladyslaw Szpilman [*Mort de la ville*], j'ai su que *Le Pianiste* serait le sujet de mon prochain film. C'était l'histoire qu'il me fallait ; malgré l'horreur, elle reste positive et porteuse d'espoir. J'ai survécu au bombardement de Varsovie et au ghetto de Cracovie, et j'ai souhaité recréer les souvenirs de mon enfance. J'ai voulu rester aussi proche de la réalité que possible. ». Débuté le 19 février 2001 en extérieurs, le tournage se déroula ensuite au studio de Babelsberg à Berlin, où fut reconstituée l'attaque du ghetto, puis dans les rues du quartier Praga, à Varsovie. Ce quartier très pauvre avait été sauvé de la destruction car l'armée soviétique s'y était installée. Les murs sont restés marqués d'impacts de balles. C'est là qu'Allan Starski – le décorateur de nombreux films d'Andrzej Wajda et de *La Liste de Schindler* (Steven Spielberg, 1993) – recréa la rue principale du ghetto, avec quelques enseignes, publicités et affiches d'époque sur les murs, fantômes d'un terrible passé…

Le ghetto de Varsovie

L'aventure de Szpilman, rescapé du ghetto de Varsovie, fournit à Polanski l'occasion de tracer un portrait délicat et subtil d'un épisode tragique de la vie des Juifs polonais : à la suite de l'occupation allemande, la déportation des Juifs et la destruction du ghetto de Varsovie. En effet, le 1er octobre 1939, les Allemands entrent dans Varsovie. Ils y construisent un ghetto de 403 hectares clos de murs et de barbelés dans lequel, le 16 novembre, ils enferment plus de 360 000 Juifs. D'autres y seront envoyés et la population du ghetto atteindra le demi-million. 100 000 mourront de famine ou d'épidémie. Cette réalité, Polanski l'aborde avec toute l'émotion du souvenir. Il dépeint la vie du ghetto, les difficultés quotidiennes pour se nourrir, les vexations de tous ordres, la crainte permanente. Il s'attache et nous attache aux pas du fugitif, tiraillé par la crainte, tressaillant au moindre bruit, et donne une dimension très humaine à drame de l'Histoire. À petites touches, il s'en approche, sans jamais sombrer dans le manichéisme : c'est un officier allemand qui sauve le pianiste – par amour de la musique ?

La répression s'abat sur les Juifs.

Petite et grande histoire

L'auteur de *Mort de la ville*, Wladyslaw Szpilman, est né en 1911 en Pologne, à Sosnowiec. Il est rapidement considéré comme un compositeur prometteur et un pianiste virtuose. En 1935, il est engagé à la radio d'État polonaise à Varsovie. En 1946, il écrit les mémoires dont est tiré *le Pianiste*. Il y raconte son incroyable destin au cœur de l'horreur. L'ouvrage est interdit par les autorités communistes. En 1998, son fils, Andrzej Szpilman, découvre le manuscrit des mémoires de son père et provoque une nouvelle publication en Allemagne. L'ouvrage connaît un succès immédiat, notamment en France sous le titre « Le Pianiste ». Wladyslaw Szpilman s'est éteint le 6 juillet 2000.

Wladyslaw et sa famille.

Wladyslaw Szpilman (Adrien Brody).

Bon Voyage

Drôle d'exode...

2003

Comédie de Jean-Paul Rappeneau, avec Isabelle Adjani (Viviane Denvers), Gérard Depardieu (Beaufort), Grégori Derangère (Frédéric), Virginie Ledoyen (Camille), Yvan Attal (Raoul), Peter Coyote (Winckler) • Sc. J.-P. Rappeneau, Patrick Modiano, Jérôme Tonnerre, Gilles Marchand, Julien Rappeneau • Ph. Thierry Arbogast • Mus. Gabriel Yared • Dist. ARP Sélection • France • Durée 114' • Césars des meilleurs espoir masculin (G. Derangère), photographie et décors (C. Leterrier, J. Rouxel)

Paris, 1940. Les Allemands vont envahir la ville et la vedette Viviane Denvers a tué un maître-chanteur trop pressant. La solution ? Fuir dans la confusion vers Bordeaux, où se retrouvent des réfugiés, et tout le gouvernement. La frivole Viviane, venue avec son protecteur du moment, le politicien Beaufort, y revoit son soupirant de toujours, le naïf Frédéric, qu'elle a compromis dans son forfait. Elle croise Raoul, voyou au grand cœur, Camille, stagiaire au Collège de France, qui veut sauver un savant juif et l'eau lourde qu'il tente de soustraire à l'occupant, Winckler, journaliste et agent nazi...

Devant l'arrivée de l'armée allemande, tout le monde se réfugie à Bordeaux...

« Les Allemands à Paris ? J'ai d'autres soucis ! »

Jean-Paul Rappeneau est un auteur rare, aux projets ambitieux, complexes et, de ce fait, dispendieux. *Bon voyage* vient après le grand succès de *Cyrano de Bergerac* (1990) et l'accueil mitigé et injuste du *Hussard sur le toit* (1995). Sur un scénario écrit avec le romancier Patrick Modiano, déjà co-auteur en 1974 de *Lacombe Lucien* de Louis Malle, et donc familier du thème, Rappeneau évoque cette fois les débuts de la guerre de 1940 en France, l'approche allemande et la fuite du tout-Paris. Le cinéaste confiait : « Mes films sont toujours nés de la même façon : par une image qui m'obsède et le sujet qui prend forme derrière. D'un côté, un type en vélo traverse la place de la Concorde déserte ; de l'autre, Bordeaux surpeuplée, le désordre dans les hôtels, le tourbillon d'égoïsme, de vanité bourgeoise, d'inconscience collective, au moment précis où une nation s'effondre. »
Là se retrouvent en effet ceux qui joueront un rôle dans la France de la Collaboration ou de la Résistance, et d'autres, que les circonstances obligeront, parfois malgré eux, à choisir leur camp, le tout dans une comédie de situations et de sentiments, un film d'action, au rythme survolté, réglé comme une mécanique de précision, entrelaçant avec brio la toute petite et la très grande Histoire.

Raoul (Yvan Attal) et Frédéric ont été arrêtés.

À qui Viviane dit-elle « Bon voyage ! » ?

Le plaisir dispensé par le film donne envie d'en évoquer les nombreux bons moments : la tension dans les couloirs bondés du train de l'exode, la très haute virtuosité des scènes de l'hôtel bordelais, foule, mouvement, excitation, le tout culminant avec la bagarre dans le restaurant provoquée par Frédéric pour couvrir sa fuite, étonnant morceau de bravoure, ou certaines répliques justes et graves, prononcées lors de la double rupture des soupirants de Viviane, coquette renvoyée à elle-même. « Tu finiras toute seule devant ta glace » lui dit Frédéric, alors que, un peu plus tard, Beaufort, devenu ministre pétainiste et obligé de la quitter, s'exclame : « Cette liberté qui a été la nôtre, je ne l'oublierai jamais. »
Enfin, en un raccourci saisissant qui vaut tous les jugements historiques, quelqu'un dit « Pétain ! » et la scène est plongée dans le noir, suite à une panne d'électricité (ou à un manque de perspectives politiques à long terme ?). Quand au « Bon voyage ! » prononcé par Viviane, il s'adresse à l'homme qu'elle croise par hasard dans une voiture, et qu'on n'aperçoit qu'un instant : il est général, refuse la capitulation et veut rejoindre Londres. On se doute qu'il y parviendra... avant le 18 juin 1940.

Camille (Virginie Ledoyen) sollicite l'aide de Frédéric (Grégori Derangère).

La star (Isabelle Adjani) et le politicien (Gérard Depardieu).

Un Long Dimanche de fiançailles

La vaillante odyssée de Mathilde

Les poilus de la tranchée « Bingo Crépuscule » s'élancent à l'attaque.

Célestin Poux (Albert Dupontel) apporte son témoignage.

Une foi irréductible

C'est à la cérémonie des Oscars, où *Le Fabuleux Destin d'Amélie Poulain* (2001) était nommé comme meilleur film étranger, que Jean-Pierre Jeunet parle à Audrey Tautou de son projet d'adapter le roman de Sébastien Japrisot. La détermination de Mathilde, extraordinaire héroïne qui, telle un vaillant petit soldat, n'aura de cesse de retrouver son amant, est au diapason de la quête quasi existentielle de Jeunet, depuis toujours fasciné par la guerre de 14-18. « Je dis souvent – avoue-t-il en plaisantant à moitié – que, dans une autre vie, je suis mort en 14. Et c'est vrai que, sur le tournage, j'ai eu le sentiment troublant d'être en pays

Manech (Gaspard Ulliel) est-il mort ?

de connaissance ». De fait, dans ce monde de sauvagerie, Jeunet cisèle son puzzle inventif de scènes fortes et attachantes qui touchent la mémoire collective. La patte d'un auteur populaire !

Une prodigieuse reconstitution

Aidé par un budget colossal de près de cinquante millions d'euros pour cinq mois et demi de prises de vues et grâce au développement des effets spéciaux numériques, Jeunet réalise son rêve et obtient un résultat spectaculaire dans la reconstitution du Paris des années 1910-1920 : le Trocadéro tel qu'il était pour l'Exposition Universelle, la gare d'Orsay, les anciennes halles Baltard, la place de l'Opéra…

Aux Halles, Mathilde (Audrey Tautou) rencontre Élodie (Jodie Foster).

Il réussit, dans le sépia des photographies d'époque, une impeccable représentation de la ligne de front et des tranchées, dont celle baptisée « Bingo crépuscule ». Inspiré, soutenu par ses collaborateurs habituels, Jeunet domine avec bonheur le gigantisme de son film. C'est pour lui l'œuvre de la maturité. Au sein de sa brillante distribution, on découvre Jodie Foster dans le rôle d'Élodie Gordes, maîtrisant parfaitement le français. Elle avait rencontré Jeunet au café des Deux Moulins (où *Amélie Poulain* a été tourné) et avait souhaité travailler avec lui.

2004

Drame de Jean-Pierre Jeunet avec Audrey Tautou (Mathilde), Gaspard Ulliel (Manech), Dominique Pinon (Sylvain), Clovis Cornillac (Benoît Notre-Dame), Marion Cotillard (Tina Lombardi), Ticky Holgado (Germain Pire) • Sc. J.-P. Jeunet et Guillaume Laurant • Ph. Bruno Delbonnel • Mus. Angelo Badalamenti • Dist. Warner Bros. • France - États Unis • Durée 134' • 5 Césars : photographie, décors, costumes, second rôle féminin (M. Cotillard), jeune espoir masculin (G. Ulliel) ; Trophée Lumière (réalisateur)

1919, Mathilde, jeune handicapée, refuse d'admettre que son fiancé Manech soit mort au champ d'honneur. Elle se raccroche à son intime conviction et, de faux espoirs en incertitudes, se lance dans une contre-enquête éperdue.

Une visite de Germain Pire (Ticky Holgado).

Audrey Tautou, un elfe serein

Cette discrète jeune femme, gracieuse et passe-partout, ayant accompli à moins de trente ans un parcours signifiant, parfois risqué, presque sans faute, a rapidement accédé à un statut international. Son jeu, malicieux en Amélie et introverti en Mathilde, révèle une palette sensible détectée dans *Happy End* (Amos Kollek, 2002) et *Dirty Pretty Things* (Stephen Frears, 2003). Frimousse de chat et sourire candide, elle crève l'écran dès *Vénus Beauté (Institut)* (Tonie Marshall, 1999), qui lui vaut le César du meilleur espoir féminin. Elle virevolte depuis aussi bien dans les films choraux de Cédric Klapisch *L'Auberge espagnole* (2002) et *Les Poupées russes* (2005) que dans le film musical *Pas sur la bouche* (Alain Resnais, 2003). Propulsée par les succès mondiaux des deux films de Jeunet, elle a obtenu le rôle convoité de l'opiniâtre enquêtrice Sophie Neveu dans *Da Vinci Code* (Ron Howard, 2006), amorçant ainsi une carrière hollywoodienne.

Flics, détectives et truands

Scarface

D'Al Capone à Tony Montana

Tony Camonte (Paul Muni), Poppy (Karen Morley) et Guido Rinaldo (George Raft), dans la version de Hawks.

1932

Scarface, policier de Howard Hawks, avec Paul Muni (Tony Camonte), Ann Dvorak (Cesca Camonte), Karen Morley (Poppy), George Raft (Guido Rinaldo), Osgood Perkins (Johnny Lovo), Boris Karloff (Gaffney) • Sc. Ben Hecht, Seton I. Miller, John Lee Mahin, W. R. Burnett et Fred Pasley, d'après le roman d'Armitage Trail • Ph. Lee Garmes, L. William O'Connell • Mus. Adolph Tandler, Gustav Arnheim • Prod. Howard Hawks • États-Unis • Durée 90'

L'ascension et la chute du gangster Tony Camonte qui tente de devenir maître de la pègre de Chicago.

La « honte d'une nation »

Scarface est le premier et le plus célèbre des films de gangsters, inspiré de la vie du fameux Al Capone (1895-1946), alors maître de Chicago et véritable symbole du crime. Howard Hawks et Ben Hecht avaient envisagé de donner à leur œuvre l'envergure d'une tragédie shakespearienne, imaginant des relations troubles entre Tony Camonte

Tony Montana, proche de la victoire… ou du déclin ?, dans la version de De Palma.

Tony Montana (Al Pacino) et Manolo Ribera (Steven Bauer), deux truands aux dents longues, dans la version de De Palma.

et sa sœur Cesca : « Nous avons été très influencés par […] l'histoire des Borgia, confiait-il en 1963. Nous avons rendu les rapports du frère et de la sœur clairement incestueux. » Le film connut des démêlés avec la censure de l'époque (le très rigoriste code Hays) pour ces allusions sexuelles contre nature, mais aussi pour sa violence et son ambiguïté morale. Car, joué par un Paul Muni à la présence charismatique, le personnage devient, sinon sympathique, du moins attachant par ses enthousiasmes juvéniles, sa naïveté et une certaine dose d'innocence. Howard Hawks tourna trois fins. Alors que

dans la version la plus connue, Tony Camonte retranché dans son repaire avec Cesca, est abattu par la police, dans les autres il est soit victime d'une bande adverse – situation interdite : seule la loi devait venir à bout du gangster –, soit arrêté, condamné et exécuté dans la prison d'État. C'est le code Hays qui imposa au producteur de titrer le film *Scarface, la honte d'une nation*.

Une œuvre toujours contemporaine

L'œuvre de Howard Hawks se distingue par sa grande virtuosité et d'innombrables idées de mise en scène qui seront reprises maintes fois au cinéma. Depuis le superbe plan-séquence du début, jusqu'à l'assaut final, avec ce point culminant du meurtre au bowling, où un plan de quille qui vacille avant de tomber traduit avec élégance la mort de Gaffney (Boris Karloff). Sans oublier cette image leitmotiv d'un « X » qui ponctue chaque mort violente, ou cette manie de Rinaldo de lancer constamment en l'air sa pièce de monnaie (à Chicago, les tueurs mettaient toujours une pièce de cinq cents dans la main de leur victime : c'est cette anecdote qui inspira Howard Hawks).

Une débauche de sang, de fureur et de destruction

Dédié à Ben Hecht et Howard Hawks, écrit par Oliver Stone, le futur réalisateur de *Platoon* (1986), le remake de Brian De Palma est actualisé puisque l'Italien Tony Camonte est devenu le Cubain Tony Montana – lui aussi « honte d'une nation » car expulsé de Cuba par Fidel Castro en 1980, avec quantité d'autres « indésirables » –, et que, évolution des mœurs oblige, il fait son chemin à Miami dans le trafic de la drogue. Subsiste l'attachement incestueux de Tony pour sa sœur Gina, mais cette fois, le gangster est abattu par les tueurs d'une bande rivale. Les scènes brutales abondent jusqu'au règlement de comptes final, directement hérité de la manière paroxystique de Sam Peckinpah. Avec sa « débauche de violence », le film de Howard Hawks semblait avoir déjà épuisé toutes les possibilités du film de gangsters : aller plus loin semblait impossible à la majorité des critiques de l'époque ! Par son personnage de névrosé – Al Pacino compose un personnage hystérique et dépravé particulièrement inquiétant –, par son climat trouble qui installe un véritable malaise, par ses outrances verbales et sa démesure visuelle, le film de Brian De Palma permet de mesurer le chemin parcouru dans la description de la cruauté et du sadisme au cinéma.

Pépé le Moko
Un classique né d'un énorme succès public

Pépé (Jean Gabin) est tombé sous le charme de Gaby (Mireille Balin).

1936

Policier de Julien Duvivier, avec Jean Gabin (Pépé), Mireille Balin (Gaby), Lucas Gridoux (Slimane), Line Noro (Inès), Gabriel Gabrio (Carlos) • Sc. Julien Duvivier et le détective Ashelbé, d'après son roman (1931) • Ph. Jules Krüger, Marc Fossard • Mus. Vincent Scotto, Mohammed Ygerbouchen • Prod. Robert et Raymond Hakim • France • Durée 93'

La fin de Pépé le Moko, un gangster réfugié dans la Casbah d'Alger, qui se fera prendre pour l'amour d'une femme.

Grand-père (Saturnin Fabre) examine les bijoux volés par Pépé.

Le romantisme de la pègre

Pépé le Moko est le type même du film plébiscité par le public. Sorti à une époque où ce genre de sujet – le « romantisme de la pègre » cher à Francis Carco et à Pierre Mac Orlan – ne trouvait pas grâce auprès de la critique, il est le premier vrai film de gangsters français. On l'a vilipendé pour sa banalité, ses péripéties gratuites, sa galerie de personnages d'un pittoresque facile… Pourtant, de la banalité d'un sujet ne résulte pas forcément un film médiocre, et une galerie de personnages baroques peut fournir la matière à quelques performances d'acteurs : tels Lucas Gridoux en subtil inspecteur, Gabriel Gabrio en truand irascible, Gaston Modot en impavide joueur de bilboquet, Charpin et Dalio en méprisables indicateurs, ou Saturnin Fabre en savoureux receleur. Sans compter le couple Jean Gabin-Mireille Balin, devenu l'un des premiers au panthéon des amants immortels du film noir. En outre, cette poésie des bas-fonds empreinte d'un profond pessimisme marqua sans aucun doute les prémices d'un certain réalisme poétique à la française dont Marcel Carné et Jacques Prévert allaient, peu après, consolider les règles.

Par dépit, Inès (Line Noro) a dénoncé Pépé.

Une performance à tous égards

En outre, la mise en images de Julien Duvivier est exemplaire. Que ce soit dans l'évocation en style documentaire de la Casbah, où la virtuosité du montage ne connaît guère d'équivalence à l'époque, et dans une succession de morceaux de bravoure : la descente de police, l'assassinat de Régis au son assourdissant du piano mécanique, la rencontre de Pépé et de Gaby, la chanson nostalgique de Fréhel (« Où est-il mon moulin d'la Place Blanche ? »), Gabin chantant sa joie et ses espoirs sur les terrasses de la Casbah, sa descente vers le port. Sans oublier les dialogues finement ciselés d'Henri Jeanson (Charpin : « Jamais descente de police

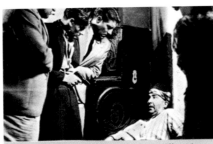

Pépé aide Pierrot (Gilbert Gil) à se venger de Régis (Charpin).

Un maître : Julien Duvivier

C'est dès 1919 que Julien Duvivier (1896-1967), l'un des plus grands cinéastes français, débuta sa carrière prolifique en réalisant une vingtaine de films muets et quarante-cinq films parlants. Il a dirigé les plus grandes actrices et les plus grands acteurs français, et a signé une demi-douzaine de films tournés en Angleterre et à Hollywood. Parmi ses chefs-d'œuvre, on retiendra surtout *La Belle Équipe* (1936), *Panique* (1946), *Le Petit Monde de Don Camillo* (1952), *La Fête à Henriette* (1952), *Voici le Temps des assassins* (1956).

n'a autant mérité son nom : ce n'est pas une descente, c'est une dégringolade ») et les rapports ambigus qui s'établissent entre le gangster et le policier chargé de l'arrêter. Autre performance du film : celle d'avoir été tourné entièrement en studio à Paris, mis à part les quelques plans de la Casbah utilisés dans le court documentaire du début. L'auteur du roman, Henri La Barthe – son pseudonyme est basé sur la prononciation littérale de ses initiales : « H.L.B. » – était un authentique fonctionnaire de police dont un autre roman sera à l'origine d'un film à succès, *Dédée d'Anvers* d'Yves Allégret (1948).

Trois remakes en moins de quinze ans

Pépé le Moko fit d'abord l'objet, aux États-Unis, d'un remake très fidèle, deux ans après sa sortie : *Algiers* de John Cromwell (1938), avec Charles Boyer (Pépé), Hedy Lamarr (Gaby) et Joseph Calleia (Slimane) ; puis d'une nouvelle version américaine, dix ans plus tard, *Casbah* de John Berry (1948), avec Tony Martin et Peter Lorre ; d'une parodie italienne enfin, *Toto le Moko* de Carlo Ludovico Bragaglia (1949), avec Toto.

Le Faucon maltais

Une nouvelle quête du Graal...

Autour de la statuette, Sam Spade (Humphrey Bogart), Joel Cairo (Peter Lorre), Brigid O'Shaughnessy (Mary Astor) et Kasper Gutman.

1941

The Maltese Falcon, policier de John Huston, avec Humphrey Bogart (Sam Spade), Mary Astor (Brigid O'Shaughnessy / Miss Wonderly / Miss Leblanc), Peter Lorre (Joel Cairo), Sydney Greenstreet (Kasper Gutman), Elisha Cook Jr. (Wilmer Cook) • Sc. John Huston, d'après le roman de Dashiell Hammett • Ph. Arthur Edeson • Mus. Adolph Deutsch • Prod. Hal B. Wallis • États-Unis • Durée 100'

Lancé sur la piste d'une étrange statuette convoitée par un groupe d'individus louches, un détective privé sacrifie la femme qu'il aime au nom de sa conception de la justice.

Le cinéma policier descend dans la rue

Bien que son œuvre soit peu abondante – en tout, cinq romans et quelques dizaines de nouvelles –, Dashiell Hammett (1894-1961), ex-détective de l'agence Pinkerton, est considéré à juste titre comme le père du roman noir. Auparavant cantonné dans un certain milieu aisé et aristocratique, le roman policier quitte avec lui son ghetto et descend dans la rue. John Huston, déjà scénariste réputé, aborde la réalisation pour la première fois. Le succès colossal remporté par le film devait asseoir sa notoriété de cinéaste virtuose. Le film fut aussi un tremplin pour son acteur principal. Voué auparavant à des rôles secondaires de méchants teigneux – il finissait condamné à mort dans une dizaine de films et criblé de balles dans une bonne quinzaine d'autres… –, Humphrey Bogart fut propulsé au firmament des stars. Il en fut de même de la « trinité maléfique », le trio de gangsters personnifiés par Sydney Greenstreet, qui commence une carrière fructueuse à 61 ans, Peter Lorre,

Sam Spade livrera-t-il Brigid à la police ?

déjà célèbre mais relancé dans un nouveau genre de rôles, et Elisha Cook Jr en petit truand stupide. En quelques scènes, Mary Astor campe l'image idéalisée de la femme fatale qui sera reprise par bon nombre de ses consœurs…
L'accueil triomphal rencontré par le film fut d'autant plus inattendu que le roman de Dashiell Hammett avait déjà fait l'objet de deux adaptations : en 1931, réalisée par Roy Del Ruth, et en 1935, dirigée par William Dieterle, sous le titre de *Satan Met a Lady*

(dans cette version, l'objet convoité n'était autre que le cor de Roland à Roncevaux !). En 1975, David Giler en proposera une suite parodique, *The Black Bird*, avec George Segal en fils de Sam Spade.

La poursuite d'un idéal

Comme ces êtres qui mentent à profusion, manipulent les autres et s'entre-déchirent pour se procurer un objet mythique – la statuette d'un faucon qu'une légende assure être en or massif –, chacun poursuit toute sa vie un idéal. Que cet idéal soit atteint ou non, la quête compte plus que le but lui-même. Faut-il y voir une parabole sur l'existence ? Hammett et Huston avaient-ils de si hautes considérations à l'esprit lorsque le premier écrivit son roman et le second le porta à l'écran avec respect et fidélité ? Rien n'est moins sûr. Mais seul importe désormais la résonance quasi universelle rencontrée par ce classique incontesté du septième art.

Spade face à Kasper Gutman (Sydney Greenstreet).

Humphrey Bogart et la mythologie du « privé »

Curieusement, « Bogey » doit une fière chandelle à son confrère George Raft qui eut la surprenante « clairvoyance » de refuser coup sur coup les rôles de *High Sierra* (Raoul Walsh, 1941), du *Faucon maltais* et, deux ans plus tard, de *Casablanca* ! Immensément populaire durant les quinze dernières années de sa vie, Humphrey Bogart (1899-1957), sanglé dans son éternelle gabardine, coiffé de son feutre mou, un mégot au coin des lèvres, personnifie à jamais le « hard-boiled detective », le « privé dur-à-cuire » : après le Sam Spade

de Hammett, il incarnera cinq ans plus tard le Philip Marlowe de Raymond Chandler dans *Le Grand Sommeil* de Howard Hawks (1946). Il est aussi l'intrigant sentimental mais sans illusions de *Casablanca* (1943) ou l'aventurier attendrissant d'*African Queen* (1952).
Deux ans avant sa mort, il incarnait, comme dans sa jeunesse, un gangster évadé dans *La Maison des otages* de William Wyler (1955).

Le Grand Sommeil

La quintessence du film noir

1946

The Big Sleep, policier de Howard Hawks, avec Humphrey Bogart (Philip Marlowe), Lauren Bacall (Vivian Rutledge), John Ridgely (Eddie Mars), Martha Vickers (Carmen Sternwood), Charles Waldron (le général Sternwood) • Sc. William Faulkner, Leigh Brackett et Jules Furthman, d'après le roman de Raymond Chandler (1939) • Ph. Sid Hickox • Mus. Max Steiner • Prod. Howard Hawks • États-Unis • Durée 114'

Engagé par le général Sternwood pour protéger sa fille cadette Carmen, menacée de chantage, le détective privé Philip Marlowe tombe amoureux de la fille aînée de son employeur, Vivian, qui l'accompagnera dans son enquête.

Vivian Rutlegde (Lauren Bacall) est tombée sous le charme du détective privé Philip Marlowe (Humphrey Bogart).

On ne change pas une équipe qui gagne

Dès sa sortie – tourné en 1944, il ne fut distribué qu'en 1946 –, *Le Grand Sommeil* a été considéré comme un classique du film noir. Et pourtant, nul n'a jamais été capable de comprendre l'intrigue : ni le réalisateur, ni les scénaristes, ni l'auteur du roman lui-même ! Même le titre posait un problème : qu'est-ce que le « grand sommeil » ? Interrogé à ce propos, Howard Hawks répliqua : « Je ne sais pas, probablement la mort. En tout cas, cela sonne bien… » La réussite du film tient pour une grande part au charme incomparable de ses deux principaux interprètes. Humphrey Bogart et Lauren Bacall, qui s'étaient rencontrés sur le plateau du *Port de l'angoisse* du même Howard Hawks (1944), s'étaient mariés le 21 mai 1945, peu après la sortie du film. Mais, dès la fin du tournage, Jack Warner, tombé lui aussi sous leur charme, avait fait part à Hawks de son désir de produire un autre film avec le même couple. C'est Hawks qui jeta alors son dévolu sur le roman de Raymond Chandler, en acheta les droits et reforma l'équipe du *Port de l'angoisse* (mêmes scénaristes, musicien et directeur de la photographie).

Marlowe face aux sbires d'Eddie Mars (John Ridgely).

Des dialogues à double sens

Malgré tout, bon nombre de commentateurs se sont posé la question : quelles sont les qualités intrinsèques qui ont fait d'emblée du *Grand Sommeil* un classique ? Sans doute parce qu'il rassemble tous les ingrédients du film noir, auquel Hawks ne s'intéressait pourtant pas particulièrement puisque ce sera sa seule incursion dans le genre : une intrigue tellement complexe que l'on finit par s'intéresser plus aux personnages qu'à l'enquête, rejoignant en cela la volonté du romancier. Pour parfaire ce cheminement, les scénaristes, à la demande du réalisateur, se sont amusés à ajouter des scènes dialoguées entre les deux vedettes, inutiles au déroulement de l'histoire, mais pleines d'ironie, de sarcasmes et de sous-entendus grivois, tournant ainsi en dérision les exigences très rigoristes de la censure de l'époque (le code Hays).
Michael Winner signa en 1978 un remake du *Grand Sommeil* avec Robert Mitchum, Sarah Miles et James Stewart, dont l'action était transposée à Londres.

« Le regard » Bacall

Découverte sur la couverture du magazine « Harper's Bazaar » par l'épouse de Howard Hawks, Lauren Bacall (née en 1924), dès son premier rôle dans *Le Port de l'angoisse*, entra de plain-pied dans la légende du cinéma, en imposant une présence exceptionnelle sur l'écran – elle fut d'emblée surnommée « Le Regard » par la critique de l'époque – et en épousant son partenaire. Par la suite, Bacall et Bogart apparurent ensemble dans deux autres films : *Les Passagers de la nuit* de Delmer Daves (1947) et *Key Largo* de John Huston (1948). Les auteurs de films s'ingénièrent à exploiter l'évidente complicité qui les unissait en leur écrivant d'inoubliables scènes de dialogues, comme la célèbre réplique lancée par Bacall à Bogart dans *Le Port de l'angoisse* : « Si vous voulez

Vivian retrouve Marlowe en mauvaise posture.

quelque chose, vous n'aurez qu'à siffler. » Après la mort de Bogart en 1957 – ils avaient 25 ans d'écart –, Lauren Bacall délaissa quelque peu le cinéma – tout juste une trentaine d'apparitions en cinquante ans, de 1957 à 2007 –, se consacrant surtout aux scènes de Broadway et gagnant notamment un Tony Award – l'Oscar du théâtre – pour « Applause », comédie musicale inspirée de *Eve* de Joseph Mankiewicz (1950).

Quai des Orfèvres
Enquête en coulisses

1947

Policier d'Henri-Georges Clouzot,
avec Louis Jouvet (l'inspecteur
Antoine), Bernard Blier (Maurice
Martineau), Simone Renant (Dora),
Suzy Delair (Jenny Lamour), Charles
Dullin (Brignon) • Sc. Henri-Georges
Clouzot et Jean Ferry, inspiré
d'un roman de Stanislas-André Steeman
• Ph. Armand Thirard • Mus. Francis
Lopez • Prod. Louis Wipf • France •
Durée 107' • Grand Prix de la mise
en scène au Festival de Venise

Un pianiste et son épouse chanteuse
de music-hall se trouvent impliqués
dans le meurtre d'un producteur
de films amateur de photos licencieuses.

Jenny Lamour chante sur scène « Avec son tralala », accompagnée au piano par son mari Maurice (Bernard Blier).

Après la guerre

Clouzot avait eu quelques ennuis
à la Libération. Parce qu'il avait travaillé pour
la société de production Continental Films,
dirigée par l'Allemand Alfred Greven, mais
aussi à cause de son non-conformisme :
refusant de vanter « les vertus les plus nobles
de la France profonde », il avait signé
Le Corbeau, cette peinture déprimante
d'une société qui se montrait sous
son apparence la plus abjecte. Mais le cinéma
français avait un besoin pressant de talents
nouveaux. Grâce à l'amitié de Louis Jouvet
et de quelques autres, Clouzot fut sollicité
pour réaliser un nouveau film. Quelque chose
de pas trop « dérangeant » et de commercial.

L'inspecteur Antoine (Louis Jouvet) interroge Dora
(Simone Renant)…

Une inoubliable galerie
de personnages

Clouzot se souvient de « Légitime défense »,
un roman policier de Steeman, dont il avait
déjà adapté deux livres. Il n'en a plus
d'exemplaire et, comme le temps presse,
en attendant que Steeman lui en envoie

un de Bruxelles, il rédige de mémoire un premier état
du scénario. Pour se rendre compte, une fois le livre
relu, que sa version n'a plus grand-chose à voir
avec l'original… Steeman s'estimera trahi, certes,
mais chez Clouzot, la trame dramatique n'a qu'une
importance secondaire. Une fois de plus, l'un
de ces rares cinéastes français qui sait « penser en
images » (l'expression est du critique Georges
Charensol) refuse les conventions d'un cinéma
qui n'a de cesse de masquer la vérité, et dépeint
le monde tel qu'il est. Ce sera l'un des rôles les plus
marquants de Louis Jouvet, qui s'applique à rendre
son personnage le plus terne possible, mais aussi
de Bernard Blier et de Simone Renant. Et comme
toujours chez Clouzot, bien qu'on ne les entrevoie
que dans quelques plans, on n'oubliera pas Raymond
Bussières en malfrat jovial, Pierre Larquey en
chauffeur de taxi anarchiste ou Charles Dullin
en vieillard libidineux (son dernier rôle au cinéma).
Le décor participe lui aussi de ce vérisme inaccoutumé.
Le cinéaste a passé plusieurs jours dans les locaux de
la police judiciaire. Sur l'écran s'imposeront ces décors
plus vrais que nature de bureaux mal chauffés, délavés
et lépreux, ou la grisaille de ces coulisses d'un petit
music-hall de quartier.

…puis Jenny (Suzy Delair).

Jenny et Maurice sont tous les deux suspectés.

Jouvet,
l'un des plus grands
acteurs français

Le personnage de l'inspecteur adjoint
Antoine reste l'un des plus mémorables de
la carrière de Louis Jouvet (1887-1951) qui,
s'il était avant tout un comédien
de théâtre, est apparu dans une trentaine
de films, de 1933 jusqu'à l'année
de sa mort. Il a tourné avec
les plus grands cinéastes : Feyder, Renoir,
Carné, Duvivier, Chenal, Tourneur
et Decoin, et apparaîtra dans deux autres
films de Clouzot, un sketch de *Retour
à la vie* (1948) et *Miquette et sa mère*
(1950). On lui a souvent reproché
sa diction si particulière et ses tics,
mais il savait conférer à ses personnages
une humanité rare. Il incarna deux fois
le docteur Knock de Jules Romains
(en 1933 et en 1950), et tint son propre
rôle de professeur au Conservatoire dans
Entrée des artistes (Marc Allégret, 1938).

Touchez pas au grisbi

Des truands sur le retour

Max le Menteur (Jean Gabin) et son ami Riton (René Dary).

1954

Policier de Jacques Becker, avec Jean Gabin (Max le Menteur), René Dary (Riton), Paul Frankeur (Pierrot), Angelo Borrini [Lino Ventura] (Angelo), Dora Doll (Rita), Jeanne Moreau (Josy) • Sc. Jacques Becker, Maurice Griffe, d'après le roman d'Albert Simonin • Ph. Pierre Montazel • Mus. Jean Wiener • Prod. Robert Dorfmann • France • Durée 94'

À la suite d'un règlement de comptes entre bandes rivales, un truand parisien, qui avait décidé de prendre sa retraite, doit venir en aide à son meilleur ami au risque de perdre son butin – 50 millions de francs d'or.

Marco (Michel Jourdan) et Pierrot (Paul Frankeur) utilisent la manière forte avec Fifi (Daniel Cauchy).

Le nouveau policier « à la française »

Ancien chauffeur de taxi devenu journaliste à « L'Intransigeant », Albert Simonin (1905-1980) avait écrit son roman entièrement en argot (le texte était suivi d'un lexique). Jacques Becker (1906-1960) préféra gommer les expressions les plus difficiles afin de faciliter la compréhension des dialogues sans avoir recours aux sous-titres. *Touchez pas au grisbi* fut le premier fleuron d'un nouveau cinéma policier « à la française » qui, durant quelques années, fera concurrence aux films noirs américains, mettant fin à une sorte de monopole. Jacques Becker jouissait d'une notoriété enviable à l'époque. Pourtant, son film ne fut pas présenté au Festival de Cannes car ses producteurs craignaient qu'il n'offrît de la France une image peu flatteuse. Le cinéaste se défendit d'avoir voulu faire une apologie du gangstérisme, mais tout simplement un film sur l'amitié « saine et virile » entre deux hommes, qui est « peut-être (...) la forme la plus parfaite de l'amour » : « La seule en tout cas dont on puisse raisonnablement parier quant à la durée. »

Dans cette optique, le film lança également la mode d'une nouvelle forme de films criminels dans lesquels le milieu était représenté sous un jour à la fois plus humain et plus fraternel. *Du rififi chez les hommes* de Jules Dassin (1955), et plus tard les films de Jean-Pierre Melville, allaient suivre son exemple.

Un film sur la cinquantaine

Par son choix minutieux du détail vrai – Jean Gabin ajustant ses lunettes pour composer un numéro de téléphone –, le cinéaste offre à son public, au travers d'une classique histoire criminelle où les personnages « sont plus fouillés que l'action » (Jacques Becker), une réflexion sur le vieillissement et l'amitié : « Simonin a quarante-neuf ans, Becker quarante-huit. Le *Grisbi* est un film sur la cinquantaine », écrivit François Truffaut. Si le film de Jacques Becker a ouvert une nouvelle voie au cinéma français, le roman d'Albert Simonin donna naissance à la vocation de plusieurs nouveaux écrivains – Auguste Le Breton, Pierre Lesou, José Giovanni – dont les œuvres devaient devenir autant de sujets propices à un traitement cinématographique. Enfin, sur le plan de l'interprétation, le film fut aussi la révélation spectaculaire d'un nouveau venu, un ancien lutteur du nom d'Angelo Borrini, qui devait se faire très vite connaître sous le pseudonyme de Lino Ventura.

Après le règlement de comptes final...

Josy (Jeanne Moreau) et Angelo (Lino Ventura).

Jean Gabin : renaissance d'une carrière

Après une longue éclipse, le film marqua surtout le retour en force de Jean Gabin qui avait été l'une des stars les plus populaires du cinéma français d'avant-guerre. L'âge aidant, il lui était alors difficile de trouver de nouveaux rôles et aucun des films qu'il avait tournés depuis 1945 n'avait obtenu d'audience. Et puis, soudain, *Touchez pas au grisbi* fut sa résurrection. À tel point que, durant plusieurs années, il se fit une spécialité de rôles de truands vieillissants : *Le Rouge est mis* (1957) et *Le Cave se rebiffe* (1961) de Gilles Grangier, *Mélodie en sous-sol* (1963) et *Le Clan des Siciliens* (1969) d'Henri Verneuil, *Du Rififi à Paname* (1966) de Denys de La Patellière, *Le Soleil des voyous* (1967) de Jean Delannoy. Mais sa composition fait également écho à un autre célèbre rôle de truand d'avant-guerre : en ce sens, Max le Menteur pourrait être Pépé le Moko, quinze ans après, s'il n'était pas mort à la fin du film de Julien Duvivier.

La Soif du mal
L'évidence du génie

1958

Touch of Evil, policier d'Orson Welles, avec Orson Welles (Hank Quinlan), Charlton Heston (Mike Vargas), Janet Leigh (Susan Vargas), Joseph Calleia (Pete Menzies), Akim Tamiroff (Joe Grandi) • Sc. Orson Welles, d'après le roman de Whit Masterson • Ph. Russell Metty • Mus. Henry Mancini • Prod. Albert Zugsmith • États-Unis • Durée 108' • Prix de la meilleure interprétation (Orson Welles) et de la Fipresci (Fédération internationale de la presse cinématographique) au Festival de Bruxelles 1958

Dans une ville-frontière, un intègre policier mexicain lutte contre un collègue américain corrompu qui forge des preuves pour inculper les suspects.

Quinlan (Orson Welles) trouve de la dynamite dans une boîte que Vargas avait vue vide...

Un film exceptionnel presque né d'un malentendu

Lorsque la firme Universal offrit le rôle principal à Charlton Heston, elle pensa à Orson Welles pour incarner le policier corrompu. Grand admirateur de Welles, Heston, alors au faîte de sa popularité, suggéra d'offrir à l'auteur de *Citizen Kane* de réaliser le film. Après quelques réticences, Universal décida de tenter l'expérience. Les conditions de tournage furent particulièrement éprouvantes : Welles travaillant sur le script le jour, le film fut tourné la nuit

à Venice (une petite bourgade proche de Los Angeles) par un temps glacial. Les acteurs comme les techniciens furent stupéfaits de découvrir comment Welles conduisait son film, laissant aux comédiens une bonne part d'improvisation, sachant profiter de chaque incident et l'intégrer. Le cinéaste, qui pesait à cette époque pas moins de 130 kg, fit une chute dès le début du tournage et joua son rôle en boitant réellement, justifiant cette claudication par une blessure par balle que le policier qu'il incarnait aurait jadis reçue dans la jambe.

Susan (Janet Leigh) est assaillie par des voyous.

Quinlan tire sur Vargas (Charlton Heston).

Quinlan élimine « Uncle Joe » Grandi (Akim Tamiroff).

Un cinéaste fantasque et dispendieux

La carrière d'Orson Welles (1915-1985), venu du théâtre et de la radio, fut des plus chaotiques. Imprévisible, capricieux – on ne compte plus ses projets entrepris et avortés après des dépenses considérables –, Welles dut quitter Hollywood car il s'avéra incapable de s'intégrer à la discipline des studios. Par bonheur, l'Europe lui offrira l'occasion de réaliser quelques nouveaux chefs-d'œuvre : *Dossier secret* (1955), *Le Procès* (1963), *Falstaff* (1966), entre autres. Sans oublier sa première œuvre, *Citizen Kane* (1941), toujours classée parmi les meilleurs films du monde.

L'œuvre échappe à son créateur

De même, le maquillage grotesque dont Welles s'affubla fit sensation : poches sous les yeux, nez monstrueux, obésité renforcée par les prises de vues au grand-angle. Quant aux responsables du studio, ils découvrirent à la vision des « rushes » que non seulement le style de narration du film était déconcertant – le fameux premier plan-séquence initial de plus de trois minutes est d'une complexité et d'une virtuosité toujours inégalées – mais aussi que de grandes stars – Joseph Cotten, Marlene Dietrich, Zsa Zsa Gabor, Mercedes McCambridge – avaient accepté, sans salaire, de faire une apparition dans le film par admiration pour son maître d'œuvre.
Tout se gâta lorsque, à la fin du tournage, Orson Welles quitta le plateau pour le Mexique, afin de travailler à son adaptation de *Don Quichotte* qui demeurera à jamais inachevée. Bien qu'il eût laissé des directives précises pour monter son film, les dirigeants d'Universal, le jugeant trop elliptique, décidèrent d'y intégrer des plans non tournés par lui mais filmés après son départ. Il en résulta une première version de 95 minutes, désavouée par son réalisateur. Le film n'eut aucune audience aux États-Unis, mais trouva un public admiratif et chaleureux en Europe et plus particulièrement en France. Par la suite, une deuxième version plus longue de 13 minutes fut proposée en 1975 au Festival de Paris. Une troisième, enfin, réalisée à partir du respect scrupuleux des directives de Welles, fut distribuée en 1999.

Bonnie et Clyde
La cavale des amants maudits

1967

Bonnie and Clyde, drame d'Arthur Penn, avec Faye Dunaway (Bonnie Parker), Warren Beatty (Clyde Barrow), Gene Hackman (Buck Barrow), Michael J. Pollard (C. W. Moss), Estelle Parsons (Blanche Barrow) • Sc. David Newman, Robert Benton • Ph. Burnett Guffey • Mus. Charles Strouse • Prod. Warren Beatty • États-Unis • Durée 111' • 2 Oscars : scénario et photographie

Dans l'Amérique des années trente en pleine dépression, Bonnie Parker et Clyde Barrow multiplient vols de voitures, hold-up de banques et crimes de sang.

Leurs noms : Bonnie Parker (Faye Dunaway) et Clyde Barrow (Warren Beatty).

Robins des Bois du XXᵉ siècle

Les vrais Bonnie Parker et Clyde Barrow, hors-la-loi d'une vingtaine d'années qui écumèrent, de 1931 à 1934, plusieurs États du sud-est des États-Unis, ne manquaient ni de panache ni d'un sens aigu de la communication. Élégante et menue, Bonnie, qui cachait ses cheveux sous un béret et fumait le cigare,

Bonnie et C. W. Moss (Michael J. Pollard).

inondait les gazettes locales de photographies, voire de poèmes. Sur ces clichés, elle et Clyde se mettaient en scène dans des poses avantageuses, puissamment armés.
À cette époque, le krach boursier de 1929 avait plongé le pays dans le chômage, la misère et la délinquance et nombreux étaient les paysans du Texas ou de l'Iowa, où opérait le gang, qui avaient été dépossédés de leurs terres par les banques. Comme celles-ci étaient leurs cibles favorites, Bonnie et Clyde bénéficièrent d'un large courant de sympathie dont l'équipe du film, trois décennies plus tard, ressentit la permanence en tournant sur les lieux où le couple avait forgé, dans le sang, sa légende.

Un nouveau coup pour Buck (Gene Hackman) Clyde et Bonnie.

Mode ou modèles ?

En retenant les comportements juvéniles et ludiques de leurs modèles, en les traitant comme des victimes d'une société en crise qui les acculait à la marginalité, en accentuant leur potentiel érotique et leur désir d'épanouissement sexuel, bref, en actualisant *Bonnie et Clyde*, les scénaristes du film se trouvent en phase avec les attentes d'une jeunesse en quête de repères et d'espoirs dont l'ordre établi, social et moral, les avait privés. David Newman et Robert Benton se tournèrent d'abord vers un cinéaste français, François Truffaut, seul capable à leurs yeux de traduire en images le potentiel anti-conformiste de leur scénario. Passionné, mais pris par d'autres films, Truffaut transmit le projet à Jean-Luc Godard qui ne trouva pas de terrain d'entente avec les auteurs. Le film fut donc réalisé aux États-Unis, grâce

« Ceci est un hold-up » : Bonnie en plein travail.

à la volonté de Warren Beatty, producteur et interprète de Clyde, sous la talentueuse autorité d'un cinéaste exigeant, Arthur Penn, et une actrice quasi débutante, Faye Dunaway, à la sensualité et à l'aura de star. Le film connut partout un succès considérable auprès de la jeunesse, son public naturel. Ce succès revêtit des aspects inattendus, comme en France – le film y sortit en janvier 1968 – où le « look » Bonnie – béret, cheveux blonds et lisses, jupe longue – et le feutre mou de Clyde influencèrent les choix vestimentaires de leurs admirateurs. Serge Gainsbourg composa une « Ballade de Bonnie and Clyde » qu'interpréta à la télévision Brigitte Bardot, habillée et coiffée comme Faye Dunaway. Photos, posters, magazines, images multipliées à l'infini popularisèrent, ici comme ailleurs, ce couple de légende tombé sous les balles de la « bonne société », le 23 mai 1934. Et, quelques mois après l'entrée fracassante de Bonnie et Clyde au panthéon des héros mythiques de la jeunesse, éclataient, hasard ou coïncidence, les événements de mai 1968…

Amants traqués

D'autres couples de hors-la-loi tombèrent sous les balles de la police, main dans la main, à la fin de quelques films américains célèbres. Citons : *J'ai le Droit de vivre* (Fritz Lang, 1937), avec Henry Fonda et Sylvia Sidney ; *Les Amants de la nuit* (Nicholas Ray, 1947), avec Farley Granger et Cathy O'Donnell ; *Le Démon des armes / Gun Crazy* (Joseph H. Lewis, 1949), avec John Dall et Peggy Cummins.

Bullitt

Le policier supplante le privé

1968

Bullitt, policier de Peter Yates, avec
Steve McQueen (Frank Bullitt), Robert
Vaughn (Walter Chalmers), Jacqueline
Bisset (Cathy), Don Gordon (Delgetti) •
Sc. Alan R. Trustman et Harry Kleiner,
d'après le roman de Robert L. Pike •
Ph. William A. Fraker • Mus. Lalo Schifrin
• Prod. Philip D'Antoni • États-Unis •
Durée 114' • Oscar du meilleur montage

**Le lieutenant Bullitt reçoit pour mission
de protéger un gangster qui doit
déposer devant une commission
sénatoriale enquêtant sur le « Syndicat
du crime ». Mais le témoin se fait
abattre…**

Le lieutenant Frank Bullitt (Steve McQueen) est en butte aux pressions de Walter Chalmers (Robert Vaughn).

Le policier, nouveau héros américain

Les années soixante marquent le retour
en force du film noir. Le succès colossal
rencontré par le film fait du lieutenant
Bullitt le modèle du policier intègre qui prend le pas
sur son rival le détective privé, si populaire
deux décennies auparavant. Relancé par
des œuvres comme *Le Point de non-retour*
de John Boorman (1967) et surtout
Le Détective de Gordon Douglas (1968),
le genre amorce un changement de cap
radical où revient, comme un leitmotiv, le
thème de la corruption des hautes instances
politiques ou judiciaires. Le lieutenant Bullitt
est un être de chair et de sang qui se pose
des questions sur la mission qu'on lui
a confiée. Ironique et sans illusions, Steve
McQueen apporte une humanité
et une vulnérabilité rarement présentes dans
ce genre de personnage.

Une folle poursuite en voiture dans San Francisco.

L'une des poursuites les plus percutantes du cinéma

C'est après avoir vu *Trois milliards d'un coup* (1967),
une vigoureuse transcription du fameux hold-up du
train postal Glasgow-Londres, que Steve McQueen
demanda à son réalisateur, le Britannique Peter Yates,
de venir aux États-Unis diriger son prochain film. Le
comédien et le réalisateur s'entendirent fort bien dès
leur première rencontre. Yates insista pour tourner
en extérieurs. McQueen lui accorda les garanties qu'il
exigeait et le soutint durant tout le tournage.
De plus, le cinéaste et son interprète se découvrirent
une passion commune pour les courses automobiles
(Peter Yates avait été pilote). C'est ainsi que naquit
l'une des scènes les plus percutantes du cinéma des
années soixante : la fameuse séquence de poursuite
dans les rues de San Francisco – sept minutes de
projection qualifiées d'« hallucinantes » par la critique
de l'époque – dont le tournage fut autorisé et facilité
par le maire de San Francisco en personne, Joseph
L. Alioto. Steve McQueen conduisit lui-même
la Mustang, alors que l'un de ses amis, Bill Hickman,
ancien coureur motocycliste, était au volant de l'autre
véhicule. Certains plans furent réalisés
avec des voitures roulant réellement à 200 km/h.
Pour remercier Alioto, le comédien finança la
construction d'une piscine de 25 000 dollars
dans un quartier pauvre de la ville. Dans une autre
scène de poursuite, la nuit, sur le tarmac de
l'aéroport, refusant une fois encore d'être doublé,
l'acteur traversa une piste en courant et se coucha
sur le sol sous un Boeing en train de décoller.
Impressionné malgré tout, McQueen jura
qu'il ne tenterait plus jamais pareille expérience.

Frank a pour compagne Cathy (Jacqueline Bisset).

Steve McQueen (1930-1980)

**C'est avec *La Grande Évasion* que Steve
McQueen, déjà vedette, était passé
au rang de superstar. Sa fuite en moto,
qui reste un grand moment de cinéma,
le typa plus que toute autre scène dans
l'esprit du public de l'époque : il ne jouait
plus, il était lui-même. Ses exploits
dans *Bullitt* renforcèrent cette image.
Le poster le représentant sur sa machine,
qui se vend à des millions d'exemplaires,
contribua à affirmer sa popularité
d'autant plus que l'acteur participa
à de nombreuses courses sur les circuits
européens ou d'outre-Atlantique. Devenu,
pour toute une génération d'adolescents,
l'homme libre, individualiste et solitaire,
il « préfigure alors les protagonistes
des "road movies" dont le plus célèbre
reste *Easy Rider* » (François Guérif).**

Le Cercle rouge
Le labyrinthe de la fatalité

1970

Policier de Jean-Pierre Melville, avec Alain Delon (Corey), André Bourvil (le commissaire Matteï), Yves Montand (Jansen), François Périer (Santi), Gian-Maria Volonte (Vogel) • Sc. Jean-Pierre Melville • Ph. Henri Decae • Mus. Éric de Marsan • Prod. Corona (Paris) - Serena (Rome) • France - Italie • Durée 140'

Convoyé en train par le commissaire Matteï de Marseille à Paris, le gangster Vogel fausse compagnie à son geôlier. Avec deux autres truands, Corey et Jansen, il participe au hold-up d'une bijouterie place Vendôme. Mais Matteï est sur la piste...

Le commissaire Matteï (André Bourvil) ne lâche pas la piste de Vogel.

Hasard ou prémonition ?

Le film-testament d'un styliste au sommet de son art. Mort prématurément en 1973 à l'âge de 56 ans, Jean-Pierre Melville, qui se disait constamment obsédé par son œuvre, parle du *Cercle rouge* dans le livre-entretien que lui a consacré Rui Nogueira (éditions Seghers, 1974), comme « d'une somme de toute ma vie de cinéaste et de toute ma vie de spectateur ».

Corey (Alain Delon) passe un barrage de police.

Le film est précédé d'un carton liminaire signé Rama Krishna : « Quand des hommes, même s'ils l'ignorent, doivent se retrouver un jour, tout peut arriver à chacun d'entre eux et ils peuvent suivre des chemins divergents. Au jour dit, ils se retrouveront réunis dans le cercle rouge. » Mais, du propre aveu du cinéaste, la citation est complètement inventée, ce qui en dit long sur son art de la manipulation ! *Le Cercle rouge* montre à l'évidence une forme de narration parvenue à une sorte de perfection glacée dominée par le goût du détail cher à Jacques Becker, et le sens de l'efficacité hérité du cinéma américain : Melville se vantait d'avoir vu

cent vingt fois *Le Coup de l'escalier* de Robert Wise (1959), qu'il considérait comme un rare exemple de film parfait. Sans compter que le « Tous coupables ! » prononcé par l'inspecteur général des Services au commissaire Matteï s'apparente à la célèbre déclaration de Fritz Lang : « Tout homme est un coupable en puissance. »

Un « catalogue » du genre policier

Par la volonté de son maître d'œuvre, *Le Cercle rouge* est une œuvre épurée à l'extrême, presque une abstraction – « un western », le définissait-il. En choisissant délibérément un scénario et des situations conventionnelles – l'évasion d'un gangster, la préparation et l'exécution d'un casse, la traque des coupables –, en élaguant au maximum un dialogue déjà réduit à l'essentiel, en mettant en scène des personnages dépourvus d'états d'âme et de toute épaisseur humaine – et que l'on ne peut approcher que par leur comportement : le principe du « béhaviorisme » cher au « thriller » noir –, le cinéaste a tenté de faire de son film une sorte de catalogue du cinéma policier incluant une majorité des « dix-neuf situations possibles entre "gendarmes et voleurs" » telles qu'il avait pu en faire la liste en visionnant *Quand la ville dort* (1950), le film de John Huston qui, prétendait-il, les contient toutes. À noter que la distribution à laquelle il avait pensé lorsqu'il rédigea son scénario était sensiblement différente : Lino Ventura (Matteï), Paul Meurisse (Jansen) et Jean-Paul Belmondo (Vogel). Ce fut l'avant-dernier film de Bourvil, qui mourut pendant le montage.

Jansen (Yves Montand).

Itinéraire d'un maître styliste

Il y a deux époques distinctes dans la carrière de Jean-Pierre Melville. Celle où il signe des adaptations d'œuvres littéraires, Vercors (*Le Silence de la mer*, 1948), Cocteau (*Les Enfants terribles*, 1950), Simenon (*L'Aîné des Ferchaux*, 1962), et celle où il réalise des films (surtout policiers) dont il adapte ou écrit lui-même le scénario. C'est dans cette dernière catégorie qu'il sera finalement reconnu pour un maître. Après un coup d'éclat devenu film-culte, *Bob le flambeur* (1955) dont il est l'auteur complet, et l'adaptation d'un roman de Pierre Lesou avec Jean-Paul Belmondo, *Le Doulos* (1961), il signe sa célèbre trilogie, *Le Deuxième Souffle* (1966), *Le Samouraï* (1967) et *Le Cercle rouge*, au cours de laquelle il invente un style de policier inimitable hérité du polar à la française, genre Becker de *Touchez pas au grisbi* ou du *Trou*, et du thriller noir à l'américaine. Sans oublier son beau film sur la Résistance, *L'Armée des ombres* (1969) qui doit autant à Joseph Kessel qu'aux souvenirs d'enfance de son maître d'œuvre.

La Vie privée de Sherlock Holmes

Le vrai visage d'un héros légendaire

1970

The Private Life of Sherlock Holmes, policier de Billy Wilder, avec Robert Stephens (Sherlock Holmes), Colin Blakely (le docteur John Watson), Geneviève Page (Gabrielle Valadon), Christopher Lee (Mycroft Holmes), Irene Handl (Mrs. Hudson), Clive Revill (Rogozhine) • Sc. Billy Wilder et I. A. L. Diamond • Ph. Christopher Challis • Mus. Miklos Rozsa • Prod. Billy Wilder • Royaume-Uni • Durée 125'

Sherlock Holmes est entraîné dans une mystérieuse affaire d'espionnage par la très séduisante Gabrielle Valadon. Ses investigations le conduisent en Écosse, sur les bords du Loch Ness…

Sherlock Holmes (Robert Stephens) a découvert une étonnante machine…

À la rencontre d'un héros mythique

Sherlock Holmes est sans doute l'une des deux ou trois créations littéraires les plus populaires du monde. Depuis plus d'un demi-siècle, les écrits apocryphes aux origines les plus diverses n'ont cessé de paraître, narrant des aventures que son créateur n'avait pas imaginées. Grand admirateur du héros de Conan Doyle, Billy Wilder a été tenté par une approche beaucoup plus psychologique : « N'était-il qu'une machine à penser, un œil extraordinaire avec une grande intuition, avec de grands pouvoirs divinatoires, ou y avait-il quelque chose dans sa vie qui le blessait, qui lui donnait des émotions ? Haïssait-il les femmes ? Pourquoi se droguait-il ?… » Telle est la démarche de *La Vie privée de Sherlock Holmes*, qui tente de corriger l'image jugée fausse du personnage transmise par la littérature. Le film de Billy Wilder donne à voir un être mythique dans sa vie secrète, ses espoirs, ses désillusions, sa grandeur et ses faiblesses, et l'histoire d'amour qui marqua à jamais la vie de ce soi-disant misogyne.

Symphonie d'une vie

Billy Wilder a nourri ce projet durant vingt ans. Malgré quelques échappées du côté de Jules Verne, le cinéaste et son vieux complice I. A. L. Diamond ont concocté un récit tellement fidèle aux textes de Conan Doyle que l'on pourrait aisément l'inclure dans ce que les fanatiques appellent « le canon ».

Holmes rencontre la ballerine Mme Petrova (Tamara Toumanova).

L'introduction imagine que le docteur Watson a laissé dans un coffre de banque un manuscrit inédit à publier soixante-dix ans après sa mort, contenant la relation d'affaires qui ne pouvaient être dévoilées au public avant plusieurs décennies car impliquant de très hautes personnalités, dont la reine Victoria en personne. Le film initial qui dépassait les trois heures de projection, comportait quatre parties – « comme pour une symphonie », précisait Wilder : « Une pour le drame, une pour la comédie, une pour la farce et une romantique. » Mais le studio, qui doutait de son succès parce qu'il n'y avait aucune star au générique – acteur réputé à l'Old Vic, Robert Stephens était alors le bras droit de Laurence Olivier –, refusa de le sortir dans un métrage qu'il jugeait hors de proportions. Son réalisateur fut contraint de le réduire d'un tiers. Les cinéphiles se sentirent d'autant plus frustrés que l'œuvre connue est d'une telle beauté formelle qu'il laissait présager que le film dans son entier devait dégager un charme similaire.

Holmes, Suzanne (Geneviève Page) et Watson (Colin Blakely).

Le solitaire de Baker Street

Sherlock Holmes est l'un des personnages imaginaires les plus souvent montrés au cinéma. Les premières adaptations datent de 1903. Il a été joué par des dizaines de comédiens. Les plus célèbres demeurent John Barrymore, Clive Brook, Peter Cushing et Christopher Lee – Basil Rathbone battant le record de la durée avec quatorze films tournés entre 1939 et 1946. Sans compter ses incarnations à la télévision, dont la dernière en date de Jeremy Brett est la plus prisée par les aficionados.

De bien curieux personnages…

L'Inspecteur Harry

Naissance d'un mythe

1971

Dirty Harry, policier de Don Siegel, avec Clint Eastwood (l'inspecteur Harry Callahan), Harry Guardino (le lieutenant Bressler), Reni Santoni (Chico), Andy Robinson (Scorpio), John Vernon (le maire) • Sc. Harry Julian Fink, Rita M. Fink et Dean Riesner, d'après une histoire de Harry Julian et Rita M. Fink • Ph. Bruce Surtees • Mus. Lalo Schifrin • Prod. Don Siegel • États-Unis • Durée 102'

L'inspecteur Harry Callahan traque un tueur surnommé Scorpio qui rançonne la ville de San Francisco en assassinant ses victimes au hasard.

L'inspecteur Harry Callahan (Clint Eastwood) sait se servir de son 357 Magnum…

Ses supérieurs jugent Harry trop « expéditif »…

Un succédané du western-spaghetti

C'est la première rencontre de Clint Eastwood avec le personnage de Harry Callahan, un inspecteur de police hors normes, taciturne et brutal, aux méthodes expéditives. Après le long séjour en Europe qui lui avait permis d'accéder au rang de star, Clint Eastwood était à la recherche d'un personnage plus « américain ». Par bien des aspects, « Dirty Harry » – « dirty » (« crasseux », « dégoûtant ») peut se comprendre comme une appréciation morale de Callahan, mais aussi parce c'est un flic spécialisé dans les basses besognes (« dirty works ») – rejoint son personnage de tueur sans nom dans la trilogie de Sergio Leone qui lui avait valu la célébrité mondiale (*Pour une poignée de dollars*, 1964 ; *Et pour quelques dollars de plus*, 1965 ; *Le Bon, la brute et le truand*, 1966). Eastwood produisit le film par l'intermédiaire de sa société Malpaso et demanda à son complice Don Siegel d'en assurer la réalisation. Les deux hommes avaient déjà travaillé ensemble sur *Un Shérif à New York* (1968), *Sierra torride* (1970) et *Les Proies* (1971). Ils se retrouvèrent une dernière fois pour *L'Évadé d'Alcatraz* (1979).

Une apologie fasciste ?

Clint Eastwood déclara par la suite (en février 1974, à « Playboy ») : « C'est mon meilleur rôle à ce jour. C'est le genre de chose dont j'aime à penser que je la fais aussi bien, ou même mieux qu'un autre. » Cette profonde implication dans le personnage fit taxer la star de réactionnaire et le film provoqua une vive polémique : le scénario tendait à prouver que la justice américaine est trop permissive. Dans *L'Inspecteur Harry* – dédié « aux policiers de San Francisco qui ont donné leur vie dans l'accomplissement de leur devoir » –, l'assassin (incarné par le fils du célèbre acteur Edward G. Robinson), arrêté par Callahan, doit être relâché parce que l'inspecteur n'a pas respecté ses droits. Or il ne fait aucun doute qu'il est responsable de la mort d'une jeune fille qu'il avait enlevée. Mais la justice est impuissante à le condamner parce que Callahan l'a torturé pour lui faire avouer à quel endroit il avait

Callahan aux trousses du tueur.

politiques. Ils auraient dû écouter leur sens moral. (…) C'est pareil avec Harry. Quelqu'un lui dit : "Les choses se passent de cette façon" et il répond : "Eh bien, vous avez tort, je ne peux pas adhérer à ça." Ce n'est pas une attitude de fasciste, c'est exactement le contraire. »

Scorpio (Andy Robinson) a pris un enfant en otage.

séquestré sa victime. Clint Eastwood réduisit cette accusation de fascisme à néant par un argument de poids (déclaration à la BBC en février 1977, citée par François Guérif) : « Nous autres, Américains, avons poursuivi à Nuremberg des gens qui ont commis des crimes parce qu'ils ont suivi la loi sans tenir compte de la morale. Nous les avons jugés sur cette base : ils n'auraient pas dû suivre la loi et leurs chefs

Clint « Dirty Harry » Eastwood

Le comédien-réalisateur reprendra le rôle de Harry Callahan dans *Magnum Force* de Ted Post (1973), *L'Inspecteur ne renonce jamais* de James Fargo (1976), *Sudden Impact* de Clint Eastwood (1983) et *La Dernière Cible* de Buddy Van Horn (1989). Toutefois, malgré leurs différences, ses autres créations d'inspecteurs – dans *La Corde raide* (1984), *L'Épreuve de force* (1977) ou *La Relève* (1991) – doivent toutes quelque chose à Harry Callahan. Elles représentent diverses incarnations d'un mythe, celui de l'aventurier solitaire et invincible, contraint de lutter contre le mal en s'affranchissant des institutions dont il dépend parce qu'elles se sont laissé corrompre.

French Connection

Une poursuite impitoyable

Jimmy « Popeye » Doyle (Gene Hackman), un flic brutal et hargneux.

1971

The French Connection, policier de William Friedkin, avec Gene Hackman (Jimmy « Popeye » Doyle), Fernando Rey (Alain Charnier), Roy Scheider (Buddy Russo), Tony Lo Bianco (Sal Boca), Marcel Bozzuffi (Pierre Nicoli), Frédéric de Pasquale (Devereaux) • Sc. Ernest Tidyman, d'après le livre de Robin Moore • Ph. Owen Roizman • Mus. Don Ellis • Prod. Philip D'Antoni • États-Unis • Durée 104' • 5 Oscars : film, réalisation, acteur (Gene Hackman), adaptation, montage

Deux policiers new-yorkais tentent de prendre en flagrant délit une bande de trafiquants qui introduisent aux États-Unis de la drogue en provenance de France.

Des personnages hors convention

Avec son aspect de documentaire pris sur le vif – les quartiers misérables de New York n'avaient encore jamais été montrés avec un tel vérisme –, son écriture incisive, son montage « cut » et ses ellipses audacieuses, *French Connection* marque une étape importante. Le dialogue est cru et se rapproche de la réalité de tous les jours. Les personnages échappent à la convention du cinéma, ce sont des flics de chair et de sang qui se comportent comme leurs modèles. La mise négligée, toujours affublé d'un petit chapeau ridicule « à la Keaton », raciste, hargneux, brutal et peu respectueux des droits des citoyens – il abattra même un collègue par erreur sans que cela semble l'émouvoir –, Jimmy « Popeye » Doyle est la copie fidèle d'un policier authentique.

Un scandale franco-américain

Le film s'inspire d'un livre-reportage relatant l'enquête de deux inspecteurs de la Brigade des stupéfiants de New York, Eddie Egan (« Popeye ») et Sonny Grosso (« Buddy Russo » dans le film), qui aboutit au démantèlement d'un important réseau de trafic d'héroïne.

Pierre Nicoli (Marcel Bozzuffi), homme de main d'Alain Charnier (Fernando Rey), le chef des trafiquants.

Buddy Russo (Roy Scheider) coéquipier de Doyle.

Doyle vise Nicoli…

En 1962, les deux hommes avaient réussi la plus importante prise de la police américaine à l'époque : 50 kg d'héroïne pure à 90 % évalués à un demi-million de dollars, transportés dans la voiture d'un célèbre chroniqueur de la télévision française, Jacques Angelvin (Devereaux, dans le film), qui fut condamné à quatre ans de prison. Engagés comme conseillers techniques, Egan et Grosso interprètent également chacun un officier de police. Le scénario suit assez fidèlement les péripéties de l'enquête, rajoutant simplement la fameuse séquence de poursuite et le règlement de comptes final pour corser le spectacle. Par la suite, John Frankenheimer signa *French Connection n° 2* (1975), une suite plus romanesque, entièrement tournée à Marseille, dans lequel le même

Quelques poursuites au cinéma

Outre une séquence de filature mémorable, le clou du film est une poursuite inoubliable, comme on avait rarement l'occasion d'en voir au cinéma – si ce n'est trois ans plus tôt dans les rues de San Francisco avec *Bullitt* de Peter Yates (1968), également produit par Philip D'Antoni. Ici, pour se démarquer de ce brillant précédent, William Friedkin change de moyen de locomotion : le trafiquant français (Bozzuffi) emprunte une rame de métro aérien, tandis que le policier américain (Hackman) le suit en voiture sous les structures métalliques qui supportent la ligne de métro. La séquence est devenue un morceau d'anthologie. En 1985, William Friedkin tentera de renouer avec la veine musclée de *French Connection* en signant *Police fédérale Los Angeles*, inspiré là encore d'un fait divers, et qui comporte, lui aussi, une poursuite en voiture échevelée. Plus récemment, dans *Ronin* (1999), John Frankenheimer a tenté d'insuffler un nouveau dynamisme à la poursuite cinématographique sur une autoroute.

« Popeye », toujours incarné par Gene Hackman, réussissait à abattre le chef du réseau, Alain Charnier, au terme d'une chasse opiniâtre. Le personnage fut à ce point populaire aux États-Unis que la télévision américaine produisit en 1986 une série intitulée précisément « Popeye Doyle », réalisée par Peter Levin.

Le Parrain
Une allégorie de l'Amérique

Don Vito Corleone (Marlon Brando) se réconcilie avec les chefs des autres familles, dont Barzini (Richard Conte).

1972

The Godfather, policier de Francis Ford Coppola, avec Marlon Brando (Don Vito Corleone), Al Pacino (Michael Corleone), James Caan (Sonny Corleone), Robert Duvall (Robert Hagen), Diane Keaton (Kay Adams), Sterling Hayden (McCluskey), Richard Conte (Barzini), Talia Shire (Connie Rizzi), John Marley (Jack Woltz) • Sc. Francis Ford Coppola et Mario Puzo, d'après son roman • Ph. Gordon Willis • Mus. Nino Rota • Prod. Albert S. Ruddy • États-Unis • Durée 178' • 3 Oscars: film, scénario et acteur (Marlon Brando)

Les dernières années de Vito Corleone, « parrain » respecté de la mafia new-yorkaise, jusqu'à ce qu'il refuse de s'associer au commerce de la drogue.

Les fondements mêmes de la société américaine

Le succès colossal remporté par le film, qui détrôna en quelques mois le record détenu depuis plus de trente années par *Autant en emporte le vent* – tourné avec un budget de cinq millions de dollars, il en rapporta cent au cours de sa première exclusivité sur le seul territoire nord-américain –, amena les sociologues à s'interroger sur l'attrait irrésistible qu'il pouvait exercer sur le public américain : la nation entière s'y était reconnue ! Bien que criminels, les Corleone sont plus que tout respectueux de la religion et de la famille, qui sont les fondements mêmes de la société américaine, née de la dure condition de vie des pionniers qui luttèrent pied à pied pour conquérir leurs terres et se livrèrent à un véritable génocide pour devenir les nouveaux maîtres d'un pays conquis ; mais qui, puritains dans l'âme, réussirent toujours à évacuer leur mauvaise conscience et à se trouver une justification morale. S'y ajoutent un souci apparent de défendre les faibles et les opprimés, un respect inné de la hiérarchie, une éthique

Michael (Al Pacino) a succédé à son père à la tête de la famille Corleone – dans *Le Parrain 2e partie*.

jugée supérieure aux structures légales de la société et une manipulation virtuose des mécanismes de la corruption. Francis Ford Coppola analysa très bien la vraie portée de son film lorsqu'il précisa : « La Mafia s'affirme comme une incroyable métaphore de l'Amérique elle-même. » Analogie sans doute renforcée par le fait que la ligne dramatique est pleine de sous-entendus se rapportant à des événements authentiques (le chanteur qui vient quémander l'aide du Parrain pour obtenir un rôle dans un film, par exemple, est une transposition de Frank Sinatra réussissant sa première composition dramatique dans *Tant qu'il y aura des hommes*, Fred Zinnemann, 1953).

Accords secrets avec le monde du crime

Journaliste et critique littéraire, Mario Puzo n'avait publié que deux romans lorsqu'il écrivit « Le Parrain », paru en 1969 et vendu à plus de dix millions d'exemplaires en quelques mois. Par la suite, il devint scénariste — notamment sur *Le Parrain 2e partie* (1974), *Tremblement de terre* de Mark Robson (1974), *Superman* de Richard Donner (1978), *Superman II* de Richard Lester (1980), et *Cotton Club* de Francis Ford Coppola (1984). Le producteur Albert S. Ruddy travailla deux ans à la préparation du film et rencontra deux difficultés majeures. Le FBI craignait de se voir mis en accusation dans le film, car le Bureau créé dès 1924 par Edgar G. Hoover refusa toujours d'admettre l'existence d'une organisation du crime à l'échelle du territoire. La Mafia, d'autre part, avait peur d'être nommément impliquée dans le film. Ruddy finit par passer un accord avec Anthony Columbo, le chef de l'une des « familles » les plus importantes de Brooklyn : c'est ainsi que les mots « Mafia » et « Cosa Nostra » ne sont jamais prononcés dans les dialogues.

Vincent Mancini (Andy Garcia) est prêt à assurer la relève de Michael – *Le Parrain 3e partie*.

Suite et fin

Le succès considérable du film entraîna une suite tournée presque dans la continuité et sortie deux ans plus tard, puis un troisième opus distribué en 1990. Les deux premiers films furent remontés en une mini-série de quatre épisodes pour la télévision, « La Saga du Parrain », dans laquelle furent insérés des plans non retenus dans les films distribués en salle, totalisant sept heures et quart de projection (une heure de plus que la durée totale de projection des deux films).

L'Arnaque

De l'escroquerie considérée comme un des beaux-arts

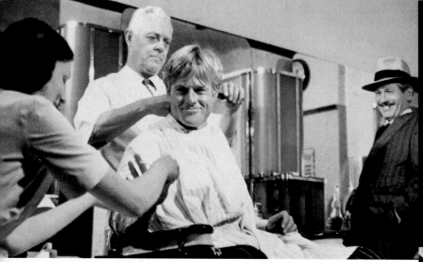

1973

The Sting, policier de George Roy Hill, avec Paul Newman (Henry Gondorff), Robert Redford (Johnny Hooker), Robert Shaw (Doyle Lonnegan), Charles Durning (le lieutenant Snyder), Ray Walston (J. J. Singleton) • Sc. David S. Ward • Ph. Robert Surtees • Mus. Marvin Hamlisch et Scott Joplin • Prod. Tony Bill et Michael S. Phillips • États-Unis • Durée 127' • 7 Oscars : film, réalisation, scénario, décors, adaptation musicale, montage et costumes

La combine subtile montée par deux escrocs, Johnny Hooker et Henry Gondorff, pour piéger Doyle Lonnegan, l'un des gangsters les plus puissants de Chicago.

Johnny Hooker (Robert Redford) et Henry Gondorff (Paul Newman) : deux rois de l'arnaque.

Un modèle de divertissement intellectuel

L'apogée du cinéma-spectacle. Tout dans le film concourt au plaisir du cinéphile : en pleine mode « rétro », la reconstitution minutieuse de l'Amérique à peine sortie de la Prohibition (la scène se passe en 1936), justement récompensée par les Oscars des décors et des costumes, l'habileté diabolique d'un scénario « à tiroirs » (récompensé lui aussi), la réalisation tout en fluidité, en élégance et en finesse – pour accentuer l'aspect nostalgique, le cinéaste a fréquemment recours aux caches, contre-caches, ouvertures et fermetures à l'iris, et les différents chapitres du film sont présentés par des intertitres empruntés au cinéma muet –, la musique qui remet au goût du jour une célèbre mélodie de Scott Joplin, l'abondance de clins d'œil, les comédiens enfin qui semblent jubiler à l'idée du bon tour qu'ils vont jouer à leur victime… et au public ! Car *L'Arnaque* présente cette particularité de faire croire au spectateur qu'il va être complice d'une combine destinée à délester un puissant gangster d'une coquette somme d'argent, alors qu'il se rendra compte aux dernières images qu'il s'est, lui aussi, fait piéger ! La réalisation de George Roy Hill est, en cela, un modèle de mise en images à double signification. La mode était alors aux films qui « trompaient » les spectateurs, comme *Le Limier* de Joseph L. Mankiewicz (1972) et *Tuez Charley Varrick !* de Don Siegel (1973). *L'Arnaque* est en quelque sorte l'apothéose de cette tendance.

Hooker vient d'échapper à la mort.

Illusion et réalité

Mais le film associe également dans une même envolée lyrique et parodique une réflexion sur les grands mythes du film noir et du western – en illustrant le thème classique du jeune débutant initié par un vieux professionnel –, tout en prenant exemple sur le monde du jeu et du racket pour dénoncer sur un mode ironique à quelles extrémités et quelles bassesses peut conduire l'appât du gain.
Encensé par le public pour sa bonne humeur communicative, le film, qui fut l'un des plus gros succès commerciaux de son temps, s'attira un égal concert de louanges de la part de la critique. Seuls les puristes déplorèrent l'anachronisme qui consistait à caractériser les années de la Dépression par une rengaine née à l'époque du ragtime (Scott Joplin est mort en 1917).

Johnny est un joueur redoutable.

Lonnegan (Robert Shaw) va se faire rouler…

L'association Newman - Redford - George Roy Hill

Auteur de *Butch Cassidy et le Kid* (1969) et d'*Abattoir 5* (1971) George Roy Hill, alors à l'apogée de sa carrière, se révélait fidèle à ses préoccupations : donner à voir des personnages « incapables de faire face à la réalité et (qui) ont besoin de créer une illusion pour pouvoir exister ». Newman et Redford, à l'époque, figuraient parmi les cinq super-stars sur lesquelles les studios étaient sûrs de pouvoir compter en montant un film avec elles (les trois autres étant Steve McQueen, Marlon Brando et Clint Eastwood). Le trio Roy Hill - Newman - Redford s'était formé pour *Butch Cassidy et le Kid*. Par la suite, Roy Hill tournera avec Redford seul *La Kermesse des aigles* (1975), puis avec Newman seul *La Castagne* (1977).

Garde à vue

Enquête sur un citoyen au-dessus de tout soupçon

Face-à-face entre Maître Martinaud (Michel Serrault) et l'inspecteur Gallien (Lino Ventura).

1981

Policier de Claude Miller, avec Lino Ventura (l'inspecteur Antoine Gallien), Michel Serrault (Mᵉ Jérôme Martinaud), Romy Schneider (Chantal Martinaud), Guy Marchand (l'inspecteur Marcel Belmont) • Sc. Claude Miller et Jean Herman, d'après le roman de John Wainwright « À table » (« Brainwash », 1979) • Dial. Michel Audiard • Ph. Bruno Nuytten • Mus. Georges Delerue • Prod. Les Films Ariane / TF1 • France • Durée 90' • 4 Césars : meilleurs acteur (Michel Serrault), acteur dans un second rôle (Guy Marchand), scénario et montage

Le duel violent et acharné qui oppose, durant la nuit de la Saint-Sylvestre, un inspecteur à un notaire soupçonné du viol et du meurtre de deux fillettes.

Le grand retour du classicisme « à la française »

Avec cette œuvre dense distillant un suspense sans aucun temps mort, le cinéma français retrouve la qualité spécifique des années qui avaient fait sa gloire : en opposition à la mode imposée par la Nouvelle Vague, un tournage entièrement réalisé en studio avec des acteurs confirmés et un dialogue écrit avec un soin minutieux. Pourtant ancien assistant de Jean-Luc Godard et de François Truffaut, Claude Miller demanda au Vietnamien Lam Lê – futur réalisateur de *Poussière d'empire* (1983) – de lui dessiner un « storyboard » (le travail de caméra plan par plan) à l'exemple d'Alfred Hitchcock et de Henri-Georges Clouzot (l'un des rares cinéastes français à s'être plié à cette discipline). La presse ne s'y est pas trompée, qui a évoqué Clouzot et Duvivier à propos du film, pour sa mise en scène soignée, ses dialogues incisifs et percutants,

Belmont (Guy Marchand) s'énerve…

la performance des acteurs, son aspect de huis clos policier, mais aussi pour sa noirceur et son pessimisme. C'est Michel Audiard qui avait découvert le livre de John Wainwright et qui le porta aux Films Ariane. Choisi par la maison de production, Claude Miller déclara après coup qu'il aurait lui-même cherché à le tourner si le hasard ne l'avait pas désigné pour le réaliser.

Martinaud retrouve sa femme Chantal (Romy Schneider).

« Du caviar sur du foie gras »

Coïncidence, pour son rôle précédent dans *Pile ou face* de Robert Enrico (1980), d'après un roman remarqué, là encore, par Michel Audiard, Michel Serrault jouait déjà le personnage d'un suspect face à un policier incarné par Philippe Noiret. Claude Miller insista pour obtenir Romy Schneider dans le rôle de la femme du notaire soupçonné. Après Ventura et Serrault comme têtes d'affiche, la production se fit longtemps prier, estimant que c'était vraiment mettre « du caviar sur le foie gras » (dixit Claude Miller). Le livre était une analyse presque clinique de l'interrogatoire couramment pratiqué par la police pour confondre un suspect : « L'épingler sur un carton, comme un papillon encore vivant, et regarder ses ailes palpiter

Lino Ventura

D'origine italienne, de son vrai nom Angelo Borrini, Lino Ventura (1919-1987), ancien catcheur, fait une entrée fracassante au cinéma aux côtés de Jean Gabin dans *Touchez pas au grisbi* de Jacques Becker (1954), qui le place d'emblée au rang des têtes d'affiche. D'abord spécialisé dans les rôles de brutes, il se fait remarquer très vite par son jeu subtil, son humour et sa profonde humanité. Il est apparu dans plus de soixante-dix films dont *Classe tous risques* de Claude Sautet (1960), *Cent mille dollars au soleil* de Henri Verneuil (1964), *Le Deuxième Souffle* (1966) et *L'Armée des ombres* (1969) de Jean-Pierre Melville, *La Bonne Année* de Claude Lelouch (1973), *La Gifle* de Claude Pinoteau (1974) sont sans doute parmi les plus mémorables. C'est sa mort soudaine qui a permis de mesurer l'étendue de sa popularité.

dans les affres de l'agonie. » Dans le roman, le personnage du suspect, simple employé du Trésor, était un petit bonhomme médiocre, tyrannisé par sa femme ; les auteurs du film ont choisi de le métamorphoser en un bourgeois hautain, sûr de lui, bénéficiant d'une solide situation sociale. La confrontation n'en est que plus violente sur le plan dramatique. En 2000, sous le titre *Suspicion* (Under Suspicion), le film fit l'objet d'un remake américain transposé à Porto Rico et dirigé par Stephen Hopkins, avec Morgan Freeman, Gene Hackman et Monica Bellucci dans les rôles respectifs tenus par Lino Ventura, Michel Serrault et Romy Schneider.

Les Ripoux

Anarchie dans le service d'ordre

1984

Comédie de Claude Zidi, avec Philippe Noiret (René), Thierry Lhermitte (François), Régine (Simone), Grace de Capitani (Natacha), Julien Guiomar (le commissaire Bloret) • Sc. Claude Zidi, d'après une idée de Simon Mickael • Dial. Didier Kaminka • Ph. Jean-Jacques Tarbès • Mus. Francis Lai • Prod. Les Films 7 • France • Durée 107' • 3 Césars: film, réalisation, montage

Flic véreux et cynique, René sait tirer parti de sa situation et de son expérience pour rançonner les petits truands qu'il côtoie dans son travail. L'arrivée d'un nouveau coéquipier, frais émoulu de l'École de police, va bouleverser sa vie et ses habitudes.

Jeune flic pur et dur, François (Thierry Lhermitte) réprouve les méthodes « à l'ancienne » de René (Philippe Noiret).

Un roi du comique français…

Après avoir gagné ses galons de réalisateur par son succès public en tournant quatre films des Charlots – *Les Bidasses en folie* (1971), *Les Fous du stade* (1972), *Le Grand Bazar* (1973) et *Les Bidasses s'en vont en guerre* (1974) –, Claude Zidi eut l'opportunité de diriger, le couple Pierre Richard - Jane Birkin dans *La moutarde me monte au nez* (1974) et *La Course à l'échalote* (1975), Louis de Funès dans *L'Aile ou la cuisse* (1976) et *La Zizanie* (1978), Jean-Paul Belmondo dans *L'Animal* (1977) et Coluche (déjà présent dans *L'Aile ou la cuisse*) dans *Inspecteur la bavure* (1980) et *Banzaï* (1983). Sacré enfin, après *Les Ripoux*, grand spécialiste du film comique français aux côtés de Gérard Oury, il récidive avec une comédie policière de qualité comparable, *Association de malfaiteurs* (1987), puis *La Totale !* (1991) qui fournira le sujet de *True Lies* (1994), remake américain « musclé » de James Cameron. Enfin, il tourne *Astérix et Obélix contre César* (1999) avec Christian Clavier et Gérard Depardieu dans les rôles des héros les plus populaires de la bande dessinée française.

Éloge de l'immoralité

Un film-événement. Après avoir été durant plus de dix ans l'enfant chéri du public et la bête noire de la critique, Claude Zidi se fait enfin reconnaître comme un authentique cinéaste. L'idée du film lui avait été suggérée par un jeune policier rencontré au Festival de Cannes en 1982, qui lui avait soumis un synopsis de trois pages remplies d'anecdotes vécues par lui et ses collègues. C'est ce policier qui se cache sous le pseudonyme de Simon Mickael. Empreint d'une tonalité jovialement anarchiste, le film ne présente pas les forces de l'ordre sous leur meilleur jour, et certains commentateurs n'ont pas manqué de souligner que le cinéaste, qui affiche une sympathie évidente pour ses personnages, en vient à excuser un peu trop facilement les magouilles de ses « ripoux » (« pourris » en verlan) et de la petite délinquance dans des situations que l'on sent vécues. Mais le succès considérable fut au rendez-vous : *Les Ripoux* remporta haut la main le record d'entrées de l'année avec 1 500 000 spectateurs.

René et Bloret (Julien Guiomar).

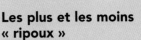

Les plus et les moins « ripoux »

Il fut suivi cinq ans plus tard de *Ripoux contre ripoux* (1989), conçu par les mêmes scénaristes et réalisateur. Philippe Noiret, Thierry Lhermittte et Grace de Capitani reprirent leurs rôles, tandis que Michel Aumont remplaçait Julien Guiomar dans le personnage du commissaire Bloret, et que Line Renaud prenait la place de Régine dans le rôle de Simone, la maîtresse de René. Cette fois, les deux « ripoux » du premier film (René et François) décidaient de redevenir honnêtes, mais étaient remplacés par deux affreux encore plus pourris (Guy Marchand et Jean-Pierre Castaldi). Enfin, près de vingt ans après le premier opus, l'équipe de base se reformait pour un *Ripoux 3* (2003) dans lequel René qui a pris sa retraite, va entraîner une nouvelle fois François, nommé à la Brigade de Répression du Banditisme, dans une entreprise délictueuse.

René, Simone (Régine), Natacha (Grace de Capitani) et François.

François en « planque ».

Poulet au vinaigre
Radiographie d'une ville de province

1985

Policier de Claude Chabrol, avec Jean Poiret (l'inspecteur Jean Lavardin), Stéphane Audran (Madame Cuno), Michel Bouquet (Hubert Lavoisier), Caroline Cellier (Anna Foscarie), Jean Topart (Philippe Morasseau) • Sc. Dominique Roulet et Claude Chabrol, d'après le roman « Une mort de trop » de Dominique Roulet (1982) • Ph. Jean Rabier • Mus. Matthieu Chabrol • Prod. Marin Karmitz - MK2 • France • Durée 110'

Venu enquêter dans une petite bourgade de province sur la disparition de la femme d'un notaire et une mort accidentelle, l'inspecteur Lavardin découvre une sombre affaire immobilière et dénoue une subtile machination criminelle.

Lavardin (Jean Poiret) cuisine Louis, le facteur (Lucas Belvaux)…

Retour aux sources

Après avoir été l'un des phares de la Nouvelle Vague, Claude Chabrol retourne aux sources du cinéma français si critiqué par ses pairs dans les années soixante : rejoignant, à quarante ans d'écart, le Clouzot du *Corbeau* (1943), il met en scène une intrigue policière solidement charpentée et prétexte à une critique sans concession de la vie provinciale. Mais Chabrol était déjà un habitué du genre avec des œuvres comme *À Double Tour* (1959), *La Femme infidèle* (1968), *Que la Bête meure* (1969) ou *Les Noces rouges* (1973), dans lesquels se déployait déjà sa verve satirique pour fustiger une certaine bourgeoisie de la France profonde qui, derrière une respectabilité de façade, s'efforce de dissimuler sa cupidité et sa perversité.

le principe de l'« understatement » : « la présentation, sur un ton léger, d'événements très dramatiques. » Les Américains, à leur tour, n'ont pas manqué d'humour en distribuant le film sous le titre *Cop au vin* !

Henriette (Pauline Lafont), le repos du facteur…

… et le notaire (Michel Bouquet).

La veuve Cuno (Stéphane Audran) et son fils Louis.

En outre, avec la personnalité de ce flic cynique à la « déontologie élastique », moins soucieux de la loi que de rendre sa propre justice, qui adopte en somme le comportement d'un « privé », s'opère le mariage heureux du polar classique et du roman noir : François Guérif avait à l'époque titré sa critique du film « Sam Spade chez Agatha Christie ». Et Claude Chabrol y rejoint Alfred Hitchcock avec

« Les Dossiers de l'inspecteur Lavardin »

Tourné en quelques semaines, dans des conditions financières extrêmement réduites – la moitié d'un budget normal pour un film, « en gros, le prix d'une télé » (Claude Chabrol) –, *Poulet au vinaigre* rapporta suffisamment d'argent à son producteur Marin Karmitz pour qu'un second film mettant en scène le même policier fût mis en chantier l'année suivante, *Inspecteur Lavardin* (1986), lui aussi réalisé par Claude Chabrol sur un scénario original concocté par le cinéaste et Dominique Roulet, créateur du personnage. En 1988, Jean Poiret devait reprendre le personnage de ce flic anarchiste et peu commun, un tantinet sadique – et que certains ont même jugé « fasciste » – dans une série télévisée intitulée « Les Dossiers de l'inspecteur Lavardin ». Quatre téléfilms furent tournés, « L'Escargot noir » et « Maux croisés » de Claude Chabrol, « Le Château du pendu » et « Le Diable en ville » de Christian de Chalonge, avant que la série ne fût interrompue par la mort du comédien.

Un fils spirituel de Guitry

Venu du cabaret et du music-hall où il fit longtemps équipe avec Michel Serrault, Jean Poiret (1926-1992) a commencé une prolifique carrière cinématographique au milieu des années cinquante avec notamment *Assassins et voleurs* de Sacha Guitry (1957). D'abord complice des spécialistes de la comédie – Jean Boyer, Raoul André, Norbert Carbonnaux –, puis de Jean-Pierre Mocky (neuf films ensemble), il est apparu dans une soixantaine de films de 1950 à 1992, gardant toujours une distanciation et une ironie amère, même dans ses rôles dramatiques. Mais il est également et surtout l'un des auteurs les plus spirituels de la seconde moitié du XXe siècle avec une douzaine de pièces de théâtre de boulevard fort populaires, dont la célèbre « Cage aux folles », son plus grand succès, qui tint l'affiche durant cinq ans et fit l'objet de quatre films et d'une adaptation en comédie musicale à New York.

L'Arme fatale

Tandem de flics

Roger Murtaugh (Danny Glover) et Martin Riggs (Mel Gibson) : deux coéquipiers dissemblables.

1987

Lethal Weapon, policier de Richard Donner, avec Mel Gibson (Martin Riggs), Danny Glover (Roger Murtaugh), Gary Busey (Joshua), Darlene Love (Trish Murtaugh) • Sc. Shane Black • Ph. Stephen Goldblatt • Mus. Michael Kamen, Eric Clapton • Prod. Joel Silver • États-Unis • Durée 110'

Deux policiers de Los Angeles, anciens du Viêt-nam que tout sépare, font équipe pour mettre en échec une bande de trafiquants de drogue.

Murtaugh, Leo Getz (Joe Pesci), Lorna Cole (Rene Russo) et Riggs (dans *L'Arme fatale 2*).

Le film noir de l'après-Viêt-nam

Un tournant du film policier hollywoodien. Le point de départ est conventionnel : le couple de flics aux caractères inconciliables que les circonstances et le respect mutuel finiront par rapprocher. Le premier, Noir, heureux avec son épouse et ses trois enfants, vient d'avoir cinquante ans et ne rêve plus que d'une retraite bien méritée. Le second, Blanc, tête brûlée, a perdu sa femme dans un accident de voiture (on apprendra dans le second épisode qu'elle a été assassinée) et ne trouve plus aucun attrait à l'existence : acceptant tous les risques, les provoquant au besoin, il adopte un comportement de plus en plus suicidaire. C'est, sur un ton beaucoup plus dramatique, le duo de *48 Heures* de Walter Hill (1982), avec Nick Nolte et Eddie Murphy. Mais surtout, empreint d'une indéniable nostalgie, *L'Arme fatale* est le film noir type de l'après-Viêt-nam. Les deux policiers sont d'anciens combattants de cette guerre honteuse et perdue. Et ceux qu'ils ont à combattre ne sont autres que leurs compagnons d'armes de jadis, passés du mauvais côté de la barrière. « Le syndrome vietnamien gangrène à ce point le cinéma américain populaire, écrit Jacques Zimmer, que tous les protagonistes sont ici (bons ou mauvais) des anciens des "special corps". » Mel Gibson incarnera peu après l'un de ces agents des Forces spéciales en Asie dans *Air America* de Roger Spottiswoode (1990).

Riggs en pleine action (dans *L'Arme fatale 3*).

Une violence paroxystique

Le décor lui aussi change. L'environnement urbain laisse place, à certains moments cruciaux, à de vastes étendues désertiques : la rencontre des deux policiers avec les trafiquants de drogue a lieu sur le terrain plat d'un lac asséché. Une fois le « background » des personnages principaux bien défini, l'action devient prédominante, au mépris de toute vraisemblance. Enfin, quelques répliques bien senties et une autodérision affirmée permettent au spectateur de décompresser… pour quelque temps.
Mis en scène par un artisan chevronné – Richard Donner est le réalisateur, entre autres, de *La Malédiction* (1976) et du premier *Superman* (1978) –, le film abonde en poursuites effrénées et cascades en tout genre. Quant à la violence, elle devient paroxystique dans des scènes de torture, caractéristique de l'orientation nouvelle du film d'action – l'influence du cinéma de Hong Kong commence à se faire sentir –, marquant ainsi le début d'une surenchère permanente pour les années à venir. On ne saurait rêver meilleur symbole : le film est dédié à un cascadeur, Dar Robinson, et à la profession en général pour qui Richard Donner a le plus grand respect (« Sans eux, le cinéma n'aurait pas la même magie », dit-il). C'est Dar Robinson que l'on voit plonger dans le vide dans la première séquence du film : un saut du haut d'un immeuble de cinquante mètres, avec un filin invisible qui l'arrêta dans sa chute à deux mètres du sol ! Après avoir achevé son travail avec Richard Donner, Dar Robinson se tua au cours d'une cascade en moto sur le tournage d'un autre film. En outre, l'un des autres cascadeurs, Bobby Bass, enseignait la lutte antiterroriste dans une école en Caroline du Sud qui travaille pour le gouvernement.

Suites

Le film connut une telle audience que la même équipe – le réalisateur, le producteur, et les deux vedettes masculines – tourna trois suites, en 1989, 1992 et 1998, au succès comparable. Mais l'arrivée, dès le second volet, d'un troisième larron – Joe Pesci en ancien comptable de la Mafia reconverti dans l'immobilier, volubile et insupportable –, conférera à la série une tonalité plus volontiers parodique et même parfois loufoque.

Piège de cristal
Seul contre un commando

John McClane (Bruce Willis), un policier qui a le don de se trouver là au bon moment…

1988

Die Hard, policier de John McTiernan, avec Bruce Willis (John McClane), Alan Rickman (Hans Gruber), Alexander Godunov (Karl), Bonnie Bedelia (Holly Gennaro McClane), Reginald VelJohnson (Al Powell) • Sc. Jeb Stuart, Steven E. de Souza, d'après le roman de Roderick Thorpe • Ph. Jan De Bont • Mus. Michael Kamen • Prod. Lawrence Gordon, Joel Silver • États-Unis • Durée 126'

Un policier isolé fait échec à une gigantesque prise d'otages par des gangsters organisés en commando qui ont pris d'assaut un gratte-ciel appartenant à une riche compagnie japonaise.

Gruber (Alan Rickman) menace Holly (Bonnie Bedelia).

Issu du serial et du film-catastrophe

Dans un paysage cinématographique en perpétuelle évolution, *Piège de cristal* revisite le thriller policier en y intégrant une forme d'action que Steven Spielberg avait remise au goût du jour avec ses *Aventuriers de l'arche perdue* (1981) : le bon vieux « serial » de jadis. Connu en France sous l'appellation de « film à épisodes » et surtout destiné à un public d'adolescents, le « serial » racontait, sous la forme de douze à quinze épisodes de 15 à 20 minutes chacun, la lutte d'un héros sans peur et sans reproche contre une puissante organisation criminelle, en une action échevelée et continue, et sans aucun souci de vraisemblance. *Piège de cristal* reprend exactement ce schéma : les péripéties qui ponctuent une action presque ininterrompue, ne cessent de faire reculer, avec un clin d'œil complice de la part du réalisateur, les bornes de la crédibilité, du plausible et du rationnel, rejoignant les préoccupations et l'esthétisme de la bande dessinée – les multiples contusions et blessures du héros étant sans doute les seules concessions au réalisme, mais tempérées par un humour noir omniprésent. Pour faire bonne mesure, le film se pare des attraits du film-catastrophe – la situation du building entier pris en otage évoquant infailliblement *La Tour infernale* de John Guillermin et Irwin Allen (1974). En outre, le décor particulier et unique dans lequel se déroule entièrement l'action rappelle les préoccupations de certains auteurs modernes de science-fiction comme le Britannique James G. Ballard pour qui les IGH (immeubles à grande hauteur) deviennent le symbole d'un cauchemar technologique, présage d'un cataclysme écologique imminent. Il s'ensuit un budget considérable octroyé à un genre (le thriller) qui, jusqu'alors, ne bénéficiait jamais de pareilles largesses. Le calcul des producteurs se révéla payant puisque le film fut l'un des « top money makers » de l'année.

Nouvelle tour infernale

Le film met donc en vedette par son esthétisme particulier le décor typique et traumatisant des cités modernes, « une jungle de béton, de verre et d'acier », selon les termes du directeur artistique Jackson DeGovia. Le tournage eut lieu dans la nouvelle tour (à l'époque) du Fox Plaza à Los Angeles, repérée par le co-scénariste Jeb Stuart, qui la visita : « La tour était idéale pour l'histoire que j'avais en tête et je suis allé examiner les structures, les couloirs et les issues, déclara-t-il. Je me suis ainsi rendu compte qu'un gratte-ciel vide, la nuit, pouvait être un endroit particulièrement terrifiant. »

Karl (Alexander Godunov), un terroriste prêt à tout.

Deux suites

Outre beaucoup d'imitations reprenant le thème du justicier seul face à un groupe armé et dangereux, *Piège de cristal* engendra deux suites tout aussi populaires. *58 Minutes pour vivre* de Renny Harlin (1990), dans lequel apparaît à nouveau le personnage de Holly McClane, ainsi que le policier Al Powell, est un film beaucoup plus politisé qui fait allusion à l'extradition vers les États-Unis du général Noriega, dictateur et trafiquant de drogue notoire. Quant à *Une Journée en enfer* de John McTiernan (1995), très spectaculaire également, il se permet beaucoup plus de digressions humoristiques dans ses péripéties.

McClane échappe à l'explosion du toit.

Nikita

Apprentie femme fatale

1990

Film d'espionnage de Luc Besson,
avec Anne Parillaud (Nikita), Tchéky
Karyo (Bob), Jean-Hugues Anglade
(Marco), Jeanne Moreau (Amande), Jean
Reno (Victor) • Sc. Luc Besson •
Ph. Thierry Arbogast • Mus. Éric Serra •
Dist. Gaumont • France - Italie •
Durée 114' • César de la meilleure
actrice (Anne Parillaud)

**Condamnée à la réclusion à perpétuité
pour le meurtre d'un policier, Nikita,
déclarée officiellement morte,
est contrainte de travailler comme agent
pour le gouvernement.**

Au lieu de rester auprès de son ami Marco, Nikita passe parfois la nuit à « planquer ».

À l'école de l'espionnage

Pour la première fois, Luc Besson place une femme au centre de son film, comme il le fera plus tard avec Leeloo, clé du *Cinquième élément* (1997) dont l'actrice, Milla Jovovich aura le rôle principal dans *Jeanne d'Arc* (1999). Luc Besson raconte que c'est en avion, alors qu'il écoutait la chanson « Nikita » d'Elton John avec son walkman, qu'il imagina l'histoire d'une femme qui porterait ce prénom. Il commence le scénario tout en travaillant à la quatrième ou cinquième mouture du *Grand Bleu* (1988). Il veut écrire pour Anne Parillaud avec qui il vit, car il la sent capable de jouer des rôles qu'on ne lui a jamais proposés. Seule condition : qu'elle recommence à zéro. Anne Parillaud doit prendre des cours de danse, de chant pour fortifier sa voix, de tir, de maintien et de judo pour délier son corps et mieux bouger. Elle accomplit aussi le chemin inverse de celui de Nikita. N'ayant pas de mal à exprimer sa féminité, elle doit apprendre à interpréter un personnage violent.

Papillon mortel

Amande réveille la jeune femme cachée sous la couche de crasse et de souffrance : « Laisse-toi guider par le plaisir, ton plaisir de femme et n'oublie pas, il y a deux choses qui sont sans limites : la féminité et les moyens d'en abuser. Il faut toujours sourire quand on ne sait pas. Cela ne vous rend pas plus intelligente, mais c'est plus agréable pour ceux qui vous regardent. » Le sourire devient une arme, mais au début, devant le miroir, Nikita ne peut former qu'un rictus pathétique. La paumée en rangers découvre que sa féminité est plus efficace que l'agressivité. Tout au long du film,

elle se transforme. Sa violence canalisée, elle devient une machine à tuer, rompue aux missions les plus ardues. Sa formation lui permet de conserver son sang-froid : dans la scène du restaurant lorsque les gardes arrosent la cuisine à l'arme automatique, Nikita frappe avec précision, armée seulement de deux chargeurs de six balles chacun. La confrontation des techniques instinctives de la rue avec celles plus strictes des arts martiaux donne lieu à des scènes cocasses, comme lorsqu'elle mord l'oreille de son adversaire. Luc Besson s'occupant de tout en détail, Michel Norman, responsable des cascades, n'intervint que pour deux scènes, celle du vide-ordures et celle de la Mercedes qui traverse le mur.

Lorsqu'une affaire tourne mal, Victor, le « nettoyeur », intervient.

Nikita (Anne Parillaud), élève espionne à la double vie.

Nikita maîtrise sans peine Bob (Tchéky Karyo).

Les quatre fins

Trois ans après l'énorme succès de *Nikita*, la Warner Bros racheta les droits du film. Luc Besson refusa de réaliser *Nom de code : Nina* (John Badham, 1993), dans lequel Bridget Fonda reprit le rôle d'Anne Parillaud, cependant il travailla à « l'américanisation » du scénario. Cette histoire aura quatre fins. Luc Besson tourna une fin différente de celle prévue au départ. Puis en écrivit une troisième pour le remake, qui fut réalisé au goût des Américains (ce n'est plus Marco qui protège Nikita mais Bob qui fait passer Nina pour morte).

Reno le retour

Lorsque Jean Reno refusa de jouer Bob, un fonctionnaire froid et calculateur, Luc Besson lui proposa Victor, un tueur expéditif exempt de sentiments, qu'on envoie à la dernière minute arranger les situations difficiles (il arrive, improvise et nettoie). Ce personnage permit à Jean Reno d'oublier celui d'Enzo (*Le Grand Bleu*). Souhaitant par la suite écrire un scénario pour l'acteur, Luc Besson retravailla le personnage de Victor et réalisera *Léon* (1994).

Pulp Fiction

Du sang neuf dans le polar

1994

Pulp Fiction, policier de Quentin Tarantino, avec John Travolta (Vincent Vega), Samuel L. Jackson (Jules), Uma Thurman (Mia), Bruce Willis (Butch), Maria de Medeiros (Fabienne), Tim Roth (Pumpkin), Amanda Plummer (Honey Bunny), Harvey Keitel (The Wolf) • Sc. Quentin Tarantino, Roger Avary • Ph. Andrzej Sekula • Superv. mus. Karyn Rachtman • Prod. Lawrence Bender • États-Unis • Durée 154' • Palme d'Or du Festival de Cannes ; Oscar du meilleur scénario

Trois destins criminels qui s'entrecroisent. L'homme de main d'un caïd sort, pour la distraire, la petite amie de son patron ; un boxeur refuse de se coucher au cours d'un combat truqué ; un jeune couple organise un hold-up impromptu dans une cafétéria.

Vincent Vega (John Travolta) et Jules (Samuel L. Jackson), deux tueurs bien bavards, mais efficaces…

Butch (Bruce Willis) et sa petite amie Fabienne (Maria de Medeiros).

Mia Wallace (Uma Thurman) danse le twist avec Vincent.

Un puzzle étourdissant et désinvolte

Après cent années d'existence et alors que tout semble avoir été fait, comment insuffler un sang neuf au cinéma ? Quentin Tarantino prend pour base trois récits de « pulps », ces magazines à bon marché publiés aux États-Unis, et renouvelle complètement la narration cinématographique par une savante déconstruction chronologique. Chaque histoire en elle-même n'a rien de très original, mais le traitement narratif les rend uniques et inoubliables. Car les personnages qui y évoluent se retrouvent d'un épisode à l'autre, vus et observés sous un autre angle, tel protagoniste d'une histoire devenant un comparse dans une autre et une silhouette dans la troisième. Cet enchevêtrement donne lieu à une succession de scènes qui, à contre-courant du cinéma contemporain, prennent leur temps, où la surprise le dispute à la dérision, où les clichés sont

constamment détournés, où l'humour naît d'une banalisation de la violence – que certains ont pu juger excessive –, où l'angoisse amenée à son point culminant se résout toujours par un éclat de rire, le tout pimenté par un dialogue surabondant et riche de digressions en tout genre, faisant voler toutes les conventions en éclats. Et ce n'est qu'au tout dernier plan du film que l'homogénéité de l'ensemble prend sa véritable signification et que le puzzle se reconstitue avec une éblouissante évidence. Du grand art provoquant chez le spectateur une indicible jubilation que le cinéaste, on le sent, éprouva lui-même durant le tournage. Tarantino l'a dit : « Je fais les films que j'ai envie de voir. »

Le film d'un cinéphile pour les cinéphiles

Les professionnels du cinéma ne s'y sont pas trompés, lui attribuant deux des plus hautes récompenses internationales. Succès public *Pulp Fiction* est une œuvre rare, de celles que l'on peut déguster régulièrement : « … Je suis sûr qu'on peut le revoir cinq fois d'affilée et découvrir encore des choses qui nous avaient échappé. Et ça, c'est l'un des plus beaux cadeaux qu'un cinéaste puisse faire à son public », précisait Bruce Willis. Enfin, on ne saurait oublier l'importance que Quentin Tarantino accorde aux comédiens, l'amour et l'admiration qu'il leur porte.

The Wolf (Harvey Keitel) vient aider Jimmie (Quentin Tarantino).

Le phénomène Tarantino

Révélé deux ans auparavant par le sanglant coup de tonnerre qu'avait été *Reservoir Dogs* (1992), Quentin Tarantino a surpris tout le monde en montrant déjà un renouvellement de son inspiration avec son troisième film, *Jackie Brown* (1997), une adaptation très respectueuse d'un roman d'Elmore Leonard. C'est avant tout un cinéphile averti qui connaît parfaitement l'univers dans lequel il a choisi de faire carrière. Comme le disait un critique, ses films sont de pur plaisir : ils ne prétendent nullement délivrer un message, mais leur ton constamment provocateur fonctionne en vase clos, dans le seul monde imaginaire du cinéma. « Tant que le cinéma existera, dit Tarantino, on trouvera des moyens différents de raconter des histoires. » Tarantino s'est également amusé à faire l'acteur dans ses propres films et chez ses amis Robert Rodriguez (*Desperado / Une nuit en enfer*, 1996) et Spike Lee (*Girl 6*, 1996).

Seven

Perversions macabres dans une Amérique crépusculaire

David Mills (Brad Pitt) et William Somerset (Morgan Freeman) découvrent une nouvelle victime du tueur.

1995

Se7en, policier de David Fincher, avec Brad Pitt (David Mills), Morgan Freeman (William Somerset), Gwyneth Paltrow (Tracy Mills), Kevin Spacey (John Doe) • Sc. Andrew Kevin Walker • Ph. Darius Khondji • Mus. Howard Shore • Prod. Arnold Kopelson, Phyllis Carlyle • États-Unis • Durée 125'

Un jeune inspecteur fait équipe avec un collègue sur le point de prendre sa retraite, pour faire échec à un tueur en série qui calque ses crimes sur les sept péchés capitaux.

Tracy (Gwyneth Paltrow), la jeune épouse de Mills.

L'abominable monsieur tout-le-monde...

Dans une Amérique sépulcrale – il pleut dans presque toutes les séquences –, deux enquêteurs traquent un monstrueux criminel parti en croisade contre la dégénérescence morale de ses concitoyens. L'abominable John Doe – un synonyme de « Dupont » – est un fervent catholique scandalisé par la corruption qui l'entoure. À la fois sadique et charmeur, il exécute ses victimes avec une application, une logique, une cruauté et un sang-froid qui dénotent une foi inébranlable dans la mission divine dont il se croit investi : punir tour à tour l'avarice, la gourmandise, la paresse, la luxure, l'orgueil… Tout en jouant avec les deux policiers qui se lancent sur sa piste (le traditionnel jeu du chat et de la souris), et en les manipulant avec une intelligence diabolique puisqu'il parviendra à en faire ses complices inconscients pour parfaire son œuvre en illustrant, à sa manière, l'envie et la colère… David Fincher ajoute un huitième péché capital : l'apathie. Face à John Doe, deux représentants de la loi que tout sépare : l'un est un vieil homme solitaire et taciturne, n'ayant plus aucune confiance dans l'avenir – il n'a jamais voulu d'enfant –, l'autre un jeune loup déboussolé, ambitieux, une tête brûlée d'une prétention rare. Ainsi, avec une habileté confondante, le scénario dresse le portrait sans illusion d'un pays au bord du chaos qui souffre toujours, même dans ses excès les plus noirs, de son puritanisme viscéral et d'un mysticisme diffus qui contamine toutes les couches de la société.

Un bureaucrate du crime, moraliste et pervers

Depuis *Jack l'Éventreur*, les monstres sans visage exercent toujours une irrésistible fascination. La fin du XXe siècle a été dominée par ce nouveau visage du Mal, le tueur en série ou « serial killer » dont le plus célèbre exemple est le Hannibal Lecter du *Silence des agneaux* (1991). David Fincher, qui s'était déjà fait remarquer avec un *Alien3* (1992) sinistre à souhait, va cette fois jusqu'au bout de sa descente aux Enfers. Le scénariste Andrew Kevin Walker a exercé la profession de caissier, avant de devenir chef de rayon chez Tower Records, une chaîne de magasins vidéos : « Être caissier donne un point de vue privilégié, explique-t-il : c'est comme si l'on était au spectacle, et New York est une ville fascinante. Je rencontrais tellement de gens bizarres. Finalement, j'ai imaginé un bureaucrate du crime. John Doe était né. Il planifie ses crimes méticuleusement. Il en est d'autant plus terrifiant. Cadavre après cadavre, il pense nettoyer la crasse d'une société qui n'a plus de valeurs morales. » Sous sa plume et par le truchement d'un cinéaste inspiré, *Seven* est devenu un déchirant cri de panique face à la décadence de la société américaine.

Somerset énumère les sept péchés capitaux.

Brad Pitt, symbole d'une jeunesse désorientée

Depuis une courte mais mémorable apparition en petite crapule dans *Thelma et Louise* de Ridley Scott (1991), Brad Pitt (né en 1963) est devenu, en dix ans, l'une des plus grandes stars d'Hollywood, tout en incarnant le symbole d'une certaine révolte des jeunes qui l'apparente à James Dean. S'il fut tueur fou dans *Kalifornia* de Dominic Sena (1993), vampire homosexuel dans *Entretien avec un vampire* de Neil Jordan (1994), jeune illuminé dans *L'Armée des douze singes* de Terry Gilliam (1995), c'est surtout son rôle d'alpiniste autrichien devenu précepteur du Dalaï Lama dans *Sept ans au Tibet* de Jean-Jacques Annaud (1997) qui a montré toute l'étendue de son talent. On l'a vu depuis aux côtés de Robert Redford dans *Spy Game* de Tony Scott (2001) et de George Clooney dans *Ocean's Eleven* de Steven Soderbergh (2001).

Mills cède à la colère…

Usual Suspects
Images en trompe-l'œil

1995

The Usual Suspects, policier de Bryan Singer, avec Stephen Baldwin (McManus), Gabriel Byrne (Dean Keaton), Chazz Palminteri (Kujan), Kevin Pollak (Hockney), Pete Postlethwaite (Kobayashi), Kevin Spacey (« Verbal » Kint), Benicio Del Toro (Fenster) • Sc. Christopher McQuarrie • Ph. Newton Thomas Sigel • Mus. John Ottman • Prod. Bryan Singer, Michael McDonnell • États-Unis • Durée 107 ' • 2 Oscars : meilleurs acteur second rôle masculin (Kevin Spacey) et scénario

Après une gigantesque explosion dans un port, un inspecteur tente de reconstituer les événements qui ont conduit cinq gangsters à une sanglante confrontation avec un mystérieux criminel.

Cinq suspects : Hockney (Kevin Pollak), McManus, Fenster (Benicio Del Toro), Keaton (Gabriel Byrne) et Kint.

Kint (Kevin Spacey) et McManus (Stephen Baldwin).

Qui est donc Keyser Söze ?

Une intrigue gigogne, un découpage savamment déconstruit sur le plan chronologique, restitué par un montage éblouissant de virtuosité, nous racontent l'étonnante odyssée de ces cinq criminels qui se sont rencontrés sur le casse audacieux d'un camion blindé. Venus en Californie et engagés pour un nouveau coup qui tourne mal par un avocat au curieux nom de Kobayashi, ils se lancent sur la piste de leur mystérieux commanditaire, une figure mythique du monde du crime que ceux qui l'ont rencontré désignent comme le Diable en personne : Keyser Söze. Cette quête aboutira à la destruction d'un cargo argentin dans le port californien de San Pedro et à la découverte de 27 cadavres carbonisés. Il ne reste plus qu'un survivant, estropié et terrorisé, qui raconte tout à un inspecteur avide de comprendre. Mais qui est donc Keyser Söze ?

Une tentative unique d'expérimentation visuelle

La grande originalité de *Usual Suspects* est de réussir à raconter les événements, par le truchement du traditionnel flash-back et vu par les yeux du narrateur, le timide et volubile « Verbal » Kint (Kevin Spacey), avec des images « capables de mentir ». Ce que nous voyons est la stricte vérité, la reconstitution minutieuse des faits. Mais les apparences sont trompeuses, et les images peuvent être interprétées de deux manières différentes, le véritable sens nous demeurant caché jusqu'au coup de théâtre final au cours duquel le film bascule pour nous révéler la face cachée des choses. « J'aime l'idée que les choses ne puissent pas être toujours ce qu'elles semblent être, expliquait Bryan Singer. J'ai vu dans cette histoire la possibilité de jouer un peu avec cette convention qui veut que le récit ne peut mentir et indique toujours de manière sincère la façon dont s'est déroulée l'intrigue. » Par cet aspect éminemment captivant, *Usual Suspects* est un film qui mérite une seconde vision presque immédiate pour permettre de découvrir enfin le sens véritable des images. En outre, avec *Seven*, le film révéla Kevin Spacey, qui reçut un Oscar pour son rôle.

McManus menace Kobayashi (Pete Postlethwaite).

Les policiers Kujan (Chazz Palminteri) et Rabin (Dan Hedaya).

Un cinéaste doué

Tourné en 35 jours avec un budget qui ne dépassait pas le tiers d'un budget normal – son maître d'œuvre s'est vanté d'avoir pu, parfois, tourner deux scènes en même temps –, *Usual Suspects* est le deuxième film de Bryan Singer qui, à 25 ans, avait déjà signé en 1993 *Public Access*, d'après un scénario original de son complice Christopher McQuarrie, et qui avait obtenu le Grand Prix du Jury au Festival de Sundance. « Être un jeune réalisateur n'a pas que des avantages, disait-il encore. Je travaille avec des gens qui ont dix ou quinze ans de plus que moi, et auprès desquels il faut systématiquement que je fasse mes preuves. » Depuis, Bryan Singer a confirmé ses dons en signant *Un Élève doué* (1997), d'après Stephen King, avec Ian McKellen, avant d'avoir l'insigne honneur de se voir proposer la réalisation de *X-Men*, l'un des « blockbusters » de l'année 2000. Il a ensuite signé *X-Men 2* (2002) et *Superman Returns* (2006). Quant à Christopher McQuarrie, encore plus jeune que lui, il a réalisé son premier film en 2000, *Way of the Gun*.

Hana-Bi / Feux d'artifice

La fleur et le feu

1997

Hana-Bi, drame de Takeshi Kitano avec Takeshi Kitano (Nishi), Kayoko Kishimoto (Miyuki), Ren Osugi (Horibe) • Sc. Takeshi Kitano • Ph. Hideo Yamamoto • Mus. Joe Hisaishi • Prod. Bandai Productions • Japon • Durée 103' • Lion d'or au Festival de Venise 1997

Au cours d'une mission, l'inspecteur Nishi se rend au chevet de Miyuki, sa femme, atteinte de leucémie. En son absence, son collègue Horibe est blessé par des malfrats. Nishi emprunte de l'argent à des yakuza et braque une banque pour aider Horibe, paralysé, et offrir un dernier voyage à Miyuki. Traqué par les yakuza et la police, Nishi se suicide avec Miyuki.

Nishi a emmené une dernière fois son épouse Miyuki (Kayoko Kishimoto) à la plage.

Instants de douceur, éclairs de violence

Hanabi, sans trait d'union, signifie « feu d'artifice ». Hana seul, précise Takeshi Kitano, c'est la « fleur », allégorie de la vie ; bi, c'est le « feu », la destruction. Le trait d'union les sépare et les oppose, comme la vie s'oppose à la mort.

Justice expéditive !

Yakuza

Dans presque tous ses films – *Violent Cop* (1989), *Boiling Point* (1990), *Sonatine/Mélodie mortelle* (1993), *Hana-Bi*, *L'Été de Kikujiro* (1999), *Aniki, mon frère* (2000) –, Takeshi Kitano fait intervenir des yakuza, ces hors-la-loi qui sont au Japon l'équivalent des gangsters et des mafieux dans le monde occidental. Kitano les dépeint pour ce qu'ils sont, des criminels, et leur oppose des personnages qui, comme Nishi dans *Hana-Bi*, peuvent en être les victimes. En revanche, dans les années 60, un genre avait fait florès dans le cinéma japonais, le « Ninkyo-mono » ou film de yakuza, qui présentait ces bandits comme de véritables héros, à l'égal et dans la tradition des samouraïs dont les hauts faits historiques faisaient aussi l'objet d'un genre spécifique, le « jidai-geki ».

Maniant avec brio l'art de l'ellipse et du plan-séquence, Kitano allie les codes du polar à une histoire d'amour bouleversante. Ce septième long métrage du réalisateur se nourrit de cette opposition entre la vie et la mort, entre la violence et l'amour. Il l'illustre avec sensibilité dans la séquence finale, celle du voyage que Nishi entreprend avec son épouse Miyuki, condamnée par la maladie. Des images de montagnes enneigées, de plages désertes, d'un temple perdu dans la forêt ponctuent des moments de paix, de sérénité, de tendresse, d'autant plus poignants qu'ils sont volés au bruit et à la fureur d'un monde secoué périodiquement de spasmes de violence aveugle. Nishi organise pour celle qu'il aime un feu d'artifice. Il sait que ses anciens collègues lancés à ses trousses ont retrouvé sa trace. Il quitte un instant Miyuki pour leur demander de surseoir quelques minutes à son arrestation. Puis il retourne sur la plage, s'assoit à côté de Miyuki, apaisée, heureuse. La caméra se détourne vers la mer. On entend deux coups de feu.

Un cinéaste atypique

Né le 18 janvier 1947 à Tokyo, Takeshi Kitano a connu une enfance difficile, car son père perdait au jeu une grande part des ressources de la famille. Renvoyé

Deux policiers s'apprêtent à arrêter Nishi.

L'inspecteur Nishi (Takeshi Kitano).

de l'université, il vit de petits boulots : caissier dans une boîte de strip-tease, il monte un numéro de comique travesti entre deux effeuillages. Puis il s'initie à la danse et aux claquettes. Mais c'est dans l'art du « manzaï » que son talent va éclater. Le « manzaï » est un style comique fondé sur l'improvisation verbale et la vitesse d'élocution. Au milieu des années 1970, il forme avec un autre comédien un duo à succès, les « Two Beats ». Il gardera de cette époque son surnom de « Beat Takeshi » sous lequel, à partir des années 1980, il devient à la Télévision une véritable star, participant parfois à neuf émissions par semaine comme animateur ou comédien dont l'humour ravageur lorgne vers l'absurde. En même temps, il écrit, publie, peint et se taille même une réputation de joueur de base-ball. Il débute au cinéma en 1983, comme acteur dans *Furyo* de Nagisa Oshima. Il réalise son premier film en 1989, *Violent Cop*, et depuis, tout en continuant à se produire à la télévision, il mène une carrière de metteur en scène, producteur, scénariste, monteur et parfois acteur, qui fait de lui le cinéaste phare du cinéma japonais contemporain.

Volte/Face

Jeu de miroirs entre le Bien et le Mal

1997

Face/Off, policier de John Woo, avec John Travolta (Sean Archer), Nicolas Cage (Castor Troy), Joan Allen (Eve Archer), Alessandro Nivola (Pollux Troy), Gina Gershon (Sasha Hassler) • Sc. Mike Werb, Michael Colleary • Ph. Oliver Wood • Mus. John Powell • Prod. Touchstone / Paramount • États-Unis • Durée 138'

Après avoir capturé un dangereux terroriste, un agent du FBI accepte de se faire greffer le visage de son ennemi pour découvrir, auprès du frère du criminel incarcéré, l'emplacement d'une bombe qui pourrait détruire Los Angeles...

Face à face mortel entre Castor Troy (Nicolas Cage) et Sean Archer (John Travolta). Mais qui est qui ?

Est-Ouest, yin et yang...

Après deux coups d'essai – *Chasse à l'homme* (1993) et *Broken Arrow* (1996) –, John Woo, le réalisateur prodige de Hong Kong, réussit son examen de passage à Hollywood. Ayant parfaitement assimilé les données d'un script ménageant les péripéties sans souci de vraisemblance, il offre à ses admirateurs un film qui intègre à la perfection les coordonnées de la culture américaine à son style inimitable : la violence, les combats

Les frères Troy, Castor et Pollux (Alessandro Nivola).

chorégraphiés comme dans un film musical, un certain sentimentalisme. Le scénario se maintient en équilibre entre le policier noir et le fantastique. John Woo, qui s'est toujours réclamé du cinéma de Jean-Pierre Melville – *The Killer* (1989) étant inspiré du *Samouraï* (1967) – exploite jusque dans ses prolongements les plus inattendus le duel ambigu du flic et du truand – c'est-à-dire du Bien et du Mal : « Le bon menace parfois de perdre pied, de se comporter comme le méchant pour sauver les siens, dit-il. Quand les armes parlent, ils sont égaux. Le méchant peut manifester des sentiments humains, le bon peut se laisser aller à la férocité.

J'ai été élevé dans la foi chrétienne : aime ton ennemi, aime ton voisin, aime tout le monde. Pense Est et Ouest, pense équilibre, pense égalité, pense symétrie, pense yin et yang. Pense amour avant tout. »

« Un comédien jouant le rôle d'un autre... »

John Woo s'était vu proposer le sujet de *Volte/Face* dès son arrivée aux États-Unis en 1992, mais l'avait refusé de peur de se voir submerger par les effets spéciaux, car il le trouvait alors trop futuriste. Entre-temps, le scénario fut racheté par Michael Douglas, qui exigea certaines modifications, et cette nouvelle mouture fascina le cinéaste parce que, disait-il, « jamais, auparavant, on n'avait vu un comédien jouant le rôle d'un autre. » (Il ignorait que le sujet avait déjà été traité en France en 1994 dans *La Machine* de François Dupeyron). John Woo recentra le script sur le conflit intime des deux principaux protagonistes afin d'illustrer une aventure « plus émotionnelle et plus humaine ». De son propre aveu, toute la compréhension du film reposait sur les épaules de John Travolta et de Nicolas Cage, sur leur complicité, leur perfectionnisme, leur parfaite concentration et « leur volonté d'aller jusqu'au bout de la logique du récit » : « Lorsqu'ils échangent leur identité,

Eve Archer (Joan Allen) retrouve son mari. Mais est-ce bien lui ?

Sous les traits de Castor, Archer rencontre Sasha (Gina Gershon).

chacun devait apprendre à jouer comme l'autre. Un travail d'observation très délicat pour les acteurs, et par extension très difficile pour moi. »

Un maître asiatique à Hollywood

C'est précédé d'une carrière déjà impressionnante (22 films en près de 20 ans, de 1973 à 1992) et d'une réputation glorieuse que John Woo (né à Hong Kong en 1948) a été appelé à Hollywood après le succès mondial remporté par *The Killer*. Dès lors, son influence n'a cessé de se faire sentir. Depuis, aucune scène de violence ne peut se concevoir en faisant abstraction de son apport : la chorégraphie dans les combats, le déluge de fer et de feu, l'abondance de sang. À trente ans d'écart, John Woo a rejoint Sam Peckinpah parmi les grands réformateurs de l'écriture filmique.

Collatéral
Los Angeles by night

2004

Collatéral, policier de Michael Mann, avec Tom Cruise (Vincent), Jamie Foxx (Max), Jada Pinkett Smith (Annie), Mark Ruffalo (Fanning), Javier Bardem (Félix) • Sc. Stuart Beattie, Michael Mann • Ph. Dion Beebe, Paul Cameron • Mus. James Newton Howard • Dist. UIP • États-Unis • Durée 120'

Los Angeles. Max, chauffeur de taxi, est engagé un soir par un homme d'affaires pour une série de courses. Il réalise vite que celui-ci, Vincent, est un tueur à gages.

Vincent (Tom Cruise) a embauché Max (James Foxx) pour toute la nuit…

Une tragédie crépusculaire

Sur un scénario haletant mais au thème souvent exploité, Michael Mann imprime sa marque. Dominant dans cette tragédie suffocante les notions d'unité de temps, de lieu et d'action, il accapare une ville, Los Angeles, traitée à l'égal des personnages du drame, dans une splendeur urbaine quasi magique. Il confère à ses héros,

Un tueur dans la foule.

deux solitaires pris dans un engrenage qui les révèle à eux-mêmes, le statut de mythes urbains antithétiques, lancés dans une course

nocturne effrénée empreinte d'élégance et de mélancolie et il orchestre à coups d'accélérations subtiles la marche du destin entre le Bien et le Mal. Sa maîtrise visuelle, associée à une musique à dominante de blues, envoûte le spectateur. Son travail inédit sur la couleur et l'utilisation d'une caméra numérique haute définition magnifient la matière à la manière d'un peintre. Tom Cruise, sobre et élégant, convainc en monolithe qui se détraque, mais on remarque surtout Jamie Foxx en chauffeur velléitaire, aux antipodes de sa prestation dans *Ray* (Taylor Hackford, 2004). « C'est une bombe atomique – déclare Mann – Je suis surpris qu'on ait mis si longtemps à le découvrir ».

Michael Mann, un maître en puissance

Venu au cinéma en 1981 avec *Le Solitaire* après un passage par le documentaire, la télévision, « Comme un homme libre », multi récompensé, et la production de « Deux Flics à Miami » et de « Crime Story », Michael Mann, scénariste ou co-scénariste de tous ses films, se forge depuis ce brillant début une réputation

Max protège Annie (Jada Pinkett-Smith).

grandissante. Elle est étayée par l'étrangeté surnaturelle de *La Forteresse noire* (1983), les abîmes insondables du *Sixième Sens* (1986) et le souffle épique du *Dernier des Mohicans* (1992). Le policier *Heat* (1995), son genre de prédilection, le hisse au sommet dans le face à face Robert De Niro/Al Pacino. Les enjeux assumés de *Révélations* (1999) sur les méfaits de l'industrie du tabac et les vibrations incandescentes de *Ali* (2001) dans l'art si risqué du biopic, témoignent de son intérêt pour les extrêmes, de son habileté à exprimer la face obscure des êtres et des cités en marge. Il sait mettre les spectateurs au cœur d'expériences sensorielles et traduire l'indicible.

Ultime confrontation dans le métro.

Tom Cruise, le super-héros

Dès son premier rôle vedette dans *Risky Business* (Paul Brickman, 1983), il devient l'idole des teen-agers pâmés devant son charme irrésistible et son sourire carnassier. Il décroche ses galons de star dans *Top Gun* (Tony Scott, 1986), puis en affrontant deux monstres sacrés, Paul Newman dans *La Couleur de l'argent* (Martin Scorsese, 1986) et Dustin Hoffman dans *Rain Man* (Barry Levinson, 1988). Avec *Né un 4 juillet* (Oliver Stone, 1989), il obtient sa première nomination à l'Oscar. Adepte de tous les défis et d'une volonté sans faille, cet athlète accompli qui réalise toutes ses cascades est devenu le héros typiquement américain. Il trouve sa force

dans un ego surdimensionné qui n'exclut pas un charisme évident et une indiscutable sympathie. Son jeu s'affine et gagne en sobriété. Il sait choisir ses metteurs en scène : Sydney Pollack (*La Firme*, 1993), Cameron Crowe (*Jerry Maguire*, 1996), Stanley Kubrick (*Eyes Wide Shut*, 1999), Paul Thomas Anderson (*Magnolia*, 1999) ou Steven Spielberg (*Minority Report*, 2002). Au sommet depuis vingt ans, investi dans la production depuis *Mission : Impossible* (Brian De Palma, 1996), il est devenu une sorte de super-héros et entend bien le rester.

Gags à gogo

Le Mécano de la « General »

Buster et son cheval de fer

1926

The General, comédie burlesque de Buster Keaton et Clyde Bruckman, avec Buster Keaton (Johnnie Gray), Marian Mack (Annabelle Lee) • Sc. Al Boasberg, Charles Smith • Ph. J. Devereux Jennings • Prod. United Artists • États-Unis • Durée 77′

Le mécanicien Johnnie Gray a deux amours, sa fiancée Annabelle et la « General », sa locomotive. La guerre de Sécession fait rage et Johnnie, dans le camp sudiste, combat héroïquement les Nordistes avec, pour seule arme, sa chère loco.

Johnnie vérifie l'état de sa chère locomotive.

Aidé d'Annabelle Lee (Marion Mack), Johnnie fonce vers le Sud.

La bataille du rail, version comique

Le point de départ de ce western burlesque, mené tambour battant par un des plus habiles mécanos du rire, est historique. Le scénario, en effet, s'inspire librement du récit, « The Great Locomotive Chase », écrit par William Pittenger, l'un des survivants de cet épisode authentique de la guerre de Sécession. En avril 1862, un groupe d'espions nordistes infiltrés sur les arrières des Confédérés s'était emparé d'un convoi en gare de Big Shanty, près d'Atlanta. Ce train avait pour mission de remonter vers le Nord en abattant les poteaux télégraphiques le long des voies et en brûlant les ponts après son passage. Après une poursuite de plusieurs centaines de kilomètres, le convoi fut enfin rattrapé par les troupes sudistes lancées à ses trousses. Maniaque de l'authenticité jusque dans les moindres détails, Buster Keaton fit construire deux machines rigoureusement semblables à la véritable « General », exigeant, en particulier, qu'elles soient équipées de chaudières à bois. Celles-ci sont à l'origine de nombreux gags du film, qui fut tourné totalement en extérieurs dans les plaines et les forêts d'Oregon.

L'authenticité est donc, aussi, dans le décor et dans les incroyables acrobaties comiques auxquelles se livre, sans aucun trucage, Johnnie Gray/Buster Keaton.

L'homme qui ne rit jamais

C'est précisément dans cette scrupuleuse recherche du détail vrai, dans cette harmonie des gestes les plus périlleux, dans cet équilibre sans cesse menacé et reconquis de haute lutte, que réside l'art de Francis « Buster » Keaton (1895-1966), acteur mais surtout auteur comique, qui égale, dans ce film, les plus grands cinéastes : non seulement Chaplin, son rival en notoriété, mais aussi, par son sens de l'espace et de la tension dramatique, David W. Griffith et John Ford. Si son visage reste d'une immobilité souveraine au cœur des plus invraisemblables péripéties – on l'a baptisé « l'homme qui ne rit jamais » – c'est, comme il l'a dit lui-même, parce qu'il se concentre sur ce qu'il fait. En effet, quels que soient les obstacles rencontrés sur le chemin de la General, Johnnie conserve toujours son masque imperturbable où se lit seulement la volonté de ne pas renoncer. Car Buster agit, quoi qu'il arrive. Et s'il échoue, il recommence ; s'il tombe, il se relève, infatigable, jusqu'à la victoire : celle de l'être humain sur le hasard, de l'intelligence sur la machine.

Boulet, es-tu là ?

Johnnie (Buster Keaton) espionne les généraux nordistes.

L'aristocrate de la culbute

Buster Keaton, dès l'âge de trois ans, monte sur les planches pour exécuter, avec son père, un numéro comique au cours duquel il saute, tombe, est traîné sur la scène par son géniteur qui, finalement, le piétine. Son habileté dans l'art de la chute – « bust » en anglais – lui vaudra le surnom de « Buster » que lui a trouvé Harry Houdini, le célèbre magicien du début du XXe siècle. En 1917, Keaton abandonne le théâtre pour le cinéma. D'abord acteur dans de nombreux courts métrages comiques aux côtés de Fatty, il devient, en 1920, producteur, interprète et réalisateur de ses films. Des courts, une vingtaine, et des longs, dix, de 1923 à 1928, parmi lesquels *Les Lois de l'hospitalité* (1923), *La Croisière du « Navigator »* (1924), *Les Fiancées en folie* (1925), *Cadet d'eau douce* et *L'Opérateur* (1928). L'arrivée du parlant lui sera fatale, comme à la plupart des grands comiques du muet, à l'exception de Chaplin.

Soupe au canard
Le marxisme, tendance Groucho

1933

Duck Soup, comédie burlesque
de Leo McCarey, avec Groucho Marx
(Rufus T. Firefly), Harpo Marx (Pinky),
Chico Marx (Chicolini), Zeppo Marx (Bob)
• Sc., mus. et chans. Bert Kalmar, Harry
Ruby • Ph. Henry Sharp • Prod.
Paramount • États-Unis • Durée 70'

Le torchon brûle entre la Freedonie
et la Sylvanie. Rufus T. Firefly, dictateur
farfelu de la première, loue un champ
de bataille pour affronter l'armée
de la seconde. La guerre éclate !

Rufus T. Firefly (Groucho Marx), chef de l'État de Freedonie, réclame des réponses aux SOS qu'il n'a pas envoyés…

Marx attaque

Les surréalistes adoptèrent ce film que l'un
d'eux, l'écrivain et comédien Antonin Artaud,
décrivit comme « un hymne à l'anarchie
et à la révolte intégrale ». Il est vrai
que *Soupe au canard* apparaît comme

En réunion chez Trentino (Louis Calhern), leur
employeur sylvanien, Chicolini (Chico Marx) et Pinky
(Harpo Marx) n'ont d'yeux que pour la secrétaire.

Quand les trois « loufquetaires » étaient quatre…

C'est la dernière fois que Zeppo, né Herbert
Marx (1901-1979), apparaît à l'écran
aux côtés de ses aînés. Certains suggèrent
que le Zeppelin, dirigeable célèbre
à l'époque, est à l'origine de son sobriquet.
Leonard (1886-1961) est devenu Chico en
raison de son goût immodéré pour le sexe
dit faible, les « chicks » étant en argot new-
yorkais l'équivalent de « nanas ». Adolphe
(1888-1964) devint Harpo parce qu'il jouait
de la harpe. Quant à Julius-Henry
(1890-1977), il était tellement grincheux,
« grouch » en anglais, que Groucho
lui convint parfaitement.

une dénonciation par le ridicule et l'absurde
des mythologies guerrières, des comportements
héroïques, des hypocrisies de la diplomatie et
de tous ceux, politiciens, idéologues ou militaires,
qui conduisent les peuples à s'entre-tuer au nom
de la Patrie. Potentat fanfaron et incompétent, Rufus
T. Firefly se soucie de son pays comme d'une guigne.
Son programme se résume à une série,
non restrictive, d'interdictions – de fumer,
de mâcher de la gomme, de raconter des blagues
osées – et à la reconnaissance de la corruption
en tant que loi sacrée : « Si quelqu'un est convaincu
d'escroquerie et si je ne touche pas ma part,
nous le collerons au mur ! »

L'implacable logique de l'absurde

Burlesque, loufoque, sans queue ni tête, délirant, tels
sont quelques-uns des mots et expressions
qui caractérisent le comique des frères Marx.
Lorsqu'une idée est lancée, par l'image ou le dialogue,
une logique implacable, celle de l'absurde, conduit
le film à en explorer toutes les facettes et
conséquences imaginables et, en particulier, les plus
saugrenues. Alors qu'il change d'uniforme d'un plan à
l'autre pour ridiculiser quelques-uns des va-t'en-guerre
de l'Histoire – sudiste, hussard, boy-scout, trappeur,

Affolé par Bob (Zeppo Marx), Firefly se réfugie auprès
de Mrs. Teasdale (Margaret Dumont).

« Appel à toutes les nations : nous sommes
dans le pétrin, les gars ! ».

nordiste, officier napoléonien –, Firefly,
encerclé, appelle le monde entier à son
secours : pompiers, motards, marathoniens,
singes, nageurs, éléphants, dauphins, rameurs
se ruent en foule, à pied, en voiture, sur terre,
sur mer, dans les airs. Dans ce film comme
dans tous ceux qu'ils ont interprétés ensemble
– *Une Nuit à l'Opéra* (1935), *Un Jour au cirque*
(1939), *Chercheurs d'or* (1940) sont
les meilleurs –, Groucho (Firefly) est le meneur
de jeu de la fratrie des Marx.
Avec son énorme moustache, ses sourcils en
bataille et sa démarche de primate – penché
vers l'avant et bras ballants – il provoque,
déconcerte, déstabilise quiconque le prend
pour un individu normal. Ses armes, fatales,
sont la dérision et un sens aigu du ridicule qu'il
débusque chez autrui alors qu'il en est lui-
même totalement à l'abri. Mais ses frères
Chico et Harpo, espions en perpétuel
retournement de veste dans *Soupe au canard*,
ne lui cèdent en rien sur le registre
du comique subversif : le premier a un drôle
de chapeau conique, un fort accent italien,
joue du piano en virtuose, raconte n'importe
quoi et s'agite en tous sens. Le second ne dit
rien mais s'exprime à coups de klaxon, coupe
tout ce qui dépasse – cheveux, cigares,
basques d'habit – à l'aide de ciseaux cachés
sous son imperméable, à côté du chalumeau
qui lui sert de briquet, et se précipite sur
le premier jupon venu.

Drôle de drame

Bizarre, bizarre...

L'évêque de Bedford (Louis Jouvet) croit que Molyneux a assassiné son épouse Margaret.

1937

Comédie de Marcel Carné, avec Michel Simon (Irwin Molyneux / Félix Chapel), Françoise Rosay (Margaret), Louis Jouvet (l'évêque), Jean-Pierre Aumont (le laitier), Jean-Louis Barrault (Kramps) • Sc. et dial. Jacques Prévert, d'après le roman de Storer Clouston • Ph. Eugen Schüfftan • Mus. Maurice Jaubert • Déc. Alexandre Trauner • Prod. Corniglion-Molinier • France • Durée 105'

Londres, en 1900. Dans ses romans policiers, Félix Chapel, alias Irwin Molyneux, raconte des choses horribles. Et les choses horribles finissent par arriver.

Les Molyneux : Irwin (Michel Simon) et Margaret (Françoise Rosay).

La multiplication du lait.

Inventaire

Un laitier poète. Des petits mimosas carnivores. Un évêque gastronome. Un cas subit de rougeole. Un canard à l'orange. Une pauvre Margaret. Un tueur de bouchers. Un programme des Folies-Bergère. Un inspecteur de Scotland Yard. Un crime non perpétré. Trois mouches. Un Chinois patibulaire. Du sang sur les fleurs. Un balayeur. Une fameuse cuite. Un cycliste nu. Un ecclésiastique en kilt. Et, naturellement, un raton-laveur, car c'est Jacques Prévert, scénariste, dialoguiste et poète, qui a transformé un roman policier, « La Mémorable et Tragique Aventure de Mr. Irwin Molyneux » de l'écrivain britannique Storer Clouston en comédie aux péripéties burlesques dont l'humour noir demeure typiquement anglais. Le public d'Outre-Manche y fut d'ailleurs immédiatement sensible lorsque le film lui fut présenté sous le titre *Bizarre... Bizarre...!*

Margaret est troublée par l'intrusion de Kramps (Jean-Louis Barrault).

Un tournage euphorique

Dans ses Mémoires, « La Vie à belles dents » (Éditions Belfond, 1989), Marcel Carné se plaît à évoquer le tournage de son film : « Ce furent vingt-trois jours d'amusement intense. » La scène d'ivresse entre Michel Simon et Jean-Louis Barrault fut l'une des plus difficiles à mettre en boîte car ce dernier, face aux mimiques de son partenaire, éclatait de rire en permanence. Le repas au cours duquel Louis Jouvet, en évêque gourmet, questionne un Michel Simon empêtré dans ses mensonges et exprime ses doutes par des « bizarre... bizarre... » répétés, donna lieu à un moment d'hilarité que Carné détaille par le menu : les deux comédiens se détestaient et ne se privaient pas, en plein tournage ou entre deux prises, de se lancer des propos aigres-doux. « L'un et l'autre, raconte Carné, s'étaient jurés, à mon insu, de soûler son partenaire à la faveur de cette scène. On peut dire que cet après-midi-là le champagne coula à flots sur le plateau. Durant le tournage, tous les deux étaient demeurés assis. Je ne m'aperçus de leur ivresse que lorsqu'ils se levèrent. Titubant, Simon alla soulager sa vessie derrière le décor. Quant à Jouvet, droit comme un I, il s'en fut dignement jouer "La Guerre de Troie" de Giraudoux à l'Athénée. » Dans une autre séquence, Françoise Rosay surprend Jean-Louis Barrault dans le plus simple appareil. Au cours des premières prises, le comédien porte un slip.

Carné à l'idée de le lui faire enlever, sans prévenir sa partenaire : l'expression horrifiée, la spontanéité du cri de celle-ci fournirent au cinéaste sa meilleure prise. « Vous auriez pu m'éviter ce spectacle », se plaindra plus tard Madame Rosay à son metteur en scène !

Souvent public varie...

Le cinéaste, Prévert, les comédiens et l'équipe technique s'étaient tant amusés à réaliser *Drôle de drame* qu'ils étaient persuadés que les spectateurs en feraient de même. « Je devais tomber de haut, se souvient Carné. Le public, en effet, prit très mal la chose. Au Colisée, où le film passait en exclusivité, ce n'était que sifflets, exclamations moqueuses : "Idiot !", "Crétin !", "On se fout de nous !" ». Prévert a connu la même déception : « Les gens, enfin les critiques, ont dit : "C'est une stupidité." En province, il est passé dans une ville où il a marché parce que les exploitants avaient eu l'idée de le présenter avec le slogan "Le film le plus idiot de l'année". Le public a été très content, ce qui prouve qu'il n'est pas si idiot. » *Drôle de drame* a gagné en 1952, lors de sa réédition, son procès en réhabilitation et est devenu un classique du cinéma régulièrement repris en salles et à la télévision.

Laurel et Hardy au Far-West

Le gros, le maigre et les truands

Lola (Sharon Lynne) fouille Stan pour retrouver le titre de propriété de la mine.

1935

Way Out West, comédie burlesque
de James W. Horne, avec Stan Laurel (Stan),
Oliver Hardy (Ollie), James Finlayson (Finn),
Sharon Lynne (Lola), Rosina Lawrence (Mary)
• Sc. Charles Rogers, Felix Adler, James
Parrott • Ph. Art Lloyd, Walter Lundin •
Mus. Marvin Hatley • Prod. Hal Roach •
États-Unis • Durée 64'

Finn, le tenancier du saloon, et sa femme
Lola, la chanteuse, veulent s'emparer
de la mine d'or dont Mary, leur bonne,
a hérité. Mais Stan et Ollie accourent...

Finn (James Finlayson) et Lola restituent le titre
de propriété.

Tandem immortel

Est-il encore besoin de présenter Laurel
et Hardy ? Ceux qui formèrent durant 24 ans
le couple comique le plus célèbre de l'écran
demeurent mondialement connus plus
de quarante ans après leur disparition. Laurel,
le maigre, lunaire, candide, parfois stupide,
souvent animé des meilleures intentions mais
susceptible de provoquer des catastrophes,
dont la première victime n'est autre qu'Hardy,
le gros, nerveux, colérique, revanchard,
s'efforçant de rester digne mais y parvenant
rarement, préférant généralement se venger
de l'humiliation ou du coup porté par
son acolyte ou un autre... Tous deux ayant en
commun un goût prononcé pour la destruction,
volontaire ou non, de tout ce qui est à portée
de la main : voiture, maison, magasin...

Un melon
à la croque-au-sel

Ce film contient quelques-uns des gags les
plus célèbres du duo, dont le fameux « doigt-
briquet » : quand Stan a besoin de feu, il fait
claquer son pouce entre sa paume et les autres
doigts. Une flamme jaillit instantanément !
Bien sûr, Ollie tente en vain d'en faire autant,
jusqu'à la réussite inattendue qui le fait hurler
de douleur. Autre trouvaille de Stan : à la suite
d'un pari stupide avec son compère, il a juré
de manger son chapeau s'ils ne parvenaient
pas à récupérer le titre de propriété
de la mine. Après un premier échec, Hardy
exige qu'il s'exécute ; Laurel se résigne à
mordre dans son melon et éprouve bientôt
un plaisir sans mélange à le déguster
à la croque-au-sel. Sans oublier l'extraordinaire
crise de fou rire de Stan chatouillé par Lola,
qui le fouille pour récupérer le fameux titre.

Laurel tente de hisser Hardy à l'étage du saloon.

« Avec quelle grâce
ils se balancent ! »

Par trois fois au cours du film, Laurel et Hardy sont
les vedettes de séquences dignes des meilleures
comédies musicales. Dans deux d'entre elles,
ils dansent... avec grâce, humour et élégance.
Le plus surprenant est la légèreté avec laquelle
Hardy se lance dans de désopilants pas de deux.
« J'ai toujours essayé de marcher avec légèreté.
Je n'aime pas voir des hommes corpulents prendre
toute la place dans leurs déplacements ; ils n'en ont
aucun réel besoin. J'ai toujours aimé danser
et je suppose que c'est pour cela que j'ai appris
à marcher avec aisance », déclara Oliver Hardy.

Fu-Tu et Tu-Tu

Arthur Stanley Jefferson (1889-1965),
dit Stan Laurel, est né dans le Lancashire
en Grande-Bretagne, Oliver Norvell Hardy
(1892-1957) en Georgie, dans le sud des
États-Unis. Associés à partir de 1927, ils ont
tourné 70 courts métrages jusqu'en 1935
(dont 32 muets) et 24 longs métrages de
1931 à 1951. *Laurel et Hardy au Far-West*,
produit par Laurel (le « cerveau » du couple),
est demeuré leur préféré. Outre la joie et
l'admiration, « celui qui comprend toujours
trop tard et l'autre qui ne comprend jamais »
(Stan Laurel) ont suscité une immense
sympathie partout où leurs films étaient
projetés. En témoignent leurs pseudonymes
familiers, comme Fu-Tu et Tu-Tu en Chine,
Crick et Crock en Italie, Dick et Dorf en
Allemagne, Goyo et Gut en Suisse, Gordo
et Flaco en Espagne, Min et Fin en Finlande
ou encore Sisman et Zaif en Turquie...

Stan (Stan Laurel), Ollie (Oliver Hardy) et Mary (Rosina
Lawrence) en route vers le Sud.

Hellzapoppin
Délire infernal

1941

Hellzapoppin, comédie de H. C. Potter, avec Ole Olsen (Ole), Chic Johnson (Chic), Martha Raye (Betty), Mischa Auer (Pepi) • Sc. Nat Perrin et Warren Wilson d'après la comédie d'Ole Olsen et Chic Johnson • Phot. Elwood Bredell • Mus. Sammy Fain, Don Raye et Gene de Paul • Prod. Mayfair/Universal • États-Unis • Durée 84'

Un directeur de studio interrompt le tournage d'un film pour demander au scénariste d'ajouter une histoire d'amour. Avec deux énergumènes provoquant mille et une catastrophes, il regarde le film à venir.

En enfer, les démons font rôtir les mauvais acteurs.

Des films dans le film

« Toute ressemblance entre *Hellzapoppin* et tout autre film n'est que pure coïncidence » peut-on lire en préambule. Aucun film, en effet, ne s'apparente à ce délire surréaliste qui enchaîne sans temps mort des gags à perdre haleine. Difficile de raconter une histoire tant la trame est mince : le film s'ouvre sur une rencontre – improbable – entre Méphisto et son nouvel ami, le shérif de l'Arizona, dans les brasiers de l'enfer. *Hellzapoppin*, contraction de « Hell is popping » (« L'Enfer s'éclate ») mêle, dans son débridement, loufoque et nonsense. À un rythme effréné, il enchaîne les gags et le spectateur peine à reprendre haleine. Comique de situation, dérèglement programmé du cinéma et de sa technique par et dans le cinéma… Ce qui est montré est irracontable, et ne demeurent que des éclairs, des fragments juxtaposés : des acteurs qui se trompent de film, perdent la moitié de leur corps, une image décadrée qui laisse apparaître les perforations de la pellicule et détruit ainsi toute velléité illusionniste du cinéma, un projectionniste qui mélange ses bobines, un chef indien qui recherche dans quel film il peut bien jouer…

Ole et Chic arrivent au royaume infernal en taxi.

Betty (Martha Raye) prise pour cible.

De la scène à l'écran

« Hellzapoppin » fut d'abord un énorme succès de Broadway : la pièce, créée le 22 septembre 1938, fut représentée près de mille cinq cents fois. La plupart des gags de la pièce furent repris à l'écran, sauf un mettant en scène Hitler et ses officiers présentés comme des gangsters. Le « responsable » de cette succession de gags incongrus, de quiproquos, de coq-à-l'âne est sans aucun doute le scénariste Nat Perrin, auteur de la revue originale et ancien collaborateur des Marx Brothers, plutôt que le réalisateur H.C. Potter, auteur de comédies jouissant d'une certaine réputation comme *Madame et son cow-boy* (1938) et *La Grande Farandole* (1939), biographie d'un célèbre couple de danseurs joués par Fred Astaire et Ginger Rogers. Pour les interprètes, Universal, qui avait déjà sous contrat un autre tandem comique, Abbott et Costello, choisit Ole Olsen et Chic Johnson. Le premier venait du vaudeville, le deuxième était un ancien pianiste de ragtime.

Bien qu'ils aient été associés une dizaine de fois, Hellzapoppin demeure leur plus grand titre de gloire. Le triomphe international du film atteignit même la France, où le nonsense n'est pourtant guère apprécié. Robert Dhéry revendiqua son influence dans *Branquignol* (1949). Plus largement, on en retrouve des échos chez les Monty Python, le Steven Spielberg de *1941* (1979), voire chez Woody Allen :

Le prince Pepi (Mischa Auer) excédé par Ole et Chic.

dans *La Rose pourpre du Caire* (1985), par exemple, il imagine un acteur sortant de l'écran pour rejoindre une admiratrice.

Quand le rire va par deux

Contrairement aux autres duos comiques fondés sur l'opposition, Ole Olsen et Chic Johnson se ressemblaient physiquement. Tous deux sont petits et enveloppés alors que le tandem Laurel et Hardy fonctionnait sur l'opposition minceur du premier – corpulence du second. Bud Abbott et Lou Costello, surnommés en France « les Deux Nigauds », se distinguaient parce que l'un, grand et maigre, avait le visage un peu triste alors que son complice était un petit gros au faciès enfantin. Pour Dean Martin et Jerry Lewis, c'est l'opposition du séducteur au sourire enjôleur, à la voix irrésistible et de l'éternel maladroit, déclencheur de catastrophes, qui fit la réussite du duo.

Les Vacances de Monsieur Hulot
Le grand brun avec des chaussettes rayées

« Monsieur ? » « Hu-au… ».

1953

Comédie de Jacques Tati, avec Jacques Tati (M. Hulot), Nathalie Pascaud (Martine) • Sc. Jacques Tati, Henri Marquet • Ph. Jacques Mercanton, Jean Mousselle • Mus. Alain Romans • Prod. Fred Orain • France • Durée 100' • Grand Prix de la Critique internationale au Festival de Cannes 1953 ; Prix Louis-Delluc

Un petit hôtel au bord de la mer, fréquenté par de paisibles vacanciers. Le train-train quotidien va être bouleversé par l'arrivée de Monsieur Hulot, qui n'a pas son pareil pour provoquer des catastrophes…

Panique à l'hôtel

Tout est calme à l'Hôtel de la Plage. Au salon, les uns jouent aux cartes, des dames brodent, d'autres lisent, écrivent ou papotent en prenant le thé. Voici rassemblés, dans le huis clos de cette pension de famille, des archétypes des petits bourgeois qu'on croise tous les jours. Soudain, la porte s'ouvre et le vent du large s'engouffre dans la pièce, emportant cartes, tasses de thé, journaux. Sur le seuil se découpe une haute silhouette, le nez pointu, la pipe au bec, légèrement penchée vers l'avant et surmontée d'un galurin de toile, et dont le pantalon trop court dévoile des chaussettes rayées. Hulot, arrivé au volant de son antique Amilcar, perturbe la banalité tranquille de ce quotidien estival. Il ne ferme pas les portes, est en retard aux repas, réveille les pensionnaires la nuit, trouble le bon déroulement des parties de cartes, au grand dam de la paisible population de l'hôtel et pour l'amusement de quelques-uns, dont la jolie Martine, qu'Hulot aime en secret.

Le service « poêle à frire ».

Un pied de nez aux règles du cinéma

Dans cette histoire si banale qu'elle peut sembler anti-cinématographique, Tati sape en douceur le cinéma traditionnel, construit sur une intrigue ménageant les effets dramatiques et l'attente de la fin. « C'est justement parce que le spectateur n'est pas impatient de voir la suite qu'il a le temps de rire et que j'ai pu placer autant de gags », déclarait-il. Le spectateur devient un complice actif qui savoure chacun des effets comiques au lieu d'en subir le matraquage. Tati enchaîne pour notre plus grand régal une suite de séquences qui sont autant de morceaux d'anthologie. Celle où Hulot manipule sa raquette comme une poêle à frire est restée dans toutes les mémoires. Tati, ancien partenaire du clown Rhum dans *Gai dimanche* (Jacques Berr, 1935), s'attaque aussi à la conception du dialogue, introduisant nombre de conversations à peine audibles, réduites à un bruit de fond, une sorte de gromelo, un bruitage. Aussi, quand émerge telle une ritournelle le récurrent « Quel temps fait-il à Paris aujourd'hui ? », l'effet est garanti. Et pourtant, comme *Jour de fête* (1949), qui avait eu tant de mal à sortir sur les écrans, sous prétexte qu'il ne faisait pas rire

Au bal masqué, Hulot invite Martine (Nathalie Pascaud) à danser.

Croyant avoir affaire à un voyeur, Hulot botte le train… d'un paisible photographe !

les directeurs de salles, *Les Vacances de M. Hulot* connut pendant quelques mois les mêmes difficultés au motif, selon les décideurs, qu'il « n'y aurait rien de drôle là-dedans ! »

Gaullien

À l'exception de *Jour de fête* (1949), où il incarne François, un facteur rural fasciné par la rapidité des postiers américains, et de *Parade* (1974) où il est le Monsieur Loyal d'un spectacle de cirque, Jacques Tati (1907-1982) a promené la silhouette dégingandée de M. Hulot – avec « son visage à la Jacques Prévert sur le corps de de Gaulle »

(Michèle Manceaux) – dans ses autres films. Dans *Mon oncle* (1958), il arbitre malgré lui l'éternel conflit entre la tradition et le modernisme ; dans *Playtime* (1967), il plonge avec le courage de l'inconscience dans l'univers de la cybernétique ; et dans *Trafic* (1971), il affronte l'hydre automobile aux cent gueules de chauffards.

Certains l'aiment chaud

Personne n'est parfait !

1959

Some Like it Hot, comédie de Billy Wilder, avec Marilyn Monroe (Sugar), Tony Curtis (Jerry / Joséphine), Jack Lemmon (Joe / Daphné), George Raft (Colombo-les-Guêtres), Pat O'Brien (Mulligan) • Sc. Billy Wilder, I. A. L. Diamond, d'après le scénario de Robert Thoeren et M. Logan • Ph. Charles Lang Jr • Mus. Adolph Deutsch • Dist. Artistes Associés • États-Unis • Durée 120' • Oscar des meilleurs costumes

Pendant la Prohibition, deux musiciens au chômage, témoins d'un règlement de comptes entre gangsters, se travestissent en femmes puis se réfugient dans un orchestre féminin pour échapper à un chef de bande.

Jerry (Tony Curtis) et Joe (Jack Lemmon) se cachent dans un orchestre féminin dont la vedette est Sugar (Marilyn Monroe)

Osgood Fielding III (Joe E. Brown) veut épouser Joe…

Du travestissement comme moyen de survie

C'est à partir de *Fanfare d'amour* de Richard Pottier (1935) que Billy Wilder, l'un des maîtres de la comédie américaine, et le scénariste I. A. L. Diamond conçurent le scénario de *Certains l'aiment chaud*. Dans le film français, deux chômeurs se déguisaient en gitans pour jouer dans un orchestre tzigane, puis en Noirs pour faire partie d'un orchestre de jazz et enfin en femmes pour jouer dans une formation féminine. Changeant de cadre et d'époque : Chicago, 1929, la Prohibition, le massacre de la Saint-Valentin,

Musiciens sans travail…

Jack Lemmon (1925-2001), l'acteur fétiche de Billy Wilder

George Cukor, Richard Quine, Blake Edwards, les plus grands auteurs de comédies américaines, ont dirigé au moins une fois Jack Lemmon. Mais on se souvient surtout de ses personnages chez Billy Wilder, avec qui il a tourné sept films. Après *Certains l'aiment chaud*, leur première collaboration, les deux hommes se retrouvent pour *La Garçonnière* (1960) où Lemmon est le modeste employé d'une compagnie d'assurances. Dans *Irma la Douce* (1963), il est gardien de la paix, dans *La Grande Combine* (1966), cameraman, dans *Avanti !* (1972), héritier d'un riche industriel, dans *Spéciale Première* (1974), journaliste, et enfin dans *Buddy, Buddy* (1981), le remake de *L'Emmerdeur* (Édouard Molinaro, 1973), un candidat au suicide. Parfois associé à Walter Matthau (*La Grande Combine, Spéciale Première, Buddy, Buddy*), il y montre, à chaque fois, des dons comiques inoubliables.

Sugar est très loin de se douter que Joe n'est autre que sa copine Daphné.

ils imaginèrent une succession de quiproquos fondés sur l'ambiguïté des situations. Ainsi, Joe devenu Daphné devient-il le confident de Sugar, la chanteuse de l'orchestre tout en assumant son rôle jusqu'au bout face aux avances d'un vieux millionnaire lubrique. Aucun de ses aveux successifs n'y fait, pas même l'argument ultime « je suis un homme » donnant lieu à la fameuse réplique finale, « Personne n'est parfait ! », désormais inséparable du film.

Certains l'aiment coquin

Billy Wilder (1907-2002) a toujours été l'homme des dialogues éblouissants, des répliques pleines de sous-entendus. Ici, il s'est véritablement surpassé et ce, dès le titre où le « it » se référant à la musique de jazz (le « jazz hot ») peut aussi désigner bien d'autres choses… auxquelles le scénario ne se prive pas de faire allusion. Fondé sur la confusion des sexes et les apparences qui peuvent être trompeuses, le film multiplie les quiproquos polissons et les clins d'œil aux cinéphiles avertis. La présence de George Raft, interprète de *Scarface* en 1932, lançant à un gangster (interprété par le fils d'Edward G. Robinson, autre vedette des films de gangsters) en train de jouer avec une pièce de monnaie : « Alors tu m'imites maintenant ? » est une allusion directe au rôle qui rendit l'acteur célèbre. Sans compter l'imitation de Cary Grant par Tony Curtis pendant le banquet des gangsters. Combinant harmonieusement la comédie, le burlesque et le film policier, *Certains l'aiment chaud* demeure une réussite ô combien pétillante.

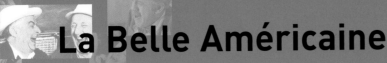

La Belle Américaine

Une occasion et un film en or

1961

Comédie de Robert Dhéry et Pierre Tchernia, avec Robert Dhéry (Marcel), Colette Brosset (Paulette), Bernard Lavalette (le ministre), Jean Richard (le serrurier), Michel Serrault (le clochard), Louis de Funès (le commissaire / le chef du personnel) • Sc. Robert Dhéry, Pierre Tchernia • Ph. Ghislain Cloquet • Mus. Gérard Calvi • Prod. C.C.F.C. • France • Durée 95'

Le rêve de Marcel ? Une auto. Une occasion se présente : une somptueuse limousine américaine. Les ennuis commencent... avec leur contrepartie : l'amitié d'un ministre et la gloire dans le quartier.

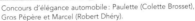

Concours d'élégance automobile : Paulette (Colette Brosset), Gros Pépère et Marcel (Robert Dhéry).

La belle époque du rire à la française

On découvre au générique de ce film, qui figura parmi les meilleures recettes de l'année 1961, la plupart des comédiens du cinéma comique français de l'époque. Jean Richard y incarne un serrurier pris de boisson et qui se croit « vampé » par Colette Brosset, l'épouse de Robert Dhéry dans le film comme à la ville ; Michel Serrault, en clochard éructant et vociférant, incommodé par le parfum d'Annie Ducaux, une mondaine ; Jean Carmet en vagabond, sur le bord d'une route de campagne où « la belle Américaine » est abandonnée ; Christian Marin, gentil marchand de glaces ; Alfred Adam, également dialoguiste du film, défend les vertus de la moto contre les inconvénients de l'auto ; Jacques Legras tient le bistrot et boit son fonds...

Marcel trinque avec ses copains.

et tant d'autres, qui ne font que passer, les Jean Lefebvre, Pierre Dac, Jacques Fabbri, Christian Duvaleix, Claude Piéplu, Roger Pierre et Jean-Marc Thibault, Pierre Tchernia, Grosso et Modo, le temps d'une réplique ou d'un gag qui déclenche le rire. Et, surtout, Louis de Funès, dans un double rôle de jumeaux, les Viralo.

Marcel et Viralo (Louis de Funès) au commissariat, avec les flics Grougnache et Laribotte.

Le ciné du sam'di soir

Outre ses vertus comiques, qui survivent au passage des ans et des modes, *La Belle Américaine* est un document sur l'air du temps, à Paris et en France, au début de la décennie soixante. La voiture est alors un rêve encore inaccessible pour la majorité des Français et la possession de l'un de ces engins, surtout s'il s'agit d'une grosse cylindrée, blanche, décapotable, riche en boutons et de surcroît américaine, constitue ce qu'on appelait à l'époque un « signe extérieur de richesse ». Dans les rues de Paris, la circulation est fluide et on se gare devant chez soi. Tout aussi anachronique apparaît l'attitude admirative et déférente que semble susciter chez le Français moyen la présence du moindre ministre, ici du Commerce, en visite dans le quartier. Lequel quartier a le charme d'un village où tout le monde se connaît et pratique une convivialité et une solidarité dont on se demande si elles existent encore en ce début du XXIe siècle. En ce temps-là, les salles étaient remplies de spectateurs qui faisaient fête à ce cinéma populaire et bon enfant que symbolise *La Belle Américaine* et qui a aujourd'hui quasiment disparu.

Branquignols !

D'abord comédien, dès 1942, Robert Dhéry (1921-2004) crée pour la scène « Les Branquignols », qu'il adaptera à l'écran en 1949, et « Ah ! Les belles bacchantes », revues burlesques héritières des Marx Brothers autant que de *Hellzapoppin* (1941). Ce doux dingue empruntait alors, en éclaireur, la voie d'un comique non-sensique dans laquelle s'engouffrèrent Pierre Dac et Francis Blanche, certains films de Jean-Pierre Mocky, des parodies de Georges Lautner ou de Jean Yanne et même, quarante ans plus tard, les Nuls de la Télévision, Alain Chabat en particulier avec *Astérix & Obélix : Mission Cléopâtre* (2002). Cinéaste trop rare, Robert Dhéry, avec *La Belle Américaine*, *Allez France !* (1964), réalisés en collaboration avec Pierre Tchernia, et *Le Petit Baigneur* (1968) a jalonné le cinéma comique français d'œuvres populaires du meilleur aloi.

Docteur Jerry et Mister Love

Les deux faces de Jerry Lewis

Le professeur Kelp (Jerry Lewis) est troublé par l'une de ses étudiantes, la blonde Stella Purdy.

1963

The Nutty Professor, comédie de Jerry Lewis, avec Jerry Lewis (le professeur Julius F. Kelp / Buddy Love), Stella Stevens (Stella Purdy), Del Moore (le doyen Warfield), Kathleen Freeman (Millie Lemmon) • Sc. Jerry Lewis, Bill Richmond • Dial. Martin Weldon • Ph. Wallace Kelley • Mus. Walter Scharf • Dist. C.I.C. • États-Unis • Durée 107'

Malingre, timide et maladroit professeur de chimie dans une université américaine, Julius F. Kelp, grâce à une drogue de sa composition, se transforme la nuit en Buddy Love, chanteur de charme et irrésistible séducteur.

Stevenson revisité

Le coup de génie des adaptateurs – Jerry Lewis en personne et son complice Bill Richmond, fidèle scénariste de ses films de réalisateur – est d'avoir inversé la proposition de départ : au Mr. Hyde monstrueux de Stevenson maintes fois illustré par le cinéma, ils substituent un dandy charmeur, mais imbu de lui-même, agressif et vulgaire. La référence à la légende de Faust avait déjà été exploitée

Les cours de Kelp sont parfois surprenants…

Pack », le clan Sinatra auquel appartenait son ancien partenaire : cheveux gominés de Dean Martin, cigarette de Frank Sinatra, costume étriqué de Sammy Davis Jr…

Éloge des vraies valeurs

Ce play-boy rustre, odieux par sa suffisance, est aussi une caricature féroce de la vanité et de la vulgarité de certaines stars de la scène et de l'écran. Le message est clair : il n'est pas nécessaire d'être cultivé pour réussir en Amérique, mieux vaut être mufle et sans scrupules. Mais l'humble professeur gagnera le cœur de sa belle en redevenant lui-même et en s'acceptant tel qu'il est. Paradoxalement, cette adaptation non conformiste d'un classique de la littérature « gothique » retrouve l'esprit du livre dans sa dénonciation d'une société inégalitaire dont les fausses valeurs imposées sont la beauté, la jeunesse, la force physique et le sex-appeal. Enthousiaste, la critique française fit un accueil chaleureux au film en le qualifiant à la fois de « tragédie drôle » et de « comédie bouleversante » (Yves Boisset). En 1996, le film fit l'objet d'un remake libre (dont Jerry Lewis était producteur exécutif), *Le Professeur Foldingue* de Tom Shadyac, avec Eddie Murphy alors au faîte de sa gloire, où le professeur Kelp [devenu Klump] invente sa potion-miracle pour faire disparaître son obésité. La majorité de la critique considéra ce film comme « offensant pour son modèle ».

Miss Purdy (Stella Stevens) et Kelp.

Kelp subit les foudres du doyen Warfield (Del Moore).

par Terence Fisher trois ans auparavant dans son adaptation *Les Deux faces du Dr Jekyll* (1960), mais la dualité du personnage prend ici une signification particulière lorsque l'on sait que Jerry Lewis était le cerveau du couple qu'il avait formé durant sept ans avec Dean Martin, et que ce dernier avait mis fin à leur association pour ne plus subir sa domination. On peut aussi y voir, même si Jerry Lewis s'en défendait, les différentes facettes de Buddy Love comme un pastiche savoureux du « Rat

Le dernier grand burlesque

De son vrai nom Joseph Levitch, Jerry Lewis est né le 16 mars 1926 à Newark (New Jersey). Associé au chanteur Dean Martin, il commence une carrière de comique sur les planches de music-hall. Tous deux feront équipe de 1949 à 1956 dans 16 films tournés pour la firme Paramount. Après leur séparation, et six films tournés seul, sous la direction de Norman Taurog ou Frank Tashlin, entre autres, Jerry Lewis passe pour la première fois derrière la caméra en 1960 avec *Le Dingue du palace* et, tout en étant son propre interprète, signera ainsi une douzaine de films jusqu'en 1983. Fort peu apprécié dans son pays, il suscitera toutefois une grande admiration de la part de certains critiques français qui voient en lui le continuateur des gloires burlesques de la grande époque et considèrent – comme son auteur – *Docteur Jerry et Mister Love* comme son chef-d'œuvre.

Les Tontons flingueurs

Audiard dans le texte

1963

Comédie de Georges Lautner, avec Lino Ventura (Fernand), Bernard Blier (Raoul Volfoni), Francis Blanche (Maître Folage), Jean Lefebvre (Paul Volfoni), Claude Rich (Antoine) • Sc. Albert Simonin • Dial. Michel Audiard • Ph. Maurice Fellous • Mus. Michel Magne • Prod. Gaumont • France - Allemagne - Italie • Durée 92'

Fernand Naudin, truand retiré des affaires, est contraint de s'occuper de l'héritage d'un caïd décédé : un tripot, une maison close et une distillerie clandestine que convoitent d'autres malfrats. Et, en prime, de veiller à l'éducation de la fille du défunt.

L'heure du partage du grisbi autour de bonnes bouteilles (Lino Ventura, Bernard Blier, Francis Blanche).

Fernand Naudin (Lino Ventura) chez Antoine.

Parodie éperdue

La trame du film s'inspire d'un roman de la « Série noire », « Grisbi or not grisbi », signé Albert Simonin. Or, revu et corrigé par le dialoguiste Michel Audiard, le scénario final donne naissance à un film qui, dès sa sortie, déclenche des cascades de rires et qui est devenu un classique du cinéma comique français. Georges Lautner, déjà responsable du *Monocle noir* (1961) et de *L'Œil du Monocle* (1962), parodies du film d'espionnage, a donné vie, avec humour, aux aventures et personnages burlesques imaginés par Audiard. Le cinéaste et son dialoguiste se retrouveront pour une douzaine d'autres films parmi lesquels *Les Barbouzes* (1964), autre classique de la parodie.

Le petit cycliste

C'est ainsi que Jean Gabin avait baptisé son ami Michel Audiard (1920-1985) bien connu pour sa passion pour la « petite reine ». Dialoguiste d'environ cent vingt films parmi lesquels *Un Taxi pour Tobrouk* (1961), *Mélodie en sous-sol* (1963), *Le Professionnel* (1981) et *Garde à vue* (1981), Audiard a également, entre 1968 et 1974, réalisé neuf films aux titres interminables (*Elle boit pas, elle fume pas, elle drague pas, mais... elle cause !*, 1970) et publié en outre une dizaine de romans.

Des fous rires et des trognes

De la même manière que la parodie cinématographique transpose comiquement les ingrédients, décors, atmosphère, péripéties d'un genre spécifique, elle détruit par le ridicule l'image que le public s'est faite d'un acteur. Le cas de Lino Ventura, à cet égard, est exemplaire.
Le comédien, invoquant son âge, 44 ans, sa réputation d'homme sérieux, sa stature imposante, refusa d'abord

Jean (Robert Dalban), le valet stylé, soigne le matériel.

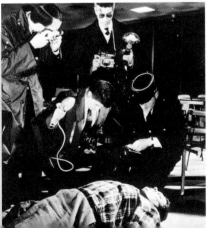
Des tontons ont flingué.

le rôle avant de réaliser qu'il avait tout à gagner à s'associer au tandem Lautner-Audiard pour enrichir la palette de son talent. Conservant toutes les caractéristiques, physiques et comportementales, du truand mais engoncé dans un smoking, lancé dans le milieu culturel, chargé d'enseigner les bonnes manières à une jeune bourgeoise, il va devoir, à tout instant, veiller à ce que le naturel ne revienne au galop. En vain, bien sûr. Ce qu'Audiard traduit en lui faisant dire, à propos d'Antoine (Claude Rich), le fiancé de Patricia (Sabine Singen) : « Patricia, mon petit, je ne voudrais pas te paraître vieux jeu et encore moins grossier – l'homme de la pampa, parfois rude, reste toujours courtois – mais la vérité m'oblige à te dire : ton Antoine commence à me les briser menu ! » De même, Bernard Blier, dans le rôle du traître, se montre d'autant plus vantard que les coups pleuvent et que son apparence de « bon gros » froussard est contredite par ses déclarations de guerre totale à Fernand : « Mais, moi, les dingues, je les soigne ! Je m'en vais lui montrer qui c'est Raoul ! Aux quatre coins de Paris qu'on va le retrouver, éparpillé par petits bouts, façon puzzle ! Moi, quand on m'en fait trop, je correctionne plus, je dynamite, je disperse, je ventile ! », immédiatement suivie d'une nouvelle volée de coups qui coupe court à ses rodomontades. Cette galerie de portraits farfelus s'enrichit de la trogne impayable d'acteurs que l'autoparodie émoustille : celle de Francis Blanche, notaire patelin, matois et lubrique ; celle, à la Droopy, le chien triste, de Jean Lefebvre ; celle de Robert Dalban, caricature du truand devenu valet stylé.

Le Gendarme de Saint-Tropez

Pandores au soleil

1964

Comédie de Jean Girault, avec Louis de Funès (Cruchot), Michel Galabru (adjudant Gerber), Jean Lefebvre (Fougasse), Christian Marin (Merlot), Geneviève Grad (Nicole) • Sc. Richard Balducci, Jacques Vilfrid, Jean Girault • Ph. Marc Fossard • Mus. Raymond Lefèvre • Prod. SNC • France - Italie • Durée 95'

Le gendarme Ludovic Cruchot se démène comme un beau diable pour dynamiser ses subordonnés, réparer les bourdes de sa fille Nicole et traquer un gang de voleurs de tableaux.

Fougasse (Jean Lefebvre), Gerber (Michel Galabru) et Cruchot (Louis de Funès) bien camouflés pour surprendre les nudistes.

Cruchot, déguisé en houri, est convoité par un prince oriental.

Quand un gendarme rit, dans la gendarmerie...

« Les gens se foutent de nous. Ils n'aiment pas la guerre mais applaudissent les soldats. Et nous, les gendarmes, qui sommes en quelque sorte les protecteurs de la paix, on nous crie : mort aux vaches ! ». Cette diatribe n'est pas dénuée de pertinence, même lorsqu'elle est vociférée par le maréchal des logis-chef Ludovic Cruchot, alias Louis de Funès. Elle traduit le sentiment mitigé de crainte et de dérision que le Français moyen éprouve à l'égard des gardiens de la paix. Et le cinéma s'est largement fait l'écho de cette réserve populaire en caricaturant les policiers, gabelous, gardes champêtres et autres pandores – souvent incarnés par des acteurs comiques bien connus, Jean Richard, Francis Blanche, Gabriello, Jacques Dufilho, Fernandel – devenus, sur les écrans, rien moins que des héros, des têtes de turc ou des guignols. Louis de Funès, en Cruchot, fut le plus célèbre de ces gendarmes, et sa notoriété franchit les frontières, comme si, avec ses tics, ses fureurs, son ridicule, il était l'archétype du représentant de l'ordre tel que le monde entier se plaît à l'imaginer. Cruchot, en effet, est un enragé du PV, pour un oui ou un non.

Cruchot et sa fille Nicole (Geneviève Grad).

C'est un fou de guerre qui impose un entraînement digne des Marines américains à une troupe de tire-au-flanc qui ne songent qu'à dormir au soleil, à siroter le pastis et à jouer à la pétanque. Gardien, aussi, de l'ordre moral, Cruchot fait la chasse aux nudistes qui envahissent la plage et veille sur sa fille comme si elle se destinait au couvent. Inculte, il n'a jamais entendu parler de Rembrandt. Vis-à-vis de son supérieur, il est servile, lèche-bottes et obséquieux, l'œil rivé sur son tableau d'avancement. Et lorsqu'il rêve, il se voit en para, en Thierry la Fronde, en général de Gaulle !

Partie de pétanque pour Merlot (Christian Marin).

La saga des « Gendarmes »

Les aventures tropéziennes de Ludovic Cruchot connurent un tel succès public – plus de 7,8 millions de spectateurs en France – que le film, réalisé à l'économie, gagna beaucoup d'argent. Une suite, voire une série, s'imposait. C'est ainsi que Louis de Funès, toujours sous la direction de Jean Girault, incarna encore Cruchot dans *Le Gendarme à New York* (1965, 5,5 M. de spectateurs), *Le Gendarme se marie* (1968, 6,8 M.), *Le Gendarme en balade* (1970, 4,9 M.), *Le Gendarme et les extra-terrestres* (1978, 6,3 M.) et *Le Gendarme et les gendarmettes* (1982, 4,2 M.) qui fut aussi la dernière apparition à l'écran du comédien.

1,64 m de dynamite

Louis de Funès est né le 31 juillet 1914. Il fait un peu de figuration, sur scène comme à l'écran, avant de décrocher un petit rôle, en 1945, dans *La Tentation de Barbizon*. Il apparaît dans un grand nombre de films avant d'accéder à la notoriété, en 1963, avec *Pouic Pouic*, de Jean Girault. *Le Gendarme de Saint-Tropez* fait de Louis de Funès une vedette immensément populaire dont la carrière va être désormais jalonnée de succès tels que *Le Corniaud* (1965) et *La Grande Vadrouille* (1966) où il fait équipe avec Bourvil, *Oscar* (1967), *La Folie des grandeurs* (1971), *Les Aventures de Rabbi Jacob* (1973), *L'Aile ou la cuisse* (1976) et *La Zizanie* (1978). Ce comédien de petite taille, au visage grimaçant, à la diction bredouillante, était voué à des personnages coléreux, paniqués, hystériques. Nombre de ses films n'étaient pas dignes d'un talent hors du commun dont il a administré la preuve en jouant Harpagon dans « L'Avare » de Molière, dont il co-signa en 1979, avec son complice Jean Girault, l'adaptation cinématographique. Louis de Funès, né de Funès de Galarza, a disparu le 27 janvier 1983.

La Panthère rose
Un inspecteur et un félin passés à la postérité

1964

The Pink Panther, comédie de Blake Edwards, avec David Niven (Sir Charles Lytton), Peter Sellers (l'inspecteur Jacques Clouseau), Robert Wagner (George Lytton), Capucine (Simone Clouseau), Claudia Cardinale (la princesse Dala) • Sc. Maurice Richlin, Blake Edwards • Ph. Philip Lathrop • Mus. Henry Mancini • Prod. Martin Jurow / Mirisch Company • États-Unis • Durée 114'

La princesse Dala, détentrice du fameux diamant « La Panthère rose », est menacée par le Fantôme, qui dépouille les riches de leurs bijoux. L'inspecteur Clouseau, de la Sûreté, est chargé de protéger la princesse et ses biens.

La party bat son plein. L'inspecteur Clouseau (Peter Sellers) et son drôle de zèbre veillent…

Clouseau a ordonné à son serviteur Kato (Burt Kwouk) de tenter de l'attaquer par surprise, dans *Le Retour de la Panthère rose*.

Un comique crève l'écran

Lorsqu'il donna le premier tour de manivelle de *La Panthère rose*, Blake Edwards ne se doutait pas qu'il allait au-devant d'une grande réussite : « Je pensais simplement avoir un bon film et nous nous sommes beaucoup amusés en le tournant. » Le film doit sa qualité au savoir-faire de Blake Edwards, mais c'est la prestation de Peter Sellers – « un véritable génie », a dit Edwards – qui fait le succès du film. Initialement, Peter Ustinov devait tenir le rôle de l'inspecteur Clouseau ; sans doute aurait-il créé un personnage pittoresque, un Hercule Poirot comique (il en interprétera le rôle plus tard dans *Mort sur le Nil*, John Guillermin, 1978), mais Clouseau serait resté un protagoniste parmi les autres. Peter Sellers donne une telle dimension comique au policier gaffeur que l'inspecteur Clouseau est devenu le personnage vedette. Blake Edwards signe là une étourdissante comédie policière burlesque, avec chassés-croisés amoureux et un diamant convoité par le Fantôme, gentleman-cambrioleur charmeur auquel ne résistent ni la princesse ni la belle Mme Clouseau. Ne manquent ni les réunions mondaines (qui annoncent *La Party*, 1968) ni les poursuites automobiles délirantes dans les rues de Rome. Tout cela ponctué des mille gaffes de l'inspecteur Clouseau.

Un générique animé et explosif

Le diamant n'est pas parfait, explique-t-on au riche maharadjah acquéreur, car il souffre d'un léger reflet dont la forme rappelle une Panthère rose. D'où le titre du film, avec un générique original et désopilant en dessin animé, où la Panthère rose prend vie sous forme d'un félin, rose bonbon, nonchalant et malicieux, souffre-douleur et tortionnaire d'un petit personnage, l'inspecteur. Des dessins animés autonomes suivront, signés DePatie-Freleng, ainsi que des albums de bande dessinée. Le film et les dessins animés sont inséparables du désormais classique thème musical d'Henry Mancini.

La Panthère rose, dessinée par DePatie-Freleng, est devenue le symbole de la série.

Suites et fins

Quand l'Inspecteur s'emmêle a été tourné la même année que *La Panthère rose*. Ont suivi *Le Retour de la Panthère rose* (1975), *Quand la Panthère rose s'emmêle* (1976), *La Malédiction de la Panthère rose* (1978), *À la recherche de la Panthère rose* (1982), *Curse of The Pink Panther* (1983, inédit en France), tous réalisés par Blake Edwards, les deux derniers après la mort de Peter Sellers. En 1993, Edwards réalisa un ultime épisode, *Son of the Pink Panther*, avec Roberto Benigni en fils de Clouseau. Steve Martin reprit le rôle de Clouseau dans *La Panthère rose* de Shawn Levy (2006).

Dreyfus (Herbert Lom), obsédé par Clouseau, doit se faire soigner, dans *La Malédiction de la Panthère rose*.

Peter Sellers (1925-1980)

Issu d'une modeste famille de comédiens, Peter Sellers débute par de petits emplois sur scène et à la radio, et commence réellement sa carrière dans *Tueurs de dames* (Alexander Mackendrick, 1955), mais accède d'un coup à la notoriété avec *Docteur Folamour* (1964) et *La Panthère rose*, après quoi il ne cessera plus de tourner : on le crédite de quelque cinquante-sept films. Les incontournables : *Lolita*, 1962 ; *Quoi de neuf Pussycat ?*, 1965 ; *Casino Royale*, 1967 ; *Un Cadavre au dessert*, 1976 ; la série des cinq *Panthère rose* et l'inénarrable *Party*.

Le Corniaud

Naissance d'un duo comique

1965

Comédie de Gérard Oury, avec Bourvil (Antoine Maréchal), Louis de Funès (Léopold Saroyan), Venantino Venantini (la Souris), Beba Loncar (Ursula), Alida Chelli (la manucure) • Sc. Gérard Oury • Ph. Henri Decae • Mus. Georges Delerue • Prod. Films Corona / Explorer Films 58 • France - Italie - Espagne • Durée 110'

Pour rapatrier une Cadillac bourrée de drogue et abritant un diamant, Léopold Saroyan se sert d'Antoine, un naïf dont il a démoli la voiture. Mais le gangster n'est pas le seul à suivre la cargaison...

Emmenés par la police, Saroyan (Louis de Funès) et Maréchal (Bourvil) préfèrent encore en rire.

Le coléreux Léopold Saroyan détruit la 2 CV d'Antoine Maréchal.

Les deux font la paire

De Funès et Bourvil ont déjà joué ensemble dans *Poisson d'avril* (Gilles Grangier, 1954) et avec Jean Gabin dans une scène mémorable de *La Traversée de Paris* (Claude Autant-Lara, 1956). On peut pourtant dire que leur première véritable rencontre a lieu dans *Le Corniaud*, où leurs deux formes de comique s'avèrent complémentaires, opposition entre la candeur et la bonne humeur de Maréchal et la nature furieuse et hypernerveuse de Saroyan. La véritable trouvaille d'Oury est d'éviter les rencontres trop fréquentes. Par le biais d'un ingénieux scénario, il pratique l'alternance, donnant l'occasion à chacun de mettre son talent en valeur. Après ce triomphe, Gérard Oury tient la gageure de reformer le même tandem, créant un succès encore plus grand avec *La Grande Vadrouille* (1966).

Maréchal prend en stop Ursula (Beba Loncar).

Du film noir à la comédie

Sur les planches et à l'écran, Gérard Oury interprète souvent des personnages antipathiques (*Le Dos au mur*, Édouard Molinaro, 1958). Lorsqu'il passe derrière la caméra pour épater sa compagne, l'actrice Michèle Morgan, il réalise des films à dominante noire (*La Menace*, 1960). Le succès du *Crime ne paie pas* (1961) lui permet de se consacrer entièrement à la mise en scène de ses propres scénarios. À l'occasion de ce tournage, Louis de Funès, qui joue dans la seule scène drôle du film, dit de Gérard Oury qu'il ne parviendra à s'exprimer vraiment que lorsqu'il aura admis qu'il est un auteur comique. Par la suite, le réalisateur se fiera à l'intuition de l'acteur. Bourvil et Louis de Funès accepteront de jouer dans *Le Corniaud* sans même en avoir lu le scénario.

Un gangster plutôt débonnaire.

Périple haut en couleur

En dépit des tics et grimaces de l'infatigable Louis de Funès, s'efforçant de réparer les gaffes du « corniaud » qui perd presque toute la marchandise de contrebande, de nombreuses séquences ne doivent qu'accessoirement leur pouvoir comique aux comédiens, comme le coup de téléphone entre les occupants de deux voitures arrêtées côte à côte en Italie, la communication passant par Paris. Le directeur de la photographie, Henri Decae, qui travaillera sur d'autres films d'Oury (entre autres *La Folie des grandeurs*, 1971, ou *La Vengeance du serpent à plumes*, 1984) emploie la couleur et le format Scope pour cette poursuite le long du littoral méditerranéen. Et Gérard Oury se sert des pittoresques paysages traversés par les personnages : Naples, Rome, Pise, les rues et les remparts de Carcassonne, les toits de Bordeaux et, pour la fusillade entre la bande de Saroyan et celle du Bègue, les célèbres jardins de Tivoli.

Monty Python, sacré Graal

Chevaliers et Table ronde sens dessus dessous

1975

Monty Python and the Holy Grail, comédie burlesque de Terry Gilliam et Terry Jones avec les Monty Python • Sc. Les Monty Python • Ph. Terry Bedford • Mus. Neil Innes • Prod. Python Pictures • Royaume-Uni • Durée 90'

Le roi Arthur et ses intrépides chevaliers, Lancelot, Galahad, Robin et les autres, affrontent les pires difficultés pour remplir la mission que Dieu en personne leur a confiée : découvrir le saint Graal.

En ce temps-là, le valeureux roi Arthur chevauchait en compagnie de ses preux chevaliers…

Échantillons pythonesques

Des bombardes classiques avec des projectiles qui le sont moins : des cadavres de vaches. Un chevalier découpé sur pied et qui se bat jusqu'à la dernière rondelle. Un lapin sanguinaire attaqué à coups de Saintes Grenades d'Antioche. Un autre chevalier en danger face à cent cinquante vierges assoiffées de sexe. L'importation des noix de coco par des essaims d'hirondelles. Et encore un chevalier, à trois têtes celui-là. Le tout surveillé par deux inspecteurs de Scotland Yard qui refusent qu'on les filme…

« Quelqu'un a frappé ? ».

Le trot des noix de coco

Les joyeux lurons du « Monty Python Flying Circus » – Graham Chapman (1941-1989), John Cleese (né en 1939), Terry Gilliam, le seul Américain (né en 1940), Eric Idle (né en 1943), Terry Jones (né en 1942), Michael Palin (né en 1943) – venaient de terminer la cinquième et dernière saison de leur show télévisé à la B.B.C. lorsque l'idée leur vint de tenter une nouvelle expérience au cinéma après *Pataquesse* (1972), compilation de sketches TV qui avait connu un échec

commercial. Les six compères se mettent au travail sur la légende arthurienne et la Quête du Graal. Cleese fait équipe avec Chapman, Palin avec Jones, tandis que Gilliam et Idle écrivent chacun de leur côté. Confrontant les résultats de leurs cogitations, ils ne gardent que ce qui les fait rire et jettent sans regret ce qui les laisse froids. Conscients qu'une parodie, pour être drôle, doit se tenir au plus près du sujet dont elle se moque, les six scénaristes s'imposent, comme le dit Gilliam, « de travailler aussi sérieusement que Luchino Visconti préparant *Le Guépard* ». La première version du scénario se présente comme un méli-mélo de sketches, certains situés au Moyen Âge, d'autres à l'époque contemporaine. Le premier, à cheval sur les deux périodes, présentait un chevalier courant acheter un Graal chez Harrod's, à Londres, car la publicité proclamait alors : « On trouve tout chez Harrod's ! ». Mais Terry Jones convainc ses camarades que le film serait moins cher s'il se passait tout entier au Moyen Âge. Pour preuve, il suffit de remplacer les chevaux par des noix de coco ! Il restait à tenir 90 minutes sur ce ton et à trouver un scénario qui captive le spectateur. C'est alors qu'ils eurent l'idée de faire voyager le roi Arthur et de lui ménager des rencontres avec ses preux chevaliers. « C'était comme une série de sketches, avec un fil conducteur. De toute façon, on ne savait pas écrire autre chose. Comme quoi il suffit d'être jeune et con pour faire

M. Créosote (Terry Jones) et le maître d'hôtel (John Cleese) dans *Le Sens de la vie*.

Brian (Graham Chapman) dans *La Vie de Brian*.

un film à succès », conclut Terry Gilliam, qui a réalisé toutes les séquences en dessins et enluminures animées, tandis que Terry Jones dirigeait le reste du film !

Six pour un, un pour six !

Cinéastes, Terry Gilliam et Terry Jones ont acquis, surtout le premier, une notoriété internationale. Gilliam a signé, entre autres, *Brazil* (1985), *Les Aventures du Baron de Münchausen* (1988), *Fisher King* (1991), *L'Armée des douze singes* (1995), *Les Frères Grimm* (2005) ; le second a poursuivi dans la voie tracée par *Sacré Graal* avec *La Vie de Brian* (1979), *Le Sens de la vie* (1983), puis, toujours dans la veine parodique, *Erik le Viking* (1989). Leurs quatre camarades, acteurs et scénaristes, ont interprété la série des *Monty Python* et les autres films de Gilliam et de Jones. John Cleese et Michael Palin ont connu, de leur côté, un immense succès avec *Un Poisson nommé Wanda* de Charles Crichton (1988).

137

Un Éléphant ça trompe énormément

Double messieurs

1976

Comédie d'Yves Robert, avec Jean Rochefort (Étienne), Claude Brasseur (Daniel), Guy Bedos (Simon), Victor Lanoux (Bouly), Danièle Delorme (Marthe, l'épouse d'Étienne), Anny Duperey (Charlotte), Marthe Villalonga (la mère de Simon) • Sc. Jean-Loup Dabadie, Yves Robert • Ph. René Mathelin • Mus. Vladimir Cosma • Prod. La Guéville / Gaumont • France • Durée 100' • César du meilleur acteur dans un second rôle (Claude Brasseur)

Quatre quadragénaires en crise : Étienne, mari modèle tenté par une aventure ; Bouly, mari volage trompé par sa femme ; Daniel, célibataire secrètement homosexuel, et Simon, médecin harcelé par sa mère.

Les quatre amis : Simon (Guy Bedos), Bouly (Victor Lanoux), Daniel (Claude Brasseur), Étienne (Jean Rochefort).

La robe rouge de Charlotte

C'est un film de copains : les quatre qu'il met en scène ne sont pas seulement liés par une solide amitié, ils sont aussi complices lorsque l'un ou l'autre doit dissimuler à son épouse légitime l'existence d'une maîtresse. C'est d'ailleurs pour une affaire de cœur qu'Étienne, respectable fonctionnaire de ministère, se retrouve en robe de chambre sur une corniche en haut d'un immeuble : il est l'amant de la dame dont le mari vient de rentrer sans prévenir ! Mais ce film, comme sa suite, *Nous irons tous au Paradis* (1977), réalisé avec la même équipe, n'est pas pour autant un vaudeville grivois, c'est une subtile comédie de mœurs qui en dit long sur le mode de vie et les préoccupations d'une couche sociale – cadres et professions libérales – dans la France des années soixante-dix.

Bouly, Daniel et Simon à l'aéroport. (*Nous irons tous au Paradis*)

Marthe (Danièle Delorme) est-elle au courant de son infortune ? (*Nous irons tous au Paradis*)

Yves Robert raconte dans ses mémoires (« Un Homme de joie », Flammarion, 1996) que nombre des péripéties de ses films lui sont venues du souvenir de ce qu'il avait lui-même vécu. Ainsi, à dix-huit ans, il était tombé amoureux fou d'une estivante, incarnation de la femme idéale dont il rêvait ; et c'est en pensant à ce flirt d'un été qu'il conçut cette image – emblématique du film – d'Anny Duperey, sur une bouche d'aération, la robe rouge envolée haut, comme celle, blanche, de Marilyn Monroe dans *Sept ans de réflexion* (Billy Wilder, 1955). De même, cherchant un point de départ à l'amitié des « éléphants », Robert le trouva par hasard, en assistant à un match de tennis opposant la paire Gilles Jacob / Bertrand Poirot-Delpech au duo Pierre Bouteiller / Jean-Loup Dabadie, son scénariste : « Des gamins en culottes courtes » qu'il retrouvera au vestiaire : « ...à poil, déconnant sous la douche ».

Charlotte (Anny Duperey) et sa robe rouge.

Yves Robert : les copains d'abord

Yves Robert (1920-2002) a débuté, en 1944, sur la scène d'un music-hall. Auparavant, il avait été coursier, commis pâtissier, ouvrier imprimeur, développant, outre le goût du travail bien fait, un sens aigu de l'observation qui nourrira ses créations futures, au théâtre comme au cinéma. Sur scène, il mettra son talent au service d'auteurs non conformistes, comme Raymond Queneau, Albert Vidalie ou Boris Vian. Il réalise son premier long métrage, *Les Hommes ne pensent qu'à ça*, en 1953 et le succès lui viendra avec *La Guerre des boutons* (1961), adaptation du roman de Louis Pergaud. Profitant de ce triomphe inattendu et pour s'assurer une totale indépendance financière et artistique, Yves Robert crée, avec son épouse Danièle Delorme, sa propre structure de production, La Guéville. Dans ce contexte artisanal, travaillant avec des collaborateurs fidèles, techniciens et comédiens, Yves Robert va réaliser quelques-uns des plus grands succès commerciaux du cinéma français des décennies soixante à quatre-vingt-dix : *Alexandre le bienheureux* (1968), *Le Grand Blond avec une chaussure noire* (1972), *Nous irons tous au Paradis* (1977), *Le Jumeau* (1984), *La Gloire de mon père* et *Le Château de ma mère* (1990). Il laissera la trace d'un cinéaste – souvent acteur – tendre et généreux dont le talent excelle à exalter le bleu du ciel, la douceur d'une enfance, la chaleur d'une amitié.

Les Bronzés
Amour, coquillages et crustacés

1978

Comédie de Patrice Leconte, avec Josiane Balasko (Nathalie), Michel Blanc (Jean-Claude), Marie-Anne Chazel (Gigi), Christian Clavier (Jérôme), Gérard Jugnot (Bernard), Thierry Lhermitte (Popeye) • Sc. l'équipe du Splendid • Ph. Jean-François Robin • Mus. Serge Gainsbourg • Prod. Trinacra • France • Durée 98'

Une semaine au Club Med, non loin d'Abidjan, en Côte d'Ivoire.
Des « visages pâles », nouveaux GM, s'échinent à ne pas « bronzer idiot ».
Leur tâche sera difficile !

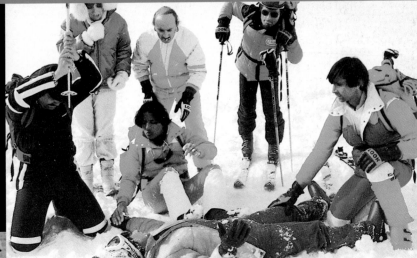

Après les plages, les GM écument les pistes de Val-d'Isère (*Les Bronzés font du ski*).

Bernard (Gérard Jugnot) chambre le pauvre Jean-Claude.

Une fine équipe

C'est le film-manifeste de l'équipe du Splendid, une troupe de joyeux drilles qui imposa, à la fin des années soixante-dix, la formule du café-théâtre fondée sur l'improvisation collective et la satire des comportements quotidiens du Français moyen. C'est au sein de cette troupe que se révélèrent, outre les interprètes des *Bronzés*, Coluche et Patrick Dewaere. Trois années de suite, les dirigeants du Club Méditerranée avaient invité le Splendid à venir animer une saison dans différents sites. Ces séjours prolongés avaient permis à toute l'équipe d'observer les mœurs et habitudes des GO, les « gentils organisateurs », et des GM, les « gentils membres », qui animent et peuplent les clubs. De ces immersions dans l'univers ludique mais clos des vacances organisées naquit une pièce, « Amour, coquillages et crustacés », qui fut jouée pendant un an, à guichets fermés, au café-théâtre parisien du Splendid. Un tel succès justifiait une adaptation cinématographique dont la mise en images fut confiée à un transfuge de la bande dessinée ayant travaillé au journal « Pilote », Patrice Leconte, déjà signataire d'une quantité de spots publicitaires, pour la télévision et le grand écran, et d'une comédie grinçante, *Les Vécés étaient fermés de l'intérieur* (1976), interprétée par Coluche et Jean Rochefort.

GO et GM en folie

« La bande dessinée m'a enseigné les constructions au millimètre près. La publicité m'a appris l'économie du récit : en quarante-cinq secondes, il faut aller à l'essentiel ». Ces propos de Leconte expliquent la réussite des *Bronzés* : minutieux réglage des gags, soigneusement dessinés avant le tournage, refus du comique de grimaces ou de tartes à la crème au profit d'une gaieté franche, comparable à celle des comédies à l'italienne. Le tout pimenté d'une bonne dose d'observation sociologique, raillant le comportement du touriste moyen en quête de potion miracle contre la solitude.

Les trois grâces : Christiane (Dominique Lavanant), Gigi (Marie-Anne Chazel) et Nathalie (Josiane Balasko).

C'est ainsi que l'on découvre, parmi les « gentils membres », Bernard, cadre commercial anxieux, bavard et jaloux de son épouse Nathalie, venue là pour tester sa séduction ; Jérôme, un jeune médecin célibataire qui se pavane en mini-slip pour draguer à tout va ; Gigi, une petite secrétaire romantique qu'affole la liberté sexuelle ambiante ; Jean-Claude, chauve timide et mal dans sa peau, qui voudrait profiter du séjour pour trouver enfin l'âme sœur ; ou encore Christiane, une esthéticienne revêche en quête d'aventure amoureuse.

Jean-Claude (Michel Blanc) en bien délicate posture.

Ce microcosme de gentils paumés, sous la férule moqueuse d'un GO musclé, Popeye, va vivre en autarcie – indifférent à l'univers exotique d'Assouindé, à 80 kilomètres au sud d'Abidjan, en Côte d'Ivoire, où fut tourné le film – pendant une semaine de goguette et de détente. Les aventures sentimentales et sportives de ces forçats du loisir obligatoire créent un comique insolite, insolent et doux-amer dont Patrice Leconte ne perdit pas la recette lorsqu'il tourna, avec les mêmes interprètes, une suite hivernale à ce premier et fructueux essai : *Les Bronzés font du ski* (1979). Et, en 2006, toute l'équipe s'est retrouvée pour *Les Bronzés 3 - amis pour la vie*, dernier volet d'une trilogie au succès légendaire.

Y a-t-il un Pilote dans l'avion ?

Parodie tous azimuts

Aidés du pilote automatique, Elaine (Julie Hagerty) et Ted Striker (Robert Hays) vont tenter d'éviter la catastrophe.

1980

Airplane !, comédie burlesque de Jim Abrahams, David et Jerry Zucker, avec Julie Hagerty (Elaine), Robert Hays (Ted Striker), Peter Graves (le capitaine Oveur), Robert Stack (Kramer), Lloyd Bridges (McCroskey), Leslie Nielsen (le docteur Rumak) • Sc. Jim Abrahams, David et Jerry Zucker • Ph. Joseph Biroc • Mus. Elmer Bernstein • Prod. Paramount • États-Unis • Durée 85'

Une intoxication alimentaire rend inopérants les pilotes du vol 309 à destination de Chicago. Une tempête se lève. Elaine, l'hôtesse, doit faire appel à son futur ex-fiancé Ted, simple passager. Ted fut pilote, mais il a été traumatisé par la guerre : il est désormais incapable de piloter...

Les ZAZ, du tragique au comique

C'est en visionnant un film signé Hall Bartlett, *À l'Heure zéro* (1957), ancêtre du film-catastrophe, que les frères David et Jerry Zucker, et Jim Abrahams (alias les ZAZ) eurent l'idée d'écrire un scénario sur un avion de ligne en péril. Cinq ans durant, ils remanièrent le scénario de *Y a-t-il un Pilote dans l'avion ?*, qui fut finalement accepté par la Paramount. La trame du film est ouvertement calquée sur *Airport* (George Seaton, 1970) et l'une de ses suites *747 en péril* (Jack Smight, 1974) qui traitent de vols commerciaux en danger : les films-catastrophes – qu'il s'agisse d'incendie (*La Tour infernale*), de naufrage (*L'Aventure du Poséidon*), ou de *Tremblement de terre* – se situent à deux niveaux narratifs : l'histoire en elle-même, le devenir de l'appareil en perdition, et les histoires individuelles qui se mêlent à la dramaturgie. Ces éléments habituellement tragiques sont vus ici sous l'angle de la dérision et du pastiche.

McCroskey (Lloyd Bridges), l'homme qui n'arrête pas d'arrêter de fumer et Kramer (Robert Stack), celui-qui-garde-son-sang-froid-en-toutes-circonstances.

Ted est en vue de l'aéroport : la sueur coule à flots.

Insolence et provocation

Dès le décollage, les gags vont défiler, prenant pour cible les petits faits de la vie courante (le laveur de carreaux du cockpit), les flashes-back classiques des films dramatiques (le bouge aux bagarres violentes). Robert Stack, Lloyd Bridges n'hésitent pas à s'auto-parodier. La bonne sœur guitariste parle le jive (argot des Noirs américains) ou arrache d'un coup de manche de guitare le goutte-à-goutte vital d'une jeune malade ; l'hôtesse regonfle la poupée géante qui sert de… pilote automatique, laquelle sourit de bonheur lascif à cette opération ; le premier pilote (joué par Peter Graves, le Jim Phelps de la série télévisée « Mission : impossible ») vante à un jeune garçon les vertus des revues de culturisme… Autant de gags qui auraient été impensables quelques années auparavant en raison de la censure. Les ZAZ accumulent gag sur gag et multiplient les clins d'œil cinéphiles : *Tant qu'il y aura des hommes*, *Casablanca*, *La Fièvre du samedi soir*, *Les Dents de la mer*, notamment, sont ainsi parodiés. Dérision, irrespect, insolence face aux valeurs traditionnelles sont les sources les plus sûres du cinéma comique, parcours déjà balisé par Charlie Chaplin et les Marx Brothers.

Y a-t-il eu d'autres titres similaires ?

Le succès du film ayant entraîné une suite, elle fut baptisée dans notre pays *Y a-t-il enfin un Pilote dans l'avion ?* (Jim Abrahams, 1882), et les distributeurs français exploitèrent ce filon avec *Y a-t-il quelqu'un pour tuer ma femme ?* (David Zucker, 1988), ainsi que la série interprétée par Leslie Nielsen *Y a-t-il un Flic pour sauver la reine ?* (David Zucker, 1988), *Y a-t-il un Flic pour sauver le président ?* (David Zucker, 1991), *Y a-t-il un Flic pour sauver Hollywood ?* (Peter Segal, 1994), *Y a-t-il un flic pour sauver l'humanité ?* (Allan A. Goldstein, 2002).

Face à Elaine, Ted se prend pour John Travolta dans *La Fièvre du samedi soir*.

Le Père Noël est une ordure
Affreux jojos

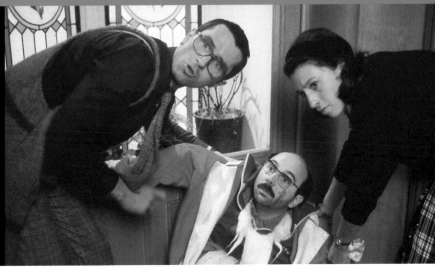

1982

Comédie de Jean-Marie Poiré, avec Anémone (Thérèse), Thierry Lhermitte (Pierre Mortez), Marie-Anne Chazel (Josette), Gérard Jugnot (Félix), Christian Clavier (Katia), Josiane Balasko (Mme Musquin), Bruno Moynot (M. Preskovitch), Jacques François (le pharmacien), Martin Lamotte (M. Leblé) • Sc. La troupe du Splendid • Ph. Robert Alazraki • Mus. Vladimir Cosma • Dist. GEF-CCFC • France • Durée 90'

Nuit de Noël mouvementée à la permanence de l'association SOS-Détresse-Amitié.

Pierre (Thierry Lhermitte) et Thérèse (Anémone) au secours de Félix (Gérard Jugnot).

« Roulés sous les aisselles »

Créée en 1973, la troupe dite du Splendid, nom du café-théâtre parisien où elle s'est fait connaître, a défendu, dès son origine, l'idée que la création théâtrale est un travail collectif. C'est donc collectivement que fut élaboré, par Josiane Balasko, Michel Blanc, Marie-Anne Chazel, Christian Clavier, Gérard Jugnot et Bruno Moynot, ce qui fut d'abord une pièce à succès – plus de cinq cents représentations – avant de devenir un film-culte dont certaines répliques déclenchent toujours l'hilarité. Ainsi de « Oui, c'est fait à la main, roulé sous les aisselles » pour vanter les mérites des « doubitchous » de Sofia, une infâme pâtisserie ; « Homme en retard, liaison dans le tiroir » ; « Je n'aime pas dire du mal des gens, mais effectivement elle est gentille… » ; « Je ne vous jette pas la pierre, Pierre » ; « C'est fin, c'est très fin, ça se mange sans faim » ; ou encore de cet échange de répliques : « Vous êtes marié ? Vous ne vous êtes jamais disputé avec votre femme, vous ? – Si, mais jamais à coups de fer à souder. – C'est parce que vous n'êtes pas bricoleur. » La provocation est à la base du comique de la troupe dont les animateurs éprouvent une délectation communicative à explorer les abîmes de la bêtise crasse, de la mesquinerie quotidienne, de la sexualité honteuse. Et la plus savoureuse des provocations n'est-elle pas de s'en prendre aux sacro-saintes valeurs établies, comme le Père Noël ou le business de la charité ?

Nouveaux comiques

À l'aube des années soixante-dix, le cinéma comique français vient de perdre Bourvil, en 1970, et Fernandel, en 1971, et ne compte plus qu'une valeur sûre, Louis de Funès qui tournera au cours de la décennie ses plus grands succès : *La Folie des grandeurs* (1971), *Les Aventures de Rabbi Jacob* (1973) et *L'Aile ou la cuisse* (1976). La série des *Bidasses* et celle des *Charlots*, avec leurs cinq comédiens quasiment anonymes, celle de la *7ᵉ Compagnie*, dirigée par Robert Lamoureux, n'offrent pas, en raison de leur manque d'ambition et de moyens, de perspectives à long terme. Pierre Richard et Yves Robert signent ou interprètent des comédies de qualité qui demeurent toutefois dans la grande tradition

Félix braque Katia, le travesti (Christian Clavier).

Drôle de réveillon…

comique française, de bon ton. Seul Jean Yanne, avec les pamphlets satiriques que sont *Tout le monde il est beau, tout le monde il est gentil* (1972), *Moi y en a vouloir des sous* (1973) et *Chobizenesse* (1975), semble s'inscrire

dans l'air du temps, celui, contestataire, iconoclaste, libertaire, de Mai 68. Toutefois, c'est au théâtre – et plus précisément dans une série de petites salles parisiennes baptisées cafés-théâtres – que se prépare, tout au long de la décennie soixante-dix, la grande relève du cinéma comique français. D'abord au Café de la Gare, créé au lendemain de Mai 68 par Romain Bouteille et où vont se révéler quelques-unes des futures vedettes du grand écran : Miou-Miou, Patrick Dewaere, Gérard Depardieu et Coluche. Ensuite au Splendid où fut donc constituée l'équipe qui, après *Les Bronzés* (1978) et *Le Père Noël est une ordure*, apportera un sang nouveau au comique populaire. Dispersée dans les années quatre-vingt-dix, la troupe semble laisser la place au trio des « Inconnus », puis aux Nuls de Canal+, dont l'humour flirte avec le ton burlesque des bandes dessinées comme en atteste *Astérix & Obélix : Mission Cléopâtre* d'Alain Chabat (2002).

Un Poisson nommé Wanda

Festival d'humour british

Wanda (Jamie Lee Curtis), Ken, Otto et George (Tom Georgeson) préparent le vol de la banque.

Poisson Python

C'est en 1969 que John Cleese et Graham Chapman eurent l'idée d'*Un Poisson nommé Wanda*, à l'époque où ils fondèrent le groupe Monty Python avec Terry Gilliam, Eric Idle, Terry Jones et Michael Palin. Ils pensaient déjà en confier la réalisation à Charles Crichton, mais le projet resta en sommeil jusqu'en 1983. Après plus de deux ans d'écriture du scénario, les rôles de Jamie Lee Curtis, Kevin Kline et Michael Palin furent élaborés au hasard de leurs tournages. Grâce à Alan Ladd Junior, John Goldwyn et Jay Kanter, la M.G.M. accepta de produire le film, après que Dino De Laurentiis et Universal l'aient refusé. Le film coûta un peu plus de 7 millions de dollars, les recettes se montèrent à 45 millions de dollars après quelques semaines d'exploitation aux États-Unis.

tentent d'écouler de l'or volé via des tours Eiffel miniatures, *L'Habit fait le moine* (1958), sombre histoire d'un fils d'escroc. *Un Poisson nommé Wanda*, réalisé à 77 ans, fut son dernier film.

De l'inconvénient d'être anglais

Les personnalités très marquées des protagonistes créent le meilleur effet comique. Sur fond d'Angleterre conservatrice, c'est Wanda, superbe jeune femme ambitieuse et intéressée, Otto, l'homme de main aux ressources intellectuelles limitées qui lit Nietzsche une arme à la main, Ken le bègue, ami des poissons et des chiens. Archie Leach enfin, le « barrister », plus British que nature, l'homme-clé de l'affaire qui assène quelques vérités premières sur ses compatriotes. « Savez-vous ce que cela représente d'être anglais, d'être constamment correct, coincé ? » dit-il à Wanda. Et c'est en toute immoralité que le film chante les louanges du sexe, du vol, de l'adultère, et fait rire avec des meurtres de caniches ou de poissons.

Wendy (Maria Aitken), Portia (Cynthia Caylor) et Archie Leach.

1988

A Fish Called Wanda, comédie de Charles Crichton, avec Jamie Lee Curtis (Wanda Gerschwitz), John Cleese (Archie Leach), Kevin Kline (Otto West), Michael Palin (Ken Pile) • Sc. John Cleese, d'après un sujet de John Cleese et Charles Crichton • Ph. Alan Hume • Mus. John Du Prez • Prod. Prominent Features / M.G.M. • États-Unis - Royaume-Uni • Durée 108' • Oscar du meilleur second rôle masculin (Kevin Kline)

Un vol de diamants est commis par quatre malfrats, dont la belle Wanda. Dénoncé par ses complices, George, le « cerveau » de l'affaire, est arrêté. Wanda veut à tout prix mettre la main sur le magot. Pour ce faire, elle séduit Archie Leach, l'avocat de George, qui sait où est caché le butin...

British comedy

L'après-guerre a vu se développer de nombreuses comédies témoignant toutes de l'humour britannique. Citons *Passeport pour Pimlico* (Henry Cornelius, 1949), où un quartier de Londres se découvre province bourguignonne ; *Noblesse oblige* (Robert Hamer, 1949), qui montre l'ascension et la chute d'un rejeton de noble lignée ; *L'Homme au complet blanc* (Alexander Mackendrick, 1951), sur les malheurs d'un inventeur victime de son invention ; *Tueurs de Dames*, (Alexander Mackendrick, 1955), où de dangereux malfrats déguisés en musiciens logent chez une vieille dame. Cette tradition humoristique se perpétue, mais elle est de plus en plus liée au contexte social : ainsi, *The Snapper* (Stephen Frears, 1993), où une famille nombreuse irlandaise est confrontée à l'arrivée d'une nouvelle bouche à nourrir, et *The Full Monty* (Peter Cattaneo, 1995), ou comment sortir du chômage grâce au strip-tease.

Otto (Kevin Kline) tourmente Ken (Michael Palin) et ses chers poissons.

Charles Crichton (1910-1999), réalisateur britannique, a tourné quelque 21 films dont plusieurs très grands succès internationaux : *Au Cœur de la nuit* (1945) – le sketch des joueurs de golf dans ce remarquable film fantastique – *De l'Or en barres* (1951), dans lequel Alec Guinness et Stanley Holloway

Archie (John Cleese) dans une situation délicate.

Les Visiteurs
Nos ancêtres les Godefroy

1993

Comédie de Jean-Marie Poiré,
avec Christian Clavier (Jacquouille
la Fripouille / Jacques-Henri Jacquard),
Jean Reno (Godefroy de Papincourt),
Valérie Lemercier (Frénégonde de
Pouille / Béatrice de Montmirail), Marie-
Anne Chazel (Ginette), Isabelle Nanty
(Fabienne) • Sc. Jean-Marie Poiré,
Christian Clavier • Ph. Jean-Yves
Le Mener • Mus. Éric Levi • Prod. Alain
Terzian • France • Durée 105' • César
de la meilleure actrice dans un second
rôle (Valérie Lemercier)

**À cause d'une potion magique mal
dosée, le comte Godefroy de Montmirail
et son écuyer Jacquouille la Fripouille
sont projetés de l'an de grâce 1122
à l'année 1992. Et c'est le choc
des civilisations et des générations…**

Jacquouille (Christian Clavier) et Godefroy (Jean Reno) au bain.

« Qu'est-ce que c'est que ce binz ? »

Les Visiteurs, sous-titré « Ils ne sont pas nés
d'hier », est le neuvième film de Jean-Marie
Poiré et le sixième co-écrit et interprété
par Christian Clavier après *Le Père Noël est
une ordure* (1982), *Papy fait de la résistance*
(1983), *Twist again à Moscou* (1986),
Mes Meilleurs Copains (1988) et *L'Opération
Corned-beef* (1990) où, déjà, Christian Clavier
et Jean Reno étaient les têtes d'affiche.
Cette idée d'un voyage dans le temps,
du passé vers le futur, est venue à l'esprit de
Jean-Marie Poiré alors qu'il était adolescent
et rêvait de devenir cinéaste : « Ça m'a
toujours amusé d'imaginer comment
Louis XIV ou Molière, s'ils revenaient
de nos jours, verraient notre monde ». Poiré
et Clavier se sont visiblement amusés
à inventer des gags fondés sur des
anachronismes permanents et les différences,
vestimentaires, culturelles, de langage, entre
les Français du XXᵉ siècle et leurs ancêtres
du XIIᵉ siècle. Lorsque ces derniers baptisent
les automobiles « chariotes du diable »
et qu'ils se plaignent, en reniflant l'air
d'aujourd'hui « Pouah, que ça puire ! » –
inconscients qu'ils sont du puissant remugle
de bouc qu'ils dégagent –, on peut voir
en eux des précurseurs de l'écologie
contemporaine !
Au vieux français imagé de Godefroy et
Jacquouille répond la logorrhée de Béatrice
et Jacques-Henri, leurs lointains descendants,
qui émaillent leurs propos branchés
de « C'est dingue ! », « Qu'est-ce que c'est
que ce binz ? » et autres « Okaaaaay ! ».

Jacquouille s'est mis au goût du jour et flirte avec Ginette
(Marie-Anne Chazel).

Frénésie comique

Tout le film va bon train, comme à l'accéléré. Les
personnages s'agitent, se poursuivent, s'interpellent,
s'interrogent sur leur identité, la réalité, le sens des
mots, le pourquoi et le comment de tout. Le couple
Jean Reno et Christian Clavier, l'un grand et fort,
l'autre petit et faible, n'est pas sans rappeler ceux
formés par Laurel et Hardy, Bourvil et de Funès,
Gérard Depardieu et Pierre Richard dans nombre
de films, américains et français. Dans un double rôle,
celui de Jacquouille, le serf immonde qui pète et pue,
et celui de Jacques-Henri, le gommeux prétentieux et
maniéré, Christian Clavier fait preuve d'une frénésie

Entre Godefroy et Jacques-Henri, le courant ne passe pas !

clownesque qui évoque le meilleur Louis
de Funès. Au comique des situations, à la
drôlerie d'un personnage monté sur ressorts
viennent s'ajouter des gags purement visuels
créés par des effets spéciaux : transformation
à vue des visages qui semblent soudain en
pâte à modeler, déformation des tours et des
volumes du château de Montmirail sous l'œil
égaré de Godefroy, drogué par une sorcière.

Frénégonde (Valérie Lemercier) en l'an 1122.

Avec tous ces atouts drolatiques, *Les Visiteurs*
a fait rire des millions de spectateurs
(près de 14 millions en France) un peu partout
dans le monde. Une suite, *Les Couloirs
du temps*, fut écrite, réalisée et interprétée
en 1998 par la même équipe – à l'exception de
Valérie Lemercier remplacée par Muriel Robin :
l'accueil fut sensiblement moins triomphal.
Le remake réalisé aux États-Unis, *Les Visiteurs
en Amérique* (2001), toujours avec Jean Reno
et Christian Clavier, fut un cuisant échec
que Jean-Marie Poiré préféra ne pas signer
de son nom mais d'un pseudonyme,
Jean-Marie Gaubert.

La Vérité si je mens !

Sur le Sentier de la gloire

Yvan (Bruno Solo), Patrick Abitbol (Gilbert Melki), Benny Serfati (Roméo Sarfati), Serge (José Garcia) et Dov (Vincent Elbaz) au hammam.

1997

Comédie de Thomas Gilou, avec Richard Anconina (Eddie Vuibert), Amira Casar (Sandra Benzakem), Vincent Elbaz (Dov Mimran), Richard Bohringer (Victor Benzakem), Anthony Delon (Maurice Aflalo) • Sc. Michel Munz, Gérard Bitton • Ph. Jean-Jacques Bouhon • Mus. Gérard Presgurvic • Prod. Vertigo Productions / France 2 Cinéma / M6 Films / Orly Films / Les Productions Jacques Roitfeld • France • Durée 100'

Embauché par Victor Benzakem, grossiste du Sentier qui le croit juif, Eddie, ignare en matière de judaïsme, a des difficultés à cacher qu'il est goy…

Genèse d'un projet

Vertigo, jeune société de production composée d'Aïssa Djabri, Farid Lahouassa et Manuel Munz, avait pris une option sur « Rock Casher » (Flammarion, 1988), livre de Michel Munz (sans lien de parenté avec Manuel Munz). Malgré un travail d'adaptation avec Gilles Mimouni et une avance sur recette, le projet fut abandonné, jusqu'à ce que le producteur Georges Benayoun s'y intéresse.

Eddie Vuibert (Richard Anconina) en compagnie de Maurice (Anthony Delon), concurrent en amour et au travail.

Michel Munz s'associe alors à Gérard Bitton, avec lequel il travaille déjà sur des téléfilms, et mène une enquête pour savoir s'il est possible de faire fortune dans le Sentier (quartier des commerçants juifs de Paris) sans être juif. Mais Benayoun juge la description du milieu trop vulgaire. En 1995, Michel Munz croise à nouveau Aïssa Djabri. Après Le Péril jeune (Cédric Klapisch, 1995), Vertigo est enfin prêt à produire La Vérité si je mens ! Et malgré la caricature proposée, les habitants du Sentier acceptent de jouer les figurants ou de prêter ateliers et logements comme décor.

Course contre la montre

Thomas Gilou, qui a déjà été produit par Vertigo (Raï, 1995), est choisi comme réalisateur car il a l'habitude de confronter des univers différents et de filmer le thème du déracinement sur le ton de la comédie. L'action de son premier film (Black mic-mac, 1996) se situe au sein de la communauté noire de Paris, Raï se déroule chez les Beurs de banlieue et Chili con carne (1999) dans le milieu latino-américain. Persuadé que le public ne se déplace pas deux fois pour le même sujet, le réalisateur s'inquiète. Sorti avant Raï, La Haine (Mathieu Kassovitz, 1995) remporte le succès qu'il espérait pour son film. La Vérité si je mens ! doit donc être prêt avant un projet concurrent : XXL (1997), film à gros budget d'Ariel Zeitoun, qui raconte la rencontre d'un Juif pied-noir et d'un Auvergnat dans le Sentier.

Dans sa boutique, Victor (Richard Bohringer) et sa fille, Sandra (Amira Casar).

Quinté gagnant

Pour rassembler une équipe aussi complice que celle des Bronzés (Patrice Leconte, 1978), Thomas Gilou cherche des comédiens capables de donner l'impression qu'ils ont toujours fait la fête ensemble. Pour rejoindre Gérard Depardieu dans XXL, Gad Elmaleh cède sa place à Vincent Elbaz, qui débuta dans Le Péril jeune. Délaissant la télévision, Bruno

Dans une boîte de nuit, Rafi (Élie Kakou) et Karine (Aure Atika).

Solo passe brillamment le casting pour jouer Eddie. Cependant, la production réclame une tête d'affiche. Richard Anconina, à qui l'on propose une place de « guest-star », fait tout pour interpréter le personnage principal, car il a été comme lui manutentionnaire dans le Sentier. Les rôles intéressants ayant tous été distribués, il ne reste plus que celui peu consistant d'Yvan. Thomas Gilou et Bruno Solo l'étoffent, le réalisateur ajoute des scènes et l'acteur des répliques bien senties.

Champion du monde

Après le triomphe du film en salles, les spectateurs attendent la suite des aventures de la « bande de copains ». Les acteurs réclament Thomas Gilou, mais il faut deux ans et onze versions pour recentrer le scénario sur les états d'âme des personnages. Sauf Richard Bohringer, Anthony Delon, Élie Kakou, qui est mort entre-temps et à qui le film est dédié, et Vincent Elbaz, finalement remplacé par Gad Elmaleh, la plupart des acteurs sont de retour. Avec en plus, Daniel Prévost et Enrico Macias pour sa première incursion au cinéma dans La Vérité si je mens ! 2 (2001).

Le Dîner de cons

Le dindon de la farce

Quelle sera la prochaine boulette de Pignon (Jacques Villeret), semble se demander Brochant (Thierry Lhermitte).

1998

Comédie de Francis Veber, avec Jacques Villeret (François Pignon), Thierry Lhermitte (Pierre Brochant), Francis Huster (Just Leblanc), Daniel Prévost (Lucien Cheval), Catherine Frot (Marlène) • Sc. Francis Veber • Ph. Luciano Tovoli • Mus. Vladimir Cosma • Prod. Gaumont / Efve / TF1 • France • Durée 87' • 3 Césars: meilleurs acteur (Jacques Villeret), acteur dans un second rôle (Daniel Prévost) et scénario

Pierre Brochant a invité François Pignon à un dîner de cons. Mais, cloué chez lui par un tour de reins, il doit passer une partie de la nuit avec Pignon qui, à la hauteur de sa réputation, accumule les bévues au détriment de Christine et Marlène, épouse et maîtresse de son hôte, et au grand dam de celui-ci.

Concours de cons

Les dîners de cons sont une tradition relativement ancienne qui, selon Francis Veber, perdure de nos jours. Les surréalistes, dans les années vingt, inventèrent le concept : réunir autour d'un repas quelques convives chargés de venir accompagnés d'un con de leur choix. À la fin de ces agapes, celui des invités qui avait déniché le con le plus con de la soirée recevait les félicitations de ses complices. Le dessinateur Chaval, dans les années soixante, prit le relais ; sa démarche était dans le droit fil de son œuvre, consacrée à la « célébration » de la bêtise humaine. Plus tard, la bande dite de « chez Castel », journalistes, éditeurs, écrivains, publicitaires, les « branchés » de l'époque, perpétuèrent la tradition en investissant un club de Saint-Germain-des-Prés pour organiser leurs dîners.

Pignon montre ses œuvres à Leblanc (Francis Huster) et à Brochant.

Cheval (Daniel Prévost), l'inspecteur des impôts, vient d'apprendre qu'il est cocu…

Pignon a pris Marlène (Catherine Frot) pour la femme de Brochant alors qu'elle est sa maîtresse.

La saga des Pignon et des Perrin

Francis Veber (né en 1937) fut le scénariste de nombreux films à succès – *Le Grand Blond avec une chaussure noire* (Yves Robert, 1972), *La Valise* (Georges Lautner, 1973), *L'Emmerdeur* (Édouard Molinaro, 1973) – avant de passer derrière la caméra pour réaliser ses propres scénarios. Tous les héros de ses films s'appellent François Perrin (Pierre Richard dans *Le Jouet*, 1976 et *La Chèvre*, 1981 ; Patrick Bruel dans *Le Jaguar*, 1996) ou François Pignon (Pierre Richard dans *Les Compères*, 1983 et *Les Fugitifs*, 1986 ; Jacques Villeret dans *Le Dîner de cons* ; Daniel Auteuil dans *Le Placard*, 2001) et Gad Elmaleh dans *La Doublure* (2006). Pignon ou Perrin, il

s'agit toujours de personnages naïfs et maladroits qui sont flanqués d'un compère mieux armé qu'eux pour franchir les obstacles ménagés par le scénario : ainsi Lino Ventura avec son protégé Jacques Brel (déjà Pignon !) dans *L'Emmerdeur* ou Gérard Depardieu, la bouée de sauvetage de Pierre Richard (Perrin et Pignon), dans la trilogie *La Chèvre, Les Compères, Les Fugitifs*. Veber s'explique sur ses choix : « Je fais plus facilement parler les personnages quand je suis habitué à leur nom » et « J'ai toujours un clown blanc costaud et un Auguste ». Quant à la nature de son comique, le cinéaste la définit ainsi : « J'ai découvert que le comique fondé sur les mouvements du cœur est infiniment plus drôle que le comique de péripéties » !

« Quand on est con, on est con » (Brassens)

Francis Veber connaissait bien son sujet lorsque, au début des années quatre-vingt-dix, lui vint l'idée d'écrire pour le théâtre une pièce intitulée « Le Dîner de cons », qui sera interprétée par Jacques Villeret et Claude Brasseur. Selon lui, le con « est quelqu'un qui surprend par ses réactions qui peuvent être dévastatrices ; un type qui a l'air normal mais qui se trouve souvent à côté de la situation ». C'est exactement la description, dans la pièce comme dans le film, de François Pignon, choisi pour la bêtise de son hobby : la construction, en allumettes, de maquettes de monuments et d'ouvrages d'art, tour Eiffel, pont de Tancarville, entre autres. Or Pignon, pétri de bonne volonté, comprend et réagit à contre-temps, inconscient de ses « boulettes » répétées… Comme disait Georges Feydeau : « Je préfère les méchants aux cons parce que les méchants, par moments, se reposent. »

145

Taxi

À fond la caisse !

1998

Comédie de Gérard Pirès, avec Samy Naceri (Daniel), Frédéric Diefenthal (Émilien), Marion Cotillard (Lily), Manuela Gourary (Camille), Emma Sjöberg (Petra), Édouard Montoute (Alain), Bernard Farcy (le commissaire) • Sc. Luc Besson • Ph. Jean-Pierre Sauvaire • Mus. IAM • Prod. Luc Besson, Laurent Pétin • France • Durée 85' • 2 Césars : montage et son

À Marseille, un jeune policier, Émilien, est aidé dans son enquête sur les agissements d'une bande de gangsters par Daniel, un chauffeur de taxi.

Daniel (Samy Naceri) et Émilien (Frédéric Diefenthal) en pleine action – dans *Taxi*.

Paires et impairs

Avec les « buddy movies », le cinéma hollywoodien nous a habitués à voir évoluer dans les bas-fonds des métropoles américaines ces couples d'enquêteurs de police dissemblables, par exemple composés d'un flic blanc et d'un flic noir mais condamnés à collaborer. On se souvient, entre autres, de l'attelage conflictuel Eddie Murphy/Nick Nolte dans *48 heures* (1982) et *48 heures de plus* (1990) de Walter Hill. Plus durable et plus harmonieuse fut la collaboration de Mel Gibson et Danny Glover dans la série *L'Arme fatale* (quatre épisodes de 1987 à 1998) réalisée par Richard Donner. Tous ces films ont en commun de participer d'un genre, le polar, avec ses codes – la violence, la noirceur, le racisme – et son décor, celui des grandes villes. Il en va tout autrement avec *Taxi*, film ensoleillé et plein de drôlerie dont le couple improbable de justiciers réunit un inspecteur novice, timide et malchanceux, et un Beur condamné pour excès de vitesse à un mois de travaux d'utilité publique, en l'occurrence trente jours dans la police.

À l'opposé des polars américains, rien, dans *Taxi* et dans ses suites, *Taxi 2* et *Taxi 3*, n'invite au sérieux. Ce sont les policiers, gentiment moqués pour leur racisme, déclaré ou latent, et pour leur propension à jouer aux cow-boys, qui sont à l'origine de gigantesques bavures qui d'ailleurs ne causent aucune victime. Et c'est le « chauffard de taxi », capable de traverser Marseille à 217 km/h, qui donne des leçons de sagesse, de perspicacité et de courage à son compagnon de planque et de filature.

Cascades en cascade

Les clous de ce spectacle mené tambour battant par Gérard Pirès – lui-même ancien pilote de rallye – sont les poursuites et cascades automobiles, spécialités, croyait-on jusqu'à *Taxi*, des studios hollywoodiens. Là encore, les références sont nombreuses, comme *French Connection* (William Friedkin, 1971) ou *The Blues Brothers* (John Landis, 1980), entre beaucoup d'autres, où les véhicules de police, toutes sirènes hurlantes, se lancent aux trousses des grosses cylindrées des gangsters. En France, le maître de ce sport dangereux – la cascade cinématographique – est Rémy Julienne qui, dans *Taxi* et sa suite, a dirigé, sans aucun trucage, les mouvements de plus de cent voitures au volant desquelles avaient été invités des pilotes de rallye

Petra (Emma Sjöberg) et Alain (Édouard Montoute) – dans *Taxi 2*.

Au volant de son taxi surpuissant, Daniel (Samy Nacéri) va de nouveau aider Émilien – dans *Taxi 2*.

Daniel et sa fiancée Lily (Marion Cotillard) – dans *Taxi*.

chevronnés comme Jean-Pierre Jabouille, Henri Pescarolo et autres Jean Ragnotti. *Taxi* a touché un immense public d'adolescents et de jeunes de tous âges : plus de 6 millions de spectateurs, plus de 10 millions pour *Taxi 2* et plus de 6 millions pour *Taxi 3*. Ces deux films, qui n'ont jamais eu d'autre ambition que de distraire, doivent l'essentiel de leur succès au talent et au flair de leur scénariste-producteur, Luc Besson, qui a compris tout le plaisir de faire de la vitesse dans son fauteuil sans être pris pour un chauffard, et plus généralement d'entrer en phase avec l'esprit de son temps et le goût du public.

Dédicace

Taxi 2, signé Gérard Krawczyk comme *Taxi 3*, est dédié à Alain Dutartre, cadreur décédé à la suite de l'accident survenu le 16 août 1999 dans les rues de Paris lors de la cascade pendant laquelle le taxi survole deux chars. Le véhicule est venu percuter l'équipe caméra où se trouvait le malheureux Dutartre. Le tournage fut interrompu quelques jours à la suite de cet accident mortel.

Le Journal de Bridget Jones

Une célibattante comme les autres

2001

Bridget Jones's Diary, comédie de Sharon Maguire avec Renée Zellweger (Bridget Jones), Hugh Grant (Daniel Cleaver), Colin Firth (Mark Darcy), Jim Broadbent (le père de Bridget), Gemma Jones (la mère de Bridget) • Sc. Richard Curtis, Andrew Davies, Helen Fielding d'après le roman de Helen Fielding • Ph. Stuart Dryburgh • Mus. Patrick Doyle, Rosey • Dist. Mars Distribution • Royaume-Uni - France • Durée 97'

Lasse du laisser-aller qui régit sa vie, Bridget Jones, célibataire de trente-deux ans, décide de se reprendre en main.

Déprimée, Bridget Jones (Renée Zellweger), passe le jour de l'an à boire, affalée en pyjama dans un fauteuil.

Cher journal

Lorsque « The Independent » invite la journaliste Helen Fielding à écrire un billet d'humeur sur sa vie, elle livre chaque semaine le journal intime de Bridget Jones, aventures drôles et mordantes d'une trentenaire désordonnée, adepte de la vodka « Chaka Khan » et des dîners ratés. Les déboires de cette « célibattante » sont inspirés du célèbre roman romantique de Jane Austen « Orgueil et préjugés ».
Les femmes se reconnaissent dans cette héroïne gaffeuse, les lettres affluent à la rédaction et les chroniques sont réunies dans un livre vendu à 15 millions d'exemplaires et dans 32 pays. L'auteur insiste pour que le film soit réalisé par son amie Sharon Maguire, documentariste de la BBC, qui a inspiré l'un des personnages du livre et dont c'est le premier film.

elle pataugea nue alors qu'elle avait quatre ans et qui cache ses sentiments. Avec ce rôle de « beau salaud », Hugh Grant casse son image de gentleman attendrissant. Colin Firth interprète le hautain Mark Darcy – il avait déjà incarné Mr. Darcy dans « Orgueil et préjugés », série de la BBC suivie par 13 millions de téléspectateurs. Bridget est obsédée par ce feuilleton et par Colin Firth au point de se repasser en boucle la scène où l'acteur sort du lac avec une chemise mouillée. Dans le second livre, elle décroche même une interview avec l'acteur.
Comme les tabloïds anglais ont du mal à admettre qu'une Texane ait décroché le rôle de leur Bridget nationale, Renée Zellweger, pour mettre tous les atouts de son côté, s'installe à Londres, travaille intensivement pendant sept mois pour gommer son accent et vit le quotidien du personnage en faisant un stage incognito (sous le nom de Bridget Cavendish) dans le service publicité de l'éditeur

A-t-elle une chance avec le distant Mark Darcy (Colin Firth) ?

Picador, chez qui Bridget est censée travailler. Surtout, elle suit un régime alimentaire spécifique afin de prendre une dizaine de kilos et acquérir « le postérieur gros comme le Brésil » de l'héroïne.
Le film aura beaucoup de succès, et Working Title en produira la suite : *Bridget Jones : l'âge de raison* (Beeban Kidron, 2004).

Darcy offre un nouveau journal à Bridget…

Bridget se fait draguer par Daniel Clever (Hugh Grant), patron et « vaurien de bureau ».

Son cœur balance

Bridget Jones est tiraillée entre Daniel Cleaver, patron vaurien, plus intéressé par son hallucinante gaine-culotte que par un engagement sérieux, et Mark Darcy, avocat taciturne dans la piscine duquel

Il faut grossir pour être belle

Pour *Raging Bull* (Martin Scorsese, 1980), Robert De Niro prit une trentaine de kilos. Il obtint un Oscar, tout comme Charlize Theron qui s'était enlaidie pour *Monster* (Patty Jenkins, 2003). Renée Zellweger fut nommée pour son rôle de Bridget Jones. Pour elle, s'attarder sur la performance de sa transformation physique revenait à réduire la dimension du personnage et à minimiser le jugement absurde que la société porte sur les rondeurs de Bridget. L'actrice, ayant dû arrêter le sport et ingurgiter hot-dogs, Coca-Cola, pizzas ou beurre de cacahuète pour le rôle, fut jugée trop grosse pour faire la couverture de « Harper's Bazaar ».

Astérix & Obélix : Mission Cléopâtre

Veni, vidi, Bellucci

Sous l'œil de Numérobis (Jamel Debbouze), Panoramix (Claude Rich), Astérix (Christian Clavier) et Itinéris (Isabelle Nanty), Obélix (Gérard Depardieu) tente une nouvelle fois de boire de la potion magique.

2002

Comédie d'Alain Chabat, avec Christian Clavier (Astérix), Gérard Depardieu (Obélix), Jamel Debbouze (Numérobis), Gérard Darmon (Amonbofis), Alain Chabat (Jules César), Monica Bellucci (Cléopâtre), Claude Rich (Panoramix), Isabelle Nanty (Itinéris) • Sc. Alain Chabat, d'après la bande dessinée de René Goscinny et Albert Uderzo • Ph. Laurent Dailland • Mus. Philippe Chany • Prod. Claude Berri, Pierre Grunstein • France - Allemagne • Durée 107' • César des meilleurs costumes

L'architecte égyptien Numérobis demande de l'aide à Panoramix, Astérix et Obélix afin de construire en moins de trois mois le palais grandiose que Cléopâtre lui a commandé pour impressionner Jules César.

Ils sont fous ces Gaulois !

En plus de tous les dessins animés tirés des albums d'Astérix, il y eut deux projets en prise de vues réelles qui ne virent jamais le jour. L'un de Claude Lelouch et l'autre de Louis de Funès, qui voulait incarner un Astérix sans moustache. Ayant déjà produit *Didier* (1996), film césarisé qui détourna Alain Chabat, féru de BD, d'un travail sur les dialogues d'*Astérix et Obélix contre César* (Claude Zidi, 1998), Claude Berri lui propose de s'attaquer à un nouvel épisode des aventures des irréductibles Gaulois pour son nouveau long métrage. L'album « Astérix et Cléopâtre » nécessita une quantité industrielle de gommes et de crayons, le film fait preuve du même gigantisme. Pour les scènes du chantier, la production engage 2 000 figurants et 60 habilleurs. Onze kilomètres de tissu sont utilisés pour les 2 500 costumes et 600 mètres pour les rôles principaux. Si Gérard Depardieu n'a qu'un type de costume, Monica Bellucci

en a autant que de scènes, soit neuf, dont l'un comportant 5 000 perles, soit 400 heures d'enfilage. Le résultat, un film à très gros budget, deuxième film – après *Taxi 2* (Gérard Krawczyk, 2000) – de l'histoire du cinéma français à obtenir plus de 100 000 entrées le premier jour. Il deviendra ensuite le deuxième plus gros succès hexagonal après *La Grande Vadrouille* (Gérard Oury, 1966).

Cléopâtre arrive en fanfare…

Casting pharaonix, humour parodix et effets magix

Ayant participé en 1968 à l'adaptation sous forme de dessin animé, Pierre Tchernia fait une apparition et prête sa voix à cette nouvelle version. Jean-Pierre Bacri commente la scène de la langouste et Luc Besson tourne quelques plans avec 2 000 figurants. Liberatore, ami de vingt ans, qui jouait dans *Didier* et à qui Alain Chabat confie la conception d'une partie des costumes et du décor, fait partie des figurants au même titre que Patrick Pittavino, le dresseur d'Idéfix. La présence d'habitués de Canal +, comme Les Robins des Bois, Édouard Baer et bien sûr Jamel Debbouze, crée une évidente complicité.

Amonbofis (Gérard Darmon), architecte officiel de Cléopâtre, complote avec Nexusis (Édouard Montoute).

Modernisant les références, Alain Chabat fait en sorte que, quel que soit son âge, le spectateur, à différents niveaux, retrouve le plaisir de la lecture des bandes dessinées d'Uderzo et Goscinny. Accompagné de musiques de pubs ou de téléfilms, Otis dessine des ascenseurs, Itinéris capte mal, Gérard Depardieu s'attaque au nez du sphinx ainsi qu'à la tirade de « Cyrano de Bergerac », Gérard Darmon dit « Arrête les salamalecs, Bettoun » en souvenir du *Grand Pardon* (Alexandre Arcady, 1992) et le chef des pirates se prend pour le roi du monde à la proue de son navire. Les Romains volent haut lorsque les Gaulois boivent de la potion. Pour cela, des planchettes à air comprimé les projettent à huit ou neuf mètres, cascade violente qui nécessite un entraînement intensif. Pour le combat « dopé » de Numérobis et d'Amonbofis, les acteurs participent à la plupart des prises, à l'exception de quelques chutes. Gérard Darmon traverse même quatre murs, tiré par un 4x4.

César (Alain Chabat) rend visite à Cléopâtre (Monica Bellucci).

Grands spectacles

Le Cuirassé « Potemkine »

« Frères, sur qui tirez-vous ? »

1925

Bronenosets Potemkin, film historique de Serguei M. Eisenstein, avec Alexandre Antonov (Vakoulintchouk), Vladimir Barsky (le commandant Golikov), Grigori Alexandrov (le second Guiliarovski), Béatrice Vitoldi (la femme au landau) • Sc. Serguei M. Eisenstein, Nina Agadjanova-Choutko • Ph. Édouard Tissé • Mus. E. Meisel, N. Krioukov (et Chostakovitch en 1976) • Prod. Goskino • URSS • Durée 70'

1905, première révolution russe. À Odessa, sur le « Potemkine », navire de la flotte tsariste, des marins se mutinent, des habitants de la ville se solidarisent avec eux et les grands escaliers dominant le port sont le cadre d'une sanglante répression.

… et de la population solidaire sur les escaliers d'Odessa.

Répression des mutins sur le cuirassé…

Conçu, tourné et monté dans l'urgence

En 1925, Eisenstein doit réaliser un film-hommage à l'année 1905. La mutinerie du « Potemkine » n'est qu'un épisode parmi d'autres. Le tournage débute fin juillet à Léningrad mais, un mois plus tard, le mauvais temps oblige l'équipe à rejoindre Odessa pour trouver du soleil et, là, le cinéaste a l'idée de développer le sujet local, qui remplace le vaste projet initial. Tournée avec le concours de la population, la fameuse scène des escaliers, qui depuis symbolise l'idée même de répression,

est inspirée par un décor urbain où elle ne s'est pas réellement déroulée, même s'il y eut des massacres à Odessa. Les superbes plans sur le port embrumé, avant l'hommage au marin mort, sont filmés par hasard un jour de brouillard. L'achèvement du film, avant la première à Moscou, fin 1925, relève de la course contre la montre : les bobines sont transférées une à une en moto de la salle de montage au Bolchoï, lieu de la projection. Lorsque la moto tombe en panne, on termine le trajet en courant. Et les derniers collages sont faits à la salive !

Novateur, épique, censuré et célèbre

Étape importante dans l'affirmation du langage cinématographique au temps du muet, le film fait naître l'émotion, l'enthousiasme et le sens épique grâce au montage, en jouant avec virtuosité sur l'échelle des plans, passant de l'ensemble (les groupes humains ou la foule) au détail (les vers qui grouillent sur la viande, motif de la révolte des marins), du visage (la douleur de la mère devant son enfant mort) à l'objet (le landau qui dévale les marches). *Le Cuirassé « Potemkine »* a souvent été interdit par la censure dans les pays non-communistes ; en France, s'il est montré dès 1926 dans des séances privées

Douleur d'une mère.

ou des ciné-clubs, il ne pourra sortir officiellement qu'en 1953. Il reste un des titres les plus célèbres de l'histoire du cinéma, placé à deux reprises, en 1952 et 1958, en tête de palmarès mondiaux établis par des cinéastes et des critiques.

Le fameux landau.

Comme le remarque Jacques Lourcelles (in « Dictionnaire du cinéma / Les Films », « Bouquins », Robert Laffont), il « fait partie des vingt ou trente premiers films que voit tout cinéphile avant même de savoir qu'il sera cinéphile ».

Eisenstein, le révolutionnaire brisé par Staline

Né en 1898, Serguei Mikhaïlovitch Eisenstein tourne son premier film, *La Grève* (1925), à vingt-six ans. Fervent partisan de la révolution de 1917, il veut mettre ses multiples dons artistiques (animation théâtrale, dessin…) au service des idées nouvelles. Mais il doit composer avec la bureaucratie du Parti avant de s'opposer à Staline, qui l'empêche

de réaliser le troisième volet d'*Ivan le Terrible* (1943-1946). Eisenstein meurt prématurément en 1948. Ses films, peu nombreux, sont tous des classiques : *Octobre* (1928), *La Ligne générale* (1928), *Que viva Mexico !* (1931), *Alexandre Nevski* (1938). Il a suscité de nombreux commentaires écrits et reste un cinéaste de référence.

Napoléon
Un film-cathédrale pour l'Empereur

Bonaparte (Albert Dieudonné) fuit la Corse et le drapeau tricolore lui sert de voile.

1927

Film historique d'Abel Gance, avec Albert Dieudonné (Napoléon), Gina Manès (Joséphine), Annabella (Violine), Antonin Artaud (Marat), Abel Gance (Saint-Just) • Sc. Abel Gance • Ph. Jules Kruger • Mus. Arthur Honegger • Prod. Société Générale de Film • France • Durée entre 195' et 360'

Napoléon en route vers le pouvoir et la gloire : collégien à Brienne, lieutenant à Paris en 1792 et témoin de la Révolution. Retour en Corse et éveil de la conscience politique. Siège de Toulon. La Terreur qui l'épargne. Ruée victorieuse de l'armée d'Italie, dont il est le chef inspiré...

Du cinéma en ébullition

Le scénario couvrait toute la vie de Napoléon. Le gigantisme du projet réduisit les ambitions et seules trois des huit parties prévues furent concrétisées : la jeunesse, la Terreur et la campagne d'Italie. La fièvre créatrice d'Abel Gance fut pour beaucoup dans l'enthousiasme qui présida au tournage : cent mille mètres de pellicule impressionnée, multitude d'acteurs et de figurants, mais surtout des innovations techniques et esthétiques qui étonnent encore aujourd'hui. On attacha les caméras sur des chevaux au galop, ou sur des balançoires balayant la foule de la Convention ; dans la fureur des scènes de bataille, quelques vrais blessés restèrent même sur le terrain... Certains plans comportaient jusqu'à seize surimpressions d'images. Le comble des recherches formelles et du délire visuel, outre la virtuosité du montage, sera l'utilisation de la « polyvision », trois caméras filmant certaines séquences et trois projecteurs les restituant juxtaposées sur un écran considérablement élargi.

Bonaparte à Montenotte.

Les huit vies du Petit Caporal

Le film-épopée de Gance sur le plus célèbre des Corses a eu de multiples versions et reste difficile à montrer à cause de sa longueur et de la « polyvision », parfois supprimée. Après la première triomphale à l'Opéra, une version

L'assassinat de Marat (Antonin Artaud).

longue de quatre fois 90 minutes est présentée la même année. En 1935, Gance peut sonoriser son film car il a eu la prudence de faire dire un texte aux acteurs lors du tournage muet. En 1955, le triple écran est réintroduit lors d'une reprise à succès. Puis des cinéastes et des cinémathèques s'intéressent à l'œuvre et en proposent différents états : Claude Lelouch en 1970, l'historien anglais Kevin Brownlow en 1979 avec une musique de Carl Davis, reprise et diffusée en 1981 par Francis Ford Coppola avec une musique de son père Carmine. Peu après, Brownlow rajoute des éléments retrouvés : c'est la huitième édition du film à ce jour. En 1960, dans *Austerlitz*, Abel Gance était revenu à son personnage fétiche, qu'incarnait alors Pierre Mondy.

Bonaparte prépare la campagne d'Italie.

Abel Gance (1889-1981), de la démesure avant toute chose

Il n'avait peur ni de l'hyperbole, ni du ridicule, qu'il évita souvent. Les films, pour lui, étaient des « cathédrales de lumière », des tentatives visionnaires qui enthousiasmèrent parfois le public, souvent la critique, prouvant, à la fin du muet et au début du parlant, combien le cinéma pouvait innover, et Gance fut à l'origine de nombreuses vocations de cinéastes. En 1918, *J'accuse* ressuscitait les morts de la Grande Guerre pour un appel à la paix. *La Roue* (1923) conjuguait mélodrame et avant-garde. Si on ne compte pas dans la carrière du cinéaste les projets abandonnés ou dénaturés, il eut aussi de belles réussites : *Lucrèce Borgia* (1935), *Un Grand Amour de Beethoven* (1936), *Paradis perdu* (1939), *Le Capitaine Fracasse* (1942)... Et jusqu'au bout, il restera hors-normes. Ainsi, dans son dernier film, *Cyrano et D'Artagnan* (1963), les personnages s'exprimaient en alexandrins.

Autant en emporte le vent

Le plus célèbre film du monde ?

1939

Gone with the Wind, drame de Victor Fleming (et, non crédités, George Cukor, Sam Wood), avec Vivien Leigh (Scarlett O'Hara), Clark Gable (Rhett Butler), Olivia De Havilland (Melanie Hamilton), Leslie Howard (Ashley Wilkes) • Sc. Sidney Howard (parmi d'autres), d'après le roman de Margaret Mitchell • Ph. Ernest Haller, Ray Rennahan • Mus. Max Steiner • Déc. William C. Menzies, Lyle Wheeler • Prod. David O. Selznick • États-Unis • Durée 222' • 8 Oscars : film, réalisateur, actrice (Vivien Leigh), second rôle féminin (Hattie McDaniel), adaptation, photographie, décors, montage

Georgie, 1861. La jeune héritière Scarlett est prise dans la tourmente de la guerre de Sécession. Elle vit des amours tumultueuses et passionnées tout en se battant pour sauver sa terre, alors que son monde s'écroule.

Scarlett O'Hara (Vivien Leigh) dans son domaine de Tara.

Scarlett au milieu des blessés, à Atlanta.

Melanie (Olivia De Havilland), Tom (Ward Bond), Rhett Butler (Clark Gable) et Ashley Wilkes (Leslie Howard).

Selznick (1902-1965) : apothéose d'un producteur mégalomane

Le film marque le triomphe personnel d'un homme qui sut maîtriser, d'une main de fer et dans le moindre détail, trois années durant, toutes les étapes de son élaboration : interprétation, mise en scène, décors, costumes, montage, campagne de presse, etc. « Tout, sans exception, est tel que je le voulais. J'ai parié sur mes propres idées et mes propres méthodes », put affirmer Selznick, prototype du producteur-réalisateur sachant choisir et utiliser des talents créateurs pour façonner un univers qui était finalement le sien. Il récidivera avec *Rebecca* (1940) et *Duel au soleil (1946)*, au grand dam d'Alfred Hitchcock et de King Vidor, moins conciliants que Victor Fleming. Après une première à Atlanta le 15 décembre 1939, le film, récompensé par une pluie d'Oscars, remboursa en quelques mois les quatre millions de dollars de son coût et remporta un succès mondial qui dure encore au fil des rééditions.

Genèse d'un casting fabuleux

Dès sa parution, le roman passionna l'Amérique, qui imposa Clark Gable, son cynisme et sa prestance pour le rôle de Rhett. En revanche, la recherche d'une Scarlett déclencha une immense chasse aux talents parmi les vedettes du moment : Katharine Hepburn, Bette Davis, Lana Turner, Jean Arthur, Joan Bennett, Susan Hayward, etc. Paulette Goddard faillit l'emporter jusqu'à l'arrivée providentielle de l'Anglaise Vivien Leigh. Scarlett intense, insolente, aux superbes yeux verts, elle forma avec Gable un couple dont l'alchimie envoûtera les spectateurs durant des décennies. Son personnage devint l'archétype d'une certaine femme moderne qui conduit son destin sans chercher à se rendre aimable. Tous les rôles furent choisis avec un soin extrême, ce qui contribua à l'homogénéité de l'œuvre. Et Hattie McDaniel, la servante de Scarlett, fut la première actrice noire à recevoir un Oscar.

Vivien Leigh (1913-1967), grandeur et décadence

Issue de la bonne société britannique, belle, douée, elle débute dès 1934 au cinéma, puis au théâtre, et rencontre l'homme de sa vie, Laurence Olivier, qui l'entraîne à Hollywood. Ils y triomphent séparément puis ensemble (*Lady Hamilton*, Alexander Korda, 1941), se retrouvent sur les scènes anglaises et connaissent alors l'ivresse de la gloire et de la passion. Mais Vivien Leigh, instable et hystérique, sombre peu à peu dans la folie et commence une lente descente aux enfers à laquelle son mariage et sa vie ne résisteront pas. Sans doute trop marqué par son triomphe en Scarlett, son parcours cinématographique de dix-neuf films déçoit. Elle fut une remarquable interprète d'héroïnes de Tennessee Williams dans le célèbre *Tramway nommé Désir* d'Elia Kazan (1951) et dans le méconnu *Visage du plaisir* de José Quintero (1961).

Les Dix Commandements

Vers la Terre promise, en passant par Hollywood

L'armée du pharaon se prépare à poursuivre les Hébreux.

Biblique

« Le plus grand événement dans l'histoire du cinéma. Quatre heures de grand spectacle. Moïse sauvé des eaux. Le grand amour de Néfertari. Le triomphe de Moïse, prince d'Égypte. L'enfer des esclaves. Le buisson ardent. Les dix plaies d'Égypte. La nuit de la peur. L'exode vers l'inconnu. La ruée des chars de guerre. Le passage de la mer Rouge. Moïse sur le Sinaï. Le camp de la corruption. Le feu du ciel… 12 vedettes, 30 000 figurants, 20 000 soldats, 2 500 chars de guerre », proclamait fièrement l'affiche. Et certains esprits forts d'ironiser : le cinéaste est rebaptisé Cecil « Billets de Mille », on parle de « criante fausseté », de « spectacle kitsch », on note une étrange ressemblance entre le mont Sinaï et le logo de la compagnie productrice du film, la Paramount, dont De Mille fut par ailleurs un des créateurs… Ce « pèlerinage aux lieux mêmes que Moïse parcourut », selon le générique, fut tourné en Égypte pour la majorité des extérieurs et pour la reconstitution de certains décors, avec un souci de précision et de couleur locale souligné par le réalisateur lui-même dans le prologue.

Une des plaies d'Égypte : devant le pharaon, Moïse (Charlton Heston) transforme l'eau en sang.

Le pharaon Ramsès (Yul Brynner).

Une enluminure chrétienne et hollywoodienne

C'est dans ce gigantisme que résident la force et l'originalité de De Mille, qui crée une magie spécifiquement cinématographique par les trucages (le miracle du franchissement de la mer Rouge, Dieu dictant les tables de la Loi) ou à travers d'extraordinaires scènes de foule (le départ des Hébreux, le pandémonium des adorateurs du veau d'or). Par ailleurs, l'emploi du Technicolor frappe par son audace, jouant de toute la palette chromatique et rapprochant des tons francs et crus. Il est difficile d'oublier Debra Paget et sa tunique orangée courant au milieu des esclaves, ou telle robe vert pomme portée par Anne Baxter. De Mille se disait bâtisseur de cathédrales. Il ne craignait pas d'asséner un message, un hymne à la liberté, celle que guide la loi de Dieu. Et Charlton Heston, pour l'occasion, s'était fait la tête de la célèbre statue de Michel-Ange. L'enluminure rejoignait le baroque flamboyant, l'artifice faisait bon ménage avec la sincérité.

1956

The Ten Commandments, film d'aventures bibliques de Cecil B. De Mille, avec Charlton Heston (Moïse), Yul Brynner (le pharaon), Anne Baxter (Néfertari), Edward G. Robinson (Dathan), Yvonne De Carlo (Sephora), John Derek (Josué), Debra Paget (Lillia) • Sc. A. MacKenzie, J. L. Lasky Jr., J. Gariss, F.M. Franck • Ph. Loyal Griggs • Mus. Elmer Bernstein • Prod. Cecil B. De Mille • États-Unis • Durée 221' • Oscar pour les effets spéciaux

Comment Moïse, fils d'esclaves hébreux élevé par une princesse égyptienne, faillit devenir pharaon avant de découvrir ses origines et sa mission : être le libérateur des siens, leur transmettre les commandements de Dieu et leur montrer le chemin vers la Terre promise.

Cecil Blount De Mille (1881-1959), la Bible, la croix et la manière

Le cinéaste termina sa longue carrière avec *Les Dix Commandements*, dont il avait déjà réalisé en 1923 une version muette composée d'une partie biblique sur Moïse, avec quelques scènes en couleur, et d'une suite moderne située à San Francisco, montrant ce qu'il en coûtait de ne pas respecter la loi divine. Parmi ses autres films à sujets religieux, puisés dans la Bible, les Évangiles ou l'Histoire, et qui contribuèrent largement à sa gloire, il y eut *Jeanne d'Arc* (1916), *Le Roi des rois* (1927), *Le Signe de la croix* (1932), *Les Croisades* (1935) et *Samson et Dalila* (1949), soit un peu moins du dixième des quatre-vingts films qu'il signa.

153

Les Vikings

La grande saga des guerriers venus du froid

1958

The Vikings, aventures de Richard Fleischer,
avec Kirk Douglas (Einar), Tony Curtis (Eric),
Janet Leigh (Morgana), Ernest Borgnine
(Ragnar), James Donald (Egbert) •
Sc. Calder Willingham, Dale Wasserman
d'après le roman « Le Viking » d'Edison
Marshall • Ph. Jack Cardiff • Mus. Mario
Nascimbene • Dist. United Artists •
États-Unis • Durée 114' •
Prix d'interprétation (Kirk Douglas)
au Festival de Saint-Sébastien en 1958

Vers l'an 900, le Viking Ragnar tue le roi
d'Angleterre et viole sa femme. Vingt ans
plus tard, Aella, son successeur, accuse
son cousin Egbert de complot. Celui-ci s'allie
à Ragnar, dont le fils Einar enlève
la princesse Morgana, future épouse du roi.
Malgré leur haine réciproque, Eric,
fils naturel de Ragnar, et Einar prennent
d'assaut le château d'Aella.

Einar (Kirk Douglas), le guerrier viking à l'œil crevé par un faucon.

Einar et Morgana (Janet Leigh).

Un film qui a fait école

Les Vikings demeure l'un des chefs-d'œuvre
du film d'aventures. Du splendide générique
sur fond de tapisserie jusqu'aux funérailles
finales, il témoigne d'un soin de chaque
instant. Tant la somptueuse photographie en
Technicolor-Technirama de Jack Cardiff, alors
considéré comme « le plus grand chef-
opérateur du monde », que la mise en scène
débordant d'énergie d'un film à la violence
certaine mais jamais complaisante,
contribuèrent à son succès. Ici frères ennemis,
Kirk Douglas et Tony Curtis se retrouvèrent
en 1960, à la demande du premier,
pour *Spartacus*, réalisé par Kubrick. Mais
cette fois, ils étaient alliés. Non seulement
le film rapporta le double de son coût initial
mais il donna également naissance à d'autres
productions du même genre dont
Les Drakkars de… Jack Cardiff (1964), devenu
réalisateur. Ce fut aussi une aubaine pour
les cinéastes italiens, Mario Bava réalisant
coup sur coup, *Duel au couteau* (1961)
et *La Ruée des Vikings* (1962).

Un producteur nommé Kirk Douglas

En 1958, Kirk Douglas, l'acteur à la célèbre fossette,
vient de produire pour le compte de sa société,
la Bryna, *Les Sentiers de la gloire* du jeune Stanley
Kubrick. *Les Vikings* est un projet d'une tout autre
nature, un grand film d'aventures, l'un des rares
jusqu'alors consacrés à ces guerriers de la mer qui,
aux IXe et Xe siècles, firent de fréquentes incursions
sur les côtes européennes. Mettant tous les atouts
de son côté, l'acteur-producteur s'attache le concours
des meilleurs spécialistes. Aucun détail n'est laissé
au hasard tant pour la construction des navires
que pour le plus petit objet. L'équipe s'installe
en Norvège, près de Bergen, où le directeur
artistique Harper Goff reconstitue un village tout
entier. Mais de mauvaises conditions climatiques
compliquent l'entreprise. Vient s'y ajouter

le mécontentement des techniciens
norvégiens qui, furieux de leurs conditions
de travail, menacent de se mettre en grève.
Kirk Douglas prend alors de gros risques
financiers et décide de terminer le film
dans les studios de Munich.
Sur la suggestion du réalisateur Richard
Fleischer qui, quatre ans plus tôt,
l'avait dirigé dans *Vingt mille lieues
sous les mers*, l'attaque du château
est tournée au Fort La Latte,
dans les Côtes-d'Armor. Mais en 1954,
l'acteur n'était pas encore engagé
dans la production. Cette fois, l'entente
entre les deux hommes s'avéra beaucoup
plus délicate.

Richard Fleischer (1946-2006) de Nemo à Conan

Parmi une cinquantaine de films, Richard
Fleischer a particulièrement brillé dans la
superproduction, à commencer par l'adaptation
(1954) de « Vingt mille lieues sous les mers »
de Jules Verne produite par Walt Disney qui
insista pour lui confier la réalisation de ce film
d'aventures tout public. Plus tard, le réalisateur
mit souvent son talent au service de Dino de
Laurentiis pour qui il tourna successivement un
péplum (*Barabbas*, 1962), une évocation de
l'esclavage (*Mandingo*, 1975) et plusieurs récits
d'« heroic fantasy » : *Conan le destructeur*
(1984) et *Kalidor la légende du talisman* (1985)
avec Arnold Schwarzenegger.

Morgana et Eric (Tony Curtis).

Ben-Hur

De galères en course de chars

Ben-Hur (Charlton Heston) aux commandes de son char.

Ben-Hur supplie Messala (Stephen Boyd) d'épargner sa mère et sa sœur.

Simonides (Sam Jaffe) présente sa fille Esther (Haya Harareet) à la famille de Ben-Hur.

Troisième version

Quand en 1957, la MGM songe à un nouveau *Ben-Hur*, le roman du général Wallace en est déjà à sa troisième adaptation. La première en 1907, signée Sidney Olcott, durait seulement une quinzaine de minutes, et avait pour apothéose la course de chars filmée sur une plage de sable fin. En 1923, la toute jeune MGM avait besoin d'une œuvre de prestige. Fred Niblo, réalisateur de ce deuxième *Ben-Hur* comptait, parmi ses assistants, un certain William Wyler.

Qui aurait pu penser qu'une trentaine d'années plus tard, devenu l'un des cinéastes les plus admirés d'Hollywood, celui-ci allait se retrouver à la tête d'une aussi gigantesque entreprise ? Il n'avait pourtant aucune expérience en matière de grands spectacles. Mais son perfectionnisme bien connu suffit à Sam Zimbalist, déjà producteur de *Quo Vadis* (Mervyn LeRoy, 1951), pour le retenir.

Des moyens à la mesure de l'entreprise

Tourné avec un nouveau modèle de caméra 65 mm offrant une plus grande netteté d'image, le film coûta près de treize millions de dollars, pouvant ruiner ou sauver la MGM, en situation financière délicate. La compagnie ne lésina pas sur les moyens en prenant d'assaut les studios de Cinecittà à Rome, où se dressèrent plus de 300 décors dont une arène pouvant contenir 25 000 personnes, l'un des plus grands décors jamais construits. L'un des clous du film, une bataille navale, nécessita l'aménagement d'un lac artificiel et la construction de deux galères de taille réelle pour les gros plans. Quant au morceau de bravoure, la fameuse course de chars qui, pour onze minutes de film, demanda trois mois de tournage, elle est l'œuvre d'Andrew Marton, spécialiste des scènes d'action, et du cascadeur

1959

Ben-Hur, film d'aventures de William Wyler, avec Charlton Heston (Ben-Hur), Jack Hawkins (Quintus Arrius), Stephen Boyd (Messala), Haya Harareet (Esther), Hugh Griffith (le cheik Ildérim) • Sc. Karl Tunberg, d'après le roman de Lew Wallace • Ph. Robert L. Surtees • Mus. Miklos Rozsa • Dist. MGM • États-Unis • Durée 212' • 11 Oscars : film, réalisateur, acteur (Charlton Heston), second rôle masculin (Hugh Griffith), décors, photographie, costumes, effets spéciaux, montage, musique, son

Nommé à Jérusalem, le tribun Messala retrouve Ben-Hur, son ami d'enfance, prince de Judée. Condamné injustement aux galères, Ben-Hur sauve la vie du commandant de la flotte romaine, Quintus Arrius. Libéré, il affronte Messala dans une course de chars réunissant de nombreux participants.

Yakima Canutt, le contrat de William Wyler l'excluant de cette séquence. Charlton Heston et Stephen Boyd, seulement doublés pour quelques plans particulièrement dangereux, s'en tirèrent sans aucune égratignure. D'étonnantes trouvailles ajoutent à son intensité : les poissons compte-tours et le char grec de Messala, muni d'éperons.

Charlton Heston, héros épique...

Grand, athlétique, musclé, Charlton Heston devint, dans les années soixante, l'acteur idéal des superproductions hollywoodiennes. Cecil B. De Mille fut le premier à lui offrir un personnage historique avec, dès 1956, le rôle de Moïse dans *Les Dix Commandements*. C'est lui aussi qui le recommanda à la MGM pour jouer *Ben-Hur* alors que la compagnie, après avoir pensé à Burt Lancaster, le voyait en Messala face à Rock Hudson. L'acteur a, par ailleurs, interprété plusieurs grandes figures historiques, tels Marc Antoine dans *Anthony and Cleopatra* (1972), son unique incursion dans la mise en scène, mais aussi Le Cid dans le film homonyme d'Anthony Mann (1961), Michel-Ange dans *L'Extase et l'Agonie* de Carol Reed (1965) et même Richelieu dans *Les Trois Mousquetaires* de Richard Lester (1973).

Ponce Pilate (Frank Thring) couronne Ben-Hur, vainqueur de la course de chars.

Le Docteur Jivago

La chanson de Lara au cœur de la révolution russe

1965

Doctor Zhivago, drame de David Lean, avec Omar Sharif (Yuri Jivago), Julie Christie (Lara), Geraldine Chaplin (Tonya), Rod Steiger (Komarovsky), Alec Guinness (Yevgraf), Tom Courtenay (Pasha) • Sc. Robert Bolt, d'après Boris Pasternak • Ph. Freddie Young, Manuel Berenguer • Mus. Maurice Jarre • Prod. Carlo Ponti / MGM • États-Unis • Durée 197' • 5 Oscars : scénario, photographie, musique, décors, costumes

En Russie, Yuri Jivago, médecin et poète, épouse Tonya, fille de ses parents adoptifs, mais tombe amoureux de Lara, au moment où éclate la révolution qui va inexorablement les emporter.

La charge de la cavalerie rouge.

Une romance épique aux pays des soviets

Depuis *Le Pont de la rivière Kwaï* (1957) et *Lawrence d'Arabie* (1962), grands succès critiques et commerciaux, David Lean est considéré comme le champion des épopées de prestige. Rendons-lui grâce d'avoir su traduire à l'écran l'œuvre complexe de Pasternak, pour laquelle celui-ci avait refusé le prix Nobel en 1958. Cette transposition, tournée en Espagne et en Finlande était une gageure, et si Lean sacrifie un peu les intentions politiques du livre au profit

Jivago (Omar Sharif) et Lara (Julie Christie).

Yuri Jivago, médecin et poète.

de la romance, il n'a pas été dépassé par le gigantisme de la production (tournage de dix mois, budget de quinze millions de dollars), a su soigner son écriture et imprimer son style flamboyant surtout dans la première partie (l'enterrement de la mère de Yuri, l'intrusion de Lara dans la réception de Komarovsky, la sanglante répression policière à Moscou). Et le film, particulièrement soigné, offre maints tableaux sensibles ou puissants emportés par la musique lyrique de Maurice Jarre, qui déferle en torrents d'émotion. À tout cela, les spectateurs répondirent avec empressement, malgré un accueil critique mitigé.

Julie Christie, l'étoffe d'une star

Née aux Indes en 1941, elle débute à vingt-deux ans au théâtre, puis à la télévision et au cinéma. Lancée par *Billy le menteur* de John Schlesinger (1963) et révélée par *Darling* (1965) du même cinéaste, pour lequel elle obtiendra un Oscar, elle s'affirme d'emblée comme symbole de la femme moderne, emploi qu'elle magnifiera dans *Petulia* de Richard Lester (1968). Son jeu subtil et varié la conduit aux plus riches performances, un double rôle dans *Fahrenheit 451* (François Truffaut, 1966) ou un troublant personnage dans *Le Messager* (Joseph Losey, 1971). Sa liaison avec Warren Beatty, avec lequel elle joua dans *John Mac Cabe* (Robert Altman, 1971), *Shampoo* (Hal Ashby, 1974,) et *Le Ciel peut attendre* de Beatty lui-même (1978), semble avoir nui à sa carrière. Elle tourne régulièrement des rôles secondaires remarqués dont *Troie* (Wolfgang Petersen) et *Neverland* (Mark Forster) en 2004.

Une passion dans les griffes de l'Histoire

Une fois encore, Lean s'intéresse à des individus délicats dont le destin se confond avec une période troublée de l'Histoire. Jivago, humaniste jusqu'à l'idéalisme, cherche désespérément à concrétiser ses rêves en essayant d'ignorer l'hostilité du monde nouveau qui l'entoure et va le broyer. Omar Sharif lui prête son charme et ses yeux noirs, accordés à un jeu minimaliste (c'est son fils Tarek qui interprète Jivago enfant). Geraldine Chaplin faisait là ses véritables débuts à l'écran. Quant à Julie Christie, qui succéda à Sophia Loren initialement prévue, elle apporte à son personnage une remarquable intensité et domine la distribution en dégageant une ardente clarté qui transfigure leur histoire d'amour.

UN FILM DE DAVID LEAN

LE DOCTEUR JIVAGO

La Tour infernale

Dans le feu de l'action

1974

The Towering Inferno, suspense de John Guillermin et Irwin Allen (séquences d'action), avec Steve McQueen (Michael O'Hallorhan), Paul Newman (Doug Roberts), William Holden (James Duncan), Faye Dunaway (Susan Franklin), Fred Astaire (Harlee Claiborne) • Sc. Stirling Silliphant, d'après « La Tour » de Richard Martin Stern et « L'Enfer de verre » de Thomas N. Scortia et Frank M. Robinson • Ph. Fred Koenekamp et Joseph Biroc • Mus. John Williams • Dist. Warner Bros. • États-Unis • Durée 164' • 3 Oscars : photographie, montage, chanson

Un filin est tendu entre la tour en flammes et un gratte-ciel voisin.

« Le plus gigantesque des spectacles »

Tel était le titre de l'affiche française qui annonçait à des spectateurs avides de sensations fortes, de quoi satisfaire les plus exigeants ! *La Tour infernale* renouait ainsi avec la tradition du grand spectacle alors quelque peu délaissé par Hollywood qui, sur ce terrain, demeure insurpassable.
Truffé de rebondissements, le film bénéficia aussi d'effets spectaculaires rendus possibles par les progrès de la technique. Quant à son scénario, il combine deux romans à succès écrits simultanément sans que leurs auteurs se soient concertés.

Le capitaine des pompiers (Steve McQueen) dans la tour en feu.

Leurs droits d'adaptation avaient été acquis, le premier par la Fox, le deuxième par la Warner, les deux compagnies collaborant pour la première fois de leur histoire. Plus ambitieux qu'il n'y paraît, *La Tour infernale* est loin de n'être qu'un suspense efficace. Il affiche en effet d'autres ambitions en racontant plusieurs destins individuels dans des circonstances dramatiques et en utilisant habilement la peur engendrée par le feu. Condensé de plusieurs bâtiments existants, la tour n'existe toutefois que dans l'imagination des scénaristes. Mais le spectateur peut s'identifier aux personnages tout en se demandant comment il réagirait dans pareille situation. Le choix d'un accident provoqué par la négligence humaine, dans le seul but du profit à tout prix, ne fut pas pour rien dans le succès d'un film de genre qui se payait également le luxe de dénoncer la mégalomanie et la négligence des architectes et des promoteurs immobiliers. Porte-parole du spectateur, le capitaine des pompiers incarné par Steve McQueen, le bon sens personnifié, a cette réplique cinglante à l'égard de l'architecte joué par Paul Newman : « Nous sommes contents, il y a moins de 200 morts. Le prochain [incendie] en fera mille ». Le film impressionna tellement que les normes de sécurité furent renforcées pour la construction des immeubles de grande hauteur.

Lors de l'inauguration de la plus haute tour du monde, un court-circuit provoque un gigantesque incendie. Pris de panique, les invités gagnent la terrasse. Certains sont évacués par un ascenseur encore en état de marche. D'autres tentent de fuir en hélicoptère...

Catastrophes en tout genre

Le film-catastrophe envahit les écrans dès 1970 avec *Airport* de George Seaton qui réunit dans un même lieu un échantillon représentatif de l'humanité. Interprétés par des comédiens appréciés du public, la plupart du temps dans de petits rôles, *L'Aventure du Poséidon* de Ronald Neame (1972), *Tremblement de terre* de Mark Robson (1974) ou *L'Odyssée du Hindenburg* de Robert Wise (1975) passent en revue catastrophes naturelles et accidents de toutes sortes. Grâce aux effets numériques de plus en plus perfectionnés, le genre renaît de ses cendres, donnant entre 1995 et 1997, non seulement *Titanic* de James Cameron mais aussi *Alerte* de Wolfgang Petersen, *Daylight* de Rob Cohen, *Twister* de Jan De Bont, *Volcano* de Mick Jackson et *Le Pic de Dante* de Roger Donaldson. Suivront *Le Jour d'après* (Roland Emmerich) en 2004 et *Poséidon* (Wolfgang Petersen) en 2006.

Le promoteur Jim Duncan (William Holden) et l'architecte Doug Roberts (Paul Newman).

Barry Lyndon

Grandeur et décadence d'un homme sans qualités

Le chevalier de Balibari (Patrick Magee) et Barry (Ryan O'Neal) à la table de jeux.

1975

Barry Lyndon, drame de Stanley Kubrick, avec Ryan O'Neal (Barry Lyndon), Marisa Berenson (Lady Lyndon), Patrick Magee (le chevalier de Balibari), Hardy Krüger (le capitaine Potzdorf) • Sc. Stanley Kubrick, d'après W. M. Thackeray • Ph. John Alcott • Mus. Bach, Frédéric II, Haendel, Mozart, Paisiello, Schubert, Vivaldi, The Chieftains • Prod. Stanley Kubrick • États-Unis - Royaume-Uni • Durée 187'

XVIIIe siècle. Un nobliau irlandais arriviste, naïf et ballotté par les événements, sera tour à tour amoureux transi, hors-la-loi, fuyard, soldat dans un camp puis dans l'autre lors de la guerre de Sept Ans, déserteur, espion, joueur, tricheur, époux d'une riche veuve…

Vanité que le grand spectacle

Après le retentissement d'*Orange mécanique* en 1971, Stanley Kubrick envisage un Napoléon qui ne se concrétise pas puis prépare et tourne en trois ans *Barry Lyndon*, adapté d'un roman de Thackeray (1811-1863), écrivain anglais dont une autre œuvre, « La Foire aux vanités », était devenue à l'écran en 1935 *Becky Sharp* de Rouben Mamoulian, premier film en Technicolor trichrome. Le film suit une trentaine d'années de la vie peu glorieuse d'un anti-héros et le cinéaste fait tout pour nous tenir aussi loin que possible de ce personnage antipathique. La voix off d'un narrateur casse toute occasion d'identification et désamorce l'émotion quand elle pourrait surgir. Cette mise à distance souvent ironique est amplifiée par une figure de style récurrente, le zoom arrière, qui part d'une vision rapprochée, prend du recul et aboutit au plan d'ensemble, une manière pour Kubrick de nous détacher de ce qu'il nous présente et, tout autant, d'affirmer son contrôle sur ce qu'il filme, en une « prise de possession complète du décor

par un regard dominateur », comme le remarque un exégète de l'œuvre du cinéaste, Michel Ciment. Le grand et beau spectacle est certes fascinant, mais pas seulement ; il dérange également, et cela place le spectateur dans une situation d'inconfort qui fait la force et l'originalité du film. Belle image, beauté des décors et des costumes, scènes de faste, de foules et de batailles, tout cela n'est que vanité et illusion.

Le mariage de Barry avec Lady Lyndon (Marisa Berenson).

L'armée anglaise prête au combat.

Barry et son fils (David Morley).

Le siècle des Lumières s'éclaire à la bougie

Pour restituer l'époque dans laquelle évolue son piètre héros, Stanley Kubrick apporte un soin maniaque à tous les éléments du film, particulièrement aux éclairages, et refuse le recours systématique aux lumières artificielles. C'est pourquoi il respecte les aléas de la lumière naturelle : si un nuage cache le soleil dans une prise de vues en extérieur, la scène s'assombrit un peu et il n'éprouve pas le besoin de tourner à nouveau le plan pour égaliser la lumière, comme on le fait souvent. Le cas est encore plus frappant dans les scènes d'intérieurs : par souci de réalisme, lors de la rencontre avec la paysanne allemande dans une humble chaumière, la scène est éclairée par la seule lueur d'une bougie, à la manière des tableaux des frères Le Nain ou de Georges de La Tour. Dans les fameuses séquences avec le chevalier de Balibari autour des tables de jeux, les uniques sources de lumière sont quelques chandeliers, ce qui a nécessité au tournage une pellicule et des objectifs spéciaux. Et la beauté lisse de Ryan O'Neal, qui avait ému le monde entier quelques années auparavant en gentil gosse de riche vivant une tragique *Love Story* (Arthur Hiller, 1970), correspond parfaitement à un personnage qui cache, derrière une certaine fadeur, une âme de coquin maladroit et mesquin. Autant de manières pour Kubrick de nous inciter à ne pas être dupes des apparences.

La Guerre du feu
Au temps de la Préhistoire

Naoh (Everett McGill), Amoukar (Ron Perlman) et Gaw (Nameer El-Kadi) ont dû se réfugier dans un arbre.

1981

Aventures de Jean-Jacques Annaud, avec Everett McGill (Naoh), Rae Dawn Chong (Ika), Ron Perlman (Amoukar), Nameer El-Kadi (Gaw) • Sc. Gérard Brach, d'après le roman de J.-H. Rosny Aîné • Ph. Claude Agostini • Mus. Philippe Sarde • Maq. Christopher Tucker, John Caglione • Prod. ICC-Cine Trail (Montréal) / Belstar / Stephan Films • France - Canada • Durée 96' • 2 Césars : film et réalisateur

La tribu des Ulams, à la suite d'un combat, se trouve dépourvue de feu. Trois guerriers partent en quête du plus précieux des biens. Après maintes péripéties, ils rencontrent Ika qui les mène à sa tribu, laquelle sait fabriquer le feu.

Entre le vraisemblable et le vrai

C'est après avoir lu le roman de J.-H. Rosny Aîné, déjà adapté en 1914 par Georges Denola, que Jean-Jacques Annaud et Gérard Brach envisagèrent en 1978 de réaliser un film reconstituant l'environnement et la vie de nos lointains ancêtres. Pour Annaud, « La Guerre du Feu est de la science-fiction ou si l'on préfère une œuvre d'imagination, mais sous-tendue par une volonté farouche de reconstitution aussi exacte que possible ». Aux différentes espèces animales familières, rennes, antilopes, flamands, cerfs, loups, bisons, il fallait ajouter les lions-sabres et les mammouths.

L'âge de l'Homme

Après deux ans de pré-production, le tournage débuta en novembre 1980, avec un budget de 12 millions de dollars, deux cents techniciens et soixante-dix comédiens de nationalités diverses. C'est dans d'impressionnants paysages d'Écosse, du Canada, et au pied du Kilimandjaro, au Kenya, que fut filmée l'aventure du feu. « L'homme commence dans un univers presque silencieux. Ce devait être une créature pacifique, sauf quand on la provoquait », ajoute Jean-Jacques Annaud. C'est ainsi que les trois Ulams, dont la tribu a perdu le précieux feu, se mettent en quête d'un autre feu, quittent les marais pour s'enfoncer

Les trois guerriers croisent un troupeau de mammouths.

en stéréo dolby 70 mm, cette fresque faite de réalisme et de merveilleux montre l'homme en train de quitter l'animalité pour entrer dans l'humanité.

Rencontre avec des anthropophages.

Ika (Rae Dawn Chong) éveillera Naoh à l'amour.

aujourd'hui disparus. Deux lions furent ainsi pourvus de fausses dents et dix-huit éléphants « habillés » comme leurs ancêtres. Pour définir la manière de communiquer des personnages, Annaud fit appel à Anthony Burgess, linguiste qui avait imaginé le vocabulaire des voyous d'« Orange mécanique », roman adapté par Stanley Kubrick en 1971, et à Desmond Morris, professeur de mime. Tous deux mirent au point une ébauche de langage et de gestuelle à enseigner aux comédiens.

dans la forêt profonde, hostile et inhospitalière. Et cette errance, pour réaliste qu'elle soit, à la limite du fantastique, plonge le spectateur dans un monde d'aventures, un monde à la fois passionnant et terrifiant : rencontres et combats avec des animaux sauvages, avec les tribus hostiles, voire anthropophages, dangers et apprentissages en tous genres. Ces jeunes chasseurs vont apprendre à survivre, à vivre aussi, à éprouver émotions et sentiments, découvrant aussi que l'amour n'est pas que la copulation. Premier film français tourné

Jean-Jacques Annaud

Après *La Victoire en chantant / Noirs et Blancs en couleurs* (1976) et *Coup de tête* (1979), deux films originaux, Jean-Jacques Annaud triomphe coup sur coup avec *La Guerre du feu*, *Le Nom de la rose* (1986), formidable adaptation du best-seller d'Umberto Eco, *L'Ours* (1989), d'après James Oliver Curwood. Suivront *L'Amant* (1992), adapté du Prix Goncourt éponyme signé Marguerite Duras ; *Les Ailes du courage* (1995), sur l'Aéropostale et Guillaumet, moyen métrage tourné en Imax-3-D ; *Sept ans au Tibet* (1997), un jeune Allemand des années trente chez les lamas ; *Stalingrad* (2001), étonnant face-à-face de deux tireurs d'élite ennemis au cœur de la seconde guerre mondiale ; *Deux frères* (2004), nouveau conte animalier où deux jeunes tigres succèdent à l'ours.

Le Dernier Empereur

Itinéraire chaotique d'un enfant gâté

1987

The Last Emperor, film historique de Bernardo Bertolucci, avec John Lone (Pu Yi), Joan Chen (Wan Jung), Peter O'Toole (Reginald Johnston), Ryuichi Sakamoto (Amakasu) • Sc. Bernardo Bertolucci, Mark Peploe, Enzo Ungari, d'après le livre de Pu Yi et Li Wenda • Ph. Vittorio Storaro • Mus. Ryuichi Sakamoto, David Byrne, Cong Su • Royaume-Uni - Italie - Chine • Durée 165' • 9 Oscars : film, réalisateur, adaptation, photographie, musique, montage, décors, son et costumes ; César du meilleur film étranger

1950. « Rééduqué » en prison par ses geôliers communistes, Pu Yi, dernier empereur de Chine, se souvient… Accession au trône à trois ans. Réclusion dans la Cité interdite à l'avènement de la république. Johnston, le précepteur écossais. Mariage et concubinage. Play-boy, puis otage et souverain fantoche installé par les occupants japonais. Prisonnier des Russes et des Chinois…

Pu Yi, empereur à trois ans, honoré dans la Cité interdite.

De la Cité interdite à la prison rédemptrice

Afin d'évoquer l'étrange parcours de Pu Yi (1905-1967), des fastes de la dynastie mandchoue aux débordements de la révolution culturelle, de l'enfermement doré dans le palais impérial coupé du monde à celui, plus rude, dans les prisons de son pays, Bertolucci s'est appuyé sur l'autobiographie que l'empereur déchu écrivit d'abord avec son frère puis, pour la version définitive, avec l'éditeur Li Wenda, qui deviendra le conseiller technique du film. « L'histoire de Pu Yi, dit Bertolucci, peut être dépeinte comme un voyage de l'ombre vers la lumière, ou comme la métamorphose d'un dragon en un être normal,

d'un empereur en un citoyen. Pu Yi est une victime de l'Histoire, un cas clinique freudien. » Le projet initial (une mini-série de dix heures pour la télévision) se transforma en un luxueux long métrage à très gros budget, tourné pour l'essentiel sur les lieux mêmes de l'action. En effet, le cinéaste et son producteur Jeremy Thomas sont parvenus à monter une coproduction avec la Chine et à obtenir les autorisations de pénétrer dans des endroits jusque-là tenus à l'écart des caméras, comme la Cité interdite à Pékin ou le palais de Changchun en Mandchourie.

Le précepteur Johnston (Peter O'Toole) au milieu des eunuques.

Pu Yi (John Lone), un homme seul.

Le destin extraordinaire d'un homme quelconque

En fait, la vie du vrai dernier empereur de Chine comportait des zones très sombres, qui ont été gommées dans le film, afin de ne froisser aucune susceptibilité, principalement en Chine et au Japon. Pas question ici des accès de sadisme et de cruauté du personnage, un velléitaire qui n'a exercé son faible pouvoir que sur les seuls sujets qu'on le laissait approcher, ses serviteurs.

Pu Yi est resté un alibi auprès des différents régimes qui se succédèrent autour de lui, l'empire finissant, la république des seigneurs de la guerre, les occupants japonais et enfin le régime de Mao, qui donna la preuve de son libéralisme en réhabilitant l'ex-empereur devenu simple citoyen. Et, en 1986, si les autorités de Pékin facilitèrent le tournage, elles n'autorisèrent pas ensuite la diffusion du film dans le pays. Pourtant le journaliste Patrice de Beer, spécialiste de la Chine, a reconnu que *Le Dernier Empereur,* en montrant « ce pantin à tout faire fasciné par les hochets et les chamarrures d'un pouvoir qu'il était incapable d'assumer, (…) réussit à rendre intelligible une période des plus confuses ». Présenté à différents âges, trois, huit et quinze ans, Pu Yi devenu adulte est incarné par John Lone, un Chinois naturalisé américain, acteur complet qui avait surtout joué au théâtre et venait d'être le protagoniste de *L'Année du dragon* de Michael Cimino (1985).

Pu Yi et sa femme Wan Jung (Joan Chen).

Independence Day - Le Jour de la riposte

L'Amérique au secours du monde libre

1996
Independence Day, science-fiction de Roland Emmerich, avec Will Smith (le capitaine Steven Hiller), Bill Pullman (le président Thomas J. Whitmore), Jeff Goldblum (David Levinson), Mary McDonnell (Marilyn Whitmore), Judd Hirsch (Julius Levinson), Robert Loggia (le général Grey), Randy Quaid (Russell Casse) • Sc. Dean Devlin et Roland Emmerich • Ph. Karl Walter Lindenlaub • Mus. David Arnold • Prod. Dean Devlin • États-Unis • Durée 140'

La Terre doit faire face à une attaque extra-terrestre soigneusement planifiée et terriblement meurtrière.

Un gigantesque vaisseau spatial survole Manhattan…

Des images prémonitoires

Succédant à une première transposition cinématographique réalisée en 1953 par Byron Haskin, Roland Emmerich dirige, presque cent ans après la parution de « La Guerre des mondes » (1898), le livre de H. G. Wells dont il s'inspire, une adaptation moderne bénéficiant d'effets spéciaux éblouissants et spectaculaires. Toutefois, si l'on ne peut contester une valeur prémonitoire, après l'attentat terroriste du 11 septembre 2001, à ces images de New York dévasté par l'attaque extraterrestre, le film trahit une fois de plus les prétentions d'hégémonie des États-Unis. Et, tout en gardant une certaine grandeur, cette illustration un rien mégalomane du Nouveau Monde déterminé et solidaire – toutes les races et couches de la société y sont représentées – qui se pose comme défenseur de l'Occident, si elle rencontra un succès phénoménal aux États-Unis, ne connut ailleurs qu'un accueil critique mitigé. Une fois de plus, et bien que réalisé par un cinéaste allemand, elle révélait la velléité de l'Amérique à imposer au reste de la Planète sa prépondérance aussi bien politique que morale : après avoir été la première touchée par l'attaque, c'est elle en effet qui sauve la Terre de la menace venue d'ailleurs en rassemblant toutes les armées sous son étendard. Et l'on peut présumer que le film aurait eu encore moins d'impact en dehors de ses frontières après le déclenchement de la Deuxième Guerre d'Irak. Quant à la vision que Steven Spielberg donne à sa *Guerre des mondes* (2005), elle élude avec prudence tout commentaire ou jugement de valeur sur cette mainmise que les États-Unis continuent de vouloir exercer sur le monde.

La mystérieuse « Zone 51 »

La grande astuce du film est d'avoir intégré dans son développement quelques éléments défendus avec acharnement par les « ufologues » (les chercheurs qui, à travers le monde, s'intéressent aux soucoupes volantes) : l'existence – démentie par le gouvernement américain – d'une mystérieuse zone secrète dénommée « 51 » dans le désert du Nevada, dans laquelle seraient recueillies depuis des décennies plusieurs soucoupes volantes tombées sur Terre ainsi que des spécimens d'aliens morts ou prisonniers. Le scénario fait également intervenir un « contacté » (joué par Randy Quaid), qui prétend avoir été enlevé par des extra-terrestres – comme, dans la réalité, pensent l'avoir été plus de… trois millions

Attaque-surprise sur une base américaine.

d'Américains ! Une grande partie d'entre eux est en effet persuadée que leur pays connaît une intense activité de ces visiteurs inconnus et que leur gouvernement en sait plus qu'il ne veut en dire sur la question. Quoi qu'il en soit, *ID4* – nom de code du film faisant référence à la date du 4 juillet, anniversaire de l'indépendance des États-Unis – utilise savamment la surenchère pour parvenir à ses fins : être un divertissement de qualité conçu pour atteindre rapidement les sommets du box-office.

Le président Thomas Whitmore (Bill Pullman) prend lui-même les commandes d'un avion.

Les pilotes Steven Hiller (Will Smith) et Jimy Wilder (Harry Connick Jr.).

Effets spatiaux

Independence Day marqua le retour d'une vague de films de science-fiction – avec à la clé des effets spéciaux de plus en plus nombreux et surprenants – qui tournaient tous autour des thèmes de la visite d'extra-terrestres, de la communication entre espèces et de la guerre interplanétaire : *Mars Attacks !* de Tim Burton (1996), *Men in Black* de Barry Sonnenfeld (1997), *Contact* de Robert Zemeckis (1997), *Starship Troopers* de Paul Verhoeven (1997), sans oublier *La Menace fantôme* (1999), *L'Attaque des clones* (2002) et *La Revanche des Sith* (2005), trois premiers volets de *Star Wars*, la saga de George Lucas.

Titanic

Insubmersible amour

L'impensable naufrage du « Titanic ».

1997

Titanic, drame de James Cameron, avec Leonardo Di Caprio (Jack Dawson), Kate Winslet (Rose), Billy Zane (Cal), Kathy Bates (Molly Brown), Frances Fisher (la mère de Rose) • Sc. James Cameron • Ph. Russell Carpenter • Mus. James Horner • États-Unis • Durée 190' • 11 Oscars : meilleur film, réalisateur, photographie, musique, montage, effets spéciaux visuels, effets spéciaux sonores, décors, son, costumes et chanson

Rose, cent deux ans, se remémore la tragique croisière inaugurale du « Titanic », en avril 1912, au cours de laquelle elle rencontra Jack Dawson, un artiste bohème…

Triomphe d'un auteur sur un naufrage annoncé

Titanic est le film le plus cher de l'histoire du cinéma (près de trois cents millions de dollars, dont le dixième pour les effets spéciaux) et celui qui rapporta le plus (deux milliards de dollars environ). Pourtant, à l'origine, seul James Cameron semblait vraiment y croire. Il renonça même à son salaire et à tout pourcentage sur les recettes pour compenser les dépassements de budget et poursuivre selon ses vues un tournage de cent soixante-trois jours. Il le conçut non comme un film-catastrophe mais comme une histoire d'amour passionnée vécue par des êtres anticonventionnels, rebelles à l'ordre établi. « Je voulais, dit-il, que les spectateurs aient l'impression d'y participer. » De fait, outre les prestations remarquables des acteurs, la reconstitution historique ou l'excellence des effets spéciaux, l'attrait du film tient d'abord à sa dimension humaine et émotionnelle. Les spectateurs conquis s'identifièrent aux héros et à leur amour voué à l'échec.

Les amoureux Rose (Kate Winslet) et Jack (Leonardo Di Caprio)…

« Cameron est un génie ! »

James Cameron, tel Selznick sur *Autant en emporte le vent*, maîtrisa toutes les étapes du film, de la conception à l'exploitation. Il est même l'auteur du dessin de Rose dénudée, lorsqu'elle pose pour Jack. Pointilleux, voire tyrannique, surnommé par l'équipe « colonel Kurtz », comme le mégalomane joué par Marlon Brando dans *Apocalypse Now*, il domina les innombrables difficultés nées

…vont tenter de fuir ensemble la catastrophe.

de ses exigences et de son engagement, y laissant même sa santé et son mariage. Pourtant habitué à de très gros budgets, qu'il avait gérés avec bonheur pour *Aliens* (1986), *Abyss* (1989), *Terminator 2* (1991) ou *True Lies* (1994), il sortit de *Titanic* exsangue mais sanctifié. « Le film, avouera Di Caprio, restera probablement le tournage le plus dur, le plus fou et le plus éprouvant de ma carrière, mais quand j'ai vu le résultat, je me suis dit : Cameron est un génie ! » Depuis, il se consacre surtout à l'écriture et à la production de documentaires, et prépare deux films de science-fiction dont *Avatar* (2008).

Rose (Gloria Stuart), âgée de 102 ans, raconte son aventure…

Leonardo Di Caprio, superstar à confirmer

Né à Hollywood dans une famille hippie désargentée, il débute à la télévision puis au cinéma en 1991. Remarqué dès 1993 en adolescent perturbé dans *Blessures secrètes* de Michael Caton-Jones et dans *Gilbert Grape* de Lasse Hallström, il s'impose vraiment avec *Romeo + Juliette* (Baz Luhrmann, 1996). À vingt-trois ans, après *Titanic*, il déclenche une « Di Capriomania » aux curieux effets secondaires : à Halifax, la tombe du cimetière des victimes du naufrage portant le nom de Jack Dawson, que James Cameron donna à son personnage dans le film, sera pendant plusieurs mois un lieu de pèlerinage, avec fleurs, mots doux et scènes d'hystérie… Par la suite, il confirme son talent avec *Celebrity* (Woody Allen, 1998), *Arrête-moi si tu peux* (Steven Spielberg, 2002), en fringant escroc, *Gangs of New York* (2002) et *Aviator* (2004) de Martin Scorsese.

Gladiator
Peplum Maximus

Au Colisée, Maximus (Russell Crowe) affronte des tigres et un gladiateur invaincu.

2000
Gladiator, aventures de Ridley Scott, avec Russell Crowe (Maximus), Joaquin Phoenix (Commode), Connie Nielsen (Lucilla), Oliver Reed (Proximo), Richard Harris (Marc-Aurèle) • Sc. David Franzoni, John Logan, William Nicholson d'après une histoire de David Franzoni • Ph. John Mathieson • Mus. Hans Zimmer, Lisa Gerrard • Dist. U.I.P. • États-Unis • Durée 155' • 5 Oscars : film, acteur, costumes, effets visuels, son

En 180 après J.-C., le général Maximus, vainqueur des Barbares, est sur le point de succéder à Marc-Aurèle quand l'empereur est assassiné par son fils Commode, avide de pouvoir. Maximus devient esclave puis gladiateur dans les arènes de Rome.

Le retour du péplum

Quand Ridley Scott entreprend *Gladiator*, le peplum est un genre pratiquement mort depuis une bonne trentaine d'années. Mais DreamWorks, la société productrice de Steven Spielberg, met tout en œuvre pour en faire un spectacle total – c'est alors le plus gros budget de la compagnie. Le film a pour point de départ « Pollice Verso », une toile de Jean-Léon Gérome, peintre pompier du XIXe siècle, représentant un gladiateur romain suspendu à la décision de l'empereur d'accorder la vie sauve ou d'ordonner la mort de son adversaire. « Cette image captait admirablement la gloire et la perversité de l'Empire romain. Elle m'a tout de suite fasciné », déclara Ridley Scott. De là, découle un scénario se déroulant sur plusieurs années, construit selon trois parties bien distinctes situées en Germanie, au Moyen-Orient et à Rome.

Proximo (Oliver Reed), organisateur de combats de gladiateurs conseille à Maximus de séduire la foule.

Maximus et Juba (Djimon Hounsou) font leurs premières armes de gladiateurs.

Une succession de morceaux de bravoure

L'impressionnante séquence de bataille contre l'envahisseur germanique fut filmée dans des tonalités sombres et glaciales, tournée avec des milliers de figurants dans une forêt du Surrey sur le point d'être déboisée. Plusieurs dizaines de milliers de flèches et des pots d'argile enflammés furent tirés par de véritables catapultes datant du début de notre ère. La séquence intermédiaire où Maximus découvre l'école des gladiateurs nécessita 30 000 briques de glaise pour reconstituer une province romaine du Moyen-Orient. Si la visualisation du Colisée sur l'île de Malte s'avéra plus délicate, toutes les séquences romaines grouillent de vie grâce aux efforts conjugués du décorateur et de la technologie numérique. *Gladiator* est un spectacle grandiose doublé d'une réflexion politique sur l'exercice du pouvoir, témoignant tout à la fois de ce que fut la grandeur de Rome et de la brutalité d'une civilisation qui entraîna sa propre perte.

Lucilla (Connie Nielsen) face à son frère, l'empereur Commode (Joaquin Phenix), amoureux d'elle.

Grandeur et décadence du péplum

Le mot peplum qui, en latin, sert à désigner une tunique, qualifie des films situés dans l'Antiquité, surtout gréco-romaine. Les Italiens demeurent les grands maîtres d'un genre qui connut un premier âge d'or au temps du cinéma muet et dont le chef-d'œuvre demeure *Cabiria* de Giovanni Pastrone (1914), avant de triompher à nouveau entre 1957 et 1964 avec une production parfois proche d'une quarantaine de films par an, où les héros se nomment Hercule, Maciste, Ursus, et révélant des acteurs comme Steve Reeves ou Gordon Scott. Mais le filon s'épuisa pour laisser la place au western-spaghetti. Avec des moyens souvent gigantesques, Hollywood s'était illustré, à partir de *La Tunique* (1953), dans une veine similaire, bénéficiant des attraits de l'écran large et du talent de grands cinéastes. En 1960, Stanley Kubrick tourna *Spartacus*, en 1962, Richard Fleischer *Barabbas*, et l'année suivante, Joseph Mankiewicz *Cléopâtre* et Anthony Mann *La Chute de l'empire romain*, dont le scénario met en scène les mêmes personnages que *Gladiator*.

Aviator
Portrait d'un nabab despotique, excentrique et hypocondriaque

Howard Hughes s'apprête à tourner une scène de combat aérien de son film *Les Anges de l'enfer*.

2004

The Aviator, film biographique de Martin Scorsese, avec Leonardo DiCaprio (Howard Hughes), Cate Blanchett (Katharine Hepburn), Kate Beckinsale (Ava Gardner), John C. Reilly (Noah Dietrich), Alec Baldwin (Juan Trippe), Alan Alda (le sénateur Ralph Owen Brewster), Ian Holm (le professeur Fritz) • Sc. John Logan • Ph. Robert Richardson • Mus. Howard Shore • Dist. TFM Distribution • États-Unis • Durée 165' • 5 Oscars : second rôle féminin (Cate Blanchett), photographie, décors, montage et costumes

Vingt années de l'extraordinaire destinée du richissime Howard Hughes, pionnier de l'aviation et du cinéma ; ses exploits de pilote d'essai et ses amours tumultueuses avec des stars de cinéma.

Un véritable héros de film

Par sa démesure et son parcours atypique, le personnage d'Howard Hughes a maintes fois tenté les cinéastes et on dit qu'il fut l'un des modèles du *Citizen Kane* d'Orson Welles (1941). « C'est l'une des figures les plus mystérieuses du XXe siècle. Et tous les livres écrits sur lui n'ont pas réussi à révéler le cœur du mystère. Plus vous essayez de fouiller dans sa vie, plus elle devient opaque », explique Leonardo DiCaprio, l'acteur à l'origine de l'entreprise.

Recréer l'âge d'or d'Hollywood…

Scorsese se prit au jeu de cette exceptionnelle opportunité de recréer l'âge d'or du cinéma américain et de se confronter à sa légende. La première séquence, par exemple, se déroule dans un night-club mythique, le Cocoanut Grove, créé

Howard Hughes (Leonardo DiCaprio).

L'énigmatique Howard Hughes

Héritier à dix-huit ans d'une fortune colossale, pionnier de l'aviation, inventeur de prototypes et généreux mécène, Howard Hughes (1905-1976) fut l'un des hommes les plus riches du monde. Il réalisa trois films dont *Les Anges de l'enfer* (1930), célèbre pour ses audacieuses séquences aériennes, et *Le Banni* (1943) avec la très sexy Jane Russell. Mais Hughes a également produit *The Front Page* de Lewis Milestone (1931) – violente satire du journalisme – et *Scarface* de Howard Hawks (1932). En 1948, il acquiert la prestigieuse firme RKO, que sa gestion inconsidérée conduira à la ruine et à la disparition en 1955. La fin de sa vie dépasse la fiction : sa phobie des microbes en fait un maniaque de l'hygiène et son goût du secret le conduit à vivre en reclus au dernier étage d'un building de Las Vegas où ne l'approchaient plus que cinq serviteurs mormons. Il termina piteusement une existence de légende chaussé de boîtes de kleenex vides, se laissant pousser les ongles et la barbe comme un mandarin chinois.

Hughes en compagnie d'Errol Flynn (Jude Law) et Katharine Hepburn (Cate Blanchett).

Hughes et Ava Gardner (Kate Beckinsale).

en 1921, et ne rassemble pas moins de 500 figurants. Dans le même esprit, Scorsese procède à un travail minutieux de reconstitution de Hancock Park, la résidence de Hughes, et n'hésite pas à rechercher des meubles d'époque pour planter le décor.

Il choisit une période de vingt ans, dans laquelle il condense plusieurs aspects de la vie du magnat : sa vie sentimentale tumultueuse incarnée par deux femmes offrant des visages contrastés – Katharine Hepburn et Ava Gardner ; le passage d'un état sain à une dérive maniaque. « Une des choses qui fascinent le plus dans cette histoire, a déclaré Scorsese, est de voir ce jeune homme plein de vie se métamorphoser en un adulte hanté par ses failles et ses tares. »

Enfin, selon le réalisateur, les aviateurs, ces aventuriers du début du XXe siècle, sont comme les descendants directs des grands pionniers de l'Ouest américain. Autant de facteurs déterminants dans sa décision de faire le film.

Le sénateur Brewster (Alan Alda) s'oppose à Hughes.

Guerriers inoubliables

Les Sept Samouraïs

Mercenaires au service d'une juste cause

1954

Shichinin no Samurai, aventures d'Akira Kurosawa, avec Takashi Shimura (Kambei), Toshiro Mifune (Kikuchiyo), Yoshio Inaba (Gorobei), Seiji Miyaguchi (Kyuzo), Minoru Chiaki (Heihachi), Daisuke Kato (Shichiroji), Ko Kimura (Katsushiro) • Sc. Akira Kurosawa, Shinobu Hashimoto, Hideo Oguni • Ph. Asakazu Nakai • Mus. Fumio Hayasaka • Prod. Shojiro Motoki • Japon • Durée 200' • Lion d'argent au Festival de Venise 1955

Au XVIᵉ siècle au Japon, des paysans engagent sept samouraïs pour les défendre contre les raids d'une quarantaine de pillards.

Trois des sept samouraïs : Kikuchiyo, Katsushiro (Ko Kimura) et Kambei (Takashi Shimura).

Un précurseur

Après *Rashômon* (1950) du même cinéaste – déjà récompensé par un Lion d'or à Venise – qui attira l'attention sur un cinéma pratiquement inconnu, *Les Sept Samouraïs* fut longtemps le film japonais le plus célèbre en Occident. Et aussi le plus coûteux réalisé à l'époque dans son pays d'origine. Non seulement Kurosawa bénéficia d'un budget exceptionnel dans une industrie japonaise renaissante mais il le dépassa considérablement, car le tournage en extérieurs, situé pour une grande part dans un village de haute montagne et contrecarré par les intempéries, dura plus d'un an. La société de production Toho envisagea même son arrêt pur et simple pour dépenses « extravagantes ». Kurosawa innova sur le plan technique en employant plusieurs caméras pour les scènes de batailles, qui demeurent des modèles du genre. Cette variété d'angle de prises de vues, enrichie par l'emploi d'objectifs à courte focale, lui permit un montage d'une grande virtuosité et d'un rythme étourdissant. Une technique audacieuse

pour l'époque qui fit de lui un précurseur, mais qui lui fut reprochée dans un pays où l'art filmique reposait sur un cinéma de contemplation, au rythme lent et aux plans méticuleusement composés, tel qu'on peut en voir dans les œuvres d'Ozu ou de Mizoguchi. Car, paradoxalement, si Kurosawa est sans doute le cinéaste japonais qui fit le plus pour la renommée mondiale de son cinéma national, son style très « occidentalisé » n'en fait pas un des plus représentatifs. Mais lui-même se reconnaissait comme un auteur influencé par d'autres cultures : n'a-t-il pas toujours désigné Dostoïevski comme son maître ?

Les samouraïs sont sur le pied de guerre.

Les tribulations d'un film

Les Sept Samouraïs est exceptionnellement long dans sa version d'origine – mais il avait été précédé dans cette voie par Kenji Mizoguchi et ses *47 Ronins* (1941) qui durait déjà plus de trois heures (un ronin est un samouraï sans maître). Or, durant plus de vingt-cinq ans, l'Occident ne connut du film qu'une version outrageusement tronquée. C'est la Toho qui avait pris l'initiative de l'amputer pour son exploitation à l'étranger, réservant la version intégrale pour son exclusivité dans les grandes villes nipponnes, les autres régions n'ayant droit qu'à une version de 160 minutes, tandis qu'une copie réduite à 105 minutes était destinée à l'exportation. C'est cette dernière qui fut longtemps visible en France où, avant 1980, la version intégrale – la seule reconnue par Kurosawa – ne fut projetée que deux fois à la Cinémathèque française, sans aucun

Les bandits attaquent le village fortifié.

Kikuchiyo (Toshiro Mifune) se bat énergiquement.

sous-titre. Dans la version courte ne subsistaient plus que les scènes d'action, le contexte psychologique et social ayant été impitoyablement banni : le film, qui se voulait une fresque sociale à l'ampleur ambitieuse, n'apparaissait plus que comme une sorte de western oriental.

Les Sept Samouraïs et ses succédanés

Conséquence logique, les Américains en achetèrent les droits quelques années plus tard pour en faire un western devenu tout aussi légendaire, *Les Sept Mercenaires* de John Sturges (1960) avec Yul Brynner et Steve McQueen, qui connut plusieurs suites : *Le Retour des sept* de Burt Kennedy (1966), *Les Colts des sept mercenaires* de Paul Wendkos (1969), *The Magnificent Seven Ride !* de George McCowan (1972). En 1980, Jimmy T. Murakami transposait le sujet dans un film de science-fiction, *Les Mercenaires de l'espace*, dont l'action se passait sur une planète lointaine. À noter que le cinéma américain proposa également un remake de *Rashômon* avec *L'Outrage* de Martin Ritt (1964).

Le Pont de la rivière Kwaï

Spectaculaire parabole sur l'absurde

Nicholson et Saito ont découvert le dispositif devant faire exploser le pont.

1957

The Bridge on the River Kwai, film de guerre de David Lean, avec Alec Guinness (le colonel Nicholson), William Holden (le major Shears), Jack Hawkins (le major Warden), Sessue Hayakawa (le colonel Saito), James Donald (le major Clipton) • Sc. Michael Wilson et Carl Foreman, d'après le roman de Pierre Boulle • Ph. Jack Hildyard • Mus. Malcolm Arnold • Prod. Sam Spiegel • Royaume-Uni • Durée 161' • 7 Oscars : film, réalisation, acteur (Alec Guinness), adaptation, photo, musique et montage

En 1943, un régiment de prisonniers britanniques est contraint par les Japonais de construire un pont sur la rivière Kwaï, tandis qu'un commando anglais a pour mission de détruire l'édifice.

Le colonel Saito (Sessue Hayakawa).

« Folie... Folie... »

Existe-t-il film plus antimilitariste ? *Le Pont de la rivière Kwaï* n'est pas seulement l'une des œuvres les plus antibellicistes jamais tournées, mais un violent pamphlet contre la stupidité militaire. Le colonel Nicholson, qui commande le régiment de prisonniers, décide de prendre en main la construction du pont exigé par les Japonais. Il le fait d'abord pour occuper ses hommes et maintenir la discipline. Il le fait aussi par orgueil, afin de continuer à exercer son commandement et prouver à l'ennemi la supériorité britannique. Mais, insensiblement, son attitude le conduit à la trahison. Parallèlement, secondé par un soldat américain qui a réussi à s'évader du camp quelques semaines plus tôt, un commando s'enfonce dans la jungle pour détruire le pont. Le film entier devient une parabole sur l'absurde : absurdité de la guerre, absurdité de l'esprit militaire, absurdité de toute entreprise humaine vouée, tôt ou tard, à la destruction. Morale que résument les derniers mots prononcés par le médecin britannique : « Folie... Folie... »

Donner corps et vie à une démonstration littéraire

L'œuvre fit sensation à sa sortie et connut d'emblée une audience exceptionnelle. Le critique André Bazin souligna que c'était un exemple rare de film inspiré d'un roman qui se révélait supérieur à l'original, et que le scénario en était si bien construit qu'il semblait adapté d'un ouvrage trois fois plus long. Car le roman est un texte court, volontairement abstrait, destiné à étayer un raisonnement purement intellectuel. David Lean et ses adaptateurs ont donné corps, vie et épaisseur humaine à des silhouettes littéraires. Pour les besoins du tournage, un véritable pont de bois fut construit en plein cœur de Ceylan (aujourd'hui Sri Lanka). Mais un débat opposa les scénaristes concernant la fin. Carl Foreman estimait que le pont ne devait pas sauter. Pour Michael Wilson, le colonel Nicholson, enfermé dans son aveuglement, devait à tout prix préserver sa création, et c'était un tir de mortier qui détruisait son œuvre. David Lean trancha en imaginant que le colonel Nicholson avait un éclair de lucidité avant d'être tué, mais qu'il était déjà mort lorsqu'il tombait sur le détonateur… L'ambiguïté demeurera à jamais.

Le colonel Nicholson (Alec Guinness) et ses hommes.

Une figure prestigieuse

David Lean (1908-1991) est désormais reconnu comme l'un des auteurs majeurs du cinéma. Après avoir fait ses premières armes dans des films intimistes comme *Brève Rencontre* (1945), et des adaptations littéraires très admirées comme *Les Grandes Espérances* (1946) et *Oliver Twist* (1948), il devint, à partir de 1957, le spécialiste international de la superproduction, genre qu'il ne quitta plus. Suivront *Lawrence d'Arabie* (1962), *Le Docteur Jivago* (1966), ambitieuse adaptation de l'œuvre de Boris Pasternak, *La Fille de Ryan* (1970), émouvante histoire d'amour sur fond de révolution irlandaise, et *La Route des Indes* (1984), subtile dénonciation du colonialisme. Steven Spielberg le considère comme son maître. Ses innombrables admirateurs déplorent qu'il n'ait tourné que quatre films durant les trente dernières années de sa vie…

Shears (William Holden), Warden (Jack Hawkins) et Joyce (Geoffrey Horne).

Un Taxi pour Tobrouk

Fable pacifiste au ton enjoué

Ramirez (German Cobos), Dumas (Lino Ventura), von Stegel (Hardy Krüger), Jonsac (Maurice Biraud) et Goldman (Charles Aznavour) : cinq passagers pour un « taxi ».

1961

Film de guerre de Denys de La Patellière, avec Lino Ventura (Théo Dumas), Charles Aznavour (Samuel Goldman), Hardy Krüger (Ludwig von Stegel), Maurice Biraud (François Jonsac), German Cobos (Paolo Ramirez) • Sc. Denys de La Patellière et René Havard, d'après son roman • Dial. Michel Audiard • Ph. Marcel Grignon • Mus. Georges Garvarentz • Prod. Gaumont / Franco London Films / Procusa (Madrid) • France - Espagne • Durée 95'

L'odyssée de cinq hommes, quatre combattants des Forces françaises libres et un officier allemand, que les circonstances contraignent à traverser ensemble le désert de Libye en 1942.

Von Stegel a repris la mitraillette… et le contrôle de la situation.

Généreux et humaniste

Faire fraterniser des ennemis n'était pas monnaie courante au cinéma au début des années soixante. Sous cet angle, le message du film ne pouvait que satisfaire le public : *Un Taxi pour Tobrouk* fut l'un des grands succès du cinéma français, grâce à l'association Denys de La Patellière-Michel Audiard, qui avait déjà fait ses preuves avec, entre autres, *Retour de manivelle* (1957), d'après James Hadley Chase, *Les Grandes Familles* (1958), d'après Maurice Druon, et *Rue des Prairies* (1959), d'après René Lefèvre. Il faut dire que l'échantillonnage choisi par les auteurs avait tout pour séduire par son populisme : du côté des FFL (Forces françaises libres), quatre appelés, un titi bien parisien, patron de bistrot dans le civil (Lino Ventura), un fils de famille plutôt désabusé (Maurice Biraud), un médecin juif, amer et « rancunier » (Charles Aznavour), un Basque condamné à mort (l'Espagnol German Cobos)

– le seul militaire de carrière étant l'Allemand. Tout ce joli monde échangera, au cours du voyage, un festival de vérités (bonnes à dire), faisant passer le discours sur un ton jovial qui transforme en comédie ce qui aurait pu devenir un drame poignant. Il est à noter que le film présente de nombreuses similitudes avec *Le Désert de la peur*, réalisé par le Britannique J. Lee Thompson, qui avait obtenu le Prix international de la critique au Festival de Berlin 1958, et qui traitait exactement du même sujet sur un ton dramatique.

Un festival de mots d'auteur

Ici, le message éloquent et sans équivoque sert de prétexte à des numéros d'acteurs magnifiés par les dialogues spirituels et satiriques d'un Michel Audiard en grande forme. Dès lors, les traits d'esprit fusent et remplacent les balles de mitrailleuses : « En langage clinique, on appelle ça un paranoïaque, en langage militaire un brigadier » (Charles Aznavour à propos de Lino Ventura), « Quand dans le désert on trouve un macchabée qu'on ne peut pas identifier, on lui fouille les poches. Si on trouve un ouvre-boîtes, c'est un British, quand on trouve un tire-bouchon… c'est un Français » (Lino Ventura), « À la guerre, on devrait toujours tuer les gens avant de les connaître » (Maurice Biraud).

Les quatre des FFL.

Charles Aznavour au cinéma

À l'exemple de Bourvil, d'Yves Montand ou de Jacques Dutronc, Charles Aznavour (né en 1924) est l'une des rares vedettes de la chanson à avoir fait une carrière honorable comme acteur de cinéma. Si sa première apparition remonte à 1938 dans *Les Disparus de Saint-Agil* de Christian-Jaque, c'est vingt ans plus tard qu'il saura s'imposer. Après avoir fait sensation dans *La Tête contre les murs* de Georges Franju (1959), il sera choisi par François Truffaut pour être la vedette de *Tirez sur le pianiste* (1960) et par André Cayatte, la même année, pour incarner le héros du *Passage du Rhin*. Depuis, l'interprète de « La Bohème » et « Je m'voyais déjà » est apparu dans une quarantaine de films parmi lesquels *La Métamorphose des cloportes* (Pierre Granier-Deferre, 1965), *Paris au mois d'août* (Pierre Granier-Deferre, 1966), *Le Tambour* de Volker Schlöndorff (1979), *Les Fantômes du chapelier* de Claude Chabrol (1982), *Qu'est-ce qui fait courir David ?* (Élie Chouraqui, 1982), *Mangeclous* (Moshe Mizrahi, 1988) et *Ararat* d'Atom Egoyan (2002).

Le Jour le plus long

Le cinéma au service de l'Histoire

1962

The Longest Day, film historique de Bernhard Wicki, Andrew Marton, Ken Annakin et Elmo Williams, avec John Wayne (Vandervoort), Henry Fonda (Roosevelt), Robert Mitchum (Cota), Richard Burton (le pilote de la RAF), Sean Connery (Flanagan), Richard Todd (Howard), Arletty (Mme Barrault), Bourvil (le maire de Colleville), Jean-Louis Barrault (le père Roulland), Peter van Eyck (Ocker), Gert Froebe (Kaffeeklatsch) • Sc. Cornelius Ryan, Romain Gary, James Jones, David Pursall, Jack Seddon, d'après le livre de Cornelius Ryan • Ph. Jean Bourgoin, Henri Persin, Walter Wottitz • Mus. Maurice Jarre, Paul Anka • Prod. Darryl F. Zanuck • États-Unis • Durée 180'

L'histoire du débarquement du 6 juin 1944 observé conjointement du côté des Allemands, des Français, des Anglais et des Américains.

Le 6 juin 1944, les Alliés débarquent en Normandie.

Le lieutenant-colonel Vandervoort (John Wayne), entouré de ses hommes, dont Sheen (Stuart Whitman, à droite).

Évocation d'un moment crucial

L'une des œuvres les plus ambitieuses de son époque. Une tentative unique de retranscrire, avec authenticité et didactisme, ce qui fut le tournant décisif de la seconde guerre mondiale, mais aussi un moment crucial de l'Histoire moderne. Le best-seller de Cornelius Ryan avait nécessité des recherches minutieuses et une documentation colossale. Avec son apparence documentaire, sa rigueur, son dépouillement, sa pléiade de conseillers techniques, historiques et militaires (48 personnes au total), le film dépasse le cadre de la simple superproduction. Le choix délibéré du noir et blanc démontre la volonté de faire œuvre d'historien en retraçant, sans fioritures déplacées, la plus formidable opération navale de tous les temps. Ce souci

de coller à la réalité avec la plus grande honnêteté fut renforcé par la démarche, chaque fois que c'était possible, de favoriser les rencontres entre les comédiens et les personnages authentiques qu'ils avaient pour mission d'incarner.
La réalisation est signée par trois cinéastes : Andrew Marton qui a dirigé les séquences américaines, Ken Annakin, les séquences britanniques, et Bernhard Wicki, les séquences allemandes. Un quatrième, Elmo Williams, a coordonné les scènes de batailles. Mais l'unité d'ensemble est l'œuvre d'un seul homme, véritable auteur du film, le producteur Darryl F. Zanuck (1902-1979).

Le « général » Zanuck

À la fin de la seconde guerre mondiale, Darryl F. Zanuck, responsable d'une unité chargée de tourner des documentaires, avait été démobilisé avec le grade de lieutenant-colonel. Devenu producteur indépendant en 1956, il fut le véritable initiateur du projet qui nécessita 10 mois de tournage sur 31 lieux différents répartis dans la France entière (la plus grande partie fut tournée sur l'île de Ré), 50 vedettes internationales, 23 000 hommes de troupe. Le budget dépassa les 10 millions de dollars. En outre, la scène capitale du débarquement lui-même – tournée en juin 1961 sur une plage de Corse censée représenter Omaha Beach – fut réalisée grâce à la collaboration de la 6e Flotte américaine. Toute cette logistique

Le major-général allemand Blumentritt (Curd Jurgens).

Lord Lovat (Peter Lawford, à gauche) et ses compagnons britanniques.

a fait du producteur Zanuck un véritable général dirigeant une opération militaire de grande envergure, comparable à celle que fut l'événement lui-même qui mobilisa trois millions d'hommes et 18 000 navires. Avec, cette fois, le soutien au plus haut niveau des quatre pays directement concernés, Zanuck bénéficia, en outre, des conseils du général Eisenhower, de lord Mountbatten et de lord Lovat qui étaient des amis personnels. À la fin du tournage, il y avait 66 heures de rushes pour un spectacle qui ne devait pas excéder 3 heures de projection.

Un film-témoignage

La critique accueillit avec une bienveillance inattendue cette œuvre assimilée dès le départ à un spectacle typiquement hollywoodien. On s'aperçut qu'elle contenait une volonté de témoigner et de faire prendre conscience du sacrifice consenti par un grand nombre d'hommes pour que se perpétuent les vertus de la démocratie et du monde libre. Il faudra attendre 1998 et *Il faut sauver le soldat Ryan* de Steven Spielberg pour retrouver à l'écran une évocation encore plus réaliste du fameux Jour J.

Lawrence d'Arabie

Le souffle de l'épopée

L'armée bédouine de Lawrence (Peter O'Toole) investit le port d'Aqaba.

1962

Lawrence of Arabia, film historique de David Lean, avec Peter O'Toole (le lieutenant T. E. Lawrence), Alec Guinnes (le prince Faysal), Omar Sharif (Shérif Ali), Anthony Quinn (Auda Abu Tayi), Jack Hawkins (le général Allenby), José Ferrer (le bey turc), Anthony Quayle (le colonel Brighton), Claude Rains (Dryden), Arthur Kennedy (Bentley) • Sc. Robert Bolt • Ph. Frederick A. Young • Mus. Maurice Jarr • Prod. Sam Spiegel • Royaume-Uni • Durée 222' • 7 Oscars : film, réalisation, photographie, direction artistique, montage son et musique

La destinée exceptionnelle du lieutenant britannique Lawrence qui fut, au cours de la première guerre mondiale, le principa artisan de la révolte des Bédouins contre les Turcs et l'initiateur de l'unité arabe.

Pas de vilain : les héros suffisent

Avec David Lean, le grand spectacle acquiert une dimension supplémentaire : des moyens considérables sont mis au service de l'analyse psychologique et des débats de conscience. Le film adopte un parcours psychologique qui va à rebours des conventions du cinéma. D'abord décrit comme attachant, le personnage adopte un comportement de plus en plus déconcertant et immoral, s'aliénant ainsi une bonne part de la sympathie qu'il avait suscitée auprès du public. Le scénariste Robert Bolt s'en est expliqué avec éloquence : « Lorsque les hommes font la guerre, leurs plus grandes qualités se retournent contre eux.

Lawrence, Faysal (Alec Guinness), Dryden (Claude Rains), Allenby (Jack Hawkins) et Brighton (Anthony Quayle).

Lawrence et le cheik Auda Abu Tayi (Anthony Quinn).

Un inconnu pour incarner une légende

Après le succès colossal rencontré par leur *Pont de la rivière Kwai* (1957), Sam Spiegel et David Lean cherchaient un sujet d'envergure. C'est Sam Spiegel qui décida d'acheter les droits d'adaptation du livre de T. E. Lawrence. Michael Wilson, déjà co-adaptateur du *Pont de la rivière Kwai*, rédigea un premier état du scénario qui parut « trop américain » à Lean et Spiegel. Le producteur engagea alors Robert Bolt, jeune auteur dramatique dont il admirait beaucoup la pièce « Un Homme pour l'éternité » (filmée en 1966 par Fred Zinnemann).

Pour incarner Lawrence, cette figure de légende, Lean et Spiegel, qui avaient d'abord pensé à Marlon Brando, tombèrent d'accord pour donner sa chance à un acteur encore inconnu du grand public, Peter O'Toole. Le seul personnage inventé de toutes pièces est celui du journaliste incarné par Arthur Kennedy, unique personnage américain du film, qui permet, par sa dimension humaine, de mesurer la destinée exceptionnelle de celui qu'il va faire connaître au monde.

Shérif Ali (Omar Sharif).

Leurs vertus sont mises au service de la destruction et du carnage. En temps de guerre, nous n'avons pas besoin de chercher un vilain, les héros suffisent… » Le film, tout en exerçant une irrésistible fascination, n'interdit pas pour autant au spectateur de garder son libre arbitre et de se faire une opinion objective du personnage.

Lawrence idéaliste, manipulateur ou démagogue ?

Thomas Edward Lawrence (1888-1935) fut l'une des figures les plus énigmatiques du XXe siècle. Après sa mort – sur laquelle subsistent des zones d'ombre –, celui que l'on avait surnommé « le libérateur de Damas », fut suspecté d'avoir exercé une influence occulte sur la politique internationale. Son livre, « Les Sept Piliers de la sagesse » (1926), qui retrace les grandes étapes de son action en Arabie, fut salué en son temps comme une œuvre capitale aussi bien sur le plan politique que philosophique et littéraire. La véritable personnalité de Lawrence étant très

controversée, les auteurs ont choisi de le décrire comme un idéaliste, sincère et désintéressé, un mystique détruit par son rêve, alors que certains historiens ont vu en lui un agent de l'Intelligence Service qui n'ignorait rien de la comédie que ses chefs lui firent jouer pour se rallier les Arabes dans leur combat contre les Turcs. Pour Michael Wilson, toutefois, ne subsistait aucune ambiguïté : « C'est la tragédie d'un homme qui essayait de suivre deux maîtres », disait-il.

La Grande Évasion

75 prisonniers en cavale

1962

The Great Escape, film de guerre de John Sturges, avec Steve McQueen (Virgil Hilts), James Garner (Hendley), Richard Attenborough (le colonel Bartlett), James Donald (le colonel Ramsey), Hannes Messemer (le commandant von Luger) • Sc. James Clavell et W. R. Burnett, d'après le récit de Paul Brickhill • Ph. Daniel Fapp • Mus. Elmer Bernstein • Prod. John Sturges • États-Unis • Durée 169' • Prix d'interprétation au Festival de Moscou 1963 (Steve McQueen)

Durant la seconde guerre mondiale dans un stalag, un groupe d'officiers alliés organise l'évasion de plusieurs dizaines de prisonniers. Soixante-quinze d'entre eux réussissent avant que l'alerte ne soit donnée…

Fin d'une fameuse course-poursuite à moto pour Hilts.

Continuer la guerre par d'autres moyens

L'histoire est authentique : en 1943, prisonnier dans un stalag, un colonel de la Royal Air Force organisa l'évasion simultanée de trois cents officiers, tous récidivistes ; soixante-dix d'entre eux réussirent à sortir du camp avant que l'alerte ne soit donnée ; Paul Brickhill, l'auteur du livre, fut l'un des trois qui parvinrent à passer en Suisse. Le film souligne la différence entre l'état d'esprit des militaires de carrière et les autres. Le colonel Bartlett est conscient des risques de l'entreprise : les chances de réussir sont faibles et beaucoup y perdront la vie

(une cinquantaine d'entre eux sera massacrée par la Gestapo). Mais son but est de continuer la guerre avec les moyens dont il dispose : mobiliser les Allemands durant plusieurs jours et leur faire perdre du temps et de l'énergie, alors que les appelés, eux, ne songent qu'à recouvrer leur liberté.
Présenté au Festival de Moscou, le film stupéfia les Soviétiques pour le confort relatif dont bénéficiaient les Anglo-Américains prisonniers en temps de guerre, alors que des milliers de leurs compatriotes étaient morts de froid et de faim dans des camps allemands autrement plus inhumains.

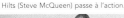

Hilts (Steve McQueen) passe à l'action.

Hendley (James Garner) et Hilts ont bien l'intention de s'évader…

Les évasions au cinéma

C'est sans conteste *La Grande Illusion* de Jean Renoir (1937) qui reste le prototype des films décrivant l'organisation d'une évasion dans un camp de prisonniers de guerre. Spécialiste du western, John Sturges avait décidé de faire de *La Grande Évasion* le modèle du genre, bien que les Britanniques en aient été longtemps les maîtres avec des classiques comme *Le Cheval de bois* de Jack Lee (1950), *Le Prisonnier fantôme* de Lewis Gilbert (1953), *Les Indomptables de Colditz* de Guy Hamilton (1954), ou encore *L'Évadé du camp 1* de Roy

Baker (1957), qui donnait généreusement la vedette à un héros allemand. De leur côté, les Américains avaient produit le célèbre *Stalag 17* (1953), où Billy Wilder alliait d'irrésistibles moments de franche comédie à des scènes très dramatiques. En France, Henri Verneuil signa *La Vache et le Prisonnier* (1959), qui devait connaître un succès retentissant, tandis que Jean Renoir revenait à ses premières amours avec *Le Caporal épinglé* (1962). Plus récemment, *Chicken Run* (2000) de Nick Park et Peter Lord, peut se voir comme une audacieuse parodie animée de *La Grande Évasion*.

Casting de rêve

Le film d'évasion était alors un genre à part entière. John Sturges bénéficia d'un budget énorme pour un film de ce type. Comme le décor ne coûtait pas une somme exorbitante – le film fut tourné entièrement dans un ancien stalag proche de Munich –, il put en consacrer une bonne part à la distribution des rôles. C'est ainsi que l'affiche fut l'une des plus prestigieuses de l'époque avec une dizaine de stars d'envergure internationale. Sturges réussit même à reprendre trois comédiens (McQueen, Bronson et Coburn) qui avaient contribué au succès de ses *Sept Mercenaires* (1960). Avec plus de cinq millions de dollars de bénéfice, les recettes figurèrent parmi les records de l'époque.

Paris brûle-t-il ?

Un vibrant hommage à la Ville lumière

1966

Film historique de René Clément, avec Alain Delon (Jacques Chaban-Delmas), Jean-Paul Belmondo (Yvon Morandat), Leslie Caron (Françoise Labé), Bruno Cremer (Henri Rol), Gert Froebe (le général von Choltitz), Kirk Douglas (le général Patton), Glenn Ford (le général Bradley), Robert Stack (le général Siebert), Orson Welles (le consul Nordling) • Sc. Gore Vidal, Francis Ford Coppola, Jean Aurenche, Pierre Bost, Marcel Moussy et Beate von Mollo, d'après le livre de Dominique Lapierre et Larry Collins • Ph. Marcel Grignon • Mus. Maurice Jarre • Prod. Paul Graetz • France - États-Unis • Durée 173'

L'histoire de la Libération de Paris, alors qu'Hitler venait de nommer le général von Choltitz commandant de la ville avec ordre de la détruire avant qu'elle ne tombe aux mains des Alliés.

Chaban-Delmas (Alain Delon) et Françoise Labé (Leslie Caron).

René Clément et la guerre

La guerre est l'une des constantes de l'œuvre de René Clément. *La Bataille du rail* (1946), au style proche du documentaire, glorifie le combat des cheminots et *Le Père tranquille* (1946) décrit de façon intimiste la vie quotidienne d'un chef de la Résistance. *Les Maudits* (1947) évoque la fuite de certains dignitaires nazis vers l'Amérique du Sud, *Jeux interdits* (1952) analyse avec une grande sensibilité l'impact du conflit sur de jeunes enfants, enfin *Le Jour et l'Heure* (1963) brosse le portrait d'une France partagée entre les collaborateurs et ceux que les circonstances conduisent à l'engagement aux côtés des Alliés.

Morandat (Jean-Paul Belmondo), Bayet (Daniel Gélin) et Edgar Pisani (Michel Piccoli).

La « Kermesse aux étoiles »...

Sur le modèle mis au point quatre ans plus tôt par Darryl F. Zanuck avec son *Jour le plus long*, René Clément et son producteur Paul Graetz ont entrepris de faire revivre la semaine exaltante vécue par quelques milliers de Parisiens du 20 au 27 août 1944. La production bénéficia de moyens considérables et d'un appui total du gouvernement. Le tournage eut lieu durant le mois d'août, alors que la ville était désertée par ses habitants. Les rues concernées étaient quadrillées avec l'aide de la préfecture de police et on commençait à filmer à quatre heures du matin. Les amoureux de Paris eurent la joie de redécouvrir le vrai visage de leur capitale vide de voitures, car le film est aussi et avant tout un hymne à la beauté de la Ville lumière. En outre, René Clément opta pour un casting international comprenant des Français, des Américains et des Allemands (chacun s'exprimant dans sa langue). Et c'est précisément ce parti pris du spectacle qui provoqua l'engouement du public se délectant, au détour de chaque image, de reconnaître une célébrité : Orson Welles en ambassadeur suédois, Kirk Douglas en général Patton, Simone Signoret en patronne de bistrot, Yves Montand en conducteur de char, Anthony Perkins en GI rêvant de voir le Quartier Latin, Jean-Paul Belmondo investissant à lui tout seul l'Hôtel Matignon ou Alain Delon incarnant Jacques Chaban-Delmas, personnalité politique en activité à l'heure

Une patronne de bistrot (Simone Signoret).

de la sortie du film. Ce qui incita le critique Pierre Billard à écrire : « Ce n'est plus la Libération de Paris, c'est la Kermesse aux étoiles. » (in « L'Express », 1966) À noter que le comédien Claude Rich apparaît dans deux rôles différents : celui du célèbre général Leclerc (moustachu) et celui d'un combattant anonyme (imberbe).

Un film « stalinien » ?

Une critique virulente fut formulée à l'encontre du film pour avoir falsifié l'Histoire en gonflant le rôle de certains personnages et en minimisant celui de quelques autres qui déplaisaient au gouvernement en place : ce qui fut le cas de Georges Bidault, figure importante de la Résistance, « effacé » des bandes d'actualités où il figurait aux côtés du général de Gaulle, parce qu'il était tombé en disgrâce par sa compromission avec l'OAS ! Ce qui fit dire au cinéaste Jean-Luc Godard que *Paris brûle-t-il ?* était « le premier film stalinien du cinéma français ».

Le général Leclerc (Claude Rich).

Douze salopards
Le triomphe de l'ambiguïté

Le major Reisman (Lee Marvin) doit former un commando d'élite avec douze condamnés.

1967

The Dirty Dozen, film de guerre de Robert Aldrich, avec Lee Marvin (Reisman), Ernest Borgnine (Worden), Robert Ryan (Dasher-Breed), George Kennedy (Armbruster), Ralph Meeker (Kinder), Richard Jaeckel (Bowren), Charles Bronson (Wladislaw), John Cassavetes (Franko), Telly Savalas (Maggott), Donald Sutherland (Pinkley), Jim Brown (Jefferson) • Sc. Nunnally Johnson et Lukas Heller, d'après le roman de E. M. Nathanson • Ph. Edward Scaife • Mus. Frank De Vol • Prod. Kenneth Hyman • États-Unis • Durée 150' • Oscar des meilleurs effets sonores

À la veille du Débarquement, douze hommes condamnés à des peines très lourdes sont recrutés dans une prison pour une mission-suicide dans un château proche de Rennes.

La nature même de la guerre...

S'agit-il d'une glorieuse épopée guerrière ou d'une œuvre farouchement antibelliciste ? L'ambiguïté demeure. À l'appui de la seconde hypothèse, on peut avancer que Kenneth Hyman avait produit deux ans plus tôt *La Colline des hommes perdus* de Sidney Lumet (1965), l'un des films les plus antimilitaristes jamais tournés. Point de vue confirmé par Robert Aldrich lui-même, qui s'est toujours considéré comme un authentique libéral. Mais les adeptes de la thèse opposée soutiennent que, cédant à son sens de l'efficacité et à son goût du spectacle, le cinéaste a fini par oublier ses intentions premières pour illustrer le contraire de son propos initial. À cet argument, Robert Aldrich a répondu : « Cela tient sans doute à une dichotomie dans ma propre attitude. Je pense que la guerre réveille à la fois le meilleur et le pire en l'homme. [...] Ce que j'ai essayé de dire, en l'occurrence, c'est qu'il n'y avait pas que les Allemands qui se conduisaient de manière brutale et commettaient des atrocités au nom de la guerre, les Américains aussi... [...] La nature même de la guerre est déshumanisante. Une jolie guerre, ça n'existe pas. » Somme toute, comme le disait le critique Jean-Élie Fovez, les héros d'Aldrich « font la guerre sans l'aimer », tandis que le spectateur, lui, « aime la guerre sans la faire ».

... est sale et meurtrière

Douze salopards a été tourné à une époque charnière de l'histoire des États-Unis. Au milieu des années soixante, l'Amérique commence à s'enliser dans le bourbier vietnamien. La guerre n'est plus cette entreprise exaltante propre à satisfaire les jeunes gens épris d'aventures,

Dasher-Breed (Robert Ryan) a été fait prisonnier par Wladislaw (Charles Bronson).

telle qu'Hollywood en avait forgé l'image durant près de quarante ans. Le film reflète la réalité de ce conflit colonial sale, traître et meurtrier. En appliquant les règles du film noir au film de guerre, il contribuera, en outre – et parallèlement à d'autres tentatives similaires comme *Bonnie et Clyde* d'Arthur Penn (1967) pour le film criminel et *La Horde sauvage* de Sam Peckinpah (1969) pour le western –, à développer le spectacle d'une violence paroxystique qui finira par contaminer tous les genres cinématographiques. *Douze salopards* a donné lieu à trois suites à la télévision (en 1985, 1987 et 1988). Ce fut le plus grand succès commercial d'Aldrich, qui lui permit d'acheter ses propres studios.

Wladislaw et Reisman se sont introduits dans le château.

Victor Franko (John Cassavetes) en manœuvres.

Lee Marvin, ou la violence incarnée

Ce fut l'un des rôles les plus caractéristiques de Lee Marvin (1924-1987) qui devint l'incarnation même de la violence aveugle et brutale dans une carrière vouée à des personnages analogues : le gangster sadique de *Règlements de comptes* (Fritz Lang, 1953), le raciste de *Un homme est passé* (John Sturges, 1955), le bandit de *L'Homme qui tua Liberty Valance* (John Ford, 1962), le chef de commando des *Professionnels* (Richard Brooks, 1965), le gangster ivre de vengeance du *Point de non-retour* (John Boorman, 1967) et, pour finir, le valeureux soldat de *Au-delà de la gloire* (Samuel Fuller, 1979). Curieusement, son seul Oscar le récompensa pour un rôle inhabituel et parodique, dans *Cat Ballou* d'Elliot Silverstein (1965).

173

Patton

Portrait d'un soldat légendaire

1970

Patton, film historique de Franklin J. Schaffner, avec George C. Scott (le général George S. Patton), Karl Malden (le général Omar Bradley), Michael Bates (le maréchal Montgomery), Karl Michael Vogler (le feld-maréchal Erwin Rommel) • Sc. Francis Ford Coppola et Edmund H. North, d'après les livres de Ladislas Farago et Omar N. Bradley • Ph. Fred Koenekamp • Mus. Jerry Goldsmith • Prod. Frank McCarthy et Frank Caffey • États-Unis • Durée 173' • 7 Oscars : film, réalisation, acteur (George C. Scott), scénario, direction artistique, son, montage

Le rôle déterminant joué par le général Patton durant la seconde guerre mondiale, depuis le débarquement en Afrique du Nord en novembre 1942 jusqu'à l'invasion de l'Allemagne.

Le général George S. Patton (George C. Scott), un personnage controversé.

En route vers la victoire…

« Dieu que la guerre est jolie… »

Patton a redéfini les coordonnées du film de guerre à une époque où le genre n'était financièrement plus rentable. Durant plus d'un demi-siècle, les films produits par Hollywood avaient, dans leur majorité, pris le parti de montrer la guerre comme une aventure exaltante, glorifiant le combat légitime des opprimés face à la tyrannie. Seules quelques tentatives timides avaient osé démontrer son absurdité et ses atrocités pour prôner le pacifisme. Le film de Franklin Schaffner aborde le genre sous un angle beaucoup plus ambigu. *Patton* est tout à la fois un film pacifiste et belliciste sans qu'aucune des deux options ne prenne le pas sur l'autre, un film de guerre qui fait réfléchir grâce à la personnalité exceptionnelle qu'il met en lumière. Le général Patton (1885-1945) était un personnage hors du commun, à la fois attachant et détestable, aussi fanatique que vulnérable, borné, cabotin, avide de gloire personnelle, un être

charismatique, adoré en même temps que haï. Le film tente de dégager trois aspects de sa personnalité : le grand stratège qui avait la guerre dans le sang – il s'extasiait devant le spectacle du carnage sur un champ de bataille –, le religieux – il prétendait lire la Bible « chaque satané bon dieu de jour » – et le mystique – il croyait à la réincarnation et évoquait volontiers ses souvenirs des batailles de l'Antiquité ou de l'épopée napoléonienne. Face à ce personnage d'un héroïsme archaïque, le modéré général Bradley apporte la référence à la normalité et à la raison. C'était une caractéristique des films de Schaffner de mettre en scène des êtres qui n'appartiennent pas à l'époque ou à la société dans laquelle ils vivent et qui obéissent à « des motivations d'un autre siècle », selon ses propres termes.

Un film de guerre historique et objectif

Le projet était défendu depuis vingt ans par Frank McCarthy, un général à la retraite qui avait connu Patton et l'admirait profondément. Le film fut le second et le dernier tourné en Dimension 150 – le premier avait été *La Bible* de John Huston (1966) –, un procédé de prise de vues sans anamorphose, c'est-à-dire sans procédé optique permettant, d'après une image comprimée à la prise de vues, de restituer des proportions normales à cette image lors de la projection (donc contrairement au CinémaScope)

Le général Bradley (Karl Malden) au front.

Patton devant la bannière étoilée.

sur pellicule 70 mm qui donne une image exceptionnellement nette sur tous les plans (la mention 150 indique l'angle d'ouverture de focale de 150°).

La majorité du tournage eut lieu en Espagne, où l'armée nationale fut mise à la disposition de la production. Il y eut soixante-douze lieux de tournage différents pour soixante-quatorze pages de script – ce qui représente une performance lorsque l'on sait que les prises de vues furent terminées en treize semaines ! Largement récompensé à la cérémonie des Oscars (mais George C. Scott refusa son prix), *Patton* rencontra un grand succès public et la majorité de la critique le salua comme une réussite « historique et objective ». Patton apparut une nouvelle fois, sous les traits du comédien George Kennedy, dans *La Cible étoilée* de John Hough (1978). George C. Scott reprit son rôle en 1986 pour une mini-série télévisée, « The Last Days of Patton » de Delbert Mann. Selon le témoignage de Jerry Goldsmith, la musique du film fut utilisée pour lancer l'offensive « Tempête du désert » au Koweït en janvier 1991.

Aguirre, la colère de Dieu
Expédition vertigineuse

Conquistadores et esclaves indiens ont construit un radeau pour descendre le fleuve.

1972

Aguirre der Zorn Gottes, de Werner Herzog, avec Klaus Kinski (Don Lope de Aguirre), Helena Rojo (Inez de Atienza), Ruy Guerra (Don Pedro de Ursua), Del Negro (frère Gaspar de Carvajal), Peter Berling (Don Fernando de Guzman), Cecilia Rivera (Flores de Aguirre) • Sc. Werner Herzog • Ph. Thomas Mauch • Mus. Popol Vuh • Prod. Werner Herzog • Allemagne • Durée 93'

En 1560, l'odyssée tragique et suicidaire d'une troupe de conquistadores s'enfonçant dans la forêt amazonienne à la recherche du mythique Eldorado.

Défiant l'autorité de son supérieur, Aguirre (Klaus Kinski) tente de prendre le contrôle des troupes.

Une quête initiatique et dérisoire

Le seul témoignage sur cette expédition disparue dans la jungle se trouve dans quelques pages du journal du moine Gaspar de Carvajal. Mais le récit est ici totalement imaginaire. Werner Herzog s'est toujours défendu d'avoir voulu faire un film historique : « L'Histoire ne s'intéresse pas aux perdants », constatait-il. Pour montrer son refus de l'authenticité, le cinéaste introduit sciemment quelques inexactitudes : Gonzalo Pizarro, l'un des frères du célèbre conquérant espagnol, qui apparaît au début du film, était déjà mort en 1560 ;

et Gaspar de Carvajal n'a jamais participé à l'expédition qu'il est censé relater. En outre, prenant le contre-pied des règles du genre, Herzog entreprend de désamorcer systématiquement tous les moments forts. D'une lenteur calculée, le film abonde en ellipses : on n'assiste jamais aux morts violentes qui interviennent périodiquement, les Indiens hostiles ne sont presque jamais montrés, leurs flèches surgissent de nulle part… Par cette distanciation, *Aguirre* atteint une signification qui dépasse le cadre du simple film d'aventures, et devient la description d'une quête initiatique, inachevée et, somme toute, dérisoire.

Une ambitieuse allégorie

On a parlé de résonances très contemporaines, d'une réflexion sur le colonialisme et ses motivations profondes, ou d'une parabole sur le nazisme avec cette obsession de la pureté de la race : à la fin, devenu complètement fou, Aguirre – en qui certains voient une incarnation d'Hitler – veut fonder une dynastie avec sa propre fille. Mais le message ultime du film, avec ses plans longs et solennels où le temps semble s'arrêter, devient une méditation désespérée sur le tragique de toute destinée humaine vouée irrémédiablement à l'échec en regard d'une nature indifférente à ses préoccupations. « *Aguirre* est un film de vertige entre une terre trop vaste et un ciel trop vide », résuma avec pertinence Claude-Michel Cluny (in « Cinéma 75 », n° 197). En 1988, le cinéaste espagnol Carlos Saura signera *El Dorado*, qui s'attache à raconter la même expédition avec une volonté plus didactique.

Frère Gaspar de Carvajal (Del Negro) bénit l'expédition.

Les hommes d'Aguirre sont harcelés par les flèches d'un ennemi invisible.

Des relations conflictuelles

Le tournage de sept semaines sur le Rio Nanay, un affluent de l'Amazone, fut très éprouvant sur le plan physique, les prises de vues s'avérèrent dangereuses et les relations entre Werner Herzog et Klaus Kinski devinrent conflictuelles, l'acteur ayant fini par s'identifier à son personnage d'halluciné : « Kinski est un hystérique, racontait le cinéaste. Il m'insultait tous les jours pendant deux heures. Les Indiens avaient très peur. Ils se serraient les uns contre les autres. Un jour, Kinski a insisté pour que je renvoie, sans raison, des gens de l'équipe. J'ai refusé. Alors il a voulu s'en aller. J'ai répondu que je le fusillerais et qu'avant d'atteindre l'autre versant, il aurait six balles dans la tête. Alors, il s'est mis à crier : "Police !" en pleine jungle. "Police ! Police !" Il n'y avait pas un village à 650 kilomètres à la ronde… » Pourtant, les deux hommes tourneront d'autres films ensemble : *Nosferatu, fantôme de la nuit* (1979), *Woyzeck* (1979), *Fitzcarraldo* (1982) filmé, de nouveau, en plein cœur de l'Amazonie, et *Cobra verde* (1987). Werner Herzog réalisera en 1999 *Ennemis intimes*, qui dépeint ses relations difficiles avec ce comédien démesuré, violent et capricieux, et trahit sa fascination pour les solitaires et les marginaux qui demeure l'une des constantes de son œuvre.

Le Crabe-tambour

Servitude et grandeur militaires

1977

Drame de Pierre Schoendoerffer,
avec Jean Rochefort (le commandant),
Claude Rich (le médecin), Jacques Perrin
(le Crabe-tambour), Jacques Dufilho
(le chef mécanicien) • Sc. Pierre
Schoendoerffer, d'après son roman,
et Jean-François Chauvel • Ph. Raoul
Coutard • Mus. Philippe Sarde •
Prod. Lira Films • France • Durée 119' •
3 Césars : acteur (Jean Rochefort),
second rôle masculin (Jacques Dufilho),
photographie

Sur un navire de la Marine assistant
des chalutiers de pêche à Terre-Neuve,
le commandant, malade et se sachant
condamné, le médecin et le chef
mécanicien évoquent un lieutenant
baroudeur, surnommé le « Crabe-
tambour », soldat perdu des guerres
coloniales, qu'ils retrouvent commandant
un des chalutiers...

Le médecin et le « Crabe-tambour » sont deux anciens compagnons d'armes.

À la recherche d'un soldat perdu

Le « Jauréguiberry » navigue au milieu
d'éléments souvent déchaînés, mer, pluie,
neige, embruns glacés (admirables images
captées par Raoul Coutard et justement
récompensées d'un César) ; chacun est
à son poste mais la proximité de ce « Crabe-
tambour », auquel les trois autres
personnages sont reliés par l'expérience
commune de la guerre d'Indochine,
provoque, pendant les pauses, l'afflux
de souvenirs – d'où une construction
en flash-back – et de confidences sur d'autres
situations et d'autres images : la rivière
indochinoise écrasée de chaleur moite,
le désert éthiopien sec et brûlant, la lande
bretonne, un cimetière alsacien...

L'esprit militaire, entre nostalgie et objectivité

« L'interrogation qui sourd de ce film
est suffisamment forte pour en faire une œuvre
désespérée sur les illusions perdues », remarquait
Jean Rochefort. Le « Crabe-tambour », être mythique
et entier, est pour ceux qui en parlent un rappel
douloureux de leur passé, fondé sur des idéaux
militaires que l'évolution historique a rendu caducs
mais dont ils gardent malgré tout la nostalgie.
L'intelligence du film est de rester aussi objectif
que possible, tout en accompagnant
les personnages avec bienveillance.
Quant à Jacques Perrin, soldat-aventurier à la dérive,
qui ne se sépare jamais de son chat noir
(« C'est ma conscience », dit-il), son rôle annonce
celui, plus inquiétant et extrême, d'un autre fameux
soldat perdu, le colonel Kurtz (Marlon Brando)
dans *Apocalypse Now* (Francis Ford Coppola, 1979),
un film avec lequel *Le Crabe-tambour* présente
plusieurs points thématiques communs.

Le commandant (Jean Rochefort) et le médecin
(Claude Rich), sur le « Jauréguiberry ».

Le chef-mécanicien (Jacques Dufilho) dans un bar
de Saint-Pierre-et-Miquelon.

Le commandant a jadis connu le « Crabe-tambour »
(Jacques Perrin) en Indochine et en Algérie.

Schoendoerffer, soldat, reporter, écrivain et cinéaste

En 1954, à vingt-huit ans, opérateur au Service
cinématographique des armées durant la guerre
d'Indochine, il est fait prisonnier à Diên Biên Phu,
lors de la défaite française qui marque la fin
des hostilités et qu'il évoquera avec rigueur
et dignité dans un film tourné sur les lieux mêmes,
occasion pour lui d'un retour dans un pays devenu
le Viêt-nam. Expérience de l'aventure militaire et
des guerres coloniales, désillusions et dérives qui
les ont suivies, telles seront les principales sources
d'inspiration de ses livres et de ses films,
nourris d'éléments autobiographiques :
La 317ᵉ Section (1965), *La Section Anderson*
(1966), un documentaire sur la guerre
du Viêt-nam tourné pour les Américains,
L'Honneur d'un capitaine (1982) et *Diên
Biên Phù* (1992)... Il a souvent fait équipe
avec le producteur Georges de Beauregard,
l'opérateur Raoul Coutard et les acteurs
Bruno Cremer et Jacques Perrin.

Furyo
Une « Grande Illusion » à la japonaise

Exécution capitale accomplie par le sergent Hara (Takeshi Kitano) sous les yeux de Yonoi et des prisonniers alliés.

1982

Merry Christmas, Mr Lawrence / Senjo No Merry Christmas, drame de Nagisa Oshima, avec David Bowie (le major Jack Celliers), Tom Conti (le colonel Lawrence), Ryuichi Sakamoto (le capitaine Yonoi), Takeshi Kitano (le sergent Hara), Jack Thompson (le capitaine Hicksley) • Sc. Nagisa Oshima et Paul Mayersberg, d'après un roman de sir Laurens Van der Post • Ph. Toichiro Narushima • Mus. Ryuichi Sakamoto • Prod. Masato Hara, Eiko Oshima, Geoffrey Nethercott, Terry Clinwood • Royaume-Uni - Japon - Nouvelle-Zélande • Durée 112'

Les étranges rapports entre un officier japonais dirigeant un camp de prisonniers à Java en 1942 et un major anglais qui en est l'un des captifs.

Le capitaine Yonoi (Ryuichi Sakamoto).

Ascétisme contre pragmatisme

Par son décor et la situation qu'il analyse, *Furyo* (« Prisonnier de guerre » en japonais) accuse de profondes similitudes avec *Le Pont de la rivière Kwaï* de David Lean (1957). Toutefois, Nagisa Oshima, qui s'est refusé à de grands déploiements de foules, décrit l'affrontement de ses personnages en plans toujours rapprochés et dans des espaces clos. Dans la lente évolution des rapports des geôliers et de leurs captifs se discerne la confrontation de deux cultures et de deux éthiques : celles des Orientaux et celles des Occidentaux. L'ascétisme des premiers se heurte au pragmatisme des seconds : pour l'officier japonais dont la conduite se fonde sur le bushido (le code d'honneur des samouraïs), le vaincu n'a d'autre choix que de se faire hara-kiri, car accepter sa condition de prisonnier est méprisable ; pour l'officier anglais, il ne sert à rien de refuser l'évidence et mieux vaut attendre des jours meilleurs. La connexion entre ces deux univers inconciliables s'opère par le truchement du colonel Lawrence, officier de liaison et unique Britannique à parler le japonais.

Un « conflit de dieux »

L'arrivée de Celliers dans le camp précipite le drame. Car le major et son geôlier, le capitaine Yonoi, éprouvent l'un pour l'autre une attirance équivoque : « L'homosexualité est la synthèse de l'amitié et de la violence, explique Oshima : les militaires sont attirés par leurs ennemis, en tant qu'hommes, en compensation à leur frustration. » Yonoi, qui se sent déshonoré d'avoir été nommé à ce poste de garde-chiourme alors qu'il aurait aimé combattre et se couvrir de gloire, a sauvé la vie de Celliers au cours d'un procès. Le major, une « tête brûlée » qui croit pouvoir profiter de la trouble ascendance qu'il exerce sur son gardien, ira jusqu'à commettre un geste insensé, sacrilège et irréparable, en donnant à Yonoi un baiser « infamant » devant les troupes japonaises rassemblées, humiliant ainsi son ennemi (Yonoi en perd connaissance) jusqu'à provoquer sa propre condamnation.

Le major Jack Celliers (David Bowie) a été enterré jusqu'au cou.

L'inclination réciproque entre Celliers et Yonoi est – toutes proportions gardées ! – très similaire à la complicité qui unissait, par-delà les conflits et les frontières, le capitaine de Boieldieu (Pierre Fresnay) et le commandant von Rauffenstein (Erich von Stroheim) dans *La Grande Illusion* de Jean Renoir (1937) : tous deux appartiennent à une caste de guerriers et d'aristocrates. Selon les propres termes d'Oshima, la confrontation Celliers-Yonoi est un « conflit de dieux ».

Distribution hors normes

Cinéaste de la marginalité, Oshima est admirablement aidé dans son propos par les personnalités ambiguës de ses deux principaux interprètes : « Il fallait quelqu'un de très beau, très fort et très pur pour jouer le rôle de celui qui fait chuter Yonoi, il fallait un ange », expliquait-il. Pour incarner ses personnages, il choisit deux stars du rock ; David Bowie, l'Anglais, au physique d'androgyne, et Ryuichi Sakamoto, le Japonais, très ambigu lui aussi, qui par ailleurs est l'auteur de la très envoûtante musique du film. Quant à Takeshi Kitano, c'était un « mazai », une vedette comique au Japon qui, depuis, a conduit une brillante carrière de cinéaste avec *Sonatine* (1994), *Hana-Bi* (1997) ou *Aniki, mon frère* (1999).

Il faut sauver le soldat Ryan

La guerre comme on ne l'avait encore jamais vue

Dans une ville dévastée, Miller (Tom Hanks) et ses hommes attendent l'attaque allemande.

1998

Saving Private Ryan, film de guerre de Steven Spielberg, avec Tom Hanks (le capitaine Miller), Tom Sizemore (le sergent Horvath), Edward Burns (le soldat Reiben), Barry Pepper (Jackson), Vin Diesel (Caparzo), Matt Damon (Ryan) • Sc. Robert Rodat • Ph. Janusz Kaminski • Mus. John Williams • Prod. Ian Bryce, Mark Gordon & Gary Levinsohn • États-Unis • Durée 170' • 5 Oscars : réalisation, photographie, son, effets sonores, montage

Alors qu'il vient de débarquer sur le sol français le 6 juin 1944, le capitaine Miller, à la tête d'une escouade de sept hommes, reçoit l'ordre de retrouver et de sauver le soldat James Ryan, dont les trois frères viennent d'être tués au combat.

Horvath (Tom Sizemore) et Miller s'apprêtent à débarquer.

Les vertus du documentaire

Il faut sauver le soldat Ryan se veut une approche moderne, lucide et profondément réaliste, du film de guerre traditionnel. Plus de vingt années se sont écoulées depuis la fin de la guerre du Viêt-nam : le temps d'évacuer l'amertume et la mauvaise conscience de l'Amérique cristallisées, entre autres, dans *Voyage au bout de l'enfer* de Michael Cimino (1978), *Apocalypse Now* de Francis Ford Coppola (1979) ou *Full Metal Jacket* de Stanley Kubrick (1987). Spielberg, lui, a voulu revenir aux sources, retrouver la générosité d'un peuple sûr de se battre pour la bonne cause afin d'éliminer toute ambiguïté dans le propos et donner libre cours à l'expérience du seul impact physique. Avec pour références les célèbres documentaires de guerre tournés dans l'action, caméra à l'épaule, par de grands cinéastes : « Si vous me demandiez quelles furent mes influences, dit-il, je pourrais vous citer *La Bataille de San Pietro* de John Huston, *La Bataille de Midway* de John Ford ou *Pourquoi nous combattons* de Frank Capra. En vérité, mes sources d'inspiration s'appellent Eisenhower, Churchill, Patton et Montgomery. »

Une expérience traumatisante

Le cinéaste se rappelait les paroles de son père, qui avait participé à la seconde guerre mondiale comme opérateur radio à bord d'un B-25 en Birmanie : « … Il me disait toujours qu'aucun film d'Hollywood ne montrait la guerre telle qu'elle avait vraiment été. C'est justement ce que j'ai voulu faire… » Mission remplie au-delà de toute espérance. Conviés à une représentation exceptionnelle du film organisée à leur intention, des rescapés du Débarquement du 6 juin 1944 en Normandie étaient en larmes

6 juin 1944…

à la fin de la projection, assurant qu'ils avaient retrouvé, pour la première fois, à plus de cinquante ans de distance, les émotions qu'ils avaient ressenties : « C'est comme si je revivais l'instant le plus terrifiant de mon existence », déclara l'un d'eux. Spielberg est parvenu à une authenticité à la limite du supportable et jamais atteinte à l'écran : la fameuse séquence du débarquement à Omaha Beach où les soldats sont massacrés dans une débauche de sang et d'explosions, restera célèbre pour son intensité traumatisante. Tom Hanks et ses partenaires durent subir un entraînement intensif sous la direction d'un ancien du Viêt-nam, faisant des marches forcées avec vingt kilos de matériel sur le dos, et dormant sous la pluie et dans le froid, à la belle étoile, afin de ressentir les forces cachées de la personne humaine :

« Lorsque vous pensez que vous ne pouvez pas aller plus loin, vous pouvez toujours, il vous suffit de le décider… », confiera l'acteur.

Devenir un témoin de son temps

De simple film de guerre, *Il faut sauver le soldat Ryan* se mue en témoignage et s'inscrit en droite ligne dans ce que le cinéaste appelle le « devoir de mémoire » : rappeler aux générations futures ce que fut le passé pour ne pas le revivre. À l'approche de la cinquantaine, Steven Spielberg a graduellement changé son image. Après avoir été longtemps considéré comme un cinéaste du divertissement sophistiqué, le voilà devenu, après son évocation de la Shoah (*La Liste de Schindler*), un témoin conscient des problèmes de son temps.

Miller a fini par retrouver James Ryan (Matt Damon).

Kill Bill
La vengeance d'une blonde

2003

Kill Bill Vol. 1, de Quentin Tarantino, avec Uma Thurman (la Mariée), Lucy Liu (O-Ren Ishii), Vivica A. Fox (Vernita Green), Michael Madsen (Budd), Daryl Hannah (Elle Driver), David Carradine (Bill) • Sc. Quentin Tarantino, d'après le personnage créé par Q. Tarantino et Uma Thurman • Ph. Robert Richardson • Mus. The RZA • Dist. TFM Distribution • États-Unis • Durée 110'

Rescapée d'un massacre, une ex-tueuse entreprend de se venger de ses anciens complices du « Détachement International des Vipères Assassines » et de leur chef, Bill.

La Mariée (Uma Thurman) affronte seule le gang des Crazy 88.

Elle Driver, Vernita, Budd et O-Ren Ishii.

Deux en un

C'est pendant le tournage de *Pulp Fiction* (1994) que Quentin Tarantino et Uma Thurman eurent l'idée d'un personnage appelé « la Mariée », une tueuse pourchassée par ses ex-partenaires alors qu'elle cherche à se ranger et qui décide de se venger avec toute la férocité dont elle est capable. Les années passèrent, et lorsque Tarantino voulut concrétiser ce projet, il choisit d'attendre qu'Uma Thurman, enceinte, fût disponible. Le rôle de Bill fut d'abord proposé à Warren Beatty : il déclina l'offre et recommanda David Carradine, qui incarna Kwai Chang Caine dans la série des années soixante-dix « Kung Fu ». À l'origine, il ne devait y avoir qu'un seul film, mais devant l'inventivité du réalisateur, les frères Weinstein, patrons de Miramax, le convainquirent d'en faire un diptyque, les deux « volumes » étant distribués à six mois d'intervalle. Le premier plante le décor et voit la Mariée se débarrasser de Vernita et O-Ren Ishii après avoir émergé d'un coma de quatre ans, acquis un précieux sabre japonais et éliminé une armée de tueurs. Le second revient sur les circonstances de la fusillade initiale et l'apprentissage

douloureux de l'héroïne auprès du maître Pai Mei, sur ses combats avec Budd et Elle Driver, et aboutit enfin à sa confrontation finale avec Bill. Fidèle à son habitude, Tarantino a choisi ici une construction « façon puzzle », l'ordre des actions montrées ne correspondant pas toujours à la chronologie réelle de l'intrigue.

Mélange des genres

Tarantino a conçu son film comme un hommage au cinéma de genre, qui a nourri son imaginaire depuis les années 1960-1970, et qui fut longtemps méprisé par la critique (et l'histoire du cinéma) : il s'est ainsi plu à mêler le film d'arts martiaux ou de samouraï, le western-spaghetti, le giallo (policier sanglant à l'italienne), traitant même une séquence entière (le flash-back d'O-Ren Ishii) en manga. La violence exacerbée de certaines scènes est directement héritée des films de sabre des années 1970, dans lesquels d'invraisemblables geysers de sang jaillissaient des plaies. Le tournage eut d'ailleurs lieu en partie aux studios hongkongais des Productions Shaw Brothers, et le fameux Yuen Woo-ping (*Tigre et dragon*, *Matrix*) fut sollicité pour chorégraphier les combats. Plus « gore », la version japonaise allonge les séquences de violence et les montre en couleurs, alors qu'elles sont en noir et blanc dans la version internationale.

La Mariée affronte enfin Bill (David Carradine) dans *Kill Bill vol. 2*.

L'enseignement de Pai Mei (Gordon Liu) dans *Kill Bill vol. 2*.

La Mariée était en jaune

Parmi les nombreuses références que le cinéaste cinéphile et téléphile s'est amusé à distiller ici, citons Charlie Chan, Brian De Palma (la scène de l'hôpital), les séries télévisées « Star Trek », « L'Homme de fer » (le thème musical) et « Le Frelon vert » (les masques des 88 yakuza, le thème musical à nouveau), Bruce Lee (le survêtement jaune porté par la Mariée lorsqu'elle affronte le gang des 88, semblable à celui que portait Lee dans *Le Jeu de la mort*, son dernier film)… Sont invitées des stars du film d'arts martiaux tels que Sonny Chiba (authentique concepteur de sabres reprenant son personnage de Hattori Hanzô, qui fit sa gloire au début des années 1980) et Gordon Liu (héros de *La 36e Chambre de Shaolin*, Chia-Liang Liu, 1978). La bande originale du film, très soignée, convoque successivement Bernard Herrmann, Isaac Hayes, Luis Bacalov, Gheorghe Zamfir et sa flûte de pan, Ennio Morricone, Nancy Sinatra… Un patchwork visuel et musical très personnel, et finalement harmonieux.

Master and Commander - De l'autre côté du mond

Maître à bord

Le capitaine Jack Aubrey (Russell Crowe) à la proue de sa frégate la « Surprise ».

2003

Master and Commander: The Far Side of the World, aventures de Peter Weir, avec Russell Crowe (le capitaine Jack Aubrey), Paul Bettany (le docteur Stephen Maturin), James d'Arcy (le lieutenant Thomas Pullings) • Sc. Peter Weir, John Collee d'après les romans « Maître à bord » et « De l'autre côté du monde » de Patrick O'Brian • Ph. Russell Boyd • Mus. Iva Davies, Christopher Gordon, Richard Tognetti • Dist. UIP • États-Unis • Durée 138' • Oscars de la meilleure photographie et du meilleur montage sonore

Pendant les guerres napoléoniennes, une frégate de la Royal Navy poursuit un bateau corsaire français des côtes brésiliennes jusqu'au cap Horn et aux îles Galápagos.

Deux amis différents

Aubrey a pour ami le docteur Maturin (Paul Bettany).

« Maître à bord » est le premier volume d'une longue saga de Patrick O'Brian consacrée à l'aventure maritime. Il met en scène deux personnages très dissemblables, hormis leur passion commune pour la musique, que lie une solide amitié. Le premier, Jack Aubrey, est un capitaine respecté et admiré de ses hommes, un guerrier opiniâtre et courageux et un excellent marin. L'autre, le docteur Stephen Maturin, est un homme du Siècle des Lumières, un chirurgien passionné d'histoire naturelle, plus intéressé par les curiosités de la faune que par le choc des batailles. Dans l'espace confiné qu'offre le vaisseau, parti du Brésil pour rejoindre les Galápagos en passant par les eaux traîtresses du cap Horn, Peter Weir, toujours intéressé par les communautés vivant en vase clos (*Witness*, 1985 ; *Le Cercle des Poètes Disparus*, 1989 ; *The Truman Show*, 1998) développe une observation très fine de ces deux personnalités opposées, sur fond de bataille. Tel le capitaine Achab pourchassant Moby Dick, Aubrey s'est en effet lancé à la poursuite du vaisseau français « Achéron », au mépris de toute prudence car son navire a été sérieusement endommagé lors d'un premier affrontement et une partie de son équipage décimée par la bataille.

Un homme d'exception

Intéressé sans être enthousiaste, Russell Crowe se laissa convaincre par Peter Weir – dont il est un admirateur –, de jouer le capitaine Aubrey, un rôle pour lequel il apprit à manier le sabre, à jouer du violon et à grimper dans les cordages. C'était, après son interprétation de *Gladiator* de Ridley Scott (2000) récompensée par l'Oscar du meilleur acteur, la deuxième fois qu'il incarnait un chef de guerre. Auparavant, il avait été un policier brutal et teigneux dans *L.A. Confidential* (Curtis Hanson, 1997) et un chercheur s'attaquant à l'industrie du tabac dans *Révélations* (Michael Mann, 1999). Ron Howard en fit ensuite un Prix Nobel de mathématiques schizophrène

Le jeune lord Blakeney (Max Pirkis) a perdu un bras lors d'une bataille.

dans *Un Homme d'exception* (2001) et un champion du monde de boxe dans *De l'Ombre à la lumière* (2005). La diversité de ces rôles révèle les multiples facettes d'un seul et même talent, apte à s'adapter avec le même bonheur aux situations les plus diverses.

Un huis-clos marin

Abordant pour la première fois le film d'aventures maritime et doté d'un budget conséquent - 150 millions de dollars -, Weir choisit « De l'autre côté du monde », le récit le plus cinématographique de la saga fondé sur une course-poursuite à travers les océans. S'attachant à respecter les figures obligées du genre – tempête, bataille navale, canonnade, abordage –, il enrichit le thème d'une observation très détaillée de la vie en mer. Peter Weir avait lui-même fait l'expérience d'une croisière au large de l'Australie à bord d'un vaisseau identique à celui du capitaine Cook dans des conditions proches de ce qu'elles étaient à l'époque avant d'entreprendre le tournage. Ce même besoin d'exactitude préside au choix des figurants et à l'attachement au moindre détail. Pas un crochet, pas un cordage, pas un clou ne manquent. Tout est mis au service de l'authentique, et ce malgré une mer qui, à l'exception de quelques prises de vues réelles, fut reconstituée dans un immense bassin. Magie du cinéma, l'illusion est parfaite ! Pendant plus de deux heures, le spectateur partage la vie de l'équipage, faite d'inconfort, de promiscuité et de danger permanent. Il vit au rythme du claquement des voiles dans la tempête, il frémit devant les souffrances d'un homme fouetté jusqu'au sang, il est pris sous le feu du canon qui, à tout moment, peut le transpercer. Il est un marin anglais du XIXe siècle embarqué à bord d'un trois-mâts naviguant entre le cap Horn et les Galápagos.

Héros au grand cœur

La Passion de Jeanne d'Arc

« Vous avez brûlé une sainte ! »

1928

Film historique de Carl Theodor Dreyer, avec Renée Falconetti (Jeanne), Eugène Silvain (l'évêque Cauchon), Maurice Schutz (Nicolas Loyseleur), Antonin Artaud (Jean Massieu), Michel Simon (Jean Lemaître) • Sc. Carl Th. Dreyer, Joseph Delteil • Ph. Rudolph Maté • Prod. Société générale de films • France • Durée 90'

Jeanne (Renée Falconetti) humiliée.

Rouen, 1431. Procès de Jeanne d'Arc devant des ecclésiastiques à la solde de l'occupant anglais. Interrogée, trompée, humiliée, menacée de torture, terrifiée, elle renie sa foi puis se reprend, revient sur son abjuration et impressionne même certains de ceux qui la tourmentent...

Jeanne d'Arc tirée au sort !

En 1925, Carl Th. Dreyer tourne au Danemark, son pays d'origine, *Le Maître du logis*, l'histoire d'un tyran domestique. Le film remporte un grand succès, en France notamment où le cinéaste est engagé en 1926 par la Société générale de films, nouvelle compagnie qui vient de se constituer pour terminer

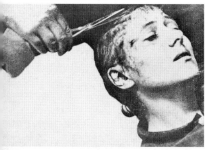

Jeanne est tondue par les soldats.

le gigantesque *Napoléon* d'Abel Gance. Il propose donc des sujets sur Marie-Antoinette, Catherine de Médicis et Jeanne d'Arc. Dreyer raconta plus tard : « J'ai eu plusieurs entrevues avec les producteurs, mais nous n'arrivions pas à nous décider. Alors ils ont dit : prenons trois allumettes et tirons. J'étais d'accord. Je suis tombé sur l'allumette sans tête : c'était Jeanne d'Arc. » Dreyer est mis en rapport avec Joseph Delteil, qui vient de publier un livre consacré à la Pucelle, mais leur collaboration tourne court : il y a incompatibilité entre le lyrisme de l'écrivain et la rigueur du cinéaste, qui préfère s'inspirer des minutes du procès et surtout insister sur les réponses déconcertantes de naïveté et de force qu'oppose Jeanne à ses juges-bourreaux.

Rigueur et dépouillement, style et visages sans fard

Pour évoquer une des plus célèbres héroïnes de l'Histoire de France, résistante et martyre face à des inquisiteurs, Dreyer utilise une méthode radicale et volontairement anti-spectaculaire : le grand décor de Rouen, stylisé et épuré, est le plus souvent montré de façon fragmentaire, sous des angles de prise de vues insolites, mais surtout Jeanne et ceux qui l'entourent sont maintenus dans un rapport de proximité avec le spectateur par le recours au gros plan. Les visages sont d'autant plus présents et obsédants qu'ils ne sont pas maquillés. Pour jouer Jeanne, Dreyer choisit Renée Falconetti (1892-1946), actrice de théâtre réputée, à qui ce seul rôle au cinéma apporta une renommée internationale. La scène où des soldats coupent les cheveux de Jeanne reste un grand moment d'émotion et des témoignages prouvent que ce fut aussi le cas au tournage, pour l'actrice, le metteur en scène et l'équipe technique.

Jeanne (Sandrine Bonnaire) dans *Jeanne la Pucelle*.

Ingrid, Michèle, Jean et les autres

Dès 1898, Jeanne d'Arc inspire le cinéma naissant. Puis c'est le déferlement : Georges Méliès, Cecil B. De Mille... En même temps que Dreyer, Marco de Gastyne tourne une intéressante *Merveilleuse vie de Jeanne d'Arc*, avec Simone Genevois. Jeanne a successivement les traits d'Ingrid Bergman pour Victor Fleming (*Jeanne d'Arc*, 1948) et Roberto Rossellini (*Jeanne au bûcher*, d'après l'oratorio de Paul Claudel et Arthur Honegger, 1954), Michèle Morgan (*Destinées*, Jean Delannoy, 1953), Jean Seberg (*Sainte Jeanne*, Otto Preminger, 1957), Florence Delay (*Procès de Jeanne d'Arc*, Robert Bresson, 1962), Sandrine Bonnaire (*Jeanne la Pucelle*, Jacques Rivette, 1994), etc. Même Luc Besson, en 1999,

Jeanne (Milla Jovovich) dans *Jeanne d'Arc* de Luc Besson.

proposa sa vision du personnage, avec Milla Jovovich, dans un film qui lorgnait – pourquoi pas ? – vers la bande dessinée et l'heroic-fantasy.

Les Misérables
Une vie de galérien

Harry Baur (Jean Valjean) dans la version de 1933.

1933

Drame de Raymond Bernard, avec Harry Baur (Jean Valjean / M. Madeleine / Champmathieu / Fauchelevent), Charles Vanel (Javert), Florelle (Fantine), Charles Dullin (Thénardier), Marguerite Moreno (Mme Thénardier) • Sc. André Lang, Raymond Bernard, d'après le roman de Victor Hugo • Ph. Jules Kruger • Mus. Arthur Honegger • Dist. Pathé Distribution • France • Durée 305'

Poursuivi par la haine de l'inspecteur Javert, Jean Valjean, un forçat libéré, se cache sous différentes identités. Il adopte Cosette, une orpheline maltraitée par les taverniers qui l'élèvent. Des années plus tard, il sauve la vie de Marius, le fiancé de Cosette et celle de Javert qui, toujours à sa recherche, se suicide.

Une adaptation en tout point fidèle

Le film de Raymond Bernard, première adaptation parlante du roman de Victor Hugo, est aussi l'une des plus fidèles. Le cinéaste avait d'ailleurs insisté auprès des producteurs pour segmenter le film en trois époques. Ainsi, put-il s'attacher à l'évolution de Jean Valjean, homme fruste venu du monde des ténèbres, emprisonné pour le vol d'un morceau de pain et qui, complètement déshumanisé à la sortie du bagne, ne connaît plus que la haine : « Les galères font le galérien » lance-t-il au procès de Champmathieu, le malheureux jugé à sa place. Le mensonge d'un évêque en sa faveur pour l'arracher au bagne marque ainsi le point de départ d'une existence désormais tournée vers la rédemption. Qu'il prenne l'identité d'un industriel installé qui, devenu maire, symbolise le progrès social ou celle d'un respectable bourgeois parisien attentif au bonheur de sa « petite fille », Jean Valjean consacre sa vie à soulager les souffrances humaines.

Des acteurs à la hauteur de l'entreprise

Pour incarner une figure aussi imposante, une personnalité aussi complexe, il fallait un acteur ayant la stature du héros de Victor Hugo. Seul Harry Baur, qui avait d'ailleurs débuté au théâtre dans le rôle de Jean Valjean, possédait alors une telle envergure. Il put ainsi donner à ses différents personnages, une âme propre hantée en permanence par son passé de forçat, que l'ombre de Javert vient sans cesse lui rappeler. L'énorme présence physique d'Harry Baur associée à sa capacité à exprimer par un simple regard ou par un geste anodin ses sentiments, sont la marque d'un immense comédien qui, avec un sens certain de l'émotion mais sans jamais tomber dans le pathos larmoyant, réussit là une composition proprement stupéfiante. Les autres comédiens, tout aussi remarquables, campent avec talent leur personnage aux caractères bien trempés, en premier lieu Charles Vanel dans le rôle de Javert ainsi que Charles Dullin et Marguerite Moreno, l'abject couple Thénardier prêt à toutes les bassesses.

Jean Gabin (Jean Valjean) et Bourvil (Thénardier) dans la version de 1958.

Lino Ventura (Jean Valjean) dans la version de 1982.

Jean-Paul Belmondo (Jean Valjean) dans la version de 1995.

Une œuvre à la portée universelle

Avec « Les Trois Mousquetaires » d'Alexandre Dumas, « Les Misérables » détient le record d'adaptation d'une œuvre littéraire à l'écran (plus de dix-huit). En France, deux versions respectivement signées Albert Capellani (1911) avec Henry Krauss, futur Mgr Myriel chez Raymond Bernard... et Henri Fescourt (1925), en quatre époques, interprétées par Gabriel Gabrio, furent les premières à voir le jour. Jean-Paul Le Chanois (1958) avec Jean Gabin, Robert Hossein (1982) avec Lino Ventura, Claude Lelouch (1995) avec Jean-Paul Belmondo dans une adaptation modernisée, prendront le relais. Les Américains Richard Boleslawski (1935) avec Fredric March, Lewis Milestone sous le titre La Vie de Jean Valjean (1952) avec Michael Rennie et le Danois Bille August (1998) avec Liam Neeson ne seront pas en reste. On trouve encore des adaptations en Italie (L'Évadé du bagne de Riccardo Freda, 1946, avec Gino Cervi) mais aussi en Égypte, en Russie, au Mexique, au Japon et même en Inde.

Les Révoltés du « Bounty »

La mutinerie ou la mort

1935

Mutiny on the Bounty, aventures de Frank Lloyd, avec Charles Laughton (capitaine William Bligh), Clark Gable (Fletcher Christian), Franchot Tone (Roger Byam), Herbert Mundin (Smith), Eddie Quillan (Thomas Ellison) • Sc. Talbot Jennings, Jules Furthman et Carey Wilson d'après le livre de Charles Nordhoff et James Norman Hall • Ph. Arthur Edeson • Mus. Herbert Stothart • Prod. MGM • États-Unis • Durée 132' • Oscar du meilleur film

1787. À bord du « Bounty » en route vers Tahiti pour rapporter des arbres à pain, le capitaine Bligh fait régner la terreur. À la tête d'une mutinerie, son second Fletcher Christian lui laisse la vie sauve.

Fletcher Christian s'oppose au capitaine Bligh : Clark Gable et Charles Laughton dans *Les Révoltés du « Bounty »* (1935).

Mel Gibson et Anthony Hopkins dans *Le « Bounty »* (1984).

Héros à contrecœur

Deux récits de Charles Nordhoff et James Norman Hall sont à l'origine des *Révoltés du « Bounty »*, marqué par le face-à-face opposant Charles Laughton et Clark Gable, le premier dans le rôle du capitaine Bligh, cruel et sadique, distribuant à plaisir les châtiments corporels, le second en officier confronté à un problème heurtant sa conception du devoir et prenant peu à peu conscience de la tyrannie exercée par son supérieur. Fletcher Christian n'est pas un héros comme Zorro ou Robin des Bois. C'est simplement un officier respectueux du code militaire, faisant lui-même régner l'ordre et la discipline mais qui, ne pouvant tolérer l'injustice, est amené à se révolter. Il le fait presque à contrecœur, tant il se voit obligé d'enfreindre les traditions. Agissant avec courage, il sauve non seulement la vie de ses hommes mais leur offre aussi de couler des jours heureux sur une île paradisiaque.

Un face-à-face de légende

On a surtout vanté l'interprétation de Charles Laughton en officier éprouvant une certaine jouissance à faire régner l'ordre par le fouet et il est vrai que l'acteur réussit là une composition extraordinaire. L'affirmation d'Alfred Hitchcock selon laquelle « plus le méchant est réussi, meilleur est le film », trouve là une nouvelle illustration. Mais Clark Gable, dans un rôle qui attire moins l'attention, se montre à la hauteur de son partenaire. De peur de manquer de crédibilité en officier de marine britannique portant une petite natte, l'acteur faillit pourtant refuser le rôle. Contraint et forcé par le producteur Irving Thalberg, il dut raser sa célèbre moustache pour être en conformité avec le règlement de l'Amirauté britannique de l'époque. Plein de vigueur face à Charles Laughton, avec qui il se heurtait constamment pendant le tournage, manipulé parfois par le réalisateur se plaisant à attiser leurs différends, l'acteur n'en exerce pas moins, encore aujourd'hui, un charme très convaincant et sur lequel la patine du temps n'a guère d'emprise.

L'aspirant Roger Byam (Franchot Tone) embarque à bord du « Bounty » (dans la version de 1935).

Marlon Brando et Trevor Howard dans *Les Révoltés du « Bounty »* (1962).

Quatre versions d'une même histoire

La véritable histoire du « Bounty », l'une des plus célèbres mutineries de la Marine britannique, a très tôt exercé sa fascination sur les cinéastes. Historiquement, *In the Wake of the Bounty*, une production australienne réalisée en 1933 par Charles Chauvel devançant de peu celle de Frank Lloyd, serait demeurée totalement inconnue si un certain Errol Flynn n'y avait fait ses débuts dans le rôle de Fletcher Christian. En 1962, la MGM ajoutait le Technicolor et la Panavision à une version de près de trois heures signée Lewis Milestone, où Marlon Brando succédait à Clark Gable et Trevor Howard à Charles Laughton. En 1984 enfin, Roger Donaldson dirigeait Mel Gibson face à Anthony Hopkins dans *Le Bounty*, superproduction de 25 millions de dollars, inspirée par un livre cernant au plus près la réalité historique.

Monsieur Smith au Sénat

Don Quichotte à Washington

1939

Mr Smith Goes to Washington, comédie de Frank Capra, avec James Stewart (Jefferson Smith), Jean Arthur (Clarissa Saunders), Claude Rains (le sénateur Joseph Paine), Edward Arnold (Jim Taylor), Thomas Mitchell (Diz Moore) • Sc. Sidney Buchman, d'après l'histoire « The Gentleman from Montana » de Lewis R. Foster • Ph. Joseph Walker • Mus. Dimitri Tiomkin • Dist. Columbia • États-Unis • Durée 127′ • Oscar de la meilleure histoire originale

Le nouveau sénateur Jefferson Smith, naïf et idéaliste, devient la risée des politiciens quand il annonce la construction d'un camp de jeunesse pour tous les enfants du pays. Son projet contrariant les plans d'un industriel véreux qui, par ailleurs, manipule un sénateur, Smith dénonce ses combines au cours d'un discours-fleuve.

En présence du sénateur Paine (Claude Rains), Smith (James Stewart) découvre, à sa grande surprise, les lettres lui demandant de cesser ses attaques.

Un cinéma au service de l'idéal démocratique

Gary Cooper et James Stewart symbolisent le cinéma de Frank Capra et ses idéaux démocratiques. Le premier tourna sous sa direction *L'Extravagant M. Deeds* (1936) et *L'Homme de la rue* (1941). Entre-temps, James Stewart avait été son interprète dans *Vous ne l'emporterez pas avec vous* (1938), immédiatement suivi par *Monsieur Smith au Sénat*, qui l'imposa définitivement auprès du public. Comme les autres héros de Capra, son personnage est un homme simple, un monsieur tout-le-monde dont le nom, l'un des plus répandus, associé à celui d'un président des États-Unis, Jefferson – auteur de la Déclaration d'indépendance qui prévoyait l'abolition de l'esclavage – en dit long sur les intentions du cinéaste. Son apparition se fait désirer mais une fois présent, on découvre un homme au regard franc inspirant confiance et dont la silhouette longiligne rappelle celle d'un autre président, Abraham Lincoln. C'est l'Américain type, issu de la campagne, adepte des plaisirs sains, descendant des colons qui autrefois ont fondé le pays et aujourd'hui en butte à la corruption. Boy-scout, idolâtré par les enfants, il n'a d'autre ambition que de se mettre au service des autres. Respectueux des valeurs traditionnelles, ce patriote peut réciter par cœur les discours de plusieurs présidents. Sa première visite à Washington n'est-elle pas pour le Capitole ? Mais c'est aussi un naïf découvrant la corruption au sein d'une institution qu'il vénère. Décidé à se battre, il se prend au jeu et utilise les armes mises à sa disposition par la Constitution pour dénoncer les opérations frauduleuses des politiciens et des hommes d'affaires véreux. Loin d'être un handicap, son innocence, jointe à un entêtement forcené, devient ainsi une arme au service de la cause qu'il défend.

Chick Mc Gann (Eugene Pallette), Paine et Jim Taylor (Edward Arnold) entourent le gouverneur Hopper (Guy Kibbee).

James Stewart, un héros américain (1908-1997)

Si Frank Capra a fait de James Stewart le héros modeste et naïf de ses comédies idéalistes, l'acteur a également incarné pour Alfred Hitchcock, « l'homme ordinaire plongé dans des situations extraordinaires » dans quatre films (*La Corde*, 1948 ; *Fenêtre sur cour*, 1954 ; *L'Homme qui en savait trop*, 1956 ; *Sueurs froides*, 1958). À la même époque, Anthony Mann en faisait l'aventurier vulnérable de ses admirables westerns parmi lesquels *Winchester 73* (1950), *Les Affameurs* (1951), *Je suis un aventurier* (1953), *L'Appât* (1953) et *L'Homme de la plaine* (1954) avant que John Ford le dirige dans la décennie suivante, successivement dans *Les Deux Cavaliers* (1961), *L'Homme qui tua Liberty Valance* (1962) et *Les Cheyennes* (1964).

Saunders (Jean Arthur) révèle à Smith (James Stewart) qu'il est complètement manipulé.

Les Aventures de Robin des Bois

Le Brigand bien-aimé

1938

The Adventures of Robin Hood, aventures de Michael Curtiz et William Keighley, avec Errol Flynn (Robin des Bois), Olivia de Havilland (Lady Marian), Basil Rathbone (Sir Guy de Gisbourne), Claude Rains (le prince Jean), Eugene Pallette (Frère Tuck), Alan Hale (Petit Jean), Ian Hunter (Richard Cœur de Lion) • Sc. Norman Reilly Raine, Seton I. Miller et Rowland Leigh d'après les légendes anglaises • Ph. Sol Polito, Tony Gaudio, W. Howard Greene • Mus. Erich Wolfgang Korngold • Dist. Warner Bros. • États-Unis • Durée 105' • 3 Oscars : musique, décors, montage

1191. Alors que le roi d'Angleterre Richard Cœur de Lion est retenu prisonnier en Autriche, son frère le prince Jean tente de s'emparer du pouvoir avec la complicité d'un baron normand, Sir Guy de Gisbourne. Dans la forêt de Sherwood, Robin des Bois organise la lutte avec ses fidèles compagnons et la complicité de Lady Marian, pupille du roi Richard.

Robin des Bois (Errol Flynn) s'oppose à l'usurpateur.

Le duel entre Robin et Gisbourne (Basil Rathbone).

Les mille et une aventures d'Errol Flynn et de Michael Curtiz

Sous l'égide de la Warner, Michael Curtiz et Errol Flynn furent souvent associés pour quelques-uns des plus beaux fleurons du cinéma d'aventure. Avec *Capitaine Blood* en 1935, l'acteur s'imposa comme le digne successeur de Douglas Fairbanks face au traître interprété par Basil Rathbone, qui périssait déjà sous les coups d'épée de Flynn (bien qu'il fût l'un des plus fins bretteurs d'Hollywood). D'autres aventures allaient réunir l'acteur et le réalisateur : *La Charge de la brigade légère* (1936), *La Vie privée d'Élisabeth d'Angleterre* (1939) et *L'Aigle des mers* (1940), mais aussi des westerns dynamiques comme *Les Conquérants* (1939), *La Caravane héroïque* et *La Piste de Santa Fe*, tous deux réalisés en 1940.

Un Robin idéal

Le film de William Keighley et Michael Curtiz n'est ni le premier, ni le dernier consacré à Robin des Bois. Avant Errol Flynn, d'autres acteurs l'avaient interprété, en particulier Douglas Fairbanks en 1922 sous la direction d'Allan Dwan. Après Flynn, Sean Connery jouera un Robin des Bois vieillissant aux côtés d'Audrey Hepburn dans *La Rose et la Flèche* de Richard Lester (1976), puis Kevin Costner revêtira à son tour le capuchon du plus célèbre archer d'Angleterre dans *Robin des Bois, prince des voleurs* de Kevin Reynolds (1991) ainsi que, la même année, Patrick Bergin dans *Robin des Bois* de John Irvin. C'est pourtant d'Errol Flynn dont on se souvient, tant l'acteur apporta panache et entrain à un personnage légendaire, chanté par les ballades populaires avant de devenir héros de romans d'aventures. Refusant d'être doublé, l'acteur effectua lui-même duels et cascades pour faire de Robin des Bois un héros des plus séduisants, prenant les armes au moindre danger pour la défense d'une cause noble et généreuse face à l'injustice et la tyrannie. Paré de toutes les qualités, Robin se montre aussi d'une amitié sans faille envers ses compagnons tout en sachant conquérir le cœur de Lady Marian, impressionnée par sa fidélité au roi Richard.

Le style hollywoodien à son apogée

Grâce à Flynn, le film bénéficie d'un dynamisme qui doit également beaucoup au réalisateur Michael Curtiz, connu pour sa rapidité de travail, appelé par la production pour reprendre le tournage entamé par William Keighley, remercié au bout de six semaines. Responsable des scènes d'intérieur, dont les plus éblouissantes demeurent celles du banquet et surtout du superbe duel final – l'un des plus beaux du cinéma, où les ombres géantes des duellistes se profilent sur un pilier –, Curtiz soigna plus particulièrement les effets de lumière, le film rayonnant encore aujourd'hui de l'éclat du Technicolor à trois émulsions utilisé ici pour l'une des toutes premières fois. Devant son immense succès, la Warner envisagea une suite demeurée à l'état de projet.

Alan Hale, grand ami de Flynn, interprétait déjà le rôle de Petit Jean dans la version d'Allan Dwan. Il le reprit en 1950 dans *La Revanche des gueux* de Gordon Douglas

Participant incognito au tournoi de tir à l'arc, Robin se présente au prince Jean (Claude Rains), à Lady Marian (Olivia de Havilland) et à Gisbourne.

Fanfan la Tulipe

Au bon vieux temps des guerres en dentelles

1952

Aventures de Christian-Jaque, avec Gérard Philipe (Fanfan la Tulipe), Gina Lollobrigida (Adeline), Marcel Herrand (Louis XV), Olivier Hussenot (Tranche-Montagne), Noël Roquevert (Fier-à-Bras), Geneviève Page (la marquise de Pompadour) • Sc. René Wheeler, René Fallet, Henri Jeanson, Christian-Jaque • Ph. Christian Matras • Mus. Maurice Thiriet, Georges van Parys • France - Italie • Durée 102' • Ours d'argent au Festival de Berlin ; Prix de la mise en scène au Festival de Cannes

Sous Louis XV, Adeline, une fausse bohémienne, prédit à Fanfan, coureur de jupons invétéré, qu'il épousera la fille du roi. Or il vient de lui sauver la vie. Et quand le roi fait enlever Adeline, qu'il trouve fort à son goût, Fanfan se lance aux trousses de ses ravisseurs.

Fanfan (Gérard Philipe) défiant Fier-à-Bras sur les toits de la garnison.

Adeline (Gina Lollobrigida), amoureuse de Fanfan, lui rend visite dans sa cellule.

Typiquement français

À juste titre, *Fanfan la Tulipe* est considéré comme l'une des grandes réussites du film d'aventures historiques français. Ses auteurs lui ont donné un caractère qui en fait un héros bien de chez nous. Sympathique, souriant, mais également désinvolte et rêvant au grand amour, tel est ce héros des chansons populaires du XVIIIe siècle, toujours prêt à conter fleurette et à qui les filles du peuple et les dames de la cour ne peuvent résister. Car Fanfan possède un charme irrésistible dû à son franc-parler, qui lui joue parfois des tours. Il n'a peur de rien ni de personne, surtout pas de Fier-à-Bras, le maréchal des logis qui, révolté par son impertinence, le fait jeter en prison, ni même du roi de France, tentant de lui ravir sa bien-aimée. Plein de fougue et d'enthousiasme, Fanfan ferraille sans hésiter pour se mettre au service de la liberté.

Adeline et Fier-à-Bras (Noël Roquevert).

Des personnages hauts en couleur

Si le personnage – qui avait auparavant donné lieu à deux autres versions signées Alice Guy en 1907 et René Leprince en 1926 – est particulièrement réussi, tous ceux qui gravitent à ses côtés n'en sont pas moins savoureux. Marqué par un rôle qu'il avait absolument tenu à interpréter, Gérard Philipe se révèle un Fanfan idéal. Les autres comédiens apportent beaucoup au plaisir toujours renouvelé pris par les spectateurs depuis plus d'un demi-siècle.
À commencer par Noël Roquevert, subissant constamment les provocations et les railleries de Fanfan et lui aussi, à sa manière, irrésistible. Le duel mémorable qu'il livre à son adversaire sur le faîte d'un toit est à l'image d'un film au scénario mouvementé, riche en rebondissements et dont les dialogues signés Henri Jeanson éclatent d'une verve étourdissante.
Quant au remake produit en 2003 par Luc Besson, réalisé par Gérard Krawczyk et interprété par Vincent Perez, il fut bien loin de renouer avec la verve de l'original.

Gérard Philipe, l'idole d'une génération (1922-1959)

Révélé au théâtre par « Le Cid » et « Le Prince de Hombourg », Gérard Philipe fut dans les années cinquante, l'acteur français le plus admiré du public et de la critique. Au cinéma, il prêta ses traits à de nombreux personnages de romans portés à l'écran par Georges Lampin – *L'Idiot* (1946) d'après Dostoïevski –, Claude Autant-Lara – *Le Diable au corps* (1947) d'après Raymond Radiguet et *Le Rouge et le Noir* (1954) d'après Stendhal –, Christian-Jaque – *La Chartreuse de Parme* (1947) d'après Stendhal également – et René Clément – *Monsieur Ripois* (1954) d'après Louis

Hémon. René Clair, dont il fut l'un des acteurs favoris, le dirigea dans *La Beauté du diable* (1950), *Les Belles de nuit* (1952) et *Les Grandes Manœuvres* (1955). Gérard Philipe est mort en 1959, à 37 ans.

Fanfan et son ami Tranche-Montagne (Olivier Hussenot) sur le point d'être pendus.

Rocky

Cœur d'or, poings d'acier

1976

Rocky, comédie dramatique de John G. Avildsen, avec Sylvester Stallone (Rocky), Talia Shire (Adrian), Burt Young (Paulie), Burgess Meredith (Mickey), Carl Weathers (Apollo Creed) • Sc. Sylvester Stallone • Ph. James Crabe • Mus. Bill Conti • Dist. Carlotta Films • États-Unis • Durée 120' • 3 Oscars : film, réalisateur, montage

Dans les bas-quartiers de Philadelphie, Rocky Balboa, « l'étalon italien » s'entraîne, sous la conduite de Mickey, un ancien boxeur déchu, pour affronter Apollo Creed, le champion du monde poids lourds qui remet son titre en jeu.

Rocky et Mickey, son entraîneur (Burgess Meredith) célèbrent leur victoire. (dans *Rocky III - L'Œil du tigre*)

Sylvester Stallone, de Rocky en Rambo

Sans *Rocky*, Sylvester Stallone serait sans doute demeuré l'acteur de troisième plan qu'il était dans les films de ses débuts où on le remarquait à peine. Ni *F.I.S.T.* de Norman Jewison (1978), où il incarnait le chef du syndicat des camionneurs compromis avec la Mafia, ni *Les Faucons de la nuit* de Bruce Malmuth (1980) où il jouait un flic-justicier, ni même *À nous la victoire* de John Huston (1981), ne lui ont apporté le même succès. C'est un autre personnage, John Rambo, ancien béret vert du Viêt-nam qu'il interprète pour la première fois en 1982 sous la direction de Ted Kotcheff qui en fait définitivement un héros du film d'action. Comme pour Rocky, Sylvester Stallone a participé à l'élaboration de son personnage, solitaire traqué utilisant toutes les ressources physiques à sa disposition pour se tirer des pires situations. Avec ces deux personnages, l'acteur est parvenu au faîte d'une popularité qui, au fil de ses apparitions (*Daylight*, 1996 ; *Copland*, 1996 ; *Driven*, 2001), semble décliner.

Le bon scénario au bon moment

Créateur de *Rocky*, Sylvester Stallone accepta de vendre son scénario à la condition d'en être également l'interprète. Si cette histoire classique du brave garçon menant une existence minable avant de devenir l'idole des foules avait été racontée bien des fois, il est vrai aussi qu'elle se conforme à la tradition du « rêve américain » voulant que quiconque, à force de volonté et d'ambition,

Rocky découvre son adversaire Apollo Creed (Carl Weathers), champion du monde.

peut réussir et accéder à la gloire. Car de la défaite assimilable à une victoire dans le premier film, Rocky prend sa revanche dès le deuxième volet en 1979, où il devient champion du monde avant de perdre son titre pour le reconquérir dans *L'Œil du tigre* (1982), défendre les couleurs de son pays contre une « machine à boxer » soviétique devant le public de son adversaire dans *Rocky 4* (1985) et achever sa carrière comme entraîneur dans *Rocky 5* (1990).

Rocky trouve le réconfort auprès d'Adrian (Talia Shire).

Rocky (Sylvester Stallone) s'entraîne dans les rues de Philadelphie.

Une série à l'image de son auteur

Tout comme Sylvester Stallone, Rocky Balboa est un émigré italien gravissant un à un les échelons du vedettariat jusqu'à devenir un héros des temps modernes. Mais son ascension n'exercerait pas une telle fascination si l'auteur n'avait doté son personnage aux abords parfois un peu rudes, de qualités de cœur et d'une humanité souvent touchante. En outre, Sylvester Stallone a poussé son projet, non seulement jusqu'à écrire les scénarios des cinq films, mais aussi à mettre en scène trois d'entre eux, le premier et le dernier étant par ailleurs confiés au même réalisateur, John G. Avildsen. Enfin, la série trouve son homogénéité dans le choix des mêmes comédiens pour interpréter les personnages gravitant autour de Rocky : Talia Shire en épouse effacée mais énergique, Burgess Meredith, le brave entraîneur, certain des qualités de son poulain, Burt Young, le beau-frère râleur et aussi Carl Weathers, l'adversaire devenu ami et entraîneur.

Superman

Surhomme, on n'en est pas moins homme...

Superman (Christopher Reeve) vole au secours de la justice.

1978

Superman, science-fiction de Richard Donner, avec Marlon Bando (Jor-El), Gene Hackman (Lex Luthor), Christopher Reeve (Clark Kent / Superman), Margot Kidder (Lois Lane), Ned Beatty (Otis) • Sc. Mario Puzo, David et Leslie Newman et Robert Benton, d'après les personnages de Jerry Siegel et Joe Shuster • Ph. Geoffrey Unsworth • Mus. John Williams • Dist. Warner Bros. • États-Unis • Durée 143' • Oscar des effets spéciaux

Arrivé sur Terre de la lointaine planète Krypton détruite par un soleil, un enfant découvre ses extraordinaires pouvoirs. Devenu Superman sous l'apparence du journaliste Clark Kent, il déjoue les plans de Lex Luthor. Pour sauver sa collègue Lois Lane, il va même jusqu'à remonter le temps...

Une double identité

Parmi les nombreux sur-héros de la bande dessinée transposés au cinéma, Superman représente un cas à part. Grâce à ses origines extra-terrestres qui expliquent ses pouvoirs illimités, le personnage peut très facilement changer d'identité et entrer dans la peau d'un journaliste timide, naïf et complexé. Mais qu'il soit Superman ou Clark Kent, il possède des qualités humaines assez rares. Côté redresseur de torts, ses actions spectaculaires servent en toutes circonstances l'idéal démocratique de son pays, qu'il sauve aussi des pires catastrophes. Quand il ne remplace pas un barrage qui vient de céder, Superman est capable d'arrêter les tremblements de terre... Et s'il agit par amour – après tout Superman est aussi un homme... – il inverse le sens de rotation de la Terre pour remonter le temps et porter secours à sa bien-aimée. À lui, rien d'impossible !

Christopher Reeve, un Superman idéal

Clark Kent (Christopher Reeve) amoureux timide de Lois Lane (Margot Kidder).

Pour rendre les deux facettes du personnage, il fallait un acteur totalement crédible, capable de passer sans difficulté de l'un à l'autre. Jusqu'alors inconnu, Christopher Reeve se révèle un Superman idéal, en accord avec le personnage de la bande dessinée originale née de la plume de Jerry Siegel et du crayon de Joe Schuster, publiée pour la première fois en juin 1938. Il y apporte une véritable épaisseur humaine tout en misant sur l'humour et le charme.

Eve Teschmacher (Valerie Perrine) et Lex Luthor (Gene Hackman), les ennemis de Superman.

Mieux, son talent ne disparaît pas sous la débauche de décors sophistiqués et d'effets spéciaux : Superman se posant sur la terrasse de sa bien-aimée, Superman arrêtant la chute d'un hélicoptère, etc. L'acteur joua encore trois fois le personnage, entreprenant, une reconversion comparable à celle de Sean Connery par rapport à James Bond, jusqu'au jour où une mauvaise chute de cheval le condamna à la chaise roulante. Cruelle destinée pour l'interprète d'un surhomme, faisant bizarrement écho au suicide en pleine gloire d'un autre acteur qui, à une lettre près, porte le même nom : George Reeves pour toute une génération d'Américains, eut aussi les traits de Superman dans une série télévisée diffusée entre 1951 et 1957.

Avatars et séquelles

Trois suites furent données au film de Richard Donner. Dans les deux premières *Superman II* (1980) et *Superman III* (1983), l'Anglais Richard Lester apporta une note d'humour et de dérision absente du dernier opus de la série : *Superman IV* (1987), où le réalisateur Sidney J. Furie misait sur le retour du spectaculaire à tout prix sans toutefois renouveler la surprise du premier volet. Près de vingt ans plus tard, Superman revint dans *Superman Returns* de Bryan Singer (2006) sous les traits d'un inconnu, Brandon Routh, face à Lex Luthor campé par Kevin Spacey et avec des séquences inédites tournées par Marlon Brando pour le premier *Superman*.

Jor-El (Marlon Brando) et Lara (Susannah York), les parents de Superman.

Les Aventuriers de l'arche perdue

Spielberg retrouve les héros de son enfance

Indiana Jones (Harrison Ford) sur le point de dérober une idole… (*Les Aventuriers de l'arche perdue*)

1981

Raiders of the Lost Ark, aventures de Steven Spielberg, avec Harrison Ford (Indiana Jones), Karen Allen (Marion Ravenhood), Wolf Kahler (Dietrich), Paul Freeman (Belloq), Ronald Lacey (Toht) • Sc. Lawrence Kasdan, d'après une histoire de George Lucas et Philip Kaufman • Ph. Douglas Slocombe • Mus. John Williams • Dist. CIC • États-Unis • Durée 115' • 4 Oscars: montage, décors, effets visuels, son

En 1936, les services secrets américains chargent l'archéologue et aventurier Indiana Jones de retrouver l'Arche d'alliance des Hébreux que les nazis, avec l'aide d'un archéologue français, convoitent pour ses pouvoirs surnaturels…

Marion (Karen Allen) et Indy prisonniers des nazis. (*Les Aventuriers de l'arche perdue*)

À l'origine du personnage

Indiana Jones est une pure invention de George Lucas et Steven Spielberg, arrivés en haut de l'affiche dans les années 1975-1980. Nourris par la bande dessinée et les sérials (films à épisodes), ils ont conçu le personnage dans cet esprit, parsemant ses aventures de références et de clins d'œil à quelques-uns de leurs héros favoris. Spielberg y manifeste son désir de retrouver le plaisir que lui procuraient dans son enfance les films de pure distraction. Pourtant, l'idée du personnage revient entièrement à George Lucas qui – dit-on – l'avait tiré à pile ou face avec Luke Skywalker, le héros

de *La Guerre des étoiles*… Mis à l'écart, Indiana Jones fut revu et corrigé par le scénariste Lawrence Kasdan, Spielberg insistant pour lui donner l'allure d'Humphrey Bogart dans *Le Trésor de la Sierra Madre* de John Huston (1948): chapeau mou, blouson de cuir fatigué, barbe de plusieurs jours.
À des qualités sportives qui lui permettent de se tirer sans encombres de toutes les situations, Indiana Jones ajoute courage, débrouillardise et discernement. D'emblée sympathique, les pieds sur terre, doté d'un solide sens de l'humour qui lui permet d'affronter toutes les situations avec sérénité, il n'est pas invulnérable – loin s'en faut – mais cette fragilité explique très certainement une grande part de son succès. Le film est une succession de poursuites et de bagarres qui ne laisse guère le temps de respirer, tout comme *Indiana Jones et le temple maudit* (1984), deuxième volet des aventures d'Indy, en quête cette fois d'une pierre sacrée et dont le début dans une boîte de nuit de Shanghaï est particulièrement époustouflant.

Pour échapper à leurs poursuivants, Indy et Willie (Kate Capshaw) empruntent une voiture conduite par Short Round (Ke Huy Quan). (*Indiana Jones et le temple maudit*)

Aventuriers de père en fils

Dans *Indiana Jones et la dernière croisade* (1989), le personnage trouve encore une fois les nazis sur sa route, l'action se situant en 1938. Mais Steven Spielberg réserve une surprise de taille en présentant le jeune Indy (devenu peu après héros d'une série télévisée, « Les Aventures du jeune Indiana Jones ») et en expliquant les raisons qui l'ont poussé à devenir archéologue. Enfin et surtout, Indiana Jones part à la recherche de son père, une quête bien plus émouvante que celle du Saint Graal, ainsi reléguée au second plan.

Père (Sean Connery) et fils pieds et poings liés… (*Indiana Jones et la dernière croisade*)

Indiana Jones vu par son interprète

Nul mieux qu'Harrison Ford n'a défini son personnage : « Je ne sais pas ce qu'est un héros et je suis sûr que les « héros » ne le savent pas non plus. Ce sont simplement des aventuriers, dans les deux cas, des types baratineurs, mais doux d'une certaine manière. Indiana Jones… est un type qui se bat à tout bout de champ, mais il a une fragilité humaine.

Il connaît la peur, il a des problèmes d'argent. C'est un professeur, mais je ne peux pas dire de lui que c'est un intellectuel. Il fait des choses courageuses, mais je ne l'appellerai pas un héros. Il arrive, tout simplement avec un fouet à la main, et il tient en respect le monde entier » (Cité par Tony Crawley dans « L'Aventure Spielberg », Pygmalion, 1984).

Greystoke, la légende de Tarzan seigneur des singes

Dans la jungle... de la civilisation

Tarzan (Christophe Lambert) face aux dangers de la jungle.

1983

Greystoke, the Legend of Tarzan, the Lord of the Apes, aventures de Hugh Hudson, avec Christophe Lambert (John Clayton / Tarzan), Sir Ralph Richardson (Lord Greystoke), Andie MacDowell (Miss Jane Porter), Ian Holm (le capitaine Philippe d'Arnot), Ian Charleson (Jefferson Brown) • Sc. Robert Towne, Michael Austin, d'après le roman d'Edgar Rice Burroughs « Tarzan of the Apes » • Ph. John Alcott • Mus. John Scott. Dist. Warner Bros. • Royaume-Uni • Durée 137'

À la suite d'un naufrage au large des côtes africaines, un nouveau-né est recueilli par des singes. Devenu adulte, Tarzan sauve la vie d'un explorateur. Celui-ci fait son éducation et lui révèle ses origines familiales. En Angleterre, Tarzan retrouve son grand-père et découvre l'amour... et l'hostilité de la société.

Aux origines du « Singe blanc »

Tarzan ou « Singe blanc », surnommé ainsi en raison de la pâleur de sa peau, a donné naissance à un véritable mythe. Près d'une quarantaine de romans et de nouvelles signés de la main de son auteur, Edgar Rice Burroughs, un nombre incalculable de bandes dessinées et bien entendu des films et des séries télévisées témoignent d'une fascination qui ne s'est jamais démentie, depuis la première apparition du personnage, en octobre 1912, dans les pages de la revue « The All Story ». Tarzan défie le temps et les modes. Quand le Britannique Hugh Hudson entreprend de porter une nouvelle fois à l'écran les aventures de Tarzan, il tourne le dos à toutes celles qui l'ont précédé et qui jusqu'alors, avaient toujours privilégié le héros de la jungle sans jamais se référer à ses origines civilisées.

Le vrai Tarzan

Le cinéaste revient donc à l'histoire initiale de Tarzan, adaptée fidèlement en deux parties bien distinctes. Quasiment muette, la première est consacrée à la description des premières années de Tarzan aux côtés des singes, qui lui apprennent à vivre comme s'il était l'un des leurs. Elle mêle vrais et faux singes avec un tel souci de réalisme qu'il devient impossible de les distinguer et ceci grâce au travail stupéfiant du maquilleur Rick Baker. Dans la deuxième partie, le scénario met l'accent sur la déchirure du personnage partagé entre ses origines aristocratiques et la vie sauvage, la seule qu'il connaisse. Alors que le réalisateur porte un regard attendrissant sur la communauté

Tarzan redevenu John Clayton découvre l'amour auprès de Jane (Andie Mac Dowell).

simiesque, il devient beaucoup plus ironique à l'égard de la société anglaise du XIXe siècle incapable de comprendre, et encore moins d'accepter un individu différent de ceux qu'elle engendre. Choisi pour son regard pénétrant, Christophe Lambert traduit bien le malaise qui s'empare du personnage et l'incompréhension dont il est victime. Le film marqua les débuts d'Andie MacDowell, ici doublée pour la voix par Glenn Close, en raison de son accent sudiste.

Tarzan enfant (Éric Langlois) et sa mère adoptive.

Tarzan (Johnny Weissmuller) et Jane (Maureen O'Sullivan).

Johnny Weissmuller, éternel Tarzan

Si de nombreux comédiens ont interprété le rôle de Tarzan, il en est un qui éclipse tous les autres: Johnny Weissmuller fut dans onze films le seigneur incontesté de la jungle. Pour les cinq premiers, produits par la MGM, il forma un couple de légende avec Maureen O'Sullivan dans le rôle de Jane: *Tarzan l'Homme-singe* de Woody S. Van Dyke (1932), *Tarzan et sa compagne* de Cedric Gibbons et Jack Conway (1934), puis *Tarzan s'évade* (1936), *Tarzan trouve un fils* (1939), *Le Trésor secret de Tarzan* (1941) et *Tarzan à New York* (1942), signés Richard Thorpe. Dans quatre des six autres tournés par la RKO, dont le dernier, *Tarzan et les Sirènes* du Français Robert Florey (1948), il eut Brenda Joyce pour partenaire. Après avoir abandonné le personnage, Johnny Weissmuller prêta son physique athlétique à un autre héros (de bande dessinée, celui-là): *Jim la Jungle*, de Ford Beebe et Cliff Smith (1936).

Le Grand Bleu

Plonge avec les dauphins

1988

Aventures de Luc Besson, avec Rosanna Arquette (Johana Baker), Jean-Marc Barr (Jacques Mayol), Jean Reno (Enzo Molinari), Paul Shenar (le professeur Lawrence), Sergio Castellito (Novelli) • Sc. Roger Garland, Luc Besson, d'après une idée originale de Luc Besson • Ph. Carlo Varini • Mus. Éric Serra • Dist. Gaumont • France • Durée 135' • 2 Césars : musique et son

Séparés depuis plus de vingt ans, Jacques et Enzo, qui partagent la même passion pour la plongée sous-marine, se retrouvent à l'occasion du championnat du monde. Jacques néglige Johana, une Américaine venue le rejoindre, et se consacre entièrement à la compétition pour battre des records.

Jacques (Jean-Marc Barr) voue une passion sans bornes à la mer et aux dauphins.

Apnée juvénile

Dans la carrière de Luc Besson, *Le Grand Bleu* marque un tournant. *Le Dernier Combat* (1983), film de science-fiction en noir et blanc et sans dialogues, fut suivi de *Subway* (1985), interprété notamment par Christophe Lambert et Isabelle Adjani. Succès suffisamment important pour que Gaumont offre au jeune réalisateur la possibilité d'entreprendre *Le Grand Bleu* avec un budget de 75 millions de francs. Sept mois de tournage dans le plus grand secret en Grèce, en Sicile, dans la Cordillère des Andes, aux Bahamas, aux États-Unis et sur la Côte d'Azur et un peu plus de temps pour le montage entourent le film d'un mystère levé au Festival de Cannes où, présenté hors compétition, il est accueilli sous les sifflets. Mais dès sa présentation en salles, le jeune public lui fait un véritable triomphe. Le film – qui révéla Jean-Marc Barr et surtout Jean Reno – demeure à l'affiche plusieurs mois avant de connaître une nouvelle exploitation dans une version sensiblement plus longue au succès jamais démenti, encore prolongé par *Atlantis* (1991), un documentaire

Moment de tendresse de Jacques envers Johana (Rosanna Arquette).

témoignant de la fascination du réalisateur pour l'élément aquatique. La musique d'Éric Serra, partie intégrante du triomphe public du film, connaîtra un engouement considérable.

Enzo (Jean Reno), plongeur, ami et rival de Jacques.

Comme un poisson dans l'eau

Toute l'adolescence de Luc Besson est en effet bercée par la mer : ses parents pratiquent la plongée et lui-même se prend de passion pour les dauphins. Jacques Mayol (1927-2001), qui est parvenu à communiquer avec ces animaux, devient son idole. Également plongeur chevronné, celui-ci entre en 1966 en compétition avec un champion sicilien avec qui il se lie d'amitié. Tel est le point de départ du *Grand Bleu* construit autour de la rivalité entre deux amis, deux plongeurs qui s'estiment mais aux antipodes l'un de l'autre. Autant Enzo est vantard, hâbleur et bon vivant, autant Jacques est secret et timide. Enzo dit de son ami : « Il est d'une autre planète. » Dès sa première apparition où il plonge sous les glaces en vue d'expériences scientifiques, Jacques a effectivement des allures de Martien, et tout au long du film, il donne l'impression de n'éprouver aucun sentiment, y compris pour sa fiancée qu'il suit partout. Au point de vivre sa présence comme une menace. Seul compte sa passion : la mer, son véritable élément et c'est sans

Plongée dans le « grand bleu ».

doute cette soif d'absolu qui a fait du *Grand Bleu* un véritable phénomène de société en qui s'est reconnue toute une génération.

Film-culte

À l'image du *Grand Bleu* et du *Fabuleux Destin d'Amélie Poulain* (2001), certains films rencontrent l'adhésion immédiate du public à un moment inattendu. Le phénomène a longtemps touché la série B et des films souvent invisibles appartenant au fantastique, en particulier des films d'horreur comme *La Nuit des morts-vivants* (1968), *The Rocky Horror Picture Show* (1975) ou *Massacre à la tronçonneuse* (1974), mais il concerne également d'autres genres : musical (*The Rose*, 1979 ; *Pink Floyd-The Wall*, 1982), étrange (*Eraserhead*, 1978), mélo (*Dancer in the Dark*, 2000), comédie (*Les Tontons flingueurs*, 1963 ; *Le Père Noël est une ordure*, 1982). Dans les deux derniers cas, le phénomène est aussi lié à la diffusion télévisée du film.

Cyrano de Bergerac

Du panache, encore du panache, toujours du panache!

Cyrano (Gérard Depardieu) n'ose avouer à sa cousine Roxane (Anne Brochet) qu'il l'aime.

Cyrano par ci, Cyrano par là…

L'une des œuvres les plus populaires du théâtre français n'a que peu inspiré les cinéastes de notre pays. Avant Jean-Paul Rappeneau, seul deux d'entre eux – Jean Durand en 1910 et Fernand Rivers en 1945, avec Claude Dauphin en Cyrano – avaient osé s'y mesurer. En Italie, Ernesto Pasquali en 1909 avait été le premier à porter l'œuvre d'Edmond Rostand à l'écran puis son compatriote Augusto Genina l'avait imité en 1922 dans une version coloriée au pochoir interprétée par Pierre Magnier, célèbre comédien de théâtre de l'époque. En 1950, l'Américain Michael Gordon proposa une version valant à José Ferrer l'Oscar du meilleur acteur. Celui-ci reprit le rôle en 1963 sous la direction d'Abel Gance dans *Cyrano et d'Artagnan* aux côtés de Jean-Pierre Cassel qui, lui-même, fut Cyrano dans *Le Retour des mousquetaires* de Richard Lester (1988).

Un Cyrano époustouflant

Entreprenant une nouvelle adaptation, Jean-Paul Rappeneau et Jean-Claude Carrière s'attachent avant tout à aérer une pièce quelque peu datée. Exemple quasi parfait de réussite à la fois sur les plans artistique et populaire, le film s'éloigne du théâtre filmé au profit d'un récit cinématographique se servant de toutes les possibilités d'une caméra dynamique n'oubliant jamais de servir le texte. Mais *Cyrano de Bergerac* est surtout le portrait d'un héros tout en panache et haut en couleur, cachant le désespoir causé par une disgrâce physique qui lui ôte toute promesse d'amour.

Roxane tombe le masque devant le vicomte de Valvert (Philippe Volter) et de Guiche (Jacques Weber).

Coléreux, prompt à tirer l'épée, Cyrano possède un sens de la repartie qui stupéfie ses adversaires. Mais il sait aussi – comme le montre la fameuse tirade des nez – se moquer de lui-même. Amoureux éperdu, Cyrano, incapable de déclarer son amour à Roxane, souffre de cet état. Son âme est si belle et si généreuse qu'il va jusqu'à souffler sa déclaration d'amour à un rival peu doué. Qu'il ait le verbe haut ou qu'il souffre en silence, Gérard Depardieu incarne magistralement ces deux aspects du personnage, tour à tour bravache et pathétique.

Le siège d'Arras.

1990

Comédie dramatique de Jean-Paul Rappeneau, avec Gérard Depardieu (Cyrano de Bergerac), Anne Brochet (Madeleine Robin dite Roxane), Vincent Perez (Christian de Neuvillette), Jacques Weber (le comte de Guiche) • Sc. Jean-Paul Rappeneau et Jean-Claude Carrière, d'après la pièce d'Edmond Rostand • Ph. Pierre Lhomme • Mus. Jean-Claude Petit • Dist. UGC • France • Durée 135' • Prix interprétation masculine (Gérard Depardieu) et Grand Prix Technique (Pierre Lhomme) au Festival de Cannes; 10 Césars: film, réalisation, acteur (Gérard Depardieu), acteur dans un second rôle (Jacques Weber), photographie, montage, musique, décors, son et costumes; Oscar des meilleurs costumes; Césars des Césars 1995

Bretteur hors pair et plein d'esprit mais affublé d'un long nez, Cyrano n'ose déclarer sa flamme à sa cousine Roxane. Le comte de Guiche et Christian, un cadet de Gascogne, courtisent tous deux la jeune fille qui, attirée par Christian, demande à Cyrano de le protéger. Pour se venger, le comte envoie Christian au siège d'Arras…

Sur son lit de mort, Christian (Vincent Perez) reçoit le baiser d'adieu de Roxane.

Gérard Depardieu, l'acteur éclectique

Depuis *Les Valseuses* en 1974, Gérard Depardieu est devenu l'acteur le plus prolifique du cinéma français, tournant parfois jusqu'à quatre à cinq films par an: « Ce n'est pas du tout l'effet d'une boulimie. Cela vient simplement de la soif de rencontres et de choses » déclarait-il en 1986 au journal « Première ». Loin d'être sectaire, il a travaillé aussi bien avec des auteurs comme François Truffaut, Marco Ferreri, Maurice Pialat, Claude Miller, Alain Resnais, Bertrand Blier qu'avec des réalisateurs de comédies populaires, tels Claude Zidi ou Francis Veber.

193

Batman, le défi

1992

Batman Returns, aventures de Tim Burton, avec Michael Keaton (Bruce Wayne / Batman), Danny DeVito (Le Pingouin), Michelle Pfeiffer (Selina Kyle / Catwoman), Christopher Walken (Max Shreck), Michael Gough (Alfred) • Sc. Daniel Waters, d'après une histoire de Daniel Waters et Sam Hamm basée sur les personnages créés par Bob Kane • Ph. Stefan Czapsky • Mus. Danny Elfman • Dist. Warner • États-Unis • Durée 126'

À Gotham City, le Pingouin, une créature difforme, s'associe à Max Shreck, important homme d'affaires sans scrupules, qui défenestre sa secrétaire quand celle-ci découvre ses peu louables activités. Devenue Catwoman grâce à des chats qui lui ont sauvé la vie, la jeune femme se mesure à Batman.

Catwoman (Michelle Pfeiffer) affronte Batman (Michael Keaton).

Batman face au Joker (Jack Nicholson) dans *Batman*.

Un être de chair et de sang

En créant Batman, ses auteurs ne souhaitaient surtout pas en faire un nouveau Superman : « On voulait qu'il souffre. Il avait un côté humain : il était athlétique, astucieux, observateur », a déclaré le dessinateur Bob Kane, créateur avec le scénariste Bill Finger de la bande dessinée parue en 1939. Batman est ainsi un Terrien sentant naître sa vocation de justicier le jour où, encore tout jeune, il assiste au meurtre de ses parents par des gangsters. Batman n'a rien du justicier masqué invincible et, s'il ne possède pas non plus de pouvoirs surnaturels, il y supplée en utilisant

Le Pingouin (Danny DeVito) dans son repaire.

des gadgets de toute sorte. Mais comme Superman, il possède une autre identité, celle de Bruce Wayne, expert en criminologie, luttant contre le crime organisé et sortant de sa tanière, la nuit venue, vêtu d'un costume de chauve-souris. Dans *Batman* (1989), Tim Burton respectait les origines de ce personnage, doté d'une intelligence certaine lui permettant de confondre son adversaire : le Joker, qui n'était autre que le meurtrier de ses parents. Mais à l'image des décors cauchemardesques de Gotham City, Batman apparaît comme quelqu'un de taciturne et d'angoissé, une nature presque névropathe.

Selina Kyle (Michelle Pfeiffer) et Bruce Wayne (Michael Keaton).

Des adversaires à sa mesure

Dans *Batman, le défi*, tourné trois ans plus tard, Batman se révèle peut-être encore plus vulnérable. Ce n'est plus un seul adversaire qu'il trouve sur son chemin mais trois : le Pingouin, mi-homme mi-animal, Max Shreck, un industriel assoiffé de pouvoir, et Catwoman. Les réduire à de simples méchants n'aurait aucun sens, le réalisateur s'intéressant avant tout à la frontière ténue séparant le Bien du Mal. À cet égard, ses rapports avec la sensuelle Catwoman sont particulièrement ambigus. Dissimulés derrière leur masque, ils éprouvent une attirance physique certaine, mais à visage découvert, ils demeurent incapables de se donner l'un à l'autre.

Batman avant et après Burton

Batman fut d'abord un héros de films à épisodes avec, en 1943, *Batman* de Lambert Hillyer où, face à un savant fou japonais, il se mettait au service de l'effort de guerre de son pays, puis, en 1949, dans *Batman and Robin* de Spencer Gordon Bennet, où il luttait contre un génie du crime pouvant se rendre invisible. En 1966, la télévision le pare d'un Technicolor rutilant au cours de cent vingt épisodes très kitsch placés sous la direction de Leslie H. Martinson et où l'on croise parfois quelques comédiens célèbres. Après les deux films de Tim Burton où, pour la première fois, Batman est le héros d'une superproduction, Joel Schumacher prend le relais : d'abord avec *Batman Forever* (1995) puis avec *Batman et Robin* (1997) où Val Kilmer puis George Clooney succèdent à Michael Keaton. En 2005, Christian Bale reprend le rôle dans *Batman Begins* de Christian Nolan, tandis que Halle Berry incarne *Catwoman* pour Pitof en 2004.

Batman (Adam West) dans la série TV homonyme.

Le Masque de Zorro

Vainqueur, tu l'es à chaque fois...

Alejandro (Antonio Banderas) est initié à l'art de l'escrime par Don Diego (Anthony Hopkins).

1998

The Mask of Zorro, aventures de Martin Campbell, avec Antonio Banderas (Alejandro Murieta / Zorro), Anthony Hopkins (Don Diego de la Vega / Zorro), Catherine Zeta-Jones (Elena), Stuart Wilson (Rafael Montero), Matthew Letscher (le capitaine Love) • Sc. John Eskow, Ted Elliott, Terry Rossio • Ph. Phil Meheux • Mus. James Horner • Prod. TriStar / Amblin Entertainment • États-Unis • Durée 136'

Rafael Montero, gouverneur espagnol de Californie, arrête Don Diego de la Vega, justicier masqué connu sous le nom de Zorro, fait tuer sa femme et enlever sa fille Elena. Vingt ans plus tard, Don Diego s'évade et initie au maniement des armes Alejandro Murieta, un bandit de grand chemin dont le frère a été tué par Montero. Zorro revit ainsi et contrarie les ambitions du gouverneur, qui veut acheter la Californie.

Au secours du faible et de l'opprimé

Héros de roman créé par le journaliste Johnston McCulley dans « La Malédiction de Capistrano » (1919), d'abord publié en feuilleton, Zorro est un homme dont le sens de la justice est particulièrement élevé. Comme Robin des Bois, il ne tolère pas

Don Diego présente sa fille Elena (Catherine Zeta-Jones) au nouveau Zorro.

Un Z qui veut dire Zorro

Premier acteur de langue espagnole à tenir le rôle de Zorro, Antonio Banderas avait été précédé par des comédiens aussi célèbres en leur temps que Douglas Fairbanks, Tyrone Power et Alain Delon. Du récit original fidèlement adapté à des variations de toutes sortes (érotique, gay), le personnage a connu maintes aventures sous toutes les latitudes cinématographiques, américaine surtout mais aussi italienne ou turque, et sous les formes d'expression les plus diverses: film à épisodes, parodie... La même équipe se reforma sept ans plus tard pour *La Légende de Zorro* (2005) où le justicier masqué marié et père de famille – son jeune garçon ignorant tout des activités – se bat cette fois pour que la Californie devienne le 31e État de l'Union américaine.

l'oppression d'une minorité puissante voulant s'enrichir à des fins personnelles aux dépens du peuple. Exemple-type du héros au grand cœur, noble et généreux, il sert une cause au péril de sa vie. Pour créer ce personnage, le romancier s'est vraisemblablement inspiré d'un bandit mexicain, Joaquin Murieta, à qui les Américains coupèrent la tête avant de l'exposer publiquement dans les foires. Cette réalité historique utilisée dans le film de Martin Campbell va de pair avec un scénario qui se réfère également aux meilleurs moments du film interprété par Douglas Fairbanks dans les années vingt.

Zorro pour l'éternité !

Produit par Steven Spielberg, *Le Masque de Zorro* offre non pas un mais deux Zorro sous les traits successifs d'Anthony Hopkins et Antonio Banderas, le premier servant d'éducateur à celui qui mettra définitivement fin aux souffrances du peuple et qui, devenu vieux, passera le relais à son fils. Zorro est éternel. C'est ce que laisse supposer la dernière scène qui, à l'image du film, fait preuve d'un humour et d'une fantaisie bienvenus, parfois à la limite de la parodie.
À l'instar d'autres héros, Superman ou Batman par exemple, Zorro ne peut agir qu'en dissimulant son identité sous les traits d'un personnage qui est tout son contraire. Dans son cas, un gentilhomme espagnol fat, ridicule et prétentieux, passant son temps

Tyrone Power dans *Le Signe de Zorro* (Rouben Mamoulian, 1940).

Alejandro face à Montero (Stuart Wilson).

Douglas Fairbanks dans *Le Signe de Zorro* (Fred Niblo, 1920).

à des activités futiles qui en font la risée de ses adversaires mais qui, en même temps, n'attirent pas leur attention. Suprême ruse qui fait de ce renard (« zorro » en espagnol), un redresseur de torts agile à se faufiler partout où on ne l'attend pas, l'épée toujours à portée de main pour marquer l'ennemi de son célèbre signe. Zorro peut ainsi se tapir dans l'ombre et « surgir hors de la nuit pour courir vers l'aventure au galop... »

Spider-Man

Une toile est née

2002

Spider-Man, science-fiction de Sam Raimi avec Tobey Maguire (Peter Parker / Spider-Man), Willem Dafeo (Norman Osborn / Le Bouffon vert), Kirsten Dunst (Mary Jane Watson), James Franco (Harry Osborn), Cliff Robertson (Oncle Ben Parker) • Sc. David Koepp d'après la bande dessinée créée par Stan Lee et Steve Ditko • Ph. Don Burgess • Mus. Danny Elfman • Dist. Columbia Pictures • États-Unis • Durée 121'

Mordu par une araignée génétiquement modifiée, Peter Parker voit son corps se transformer. Il devient Spider-Man…

Spider-Man (Tobey Maguire) toujours en action…

Du fil à retordre

En 1962, Stan Lee imagine Peter Parker, garçon d'origine aussi modeste que lui, qui, mordu par une araignée radioactive, devient Spiderman. Martin Goodman, patron de Marvel, ne croit pas en ce personnage trop complexe. De plus, les araignées font peur aux gens et jusqu'à présent les adolescents ne sont pas des super-héros, mais juste leurs acolytes (Robin pour Batman).

Après avoir été mordu par une araignée génétiquement modifiée, Peter Parker prend conscience de ses immenses pouvoirs.

Pourtant, Spiderman devient le best-seller de Marvel. Et apparaît à la télévision en 1967 dans une série animée de Ralph Bakshi et Cosmo Anzilotti. *L'Homme-araignée* (E.W. Swackhamer, 1977) et *La Riposte de l'Homme-araignée* (Ron Satlof, 1978) sortent en salles et l'histoire est aussi exploitée au Japon. Stan Lee, qui a repris la direction de Marvel, souhaiterait une adaptation cinématographique d'envergure avec Alain Resnais comme réalisateur. Mais les droits sont vendus à des maisons de production qui font faillite coup sur coup. Il faut plusieurs années à la Columbia pour s'assurer l'exclusivité au cinéma.

À cause d'une de ses expériences Norman Osborn (Willem Dafoe) perd la raison, et devient le terrible Bouffon vert.

« Tu n'es pas Superman ! »

Si Sam Raimi, qui avait déjà réalisé un film sur un super-héros (*Darkman*, 1990) est choisi parmi une vingtaine de réalisateurs, c'est qu'il connaît parfaitement bien Spiderman. À six ans, son grand frère lui a fait découvrir ce personnage qui attire la sympathie parce qu'il n'arrive pas à s'intégrer. Pour convaincre les producteurs, il argumente sur la nécessité de développer le côté humain du personnage. Peter Parker, ce garçon ordinaire, trop timide pour parler à Mary Jane, la pétillante fille dont il est amoureux, et confronté à une force qui le dépasse. Pour l'interpréter, Tobey Maguire baisse légèrement les épaules. Peter Parker ne prend pas tout de suite ses pouvoirs au sérieux. Il les utilise d'abord à son profit et son irresponsabilité contribue à la mort de son oncle. Pour Raimi, Peter Parker est un héros non pas parce qu'il a de super-pouvoirs,

Mary Jane Watson (Kirsten Dunst) est attirée par Spider-Man, mais Peter Parker reste distant et lui cache qui il est vraiment…

mais parce qu'il assume son rôle de serviteur du bien en mettant de côté ses désirs. Pour alléger son fardeau, sa tante May lui dit qu'il n'est pas Superman, même si Raimi fait un clin d'œil au *Superman* de Richard Donner (1978) lorsque le costume de Spider-Man apparaît sous la chemise ouverte de Peter.

Spider-Man affronte le docteur Otto Octavius (Alfred Molina) dans *Spider-Man 2*.

De fil en aiguille

Chacun des trois films réalisés par Raimi (2002, 2004, 2007) comporte naturellement son lot de méchants. Figure inversée de Spiderman, le Bouffon vert, industriel richissime victime d'un accident chimique qui a décuplé ses facultés intellectuelles et sa force mais l'a rendu fou, est l'autre face de la médaille. Il cède la place, dans le deuxième film, au diabolique docteur Octopus, un savant victime de ses inventions. Ainsi la science apparaît chaque fois comme le facteur déclenchant de l'anormalité. Et la voie entre le bien et le mal est étroite : le Bouffon vert est aussi le père du meilleur ami de Spiderman. La frontière passe par la conscience, le film le confirme : « Un grand pouvoir implique de grandes responsabilités ».

Histoires de famille

Marius • Fanny • César

Le tiercé gagnant de Marcel Pagnol

La fameuse partie de cartes que disputent César, Panisse, M. Brun (Robert Vattier) et Escartefigue (Paul Dullac), dans *Marius*.

1931 - 1932 - 1936

Comédie dramatique d'Alexander Korda (*Marius* 1), Marc Allégret (*Fanny* 2) et Marcel Pagnol (*César* 3), avec Raimu (César), Pierre Fresnay (Marius), Orane Demazis (Fanny), Charpin (Panisse) • Sc. Marcel Pagnol, d'après ses pièces (sauf 3, sc. original) • Ph. Ted Pahle (1), Nicolas Toporkoff (2) et Willy (3) • Mus. Francis Gromon (1), Vincent Scotto (2 et 3) • Prod. Paramount (1), Pierre Braumberger / Roger Richebé (2), Les Films Marcel Pagnol (2 et 3) • France • Durées 130', 142' et 160'

Marius : Marseille, le Vieux-Port. L'exubérant César, patron du Bar de la Marine, a un fils, Marius, qui aime Fanny mais, plus encore, la mer… ***Fanny*** : Panisse, brave et vieux notable, épouse Fanny, enceinte et abandonnée par Marius… ***César*** : vingt ans après, Panisse meurt. Comment César, Marius, Fanny et Césariot, leur fils, vont-ils se réconcilier ?

Naissance d'une trilogie

Le producteur américain Robert T. Kane, directeur de Paramount-France, installée aux Studios de Joinville, demande à Pagnol de porter à l'écran sa pièce « Marius », créée avec succès en 1929. L'auteur préfère suivre le tournage d'un film qu'il coproduit, imposer les acteurs, quasi identiques à ceux de la scène, et regarder travailler Alexander Korda, important réalisateur et producteur d'origine hongroise qui s'est illustré aux États-Unis et avec qui il s'entend bien. Au début, pourtant, Raimu se méfie : « C'est un Tartare d'Olivode qui va nous tirer la photographie »… Le triomphe est tel que des suites sont envisagées. Pour la dernière, *César*, Pagnol, passionné par le parlant, s'est lancé entre-temps dans la mise en scène et signe lui-même le film. Et d'une intrigue qui aurait pu tomber dans les pièges du mélodrame et du pire folklore régionaliste naissent trois des plus célèbres films français.

César (Raimu) et son ami Panisse, dans *Fanny*.

Une histoire marseillaise et universelle

L'ancrage local (un café du Vieux-Port, de pittoresques habitués ou voisins) est important et le célébrissime « Tu me fends le cœur » de la partie de cartes a fait le tour du monde. Mais les morceaux de bravoure ne cachent jamais l'essentiel : l'amour, la pudeur, la bonté, les difficiles rapports entre parents et enfants, les aspirations contradictoires de l'homme et de la femme, et des variations sur le thème de la famille qui ont ému partout. En revanche, les versions allemande, italienne et suédoise de *Marius* et *Fanny*, tournées simultanément à Joinville comme cela se faisait au début du parlant, sont tombées dans l'oubli.

Les amis de Panisse (Charpin) se rassemblent à son chevet, dans *César*.

Et deux remakes américains ont, eux aussi, laissé peu de souvenirs : *Port of Seven Seas* de James Whale (1938), avec Wallace Beery (César) et Maureen O'Sullivan (Fanny) ; ou *Fanny* de Joshua Logan (1961), avec Charles Boyer (César), Leslie Caron (Fanny) et Maurice Chevalier (Panisse).

Raimu (1883-1946), « hénaurme » et subtil

Né à Toulon, il est considéré comme le plus grand acteur méridional à cause de ses grands rôles « avé l'assent » chez son ami Pagnol (la trilogie, *La Femme du boulanger*, *La Fille du puisatier*). Après ses débuts au caf'conc', il joue dans des revues de music-hall et se fait connaître au théâtre, auquel il est resté fidèle. En 1943, sur la scène de la Comédie-Française, il interprète même « Le Bourgeois gentilhomme » et « Le Malade imaginaire ». Au cinéma, ses débuts dans deux films muets sont sans lendemain. Il ne s'impose vraiment qu'avec le parlant. Sa présence physique est prolongée par une curieuse élocution, des effets de voix, une faculté d'être émouvant ou comique, délicat ou envahissant. D'une filmographie abondante, retenons *Faisons un rêve* (Sacha Guitry, 1935), *Gribouille* (Marc Allégret, 1937), *L'Étrange Monsieur Victor* (Jean Grémillon, 1938), *Les Inconnus dans la maison* (Henri Decoin, 1942) et, l'année de sa mort, *L'Homme au chapeau rond* de Pierre Billon, d'après « L'Éternel mari » de Dostoïevski. Sa popularité a été immense et l'est toujours restée.

Marius (Pierre Fresnay) et Fanny (Orane Demazis) s'aiment…, dans *Marius*.

Noblesse oblige
... ou comment élaguer son arbre généalogique

Les héritiers d'Ascoyne à l'enterrement d'un des leurs (Valerie Hobson et six fois Alec Guinness…).

1949

Kind Hearts and Coronets, comédie de Robert Hamer, avec Dennis Price (Louis), Valerie Hobson (Edith), Joan Greenwood (Sibella) et Alec Guinness (les huit héritiers d'Ascoyne) • Sc. Robert Hamer et John Dighton, d'après le roman de Roy Horniman • Ph. Douglas Slocombe • Mus. Mozart • Prod. Sir Michael Balcon • Royaume-Uni • Durée 106'

Londres, 1902. Pour venger sa mère, aristocrate reniée par les siens à cause d'une mésalliance, Louis veut retrouver ses droits et son rang mais il est le neuvième sur la liste de succession. Qu'à cela ne tienne : il lui suffit de tuer les huit héritiers qui le précèdent !

Louis au parloir de la prison.

est forcément une baderne gâteuse. Quant au révérend ! On avait fait « don à l'Église de l'imbécile de la famille », dit à son propos le héros dans la confession qui accompagne ses forfaits. Les piètres qualités des victimes rendent – presque… – légitime le jeu de massacre auquel elles sont soumises. Par ailleurs, cette comédie de meurtres se termine sur un coup de théâtre qu'il ne faut pas révéler ici, sous peine de gâcher le plaisir d'une première vision, même s'il rend la seconde encore plus savoureuse.

Louis contemple l'accomplissement de son plan…

Un d'Ascoyne peu sympathique face à Louis (Dennis Price).

Une grande famille

Grande en nombre mais pas en qualité… Pour la jubilation du spectateur, le film offre sur un ton pince-sans-rire un portrait à charge d'une famille aristocratique, dont les membres sont affligés des tares les plus voyantes, fatuité, idiotie, ivrognerie, méchanceté, etc. Un militaire de haut rang, amiral ou général,

Globalement incorrect

Outre ses soucis pour accéder au titre nobiliaire, le héros évoque également ses amours, tout aussi complexes puisqu'il les partage entre deux femmes. Le tout forme une belle étude sur l'amoralité et le cynisme, qui va aussi loin que possible dans la pensée incorrecte.

L'anticonformiste Robert Hamer ne signa qu'une petite dizaine de films, fantaisistes ou réalistes, satiriques ou pessimistes, mais ne retrouva jamais le succès public et critique de *Noblesse oblige*. Le cinéaste Bertrand Tavernier, qui l'admire, rappelle une de ses rares déclarations d'intention : « Mon ambition, c'est de montrer des gens qui font des choses dégoûtantes dans le noir. » Et Tavernier ajoute : « Après le rejet de deux projets auxquels il tenait beaucoup, il a sombré dans l'alcool. Un jour, il a vu des langoustes sur la pelouse de Hyde Park et il a su que la fin était proche. » Robert Hamer est mort à cinquante-trois ans en 1963.

Sir Alec Guinness (1914-2000), des d'Ascoyne à Obi-Wan Kenobi

Il adorait se transformer d'un rôle à l'autre, colonel obstiné – et récompensé par un Oscar – dans *Le Pont de la rivière Kwaï* (1957), roi arabe dans *Lawrence d'Arabie* (1962) ou général rouge dans *Le Docteur Jivago* (1965), tous trois sous la direction de David Lean, mais aussi Marc Aurèle dans *La Chute de l'empire romain* d'Anthony Mann (1964), Obi-Wan Kenobi dans *La Guerre des étoiles* de George Lucas (1977), parmi une quarantaine d'identités à l'écran. Grand serviteur du théâtre britannique, et donc de Shakespeare, il dut sa célébrité internationale aux huit héritiers d'Ascoyne de *Noblesse oblige*. Ce fut lui qui insista pour les jouer tous, même la suffragette, le réalisateur ne lui en ayant proposé que quatre. Son talent restera associé au bref âge d'or de la comédie à l'anglaise dans les années cinquante (*De l'Or en barres* de Charles Crichton, 1951), *L'Homme au complet blanc* (1951) et *Tueurs de dames* (1955), tous deux signés Alexander Mackendrick). Malgré les portraits peu flatteurs qu'il livrait de l'aristocratie dans le film de Hamer, il fut anobli en 1959 par la reine, décidément pas rancunière.

À l'Est d'Eden

Le père, le fils et la Bible

Le bon fils (Richard Davalos), le mauvais et la mère déchue (Jo Van Fleet).

1955

East of Eden, drame d'Elia Kazan, avec James Dean (Cal Trask), Julie Harris (Abram), Raymond Massey (Adam Trask), Jo Van Fleet (Kate), Richard Davalos (Aron Trask) • Sc. Paul Osborn, d'après le roman de John Steinbeck • Ph. Ted McCord • Mus. Leonard Rosenman • Prod. Elia Kazan • États-Unis • Durée 115' • Prix du film dramatique au Festival de Cannes ; Oscar du second rôle féminin (Jo Van Fleet)

Salinas, Californie, 1917. Le jeune Cal est instable, jaloux, provocateur, violent. Son père, Adam, empêtré dans des principes religieux rigoristes, ne l'aime pas. En fait, Cal est prêt à tout pour recevoir de l'amour et en donner…

Puritanisme, libéralisme, intolérance

Elia Kazan, avec l'accord de John Steinbeck – ils avaient travaillé ensemble peu avant sur *Viva Zapata* (1952) –, adapte la fin du gros roman de l'écrivain, ne conservant que ce qui alimentait sa propre réflexion, les rapports conflictuels entre parents et enfants, thème

Cal souffre de ne pas être aimé par son père (Raymond Massey).

que le cinéaste retrouvera dans *La Fièvre dans le sang* (1961), *America America* (1964) et *L'Arrangement* (1969). Ici, le film montre, sur un mode lyrique, tendu, exacerbé, les risques de désintégration d'une famille, la faute en revenant principalement au patriarche, à sa compréhension étriquée des règles religieuses. Par ailleurs, le contexte de spéculation et d'affairisme des milieux agricoles californiens avant l'entrée des États-Unis dans la première guerre mondiale n'est pas oublié, pas plus que les bouffées d'intolérance qui s'emparent des esprits (le père face à la mère déchue, les habitants face à l'émigré allemand).

James Dean, 30 septembre 1955, 17 h 58

Il s'agit du moment précis où le jeune acteur, né en 1931, est entré dans la légende : sa Porsche percute un véhicule sur une route non loin de Salinas, ville où se passe l'essentiel d'*À l'Est d'Eden*, et il meurt sur le coup. Cheveux en bataille, démarche hésitante, mouvements brusques ou saugrenus, regard perdu, toujours au bord de la noyade affective, James Dean, mal dans sa peau – la formule semble avoir été inventée pour lui –, est au cœur du film. Devant la caméra inspirée d'Elia Kazan et dans le format large du CinémaScope qui, loin du spectaculaire facile, permet aux personnages de rester en constante relation avec leur décor, géographique et social, le jeune acteur découvert par Kazan exprime les révoltes, les illusions et les espoirs de la jeunesse dans l'Amérique, celle de 1917, celle de 1955, mais aussi auprès de tous les spectateurs qui aiment encore le film. Comme dit le réalisateur : « On a tellement de peine pour lui quand on le voit en gros plan ! »

Cal Trask (James Dean).

Abram (Julie Harris), Aron et Cal.

Jo Van Fleet (1919-1996), mère indigne ou mère courage ?

Elle remporte un Oscar pour *À l'Est d'Eden*, son premier film, en mère de James Dean (ils n'ont que onze ans de différence !), tenancière de maison close à Monterey pour échapper à un mari aveuglé par ses obsessions religieuses. Formée par l'Actor's Studio, comédienne de théâtre, elle a peu joué au cinéma, sinon les mères – celle de Susan Hayward, pourtant plus âgée qu'elle (*Une Femme en enfer*, Daniel Mann, 1955) – et la belle-mère des quatre filles courtisées par Clark Gable (*Un Roi et Quatre Reines*, Raoul Walsh, 1956).

Elle est toujours mère dans *Barrage contre le Pacifique* (René Clément, d'après Marguerite Duras, 1958) ou *Luke la main froide* (Stuart Rosenberg, 1967). Dans *Règlements de comptes à O. K. Corral* (John Sturges, 1957), elle est cette fois la maîtresse de Kirk Douglas. Elle a la chance d'être encore dirigée par Kazan dans le superbe *Fleuve sauvage* (1960) : à quarante ans, elle y joue le rôle d'une grand-mère révoltée.

Les Quatre Cents Coups

L'enfance tourmentée d'Antoine Doinel

Antoine Doinel (Jean-Pierre Léaud), un garçon turbulent, malicieux et malheureux.

1959

Comédie dramatique de François Truffaut, avec Jean-Pierre Léaud (Antoine Doinel), Claire Maurier (madame Doinel), Albert Rémy (monsieur Doinel), Guy Decomble (un instituteur) • Sc. François Truffaut, Marcel Moussy • Ph. Henri Decae • Mus. Jean Constantin • Prod. Les Films du Carrosse / S.E.D.I.F. • France • Durée 93' • Prix de la mise en scène et de l'Office catholique du cinéma au Festival de Cannes

Antoine Doinel est un garçon mal aimé, instable, fugueur. Livré à lui-même, il va de déceptions en déceptions. École buissonnière, tentatives maladroites pour s'amender, petits larcins, centre de mineurs délinquants...

Difficile d'être un enfant difficile

Placé sous le signe de l'autobiographie déguisée (Truffaut eut une jeunesse mouvementée) et sous l'influence de cinéastes admirés (Jean Vigo, dont *Zéro de conduite* et *L'Atalante* sont explicitement cités), le film fait le portrait en action d'un préadolescent. Tout y va très vite, ne laissant le temps ni au réalisateur ni au spectateur de s'attendrir sur les coups du sort qui affligent Antoine Doinel. La sortie de l'enfance est envisagée comme une période trouble, douloureuse, « un mauvais moment à passer », selon Truffaut. Le personnage vivra encore longtemps à l'écran et dans la mémoire collective « comme une adolescence qui ne sera jamais finie. Doinel ne peut pas devenir un homme, c'est pour ça qu'il reste. C'est une immaturité perpétuelle ». Et celui qui le dit l'a bien connu, et le fréquente encore : c'est Jean-Pierre Léaud, en 2002.

« Santé, agressivité et courage »

En 1959, le film installa son réalisateur dans le paysage cinématographique et sociologique français, aux côtés de Claude Chabrol (*Le Beau Serge*, *Les Cousins*) et Jean-Luc Godard (*À bout de souffle*), tous trois pionniers d'un mouvement informel, baptisé « Nouvelle Vague » par la chroniqueuse Françoise Giroud. Truffaut avait d'abord été un journaliste et un critique redouté, qui vitriolait le cinéma français de l'époque, pour lui insincère, conventionnel et sans audace. Ses cibles : Carné, Duvivier, Delannoy. Après avoir fustigé le Festival de Cannes, il y remporta deux prix et un triomphe, suivi d'un grand succès mondial. Jean-Pierre Léaud avait été choisi parmi des dizaines de postulants au rôle ; il se présentait lui-même comme un garçon « gouailleur » dans les passionnants essais filmés qu'on peut voir en « bonus » dans l'édition DVD. Truffaut déclara que Léaud avait « amélioré le film », apportant « santé, agressivité et courage » au personnage, que le réalisateur voyait plus fragile.

Antoine et son copain (Patrick Auffay) fauchent une photo de *Monika*, le film de Bergman.

François Léaud, Jean-Pierre Doinel et Antoine Truffaut

Truffaut (1932-1984) met une part de lui-même dans le personnage de Doinel, joué cinq fois en vingt ans par Jean-Pierre Léaud dont la personnalité a elle aussi nourri Doinel. Sensible et révolté dans *Les Quatre Cents Coups*, il tente de mûrir via *L'Amour à vingt ans* (1962), *Baisers volés* (1968), *Domicile conjugal* (1970) et enfin *L'Amour en fuite* (1979), où les films précédents étaient cités. Mais Doinel déteint aussi sur les autres rôles tenus par Léaud pour Truffaut : le jeune Français vivant des amours complexes dans *Deux Anglaises et le continent* (1971) et l'acteur fragile de *La Nuit américaine* (1973). Le reste de la riche carrière de Léaud garde trace de ce personnage fondateur, que ce soit le cinéaste post-nouvelle vague du *Dernier Tango à Paris* (Bernardo Bertolucci, 1972), le dandy de *La Maman et la Putain* (Jean Eustache, 1973), ou d'autres. Étranges transferts de personnalités...

Antoine et ses parents (Albert Rémy et Claire Maurier).

Alors qu'il tentait de voler une machine à écrire, Antoine a été surpris par un vigile (Henri Virlojeux).

Le Guépard

Splendeur fin de race

Le prince Salina entouré de sa femme et de ses enfants.

1963

Il Gattopardo, film historique de Luchino Visconti, avec Burt Lancaster (le prince Salina), Alain Delon (Tancrède), Claudia Cardinale (Angelica), Paolo Stoppa (Don Calogero), Serge Reggiani (Don Ciccio Tumeo) • Sc. Suso Cecchi D'Amico, Pasquale Festa Campanile, Enrico Medioli, Massimo Franciosa, Luchino Visconti, d'après le roman de Giuseppe Tomasi di Lampedusa • Ph. Giuseppe Rotunno • Mus. Nino Rota, Verdi • Prod. Titanus Film / SGC / SN Pathé Cinéma • Italie - France • Durée 205' • Palme d'or au Festival de Cannes

Sicile, 1860. La région est déchirée par la lutte entre les Bourbons de Naples et les forces révolutionnaires de Garibaldi. Le prince Salina prend conscience que la grande famille dont il est le patriarche brille de ses derniers feux et que son monde va disparaître.

Un opéra de la réalité

Homme seul et lucide, le prince vit auprès d'une femme geignarde et confite en dévotion, d'un confesseur obséquieux et envahissant et d'un régisseur qui ne comprend pas les temps nouveaux. Ses propres enfants semblent incapables d'assurer la relève. C'est pourquoi il reporte son affection et son intérêt sur Tancrède, son neveu, arriviste, cynique, mais bon analyste de la situation, qui soutient Garibaldi avec la perspective de le trahir le moment venu, et dont le credo

est : « Si nous voulons que tout reste pareil, il faut que nous changions tout. » Salina, qui sait que des chacals et des hyènes remplaceront bientôt les guépards et les lions, favorise le mariage de Tancrède avec la belle, charnelle et vivante Angelica, fille de Don Calogero, roturier rustre et fortuné. Le film adapte le seul roman d'un prince sicilien, publié avec succès en 1958, un an après sa mort, et qui intéressa tout de suite Visconti, car il lui permettait de présenter une analyse historique et critique sous la forme d'un « opéra de la réalité ».

Le prince (Burt Lancaster) danse la valse avec Angelica (Claudia Cardinale).

Luchino Visconti (1906-1976), le comte rouge

Homme de tous les arts de représentation, théâtre, opéra et cinéma, issu d'une famille noble et compagnon de route du parti communiste, Visconti fonde son œuvre sur des contradictions fécondes, entre réalisme et esthétisme, par exemple (*Ossessione*, 1942, adaptation du « Facteur sonne toujours deux fois » de James Cain ; *La Terre tremble*, 1948, sur la condition des pêcheurs siciliens). *Senso* (1954), son chef-d'œuvre, peint une passion destructrice en marge des luttes pour l'unification de l'Italie et, sur ce point, annonce *Le Guépard*. Ses derniers films abordent des thèmes plus intimes, solitude, mort et homosexualité (*Mort à Venise*, 1971 ; *Ludwig*, 1973). Malade, Visconti a tout juste le temps de terminer *L'Innocent* (1976), superbe film-testament.

Les Chemises rouges de Garibaldi se battent à Palerme.

Angelica, son père Don Calogero (Paolo Stoppa) et Tancrède (Alain Delon).

Le prince Salina ferme le bal

Le film se clôt sur un fameux morceau de bravoure, le bal dans un palais sicilien où s'étalent le luxe et le raffinement d'une société moribonde, cinquante minutes de reconstitution maniaque tournées en près de cinquante jours, qui concentre toutes les qualités de l'œuvre. La mort s'immisce d'ailleurs directement dans la fête, quand le prince a un malaise ou contemple un tableau de Greuze montrant une agonie. Angelica, dans un geste déférent et délicat, demande à son futur beau-père de danser avec elle. Le moment est sublime. « Rien n'égale nos deux enfants », dit ensuite à Don Calogero le prince, qui s'est imposé une dernière fois et peut désormais s'effacer. Tous les acteurs sont impressionnants : Burt Lancaster, que Visconti retrouvera dans *Violence et Passion* (1974), Alain Delon, qui avait été révélé par le cinéaste dans *Rocco et ses frères* (1960), Claudia Cardinale, qui fut *Sandra* en 1965 pour Visconti encore.

Le Viager

L'impérissable Michel Serrault

1972

Comédie de Pierre Tchernia, avec Michel Serrault (Louis Martinet), Jean-Pierre Darras (Émile Galipeau), Michel Galabru (Léon Galipeau), Odette Laure (Marguerite Galipeau), Rosy Varte (Elvire Galipeau) • Sc. Pierre Tchernia, René Goscinny • Ph. Jean Tournier • Mus. Gérard Calvi • Prod. Dargaud Films / Les Artistes Associés • France • Durée 101'

Selon son médecin, Martinet n'a plus longtemps à vivre. La famille Galipeau y voit une excellente occasion pour profiter d'un viager... mais Martinet tarde à mourir...

De plus en plus en forme, Martinet (Michel Serrault) joue de la trompette devant les scouts réjouis.

L'exode pousse la famille Galipeau à gagner St-Tropez.

Tchernia réalise ainsi son premier long métrage de cinéma. Une scène tournée à l'entrée des catacombes lui inspirera *Les Gaspards* (1973), dont le scénario sera écrit par Robert Dhéry avec lequel il avait réalisé *La Belle Américaine* (1961) et *Allez France!* (1964). À signaler, la participation amicale du dessinateur Marcel Gotlib, auteur des célèbres « Rubriques à brac » et « Hamster Jovial » pour le dessin aminé consacré à l'explication du viager.

Martinet souffle ses 100 bougies devant les médias.

Monsieur Cinéma

Auteur, metteur en scène, producteur, animateur de plusieurs émissions célèbres telles que « Cinq Colonnes à la Une » ou « La Piste aux étoiles », Pierre Tchernia est à l'origine, avec Pierre Sabbagh, du premier journal télévisé. Amoureux du petit et du grand écran, il les unit dans « L'Ami public n° 1 », émission en hommage aux personnages de Walt Disney. En 1966, il remporte la Rose d'or du Festival de Montreux et le prix de la Presse pour « L'Arroseur arrosé », réalisé à l'occasion du 70e anniversaire du cinéma. De 1966 à 1988, sa série d'émissions consacrées au cinéma a pour titres « Septième Art, septième case » ou « Monsieur Cinéma ». En 1976, à l'initiative de Marc Combier, il crée avec Jacques Rouland la collection des « Fiches de Monsieur Cinéma », puis en 1984 celle des « Super-Fiches du Cinéma Mondial », avec son complice Jean-Claude Romer, leur ami Claude Beylie, et François Laffort. Alors qu'il travaille avec Pierre Tchernia sur le scénario de *Lucky Luke* (1971), René Goscinny a l'idée du *Viager*, sujet jamais traité au cinéma.

Noël Galipeau (Claude Brasseur) a bien besoin d'un avocat (Jean Carmet).

Des Français très moyens

En une heure et demie, Pierre Tchernia évoque quarante années d'Histoire de France, introduisant au passage quelques bandes d'actualités. Les commentaires des personnages, de même que les erreurs de diagnostic du docteur Galipeau qui se trompe aussi bien sur ses malades que sur Hitler, Mussolini ou la guerre... ajoutent au pathétique de la situation. Le mourant se portant plutôt bien, les Galipeau exaspérés deviennent des délateurs et de assassins maladroits. *Le Viager* est un film comique et noir sur la bêtise humaine. En 1950, devant l'affiche de la Loterie Nationale qui dit « Les grandes réussites sont dues à la persévérance », Rosy Varte répond « Oh oui! Mais c'est trop long quand même... »

L'Ami Serrault

Chacun des films de Pierre Tchernia est servi par l'interprétation de Michel Serrault. Après avoir fait son service militaire en 1948, celui-ci apparaît dans « Dugudu », spectacle de Robert Dhéry. L'acteur semble davantage intéressé par le théâtre et le cabaret (en compagnie de son complice Jean Poiret) que par le cinéma, jusqu'à ce rôle de composition dans *Le Viager*. Il devient Martinet, homme voûté, aux jambes arquées, à la moustache en brosse et au pantalon remonté jusque sous les aisselles. Alors qu'il passe de 59 à 100 ans, Martinet, prématurément usé au début du film, se métamorphose en un homme de plus en plus vert. Pour le rôle, l'acteur dit s'être inspiré de sa grand-mère de 92 ans. Par la suite, Michel Serrault jouera Albin, dans la pièce de Jean Poiret, « La Cage aux folles », pendant plus de cinq ans. L'adaptation à l'écran (Édouard Molinaro, 1978) lui vaudra un César d'interprétation. Il en obtiendra un deuxième pour *Garde à vue* (Claude Miller, 1981).

Cris et chuchotements

Quatre femmes, la mort dans l'âme

1973

Viskningar och rop, drame d'Ingmar Bergman, avec Harriet Andersson (Agnès), Kari Sylwan (Anna), Ingrid Thulin (Karin), Liv Ullmann (Maria), David (Arland Josephson) • Sc. Ingmar Bergman • Ph. Sven Nykvist • Mus. Chopin, Bach • Prod. Cinematograph / Svensk Filmindustri • Suède • Durée 90' • Grand Prix au Festival de Cannes ; Oscar de la meilleure photographie

Agnès se meurt d'un cancer.
Ses deux sœurs, Karin et Maria, la veillent, mais, enfermées dans leur solitude et leur misère morale, elles supportent mal ce moment pénible, que seule Anna, servante-confidente d'Agnès, est capable d'affronter et d'éclairer.

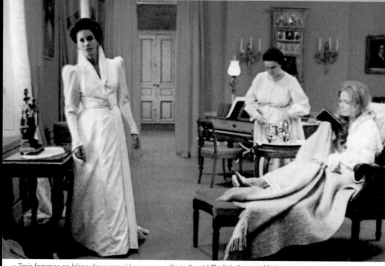

« Trois femmes en blanc dans une pièce rouge », Karin (Ingrid Thulin), Anna et Maria.

David (Erland Josephson), le médecin d'Agnès, a été l'amant de Maria (Liv Ullmann).

Le rouge et le blanc

Dans son trente-cinquième film, Bergman, fidèle à ses thèmes et à sa méthode, dont il donne ici la quintessence, orchestre des interrogations existentielles vécues charnellement par ses personnages, surtout féminins, à travers quatre portraits : Agnès en agonie, Maria, égoïste et futile, Karin et sa dureté, enfin Anna et sa générosité. Le scénario est construit à partir d'une vision, « trois femmes en blanc échangeant quelques mots dans une pièce entièrement rouge ». Dans une lettre écrite à son équipe, le réalisateur notait : « Tous nos intérieurs sont rouges, en teintes différentes. Ne me demandez pas pourquoi, car je n'en sais rien. [...] Il doit s'agir de quelque chose d'interne, car depuis mon enfance, je me suis toujours représenté l'intérieur de l'âme comme une membrane humide aux teintes rouges. » En somme, l'âme a la même couleur que le sang qui jaillit lorsqu'on fait violence au corps, celui de Karin, par exemple, quand elle se mutile pour ne pas avoir de rapports avec un mari détesté.

Détour par le fantastique

Bien des éléments ont contribué à la réputation d'un film dans lequel tous les publics se sont reconnus : la gravité et l'austérité du propos, un sens esthétique aigu, la violence des gestes, des mots, des sentiments et des ressentiments, l'incapacité des personnages à établir ou prolonger une relation, le flux des souvenirs heureux ou traumatisants, l'angoisse et le vertige devant l'avancée de la mort, enfin cette manière de filmer les visages longuement, en gros plan, comme des paysages d'une infinie variété.

Anna (Kari Sylwan) et la morte (Harriet Andersson).

Dans la dernière partie, Bergman fait même un détour par le fantastique, puisque Agnès morte a encore des demandes, pose d'autres questions, veut parler à ses sœurs. Devant leur dérobade, c'est la servante qui se dévoue et, geste inoubliable, étreint le corps contre sa poitrine nue. « Seul Bergman a réussi à mettre en scène la vie intérieure, et il est aussi le seul à avoir exploré dans son intégralité le champ de bataille de l'âme. » Ainsi parle Woody Allen, un des grands admirateurs du maître suédois.

Bergman et toutes ses femmes

L'omniprésence féminine frappe dès les titres de ses films, *L'Attente des femmes* (1952), *Monika* (1952), *Rêves de femmes* (1955), *Toutes ses femmes* (1964) et, pourquoi pas, *Scènes de la vie conjugale* (1973). De grandes actrices suédoises ou nordiques ont acquis, grâce à lui, une stature internationale et certaines ont été ses compagnes, ses épouses et ses disciples. Ainsi Ingrid Thulin (huit films), Liv Ullmann (onze films) et Harriet Andersson (neuf films). Ou encore Bibi Andersson, homonyme de la précédente (onze films), Eva Dahlbeck (six films)... Mais quelques hommes ont également eu leur chance avec lui, Gunnar Björnstrand (vingt films), Max von Sydow (onze films), Birger Malmsten (dix films) ou Erland Josephson, qu'on aperçoit ici (treize films). Enfin Sven Nykvist a photographié vingt films de Bergman et remporté un Oscar mérité.

Cousin, Cousine

Au diable la bienséance !

1975

Comédie de Jean Charles Tacchella, avec Marie-Christine Barrault (Marthe), Victor Lanoux (Ludovic), Marie-France Pisier (Karine), Guy Marchand (Pascal) • Sc. Jean Charles Tacchella • Adapt. Danièle Thompson • Ph. Georges Lendi • Mus. Gérard Anfosso • Prod. Les Films Pomereu/ Gaumont • France • Durée 85' • Prix Louis-Delluc 1976 ; César de la meilleure actrice dans un second rôle (Marie-France Pisier) ; Oscar du meilleur film étranger

C'est lors d'une réunion familiale que Marthe et Ludovic se rencontrent. Marthe est mariée à Pascal, coureur de jupons impénitent, Ludovic à Karine, une dépressive chronique. Un tendre sentiment naît entre eux, ils s'affichent sans hypocrisie, au grand dam de tous. Bientôt, ils se demandent s'ils doivent ou non consommer leur union.

Ludovic (Victor Lanoux) et Marthe (Marie-Christine Barrault) se sont rencontrés lors d'une noce.

Les conjoints respectifs de Marthe et Ludovic ont disparu… ensemble.

Marthe, Ludovic et les autres

Le tendre parcours que Jean Charles Tacchella décrit semble légitime pour que Marthe et Ludovic puissent connaître le bonheur, dussent-ils braver le qu'en dira-t-on. Et si Tacchella ne dissimule pas sa sympathie pour le couple, il est impitoyable envers les familles : son pinceau est trempé à l'acide. Il n'est pas tendre avec Pascal, don juan de supermarché inquiet pour sa virilité, ni avec Karine, fragile et infidèle. Tacchella, qui utilise la caméra « comme un crayon à dessin », décrit un système en perdition, avec un humour noir, lorsqu'il met en question les fondements d'une société basée sur la famille et le mariage.

Les années soixante-dix

Cousin, Cousine témoigne de son époque : la mode hippie, qui sied à Marie-France Pisier, la Suzuki 650 de Victor Lanoux, symbole alors d'une élégante marginalité, les détails vrais d'une société fortement ébranlée par Mai 1968, mais pas encore libérée de certains préjugés. C'est à la surprise générale que ce film à petit budget fut très bien accueilli, et fit carrière aux États-Unis. Tacchella déclara : « J'avais envie de raconter l'histoire d'un homme et d'une femme… qui décident, pour que leur aventure reste exceptionnelle de ne pas coucher ensemble ». *Cousin, Cousine* va en fait bien au-delà de cet aspect anecdotique : c'est un état des lieux sociologique des années soixante-dix. Comme le constatait Roger Régent « C'est finalement avec les œuvres de cette sorte que le cinéma est le vrai témoin et le vrai reflet de son temps. *Cousin, Cousine* en dit plus sur une certaine société française d'aujourd'hui, sur la façon d'être, de dire, de penser, d'aimer, que beaucoup de films réputés "importants" et qui prétendent remuer des idées fortes. »

Cousins d'Amérique

En 1989, Joel Schumacher signa *Cousins*, version américaine de *Cousin, Cousine*, avec Ted Danson, Isabella Rossellini, William L. Petersen et Sean Young. Les deux mal-mariés se rencontrent lors d'un mariage. La critique sociale est moins virulente, mais plus satirique.

Ludovic et Marthe ont franchi le pas…

Karine (Marie-France Pisier) et Pascal (Guy Marchand).

Le mariage à l'écran

Toutes les civilisations ont sacralisé le mariage, que les Chinois qualifient de « la grande affaire de la vie ». Aussi, innombrables sont les films qui offrent une scène de mariage, civil ou religieux. Citons la noce simple et poétique de *L'Atalante* (Jean Vigo, 1934), le faux mariage de *Nostalgie* (Victor Tourjansky, 1937), le mariage manqué dans *Les Aventures de Rabbi Jacob* (Gérard Oury, 1973), tragique dans *La Mariée était en noir*, (François Truffaut, 1968), orthodoxe et somptueux dans *Voyage au bout de l'enfer* (Michael Cimino, 1978), en grandes pompes dans *Un Mariage* (Robert Altman, 1979), l'œcuménique mariage historique dans *La Reine Margot* (Patrice Chéreau, 1994), et bien sûr les mariages en cascade dans *Quatre Mariages et un enterrement* (Mike Newell, 1994). Rappelons encore celui du *Lauréat* (Mike Nichols, 1967), à l'issue duquel Dustin Hoffman s'enfuit avec la mariée, Katharine Ross. Sans oublier *Un Carnet de bal* (Julien Duvivier, 1937), où Raimu, étant maire, célèbre lui-même son union avec sa servante !

Cría cuervos...

Nœud de vipères

1976

Cría cuervos..., comédie dramatique de Carlos Saura, avec Geraldine Chaplin (Ana, la mère), Ana Torrent (Ana, la petite fille), Conchita Perez (Irene), Maïté Sanchez (Juana), Monica Randall (Paulina) • Sc. Carlos Saura • Ph. Teodoro Escamilla • Mus. Federico Monpou • Prod. Elias Querejeta • Espagne • Durée 107' • Prix spécial du Jury au Festival de Cannes

Dans une vieille maison du centre de Madrid, Ana, une petite orpheline de neuf ans, élevée par une tante qui l'a recueillie, est hantée par le souvenir de sa mère, avec qui elle dialogue sans cesse.

La mère (Geraldine Chaplin) et sa fille (Ana Torrent).

Le vert paradis des amours enfantines ?

C'est en découvrant la jeune Ana Torrent dans *L'Esprit de la ruche* de son compatriote Victor Erice (1972), que Carlos Saura commença à écrire un scénario bâti autour d'une enfant mal-aimée étouffant dans un milieu que le décor d'une grande demeure bourgeoise isolée symbolise parfaitement. À travers le regard qu'elle porte sur les adultes (le sous-titre français « Regards d'une enfance » est particulièrement judicieux), le cinéaste observe une fillette confrontée aux conventions d'une société dépassée et qui, bien que sur le point de disparaître, nuit malgré tout à son épanouissement. « Je n'ai jamais cru, déclara le réalisateur, au prétendu paradis de l'enfance, croyant, au contraire, qu'elle n'est qu'une étape durant laquelle la terreur nocturne, la peur de l'inconnu, le sentiment d'incommunicabilité,

la solitude sont aussi présents que cette joie de vivre et cette curiosité dont parlent tous les pédagogues ». *Cría cuervos...* – il s'agit du début d'un proverbe disant « Nourrissez les corbeaux, et ils vous crèveront les yeux... » – présente une vision prenant le contre-pied de l'enfance joyeuse et insouciante. Dans une atmosphère irrespirable où couve le drame en permanence, Ana, « ce corbeau mal-aimé », fait l'expérience de l'hypocrisie chez les adultes en même temps qu'elle découvre la souffrance physique et la mort.

Ana enterre son cochon d'Inde dans le jardin.

Saura l'Espagnol

Cría cuervos... obtint, malgré sa construction complexe, un très grand succès public. Il consacra aussi Carlos Saura – qui, auparavant, avait signé coup sur coup deux films sur l'enfance (*Anna et les loups*, 1972, et *La Cousine Angélique*, 1973) – comme le grand rénovateur du cinéma espagnol de l'après-franquisme, avant l'arrivée de la Movida et de Pedro Almodóvar. On lui doit aussi *Elisa, mon amour* (1977), sur la relation père-fille, *Les Yeux bandés* (1978), sur la torture, *Ay Carmela !* (1991), sur la Guerre d'Espagne, et plusieurs ballets filmés : *Noces de sang* (1981), *Carmen* (1983), *L'Amour sorcier* (1986).

Ana verse une poudre blanchâtre dans le verre de son père.

Voyage dans l'univers intérieur d'Ana

Le scénario fait alterner rêves, souvenirs et imaginaire qui, se distinguant parfois difficilement, se mêlent pour faire pénétrer le spectateur dans le monde intérieur d'Ana. Son imagination évoque tout à la fois le passé, le présent et l'avenir quand par exemple, elle apparaît dans le même plan que sa mère disparue. Toutes deux portent en outre le même prénom, Carlos Saura montrant ainsi la complicité qui unit une mère et sa fille. Cette étude du comportement féminin, que Carlos Saura souhaitait réaliser depuis longtemps, doit beaucoup à ses deux interprètes : Geraldine Chaplin, habituée à travailler avec le cinéaste – à l'époque son mari – qui la dirigea

dans neuf films, et Ana Torrent, dont le personnage a bouleversé les spectateurs. Le monde qu'elle s'invente, ses jeux avec la mort (les pattes de poulet dans le réfrigérateur, l'enterrement dans le jardin) de même que la chanson « Porque te vas ? » qu'elle écoute sans arrêt (et qui devint un tube), sont pour elle des actes de résistance qui l'aident à survivre au sein de ce huis clos insupportable. D'ailleurs, la dernière image apporte une note d'espoir, non seulement pour Ana mais aussi pour l'Espagne entière, sortant enfin de plusieurs décennies de dictature franquiste.

Ana et Rosa, la bonne (Florinda Chico).

Padre padrone

« Je suis le patron et je suis ton père! »

1977

Padre padrone, drame de Paolo et Vittorio Taviani, avec Omero Antonutti (le père), Fabrizio Forte et Saverio Marconi (Gavino enfant puis adulte), Nanni Moretti (l'ami au service militaire) • Sc. Paolo et Vittorio Taviani, d'après le livre autobiographique de Gavino Ledda • Ph. Mario Masini • Mus. Egisto Macchi • Prod. RAI • Italie • Durée 117' • Palme d'or et Prix de la critique internationale au Festival de Cannes

En Sardaigne, l'enfant Gavino est forcé par son père à quitter l'école pour garder des moutons. Pauvreté, isolement, obscurantisme. Jusqu'au jour où, devenu adulte, il découvre la musique, le désir d'apprendre, le goût de la liberté...

L'enfant Gavino (Fabrizio Forte) subit le châtiment de son père (Omero Antonutti).

La révolte d'un berger

Les frères Taviani puisent leur sujet dans le témoignage écrit d'un ancien berger sarde, illettré jusqu'à vingt ans puis devenu universitaire et enseignant en linguistique dans son île. Le vrai Gavino Ledda, trente-huit ans lors du tournage, apparaît d'ailleurs au début et à la fin, cautionnant un film qui évoque son histoire, « avec la liberté nécessaire », précise-t-il.

Dans la société archaïque et pastorale présentée ici, la cellule familiale, réduite surtout à ses composantes masculines, est un lieu d'affrontement. Le patriarche concentre sur lui tous les excès: il est tyran, père fouettard, oppresseur, même si on doit lui reconnaître compétence, acharnement au travail, volonté de protéger et nourrir les siens. La révolte est un acte héroïque et justifié: le fils, maintenu par le père dans le mutisme et la solitude, refuse de devenir un outil, une machine à produire. Avec un tel sujet, *Padre padrone* pourrait être aride comme un discours politique et comme la terre ingrate de la région où il se déroule. Ce serait compter sans le style des frères Taviani.

Gavino et sa mère (Marcello Michelangeli).

Lyrisme et poésie

Au plus proche des sensations et du concret, le film se dégage pourtant du simple réalisme ou du pittoresque pour atteindre une poésie exempte de mièvrerie. Le jeune berger dialogue avec ses chèvres; les enfants s'initient à la sexualité

Le père patron.

avec les animaux; la musique envahit magiquement la bande-son; Gavino, à l'armée, conduit un char d'assaut et parle latin avec son ami (c'est Nanni Moretti, futur réalisateur de *La Chambre du fils*); l'équipe technique apparaît même à l'écran pour souligner une remarque du vrai Gavino. Le film fit une très forte impression au Festival de Cannes,

La famille autour du père et du fils.

notamment sur Roberto Rossellini, le grand cinéaste italien qui présidait le jury cette année-là et n'eut pas de mal à imposer *Padre padrone* pour la Palme d'or. Deux ans plus tard, dans *Le Pré*, les Taviani rendaient hommage à Rossellini, mort juste après, et y faisaient jouer sa fille Isabella.

Les frères cinéastes: « Si ce n'est toi... »

La réalisation d'un film est parfois une affaire de famille. Les Taviani sont frères, nés en 1929 (Vittorio) et 1931 (Paolo), et ont signé en duettistes une quinzaine de films ayant majoritairement pour sujet l'Histoire, ancienne ou contemporaine, les rêves et les réalités de l'Italie (*Les Subversifs*, 1967; *Allonsanfan*, 1974; *La Nuit de San Lorenzo*, 1982; *Kaos, contes siciliens*, 1984...). Aux États-Unis, les frères Coen, Joel réalisateur-scénariste, Ethan scénariste-producteur, travaillent également ensemble (*Barton Fink*, 1991; *Fargo*, 1996; *The Barber*, 2001...). On trouve aussi les frères Farrelly (*Mary à tout prix*, 1997), Wachowski (*Matrix*, 1999), Dardenne (*Rosetta*, 1999), Hughes (*From Hell*, 2001)... D'autres films furent signés en duos, nés par affinités, amitié ou centres d'intérêt communs et durables, ainsi en Grande-Bretagne Michael Powell et Emeric Pressburger (*Colonel Blimp*, 1943; *Une Question de vie ou de mort*, 1946; *Les Chaussons rouges*, 1948...). Sans parler des associations entre réalisateurs et scénaristes, comme Marcel Carné et Jacques Prévert.

Jean de Florette • Manon des Sources

La force du destin

Jean de Florette (Gérard Depardieu), sa femme (Élisabeth Depardieu) et sa fille, porteurs d'eau, dans *Jean de Florette*.

1986

Drame en deux parties de Claude Berri, avec Yves Montand (le Papet), Gérard Depardieu (Jean de Florette), Daniel Auteuil (Ugolin), Emmanuelle Béart (Manon) • Sc. Claude Berri et Gérard Brach, d'après le roman de Marcel Pagnol • Ph. Bruno Nuytten • Mus. Jean-Claude Petit, d'après Verdi • Prod. Renn Productions / Films A2 / Rai 2 / DD Productions • France - Italie • Durée 120 et 114' • 2 Césars : acteur (Daniel Auteuil), second rôle féminin (Emmanuelle Béart)

Provence, années vingt. Ugolin Soubeyran, aidé par son oncle, le Papet, veut déposséder Jean de Florette d'un mas reçu en héritage, car une source y coule, nécessaire à la réalisation de son grand projet, la culture des œillets.

Tragédie de l'eau et de la cupidité

La première partie suit la trajectoire de Jean de Florette, bossu citadin qui rêve d'un retour à la nature, ici dure et sauvage, où l'eau est la vie. Il gêne les projets des deux Soubeyran qui bouchent la source pour l'obliger à vendre. Idéaliste, entêté, il ne pourra réaliser son ambition et sera vaincu par la cupidité d'Ugolin, le plan monstrueux du Papet et le silence des autochtones qui rejettent « les étrangers ». Dans la seconde partie, Manon, fille de Jean, n'aura de cesse de venger son père et, pour cela, se servira de la passion que lui voue Ugolin. En plans larges, Claude Berri se cogne aux paysages et aux forces élémentaires, l'eau, la terre, la lumière ; il souligne les comportements primitifs des paysans, leur âpreté au gain, leurs réflexes de propriété et leur attachement prioritaire à la famille et au clan.

À l'ombre de Pagnol

Claude Berri rêvait de porter à l'écran les deux tomes de « L'Eau des collines », dont le second, « Manon des Sources », avait déjà été tourné par Pagnol en 1953. Ce mélodrame rural, écrit par amour pour sa femme Jacqueline, qui fut la première Manon, était le livre préféré de l'écrivain-cinéaste et fait partie désormais de la mémoire collective française. Pagnol l'avait repensé pour le cinéma, apportant à son œuvre lumineuse, âpre et truculente une dimension métaphysique et une portée universelle. Dans une adaptation respectueuse, Berri affrontait un projet d'une ampleur exceptionnelle : huit mois de tournage pour deux films exploités indépendamment à trois mois de distance. Il rencontra un énorme succès. Il avait filmé au plus près les visages d'interprètes choisis avec intuition. Montand campe un Papet retors et savoureux, émouvant lors de la lecture de la lettre révélatrice, et Emmanuelle Béart une exquise sauvageonne, incarnation du destin en marche. Daniel Auteuil, en benêt fou d'amour (rôle prévu initialement pour Coluche), est l'épine dorsale du film.

L'instituteur (Hippolyte Girardot), le Papet (Yves Montand) et Ugolin... autour de la source tarie, dans *Manon des Sources*.

Manon la sauvageonne (Emmanuelle Béart) sur le qui-vive, dans *Manon des Sources*.

Daniel Auteuil, l'âme d'un artisan

Né en 1950, fils d'un chanteur d'opéra, il se destine d'abord au théâtre, où il déploie des dons comiques. Il gardera toujours un pied sur les planches, jouant magnifiquement Musset et Marivaux. Au cinéma, après des apparitions et des rôles de grosse fantaisie (*Les Sous-doués*, Claude Zidi, 1980), on le remarque à partir de 1982 dans *Pour cent briques, t'as plus rien !* (Édouard Molinaro) et *Que les gros salaires lèvent le doigt* (Denys Granier-Deferre). Avec Ugolin, le papillon sort de sa chrysalide. Depuis, à l'aise dans tous les registres, il étonne

Ugolin Soubeyran (Daniel Auteuil) récolte ses œillets, dans *Jean de Florette*.

toujours et tourne avec les plus grands : André Téchiné (*Ma Saison préférée*, 1993, et *Les Voleurs*, 1996), Jaco Van Dormael (*Le Huitième Jour*, prix d'interprétation à Cannes en 1996), Patrice Leconte (*La Fille sur le pont*, César du meilleur acteur en 1998), Claude Sautet (*Un Cœur en hiver*, 1992), Michel Blanc (*Mauvaise Passe*, 1999), Francis Veber (*Le Placard*, 2001), Nicole Garcia (*L'Adversaire*, 2002) et Michael Haneke (*Caché*, 2005). Un sage qui a le goût des défis !

La Vie est un long fleuve tranquille

Rire du malheur des autres

Les Groseille (Christine Pignet, Maurice Mons) et leurs enfants (Axel Vicart, Tara Römer, Claire Prévost, Jérôme Floc'k) apprennent que Momo est le fils de M. Le Quesnoy, directeur de l'EDF.

1988

Comédie d'Étienne Chatiliez, avec Hélène Vincent (Mme Le Quesnoy), André Wilms (M. Le Quesnoy), Christine Pignet (Mme Groseille), Maurice Mons (M. Groseille), Daniel Gélin (le docteur Marvial), Catherine Hiégel (Josette), Catherine Jacob (Marie-Thérèse), Benoît Magimel (Momo) • Sc. Étienne Chatiliez, Florence Quentin • Ph. Pascal Lebegue • Mus. Gérard Kawczynski • Prod. Téléma / MK2 / FR3 • France • Durée 90' • 4 Césars : scénario, première œuvre de fiction, second rôle féminin (Hélène Vincent), espoir féminin (Catherine Jacob)

Josette, l'assistante et maîtresse du docteur Marvial, bouleverse la vie des familles Groseille et Le Quesnoy en avouant avoir interverti, douze ans auparavant, leurs nouveau-nés, par vengeance contre son amant peu attentif.

Souffrant de sa relation avec le docteur Marvial (Daniel Gélin), Josette (Catherine Hiégel) échange un enfant Le Quesnoy contre un petit Groseille.

L'équipe d'Étienne Chatiliez

Pour son film suivant (*Tatie Danielle*, 1990), Étienne Chatiliez refait équipe avec le producteur Charles Gassot, ainsi qu'avec la scénariste Florence Quentin, qui développera par la suite et pour la deuxième fois le thème du changement d'identité dans *Le Bonheur est dans le pré* (1995). Catherine Jacob, lauréate d'un César pour le rôle de la bonne qui passe son temps à dire à Mme Le Quesnoy « Mais madame j'vous jure », est une nouvelle fois nommée pour celui de la nièce de *Tatie Danielle*. André Wilms passe du rôle de M. Le Quesnoy à celui de médecin dragueur, Christine Pignet, Mme Groseille, devient chauffeur de taxi, Patrick Bouchitey, le curé chanteur, incarne un clochard.

Marielle et Jean Le Quesnoy (Hélène Vincent, André Wilms) sont bouleversés par la révélation.

Confrontation de milieux opposés

Concepteur-rédacteur à l'agence CLM & BBDO, Étienne Chatiliez réalise des films publicitaires (pour Lustucru, Mérinos, Trèfle, Eram…) entre 1980 et 1987. *La Vie est un long fleuve tranquille*, son premier long métrage, remporte un grand succès dès sa sortie, provoquant l'adhésion unanime du public et de la critique. Il y confronte deux univers, celui de la famille Groseille, une tribu affreuse, sale et méchante vivant dans une HLM, et les Le Quesnoy, qui mènent une existence pieuse et bourgeoise dans un pavillon cossu. « Si tu bois froid juste après ton potage chaud, tu vas faire sauter l'émail de tes dents » ou « Lundi, c'est raviolis » deviennent des répliques-cultes.

Que sont-ils devenus ?

Les deux familles de *La Vie est un long fleuve tranquille* comptent de nombreux enfants. Parmi ces jeunes acteurs, peu ont continué à tourner. Disparu prématurément, Tara Römer, le grand frère de Momo, a joué notamment pour Thomas Gilou (*Raï*, 1995 ; *Chili con carne*, 1999) et dans *Jeanne d'Arc* (Luc Besson, 1999). Claire Prévost, la fille aînée des Groseille qui couche avec tout le monde, apparaît dans *La Débandade* (Claude Berri, 1999). Benoît Magimel, lui, mène une carrière fructueuse. Entre autres, il a retrouvé deux fois Florent-Emilio Siri, en 1995 pour *Une Minute de silence* et en 2002 pour *Nid de guêpes*. Sa carrière est marquée par *Le Roi danse* (Gérard Corbiau, 2000) et par *La Pianiste* (Michael Haneke, 2001) pour lequel il obtient, aux côtés d'Isabelle Huppert, un prix d'interprétation au Festival de Cannes.

À la fête de la paroisse, le père Aubergé (Patrick Bouchitey) et Marielle Le Quesnoy entonnent « Jésus, reviens ».

Un Air de famille
Le grand déballage

1996

Comédie de Cédric Klapisch, avec Jean-Pierre Bacri (Henri), Jean-Pierre Darroussin (Denis), Catherine Frot (Yolande), Agnès Jaoui (Betty), Claire Maurier (la mère), Wladimir Yordanoff (Philippe) • Sc. Cédric Klapisch, Agnès Jaoui et Jean-Pierre Bacri, d'après la pièce de Jaoui et Bacri • Ph. Benoît Delhomme • Mus. Philippe Eidel • Prod. Charles Gassot • France • Durée 110' • 3 Césars : meilleurs scénario, seconds rôles féminin (Catherine Frot) et masculin (Jean-Pierre Darroussin)

Les Ménard se retrouvent chaque vendredi « Au père tranquille », le bistrot d'Henri. Son frère Philippe vient de passer à la télé et c'est l'anniversaire de Yoyo, la femme de ce dernier. Il y a aussi la mère, la sœur, Betty, le barman, Denis et le vieux chien Caruso...

Au comptoir du « Père tranquille », Betty, Philippe (Wladimir Yordanoff), Yolande, Henri (Jean-Pierre Bacri) et la mère (Claire Maurier) : ça va craquer !

Huis clos risible et pathétique

Chaque membre de la famille déballe ses ressentiments devant Denis, le serveur intellectuel et nonchalant, par l'intermédiaire de qui les auteurs tirent la morale de la fable. Ils déclinent toute la gamme des relations et des tensions familiales, haine, amour, trahison, jalousie, incommunicabilité, etc., en un singulier lavage de linge sale, miroir de nos propres travers. Férocement drôles, respectant l'unité de lieu, de temps et d'action, ils rassemblent dans ce no man's land de banlieue de multiples sources de conflits entre Henri, petit patron obtus, Denis, son employé, Philippe, directeur commercial qui se croit arrivé, et Betty, la sœur rebelle, sa subalterne dans l'entreprise. Ces rapports de domination sont résumés en une métaphore cruelle et désopilante : l'homme offre à sa naïve épouse ce qu'elle croit être un collier pour le chien, et qui, en fait, a bien été acheté pour elle !

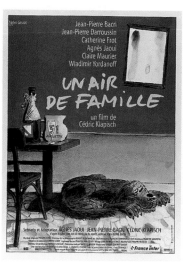

Une équipe qui gagne

Après avoir remporté en 1995 le Molière de la meilleure pièce comique pour « Un Air de famille », Agnès Jaoui et Jean-Pierre Bacri en confient l'adaptation cinématographique à Cédric Klapisch, dont ils avaient apprécié le deuxième film, *Riens du tout* (1991) dans lequel jouait déjà un de leurs amis, Jean-Pierre Darroussin. Et le cinéaste, qui venait de tourner *Chacun cherche son chat*, a parfaitement réussi la transposition de la scène à l'écran, son style tranchant et précis servant bien un texte méchant et jubilatoire. Les Césars remportés par Catherine Frot, Yoyo tour à tour sotte, sensible et sensée, et par Jean-Pierre Darroussin, le barman philosophe, les ont imposés et leur ont permis d'accéder ensuite à des rôles de premier plan. Mais toute l'équipe est épatante et talentueuse.

Yoyo (Catherine Frot) souffle son gâteau d'anniversaire.

« Les Jabac »

Agnès Jaoui et Jean-Pierre Bacri ont donné au cinéma français des années quatre-vingt-dix quelques-uns de ses plus grands succès et ont été récompensés deux années de suite aux Césars. Avant *Un Air de famille*, ils avaient déjà adapté ensemble le scénario de leur premier spectacle, « Cuisine et dépendances », pour un film réalisé par Philippe Muyl (1992), dont ils étaient également les interprètes aux côtés, là encore, de Jean-Pierre Darroussin. Ils ont par ailleurs connu une collaboration féconde avec Alain Resnais qui les a surnommés « les Jabac » sur *Smoking/No Smoking* (1993) et *On connaît la chanson* (1997). Ils poursuivent avec deux films réalisés par Agnès Jaoui, *Le Goût des autres* (1999) et *Comme une image* (2004), prix du scénario à Cannes.

Denis (Jean-Pierre Darroussin) et Betty (Agnès Jaoui) parlent de leur « relation merdeuse ».

La Chambre du fils

Un seul être vous manque...

2001

La Stanza del figlio, drame de Nanni Moretti, avec Nanni Moretti (Giovanni), Laura Morante (Paola), Jasmine Trinca (Irene), Giuseppe Sanfelice (Andrea) • Sc. Linda Ferri, Heidrun Schleef, Nanni Moretti • Ph. Giuseppe Lanci • Mus. Nicola Piovani • Prod. Sacher Film / Bac Films / Studio Canal • Italie - France • Durée 99' • Palme d'or au Festival de Cannes

Giovanni et Paola affrontent avec leur fille Irene la plus douloureuse des épreuves, la mort accidentelle d'Andrea, leur plus jeune fils et frère...

Père (Nanni Moretti) et fils (Giuseppe Sanfelice).

Reconstruire une famille en ruine

Une famille unie, de bon milieu social, dans la quiétude d'une ville portuaire italienne, Ancône ; une vie tranquille sans faits véritablement saillants... Le père est psychanalyste ; il aime son métier, même s'il réprime parfois un bâillement en écoutant ses patients ; la mère est éditrice ; les enfants, déjà adolescents, sont lycéens, font du sport, comme leurs parents. L'ambiance est sereine et ludique. Et puis Andrea meurt. À propos du moment de la mise en bière dans la chapelle ardente, Nanni Moretti précisait : « J'ai cherché à mettre cet instant en scène de façon réaliste. Quand ce cercueil est scellé, c'est vraiment la fin. C'est pourquoi comme réalisateur je n'ai pas fui la dureté de cette scène. Leur fils est mort, Giovanni et Paola ne le reverront plus, d'aucune manière, sous aucune forme. » Le film montre comment un accident va gangrener et presque détruire la cellule familiale. « Presque », tout est là puisque la fin, bouleversante, laisse entrevoir un espoir de survie pour le groupe.

Paola dans la chambre de son fils.

Des images justes pour filmer la douleur

Parvenir à réaliser « un film très doux sur un sujet très dur », comme cela a été dit, prouve la délicatesse de Nanni Moretti, qui, conscient d'affronter un thème difficile, sut trouver des accents à la fois sincères, sobres et déchirants pour évoquer la pire des situations au sein d'une famille : la perte

Irene (Jasmine Trinca) joue avec ses parents.

d'un enfant. « En tant que réalisateur comme en tant que personne, je ne voulais pas avoir une attitude sadique vis-à-vis des spectateurs » déclarait encore le cinéaste. Le public et les critiques italiens lui en surent gré, puisque le film eut un grand succès dans son pays d'origine et y remporta de nombreux prix, pour l'interprétation de Laura Morante, la musique

Giovanni et Paola (Laura Morante) s'entraident pour surmonter la mort d'Andrea.

de Nicola Piovani et comme meilleur film. Après son triomphe à Cannes, *La Chambre du fils* fut diffusé dans le monde entier. Le cinéaste venait d'être père, ce qu'il avait évoqué dans son film-journal *Aprile*, et semblait exorciser ici une hantise commune à tous les parents.

Nanni Moretti, la relève italienne

Né en 1953, il est une des figures importantes de la vie intellectuelle de son pays, pas seulement dans le domaine du cinéma. Depuis son premier long métrage en 1976, *Je suis un Autarcique*, il est simultanément acteur, réalisateur, producteur, distributeur, directeur de salle et cinéphile militant. *La Chambre du fils* était pour lui l'occasion de revenir au film de fiction, genre qu'il n'avait pas abordé depuis *Palombella rossa* (1989), alors que ses deux œuvres suivantes, *Journal intime* (1993) et *Aprile* (1998), relevaient plutôt de l'autobiographie filmée. Il est également connu comme citoyen engagé, observateur lucide de la vie politique, celle de droite – il ne porte pas Silvio Berlusconi dans son cœur, *Le Caïman* (2006) en témoigne... – comme de gauche, dont il fait partie, ce qui lui accorde le droit à la critique et à l'autocritique. Lors du 55e Festival de Cannes, il donna la traditionnelle « Leçon de cinéma » au cours de laquelle il fit remarquer que, lors d'un hommage à Fellini, la télévision italienne avait diffusé *La Dolce Vita* avec cinq interruptions totalisant 40 minutes et 52 secondes de publicité...

Le Fils

La vengeance ou le pardon ?

Olivier (Olivier Gourmet) enseigne la menuiserie à Francis (Morgan Marinne).

2002

Drame de Jean-Pierre et Luc Dardenne, avec Olivier Gourmet (Olivier), Morgan Marinne (Francis), Isabella Soupart (l'ex-femme d'Olivier) • Sc. J.-P. et L. Dardenne • Ph. Alain Marcoen • Dist. Diaphana Films • Belgique - France • Prix d'interprétation masculine à Olivier Gourmet au Festival de Cannes 2002

Olivier est professeur de menuiserie dans un centre pour jeunes délinquants en réinsertion, et son attention est attirée par Francis, un nouveau venu. Il refuse d'abord de le prendre dans son cours, espionne tous ses mouvements. Puis il se ravise et devient son tuteur. Francis a fait de la prison pour meurtre. Quel rapport unit Olivier à Francis et pourquoi Olivier éprouve-t-il à l'égard d'Olivier à la fois une attirance et une crainte ?

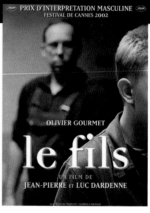

Mesurer la distance entre les êtres

Olivier, corps massif mais fragilisé par de violents maux de dos, homme taciturne, professeur compétent, détenteur d'un lourd secret, épate son jeune élève quand il se révèle capable de dire au centimètre près la distance qui les sépare l'un de l'autre. Ce sera, au cours du film, un des rares moments de réelle communication entre les deux personnages. C'est aussi une manière très concrète de cerner le sujet : l'homme et l'adolescent se rapprocheront-ils ou seront-ils séparés à jamais ? Cela nous rappelle que les Dardenne considèrent la caméra comme un instrument de mesure.
Les cinéastes restent ici fidèles à leur méthode : tournage en plans longs, appareil très mobile, angles inattendus, grande proximité avec les personnages, dans un style

plus réalisables encore grâce à la souplesse de maniement et à la possibilité de filmer sur la durée des mini-caméras digitales tenues à la main. « Les coins de mur, les escaliers, les tournants, les couloirs. Briser les lignes droites. Marche avant / marche arrière. Mouvements d'hésitations. Labyrinthe. Pour être dans la tête d'Olivier », notent les cinéastes dans leur journal de tournage. Ils ajoutent : « Le film s'appelle *Le Fils*. Il aurait pu s'appeler *Le Père*. » Trois plus tard, en 2005, ils signeront *L'Enfant*, qui leur vaudra la Palme d'or à Cannes.

Une petite partie de baby-foot.

« Reviens, je ne te ferai pas de mal ! »

À propos de la manière de composer son personnage, Olivier Gourmet remarquait : « Chaque personne a un mystère. On ne se déballe jamais en cinq minutes, et souvent on ne se connaît même pas soi-même. Les frères Dardenne laissent la porte ouverte à ce mystère. L'homme que je joue dans *Le Fils* tâtonne en lui-même comme s'il avançait dans le noir. » (in « Télérama », 23 octobre 2002)
Quand, à la fin, après la révélation faite par Olivier (« C'est toi qui as tué mon fils »), puis le bref affrontement physique qui suit et la fuite de l'adolescent qui craint une vengeance, l'homme

Quel lien unit Francis et Olivier ?

souvent proche du documentaire, leur première spécialité, le tout rendu sinon plus facile – certains plans furent tournés vingt fois, voire soixante fois dans les cas extrêmes ! –, du moins

prononce quelques mots (« Reviens, je ne te ferai pas de mal ») et on sait alors que le pardon a triomphé. Olivier et Francis reprennent le travail et chargent en silence les planches qu'ils sont venus chercher à la scierie. Le film a consacré le talent d'Olivier Gourmet, grand acteur venu du théâtre, révélé au cinéma par les Dardenne et justement récompensé à Cannes pour ce rôle avant tout physique : un corps, une nuque, un dos, quelques échappées frappantes sur un visage fermé, peu de paroles, beaucoup de force suggestive… L'acteur belge est présent dans tous les films récents du duo de réalisateurs, ses compatriotes, pour de grands ou de petits rôles (*La Promesse*, 1996 ; *Rosetta*, 1999 ; *L'Enfant*, 2005).

Good Bye Lenin !

Quand l'Allemagne de l'Est dit adieu au communisme

2003

Good Bye Lenin !, comédie dramatique de Wolfgang Becker, avec Daniel Brühl (Alex Kerner), Katrin Sass (Christiane, sa mère), Chulpan Khamatova (Lara), Maria Simon (Ariane), Florian Lukas (Denis), Alexander Beyer (Rainer), Burghart Klaussner (Robert, le père) • Sc. Bernd Lichtenberg & Wolfgang Becker • Ph. Martin Kukula • Mus. Yann Tiersen • Dist. Océan Films • Allemagne • Durée 118' • Ange Bleu du Meilleur film européen au Festival de Berlin

En 1989, à Berlin-Est, au lendemain de la chute du Mur, pour épargner un choc émotionnel à sa mère Christiane, ardente militante communiste qui vient de sortir du coma et ne sait rien de cet événement, son fils Alex lui fait croire, en usant d'artifices, que le socialisme soviétique est plus que jamais triomphant.

Alex (Daniel Brühl) emmène la famille à la campagne en Trabant.

Une fable à la tonalité incongrue

Le film est une charge lucide et mesurée à la fois du communisme et du monde moderne. Tous les efforts d'Alex pour épargner à sa mère une désillusion qui pourrait lui être fatale ne sont qu'une succession d'astuces et d'inventions où le rire se mêle sans cesse à l'émotion. Telle cette séquence où Alex, après avoir reconstitué fébrilement le décor de l'ancienne chambre de sa mère sortant de neuf mois de coma – le temps d'une naissance, celle de la réunification de l'Allemagne –, va s'ingénier à retrouver les produits alimentaires est-allemands de marque unique auxquels sa mère était attachée.

Triomphe du mensonge

De même, lorsque Christiane, condamnée au lit pour plusieurs mois, souhaite combler sa solitude en regardant la télévision, ce fils attentionné, avec l'aide de son collègue de

Une petite fête d'anniversaire.

Alex est amoureux de Lara (Chulpan Khamatova).

travail, reconstituera pour elle des journaux télévisés sur le modèle de la RDA à l'aide de vieilles bandes d'actualités accompagnées d'un nouveau commentaire approprié. Subtil procédé pour dénoncer la manipulation de l'information dont nous sommes sans cesse les victimes. Le film suit ainsi une logique de comédie où, à chaque étape, le fils doit inventer de nouvelles astuces pour surmonter son invraisemblable défi. Le point culminant de ce quiproquo est atteint lorsque Christiane, lors d'une fugue, constate soudain de visu que le décor de son quartier, envahi par la publicité, a changé du tout au tout. Dès lors, Alex n'aura plus qu'une ressource : faire croire à sa mère que l'Allemagne de l'Est a ouvert ses portes aux réfugiés fuyant… une société capitaliste moribonde !

Denis (Florian Lukas) se fait présentateur du journal télévisé.

Berlin au cinéma

L'exploration de Berlin commence dès 1927 par un documentaire, *Berlin : Symphonie d'une grande ville* (Walter Ruttman). Le sentiment de culpabilité du pays s'y concrétise, après la fin de la guerre, avec *Les Assassins sont parmi nous* (Wolfgang Staudte, 1946) et *Allemagne, année zéro* (Roberto Rossellini, 1948).

Christiane (Katrin Sass) redécouvre le monde extérieur.

La Ville écartelée (George Seaton, 1950) rend compte de la rivalité Est-Ouest et de la survivance du nazisme à l'heure du blocus soviétique. La guerre de l'ombre y fait rage dans *L'Homme de Berlin* (Carol Reed, 1953) ou *Les Gens de la nuit* (Nunnally Johnson, 1954). *Le Secret du rapport Quiller* (Michael Anderson, 1966) démontre que le nazisme est toujours présent vingt ans après la fin du conflit, tandis que *Cabaret* (Bob Fosse, 1972) se penche sur la naissance, dans les années trente, de cette même idéologie. La synthèse de toute son histoire viendra avec le métaphysique *Les Ailes du désir* (Wim Wenders, 1987) dans lequel des anges observent une équipe de cinéma venue y tourner un film sur le IIIe Reich.

213

Volver

Tout sur mes femmes

2006

Volver, comédie dramatique de Pedro Almodóvar avec Penélope Cruz (Raimunda), Carmen Maura (Irene), Lola Dueñas (Sole), Blanca Portillo (Agustina), Yohana Cobo (Paula), Chus Lampreave (Tante Paula) • Sc. Pedro Almodóvar • Ph. José Luis Alcaine • Mus. Alberto Iglesias • Dist. Pathé Distribution • Espagne • Durée 121' • Prix collectif d'interprétation féminine et Prix du scénario au Festival de Cannes 2006

Deux sœurs, Sole et Raimunda, ont bien des soucis avec leur mère Irene, « revenant » qui s'insinue dans leur vie, tandis que Raimunda cherche à se débarrasser du cadavre de son mari incestueux, occis par sa fille Paula !

Irene (Carmen Maura) est revenue vivre avec ses filles Raimunda (Penélope Cruz) et Sole (Lola Dueñas).

Fantômes et secrets de famille

Volver (« Revenir ») est le titre d'un célèbre tango de Carlos Gardel. Sous ce terme nostalgique, Almodóvar, joyeux et apaisé, concocte un mélodrame fantastique de la meilleure veine où chacun de ses six personnages de femme ressuscite à sa manière, comme lui-même revient à sa province de la Manche et à ses racines. Ainsi renaît ce monde féminin et maternel lié à la croyance et à une familiarité naturelle avec la mort et l'au-delà, où des fantômes reviennent pour achever l'inaccompli de leur existence et régler leurs problèmes de famille. Ses protagonistes, dont deux ont été victimes d'abus sexuels, vont mettre à jour leurs secrets enfouis et les résoudre solidairement dans un tempo allègre qui fait croire à l'invraisemblable et vous réconcilie avec la vie, sur un air de flamenco chanté par Penélope Cruz, transfigurée en mère courage au sex-appeal flamboyant.

Une ode à ses femmes

Déjà *Tout sur ma mère* (1999) était dédié aux actrices, « plus précisément à celles qui, à un moment donné, ont joué des actrices – précise Almodóvar et il en cite trois – Gena Rowlands dans *Opening Night* (John Cassavetes, 1978), Bette Davis dans *Eve* (Joseph

L. Mankiewicz, 1950) et Romy Schneider dans *L'Important, c'est d'aimer* (Andrzej Zulawski, 1975). Leur esprit imprègne mes personnages : fumée, alcool, désespoir, folie, désir, abandon, frustration, solitude, vitalité et compréhension ! ». Avec *Volver*, le cinéaste offre un écrin et un chant d'amour à ses étonnantes comédiennes – et elles le lui rendent bien – qui habitent toute son œuvre : « J'avais envie de travailler à nouveau avec Penélope – dit-il – que je trouve particulièrement merveilleuse dans les personnages plébéiens, et avec Carmen, qui a joué dans tous mes films jusqu'à *Femmes au bord de la crise de nerfs* (1988). J'adore sa façon d'exprimer dans le même instant le comique et le tragique d'une situation ». Dans *Volver*, Almodóvar, Quichotte ressuscité, offre à ses dulcinées un hommage sur fond de champs d'éoliennes. Les pales ont remplacé les ailes des moulins à vent, ce vent qui en a rendu fou plus d'un.

Irene se cache avec l'aide de Paula (Yohana Cobo).

Almodóvar, l'iconoclaste bouffon

Né en 1949, révélé par les outrances de la Movida post-franquiste en Espagne, il signe d'abord des courts métrages aux titres évocateurs (*Deux putes, Sexe va, sexe vient*...). En 1980, *Pepi, Luci, Bom et autres filles du quartier*, tourné sans moyens, met en scène des personnages bizarres : punks, rockers, flics fascistes et travestis, drogués, obsédés sexuels et excentriques divers qui ont des allures de M. ou Mme Tout le monde. Sa capacité à désamorcer toute situation scabreuse par l'humour donne à son univers anticonformiste une insolente bonhomie, même s'il traite en profondeur de la pathologie des sentiments. « Je ne défends peut-être pas la morale traditionnelle, mais mes personnages obéissent à une éthique privée qui les pousse vers leur destin et leur accomplissement individuel. J'aime parler de la façon dont un individu se libère des règles d'une société ». La France le découvre à partir de 1987 (*Qu'est-ce que j'ai fait pour mériter ça ?, Matador*). Il est aujourd'hui devenu un cinéaste majeur et international.

Visite à la tante Paula (Chus Lampreave).

Je t'aime, moi non plus

L'Atalante

L'amour à la dérive

Un couple, Jean (Jean Dasté), Juliette (Dita Parlo) et une péniche.

1934

Comédie dramatique de Jean Vigo, avec Michel Simon (le père Jules), Dita Parlo (Juliette), Jean Dasté (Jean), Gilles Margaritis (le camelot) • Sc. Jean Vigo, Albert Riéra, Jean Guinée • Ph. Boris Kaufman • Mus. Maurice Jaubert • Dist. Gaumont Franco Film Aubert • France • Durée de 78 à 85' selon les restaurations

Sur la péniche « L'Atalante », Jean, le patron, et Juliette, qu'il vient d'épouser, passent des moments heureux. Puis la jeune femme s'ennuie, voudrait voir Paris, écoute les belles paroles d'un camelot galant et fait une fugue. Jean perd le goût de vivre. Mais son second, le pittoresque père Jules, veille...

Un amour fragile...

Zéro de conduite (1932), précédent film de Jean Vigo sur des collégiens révoltés, a été interdit par la censure. Le producteur Jacques Louis-Nounez croit en son talent et lui propose une banale histoire de mariniers. Le jeune cinéaste accepte ce qu'il qualifie de « scénario pour patronage » à condition de le remanier. Le tournage est difficile, l'hiver rude et Vigo tombe malade. Le film n'a pas de succès et, après un remontage imposé, devient *Le Chaland qui passe*, avec ajout d'une chanson connue portant ce titre, à la place de l'admirable musique de Maurice Jaubert. Puis Jean Vigo meurt. Mais le film survivra, retrouvera son état initial et dira longtemps encore la fragilité du couple et de l'amour, en un style relevant plus du poème en vers libres que du récit classique.

Sur « L'Atalante », la routine succède à la fougue amoureuse des premiers jours. L'homme se révèle irritable, possessif, obnubilé par le travail, et la jeune femme rêveuse est déçue par la vie à bord puis, lors de sa fugue, par la dureté de Paris, la recherche d'un travail, la solitude. Seuls restent des souvenirs et des images : la mariée sur le pont, son apparition au fond de l'eau quand le mari pense à elle, une étreinte fébrile dans la coursive.

Le père Jules (Michel Simon), son accordéon et sa patronne.

... sauvé par le père Jules

Heureusement pour le couple, il y a le père Jules ! Dans un de ses plus grands rôles, Michel Simon donne toute sa valeur au personnage. Il faut l'entendre s'écrier, apercevant Juliette en chemise de nuit : « La patronne en liquette ! », et, de sa diction mâchonnante, conclure un face-à-face avec le chef de la compagnie des péniches par : « Enfin, quand même, quoi, voyons, tout de même, enfin, quoi, c'est vrai, ça ! »

Le marin tatoué et globe-trotter a rempli sa cabine de chats (dont La Minoune) et d'objets, bric-à-brac merveilleux ou effrayant. Ludique et enfantin, sage et fou, il donne des leçons de vie et de liberté, puis, véritable deus ex machina, aide le patron à traverser sa déprime et ramène Juliette la fugueuse à bord de « L'Atalante ». Grâce à lui, le couple renaît, dépasse les épreuves et met son amour en harmonie avec l'eau et le fleuve, tel le bateau vu du ciel qui, à la fin, glisse au fil du courant.

François Truffaut admirait le film, qui, pour lui, traitait « un grand thème : les débuts dans la vie d'un jeune couple, les difficultés de s'adapter l'un à l'autre. »

La vie quotidienne à bord de « L'Atalante ».

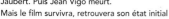

Au bal, rencontre avec le camelot (Gilles Margaritis).

Jean Vigo

Une vie brève, peu de films. Au fil des années, des restaurations et des rééditions s'est imposée l'œuvre de ce « Rimbaud du cinéma », fils d'anarchiste, mort de septicémie à vingt-neuf ans en 1934, à la sortie de son unique long métrage. Il a signé en 1930 et 1931 deux courts métrages, *À propos de Nice*, « point de vue documenté » très anticonformiste sur la ville, et *Taris*, portrait d'un champion de natation, puis *Zéro de conduite* et enfin, pièce maîtresse, *L'Atalante*. C'est peu et c'est énorme.

La Femme du boulanger

Raimu dans le pétrin

1938

Comédie dramatique de Marcel Pagnol,
avec Raimu (Aimable Castanier,
le boulanger), Ginette Leclerc (Aurélie,
sa femme), Charpin (le marquis), Robert
Vattier (le curé), Delmont (Maillefer) •
Sc. Marcel Pagnol, inspiré de Jean Giono
• Ph. Georges Benoît • Mus. Vincent
Scotto • Prod. Films Marcel Pagnol •
France • Durée 125'

Sa jeune femme ayant fui avec
un beau berger, un brave boulanger,
au désespoir, se laisse aller, boit,
ne travaille plus. Les habitants
de Sainte-Cécile doivent réagir
et retrouver l'infidèle, s'ils veulent
manger à leur faim...

Aurélie (Ginette Leclerc) a fini par regagner le foyer conjugal et son boulanger de mari (Raimu).

Notre pain quotidien

Le boulanger et sa femme ont toute
l'apparence du couple mal assorti : lui,
barbon ventripotent, affable avec la clientèle,
elle, à la caisse du magasin, discrète, toute
jeune, dont la beauté attire les regards.
Certes, la tendresse attentive de l'homme
ne semble pas laisser indifférente son épouse
peu expansive, mais... Avec brio, mêlant
humour et émotion, le film évoque le rapport
entre la crise au sein du couple et la bonne
marche de la communauté. Pas de pain,
pas de ciment social, pas de vie : même
des ennemis de toujours, le curé
et l'instituteur par exemple, doivent s'unir
et réagir ! « Ainsi Pagnol, à partir d'un
schéma de vaudeville, et par le biais d'une
analyse des besoins fondamentaux d'une
collectivité, débouche sur le lyrisme social »,
remarque Claude Beylie, spécialiste
de l'œuvre du cinéaste, et il ajoute :
« Le boulanger Aimable Castanier restera
un type humain aussi riche, aussi pathétique,
aussi universel qu'Arnolphe
ou le Misanthrope chez Molière. »

Giono, Crawford, Welles et Pomponette

Après *Jofroi* (1933), *Angèle* (1934) et *Regain* (1937),
Pagnol adaptait à nouveau un texte de Jean Giono,
en l'occurrence un chapitre du roman « Jean le bleu »,
considérablement modifié et étoffé, ce qui déplut
à l'écrivain. Par ailleurs, Joan Crawford, alors
en pleine gloire hollywoodienne, fut un temps
pressentie pour interpréter la boulangère et parce
qu'elle parlait mal français, son dialogue fut limité
à cent quarante-quatre mots ! Finalement, Ginette
Leclerc tint le rôle, et, même s'il est relativement bref,
y imposa une présence et un érotisme
qui s'épanouiront dans son personnage
du *Corbeau* (Henri-Georges Clouzot, 1943).
Le film tint l'affiche plusieurs années à New
York. C'est là qu'Orson Welles le vit et
l'admira, au point qu'il considérait Raimu
comme « le plus grand acteur du monde ».
Enfin, autre rôle à signaler, celui
de Pomponette ; il est tenu par un chat
anonyme, passé lui aussi à la postérité...

Aimable pétrit sa pâte à pain sous l'œil d'Antonin (Blavette).

Le boulanger et le marquis (Charpin).

En présence de Barnabé (Maupi), l'instituteur
(Bassac), Antonin, Mailleterre (Delmont) et Casimir
(Paul Dullac), le boulanger s'enivre.

Marcel Pagnol (1895-1974) : les films ont la parole

D'abord professeur d'anglais, puis poète, homme
de théâtre, romancier et essayiste, Marcel
Pagnol, homme multiple, reste encore
aujourd'hui très présent avant tout comme
réalisateur de films « parlants », puisqu'il comprit
vite tout le parti qu'il pouvait tirer de la caméra,
du son et de grands comédiens pour donner
une vie définitive sur l'écran à ses textes
ou à ceux des autres. Outre la célèbre trilogie
Marius-Fanny-César, il filma trois fois son *Topaze*,
avec Louis Jouvet (1932), Arnaudy (1936)
puis Fernandel (1950). Après Raimu, Fernandel
est le plus fameux acteur « pagnolesque » :
Le Schpountz (1938), *La Fille du puisatier*,
avec Raimu également (1940), *Naïs*,
signé Raymond Leboursier (1945)...
Ses actrices étaient souvent ses compagnes
dans la vie (Orane Demazis, Josette Day
et Jacqueline Bouvier-Pagnol). Signe
de la méthode Pagnol : tous
ses collaborateurs attestent que,
lors des tournages, il contrôlait le son plus
que l'image et que, pour lui, quand le son
était bon, la scène était bonne.

Le Facteur sonne toujours deux fois

Adultère et prédestination

Nick (Cecil Kellaway) présente Frank (John Garfield) à sa jeune épouse Cora (Lana Turner).

1946

The Postman Always Rings Twice, drame de Tay Garnett, avec Lana Turner (Cora Smith), John Garfield (Frank Chambers), Cecil Kellaway (Nick Smith), Hume Cronyn (Arthur Keats) • Sc. Harry Ruskin, Niven Busch, d'après le roman de James M. Cain. Ph. Sidney Wagner • Mus. George Bassman • Prod. M.G.M. • États-Unis • Durée 113'

Frank, routard sans emploi, est engagé par le propriétaire d'un café-garage situé en rase campagne : Nick Smith, marié à la jeune Cora. Frank et Cora deviennent amants et décident de tuer Nick...

Cora et Frank en voiture...

Le bonheur (ou le malheur) dans le crime

On retrouve ici quelques constantes du « film noir » dans la grande tradition hollywoodienne, marqué par une incontestable misogynie : un couple illégitime, une femme décidée qui entraîne son compagnon dans une dérive criminelle. De plus, la situation est également représentative d'un certain désarroi social, puisque Frank est un chômeur en voie de marginalisation et que tout se passe dans une Amérique profonde et campagnarde, où le mal de vivre est palpable. L'amour réel que se porte le couple est entaché par la méfiance, lorsque les circonstances amènent l'homme et la femme à s'accuser l'un l'autre. Et s'ils se retrouvent pris dans le tourbillon des procédures judiciaires douteuses, la conclusion, elle, relève moins de la loi des hommes que du domaine d'une justice immanente, elle-même très ambiguë.

« On recherche un homme »

Le sujet est marqué par une profonde immoralité et l'on comprend que Hollywood, alors sous la coupe d'un code de censure puritain, ait hésité longtemps avant de porter à l'écran le livre assez sulfureux de James M. Cain. Le film a d'ailleurs recours à un style très allusif, fondé sur les regards, les silences, le double sens (« On recherche un homme », proclame un panneau au début), la symbolique des lieux (la plage et la mer) ou des costumes (Lana Turner, dans un de ses très grands rôles – il s'agissait de son film préféré –, est habillée en blanc ou en noir par Irene, célèbre créatrice de costumes) ; les objets sont également chargés de sens, comme ce tube de rouge à lèvres qui roule des pieds de Cora à ceux de Frank, lors de la célèbre et en apparence très chaste scène de séduction dans l'arrière-salle du restaurant. Ce film et quelques autres (*Son Homme*, 1930 ; *Voyage sans retour*, 1932 ; *La Taverne des sept péchés*, 1940), confirment l'importance du vieux routier Tay Garnett (1893-1977) dans le cinéma américain de la grande époque.

Frank (Jack Nicholson)
et Cora (Jessica Lange)
dans *Le Facteur sonne toujours deux fois*,
version Bob Rafelson.

L'avocat Arthur Keats (Hume Cronyn) défend Cora.

Au cinéma, le facteur a sonné huit fois

Le roman de James M. Cain (1892-1977), classique de la Série Noire, est paru aux États-Unis en 1934, et deux ans plus tard en France, premier pays qui le transpose au cinéma. Projet vague de Jean Renoir, plus précis de Marcel Carné, avec Jean Gabin, Viviane Romance et Michel Simon, il devient, situé dans la région niçoise, *Le Dernier Tournant* (1939) dirigé par Pierre Chenal, avec Corinne Luchaire, Fernand Gravey et Michel Simon, qui

donne un relief tout particulier au rôle du mari. En 1942, *Ossessione / Les Amants diaboliques* de Luchino Visconti se passe dans la plaine du Pô, ne fait pas allusion à Cain, dont il s'inspire pourtant, et ouvre la voie au néo-réalisme. Enfin en 1981, libéralisation des mœurs et de la censure aidant, Bob Rafelson en signe une version torride avec Jack Nicholson et Jessica Lange. La première scène d'amour a lieu dans le même décor qu'en 1946 mais est beaucoup plus explicite. En voyant le film, Lana Turner s'écriera : « Ils n'avaient pas le droit de faire cela dans "ma" cuisine ! ».

Les Enfants du Paradis

Le miracle poétique du cinéma de l'Occupation

1945

Drame de Marcel Carné, avec Arletty (Garance), Jean-Louis Barrault (Baptiste Deburau), Pierre Brasseur (Frédérick Lemaître), Louis Salou (le comte de Montray), Marcel Herrand (Lacenaire), Pierre Renoir (Jéricho), Maria Casarès (Nathalie), Fabien Loris (Avril) • Sc. Jacques Prévert • Ph. Roger Hubert • Mus. Maurice Thiriet, Joseph Kosma • Déc. Alexandre Trauner • Prod. S.N. Pathé Cinéma •France • Durée 195' (en deux époques : *Le Boulevard du Crime* et *L'Homme blanc*)

Paris, vers 1830. Sur le boulevard du Temple, haut lieu du spectacle, l'aristocratie croise la canaille, et la belle Garance vit des amours tumultueuses…

Sur scène, Frédérick Lemaître (Pierre Brasseur), Garance (Arletty) et Deburau (Jean-Louis Barrault).

L'amour, est-ce si simple ?

Après le succès des *Visiteurs du soir* (1942), conte fantastique moyenâgeux, le tandem Carné-Prévert parle à nouveau d'amour. Quatre hommes sont épris de Garance. Mais celle-ci, présentée comme la Vérité, qu'elle incarne au début du film dans une baraque foraine, est avant tout attachée à sa liberté ; elle se prête mais ne se donne pas, sauf à Baptiste Deburau, le naïf qui n'a pas su saisir sa chance, avec qui elle connaîtra une passion muette et déchirante. Énigmatique et sans illusions, elle est aussi le destin auprès de qui chacun trouve sa vérité, dans la douleur parfois : Deburau devient un grand mime, Lemaître un acteur adulé, Lacenaire un assassin exemplaire, le comte un esthète comblé. Tourné dans des conditions difficiles (ampleur du projet, restrictions dues à la guerre et à l'Occupation allemande, travail clandestin de certains membres juifs de l'équipe, Kosma à la musique ou Trauner aux décors), le film sortit avec succès à la Libération et garde encore tout son prestige.

Lacenaire (Marcel Herrand) et le comte (Louis Salou).

Courtisée par Lemaître…

Marcel Carné, du paradis au purgatoire

On réduit souvent Marcel Carné (1906-1996) à sa collaboration avec Jacques Prévert (1900-1977), poète et scénariste. *Jenny*, leur premier film commun, en 1936, est suivi de six autres, la plupart devenus des classiques : les deux précités et une fantaisie, *Drôle de drame* (1937) ; puis deux exemples de « réalisme poétique », formule qui résume le travail des deux hommes, *Le Quai des brumes* (1938) et *Le Jour se lève* (1939), alliant pessimisme et transfiguration de la réalité ; enfin *Les Portes de la nuit* (1946), injustement considéré comme un échec. Il y eut encore un projet avorté, *La Fleur de l'âge*, et une collaboration non créditée, *La Marie du port* (1950). On glose toujours sur leurs mérites respectifs, souvent au détriment de ceux du cinéaste. De tempéraments contraires, ils se complétaient pourtant : Carné, la rigueur et le visuel, Prévert, l'excès et l'imagination. Puis Carné entra au purgatoire, ce qui est dommage pour des films intéressants, réalisés sans Prévert, *Juliette ou la clé des songes* (1951), *Thérèse Raquin* (1953), *L'Air de Paris* (1954) ou *Les Tricheurs* (1958).

… Garance n'a aimé que Deburau.

Arletty (1898-1992), l'impératrice des faubourgs

Née à Courbevoie, elle débute comme « petite femme de revue », joue des seconds rôles au cinéma avant d'être consacrée en 1938 par *Hôtel du Nord* de Carné, où elle lance son fameux « Atmosphère, atmosphère ! », dont le dialoguiste Henri Jeanson dira : « Elle en a fait un monde, une légende, un mythe. » Voix inimitable, gouaille faubourienne, elle n'a jamais ressemblé à personne, gardant sa liberté et son franc-parler. Après sa liaison avec un officier allemand pendant la guerre, elle a des ennuis à la Libération et sa carrière s'en ressent. « Mon cœur est français, mais mon cul est international », s'écria-t-elle. Outre les œuvres de Carné-Prévert, Arletty tourne des succès populaires, est dirigée par Sacha Guitry, joue Tennessee Williams ou Cocteau au théâtre, chante… Acceptant avec philosophie la cécité qui la frappe en 1962, elle resta jusqu'à la fin un titi parisien et une grande dame.

Pierrot le fou

« ...en un mot : émotion »

1965

Drame de Jean-Luc Godard, avec Jean-Paul Belmondo (Ferdinand / Pierrot), Anna Karina (Marianne), Raymond Devos (l'homme du port), Samuel Fuller (lui-même) • Sc. Jean-Luc Godard, d'après le roman de Lionel White • Ph. Raoul Coutard • Mus. et chansons Antoine Duhamel, Cyrus Bassiak (Serge Rezvani) • Prod. Georges de Beauregard • France - Italie • Durée 112'

Ferdinand, bourgeois en rupture, tombe amoureux de Marianne, mêlée à de sombres trafics, et fuit Paris avec elle. Ils partent vers le Sud. Hold-up, gangsters, violences. Au terme, le bleu et l'éternité...

Un parcours dangereux à travers la France…

Un style à nul autre pareil

Cassure, collage, citations, rupture, paradoxe : tous les modes d'expression, tous les tons sont sollicités par Godard, d'autres arts également comme la peinture (Belmondo lit un texte d'Élie Faure sur Velázquez, l'héroïne se nomme Marianne… Renoir). Samuel Fuller, un cinéaste ami, passe par là et donne sa définition du cinéma : « C'est un champ de bataille, amour, haine, action, violence et mort, en un mot :

Seuls, ensemble, au bord de la mer
(Jean-Paul Belmondo et Anna Karina).

Le dernier couple romantique

Marianne est naturelle et instinctive ; Pierrot, alias Ferdinand, prend du recul, cherche à comprendre ; tous deux sont entraînés dans un voyage sentimental dangereux. L'amour est voué à la fragilité, et passion rime avec incompréhension. La trame, qui évoque un thriller hollywoodien, est effectivement inspirée d'un roman de la « Série noire ». La première distribution prévoyait Richard Burton, puis Michel Piccoli et Sylvie Vartan. Godard, comme à l'accoutumée, filme en cassant les codes habituels du cinéma mais, cette fois, le grand public le suit, touché par la fougue poétique, le tragique et la beauté de l'ensemble, et impressionné par le couple-vedette : Belmondo, passant de la fantaisie à la gravité, et Anna Karina, jouant savamment de sa beauté et de son petit accent danois. C'est un des plus grands succès du cinéaste, avec *À bout de souffle*, son premier long métrage, en 1959, et *Le Mépris* (1963).

Marianne Renoir.

émotion. » La musique d'Antoine Duhamel, ample et lyrique, cède brusquement la place à deux chansons, signées Duhamel et Bassiak, « Jamais je ne t'ai dit que je t'aimerais toujours » et « Ma Ligne de chance », interprétées par Anna Karina. On cite Céline ou les Pieds Nickelés, on parle comme des dépliants publicitaires, on imite Michel Simon, on croise une princesse libanaise excentrique ou Raymond Devos, paumé monomaniaque, et Rimbaud tire la conclusion : « Elle est retrouvée. / Quoi ? – L'Éternité. / C'est la mer allée / Avec le soleil. » Non narratif, non psychologique, usant (et parfois abusant, selon ses détracteurs) d'une totale liberté, le cinéma de Jean-Luc Godard relève souvent du domaine expérimental, sauf miraculeuses exceptions, comme ici.

Anna Karina, la muse de Godard

D'origine danoise, d'abord mannequin, Anna Karina débute à vingt ans dans *Le Petit Soldat*, tourné en 1960 par Jean-Luc Godard, qu'elle épouse peu après. Jusqu'à leur séparation en 1967, elle joue dans cinq autres de ses films, parmi les plus importants de la nouvelle vague : *Une Femme est une femme*, *Vivre sa vie*, *Bande à part*, *Alphaville*, *Pierrot le fou* et *Made in USA*. Dans *Vivre sa vie*, un personnage lui lit un extrait du « Portrait ovale » d'Edgar Poe, sur les rapports entre un peintre et son modèle, qui est aussi sa femme, manière pour Godard de souligner le lien étroit entre leur couple et leurs films. Anna Karina a été également dirigée par Jacques Rivette (*La Religieuse*), André Delvaux (*Rendez-vous à Bray*), Rainer W. Fassbinder (*Roulette chinoise*), etc., et elle s'est essayée à la réalisation (*Vivre ensemble*, 1973). Comme chanteuse, elle a inspiré Gainsbourg (« Anna » et le célèbre « Sous le soleil exactement »).

La Femme infidèle

Le couple était presque parfait

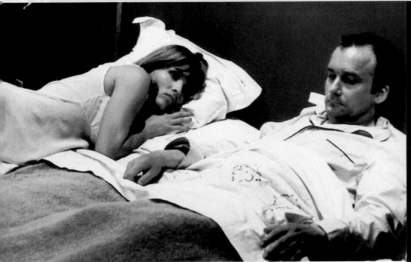

Hélène (Stéphane Audran) avec son mari Charles (Michel Bouquet)…

1969
Drame de Claude Chabrol,
avec Stéphane Audran (Hélène), Michel
Bouquet (Charles), Maurice Ronet
(Victor), Michel Duchaussoy (un policier)
• Sc. Claude Chabrol • Ph. Jean Rabier •
Mus. Pierre Jansen • Prod. Les Films
de La Boétie • France • Durée 95'

Charles et Hélène forment un modèle
de couple bourgeois : belle maison,
bel enfant, sollicitude, amour.
Quand le mari découvre que sa femme
a un amant prénommé Victor…

…et dans le lit de son amant.

Froideur, calme, harmonie, cérémonial

Miné par le non-dit, le mensonge, l'adultère
et par pire encore, un couple va-t-il
pour autant être détruit ? Dans son approche
des conventions et du mode de vie bourgeois,
Claude Chabrol refuse l'étalage
psychologisant ou la dissection des états
d'âme mais jette un regard froid
sur des comportements, des rituels
et des paroles, relevant d'une catégorie
sociale qu'il épingle avec délectation, ajoutant
ici ou là ces touches d'ironie ou de dérision
qui sont sa marque de fabrique. Il dilate
le moindre geste, distille chaque scène, balaie
les décors en d'amples et calmes mouvements
d'appareil… De grands comédiens
prononcent des formules banales ou creuses
comme si le sort du monde en dépendait :
« Si on faisait une petite virée dans
une boîte ? » « Je t'emmène en voiture ! »
« Vous voulez boire quelque chose ? »
« Je suis complètement crevée… »
Tout, même ce qui est anodin, procède
d'un cérémonial : allumer ou éteindre
la télévision, sonner à une porte…
« Le moindre changement dans mon mode
de vie pourrait troubler cette harmonie »,
remarque le mari comblé et heureux, au début
du film. En effet, quand l'harmonie se dérègle,
quand la fureur et la cassure surviennent,
les conséquences sont impressionnantes,
même si la caméra de Chabrol considère
comme des péripéties parmi d'autres,
certes un peu plus pimentées, le fait de tuer
quelqu'un, puis de faire disparaître
un cadavre.

Le sujet le plus vieux de la Terre

« Je me suis dit brutalement que l'histoire du simple
triangle – mari, femme, amant – n'avait jamais été
traitée à plat. Elle avait été abordée soit sous forme
de comédie, soit sous forme de tragédie, […] et je
trouvais intéressant d'essayer de faire un film original
à partir du sujet le plus vieux de la terre. » Ainsi
le réalisateur définit-il son projet, et le film terminé
répond à son espoir puisqu'il connaît un grand succès
public et critique. Venant après un passage difficile
dans sa carrière, émaillé d'insuccès ou de films de
commande, Les Biches, l'année précédente, a marqué
un heureux retour en grâce du cinéaste. La Femme
infidèle ouvre une période particulièrement faste

Le mari et Victor, l'amant (Maurice Ronet).

Charles a commis l'irréparable.

sur la France « pompidolienne », comme le dit
Chabrol. Suivent en effet, Que la Bête meure
(1969), Le Boucher (1970), La Rupture (1970)
et Juste avant la nuit (1971), marqués
par des convergences thématiques,
les couples bien (ou mal) assortis, le procès
des apparences, les pulsions meurtrières,
la cohabitation du tragique et du dérisoire,
etc., le regard sur la bourgeoisie n'étant
qu'un aspect parmi d'autres. Et Juste avant
la nuit mérite d'être comparé à La Femme
infidèle, dont il est une version inversée :
c'est le mari qui commet l'adultère.
Le cinéaste reste également fidèle à
une équipe remarquable, autour de Stéphane
Audran, alors son épouse, de Michel Bouquet,
acteur de théâtre qu'il a poussé à ne pas
négliger le cinéma, de Jean Yanne, monstre
odieux ou émouvant et acteur magnifique, et
de Pierre Jansen, dont la musique obsédante
est pour beaucoup dans la création
de l'ambiance Chabrol. Pour ne citer qu'eux…
En 2002, Adrian Lyne a réalisé un remake
de La Femme infidèle, intitulé Infidèle, avec
Richard Gere dans le rôle du mari, Diane Lane
dans celui de son épouse et Olivier Martinez
dans celui de l'amant.

Le Messager

Une éducation sentimentale dans le Norfolk

1971

The Go-Between, drame de Joseph
Losey, avec Julie Christie (Marian
Maudsley), Alan Bates (Ted Burgess),
Dominic Guard et Michael Redgrave
(Leo Colston jeune et âgé), Margaret
Leighton (Mrs. Maudsley) • Sc. Harold
Pinter, d'après le roman de L. P. Hartley
• Ph. Gerry Fisher • Mus. Michel Legrand
• Dist. Warner-Columbia • Royaume-Uni •
Durée 116' • Palme d'or au Festival
de Cannes

Début du XXᵉ siècle. Leo Colston,
treize ans, collégien d'origine modeste,
découvre la haute société lors d'un été
passé dans le château du Norfolk
où l'a invité un de ses amis. Mais surtout,
troublé par Marian, la sœur aînée
de ce dernier, il est mêlé malgré lui
aux amours de la jeune femme et de Ted,
un fermier.

Marian (Julie Christie) et Leo (Dominic Guard) dans la campagne anglaise.

Leo entre Ted et Marian.

Bonnes manières et cruauté feutrée

Le jeune garçon subit une éducation sentimentale
trouble, qui aura des répercussions sur toute sa vie,
ce qui est suggéré par de brèves séquences
disséminées au long du film et par la scène finale,
au cours desquelles Leo se rend à un rendez-vous
que lui a fixé Marian, plus de cinquante ans
après les faits. Sans en avoir eu conscience
sur le moment, Leo a été manipulé par les adultes,
et surtout par la jeune femme qu'il admirait
et qui était à coup sûr son premier amour
tout platonique. Losey disait avoir voulu montrer
« la destruction d'un garçon et de sa vie par l'usage
irresponsable, mais pas nécessairement méchant,
que des adultes, mus par leur égoïsme
et leurs passions, font de lui ».
Derrière le drame feutré et l'élégance
aristocratique, c'est aussi tout un ordre social
que Losey met en cause et dépeint
avec subtilité. Lorsqu'une partie de cricket
réunit tous les protagonistes et toutes
les tensions, par une chaude journée
d'été, le spectateur n'a pas besoin
de comprendre les règles d'un jeu
très complexe pour saisir que,
dans ce brassage illusoire qu'est le sport,
un très bon joueur comme Ted remporte
une victoire qui est elle aussi illusoire,
car il reste avant tout un fermier.

Le garçon en habit vert

Durant ses vacances, Leo est victime de deux
blessures, celle qu'il se fait au genou
en jouant dans la ferme, et que soignent
successivement Ted puis Marian,
et une autre, beaucoup plus impalpable
et inguérissable, infligée conjointement
par les deux amants quand ils font de lui
le messager de leurs lettres d'amour
et le complice de leur liaison cachée.
En 1948, Losey avait réalisé un superbe
premier film, *Le Garçon aux cheveux verts*,
fable sur un enfant différent vivant
l'expérience de la discrimination.
Dans *Le Messager*, un garçon passe par
une autre expérience cruelle, curieusement
liée elle aussi à la couleur verte, celle
qui inonde la campagne anglaise, mais aussi
celle du vélo et de l'habit que lui offrent
ses hôtes. Et lorsque Leo est qualifié
de « green » (« vert ») par son ami,
c'est au sens de « naïf, inexpérimenté ».

Leo va être le messager de Ted, le fermier (Alan Bates).

Joseph Losey et Harold Pinter, une association heureuse

Le cinéaste (1909-1994) et le dramaturge,
né en 1930, ont travaillé ensemble sur trois
films marquants, *The Servant* (1963),
Accident (1967) et *Le Messager*. Pinter
pratique dans son théâtre comme
dans ses scénarios l'art de la suggestion
et du non-dit, ce qui convenait fort bien
à Joseph Losey, qui précisait : « Dans
le dialogue, il est brillant. Dans l'économie
de l'écriture, il est extraordinaire. » Quand
le fermier évoque Marian devant Leo, il dit :
« Elle pleure quand elle ne peut pas
me voir. » Leo rétorque : « Comment
le savez-vous ? » « Parce qu'elle pleure
quand elle est devant moi », ajoute
l'homme, après un grand silence. Tout Pinter
est dans ce silence, tout Losey aussi.

Mort à Venise

Un ange passe et la mort suit

Von Aschenbach (Dirk Bogarde) croise Tadzio (Björn Andresen) sur la plage du Lido.

1971

Morte a Venezia, drame de Luchino Visconti, avec Dirk Bogarde (Gustav von Aschenbach), Björn Andresen (Tadzio), Silvana Mangano (la mère de Tadzio), Romollo Valli (le directeur de l'Hôtel des Bains) • Sc. Luchino Visconti, Nicola Badalucco, d'après Thomas Mann • Ph. Pasqualino De Santis • Mus. Gustav Mahler • Prod. Alfa Cinematografica / PECF • Italie - France • Durée 130' • Prix du 25e anniversaire au Festival de Cannes

1911. Un musicien allemand vient chercher la solitude et le repos à Venise, alors qu'il traverse une crise personnelle, déboires familiaux et artistiques, maladie, âge. Dans la ville menacée par une épidémie, il croise Tadzio, bel adolescent qui le trouble...

Un amour interdit et sublimé

Lorsque von Aschenbach voit Tadzio dans le luxueux salon de l'Hôtel des Bains, au Lido, la scène a l'intensité d'une apparition, au sens quasi-religieux du terme. La relation qui s'installe, filmée pour l'essentiel du point de vue de l'adulte, n'est constituée que d'échanges de regards, admiratifs du côté de l'homme, même s'il s'efforce de rester discret, et, du côté de l'adolescent, complices ou intrigués, on ne sait. Les deux personnages ne se parlent jamais ;

seul le musicien lance quelques mots au garçon qui ne peut l'entendre, dont un « Je t'aime ! » explicite. L'attirance homosexuelle est dépassée, sublimée par von Aschenbach qui la ressent, et plus encore par Luchino Visconti qui la filme. À travers l'adolescent, évident objet de son désir, von Aschenbach mesure ce qui lui paraît l'échec de sa vie, ses erreurs de conception dans le domaine de la création artistique, et éprouve l'attirance de l'autodestruction devant la beauté inaccessible.

Ennui distingué à l'Hôtel des Bains.

Avec la mère de Tadzio (Silvana Mangano).

Splendeur illusoire d'un monde menacé

Luchino Visconti adapte une nouvelle de Thomas Mann, un de ses auteurs de chevet. Écrivain chez Mann, le héros devient ici musicien, en référence à Gustav Mahler, dont la musique (l'adagietto de la 5e symphonie), utilisée dans le film, contribua à son succès. De nombreux éléments renvoient à la propre biographie du cinéaste, né en 1906 dans une famille noble. Il a connu la société rigide et fastueuse dont il reconstitue les vacances vénitiennes. Par ailleurs, sa propre mère a servi de modèle à la silhouette de la mère de Tadzio,

admirablement campée par Silvana Mangano. La peur de la vieillesse, la mort qui rôde dans une Venise contaminée par le typhus, la fascination des corps masculins, le temps venu de dresser un bilan, sont autant de confidences du cinéaste.
Le film a obtenu un prix spécial au Festival de Cannes 1971, alors que la Palme d'or était décernée cette année-là au *Messager* de Joseph Losey.

Dirk Bogarde (1921-1999), une inquiétante élégance

Comme George Sanders et James Mason, Dirk Bogarde a cultivé dans ses grands rôles une distinction toute britannique qui pouvait dissimuler des failles, voire des gouffres. En 1952, dans le méconnu *Rapt* de Charles Crichton, il joue un inquiétant truand en cavale qui enlève un garçonnet. Il est ensuite amoureux... d'un prêtre dans *Le Cavalier noir*, étrange western de Roy Baker (1960), puis ancien S.S. qui fascine

toujours son ex-prisonnière dans le « scandaleux » *Portier de nuit* de Liliana Cavani (1973), etc. Outre sa double collaboration avec Visconti (*Les Damnés*, 1969, et *Mort à Venise*) et celles avec Alain Resnais (*Providence*, 1977) et Rainer Werner Fassbinder (*Despair*, 1978), il a joué dans cinq films de Joseph Losey, dont deux essentiels, *The Servant* (1963) et *Pour l'exemple* (1964). Dirk Bogarde était également écrivain.

Von Aschenbach à son bureau.

César et Rosalie

Les incertitudes du cœur

1972

Comédie dramatique de Claude Sautet, avec Yves Montand (César), Romy Schneider (Rosalie), Sami Frey (David), Umberto Orsini (Antoine), Bernard Le Coq (Michel), Isabelle Huppert (Marité) • Sc. Jean-Loup Dabadie, Claude Sautet • Ph. Jean Boffety • Mus. Philippe Sarde • Prod. Michelle de Broca • France - Italie - Allemagne • Durée 110' • Grand Prix du cinéma français

Rosalie, divorcée d'Antoine, vit avec César, un ferrailleur qui a réussi. Ils s'aiment... Lorsque surgit David, son amour de jeunesse...

Rosalie (Romy Schneider) présente David (Sami Frey) à César (Yves Montand).

peu soucieux de réussite matérielle, discret, impénétrable, il y a Rosalie, aimée par le premier avec une rage possessive, alors que le second, tout aussi amoureux, ne sait pas s'engager. Romy Schneider, dans un rôle prévu pour Catherine Deneuve, illumine son personnage et dégage charme, émotion et sensualité, en accord avec une vérité intérieure si intense que le public eut pour elle les yeux de César et en fit son actrice préférée.

Romy (1938-1982), la favorite

Née à Vienne, fille de comédiens illustres, elle débute à quinze ans dans des bluettes à succès, dont la série des *Sissi* (1955, 1956, 1957), image qu'elle s'efforcera de fuir. À son arrivée en France, en 1958, elle fait des rencontres déterminantes : sur le plan sentimental, Alain Delon, son partenaire dans *Christine*, de Pierre Gaspard-Huit (1958), et Luchino Visconti, son mentor, qui la fait jouer au théâtre et lui donne son premier grand rôle dans *Boccace 70*, 1961. Elle tourne avec des grands noms (*Le Procès* d'Orson Welles, 1962 ; *Le Cardinal* d'Otto Preminger, 1963...) et des débutants (*Le Combat dans l'île* d'Alain Cavalier, 1962 ; *Le Trio infernal* de Francis Girod, 1974...). En 1975, *L'Important, c'est d'aimer* d'Andrzej Zulawski lui vaut son premier César. Elle accumule les succès populaires (*La Piscine* de Jacques Deray, 1969 ; *Le Vieux Fusil* de Robert Enrico, 1975...) et dit un bel adieu à Sissi dans *Le Crépuscule des dieux* de Visconti (1973). Elle vivra une collaboration privilégiée avec Claude Sautet, qui écrivit pour sa « Rominette » des rôles exaltant sa noblesse et sa fragilité (*Une Histoire simple*, 1978). Sa mort prématurée a créé un vide affectif et artistique.

David et Rosalie.

Claude Sautet (1924-2000), musicien de l'âme

Attiré par les arts, d'abord sculpteur, peintre de décors, comédien à l'occasion, critique musical, il est assistant-réalisateur puis scénariste et, dans bien des cas, docteur de la dernière chance pour scénarios malades. La consécration lui vient des *Choses de la vie*, Prix Louis-Delluc 1970. Ses obsessions se cristallisent autour de personnages d'âge moyen de la bourgeoisie et des échanges de classe. Il porte à la perfection dans ses films un sens du rythme et de la construction musicale – partagé avec Philippe Sarde, son compositeur attitré – et construit des intrigues chorales autour de portraits de groupe : *Max et les ferrailleurs* (1971), *Vincent, François, Paul et les autres* (1974), *Mado* (1976), *Garçon !* (1983), *Un Cœur en hiver* (1992)... Son dernier film, pour beaucoup son chef-d'œuvre, *Nelly et Monsieur Arnaud* (1995), lui vaut le César du meilleur réalisateur. Cinéaste angoissé et secret, Claude Sautet fut étranger à toutes les modes et rétif à toutes les chapelles.

Le trio en vacances.

Entre les deux son cœur balance

Le domaine privilégié de Claude Sautet est celui des élans du cœur et du non-dit des sentiments. « Ce qui importe, dit-il, c'est la densité d'une émotion qu'on a envie de communiquer à tout prix. » Sur un scénario écrit huit ans auparavant, proche du *Jules et Jim* de Truffaut, et que le succès des *Choses de la vie* lui permit de reprendre, Sautet réussit un film ancré dans l'époque, qui s'interroge sur les aléas de l'amour et la difficulté du choix. Entre César, truculent, insupportable ou poignant, lâche et vulnérable, et David, en parfait contrepoint, artiste,

À nos amours

Un cœur en fuite

Suzanne (Sandrine Bonnaire) cherche à séduire.

1983

Drame de Maurice Pialat, avec Sandrine Bonnaire (Suzanne), Maurice Pialat (le père), Évelyne Ker (la mère), Dominique Besnehard (le frère) • Sc. Arlette Langmann, Maurice Pialat • Ph. Jacques Loiseleux • Mus. Purcell • Prod. Les Films du Livradois / Gaumont / FR3 • France • Durée 102' • Prix Louis-Delluc ; 2 Césars : film et espoir féminin (Sandrine Bonnaire)

Suzanne, quinze ans, vit une adolescence difficile au sein d'une famille disloquée et, avide de plaisir, multiplie les aventures sentimentales.

Une coupable en quête d'elle-même

Le film, qui devait s'appeler « Suzanne », est le portrait brûlant d'une adolescente précoce mais immature, qui ne croit pas à l'amour et vit mal une sexualité libérée.

« La clef du personnage, dit Pialat, est cette phrase qu'elle prononce : "J'ai peur d'avoir le cœur sec". » Coupable à ses propres yeux d'être ce qu'elle est, elle s'enfonce dans le marasme et la peur de s'engager. Pas de futur chez Pialat, chaque avancée est une perte et il nous fait bien ressentir ce mouvement vers le vide qui est celui de tous ses films. L'expérience de la sexualité imprègne toute l'œuvre et le titre, À nos amours, dédicace ironique, oriente notre perception dans ce sens. Pialat peint les insatisfactions du rapport sexuel, même réussi. La chair pour lui n'est pas triste, c'est « un moment où l'on oublie tout », dit à peu près Suzanne. L'originalité et la modernité de ce caractère, un être au cœur pur mais en plein désarroi, font la force et la beauté du film, remarquable aussi par la sobriété et la vigueur de son écriture, en rupture totale avec l'esthétique dominante.

Suzanne à la piscine.

Pialat, misanthrope et artiste maudit

Né en 1925, d'abord attiré par la peinture, Pialat (1925-2003) aborde le cinéma au cours des années soixante. Avec le soutien de François Truffaut, il réalise son premier long métrage, *L'Enfant nue* (1969, Prix Jean-Vigo). *Nous ne vieillirons pas ensemble* (1972, Prix d'interprétation à Cannes pour Jean Yanne), au ton autobiographique, lui apporte un succès public. Suivent *La Gueule ouverte* (1974), *Passe ton bac d'abord* (1979), *Loulou* (1980), *Police* (1985) et *Sous le soleil de Satan* (1987), pour lequel il reçut une Palme d'or sifflée à Cannes, ce qui déclencha un bras d'honneur et le fameux : « Si vous ne m'aimez pas, je ne vous aime pas non plus ! »

Un moment de complicité entre le père (Maurice Pialat) et sa fille.

En 1991, avec *Van Gogh*, il revient pourtant à Cannes, où le film est apprécié. Mais, *Le Garçu*, en 1995, rejeté par le public, le relègue dans l'ombre. Cet entomologiste des âmes et des comportements voulait être compris et aimé. Chez lui tout est hors de proportion, ses dons, ses exigences artistiques, son mépris des contingences, sa recherche de la vérité. « Je pense, dit-il, que toute peinture réelle doit être cruelle, nue, brutale. Je ne crois pas aux effets de style, aux embellissements. »

Sandrine Bonnaire, l'instinct et la lumière

Pialat, qui l'a découverte alors qu'elle n'avait que quinze ans, vante sa spontanéité et son instinct d'actrice : « Elle a, sur À nos amours, entraîné tous les autres comédiens ; elle a été le moteur déterminant du film. » Ils se retrouvent à deux reprises, pour *Police* et surtout *Sous le soleil de Satan*. Après un premier César, elle en reçoit un deuxième pour *Sans toit ni loi* (Agnès Varda, 1986), où elle campe une vagabonde hallucinée. Elle brille dans chacune de ses prestations, que ce soit chez Claude Sautet (*Quelques Jours avec moi*, 1988), Patrice Leconte (*Monsieur Hire*, 1988), Jacques Rivette (*Jeanne la Pucelle*, 1994), Claude Chabrol (*La Cérémonie*, 1995, Prix d'interprétation à Venise), Régis Wargnier (*Est-Ouest*, 1999) ou Safy Nebbou (*Le Cou de la girafe*, 2004). Spécialiste des rôles durs et violents, elle sait être bouleversante mais a prouvé avec *Mademoiselle* (Philippe Lioret, 2001) ou *C'est la Vie* (Jean-Pierre Améris, 2001) qu'elle peut être aérienne, romantique et charmeuse.

D'aventure en aventure…

Les Nuits de la pleine lune

Le jeu de l'amour et du hasard

1984

Comédie dramatique d'Éric Rohmer, avec Pascale Ogier (Louise), Tcheky Karyo (Rémi), Fabrice Luchini (Octave) • Sc. Éric Rohmer • Ph. Renato Berta • Mus. Elli et Jacno • Prod. Les Films du Losange / Les Films Ariane • France • Durée 102' • Prix d'interprétation féminine (Pascale Ogier) au Festival de Venise

Louise et Rémi s'aiment mais de manière bien différente. Lui aspire à la vie conjugale ; elle privilégie son indépendance et sa liberté.

Octave (Fabrice Luchini) tente de séduire Louise (Pascale Ogier).

On ne badine pas avec l'amour

« Qui a deux femmes perd son âme, qui a deux maisons perd sa raison. » *Les Nuits de la pleine lune* débute par un dicton champenois, en fait inventé par l'auteur, et Louise en fera la douloureuse expérience. Trop sûre de l'ascendant qu'elle exerce sur Rémi, son amant architecte chez lequel elle vit à Marne-la-Vallée, sur Octave, son ami journaliste, confident et éternel soupirant, et sur les hommes en général, elle choisit de passer certaines soirées dans son pied-à-terre parisien pour jouir d'une fallacieuse liberté et cultiver sa solitude. Elle aime être aimée plus qu'elle ne sait aimer elle-même. « C'est le désir de l'autre qui suscite le mien », avoue-t-elle. Pascale Ogier brosse de cette jeune femme un portrait d'une justesse de ton remarquable qui lui valut un prix d'interprétation à Venise, avant qu'elle soit emportée par une crise cardiaque à vingt-quatre ans. Fabrice Luchini, acteur fétiche de Rohmer (six films à leur actif), à qui il doit son envol, brille ici de mille feux en imposant un phrasé d'une drôlerie irrésistible. Tous deux disent à la perfection des dialogues ciselés à consonance musicale. Et Rohmer se refuse à juger ces prototypes d'une époque en recherche d'elle-même. Les intellectuels des années quatre-vingt ne sortent guère à leur avantage de cette étude de mœurs sur une microsociété. Fleuron rohmérien ironique et cruel, *Les Nuits de la pleine lune* fut nommé à cinq reprises aux Césars. Injustement, il n'en reçut aucun.

L'œuvre cristalline d'un auteur inclassable

Homme de lettres et d'images dès les années cinquante, poète dans la lignée de Musset ou Marivaux, moraliste au sens du XVIIIᵉ siècle, Rohmer étudie le langage, les conventions sociales et les stratégies amoureuses d'un petit monde dont il dissèque les attitudes. De ses six « Contes moraux » se détachent *Ma Nuit chez Maud* (1969, Prix Méliès) et *Le Genou de Claire* (1970, Prix Louis-Delluc), tous bâtis sur un réseau d'éléments antinomiques :

Louise retrouve Rémi (Tcheky Karyo) après une escapade à Paris.

Suivent les « Contes des quatre saisons », de 1990 à 1998. Avec des personnages qui peinent à accorder leurs actes et leurs désirs, on pourrait croire qu'il répète le même film alors qu'il en décline toutes les dérives en variations plaisantes et sensibles dont l'humour sous-jacent cache souvent la noirceur. Rohmer témoigne d'un parcours unique dans le cinéma français, suivi depuis plus de quarante ans par un public restreint mais fidèle et par le soutien constant de la critique, séduite par son élégance de style et l'ascèse de son univers. À plus de 80 ans, il étonne toujours avec *L'Anglaise et le Duc* (2001), Lion d'or d'honneur au Festival de Venise, et *Triple agent* (2004).

Octave essaye de faire prendre conscience à Louise de ses contradictions.

intellectualisme du propos et sensualité des images, chasteté des relations et érotisme des attitudes, anachronisme des personnages et modernité des caractères. Les films ont cependant un thème identique que Rohmer énonce ainsi : « Tandis que le narrateur est à la recherche d'une femme, il en rencontre une autre qui accapare son attention jusqu'au moment où il retrouve la première. » Après deux adaptations littéraires, *La Marquise d'O* (Prix spécial du jury à Cannes 1976) et *Perceval le Gallois* (1979), Rohmer se lance dans une nouvelle série de six « Comédies et proverbes », dont *Le Beau Mariage* (1982), *Pauline à la plage* (1983), *Les Nuits de la pleine lune* et *L'Ami de mon amie* (1987).

Rémi annonce à Louise qu'il aime une autre femme.

La Discrète

Plus fine mouche qu'il n'y paraît

Antoine (Fabrice Luchini) a parié de séduire Catherine (Judith Henry).

1990

Comédie dramatique de Christian Vincent, avec Fabrice Luchini (Antoine), Judith Henry (Catherine), Maurice Garrel (le libraire) • Sc. Christian Vincent, Jean-Pierre Ronssin • Ph. Romain Winding • Mus. Jay Gottlieb, Schubert, Scarlatti • Prod. Lazennec / Sara Films / FR3 • France • Durée 95' • Prix de la critique au Festival de Venise ; 3 Césars : premier film, scénario, espoir féminin (Judith Henry)

Antoine, un dandy intellectuel, en veut aux femmes parce que l'une d'elles l'a quitté. Il décide de se venger sur une inconnue prise au hasard qu'il séduira et abandonnera après avoir écrit le journal intime de leur liaison. La discrète Catherine tombe ainsi dans son piège...

Le libertinage fin XXᵉ siècle

« ... Nouveau libertinage, érotisation de la volonté, goût pervers de la vengeance ... » Ces formules définissent la tonalité du film et les motivations du personnage principal. Elles sont prononcées par le libraire-éditeur, mauvais génie d'Antoine, l'écrivain velléitaire et beau parleur, lorsqu'il le pousse à humilier toutes les femmes à travers l'une d'entre elles.

Antoine tient le journal de sa liaison.

Histoire d'une machination amoureuse cruelle, *La Discrète* fait revivre un certain esprit XVIIᵉ siècle, autour d'un récit amoral se concluant cependant sur une moralité, tel que l'avaient pratiqué en leur temps Marivaux, Crébillon ou Choderlos de Laclos. Christian Vincent, avec ce premier long métrage qui remporta un grand succès, révélait un tempérament original dans le paysage cinématographique du moment et optait pour un style fondé sur la parole et les mots, entre le brillant, la sincérité ou la cruauté, qui le rapprochait d'illustres prédécesseurs comme Sacha Guitry, Joseph L. Mankiewicz ou Éric Rohmer.

Don Juan pris au piège

Le titre du film fait allusion à une pratique très XVIIIᵉ siècle, celle de la mouche, grain de beauté artificiel appliqué sur le visage et élément essentiel du maquillage de la femme du monde, qui avait pour but de masquer une imperfection ou, tout simplement, d'attirer le regard. La mouche placée sur le menton s'appelait « la discrète ». Cela renvoie également au personnage féminin, bien plus complexe qu'Antoine ne le pensait d'abord. « Elle est immonde, c'est un boudin, une naine » s'écrie-t-il après l'avoir vu une première fois, et cette impression va être contredite dans la suite des événements. À travers le personnage masculin, le film se livre à une réflexion sur le donjuanisme, sur le jeu pervers de la séduction et du cynisme mais aussi sur les apparences trompeuses. À la fin, les masques tombent et, pour un instant, la sincérité et l'émotion affleurent, renvoyant alors le héros à sa propre médiocrité. Remarquable interprète de Catherine, Judith Henry, qui est restée plutôt une actrice de théâtre, fut justement récompensée par un César.

Catherine est tombée amoureuse d'Antoine.

Selon lui, « ...Elle est immonde, c'est un boudin, une naine !... ».

Fabrice Luchini, le volubile

« Un amoureux des mots paniqué par les femmes ». Fabrice Luchini, parfaitement à l'aise dans le rôle, résume ainsi son personnage de *La Discrète*. La première partie de la formule définit bien l'acteur lui-même. Né en 1951, il a suivi un parcours atypique : lycéen peu assidu, apprenti coiffeur, puis animateur de night-club, il est découvert par Philippe Labro (*Tout peut arriver*, 1969) puis lancé par *Le Genou de Claire* d'Éric Rohmer (1970), dont il deviendra un fidèle (*Perceval le Gallois*, 1978 ; *L'Arbre, le Maire et la Médiathèque*, 1993, etc.) et auquel ce film fait parfois penser. Souvent comique ou léger, parfois grave, toujours volubile, il s'est imposé non seulement au cinéma mais aussi à la scène, jouant Guitry et Bernstein, ou triomphant dans ses lectures à une voix, surtout celle sur Louis-Ferdinand Céline (« Voyage au bout de la nuit »).

Le Bonheur est dans le pré

Hymne au plaisir de vivre

1995

Comédie d'Étienne Chatiliez, avec Michel Serrault (Francis), Eddy Mitchell (Gérard), Sabine Azéma (Nicole), Carmen Maura (Dolorès) • Sc. Florence Quentin • Ph. Philippe Welt • Mus. Pascal Andreaccio • Dist. Bac Films • France • Durée 106' • César du second rôle masculin (Eddy Mitchell)

Patron stressé d'une petite entreprise de sanitaire, Francis Bergeade trouve le moyen de fuir sa morne existence grâce à une émission de télévision…

Francis (Michel Serrault) montre à Gérard (Eddy Mitchell) qu'il a trouvé le bonheur dans le Gers.

Le jeu de l'oie… et du hasard !

Harcelé par le fisc, ses ouvrières, sa femme qui le méprise et sa fille qui le ruine, notre héros profite de sa ressemblance avec un homme recherché par l'émission « Où es-tu ? » –

Eddy Mitchell, doué et décontracté

Surnommé « Schmoll » parce qu'il appelait tout le monde « Small », Eddy, né en 1942, découvre très jeune le Septième Art mais aussi Gene Vincent, son idole, et, comme lui, se tourne vers la musique, s'affirme avec « Les Chaussettes noires » puis devient une grande vedette en solo, signant les paroles de ses chansons de son vrai nom, Claude Moine. Cinéphile érudit, il crée, avec Patrick Brion et Gérard Jourd'hui, « La Dernière Séance » sur FR3, pour la défense du cinéma qu'il aime, essentiellement le cinéma américain, classique ou de série B. Grâce à Bertrand Tavernier et à Coup de torchon, il est révélé dans le rôle de Nono, le beau-frère un peu fou, qui lui vaut une nomination aux Césars. Il enchaîne alors plusieurs compositions savoureuses : le flic cinéphile de Ronde de nuit (Jean-Claude Missiaen), le fugitif poursuivi par des crétins criant À mort l'arbitre ! (Jean-Pierre Mocky), le chômeur triste de I love you (Marco Ferreri), le militant syndicaliste de Promotion canapé (Didier Kaminka) et surtout, dans Le Bonheur est dans le pré, l'ami indéfectible de Serrault (« Tu peux compter sur moi, Lapin ! »), bon vivant, vulgaire, chaleureux, rôle pour lequel il remportera un César. Schmoll, très éclectique, multiplie les activités, radio, réalisation de films publicitaires… en attendant un rôle à sa mesure.

réjouissante parodie de « Perdu de vue », alors très populaire –, pour changer de vie, troquer son épouse Nicole, bourgeoise hystérique et coincée, contre une autre, Dolorès, agricultrice tendre et épanouie, et se découvrir doué pour le bonheur. Cette fable insolite qui exalte les vertus de la tendresse féminine, les joies de la famille, le retour à la terre, l'amitié virile et la gastronomie, tout en multipliant les situations délicieusement saugrenues, donne les clés pour accéder au bonheur, même dans l'amoralité. Avec son sens de la caricature et sa causticité, Chatiliez sait nous réjouir de son mélange d'ironie et d'audace.

Sylvie (Guilaine Londez), Francis, et Dolorès (Carmen Maura).

« À table ! ». Lionel (Éric Cantona), Francis et Gérard.

Gérard et Nicole (Sabine Azéma) au restaurant.

Étienne Chatiliez, le pourfendeur irrésistible

Né en 1952, il fait ses classes avec succès dans le cinéma publicitaire, débute avec une charge décapante sur l'opposition de deux univers sociaux différents (La Vie est un long fleuve tranquille, 1987), puis brosse le portrait au vitriol d'une vieille peste (Tatie Danielle, 1990). Tanguy, en 2001, poursuit dans la même veine : un grand dadais surdoué presque trentenaire s'incruste chez ses parents, au désespoir de ces derniers. Le Bonheur est dans le pré retrouve en plus optimiste la singularité d'un petit monde qui piétine les archétypes avec férocité et fait éclater les apparences : « Oser dire tout haut ce que tout le monde pense tout bas, c'est le propre de la comédie. L'humour n'est-il pas une façon de faire admettre son point de vue violent sur quelque chose de sensible ? », dit Chatiliez. Le public lui a généralement fait fête : ses trois premiers films ont réuni près de douze millions de spectateurs, dont cinq uniquement pour Le Bonheur est dans le pré. Tanguy (2001) est venu confirmer ces résultats, désavoués par La Confiance règne (2004).

Marginaux et décalés

La Strada

Le sourire triste de Gelsomina

Zampano (Anthony Quinn) sur son invraisemblable moto-fourgonnette poussée par Gelsomina.

1954

La Strada, drame de Federico Fellini, avec Giulietta Masina (Gelsomina), Anthony Quinn (Zampano), Richard Basehart (Il Matto-le Fou) • Sc. Federico Fellini, Ennio Flaiano, Tullio Pinelli • Ph. Otello Martelli • Mus. Nino Rota • Prod. Dino De Laurentiis, Carlo Ponti • Italie • Durée 107' • Oscar du meilleur film étranger

Zampano, athlète de foire fruste, brutal, parfois cruel, sillonne les routes d'Italie avec Gelsomina, jeune fille un peu simple qu'il a jadis achetée à sa mère. Ils croisent un jour « le Fou », lunaire et fantasque…

Gelsomina (Giulietta Masina), une femme-enfant.

Tout Fellini déjà

À sa sortie en 1954, *La Strada* obtint en France un succès public immédiat, car il représentait, à sa façon, une petite révolution : le public et la critique à l'unisson firent un triomphe à cette douloureuse histoire d'amour. Sur un fond néoréaliste, Fellini offrait une nouvelle forme de poésie, illuminée par la sublime présence de Giulietta Masina, « Charlot féminin », alors pratiquement inconnue du public français. Petite révolution, en effet, car le cinéma italien triomphait alors selon les critères du style néoréaliste : absence de décors, sobriété, approche sociale réaliste, dont les grands maîtres étaient Vittorio De Sica, Roberto Rossellini, Giuseppe De Santis, et Alberto Lattuada. Or *La Strada*, bien que se déroulant parmi les petites gens, ne relève nullement du documentaire et ne recherche guère la sobriété : d'où sans doute une poésie surprenante. Fellini avait déjà pris quelque peu ses distances avec le néoréalisme en tournant *Courrier du cœur* (1952), son premier film, puis *Les Vitelloni* (1953).

Les rues pauvrement illuminées la nuit balayées par le vent, les petits matins sur une plage, les banquets populaires en plein air, les ciels gris, la musique de Nino Rota enfin, tout Fellini est déjà dans *La Strada*.

Un chemin vers soi-même

Zampano est « brut » – au sens de métal brut –, et Gelsomina est sa « chose », au mieux son faire-valoir. Gelsomina, quelque peu retardée, découvre le monde sur les routes d'Italie du début des années cinquante, qui se remet à peine des misères de la guerre. Intervient le Fou, autre marginal, qui s'attache à Gelsomina, lui parle des cailloux et des étoiles, lui ouvrant ainsi les portes d'un autre monde.
Le public français, qui fit un triomphe à Giulietta Masina (épouse de Fellini) pour sa prestation remarquable, fut quelque peu surpris de voir dans *La Strada* deux acteurs américains, Richard Basehart et Anthony Quinn, ce dernier connu pour ses nombreux rôles d'Indiens ou de Mexicains depuis *Une Aventure de Buffalo Bill* (Cecil B. DeMille, 1936). Quinn fait partie de ces comédiens qui séjourneront en Europe dans les années cinquante, où ils tourneront notamment ces péplums dont Cinecittà s'était fait une spécialité. Zampano demeurera un de ses meilleurs rôles.

La soupe de l'athlète (Anthony Quinn).

Federico Fellini et le néoréalisme

Né en 1920 à Rimini, Fellini collabore à l'hebdomadaire « Marc'Aurelio », travaux rédactionnels et caricatures. Après avoir participé à divers scénarios dès 1942 (*Avanti c'é posto*, *Campo de' fiori*, qui, à leur façon, annoncent le néoréalisme), il collabore, la fin de la guerre survenue, à de nombreux scénarios du nouveau cinéma italien : ainsi *Rome ville ouverte* (1945), *Paisà* (1947), *Europe 51* (1951), trois films signés Roberto Rossellini, qui furent le succès mondiaux. Il rédige ensuite des scénarios pour Alberto Lattuada, avec qui il réalise *Les Feux du music-hall* (1951).

Gelsomina et le Fou (Richard Basehart).

Il tourne en 1952 son premier film à part entière : *Courrier du cœur*. Suivront entre autres, après *La Strada*, *Il Bidone* (1955), *Les Nuits de Cabiria* (1957), *La Dolce Vita* (1960), *Huit et demi* (1963), *Fellini-Roma* (1972), *Amarcord* (1973), *La Cité des femmes* (1980), passant des marginaux inoffensifs à ses souvenirs de jeunesse, son cinéma demeurant imprégné d'une profonde poésie. Federico Fellini est mort en 1993.

À Bout de souffle
Le manifeste de la Nouvelle Vague

1960

Policier de Jean-Luc Godard, avec Jean Seberg (Patricia Franchini), Jean-Paul Belmondo (Michel Poiccard / Laszlo Kovacs), Daniel Boulanger (l'inspecteur Vital), Roger Hanin (Carl Zubart) • Sc., dial. Jean-Luc Godard, d'après une idée de François Truffaut • Ph. Raoul Coutard • Mus. Martial Solal • Pr. Georges de Beauregard • France • Durée 89' • Prix Jean-Vigo 1960

Michel Poiccard regagne Paris dans une voiture volée : en chemin, il abat un motard. La police est sur ses traces, tandis qu'il s'affaire à reconquérir Patricia avec qui il eut précédemment une aventure, et qu'il cherche à récupérer une certaine somme qui lui est due.

Michel (Jean-Paul Belmondo) retrouve Patricia (Jean Seberg) sur les Champs-Élysées.

Une autre façon de raconter

Dès les premières images – le film ne comporte pas de générique –, on est frappé par un sentiment de nouveauté, par cette antithèse totale du « déjà vu ». Une caméra libre de ses mouvements – elle est portée à bout de bras – se pliant sans problème aux volontés du preneur de vues, le tournage dans des décors naturels, un découpage au plus simple, des dialogues dépourvus de toute sophistication, tout cela est inédit. Le film est à l'image des personnages : décalé. Réalisé sur ces bases, À Bout de souffle raconte une histoire à un rythme haletant, sans digression, interrompue par une longue séquence dans la chambre d'hôtel où réside Patricia, dans le style de ces films noirs américains de série B dont les tenants de la Nouvelle Vague se réclamaient.

Jean-Paul Belmondo et Jean Seberg, le couple symbole de la Nouvelle Vague.

Chacun sa sensibilité

L'idée initiale du film revient à François Truffaut, qui comptait tourner son synopsis avec Jean-Claude Brialy ou Gérard Blain, futurs comédiens-cultes de la Nouvelle Vague. Truffaut et Chabrol apporteront leur sensibilité personnelle à l'œuvre, Godard allant plus loin que les deux autres dans l'innovation filmique. À Bout de souffle est retenu comme un événement fondamental. Même s'il n'est que le troisième des premiers films de la Nouvelle Vague, il a pris couleur de manifeste, lançant un défi iconoclaste à l'encontre du « cinéma de papa », engoncé dans ses codes, ses rites, ses habitudes.

L'ère des nouveaux venus

Dès les années cinquante, un certain nombre de progrès techniques permettent l'avènement d'un nouveau cinéma : apparition sur le marché de pellicules sensibles qui ne nécessitaient plus un sur-éclairage en studio, mise au point de caméras légères, avancées décisives dans le domaine de la prise de son. À cette époque, règne un certain cinéma dit « de qualité française », et un groupe de « mandarins » occupe le haut du pavé. Ajoutons à cela une organisation paralysante de la profession soumise à de strictes règles protectionnistes : il n'en faut pas plus pour que quelques jeunes turcs de la critique, Chabrol, Truffaut, Godard, avant de passer eux-

Rue Campagne-Première…

Le romancier Parvulesco (Jean-Pierre Melville).

mêmes derrière la caméra, tirent à boulets rouges sur l'establishment, en particulier sur Yves Allégret, Claude Autant-Lara et Jean Delannoy, les pontes de la réalisation. Certains ont crédité Jean-Pierre Melville, franc-tireur isolé de la profession, comme un des initiateurs de ce que Françoise Giroud baptisa la Nouvelle Vague. C'est *Le Beau Serge*, puis *Les Quatre Cents Coups* (début 1959) qui marqueront le coup d'envoi de ce cinéma d'un nouveau genre. En 1960, *À bout de souffle*, dans la foulée, est encore plus novateur et iconoclaste.

Chacun sa route

Dans le même temps, quelques autres jeunes réalisateurs venus du court métrage s'imposaient, apportant un nouveau style, tels Alain Resnais, Georges Franju, Pierre Kast, Agnès Varda. Chacun, les années passant, s'engagera dans une voie différente : Godard s'essaiera au cinéma expérimental, Truffaut traitera de ses sujets-clés, les enfants, le spectacle, le policier, avec ses références au polar américain, Chabrol se consacrera à son ennemi de prédilection : la bourgeoisie.

Les Désaxés
La difficulté d'être

Gay (Clark Gable) tente de dompter un cheval sauvage.

1961

The Misfits, drame de John Huston, avec Clark Gable (Gay Langland), Marilyn Monroe (Roslyn Taber), Montgomery Clift (Perce Howard), Thelma Ritter (Isabelle Steers), Eli Wallach (Guido) • Sc. Arthur Miller • Ph. Russell Metty • Mus. Alex North • Prod. Seven Arts Productions / Artistes Associés • États-Unis • Durée 124'

Trois compagnons de rencontre, manifestement accablés de problèmes personnels, installent leur mal de vivre dans la maison délabrée de l'un d'eux, située dans une région semi-désertique près de Reno (Nevada).

Les paumés de l'Amérique profonde

D'emblée, les jeux semblent faits : Roslyn se montre fragile, écorchée vive, en quête d'affection ; puis apparaît Gay, cow-boy vieilli et marqué par l'adversité ; suit Guido, apparemment équilibré, mais qui ne se remet ni de son veuvage ni de la guerre. Perce enfin, déshérité de par le remariage de sa mère, qui roule sa bosse de rodéo en rodéo. Sans oublier l'amie de Roslyn, Isabelle, vieillissante, solitaire et alcoolique. Roslyn est le personnage central de ce microcosme, où chacun traîne sa vie, une vie dont il ne sait vraiment que faire.

Roslyn (Marilyn Monroe) et Gay.

à tous deux. Montgomery Clift fut emporté par une crise cardiaque en 1966 : usé, prématurément vieilli, dépressif, il ne s'était jamais complètement remis d'un accident de voiture survenu en 1956, après lequel la chirurgie esthétique lui avait refait le visage. À revoir cette œuvre quelques décennies plus tard, il semble vraiment que les comédiens jouaient à cet instant leur propre rôle.

Guido (Eli Wallach) danse avec Roslyn sous l'œil de Gay.

Perce (Montgomery Clift) et Roslyn.

La fiction et le vécu

Écrit par le dramaturge Arthur Miller, qui fut le mari de Marilyn, *Les Désaxés* semble porteur de mort. Épuisé par un tournage éreintant, comportant de difficiles scènes violentes pour lesquelles il avait refusé d'être doublé, Clark Gable mourut deux jours après la fin du tournage, le 16 novembre 1960. Cette mort affecta beaucoup Marilyn Monroe, qui le considérait comme un père et disparut à son tour en 1962. Ce fut leur dernier film

John Huston (1906-1987)

Ayant tâté de nombreux métiers, dont ceux de boxeur et de cavalier, d'abord écrivain puis acteur dans sa jeunesse, il commence une carrière de scénariste à la fin des années trente. Son premier film, *Le Faucon maltais* (1941), traite de l'échec et de la vanité des choses : les protagonistes se déchirent pour un objet finalement sans valeur. Dans *Le Trésor de la Sierra Madre* (1948), l'or péniblement amassé dans les montagnes est emporté par le vent. Dans *Quand la Ville dort* (1950), surprenant film noir, un hold-up des plus classiques se termine par arrestation et mort. Auteur de plus de 40 films, Huston n'a certes pas uniquement traité de l'échec, mais très souvent, en filigrane, peut se lire la vanité et la futilité des projets humains, la mort restant omniprésente. Sans doute l'humour sous-jacent et une mise en scène vigoureuse rendent-ils le message moins sinistre. Autres grands films de Huston : *Key Largo* (1949), avec Bogart, Lauren Bacall et Edward G. Robinson, le fameux *African Queen* (1952), encore avec Bogart mais aussi Katharine Hepburn, *Moby Dick* (1956), avec Gregory Peck en capitaine Achab, *La Lettre du Kremlin* (1970), film d'espionnage impitoyable avec Richard Boone et George Sanders, *L'Honneur des Prizzi* (1985), parodique histoire de mafia avec Jack Nicholson, Kathleen Turner et Anjelica Huston, fille de John. Il disparaît en 1987 à 79 ans après avoir tourné *Gens de Dublin*, d'après James Joyce, réflexion crépusculaire sur la mort.

Easy Rider
L'Amérique contestataire

1969

Easy Rider, film d'aventures de Dennis Hopper, avec Peter Fonda (Wyatt, dit « Captain America »), Dennis Hopper (Billy), Jack Nicholson (George Hanson) • Sc. Peter Fonda, Dennis Hopper, Terry Southern • Ph. Laszlo Kovacs • Prod. Bert Schneider, Peter Fonda, William Hayward • États-Unis • Durée 94'

Ayant amassé un petit magot à la suite d'un fructueux trafic de drogue, deux hippies californiens, Billy et Wyatt, s'engagent à moto sur les routes américaines pour se rendre à La Nouvelle-Orléans et y suivre le carnaval.

Billy (Dennis Hopper), « Captain America » (Peter Fonda) et George Hanson sur les routes du Sud.

Les centaures modernes

Tourné pour 325 000 dollars, le film rapporta soixante millions aux producteurs, ce qui témoigne du succès rencontré aux États-Unis et en Europe. Aux États-Unis, les « sixties » modifièrent considérablement la société, avec un gouvernement qui s'embourbait dans la guerre du Viêt-nam. *Easy Rider* fut néanmoins le manifeste le plus évident du changement de société en cours : les deux hippies aux cheveux longs qui fument un « joint », croisent une « communauté » isolée hors de la ville, sont agressés par les tenants de l'ancien monde ; ils représentent le mouvement qui traverse la société américaine. Souffrant de l'exclusion, ils dorment à la belle étoile, sillonnant les routes sur leurs motos, avec roue directrice déportée très à l'avant, guidon surélevé, moteur de grosse cylindrée. La moto apparaît alors comme un élément

de libération et de liberté. Cette liberté affichée et revendiquée dans les propos, dans la tenue vestimentaire, dans leur différence, sera source de conflits, et l'œuvre dénoncera à cette occasion le racisme, l'intolérance, le conformisme, la sottise. *Easy Rider*, aujourd'hui film-culte, était à sa sortie un film-manifeste.

« Captain America » au volant de son bolide, libre…

Dennis, Peter et Jack

Dennis Hopper, le réalisateur du film, est aussi un acteur ayant débuté avec James Dean dans *La Fureur de vivre* (1955) et qui jouera dans de très nombreux films, de *L'Ami américain* à *Speed*, en passant par *Blue Velvet* et *Waterworld*. Comme réalisateur, on lui doit, entre autres, *Colors* (1988), une peinture sans concession de la guerre des gangs à Los Angeles, *Hot Spot* (1990), un excellent polar adapté de Charles Williams, avec Don Johnson et Jennifer Connelly. Peter Fonda a tourné dans quelque cinquante films. Il s'appelle « Captain America » dans *Easy Rider* par dérision et en référence à une BD homonyme, célèbre pour son message nationaliste et conservateur. Le film a également révélé Jack Nicholson, qui faisait son chemin sous la houlette de Roger Corman.

La moto au cinéma

Trois films peuvent être cités où la moto figure en vedette, en contrepoint aux acteurs principaux : *L'Équipée sauvage* (Laslo Benedek, 1954), où Marlon Brando affronte Lee Marvin ; Brando est déjà une vedette, Marvin restera quelque temps second couteau ; *Les Anges sauvages* (Roger Corman, 1967), avec Peter Fonda et *Les Anges de l'enfer* (Daniel Haller, 1967, avec John Cassavetes), où la moto n'est plus un instrument de libération mais devient synonyme de violence incontrôlée. Quant aux poursuites à moto, elles sont nombreuses : citons l'évasion de Steve McQueen dans *La Grande Évasion* (John Sturges, 1963), Michael Douglas pourchassant un criminel japonais dans *Black Rain* (Ridley Scott, 1989) ou le duel de Tom Cruise dans *Mission : Impossible 2* (John Woo, 2000).

Ramassé ivre mort la veille, George (Jack Nicholson) a passé la nuit au poste.

Billy et Karen (Karen Black), une jeune prostituée, à La Nouvelle-Orléans.

Orange mécanique
Fable visionnaire sur la violence

1971

A Clockwork Orange, film d'anticipation de Stanley Kubrick, avec Malcolm McDowell (Alex), Patrick Magee (Mr. Alexander), Adrienne Corri (Mrs. Alexander), Miriam Karlin (la femme aux chats) • Sc. Stanley Kubrick, d'après le roman d'Anthony Burgess • Ph. John Alcott • Mus. Walter Carlos • Déc. John Barry • Prod. Stanley Kubrick • Royaume-Uni • Durée 137'

Dans un futur proche, Alex et ses trois voyous de copains sèment la terreur sur leur passage et en arrivent au meurtre. Emprisonné, Alex va suivre un traitement, afin d'être débarrassé de ses pulsions de violence.

Alex (Malcolm McDowell) et ses « droogs » au Korova Milk-Bar.

La soirée d'ultra-violence commence par le passage à tabac d'un clochard.

La violence à l'écran

La violence à l'écran est presque aussi vieille que le cinéma. Certains cinéastes l'utilisent pour attirer la clientèle que séduit le spectacle de la violence gratuite ; d'autres la stigmatisent en donnant aux spectateurs des éléments de réflexion sur un phénomène qui gangrène la société. Jusqu'aux années quatre-vingt, les pouvoirs publics ont instauré une censure, celle-ci pouvant prendre diverses formes, y compris les plus sournoises. Des organismes privés aussi, sans pouvoir coercitif, mais incitant fortement les cinéastes à l'autocensure, comme le « code » Hays aux États-Unis dans les années trente qui « conseillait vivement » une stricte observation de la morale, et qui sévira jusqu'en 1966. Un des premiers films importants à utiliser la violence fut *La Horde sauvage* (Sam Peckinpah, 1969). De même certains films japonais empreints d'une certaine cruauté (*Hara-Kiri*, Masaki Kobayashi, 1963), les films de Hong Kong (notamment ceux signés John Woo), *Tueurs nés* (Oliver Stone, 1994), qui ont interpellé l'opinion publique et les médias tout comme les films de Quentin Tarantino, *Reservoir Dogs* (1992) et le dyptique *Kill Bill* (2003-2004).

La violence quotidienne

Provocatrice en 1971, cette réflexion sur la violence témoigne au début du XXIe siècle d'un sens visionnaire et d'un regard prophétique sur la société. Dès les premières images, le spectateur est plongé dans un univers urbain d'une violence inouïe, sans concession. La musique utilisée en contrepoint de l'action va de Beethoven à Gene Kelly, en passant par Rossini et Rimski-Korsakoff. Une musique fonctionnelle – dans certaines scènes, c'est l'image qui sert la musique – comme Kubrick, homme de culture, a toujours su la choisir (*Barry Lyndon*, 1975), une mise en scène d'une précision et d'une efficacité totales et la performance de Malcolm McDowell qui crée un personnage quasi unique dans l'univers cinématographique, confèrent à cette fresque d'anticipation hyperréaliste un impact agressif, visuellement et viscéralement, par la violence ainsi déchaînée. Le langage de ces loubards du futur est truffé de mots russes ou provenant de langues romanes issues de l'imagination d'Anthony Burgess, l'auteur du roman. En arrière-plan, une civilisation urbaine où l'on s'enferme chez soi, l'armée

L'histoire d'un jeune homme qui s'intéresse principalement à l'ultra-violence et à Beethoven !

UN FILM DE STANLEY KUBRICK

ORANGE MÉCANIQUE

Un film de Stanley Kubrick "ORANGE MÉCANIQUE" avec Malcolm McDowell et Patrick Magee • Adrienne Corri • Miriam Karlin • Producteurs exécutifs Max L. Raab et Si Litvinoff • Scénario de Stanley Kubrick • d'après le livre de Anthony Burgess • Produit et mis en scène par Stanley Kubrick • Warner Bros. • A Warner Communications Company • Distribué par Warner-Columbia Film

manquant d'hommes et d'argent, les hommes politiques, faute de la confiance de la population, ayant perdu tout pouvoir.

Le remède pire que le mal

La seconde partie du film traite de la réinsertion, et conduit à une réflexion sur le devenir de l'homme non-violent au cœur d'une société restée ultra-violente. Ayant subi le traitement Ludovico, qui l'a amené à être pris de nausée à la moindre idée de violence, Alex fait à son tour les frais de ses agressions passées. Kubrick déclara à propos de son œuvre : « [après le traitement anti-violence] la maladie qui s'ensuit est la névrose même de la civilisation qui est imposée à l'individu. »

Durant le traitement Ludovico, les yeux d'Alex doivent rester ouverts.

Les Valseuses

Le goût de la provocation

1974

Comédie dramatique de Bertrand Blier avec Gérard Depardieu (Jean-Claude), Miou-Miou (Marie-Ange), Patrick Dewaere (Pierrot), Jeanne Moreau (Jeanne), Brigitte Fossey (la jeune mère) • Sc. Adapt. Dial. Bertrand Blier, Philippe Dumarçay, d'après le roman de Bertrand Blier • Ph. Bruno Nuytten • Mus. Stéphane Grappelli • Prod. C.A.P.A.C. / U.P.F. / S.N. Prodis. • France • Durée 115'

Jean-Claude et Pierrot vivent de petits larcins. C'est ainsi qu'ils prennent un jour en otage Marie-Ange, une shampouineuse qui devient leur maîtresse…

Jean-Claude (Gérard Depardieu), Marie-Ange (Miou-Miou) et Pierrot (Patrick Dewaere) forment un trio décapant.

La volonté de choquer

Les Valseuses accrocha la jeunesse de l'époque, mais scandalisa les générations précédentes. Pour certains critiques de cinéma, ce fut également un film-référence. La liberté de ton, une façon de filmer « cool » (le mot entrait dans le vocabulaire), une provocation évidente, des personnages insolites, à la fois tristes et joyeux, immoraux en toute candeur, voilà qui pouvait apporter un sang neuf. Face aux violentes critiques, Bertrand Blier se justifia : « cela prouve que j'ai de l'imagination. On a pris l'habitude que les gens racontent ce qu'ils ont vécu : la prison s'ils sortent de prison, etc. Mais le roman, c'est raconter des histoires (…) Mes personnages sont un aspect de moi-même (…) Il suffisait que je les place dans un milieu différent, que j'en fasse des intellectuels… Ils auraient agressé les gens d'une autre façon, mais le climat aurait été le même ».

Bertrand Blier ajoutait qu'il avait voulu « s'attaquer très consciemment à trois piliers de la société : le sens de la propriété, la notion de famille et la notion d'amour réduites aux limites du couple ».

Un ton nouveau

Si la morale traditionnelle était offensée par la teneur et les propos du film, Bertrand Blier faisait remarquer qu'il avait tourné une « fin ouverte », sans conclusion morale ou moralisante pour « laisser toute liberté à l'imagination du public ». En fait, c'est un ton nouveau que *Les Valseuses* a apporté dans le tranquille paysage du cinéma français : ces marginaux un peu paumés sont sympathiques, dans ce film mené à vive allure. Les rôles semblaient aller de soi à Miou-Miou, Patrick Dewaere et Gérard Depardieu. Pourtant, Bertrand Blier avoua : « Quant aux acteurs, j'en ai essayés énormément avant de choisir Depardieu et Dewaere, qui avaient peu tourné, mais que je connaissais par le café-théâtre ». *Les Valseuses* lança la carrière de Bertrand Blier qui ne cessera plus de tourner : *Buffet froid* (1979), *Tenue de soirée* (1986), *Trop belle pour toi* (1989), *Merci la vie* (1991), *Les Acteurs* (2000), entre autres, tous marqués par une volonté de provocation.

Jacqueline (Isabelle Huppert) va-t-elle planter là sa famille ?

Jeanne (Jeanne Moreau) et les deux garçons.

Patrick Dewaere (1947-1982)

D'origine bretonne, Patrick Maurin dit Dewaere a tourné 30 films. Il débute dans *Monsieur Fabre* aux côtés de Pierre Fresnay sous la direction d'Henri Diamant-Berger (1951) puis, bien après *Les Espions* (Henri-Georges Clouzot, 1957), il se joint à l'équipe du Café de la Gare. Il tourne alors avec les plus grands réalisateurs : Yves Boisset (*Le Juge Fayard, dit « le Shérif »*, 1976), Bertrand Blier : (*Les Valseuses*; *Préparez vos mouchoirs*, 1978 ; *Beau-père*, 1981); Pierre Granier-Deferre (*Adieu Poulet*, 1975); Maurice Dugowson (*F comme Fairbanks*, 1976); Claude Miller (*La Meilleure Façon de marcher*, 1976); Marco Bellocchio (*La Marche triomphale*, 1976); Jean-Jacques Annaud (*Coup de tête*, 1979); Alain Corneau (*Série Noire*, 1979), Henri Verneuil (*Mille milliards de dollars*, 1982). Il a tourné son dernier film avec Alain Jessua (*Paradis pour tous*, 1982). On n'oubliera pas son jeu à la fois décontracté et nerveux, légèrement décalé, changeant facilement de registre.

Poursuivis par la vindicte publique…

235

Vol au-dessus d'un nid de coucou
Conte de la folie ordinaire

1975

One Flew Over the Cuckoo's Nest, drame de Milos Forman avec Jack Nicholson (Randle McMurphy), Louise Fletcher (Miss Ratched), Will Sampson (Bromden, le chef indien), Brad Dourif (Billy Bibbit), Danny DeVito (Martini) • Sc. Lawrence Hauben et Bo Goldman, d'après le roman de Ken Kesey • Ph. Haskell Wexler • Mus. Jack Nitzsche • Prod. Fantasy Film • États-Unis • Durée 130' • 5 Oscars : film, réalisateur, adaptation, acteur (Jack Nicholson), actrice (Louise Fletcher)

Randle McMurphy, prisonnier de droit commun, s'est arrangé pour être transféré, en fin de peine, en hôpital psychiatrique. Il se heurte à l'infirmière en chef, Miss Ratched, et suit toutes sortes de traitements aliénants. Sa révolte le conduira, avec l'aide de son ami Bromden, aux situations les plus extrêmes…

Randle McMurphy (Jack Nicholson)…

Le patient instable et l'autorité

Le titre de l'œuvre provient d'une comptine enfantine – « coucou » étant le mot d'argot américain pour désigner un fou – faisant contrepoint à la dureté effroyable du sujet traité : la folie. McMurphy, homme sympathique et jovial, esprit libre dans le milieu carcéral, se heurte avec violence aux personnes et aux institutions, manifestant son indépendance par une évasion – avec retour volontaire à l'institution –, et par l'organisation d'une fiesta avec des prostituées à l'intérieur même de l'hôpital. Puni à diverses reprises, il subit un traitement aux électrochocs, puis une opération au cerveau (lobotomie) qui le réduit à la vie végétative. À la suite de son interprétation du rôle de McMurphy sur la scène à Broadway, il avait été question que Kirk Douglas reprît ce même rôle à l'écran, mais il était devenu trop âgé pour celui-ci. Il possédait les droits de la pièce et les céda à son fils Michael, jusqu'ici acteur.

Milos Forman qui avait dû quitter la Tchécoslovaquie à la suite de l'invasion soviétique en 1968, s'était fait remarquer par des films comme *L'As de Pique* (1964), *Les Amours d'une Blonde* (1965), *Au Feu les pompiers* (1967), dont les personnages se débattaient dans des situations pour le moins cocasses, sinon impossibles. Il accède à la notoriété avec *Taking Off* (1970), tourné aux États-Unis, où il dénonce la société permissive occidentale, tout comme il avait dénoncé en filigrane dans ses films tchèques la pesanteur oppressive du socialisme, fût-il post-stalinien. Viendra alors *Vol au-dessus d'un nid de coucou*, le coup d'éclat. Il signera ensuite *Hair, Ragtime, Amadeus, Valmont, Larry Flynt, Man on the Moon* avec lesquels il confirmera son tempérament iconoclaste, non-conformiste, frondeur, avec des mises en scène parfois heurtées, toujours innovantes.

Variations sur la démence

Il est intéressant de comparer *Vol au-dessus d'un nid de coucou* à d'autres films traitant de ceux qu'on appela les aliénés mentaux, car rarement la violence de la narration avait débouché sur une dénonciation aussi véhémente : à part peut-être dans *La Fosse aux serpents* tourné en 1948 par Anatole Litvak, qui se voulait accusateur de l'enfermement tel qu'il était pratiqué. Ce film fit sensation en son temps, mais il a quelque peu vieilli, les thérapies psychiatriques ayant évolué. On pourrait aussi citer *Shock Corridor* (Samuel Fuller, 1963) où un journaliste, pour enquêter, se fait enfermer dans un asile et bientôt, « passe de l'autre côté du miroir »; mais, moins qu'une dénonciation de l'univers de l'enfermement, c'est une mise en garde pointant le doigt sur la fragilité de l'équilibre mental de chacun. L'institution pour malades mentaux n'y est plus guère qu'un décor, en contrepoint dramatique, comme ce fut le cas dans les deux versions du *Cabinet du docteur Caligari* de Robert Wiene (1919) et Roger Kay (1962). Dans ces films, la caméra visait les malades seuls, tandis que dans *Vol au-dessus d'un nid de coucou*, elle vise les malades, mais surtout l'institution : sans concession, le film provoque chez le spectateur malaise et inquiétude.

Bromden (Will Sampson) aide McMurphy à faire le mur.

…s'oppose à Miss Ratched (Louise Fletcher).

McMurphy et les autres pensionnaires…

Nicholson le grand

La filmographie de Jack Nicholson compte plus de soixante films. Il est lancé par *Easy Rider*, tourné par Dennis Hopper en 1969. Suivront *Chinatown* (Roman Polanski, 1974), *Profession : Reporter* (Michelangelo Antonioni, 1975), *Shining* (Stanley Kubrick, 1980), *L'Honneur des Prizzi* (John Huston, 1985), *Les Sorcières d'Eastwick* (George Miller, 1987), *Crossing Guard* (Sean Penn, 1994), *The Pledge* (Sean Penn, 2001), *Monsieur Schmidt* (Alexander Payne), *Tout peut arriver* (Nancy Meyers, 2003). Il œuvra aussi des deux côtés de la caméra pour *Vas-y, Fonce !* (1972), *En Route vers le Sud* (1978), *Piège pour un privé* (1991).

Taxi Driver

Un homme dans la foule

1976

Taxi Driver, drame de Martin Scorsese, avec Robert De Niro (Travis Bickle), Jodie Foster (Iris), Albert Brooks (Tom), Harvey Keitel (Sport), Peter Boyle (Wizard) • Sc. Paul Schrader • Ph. Michael Chapman • Mus. Bernard Herrmann • Prod. Michael et Julia Philips • États-Unis • Durée 115' • Palme d'or au Festival de Cannes

Travis Bickle, ancien Marine qui a servi au Viêt-nam, est totalement insomniaque : excitants et tranquillisants l'aident le jour à rédiger son journal, la nuit à faire le taxi. Mal dans sa peau, il erre dans un New York déglingué.

Hold-up dans une supérette : Travis tire sur l'agresseur.

Travis veut convaincre Iris (Jodie Foster) de rentrer chez ses parents.

L'enfer urbain

Mean Streets, premier film de Martin Scorsese (1973) montrait les jeunes de la minorité italo-américaine new-yorkaise. Dans sa troisième œuvre, avec pour scénariste Paul Schrader, plus tard réalisateur, nous suivons l'errance – la quête ? – de Travis, taxi de nuit dans l'enfer de la grande ville. Avec la voix off de De Niro qui lit le journal de cet homme irrémédiablement seul, au fil des heures nocturnes. *Taxi Driver* pose, dit Paul Schrader « le problème de la solitude propre à la condition humaine incarnée par un être marchant à travers la foule grouillante,

Tom (Albert Brooks) et Betsy (Cybill Shepherd) préparent la campagne électorale de Palantine.

ballotté, ignoré ou abusé, bousculé ou flatté qui ne se sent jamais concerné. Parce qu'enfermé dans son univers secret et fantasque, il est incapable de communiquer avec les autres ».

L'essor de trois comédiens

Taxi Driver a permis à trois comédiens d'accéder à la notoriété : Jodie Foster, adolescente encore lorsqu'elle tourne le film, en petite prostituée « soutenue » par Harvey Keitel dans le rôle de Sport – déjà complice de Scorsese dans *Mean Streets* et *Alice n'est plus ici* (1975). Scorsese apparaît dans le rôle d'un client anonyme du taxi, et l'on reconnaît parmi les chauffeurs de taxis collègues de Travis, Peter Boyle qui fut le désopilant monstre de *Frankenstein Junior*. Robert De Niro, qui en est à son quatorzième film, se verra consacré par ce rôle : son jeu en intériorité mêlé à une exubérance maîtrisée, sa diction et la mise en place de la voix sont un régal lorsqu'il profère « Je suis un homme qui s'est dressé contre la chienlit » pour ajouter plus tard « Je suis abandonné de Dieu ».

De Niro, acteur, réalisateur, producteur

Comédien caméléon, Robert De Niro s'évertue d'un film à l'autre à varier les rôles et les registres : policier (*Heat*, Michael Mann, 1995, où il affronte Al Pacino ; *Jackie Brown*, Quentin Tarantino, 1997, où il s'amuse à personnifier un malfrat ayant besoin d'un psy ; *Mon Beau-père et moi*, Jay Roach, 1999). Parmi ses autres grands rôles, citons *Le Parrain 2e partie* (Francis Ford Coppola, 1974), *1900* (Bernard Bertolucci, 1976), *Voyage au bout de l'enfer* (Michael Cimino, 1978), *Il était une fois l'Amérique* (Sergio Leone 1984), *Mission* (Roland Joffé, 1986),

Travis Bickle (Robert De Niro), insomniaque, paranoïaque, assoiffé d'ordre et de pureté.

Les Incorruptibles (Brian De Palma, 1987)... Sans oublier sa complicité avec Martin Scorsese, qui a donné naissance à plusieurs films – et compositions – mémorables : outre *Taxi Driver*, *Mean Streets* (1973), *New York, New York* (1977), *La Valse des pantins* (1982), *Raging Bull* (1980), qui lui a valu l'Oscar, *Les Affranchis* (1990), *Les Nerfs à vif* (1992) et *Casino* (1995). Producteur (*Cœur de tonnerre*, Michael Apted, 1992), Robert De Niro est passé derrière la caméra en 1993 avec *Il était une fois le Bronx*, très imprégné de ses souvenirs d'enfance.

Tchao Pantin

Des gens sans importance

Lambert (Coluche) s'est pris d'affection pour Bensoussan (Richard Anconina).

1983

Drame de Claude Berri, avec Coluche (Lambert), Richard Anconina (Bensoussan), Agnès Soral (Lola), Philippe Léotard (l'inspecteur Bauer) • Sc. Claude Berri, Alain Page, d'après le roman d'Alain Page • Ph. Bruno Nuytten • Mus. CharlÉlie Couture • Prod. Renn Productions • France • Durée 100' • 5 Césars : meilleurs acteur (Coluche), second rôle masculin et jeune espoir masculin (Richard Anconina), photographie et son.

Lambert, qui noie son passé dans l'alcool, tient une station-service de nuit. Il fait un soir la connaissance du jeune Bensoussan, et sympathise. Mêlé à une affaire de drogue, le jeune homme est abattu. Lambert, ancien flic qui a autrefois perdu son fils d'une overdose, prend l'enquête en main...

Le goût du risque

Lancé par l'énorme succès mérité du *Vieil Homme et l'Enfant* (1967), Claude Berri avait enchaîné avec d'autres réussites, *Mazel Tov* (1968), *Le Pistonné* (1970), mais sa bonne fée sembla bientôt se détourner de lui : la critique comme le public boudaient plus ou moins ses films. Producteur et réalisateur avisé, homme sachant prendre des risques, il réalisa *Tchao Pantin* avec en tête d'affiche Coluche, qu'il avait employé dans *Le Maître d'école* deux ans auparavant. Le succès fut au rendez-vous.

On savait que Coluche était un grand clown et avait une forte personnalité, mais il n'avait jamais prouvé qu'il pouvait être en plus un superbe comédien ». Jusqu'alors acteur comique, il se révéla un comédien complet. Il travailla sans lire le scénario de bout en bout, essayant de cerner le rôle par des questions au metteur en scène et aux autres participants du film à propos de son personnage. Il tint à souligner que le personnage de Lambert n'était pas plus lui-même que celui qu'il avait créé au music-hall « avec une salopette, des lunettes et des chaussures jaunes ».

Berri sut se fier au romancier Alain Page : c'était la première fois qu'il tournait une histoire imaginée par un autre. Richard Anconina, petit malfrat un peu paumé, en quête d'affection, dur et fragile à la fois, fut lui aussi révélé par le film. Quant à Philippe Léotard, il est surprenant de vérité dans un emploi plutôt inattendu : un inspecteur humain et sympathique qui tend une main secourable à Lambert.

Lambert traque l'assassin de Bensoussan.

L'inspecteur Bauer (Philippe Léotard) apprend que Lambert a autrefois appartenu à « la Grande Maison ».

Un comédien est né

Tchao Pantin se déroule dans le monde des dealers et trafiquants de tout poil dans les rues tristement éclairées, où se meut une faune d'inadaptés, le plus souvent en délicatesse avec la Loi. Et celui qui mène l'enquête, Lambert / Coluche, est un solitaire usé, porté sur la bouteille, dont la vie a été marquée par un drame. Claude Berri était conscient du risque à courir : « Quel que soit le sort qu'on fera à [mon] film, il marquera au moins la naissance d'un grand acteur...

Lola (Agnès Soral), une jeune punk, acceptera d'aider Lambert.

Coluche (1944-1986)

Michel Colucci, dit Coluche, a tourné 22 films, dont *Le Pistonné*, le premier, sous la direction de Claude Berri, puis *Laisse aller..., c'est une valse* (Georges Lautner, 1971), *Les Vécés étaient fermés de l'intérieur* (Patrice Leconte, 1976). Il côtoie Louis de Funès dans *L'Aile ou la Cuisse* (Claude Zidi, 1976), et Jean Yanne en fait son Marcel Ben-Hur pour *Deux heures moins le quart avant Jésus-Christ* (1982). Après *Tchao Pantin*, un tournant dans sa carrière, *La Vengeance du serpent à plumes* (Gérard Oury, 1984) n'ajoute rien à sa gloire, mais son dernier film *Le Fou de guerre*, sous la direction de Dino Risi (1985), est une réussite. Coluche y tient le rôle – dramatique – d'un officier italien de la dernière guerre, un va-t'en-guerre tragique et pitoyable. Berri songeait à lui confier le rôle d'Ugolin dans *Jean de Florette* quand la mort le frappa.

Paris, Texas

Du désert à la ville

1984

Paris, Texas, drame de Wim Wenders, avec Harry Dean Stanton (Travis), Dean Stockwell (Walt), Aurore Clément (Anne), Nastassja Kinski (Jane), Hunter Carson (Hunter) • Sc. Sam Shepard • Ph. Robby Müller • Mus. Ry Cooder • Prod. Road Movies (Berlin) / Argos Films (Paris) • Allemagne - France • Durée 148' • Palme d'or au Festival de Cannes ; prix de la Critique Internationale ; Prix œcuménique

Walt, résidant à Los Angeles, se rend à la frontière mexicaine, en plein désert, où l'on a retrouvé son frère Travis, disparu depuis quatre ans. Walt et sa femme Anne ont adopté le fils de Travis, Hunter, qui apprend à connaître son vrai père, puis à l'aimer. Père et fils partent alors à la recherche de Jane, la mère, qui réside à Houston…

Tourmenté par la soif, un homme (Harry Dean Stanton) surgit du désert : qui est-il ?

Paris en Amérique

Après *L'État des choses* (1983), réflexion sur le cinéma, Wim Wenders eut envie de tourner un film simple. Son admiration pour l'Amérique en général et les superbes westerns d'Anthony Mann en particulier le conduisirent à mettre au point avec Sam Shepard le scénario de *Paris, Texas*. L'idée de base se trouve dans l'ouvrage de Sam Shepard, « Motel Chronicles » : « …quelqu'un qui quitte la nationale et se met en route directement dans le désert ». Lorsque Travis veut regagner une certaine ville pour un motif que l'on découvre au cours du film, aucun nom de localité n'avait été déterminé « …J'ai trouvé 22 Paris aux États-Unis (…) J'ai trouvé 16 Berlin. Je l'ai fait avec toutes les villes européennes qui existaient sur les cartes américaines. Paris a gagné. » déclara Wenders. Paris, Texas : il devint évident aux yeux de Wim et de Sam que toute l'histoire se trouvait dans le titre, simple et complet. Titre qui inspira d'ailleurs le sien au groupe de rock anglais Texas.

Anne (Aurore Clément) et son mari Walt (Dean Stockwell).

Sam Shepard aux multiples facettes

Paris, Texas doit beaucoup à la qualité du scénario dont le maître d'œuvre fut Sam Shepard, auteur et dramaturge (« L'Ouest, le vrai ») plus connu pour ses prestations d'acteur, notamment dans *Les Moissons du ciel* (Terrence Malick, 1978), *L'Étoffe des héros* (Philip Kaufman, 1983), *L'Affaire Pelikan* (Alan J. Pakula, 1993), *Hamlet* (Michael Almereyda, 2000), *La Chute du faucon noir* (Ridley Scott, 2001), *Don't Come Knocking* (Wim Wenders, 2005).

Jane a retrouvé Hunter (Hunter Carson).

Wim Wenders tourna ce film dans l'ordre chronologique, et c'est à travers la mise en scène et le regard de son interprète, Harry Dean Stanton, que l'on découvre l'homme lui-même. Stanton tient le film sur ses épaules (c'était son premier film en vedette principale) : son mutisme total – durant une heure de film environ – et son regard perdu ailleurs font sourdre une atmosphère d'inquiétude et de mystère, renforcée par la musique envoûtante de Ry Cooder… Quant au petit Hunter Carson, né en 1975, il n'était autre que le fils de L. M. Kit Carson, adaptateur du film, et de l'actrice Karen Black (*Complot de famille*, Alfred Hitchcock, 1976).

Jane (Nastassja Kinski) écoute Travis, qu'elle ne voit pas, lui conter leur propre histoire.

Wim Wenders

Wim Wenders a suivi les cours de l'IDHEC à Paris (France !). Son deuxième film *L'Angoisse du gardien de but au moment du penalty* (1971), puis plus tard *Alice dans les Villes* (1973), *Faux Mouvement* (avec, déjà, Nastassja Kinski, 1974), *Au Fil du temps* (1976), *L'Ami américain* (1977), sont déjà des œuvres marquantes. Puis il signe *Hammett* (1981), hommage à l'auteur culte du roman noir Dashiell Hammett, *Paris, Texas* (1984), tourné aux États-Unis, *Les Ailes du désir* (1987), une vision de Berlin à travers le regard des anges, *Si loin, si proche* (1992), suite du précédent. *Buena Vista Social Club* (1999), documentaire sur la musique populaire cubaine, fut un grand succès. Wim Wenders fut l'un des chefs de file du nouveau cinéma allemand de la fin du XXe siècle, avec Peter Fleischmann, Werner Herzog, Volker Schlöndorff et Rainer Werner Fassbinder.

Sans Toit ni loi

À bout de course

1985

Drame d'Agnès Varda, avec Sandrine Bonnaire (Simone Bergeron, dite Mona), Macha Méril (Le professeur Landier, platanologue), Stéphane Freiss (Jean-Pierre, l'agronome), Yolande Moreau (Yolande, la bonne) • Sc. Agnès Varda • Ph. Patrick Blossier • Mus. Joanna Bruzdowicz • Prod. Ciné Tamaris / Films A2 • France • Durée 100' • Lion d'or à la Biennale de Venise ; César de la meilleure actrice (Sandrine Bonnaire)

Un matin d'hiver, dans le sud de la France, une jeune femme est trouvée morte dans un fossé. Qui était-elle ? D'où venait-elle ? Divers témoignages vont reconstituer les dernières semaines de celle qui fut une marginale irréductible.

Mona (Sandrine Bonnaire), la marginale, la mal-aimée, follement éprise de liberté.

Narration éclatée

Comme dans *Citizen Kane* (Orson Welles, 1941), ce sont des témoignages divers et extérieurs, décalés dans le temps, et parfois contradictoires, qui vont reconstruire la personnalité assez opaque de Mona la routarde : les témoins évoquent leurs propres souvenirs, parfois en s'adressant directement à la caméra, comme dans une interview sur la voie publique, façon télévision. Agnès Varda voulait « un film qui soit un puzzle bien combiné, mais [auquel] il manque quelques pièces ». En effet, la personnalité profonde de Mona n'est pas totalement révélée, pas plus que les motifs de son errance, ni les échecs de ses infructueuses tentatives d'ancrage.

Quelques jours de bonheur relatif chez Assoun, l'ouvrier agricole.

La fin dérisoire de Mona, morte de froid dans un fossé.

Deux mondes inconciliables

D'un côté, le monde des zonards, des drogués, des paumés, des « glandeurs », ce sous-prolétariat auquel se frotte Mona, sans toutefois s'y fondre, ce monde qui semble indéchiffrable au spectateur. De l'autre, le monde « normal » de ceux qui sont au moins installés – fût-ce mal – dans la vie, dans leur vie. C'est Madame Landier, professeur d'université et platanologue – elle s'affaire à soigner les platanes en voie d'extinction – qui est le plus proche du spectateur, à la fois agacée et séduite par cette fille « qui pue ». « Que pouvait-on saisir d'elle et comment ont réagi ceux qui ont croisé sa route ? C'est le sujet de mon film. » a dit Varda. Au passage, elle égratigne le monde « normal » en décrivant au vitriol ce couple qui guette l'héritage de la vieille tante Lydie. Et certainement, tout comme Madame Landier, on ressent confusément que les différents témoignages nous mettent en cause : ne serions-nous pas responsables, par notre indifférence, notre charité inappropriée, notre égoïsme, de la mort misérable de Mona la marginale ?
« À saisir » était le titre provisoire du film, « justifié par la vitesse à laquelle il a fallu trouver et saisir l'argent, faire les papiers et saisir les organismes de tutelle, ce qui transformait la production en une poursuite. » ajoute encore Agnès Varda. Face à Sandrine Bonnaire, saisissante de vérité et de naturel, Macha Méril interprète la « platanologue » : comment aurait-elle été déroutée par cet emploi, puisque son père était « pomologue » en Ukraine ?

Le viol.

Agnès Varda, la glaneuse

En 1954, à vingt-six ans, elle tourne un premier film précurseur de la Nouvelle Vague, *La Pointe courte*, monté en coopérative avec des amis, acteurs (Silvia Monfort, Philippe Noiret) ou techniciens (Alain Resnais au montage). Elle est alors photographe de scène et vit la belle aventure du TNP de Jean Vilar, signant de célèbres portraits de Maria Casarès, Geneviève Page et, bien sûr, Gérard Philipe. Elle alterne ensuite les films courts (*Opéra-Mouffe*, *Du côté de la Côte*...) ou longs (*Cléo de 5 à 7*, son plus grand succès en 1962), travaille aux États-Unis (*Lions love*), célèbre « sa » rue Daguerre (*Daguerréotypes*), rend un émouvant hommage à son mari Jacques Demy (*Jacquot de Nantes*). En 2000, elle conjugue harmonieusement drôlerie, insolite, émotion, jeux de mots et d'images, dans un remarquable essai documentaire, *Les Glaneurs et la glaneuse*. La liberté de ton reste sa marque de fabrique.

Bagdad café
Station hors service

1987

Out of Rosenheim, comédie de Percy Adlon, avec Marianne Sägebrecht (Jasmin Münchgestettner), Jack Palance (Rudi Cox), CCH Pounder (Brenda), Monica Calhoun (Phyllis) • Sc. Percy Adlon, Eleanor Adlon, Christopher Doherty • Ph. Bernd Heindl • Mus. Bob Telson • Prod. Pelemele Film Gmbh / Pro-ject Filmproduktion • Allemagne • Durée 91' • César du meilleur film étranger

Jasmin est abandonnée par son mari sur le bord de la route dans le désert de Mojave, aux États-Unis. Elle échoue dans une station-service minable, où elle n'est guère la bienvenue. Peu à peu, elle s'intègre, à la joie naissante de toute la petite communauté.

Dans la chambre du minable motel, Jasmin (Marianne Sägebrecht) est submergée par le désespoir et la solitude.

Une mise en scène discrète mais efficace

Percy Adlon ouvre son film par une série de plans heurtés les uns aux autres et obliques, parfois monocolores, témoignant bien sûr de la situation chaotique de ces lieux désolés. Bien vite le rythme s'apaise au fur et à mesure que la paix et la joie de vivre reviennent au Bagdad Café. Empâtée dans son embonpoint, à la fois timide et sans complexe, Marianne Sägebrecht est remarquable : il émane d'elle une grâce touchante et charmante – au sens de qui charme – qui saura conquérir tous ces décalés de l'Amérique profonde. Jack Palance, sorti pour l'occasion de son rôle de méchant cow-boy pour se muer en peintre raté qui retrouve le sens de la peinture, est tout aussi inimitable.
La chanson « Calling You » a beaucoup contribué au succès du film.

Rudi Cox (Jack Palance) retrouve l'inspiration en peignant divers portraits de Jasmin.

L'intruse

C'est un champ mi-clos perdu au milieu du désert Mojave, où chacun, avec son tempérament, son caractère, sa culture, affronte l'autre : un couple noir se déchire, elle un ouragan, lui brave homme, un hippy prolongé, en rupture de ban avec « le modèle américain » ; un shérif indien, une tatoueuse ; la fille du couple, un peu fofolle qui rêve de s'évader ; le fils, un jeune attiré non par le jazz ou par la « soul », mais par Bach, qu'il interprète en quasi-virtuose, et dont la musique va ponctuer le film.
Survient alors la pièce rapportée au milieu de ces individualités éparses. Elle-même à la dérive, mais débordant de bonté, elle va guérir l'endroit, puis les habitants.

Le désert à l'écran

Les vastes étendues vides et désolées ont souvent tenu leur rôle au cinéma : cet emploi est rarement réduit à un simple décor, il a le plus souvent une fonction dramatique et signifiante.
Dans *Les Réprouvés*, *Les Hommes sans nom*, *Un de la Légion*, c'est un désert tricolore, terre africaine de France, défendu par la Légion. Le désert joue un rôle quasi mystique dans *L'Appel du silence*, où de Foucauld, mondain fêtard parisien, devient le Père de Foucauld, touché par la foi au contact du Sahara. Mystique encore quand Charles Boyer renonce à la belle Marlene Dietrich pour entrer au monastère dans *Le Jardin d'Allah*. Il est source de peur et de folie, lorsque dans *La Patrouille perdue* les hommes sont abattus un à un dans le refuge de leur oasis par un ennemi invisible tapi dans les dunes de sable – et que l'unique rescapé a perdu la raison. Source de vie et de culture dans *La Croix du Sud* où Aftan le Touareg revient à la belle Dassine et à son sable natal. Source de mort dans *Les Rapaces*, où périssent les deux rivaux rongés par la haine. Sable de western où Natalie Wood, prisonnière des Indiens, est retrouvée par John Wayne dans *La Prisonnière du désert*. Désert de sérénité dans *Un Thé au Sahara*, où un couple en perdition se retrouve et se reconstruit. Désert de tragédie dans *Le Patient anglais*, où périt Kristin Scott Thomas sous les yeux de Ralph Fiennes. Mais sans doute le plus beau film où le désert constitue un personnage à part entière est *Lawrence d'Arabie*, le chef-d'œuvre de David Lean.

La joie de vivre revient au motel : Phyllis (Monica Calhoun) s'exhibe en danseuse.

Jasmin retrouve Brenda (CCH Pounder) avec bonheur.

Sailor et Lula
Violence et passion

Lula (Laura Dern) accueille Sailor (Nicolas Cage) à sa sortie de prison.

L'amour fou dans un océan de violence

Durant le générique, en gros plan, une allumette s'enflamme, semblant déclencher une mer de flammes, puis, après quelques mesures de « In the Mood », la violence se déchaîne. Surgissent des personnages tous plus menaçants et perfides les uns que les autres : mère vindicative, tueur aux dents pourries, femme aux cheveux verts, nymphomane meurtrière, gangster venimeux… Face à eux : Lula, tourmentée par son passé de gamine violée, et Sailor, à la violence contenue, plein de tendresse et d'amour pour Lula. Cet amour fou, brutal et pur, enfantin à sa façon, fait évidemment contrepoint à l'environnement délétère que traversent les deux marginaux, dans ce road movie mené à un train d'enfer et ponctué par des chansons des sixties, notamment « Love Me » et « Love Me Tender », deux succès d'Elvis Presley interprétés dans le film par Nicolas Cage.

Le monde selon Lynch

Monty Montgomery avait produit la série télévisée culte « Twin Peaks » conçue par David Lynch. C'est donc tout naturellement qu'il confia à Lynch le soin d'adapter le roman de Barry Gifford « Wild at Heart ». Lynch écrivit le scénario en quelques jours, et fit de nouveau appel à Isabella Rossellini – alors sa compagne – et à Laura Dern, qu'il avait dirigés dans *Blue Velvet* (1986). Diane Ladd, qui joue la mère de Lula, est la véritable mère de Laura Dern.
Le film contient quelques hommages cinéphiliques :

Bobby Peru (Willem Dafoe) propose un hold-up à Sailor.

Marietta Fortune (Diane Ladd) ne songe qu'à poursuivre Sailor de sa haine.

Lula est obsédée par son passé de jeune fille violée.

1990

Wild at Heart, drame de David Lynch, avec Nicolas Cage (Sailor Ripley), Laura Dern (Lula Pace Fortune), Diana Ladd (Marietta Fortune), Willem Dafoe (Bobb Peru), Isabella Rossellini (Perdita Durango), Harry Dean Stanton (Johnnie Farragut) • Sc. David Lynch, d'après le roman de Barry Gifford • Ph. Frederic Elmes • Mus. Angelo Badalamenti • Prod. PolyGram / Propaganda Film • États-Unis • Durée 127' • Palme d'or au Festival de Cannes

Tombés follement amoureux l'un de l'autre dès leur rencontre, Sailor et Lula sont obligés de fuir, car Marietta, la mère de Lula, une femme perverse et alcoolique, voue une haine pathologique au jeune homme. Lorsqu'elle lui envoie deux tueurs, le couple prend la fuite.

Le Magicien d'Oz (Victor Fleming, 1939), *La Nuit des morts-vivants* (George A. Romero, 1968), *Vengeance aux deux visages*, film de et avec Marlon Brando (1961), auquel renvoie aussi la veste en peau de serpent de Sailor (*L'Homme à la peau de serpent*, Sidney Lumet, 1959). *Sailor et Lula* est un film plein de bruit et de fureur, une équipée haletante et pessimiste.

Nicolas Cage

Né en 1964, Nicolas Cage n'est autre que le neveu de Francis Ford Coppola. Son physique avenant lui a ouvert un large registre, interprétant aussi bien les personnages forts que les vulnérables. Il s'impose dès *Arizona Junior*, comédie délirante des frères Coen (1987), et enchaîne les succès : *Éclair de Lune* (Norman Jewison, 1987), comédie romantique avec Cher, *Red Rock West* (John Dahl, 1993), hommage au film noir, *Kiss of Death* (Barbet Schroeder, 1995), remake réussi du *Carrefour de la mort* (Henry Hathaway, 1947), *Leaving Las Vegas* (Mike Figgis, 1995), qui lui vaudra un Oscar, *Volte/Face*, (John Woo, 1977), où il change de visage avec John Travolta, *Snake Eyes*, un thriller signé Brian De Palma (1998), *À Tombeau ouvert* (Martin Scorsese, 1999), où il est un ambulancier confronté à l'enfer de la violence urbaine, *Windtalkers*, (John Woo, 2002), sur la guerre qui rapproche un Américain et un Navajo, *Adaptation* (Spike Jonze, 2003) et *Lord of War* (Andrew Niccol, 2005), films audacieux de cinéastes indépendants.

Forrest Gump

La solitude du coureur de fond

1994

Forrest Gump, comédie dramatique de Robert Zemeckis, avec Tom Hanks (Forrest Gump), Robin Wright (Jenny Curran), Sally Field (Mama Gump), Gary Sinise (le lieutenant Dan Taylor) • Sc. Eric Roth, d'après le roman de Winston Groom • Ph. Don Burgess • Mus. Alan Silvestri • Prod. Paramount • États-Unis • Durée 140' • 6 Oscars : film, réalisateur, acteur (Tom Hanks), adaptation, montage et effets spéciaux

En Alabama, à un arrêt d'autobus, Forrest Gump raconte sa vie à une dame complaisante : comment il a vécu les grands événements qui ont secoué l'Amérique, comment il a croisé certains hommes qui ont fait l'histoire.

Entre Jenny Curran (Robin Wright) et Forrest, une histoire d'amour et d'amitié.

Mama (Sally Field) et Forrest enfant (Michael Conner Humphreys).

Un personnage à part

Forrest Gump, héros imaginaire racontant sa vie, ne pouvait que tenter Robert Zemeckis, qui excelle dans l'aventure et dans le fantastique. Forrest, à la fois marginal et concerné de très près par l'actualité récente des États-Unis et par ceux qui l'ont faite, narre une saga américaine dans laquelle le picaresque et l'extraordinaire se mêlent avec habileté. Tom Hanks porte ce jugement sur le personnage : « Le public voit en Forrest Gump un être d'exception qui ne ment pas et ne sait pas mentir, et je pense qu'on aimerait tous être capables d'un tel comportement, d'une telle moralité. »

Forrest Gump offre des chocolats aux deux inconnus du banc.

Échec, succès n'ont pas prise sur lui, et ses rapports avec ses rares amis sont empreints d'une immuable fidélité : au lieutenant Dan Taylor, à la mémoire de Bubba. Le roman de Winston Groom, paru en 1986, connut un regain de popularité grâce au succès du film, lequel engrangea en quelques semaines 300 millions de dollars.

Prouesses techniques et aphorismes

De nombreux effets spéciaux agrémentent le film : les « incrustations » notamment, grâce auxquelles on insère Tom Hanks dans des séquences d'actualité. C'est ainsi que Forrest Gump rencontre John Kennedy,

Dan Taylor (Gary Sinise) est revenu mutilé de la guerre.

Le président Nixon félicite Forrest.

est décoré par Lyndon Johnson, et serre la main de Richard Nixon. Effets spéciaux encore lorsqu'il figure en vedette dans un immense rassemblement contre la guerre du Viêt-nam, qu'il joue au ping-pong avec deux raquettes, qu'il devient champion de vitesse dans la course de fond. Tom Hanks porte le film à bout de bras – avec un accent du Sud à couper au couteau –, secondé par Sally Field, parfaite mama aux aphorismes définitifs : « La vie, c'est une boîte de chocolats : on ne sait jamais sur quoi on va tomber. » ou « Il faut laisser le passé derrière si on veut avancer. » ; et Robin Wright, objet de l'amour inconditionnel du jeune homme.

Tom Hanks

Très tôt passionné de théâtre, il débute à Cleveland, gagne New York, et accède à la notoriété avec *Splash* (Ron Howard, 1984, son deuxième film). Après *Big* (Penny Marshall, 1988), grand succès public, il ne cesse plus de tourner. Sa popularité l'incite à choisir des rôles plus complexes. Son premier essai, dans *Le Bûcher des vanités* (Brian De Palma, 1990) connaît un échec cuisant, bientôt effacé par des réussites : d'abord *Nuits blanches à Seattle* (Nora Ephron, 1993), où il forme un couple romantique avec Meg Ryan, puis *Philadelphia* (Jonathan Demme, 1993), dans lequel sa composition d'avocat homosexuel atteint du sida est récompensée par un Oscar. Il récidive avec *Forrest Gump*. Suivront *Apollo 13* (Ron Howard, 1995), *Il faut sauver le soldat Ryan* (Steven Spielberg, 1998), *La Ligne verte* (Frank Darabont, 1999), *Seul au monde* (Robert Zemeckis, 2000). Il a réalisé *That Thing You Do !* en 1996.

Le Huitième Jour

Mon frère le trisomique

1996

Comédie dramatique de Jaco Van Dormael, avec Daniel Auteuil (Harry), Pascal Duquenne (Georges), Miou-Miou (Julie), Isabelle Sadoyan (la mère de Georges), Henri Garcin (le directeur) • Sc. Jaco Van Dormael • Ph. Walther Van Den Ende • Mus. Pierre Van Dormael • Prod. Philippe Godeau • France - Belgique - Royaume-Uni • Durée 118' • Prix d'interprétation masculine au Festival de Cannes partagé entre Daniel Auteuil et Pascal Duquenne

Harry, cadre supérieur stressé, ne parvient plus à assumer sa condition sociale. Le hasard lui fait croiser Georges, un trisomique en rupture d'institution. Après des difficultés de communication, chacun chemine vers l'autre et une sincère affection les lie bientôt.

Auprès de Georges (Pascal Duquenne), Harry (Daniel Auteuil) a retrouvé une certaine paix intérieure.

Un interprète hors du commun

Si l'interprétation de Daniel Auteuil, dans le rôle du cadre supérieur qui « disjoncte », est excellente, la surprise vient de la performance de Pascal Duquenne, trisomique lui-même, qui incarne Georges. Cet homme à l'imaginaire si riche, que sa vie « ailleurs » fait dialoguer avec sa mère décédée, côtoyer Luis Mariano, ou voyager en Mongolie… Georges qui sait insuffler à Harry, pour qui il déborde d'amour, une nouvelle joie de vivre. Jaco Van Dormael dit de Pascal Duquenne : « Non seulement il a assuré le tournage de 18 semaines, mais il s'est également post-synchronisé ». Il est maintenant un acteur professionnel (il avait déjà figuré dans le précédent film de Van Dormael, Toto le Héros, en 1991). Pour Daniel Auteuil : « Quand on est en face de lui, il faut le laisser faire, le regarder et écouter, et puis se laisser glisser dans l'espace qu'il veut bien nous laisser. »

Julie (Miou-Miou) et ses enfants regardent le feu d'artifice allumé par Harry.

Rien de tel qu'une partie de balançoire pour reprendre goût à la vie !

Jaco l'ancien clown

C'est avec Toto le héros, lauréat de la Caméra d'or, que Jaco Van Dormael avait acquis la notoriété. Il avait précédemment réalisé six courts métrages, dont deux consacrés à la vie des trisomiques : Stade et L'Imitateur. Mais c'est dans Le Huitième Jour que l'on retrouve les traces du clown et du directeur de théâtre pour enfants qu'il fut : il donne libre cours à son exubérance, à son audace narrative, à sa judicieuse utilisation des couleurs. Sensible au fait que l'on pût évoquer, à propos de son film, Rain Man (Barry Levinson, 1988) ou Forrest Gump (Robert Zemeckis, 1994), il reconnaît volontiers, à propos de la scène du feu d'artifice sur la plage, avoir pensé à celle d'Un Singe en hiver (Henri Verneuil, 1962), et aussi à Alice dans les villes (Wim Wenders, 1976), « … pour la construction et pour l'idée d'un personnage qui doit en prendre un autre en charge, alors qu'il ne le veut pas. »

Harry s'est pris d'une profonde affection pour Georges.

Sans raison apparente

Nombreux sont les films où figurent des handicapés mentaux ou des nantis que leur situation incite à la rupture avec eux-mêmes. Pour les premiers, Une Journée de fous (Howard Zieff, 1989) : quatre pensionnaires d'un asile psychiatrique perdus dans Manhattan ; Rain Man : un autiste retrouve son frère « normal », chacun ayant ignoré l'existence de l'autre… Pour les seconds, L'Arrangement (Elia Kazan, 1969), où Kirk Douglas, publiciste arrivé, se remet en question ; Chute libre (Joel Schumacher, 1993) où Michael Douglas, cadre au chômage, à bout de nerfs, humilié, explose ; Shock Corridor (Samuel Fuller, 1963), où un journaliste sain d'esprit entre dans un centre psychiatrique pour enquêter… et ne plus en sortir ; Ludwig (Luchino Visconti, 1972), où Helmut Berger / Louis II de Bavière sombre dans son propre délire ; citons encore Vol au-dessus d'un nid de coucou (Milos Forman, 1975), dans lequel Jack Nicholson, prisonnier de droit commun qui simule la folie, sème la révolte dans un service de psychiatrie et finit lobotomisé.

Fargo
La neige était sale

Enceinte de sept mois, Marge Gunderson (Frances McDormand) mène l'enquête avec ténacité.

1996

Fargo, policier américain de Joel Coen, avec Frances McDormand (Marge Gunderson), Steve Buscemi (Carl Showalter), William H. Macy (Jerry Lundegaard), Peter Stormare (Gaear Grimsrud) • Sc. Joel et Ethan Coen • Ph. Roger A. Deakins • Mus. Carter Burwell • Prod. Ethan Coen • États-Unis • Durée 97' • Prix de la mise en scène au Festival de Cannes ; 2 Oscars : meilleure actrice (Frances McDormand) et meilleur scénario

Pressé par de gros besoins d'argent, Jerry Lundegaard, marchand de voitures d'occasion, s'adresse à deux marginaux pour organiser l'enlèvement de sa propre femme : son riche beau-père paiera la rançon. Mais les choses ne tournent pas comme prévu...

Un genre revisité

Le film de Joel et Ethan Coen s'inscrit dans le cadre toujours renouvelé du film noir américain, dont l'âge d'or se situe dans les années quarante. L'histoire vraie et sordide à l'origine de *Fargo* ne pouvait pas ne pas séduire les frères Coen, qui avaient fait leurs débuts sensationnels avec *Sang pour sang* douze ans auparavant : des meurtres en série,

Carl (Steve Buscemi) abat le beau-père Wade (Harve Presnell).

(*Boogie Nights*, 1997 ; *Magnolia*, 1999, tous deux de Paul Thomas Anderson) campe un de ces rôles de « loser » qu'il affectionne, kidnappeur malchanceux dépassé par les circonstances ; quant à Steve Buscemi, acteur fétiche des frères Coen, il ne semble pas rebuté par le triste sort qu'ils lui réservent généralement...

Jerry Lundegaard (William H. Macy), le « loser ».

un détective horrible, des comparses lâches et méprisables. C'est-à-dire le film noir tel qu'il fut très brièvement défini comme « une dynamique de la mort violente ». *Fargo* porte en lui la marque inimitable des Coen, qui va au-delà des canons du genre. L'humour... noir d'abord : les dialogues entre les deux marginaux, tueurs d'occasion aussi impitoyables que maladroits ; les tractations entre le commanditaire de l'enlèvement et les exécutants ; l'un des deux malfrats, enfin, passant son comparse à la moulinette...

Film noir sur fond blanc

En contrepoint de ce monde de désaxés et de marginaux – tous ne sont pas en bas de l'échelle sociale – les Coen portent un regard

Gaear (Peter Stormare) adopte des mesures drastiques...

féroce sur l'Amérique profonde du Minnesota : la famille Lundegaard, affreusement banale, le couple Gunderson, un couple très « provincial », un peu ridicule, peut-être, mais attendrissant. Et l'histoire, inexorable, compliquée comme dans tout bon film noir, parfois insoutenable, drôle aussi, qui s'enroule et se déroule dans ce plat pays couvert de neige. Frances McDormand (épouse de Joel Coen à la ville) remporta l'Oscar pour sa composition d'officier de police chargé de l'enquête, enceinte de sept mois, patiente, tendre épouse d'un brave homme qui s'adonne à la peinture. À ses côtés, deux excellents acteurs habitués des seconds rôles : avec une permanente mine de chien battu, William H. Macy

Les Coen Brothers

Officiellement, Joel réalise, Ethan produit, tous deux écrivent ; il semble aussi qu'ils montent tous leurs films (usant d'un pseudonyme). On leur doit *Sang pour sang* (1984), coup d'essai, coup de maître ; *Arizona Junior* (1986), comédie burlesque et portrait au vitriol d'une certaine Amérique, *Miller's Crossing* (1990), hommage semi-parodique au film de gangsters, *Barton Fink* (1991), où l'angoisse de la page blanche débouche sur un univers kafkaïen, Palme d'or à Cannes ; *Le Grand Saut* (1993), superbe face à face avec Paul Newman / Tim Robbins ; *Fargo* ; *The Big Lebowski* (1998), farce jubilatoire sur les Californiens ; *O' Brother* (2000), odyssée picaresque sur fond de grande dépression ; *The Barber, L'Homme qui n'était pas là* (2001), nouvel hommage au film noir de la grande époque ; *Intolérable cruauté* (2003), une comédie sur le divorce et *Ladykillers* (2004), remake de *Tueurs de dames* (1955), le classique de l'humour anglais signé Alexander Mackendrick.

Ghost Dog, la voie du samouraï
Un tueur à gages zen

1999

Ghost Dog: The Way of The Samurai, drame de Jim Jarmusch, avec Forest Whitaker (Ghost Dog), John Tormey (Louie Bonacelli), Cliff Gorman (Sonny Valerio), Henry Silva (Vargo), Isaach de Bankolé (Raymond), Tricia Vessey (Louise Vargo) • Sc. Jim Jarmusch • Ph. Robby Müller • Mus. RZA • Prod. Plywood • États-Unis • Durée 116'

La mafia décide d'abattre l'un des siens qui a séduit la fille du parrain. Elle en charge Ghost Dog, un tueur à gages qui s'adonne à la mystique du code d'honneur des samouraïs. Or Ghost Dog épargne Louise, témoin du meurtre. Les commanditaires décident alors d'éliminer le tueur.

Silencieux comme un chat, Ghost Dog (Forest Withaker) surprend Louie (John Tormey).

Un à un, Ghost Dog abattra tous les mafieux ligués contre lui.

Un samouraï en Amérique

Pour *Ghost Dog*, Jim Jarmusch s'inspira de *La Marque du tueur* (Seijun Suzuki, 1966), de Walker, personnage interprété par Lee Marvin dans *Le Point de non-retour* (John Boorman, 1967), enfin du *Samouraï*, (Jean-Pierre Melville, 1967). Suzuki et Melville sont d'ailleurs remerciés au générique, ainsi que… Akira Kurosawa, Mary Shelley et Cervantès.
Jarmusch crée avec Ghost Dog (« le chien fantôme ») un personnage insolite, fascinant, se comportant physiquement et mentalement selon les règles du Hagakure, le code samouraï du XVIIe siècle. Forest Whitaker personnifie un solitaire taciturne, qui range son 45 automatique comme on rengaine son sabre à la japonaise. Pour expliquer au spectateur le comportement de Ghost Dog, des cartons citant le Hagakure défilent épisodiquement à l'écran. Solitaire, il n'a que deux amis, un vendeur de glace, (Isaach de Bankolé) qui ne parle que français alors que lui ne connaît que l'anglais – mais ils se comprennent par les voies mystérieuses de l'amitié profonde –, et une petite fille, Pearline, pour laquelle il se prend de sympathie et à qui il prête « Rashômon », un classique japonais de Akutawa dont Kurosawa avait tiré un fameux film (1950).

Seul contre tous

Redevable à son suzerain, qui lui a autrefois sauvé la vie, Ghost Dog, gravement agressé, engage une lutte à mort avec les membres de la mafia italienne locale, que Jarmusch décrit avec un pinceau au vitriol : des individus cruels, impitoyables et pitoyables, intellectuellement limités, voire attardés. C'est seul qu'il s'attaque aux mafieux, protégés par leurs hommes de main, colosses aux revolvers faciles : l'intelligence aura raison de la brutalité. En toute circonstance même ultime, il respectera son serment d'allégeance vis-à-vis de son sauveteur. Même la violence vue par Jarmusch est décalée : les balles semblent voler au ralenti et leur impact n'en est que plus fort.

Raymond (Isaach de Bankolé), le vendeur de glace ambulant.

Sonny Valerio (Cliff Gorman) et Vargo (Henry Silva).

Jim Jarmusch, une vision insolite

Né en 1953, Jim Jarmusch est révélé au Festival de Cannes avec *Stranger than Paradise* (1984), road movie en noir et blanc qui dépeint une Amérique insolite, tourné avec décontraction et humour. Son premier film remonte à 1983 (*Permanent Vacation*). Tous apportent une touche originale : *Down by Law* (1985), avec Roberto Benigni, où l'on retrouve l'errance et l'insolite, tout comme dans *Dead Man* (1995), western initiatique, interprété par Johnny Depp ; *Night on Earth* (1991), constitué de cinq sketches sur la solitude, au propos pessimiste et humoristique. Pas d'errance, mais trois destins croisés dans un hôtel minable de Memphis dans *Mystery Train* et l'univers du musicien Neil Young, tourné en super-8 dans *The Year of The Horse* (1997). En 2005, il renoue avec le succès grâce à *Broken Flowers*, où Bill Murray part sur les routes à la recherche de ses anciennes maîtresses.

Lost in Translation
Seul dans la ville

2003

Lost in Translation, comédie dramatique de Sofia Coppola avec Bill Murray (Bob Harris), Scarlett Johansson (Charlotte), Giovanni Ribisi (John), Anna Faris (Kelly) • Sc. Sofia Coppola • Ph. Lance Acord • Dist. Pathé • États-Unis • Durée 102' • Oscar du meilleur scénario ; César du meilleur film étranger ; 3 Golden Globes : meilleurs comédie, scénario et acteur

Bob Harris, vedette hollywoodienne en perte de vitesse, échoue à Tokyo pour tourner une publicité. Insomniaque, il croise Charlotte, une jeune Américaine aussi perdue que lui.

Pour s'occuper pendant leurs nuits d'insomnie, Charlotte (Scarlett Johansson) et Bob vont dans un karaoké avec des amis.

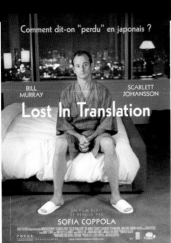
Comment dit-on "perdu" en japonais ?

Seul à Tokyo, Bob Harris (Bill Murray) se sent perdu.

Ville étrangère

Interprétée par la jeune Scarlett Johansson (*L'Homme qui murmurait à l'oreille des chevaux*, Robert Redford, 1998), Charlotte, la jeune fille que Harris rencontre, souffre, elle aussi, d'insomnie

John (Giovanni Ribisi) croise Kelly, une starlette (Anna Faris) et ignore Charlotte, sa femme.

et de solitude. Elle ne reconnaît plus l'homme qu'elle a épousé, il y a peu, et qui, trop absorbé par son travail de photographe et ses rencontres superficielles, ne la voit pas lorsqu'elle déambule en sous-vêtements. Elle traîne donc son ennui dans les couloirs du palace et dans la ville étrangère. L'errance désœuvrée des deux personnages va les entraîner à travers la ville vers les lieux speed et hypnotiques de Tokyo.

Pour obtenir cette vision spontanée de la ville, Sofia Coppola filme sans autorisation dans le métro et vole des images des passants. Pour donner au souvenir toute sa brillance, elle ne tourne pas en vidéo, « médium du présent », mais recourt à la pellicule traditionnelle, moyen fragile et périssable de fixer l'instant. Charlotte souligne cette nostalgie : « Il ne faudra plus revenir, on ne s'amusera jamais autant »… Aussi, finalement, quand la ville engloutit les quelques instants volés de cette parenthèse, le no man's land où s'est tenu le film est, lui aussi, « lost in translation ».

Rencontre à Tokyo

Cette rencontre platonique de deux naufragés sentimentaux, un homme mûr et une jeune fille, est imaginée par Sofia Coppola alors qu'elle séjourne à Tokyo, au Park Hyatt. D'après elle, on croise toujours les mêmes personnes dans ces hôtels et, sans le recours des mots, une sorte de complicité se crée. Bob Harris, star has been, vient à Tokyo pour tourner une lucrative publicité pour une marque de whisky. Il est confronté à une culture qu'il ne comprend pas : un réalisateur volubile dont la traductrice évite soigneusement de traduire les propos, une masseuse hystérique… Pour Bill Murray, cette situation pathétique n'est pas exceptionnelle : il croisa un jour Harrison Ford, venu à Tokyo pour une publicité pour de la bière. Et la barrière de la langue n'appartient pas seulement à la fiction : enfermé dans l'hôtel, Bill Murray dit avoir eu la sensation de vivre constamment avec le personnage.

La passion de la musique

Lorsque Sofia Coppola, fille de Francis Ford Coppola, écrit le scénario de son premier film, *Virgin Suicides*, elle écoute la musique d'Air, groupe versaillais composé de Nicolas Godin et Jean-Benoît Dunckel. Depuis, chacun de ses films contient un titre d'Air. Brian Reitzell, qui joue de la batterie pour le groupe, lui prépare une compilation « Tokyo Dreampop » à écouter lorsqu'elle écrit le script de *Lost in Translation*. Il a même l'idée de demander des morceaux au groupe My Bloody Valentine. La bande originale du film réunit des groupes célèbres de la musique électronique – Death in Vegas, The Jesus & Mary Chain, Square-Pusher – et les Français Sébastien Tellier, Air et Phœnix. De la musique qu'elle utilise sur le plateau pour que les acteurs trouvent le ton juste – Phœnix écrira par la suite un morceau pour *Marie-Antoinette* (2006), le troisième film de Sofia Coppola. Bill Murray partage avec elle une passion commune pour le tube « More Than This » de Roxy Music. L'acteur l'ayant interprété dans un karaoké, la réalisatrice a eu l'idée d'ajouter la scène au film.

247

De battre mon cœur s'est arrêté

La rédemption par le piano

Miao-Lin (Linh-dan Pham) apprend à Tom (Romain Duris) à bien jouer la toccata de Bach.

2005

Drame de Jacques Audiard avec Romain Duris (Tom), Niels Arestrup (Robert), Aure Atika (Aline), Linh-dan Pham (Miao-Lin), Emmanuelle Devos (Chris), Jonathan Zaccaï (Fabrice) • Sc. Jacques Audiard, Tonino Benacquista d'après le film *Mélodie pour un tueur* de James Toback • Ph. Stéphane Fontaine • Mus. Alexandre Desplat • Dist. UGC Distribution • France • Durée 107' • 8 Césars : film, réalisateur, acteur et actrice dans un second rôle (Niels Arestrup, Linh-dan Pham), scénario adapté, musique, photographie et montage

Agent immobilier prêt à tout – expulsions violentes, saccages nocturnes – Tom retrouve l'ancienne passion pour le piano qu'il a héritée de sa défunte mère, concertiste réputée. Il se prépare à une audition décisive en répétant avec Miao-Lin, une pianiste chinoise, une toccata de Bach.

Le virtuose aux mains sales

Romain Duris n'avait jamais pratiqué le piano. En revanche, il avait fait partie d'un groupe, les King Size, dont il était le batteur. « On détournait des thèmes de jazz en funk, en mélangeant salsa et reggae » se souvient-il. Il lui fallut donc, pour être crédible dans le rôle de Tom, ce personnage aux mains sales mais aux doigts agiles, se mettre à apprendre le solfège et s'entraîner des mois durant, pendant de longues heures, sur le clavier du piano. Sa sœur Caroline, elle-même pianiste classique et conseillère musicale du film, lui apprit donc de petits passages de la « Toccata en mi mineur » de Jean-Sébastien Bach que Romain interprète, sans trucage, sous l'œil de la caméra. « Bien évidemment, précisa-t-il, j'ai aussi regardé *Mélodie pour un tueur*, dont le film s'est inspiré, avec Harvey Keitel, cette espèce de bête devant son piano mais si délicat au bout des doigts. »

Fabrice (Jonathan Zaccaï), Sami (Gilles Cohen), les amis louches de Tom.

Robert (Niels Arestrup) et son fils.

Le talent de père en fils

Fils de Michel Audiard, Jacques Audiard est né le 30 avril 1952. Il envisage de devenir professeur de Lettres avant de se lancer dans le cinéma. Ayant débuté aux côtés de son père, il sera longtemps scénariste, comme celui-ci, avant de se retrouver derrière la caméra pour réaliser, en 1994, *Regarde les hommes tomber*, Prix Georges-Sadoul, qu'interprètent Jean Yanne, Jean-Louis Trintignant et Mathieu Kassovitz. Ces deux derniers seront encore de la distribution d'*Un Héros très discret* (1996). *Sur mes Lèvres* (2001) obtiendra le César du meilleur scénario avec, dans les principaux rôles, Vincent Cassel et Emmanuelle Devos

(maîtresse du père de Tom dans *De battre mon cœur s'est arrêté*). Le titre de son quatrième long métrage est extrait d'une chanson de Jacques Dutronc et Jacques Lanzmann intitulée « La Fille du Père Noël ».

Mélodie pour un tueur

Dans le film de James Toback, *Fingers* (« Doigts ») traduit pour sa sortie en France par *Mélodie pour un tueur*, Harvey Keitel est un pianiste professionnel, Jimmy, qui prépare une audition où il jouera la « Toccata en mi mineur » de Bach. Ben, son père, interprété par Michael V. Gazzo, lui cause bien du souci en lui demandant de récupérer l'argent que lui doit le propriétaire d'une pizzeria. Comme dans le film d'Audiard, où il s'agit d'un « couscous », le débiteur, corrigé par le pianiste, paye. Robert, le père de Tom, est tué par un mafieux russe que Tom passera à tabac à la fin du film mais laissera en vie. En revanche, dans le film de Toback, Harvey Keitel tuera d'une balle dans la tête le caïd italien qui a assassiné son père. Les similitudes entre les deux films s'arrêtent là. Le critique du « Monde » définissait ainsi le personnage de Jimmy : « La vie de celui-ci progresse en dents de scie, par coups de tête, impulsions sauvages, comme harmonisée au pouls de la grande ville qui, partout, n'étale que l'argent, le sexe et la force nue ». Une définition qui va comme un gant au personnage de Tom.

Tom a retrouvé l'assassin de son père.

Le monde est une jungle

À nous la liberté

Les briseurs de chaînes

1931

Comédie de René Clair, avec Raymond Cordy (Louis), Henri Marchand (Émile), Rolla France (Jeanne) • Sc. René Clair • Ph. Georges Périnal • Mus. Georges Auric • Prod. Tobis • France • Durée 97'

Émile et Louis sont en prison. Louis s'évade et devient chef d'entreprise. Il embauche Émile lorsque celui-ci est libéré. Menacé de chantage par d'anciens co-détenus, Louis fait don de son usine aux ouvriers et part sur les routes avec Émile.

La course aux billets de banque.

Gauche, droite, gauche, droite...

Lorsque René Clair entreprend ce film, après le succès de ses précédentes comédies, *Sous les Toits de Paris* (1930) et *Le Million* (1931), c'est à l'époque où, selon ses propres termes, il était le plus proche de l'extrême gauche politique : « Je souhaitais combattre la machine quand elle devient pour l'homme une servitude au lieu de contribuer à son bonheur ». L'idée de cette satire du monde moderne qu'est *À nous la liberté* lui serait venue alors qu'il longeait, en se rendant au studio d'Épinay, un terrain vague où poussaient des herbes folles et quelques fleurs sauvages. La plaine, au loin, était bornée par une ligne d'usines que couvrait un manteau de fumée. À ce spectacle, il imagina un vagabond endormi au milieu des herbes tandis que, là-bas, des hommes trimaient dans les prisons du travail. Le film terminé suscita des réactions totalement contradictoires. En France, certains journalistes situés à droite sur l'échiquier politique crurent y déceler des tendances « communisantes ». Il est vrai que l'abandon d'une usine par son propriétaire au seul profit des ouvriers pouvait apparaître, aux yeux des plus conservateurs, comme une idée révolutionnaire. De même, la course folle d'une assemblée d'officiels et d'actionnaires après les billets de banque éparpillés par un coup de vent dénonçait clairement la toute puissance du « veau d'or » sur le monde capitaliste. En revanche, à gauche, des voix s'élevèrent, comme celle du poète Paul Éluard, pour déplorer que le cinéaste ait pu renvoyer dos à dos l'usine et la prison, désacraliser le prolétariat et prôner la fuite dans l'individualisme que symboliserait le vagabondage final, sur les routes, des deux héros du film.

Le « non ! » des dictateurs

À l'étranger, les choses furent plus claires : *À nous la liberté* fut purement et simplement banni des écrans des pays à régime totalitaire. Dès son arrivée au pouvoir en 1933, Hitler en prononça l'interdiction et Mussolini, en allié fidèle, lui emboîta aussitôt le pas en Italie. Le Portugal de Salazar en fit de même, tout comme les censeurs hongrois, qui justifièrent leur décision en démasquant dans le film « une propagande tendant au renversement de l'ordre social et de la paix entre les classes »... Clair ne fut pas surpris par ces réactions des dictatures au pouvoir motivées par « la défense du système

La cour de l'usine, comme une cour de prison.

de production bourgeois ». En revanche, il jugea utile d'écrire à un distributeur américain réticent : « Si vous croyez que le travail est la chose la plus importante dans la vie, n'allez pas voir *À nous la liberté*, mais envoyez-y vos enfants. Il y aurait aujourd'hui moins de chômeurs si les moralistes d'hier n'avaient pas imposé la religion du travail ».

Clair, Chaplin : même combat

En 1937, les producteurs du film accusèrent Charlie Chaplin d'avoir plagié dans *Les Temps modernes* (1936) certaines scènes comiques d'*À nous la liberté*, en particulier celles décrivant le travail à la chaîne. René Clair déclara alors : « Quand bien même ce serait vrai, je ne saurais qu'en être très flatté car j'ose dire que je dois moi-même beaucoup de choses au Maître Charlie Chaplin ! ». Devant l'élégance de cette réaction, les producteurs renoncèrent à leur procès.

« Les hommes n'auront d'autre travail que la surveillance des machines ».

Émile (Henri Marchand) et Louis (Raymond Cordy).

Le Roman d'un tricheur

Faites vos jeux... Tout va bien !

1936

Comédie de Sacha Guitry, avec Sacha Guitry
(le tricheur), Marguerite Moreno
(la comtesse Beauchamp du Bourg
de Catinax), Jacqueline Delubac (la femme
du tricheur), Rosine Deréan (la voleuse) •
Sc. Sacha Guitry • Ph. Marcel Lucien •
Mus. Adolphe Borchard • Prod. Tobis •
France • Durée 77'

Notre homme s'initie au métier de croupier.

Tour à tour groom, chasseur et liftier
dans des palaces, le héros est engagé
comme croupier aux casinos de Monaco
puis de Monte-Carlo. Pour mieux gagner
sa vie, il devient tricheur. Il perdra tout
ce qu'il a gagné en le jouant...
Honnêtement !

L'enfer du jeu

Le jeu et les joueurs ont suscité de nombreux
films et donné l'occasion aux comédiens
les plus illustres d'incarner un de
ces personnages névrotiques qui, dés
ou cartes en main, sur un champ de courses
ou face à un « bandit manchot », abandonnent
le cours de leur destin à cette forme
de hasard qu'on appelle la chance.

Privé de champignons, notre héros fut le seul
à survivre... Depuis, il croit au hasard.

On se souviendra de Gérard Philipe, consumé
de fièvre, dans *Le Joueur* (1958), d'après
Dostoïevski ; de Jeanne Moreau, errant
d'un casino à l'autre (*La Baie des Anges*, 1963)
pour assouvir sa ruineuse passion ; de Paul
Newman dans *L'Arnaqueur* (1961)
et *La Couleur de l'argent* (1986), sacrifiant
honneur et dignité pour rester le meilleur
au billard, et de Steve McQueen
(*Le Kid de Cincinnati*, 1965), prêt à toutes

Le narrateur épouse une joueuse
(Jacqueline Delubac) qu'il a fait gagner à la roulette.

les compromissions pour gagner la couronne de roi
du poker. Dans ces films et tant d'autres, le jeu
apparaît comme un univers infernal, dont la capitale,
Las Vegas, a été décrite par Martin Scorsese
dans *Casino* (1995). Il en va tout autrement
avec *Le Roman d'un tricheur*, comédie brillante,
dont l'auteur, Sacha Guitry, s'emploie à dédramatiser
le jeu et à déculpabiliser les joueurs. Cette attitude
à contre-courant est justifiée par le fait que son héros
est un tricheur et que, selon lui : « Tricher, c'est
contrecarrer les intentions du hasard ; ce n'est pas
seulement s'opposer à son œuvre, c'est se substituer
à lui. Je triche, donc, le hasard, c'est moi. »

ou bien parce que l'un d'eux vient de sortir,
ou bien parce qu'aucun ne vient de sortir.
Et voilà trente ans que je me tiens
à ce raisonnement stupide. Je dis qu'il est
stupide parce que voilà trente ans que je
perds au jeu avec une régularité pour ainsi
dire méthodique. D'ailleurs, je ne partage
pas l'opinion de ceux qui disent que le jeu
est un vice abominable. Seulement,
je trouve que l'excès en tout est un défaut.
Il ne faut pas trop jouer. Et, si l'excès en
tout est un défaut, ne pas jouer du tout est
un défaut car c'est excessif ! »
L'action du film est commentée par Sacha
Guitry – le « héros » – de telle sorte
qu'aucun des comédiens ne prononce
une parole, à l'exception de Marguerite
Moreno dans une scène où, à la terrasse
d'un café, elle évoque un souvenir auquel
le narrateur est associé. Les images
semblent ainsi jaillir du récit en voix off non
seulement pour le visualiser mais aussi pour
l'enrichir, le prendre à contre-pied et, avec
l'aide de trucages, en décupler l'humour.

Le narrateur (Sacha Guitry) a reconnu la comtesse
(Marguerite Moreno).

L'excès en tout est un défaut

Lorsque le film – adapté de son unique roman,
« Les Mémoires d'un tricheur », publié en 1934 – fut
projeté au Casino de Biarritz, Sacha Guitry prononça
une allocution expliquant au public, avec humour,
sa passion pour le jeu : « Depuis trente ans
que je joue à la roulette, je joue toujours les mêmes
numéros. Et je les joue pour deux raisons :

Sacha Guitry, l'auteur complet

Fils d'un illustre comédien, Lucien Guitry
(1860-1925), Sacha Guitry (1885-1957)
fit ses débuts d'acteur en 1899, écrivit
sa première pièce, « Le Page », en 1902,
suivie d'une trentaine d'autres. Au cinéma,
il signe son premier long métrage, *Pasteur*,
en 1935 et jusqu'à *Les Trois font la paire*,
en 1957, réalise au total vingt-neuf films
parmi lesquels *Les Perles de la couronne*
(1937), *Quadrille* (1938), *Ils étaient
neuf célibataires* (1939), *La Poison* (1951),
Si Versailles m'était conté (1954),
Si Paris nous était conté (1956).

Les Temps modernes
La croisade du petit vagabond

1936

Modern Times, comédie dramatique de Charles Chaplin, avec Charles Chaplin (le vagabond), Paulette Goddard (la gamine) • Sc. Charles Chaplin • Ph. Roland Totheroh, Ira Morgan • Mus. Charles Chaplin • Prod. Charles Chaplin • États-Unis • Durée 87'

Ouvrier ou chômeur, gardien de nuit ou chanteur, Charlot est toujours la victime de la dureté des temps. Il ne trouve de refuge qu'en prison et n'entrevoit le bonheur qu'auprès d'une gamine, marginale comme lui.

Serrer, serrer des boulons, jusqu'au délire.

Le grain de sable

Aux premières images, idylliques, celles d'un troupeau de moutons dans un champ, succèdent celles d'un autre troupeau, celui des travailleurs qui se bousculent à la sortie du métro et se pressent à l'entrée de l'usine où ils pénètrent la tête basse, comme des prisonniers. Là, c'est la chaîne de montage, les gestes répétés à l'infini, à la cadence infernale imposée par le contremaître garde-chiourme. Charlot, qui ne peut suivre, s'affole, désorganise toute la chaîne avant d'être avalé par une machine. Plus tard, à la pause, un représentant vante les vertus d'un appareil à manger qui va permettre à l'ouvrier de se sustenter sans cesser de travailler. Cobaye, Charlot est inondé, barbouillé, frappé, étranglé par les divers ustensiles du robot devenu fou. Le malheureux, à bout de nerfs, sera finalement congédié après avoir dansé une folle sarabande à travers l'atelier, vissant des boulons imaginaires sur tout ce qui bouge, hommes et machines. À la sortie de la clinique où il a été interné, Charlot ramasse dans la rue un drapeau rouge tombé d'un camion. Il court derrière celui-ci, agitant

À nouveau sur la route, ensemble, l'espoir au cœur.

le drapeau pour attirer l'attention du chauffeur et se trouve, sans le savoir, en tête d'une manifestation de grévistes. Pris pour le meneur, il est jeté en prison! Ainsi va Charlot tout au long du film, éternelle victime d'un monde inhumain et mécanisé dont, grain de sable malgré lui, il met en danger les rouages.
Aux États-Unis, l'accueil critique fut très froid et celui du public plutôt mitigé. Alors que le New Deal, mis en œuvre par le président Roosevelt pour enrayer les effets de la crise boursière de 1929 sur l'économie américaine, commençait à produire des effets bénéfiques, on reprocha à Chaplin

Sans le savoir, drapeau rouge brandi, Charlot (Charles Chaplin) mène une manifestation d'ouvriers en grève.

de faire planer sur son œuvre, attendue comme un divertissement, le spectre du chômage, d'y introduire des scènes d'émeutes et de grèves, de suggérer que le progrès technique est facteur d'oppression, en un mot d'afficher des idées proches du communisme… C'est d'ailleurs ce que pensèrent les dirigeants de l'Italie fasciste et de l'Allemagne nazie qui interdirent le film. À ses détracteurs, Chaplin répondit : « Il y a des gens qui veulent toujours trouver un sens social à mes films. Ils n'en ont pas. Je laisse de tels sujets aux orateurs politiques. Amuser est mon but primordial. »

Enfin le bonheur grâce à la gamine (Paulette Goddard).

Il chante mais ne parle pas

Chaplin (1889-1977) – à la tête d'une œuvre muette d'environ soixante-dix courts métrages et trois longs métrages dont Charlot était le héros – avait toujours manifesté son hostilité au cinéma parlant, l'accusant de causer « la ruine de l'art le plus ancien du monde, la pantomime » et de détruire « l'immense beauté du silence ». *Les Temps modernes* est un film à cheval entre deux techniques : il est sonore mais non parlant. On y entend de la musique, des bruits. Mais, pour la première fois, Chaplin y fait entendre sa voix dans la scène du cabaret où il est à la fois serveur, calamiteux comme à son habitude, et attraction : il chante une mélodie célèbre, « Je cherche après Titine », mais dans un jargon incompréhensible qui emprunte à l'anglais, à l'allemand, à l'italien, au français, au russe et au yiddish. Chaque strophe se conclut sur un « tu le tu le tu le wa! » que la musique et la gestuelle de l'interprète rendent particulièrement éloquent !

Les Raisins de la colère

Les damnés de la terre

Casey (John Carradine) dit sa révolte à Tom (Henry Fonda).

1940

The Grapes of Wrath, drame de John Ford, avec Henry Fonda (Tom Joad), Jane Darwell (Ma Joad), John Carradine (Casey) • Sc. Nunnally Johnson, d'après le roman de John Steinbeck • Ph. Gregg Toland • Mus. Alfred Newman • Prod. 20th Century Fox • États-Unis • Durée 129' • Oscar du meilleur réalisateur

Chassés de leurs terres en Oklahoma, les Joad traversent l'ouest des États-Unis pour gagner la Californie. L'injustice, la violence et la misère sont leur lot quotidien.

La famille Joad.

Des immigrés de l'intérieur

Cette chronique sociale fut tournée à chaud, en prise avec une actualité dramatique : la situation économique des États-Unis, très ébranlés par le krach boursier de 1929, demeurait précaire dans les années trente, malgré le New Deal du président Roosevelt, destiné à juguler les effets de la crise et à relancer l'économie. Si les chômeurs et les plus démunis recevaient des aides, si des travaux d'intérêt général créaient des emplois, rien n'avait été fait pour la petite paysannerie du Middle West, dont les récoltes étaient au plus bas à la suite de la sécheresse de 1936.
Quand l'action débute en 1937, les Joad, comme la majorité des exploitants agricoles de l'Oklahoma, ne sont que locataires de leurs terres. Les banques, qui leur ont accordé des prêts pour s'équiper, profitent de leur insolvabilité pour confisquer leur matériel ; les propriétaires, dont les loyers ne rentrent plus, saisissent l'occasion pour chasser les locataires et réunir les parcelles en grandes exploitations pour pratiquer une agriculture intensive, plus rentable. Commence alors un exode vers la région que les brochures publicitaires vantent comme un pays de cocagne : la Californie, où les attendront la misère, les brimades et les bidonvilles cernés de barbelés.

Ford affectionne ce thème de l'errance d'une communauté poussée par la nécessité – on le retrouve du *Convoi des braves* (1950) aux *Cheyennes* (1964). Ce film lui offre l'occasion de créer une galerie de personnages inoubliables : les trois générations de Joad embarquées sur un camion brinquebalant sur la Route 66, et parmi eux Tom, le révolté, pourchassé pour avoir refusé de se soumettre, mais aussi les « rouges » et l'ancien pasteur (Casey) qui a perdu la foi et fomente des grèves. Ford hausse le film jusqu'à la tragédie : dans cette épopée sociale, le destin pèse sur les personnages englués dans une situation sur laquelle ils n'ont pas de prise.

Ruth (Shirley Mills), Ma (Jane Darwell) et Tom Joad en route pour la Californie.

Un message d'espoir

John Steinbeck, auteur du roman (Prix Pulitzer, 1940) dont le film est adapté, se déclara satisfait du scénario de Nunnally Johnson qui, pourtant, atténuait la violence et le pessimisme du livre en délivrant, au final, un message d'espoir. C'est ce que souhaitait John Ford, cinéaste conservateur et humaniste plutôt que progressiste : « J'aimais cette histoire : on y parlait du petit peuple et le sujet rappelait la famine en Irlande à l'époque où l'on chassa les paysans des terres, les laissant errer sur les routes jusqu'à ce qu'ils crèvent. Cela a sans doute à voir avec mes origines irlandaises. » Présenté aux États-Unis en 1940, le film ne sortit en France que le 31 décembre 1947, en raison de la guerre d'abord, mais aussi parce que les Américains ne souhaitaient pas donner aux nations fraîchement libérées une image négative de leur pays.

« Je serai là. »

La profession de foi finale

Avant de disparaître pour fuir la police lancée à ses trousses, Tom tient à rassurer sa mère : « Partout où des gens qui ont faim lutteront pour pouvoir manger, je serai là. Partout où un flic brutalisera quelqu'un, je serai là. Quand les gens mangeront le pain qu'ils ont récolté et vivront dans les maisons qu'ils auront bâties, eh bien je serai là aussi. » Son fils parti, Ma, confiante en l'avenir, prend la tête de la famille : « Les riches meurent un jour, leurs enfants ne valent rien et meurent à leur tour. Nous, on est de plus en plus nombreux. On est vivants. On est le peuple qui survit à tout. Personne ne peut nous détruire. Personne ne peut nous arrêter. Nous avançons toujours. »

Citizen Kane

Le mystère « Rosebud »

1941

Citizen Kane, drame d'Orson Welles, avec Orson Welles (Charles Foster Kane), Joseph Cotten (Leland), Dorothy Comingore (Susan Alexander) • Sc. Orson Welles, Herman J. Mankiewicz • Ph. Gregg Toland • Mus. Bernard Herrmann • Prod. Orson Welles / Mercury • États-Unis • Durée 119' • Oscar du meilleur scénario

Charles Foster Kane, richissime magnat de la presse, est mort en murmurant « Rosebud » (« bouton de rose »), mot dont la signification est un mystère. Pour l'élucider, un journaliste enquête sur la vie et la personnalité du défunt.

Leland (Joseph Cotten) a écrit que Susan était une piètre chanteuse. Kane (Orson Welles) le chasse.

Thatcher (George Coulouris) vient arracher le jeune Charles à ses parents et à son enfance.

Itinéraire d'un enfant trop gâté

Conçu sans le souci de la continuité dramatique ni de la chronologie narrative, *Citizen Kane* se présente comme un puzzle cinématographique dont les pièces – les différents témoignages recueillis auprès des épouses, amis, ennemis et collaborateurs du disparu – s'assemblent au final pour esquisser le portrait privé d'un homme public. Le spectateur découvre ainsi, en même temps que le journaliste, les diverses facettes de la personnalité du citoyen Kane, incarnation vivante du capitaliste triomphant, sûr de lui, riche et puissant, si l'on s'en tient aux seules apparences. Or, patron de presse, Kane a évolué de l'idéalisme – son premier journal se voulait au service de la vérité – au cynisme : « Les lecteurs penseront ce que je leur dirai de penser » ; politicien, il a échoué dans sa course au poste de gouverneur pour avoir trompé sa femme et entretenu une maîtresse, Susan Alexander ; celle-ci devenue sa seconde épouse, il tentera vainement, en manipulant les médias, d'en faire une diva de théâtre lyrique. Enfin, abandonné par Susan dans la solitude glacée de son palais, Xanadu, où il a entassé des objets d'art – autant de signes d'une richesse qui ne lui est d'aucun secours pour endurer sa pauvreté affective et culturelle – Kane, aigri, vieilli, mourra seul.

Le secret de Kane

Personne n'a pu éclairer le sens de « Rosebud », dernier mot du défunt. L'explication en sera donnée par les ultimes images du film. À Xanadu, on jette au feu des objets sans valeur. Parmi eux, la luge sur laquelle glissait le petit Charles lorsque, à huit ans, on l'a arraché à ses parents pour lui donner l'éducation due à un enfant devenu riche par héritage. Sur la luge qui flambe, on peut lire : « Rosebud ».

Kane se lance dans la politique.

La solitude de l'homme-orchestre

Enfant prodige, Orson Welles (1915-1985) écrit déjà, dit-on, des pièces à l'âge de cinq ans. Il se fait connaître aux États-Unis en montant de nombreuses pièces, dont un « Macbeth » joué par des comédiens noirs et un « Jules César » représenté en dictateur ressemblant à Mussolini. En 1938, il réalise pour la radio « La Guerre des mondes », d'après H. G. Wells. L'émission est si réaliste qu'elle déclenche une véritable panique. Hollywood lui signe un contrat qui lui garantit tous les moyens financiers pour réaliser en toute liberté le film de son choix. Scénariste, acteur, réalisateur, producteur de *Citizen Kane*, Welles révolutionne l'écriture cinématographique. Il demande à son directeur de la photographie, Gregg Toland, d'utiliser des objectifs à courte focale grâce auxquels les images sont nettes et lisibles du premier plan jusqu'à l'infini, de telle sorte que plusieurs actions, filmées en plans-séquences, c'est-à-dire sans morcellement par le montage, puissent se dérouler en même temps et en continuité.

Kane et Hearst

Le film fut menacé d'interdiction puis de boycott par le milliardaire William Randolph Hearst, convaincu que Welles s'était inspiré de certains épisodes de sa vie pour le caricaturer. Il est vrai que Hearst avait, lui aussi, une maîtresse, l'actrice Marion Davies – dont il avait tenté, dans les années vingt, de faire une star de cinéma – et qu'il possédait, à l'instar de Kane, journaux, fortune et château somptueux. *Citizen Kane* fut salué par la critique comme un événement majeur dans l'Histoire du cinéma dont il reste, au fil des ans et des sondages, l'un des meilleurs films de tous les temps. En revanche, le public lui réserva un accueil plutôt froid, que les studios hollywoodiens utilisèrent comme prétexte pour ne plus donner à Welles, les moyens et la liberté nécessaires à l'expression de son génie.

Le secret de la luge…

Le Voleur de bicyclette

La tragédie du chômage

1948

Ladri di biciclette, drame de Vittorio De Sica avec Lamberto Maggiorani (Ricci), Enzo Staiola (Bruno), Lianella Carrel (Maria), Nando Bruno (Baiocco) • Sc. Cesare Zavattini, Vittorio De Sica, Oreste Biancoli, Suso Cecchi D'Amico, Adolfo Franchi, Gherardo Gherardi, Gerardo Guerrieri, d'après un roman de Luigi Bartolini • Ph. Carlo Montuori • Mus. Allessandro Cicognini • Prod. P.D.S. (Production De Sica) • Italie • Durée 100' • Grand Prix International du Festival Mondial du Film et des Beaux-Arts de Belgique (Bruxelles, 1949)

Antonio Ricci, chômeur, a enfin trouvé un emploi de colleur d'affiches. Il vient à peine de commencer que sa bicyclette, son instrument de travail, lui est volée. Il la recherchera en vain, dans tout Rome, avec l'aide de son fils Bruno.

Au travail ! Antonio (Lamberto Maggiorani) et son fils Bruno (Enzo Staiola).

Une gestation difficile

De Sica eut beaucoup de mal à trouver le financement de son film. Pour les producteurs italiens, en effet, il était avant tout un comédien, un séducteur qui avait bâti sa popularité dans ces comédies italiennes des années 1930, dites « à téléphones blancs » ; cinéaste, il avait réalisé des films romantiques, légers, spirituels, comme *Roses écarlates* (1940), *Madeleine, zéro de conduite* (1940) ou *Mademoiselle Vendredi* (1941). Et ce n'est pas son *Sciuscia* (1946), implacable document sur la misère des enfants dans l'immédiat après-guerre, accusé de misérabilisme en Italie, qui pouvait leur

Même la police ne peut rien.

donner envie de financer cet autre projet, trop social, trop réaliste, qu'était *Le Voleur de bicyclette*. De Sica se décida à financer le film sur ses propres deniers et partit à la recherche de ses comédiens. C'est finalement dans une usine de Rome qu'il découvrit Lamberto Maggiorani, un ouvrier ; il fit promettre à son patron de le réembaucher après la fin du tournage. Ce qui fut fait, mais

Maggiorani se retrouva rapidement au chômage, l'usine ayant fermé. Par la suite, Maggiorani tenta, en vain, de faire carrière dans le cinéma : on le vit, en figurant, dans quelques films… Quant au petit Enzo Staiola, De Sica le dénicha dans un camp de « personnes déplacées » non loin de Rome.

Incompréhension en Italie, triomphe en France

À sa sortie en Italie, une véritable campagne anti-De Sica entoura le film. « L'Osservatore Romano », journal officiel du Vatican, associé à la Démocratie Chrétienne, jugea que le film portait offense à la dignité du peuple italien. En France, ce furent Georges Charensol et Jacques Becker – ami de De Sica – qui contribuèrent au succès du film en organisant une projection à la Salle Pleyel où s'était réunie l'élite culturelle française du moment, avec Gide, René Clair, Malraux, Cocteau…

Et maintenant, que faire ?

Voleur à son tour, Antonio est malmené.

Un classique inoubliable

Au-delà de la polémique qui salua sa sortie, *Le Voleur de bicyclette* demeure un film poignant sur la réalité de la misère d'après-guerre en Italie. La quête désespérée qui transforme Antonio en voleur, ostracisé et montré du doigt par les autres, est le miroir d'une époque. Mais le film conserve, encore aujourd'hui, une dimension universelle dans sa réflexion sur les conditions de la perte de la dignité humaine.

Le néoréalisme italien

Ce mouvement cinématographique devait, pour Cesare Zavattini (1902-1989), théoricien du mouvement, s'intéresser « à l'actuel, au réel, à l'homme dans son aventure de tous les jours ». Luchino Visconti (1906-1976) avait ouvert la voie dès 1943 avec *Ossessione*. Mais les œuvres néoréalistes les plus marquantes apparurent après la guerre : *Rome, ville ouverte* (1945) et *Paisa* (1946) de Roberto Rossellini (1906-1977), *Sciuscia* et *Le Voleur de bicyclette* de De Sica (1901-1974), *Riz amer* (1949) de Giuseppe De Santis (1917-1997) et *La Terre tremble* (1948) de Visconti. Le mouvement néoréaliste prit fin au début des années cinquante mais il influença durablement le cinéma italien.

Eve

Strass, paillettes et coups tordus

1950

All about Eve, comédie dramatique de Joseph L. Mankiewicz, avec Bette Davis (Margo), Anne Baxter (Eve), Celeste Holm (Karen), George Sanders (Addison De Witt) • Sc. Joseph L. Mankiewicz • Ph. Milton Krasner • Mus. Alfred Newman • Prod. 20th Century-Fox • États-Unis • Durée 138' • Oscar du meilleur film

Une étoile pâlit au firmament du théâtre new-yorkais, celle de Margo Channing. Une autre scintille à sa place, celle d'Eve Harrington. Et le spectacle continue...

Eve (Anne Baxter) vient de recevoir un prix d'interprétation ; De Witt (George Sanders) la congratule.

Femmes ou comédiennes

« Tout sur Eve » (« All about Eve ») ou, plus précisément, « Tout sur la Femme » aurait mieux traduit que le titre français les intentions de Joseph L. Mankiewicz qui, selon Anne Baxter, l'interprète d'*Eve*, « en sait plus sur les femmes que n'importe quel homme ». En effet, dans son film, Mankiewicz brosse le portrait, qu'on peut juger misogyne, de trois femmes qui tentent de se construire une identité face au regard posé sur elles par le sexe dit fort. Eve, tout à la fois sincère et rusée, modeste et arriviste, charmeuse et cruelle, a mis son intelligence et sa beauté au service d'une ambition dévorante : devenir une vedette. Elle n'a pas hésité, pour

atteindre son but, à offrir son corps à qui pouvait l'aider – le metteur en scène Bill Sampson, l'auteur dramatique Lloyd Richards, le critique Addison De Witt – ni à évincer froidement sa concurrente Margo Channing. Celle-ci est en train de perdre la faveur du public. Elle vieillit. Sa réalité de femme reprend le pas sur son image de star : elle a peur d'un avenir qui lui échappe. L'amour d'un homme la sauvera, peut-être, du désespoir. Quant à Karen Richards, épouse du dramaturge, elle se croit protégée par sa condition de femme mariée, à la marge du show-business où la norme n'a guère sa place. Lorsque son mari semble sur le point de la tromper avec Eve, elle se jette à son tour dans la mêlée, mais avec maladresse car elle n'a pas le talent de sa rivale pour dominer le jeu dangereux des apparences et du mensonge, celui qu'on joue au théâtre et dont une place parmi les étoiles est l'enjeu.

Un monstre sacré

Comme Margo Channing, Bette Davis fut, mieux qu'une star, un monstre sacré du cinéma. Née en 1908, elle se consacre dès 1931 au cinéma en dépit d'un physique ingrat que les dirigeants des studios jugeaient totalement dénué de sex-appeal. Ses premiers rôles révèlent un talent nerveux, excessif parfois, parfait pour incarner des personnages hors du commun, volontiers

Bill Sampson (Gary Merrill) et sa fiancée Margo dînent avec le couple Richards, Karen (Celeste Holm) et Lloyd (Hugh Marlowe).

antipathiques mais toujours forts. Prise en mains par les équipes de coiffeurs, maquilleurs et costumiers des studios Warner, elle devient belle, mais d'une beauté inhabituelle, dérangeante, féline. Elle obtient quelques bons rôles mais se plaint de la médiocrité des scénarios qu'on lui propose, se rend insupportable alors que son attitude, loin du caprice, est celle d'une actrice ambitieuse qui veut rester sur les sommets de son art. Les titres de quelques-uns de ses succès témoignent du type de personnages où elle excelle : *L'Intruse*, *L'Insoumise*, *La Vipère*, *La Garce*, *La Vieille Fille*, *L'Étrangère*, *La Voleuse*. *Eve* la remet en selle, après un bref passage à vide, et elle repart vers une nouvelle carrière dont l'un des sommets sera *Qu'est-il arrivé à Baby Jane ?* (Robert Aldrich, 1962) où, enlaidie, elle incarne une mythomane meurtrière, vieille actrice qui refuse d'être oubliée. Bette Davis a épousé Gary Merrill, son partenaire dans *Eve*, peu après le tournage. Elle exercera son métier de comédienne, sa raison d'être, jusqu'à sa mort, en 1989.

Eve et Margo (Bette Davis) accueillent le critique Addison De Witt, qu'accompagne une jeune actrice (Marilyn Monroe).

Marilyn, bientôt

Une jeune débutante apparaît quelques minutes dans le rôle d'une apprentie comédienne jugée trop mauvaise pour espérer faire carrière ailleurs qu'à la télévision : il s'agit de Marilyn Monroe qui, quelques années après *Eve*, deviendra la star que l'on sait.

Phoebe (Barbara Bates), la nouvelle Eve ?

La Fureur de vivre
Les enfants perdus du rêve américain

1955

Rebel Without a Cause, drame
de Nicholas Ray, avec James Dean (Jim),
Natalie Wood (Judy), Sal Mineo (Plato),
Jim Backus (Mr. Stark), Ann Doran
(Mrs. Stark), Corey Allen (Buzz), Dennis
Hopper (Goon) • Sc. Stewart Stern •
Ph. Ernest Haller • Mus. Leonard
Rosenman • Prod. Warner Bros. •
États-Unis • Durée 111'

Adolescents privés de l'affection
de parents dépassés
par leur comportement
de pré-délinquants, Jim, Judy et Plato
vont ensemble, l'espace d'une nuit,
découvrir l'amitié et l'amour
tout en affrontant la violence
d'une bande de jeunes et celle
de la police.

Judy (Natalie Wood) et Jim (James Dean) se sont rencontrés
au poste de police.

Les conflits de Jim avec ses parents sont fréquents
et violents.

Plato (Sal Mineo), Jim et Buzz (Corey Allen).

Graines de violence

En 1956, l'Amérique découvre qu'une
partie de sa jeunesse risque de sombrer
dans la délinquance. Il est établi que
la moitié des arrestations pour vol, à New
York, concerne des moins de 20 ans
et qu'à Los Angeles, 20 % des crimes sont
commis par des adolescents. Déjà,
Hollywood s'est fait l'écho de ce problème
avec deux films qui ont frappé l'opinion :
L'Équipée sauvage (Laslo Benedek, 1954)
qui décrit la menace que fait peser sur
une bourgade de l'Amérique profonde
une horde de motards menée par Marlon
Brando et *Graine de violence* (Richard
Brooks, 1955) qui relate le quotidien d'une
école publique dans un quartier pauvre
où un professeur (Glenn Ford) est en butte
aux agressions de ses élèves. En revanche,

Au départ de la course à la mort.

les jeunes héros de *La Fureur de vivre* ne sont
ni des blousons noirs ni des voyous ; ils sont tous trois
issus d'une bourgeoisie aisée, mais leurs parents
n'ont plus de prise sur eux. Or c'est l'absentéisme
parental, selon un rapport de la Croix Rouge
américaine, qui est la cause première
de la délinquance juvénile. Le film en illustre
les conséquences sur Judy, fugueuse, sur Plato, dont
les parents ont divorcé, sur Jim, dont le père, humilié
par une épouse autoritaire, fait honte à son fils.
Ces enfants du rêve américain recherchent alors
la reconnaissance de leurs semblables, ces jeunes
rassemblés en bande qui leur tient lieu de famille.
Pour s'y faire admettre, Jim doit prouver force
et courage en affrontant leur chef dans un duel
au couteau puis dans une « chickie run », course
à la mort de deux voitures vers un précipice et dont
le vainqueur sera celui qui sautera le dernier de
son véhicule. À cette violence initiatique et gratuite

qui pousse Plato, le plus fragile des trois,
à répondre l'arme au poing, s'oppose celle,
institutionnelle, de la police qui l'abattra pour
l'avoir cru plus dangereux qu'il n'est.
Un demi-siècle après ce film témoin d'une
époque, les bandes sont devenues des gangs
où, trop souvent, les armes de guerre ont
remplacé les couteaux à cran d'arrêt.
Mais les causes de la délinquance des jeunes
sont restées les mêmes et engendrent,
en pire, les mêmes effets.

James Dean, rebelle sans cause

Né le 8 février 1931, James Dean a trouvé la mort
le 30 septembre 1955 dans un accident de voiture.
Un seul de ses trois longs métrages, *À l'Est d'Eden*
(Elia Kazan), sorti en mars 1955 était alors connu du
grand public. *La Fureur de vivre* sortira le 27 octobre
sur les écrans américains, soit près d'un mois après
sa disparition, tandis que *Géant* (George Stevens),
dont le tournage venait de s'achever, ne sera projeté
qu'un an après, à partir du 10 octobre 1956.
En dépit de la brièveté de sa vie et de sa carrière, ce
jeune comédien suscita, à peine disparu, un véritable
culte de la part d'une jeunesse en quête d'identité et
d'une vision claire de l'avenir. Des clubs James Dean
virent le jour, un peu partout dans le monde,

pour perpétuer la gloire de ce rebelle sans
cause – la misère pas plus que la politique,
une quelconque idéologie ou l'appartenance
à une minorité raciale n'étaient les moteurs
de sa rébellion – que sa fragilité et le mal
de vivre avaient acculé à la mort. Ceux qu'on
appelait alors les « teenagers » – enfants
d'une civilisation occidentale qui venait
d'inventer la société de consommation –
tâtonnaient sans boussole, à la recherche
d'un sens à leur vie et d'une place
dans cette société hostile aux rêveurs
et aux faibles. Tous se reconnurent en James
Dean, dont ils firent l'icône de leur temps.

257

Douze Hommes en colère

L'ombre d'un doute

1957

Twelve Angry Men, drame de Sidney
Lumet, avec Henry Fonda (l'architecte),
Lee J. Cobb (le chef d'entreprise), Martin
Balsam (le président du jury) •
Sc. Reginald Rose • Ph. Boris Kaufman •
Mus. Kenyon Hopkins • Dist. Artistes
Associés • États-Unis • Durée 95'

Un jury, constitué de douze hommes,
débat de la culpabilité d'un jeune
Portoricain accusé de parricide.

Onze jurés lèvent le bras : « Coupable. » Seul l'architecte s'abstient.

Le face à face du Bien et du Mal (Lee J. Cobb).

« Not guilty » (non coupable).

Justice est faite

Une immense bâtisse, écrasante de majesté :
c'est un palais de justice, lieu hautement
symbolique, de la loi, du droit, de l'ordre,
où la société juge ceux qui ont enfreint
les règles qu'elle s'est données.
En quelques images, Sidney Lumet a défini
l'enjeu de son film : la justice et son exercice.
Et, très vite, sa caméra conduit
le spectateur du symbolique à l'humain,
de l'abstraction des grands principes
au concret de la vie. La société, en effet,
n'est autre que ce jury de douze hommes
ordinaires rassemblés dans une salle du palais
pour dire, en leur âme et conscience, leur
conception de la Justice en se prononçant
sur la culpabilité d'un présumé parricide.
Et le huis clos dramatique auquel le cinéaste
convie le spectateur réussit le double tour
de force de le passionner – tout
en respectant la règle des trois unités,
de temps, de lieu et d'action, de la tragédie
classique – et de le confronter – au long
d'un échange de réflexions, d'imprécations,
d'interrogations qui collent à la personnalité
de chacun des douze protagonistes –
à l'idée qu'il se fait lui-même
de la Démocratie et de son exercice.
Le huitième juré, incarné par Henry Fonda,
le seul à voter « non coupable » contre
ses onze collègues, est aussi le premier
à explorer les chemins de la pratique
démocratique qui conduisent à la vérité.
Architecte de profession, il construit celle-ci

argument après argument. En opposant d'abord
le doute aux certitudes qui se fondent
sur les apparences – trompeuses – et sur
les témoignages – sujets à caution. En invitant ensuite
chacun à faire taire ses préjugés, raciaux, sécuritaires,
sociaux, et à accepter l'idée qu'il puisse se tromper
et qu'il vaut mieux laisser un coupable en liberté
que punir un innocent.

Effets de manche

En France, André Cayatte avait réalisé *Justice est faite*
(1950) sur l'attitude d'un jury appelé à se prononcer
sur la culpabilité d'une femme qui avait abrégé
les souffrances de son amant incurable.
Le cinéaste français avait choisi d'illustrer la vie
quotidienne de chacun des sept jurés pour y découvrir
ce qui pouvait influencer son jugement. En dehors
de ces deux films qui donnent la vedette
aux représentants du peuple, les jurés, beaucoup plus
nombreuses ont été les œuvres, principalement
hollywoodiennes, relatant les étapes d'un procès
dont les avocats sont les charismatiques héros.
Les comédiens les plus prestigieux ont
à leur palmarès l'un ou l'autre de ces films dont
le déroulement épouse le rythme d'un procès
d'assises avec ses coups de théâtre et ses grands
moments d'éloquence, réquisitoires ou plaidoiries,

où le talent de l'orateur, l'avocat, se confond
avec celui de l'acteur : Humphrey Bogart
(*Les Ruelles du malheur*, Nicholas Ray, 1949),
James Stewart (*Autopsie d'un meurtre*,
Otto Preminger, 1959), Spencer Tracy
et Fredric March (*Procès de singe*, Stanley
Kramer, 1960), James Mason et Paul Newman
(*The Verdict*, Sidney Lumet, 1982),
entre autres.

L'architecte (Henry Fonda) et l'arme du crime.

L'homme en blanc

Le rôle du juré n° 8 semble avoir été écrit
pour Henry Fonda (1905-1982),
qui a d'ailleurs coproduit ce film adapté
d'une pièce conçue pour la télévision.
Ce comédien au talent sobre est apparu
souvent, au cours de sa longue carrière
de 86 films, comme un Don Quichotte
timide mais résolu, s'efforçant d'incarner
des personnages intègres en accord avec
sa conception de l'homme américain.
Dans *Douze Hommes en colère*, tout de
blanc vêtu, il personnalise le Bien en lutte
contre le troisième juré (Lee J. Cobb)
qui porte un costume noir et, brutal et
méprisant, représente les forces du Mal.

America, America

En hommage à tous les immigrés du monde

Vasso (Elena Karam) se résigne au départ de son fils Stavros (Stathis Giallelis).

1964

America, America, drame d'Elia Kazan, avec Stathis Giallelis (Stavros), Harry Davis (Isaac), Elena Karam (Vasso), Gregory Rozakis (Hohannes) • Sc. Elia Kazan • Ph. Haskell Wexler • Mus. Manos Hadjidakis • Dist. Argos Films • États-Unis • Durée 174'

Émigrer aux États-Unis, c'est le rêve de Stavros Topouzoglou, un jeune Grec. Il quitte son village d'Anatolie, en Turquie, pour Constantinople d'où il pourra partir pour l'Amérique. Le voyage sera long et difficile mais le rêve deviendra réalité.

La liberté au bout du chemin

« Je m'appelle Elia Kazan. Je suis grec de sang, turc de naissance et américain depuis que mon oncle a entrepris certain voyage. » Ainsi débute, commentée en voix off par le cinéaste, cette fresque où l'Histoire et la biographie sont intimement mêlées. Les premières images, sorte de documentaire empreint de poésie et de lyrisme, illustrent une nécessaire mise au clair des conditions historiques qui expliquent les raisons d'un exil : « Cette histoire, ce sont les anciens de ma famille qui me l'ont contée au fil des ans.

« America, America », la fin du voyage. Stavros (avec le fez) et son ami Hohannes (Gregory Rozakis, à droite).

Ils n'avaient pas oublié l'Anatolie, cette grande plaine qui occupe le centre de la Turquie d'Asie (...). L'Anatolie, c'était l'antique foyer des Grecs et des Arméniens. Mais, il y a cinq cents ans, les Turcs envahirent ces terres. Désormais Grecs et Arméniens vécurent en ces lieux comme des minorités (...). Ils s'habillaient comme les Turcs, portaient le même fez et les mêmes sandales, mangeaient la même chose et souffraient pareillement de la même chaleur (...). Mais ils obéissaient à des sentiments différents. Car, en fait, il y avait les conquérants et les conquis. » C'est pour fuir l'oppression turque que Stavros Topouzoglou – personnage nourri de l'expérience vécue par Joe Kazanjoglou, l'oncle d'Elia Kazan – a entrepris ce voyage dont le terme, à ses yeux, ne pouvait être que le pays de la Liberté. Le film raconte ce cheminement chaotique au cours duquel le voyageur, volé, trahi, battu, exploité, perdra sa naïveté et apprendra à rendre les coups, à ruser, à voler à son tour, à tuer même pour trouver l'argent nécessaire à son embarquement vers l'« America ».

Retour aux sources

Elia Kazanjoglou est né d'un père turc et d'une mère grecque, en 1909, près d'Istanbul. Arrivé aux États-Unis avec ses parents en 1913, il reviendra en Turquie en 1921 puis en 1958, alors qu'il songe déjà à réaliser un film sur l'odyssée de son oncle. Les anciens, retrouvés au village natal de son père, lui racontent dans le détail leur dure existence d'opprimés à la fin du XIXe siècle. De leurs récits, le cinéaste tire un livre, « America, America » (1962), qui servira de base au scénario de son futur film. Kazan, qui jouit pourtant d'un statut privilégié à Hollywood où il a réalisé des succès comme *Viva Zapata* (1952), *Sur les Quais* (1954), *À l'Est d'Eden* (1955), entre autres, a toutes les peines du monde à réunir l'argent nécessaire pour mener à bien son projet. Il met à profit le temps passé à attendre un financement pour recruter, sur place, en Turquie, ses comédiens, des inconnus, tous juifs ou grecs. Par ailleurs, soucieux de donner à son œuvre une tonalité réaliste, Kazan confie à Haskell Wexler, un documentariste, la direction de la photographie : « C'est le meilleur photographe caméra à la main que j'ai jamais connu. C'est presque une grue humaine », souligna le réalisateur. Finalement, à cause de la censure turque, le tournage s'effectua en Grèce. Et, comme prévu par les producteurs et par Kazan lui-même, *America, America*, grande réussite artistique, fut un échec commercial. Elia Kazan est mort en 2003.

Le rêve américain

« Que cela plaise ou non, nous sommes (les Américains) un rêve. Les gens nous détestent autant qu'ils nous aiment. Ils soulignent nos imperfections et les limites de notre "culture de gadgets" (...). Mais nous sommes néanmoins un rêve. Nous l'étions en 1886, quand ma famille vint ici pour la première fois, à la recherche de quelque chose. Et nous le sommes toujours. Des milliers et des milliers quittent encore les montagnes pierreuses de la Grèce et les plateaux torrides de la Turquie d'Asie. S'ils peuvent choisir leur rêve, c'est celui qu'ils choisissent. » (Elia Kazan, 1963.)

Z

Anatomie d'un assassinat politique

1969

Drame de Costa-Gavras, avec Yves Montand (le docteur), Irène Papas (Hélène, sa femme), Jean-Louis Trintignant (le juge) • Sc. Jorge Semprun, Costa-Gavras, d'après le roman de Vassili Vassilikos • Ph. Raoul Coutard • Mus. Mikis Theodorakis • Prod. Reggane Films / O.N.C.I.C. • France - Algérie • Durée 125' • Prix du jury et Prix d'interprétation masculine (Jean-Louis Trintignant) au Festival de Cannes ; Oscar du meilleur film étranger

Dans un pays imaginaire dirigé par un gouvernement de droite, un député de l'opposition est assassiné. La police soutient la thèse de l'accident mais un juge intègre conclut au meurtre. Il sera démis de ses fonctions au terme d'un procès truqué.

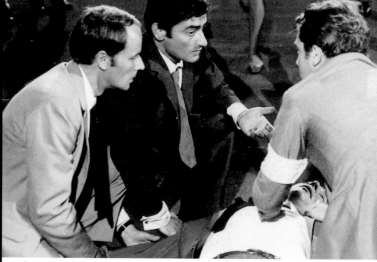

Le docteur (Yves Montand) est renversé par un triporteur à l'issue d'un meeting.

Le général (Pierre Dux) et le colonel de la gendarmerie (Julien Guiomar).

L'État sauvage

Costa-Gavras et Jorge Semprun ont fait précéder leur film de la mention : « Toute ressemblance avec des événements réels, des personnes mortes ou vivantes, n'est pas le fait du hasard. Elle est volontaire. » Z s'appuie, en effet, sur des faits authentiques ayant eu la Grèce pour théâtre. Le 22 mai 1963, le député Gregorio Lambrakis fut tué à Salonique. Le leader de l'opposition Georges Papandréou accusa publiquement le président Caramanlis d'être le « responsable moral » de cet assassinat. Le juge Sartzetakis, chargé de l'affaire, s'acharna à démontrer l'implication de hautes personnalités dans l'affaire. Le 11 juin suivant, le gouvernement dut démissionner. En septembre, le juge inculpa l'inspecteur général de gendarmerie Mitsou et le colonel Kamoutsis, ainsi que le chef d'une organisation clandestine d'extrême droite. Incarcérés trois semaines, les officiers furent mis en liberté provisoire et en retraite d'office. À l'issue du procès, en octobre 1966, ils furent acquittés et les exécutants condamnés

à des peines légères. Le 21 avril 1967, le coup d'État des Colonels institua une dictature qui devait durer jusqu'en juillet 1974. Les officiers furent réhabilités. Le juge fut emprisonné, puis libéré et démis de ses fonctions.

Le film se termine par une longue liste d'interdits instituée par le régime fasciste en Grèce. Y figurent, entre autres : les cheveux longs, Aragon, les mini-jupes, les Beatles, la liberté de la presse, faire grève, la musique moderne, Sartre, et en fin de liste la lettre « Z ». Celle-ci, symbole pour les Grecs de la lutte anti-fasciste, pourrait signifier en français « Il est vivant ». Les patriotes grecs la bombaient sur les murs après la mort de Lambrakis.

Sa femme (Irène Papas) à son chevet, le docteur succombe à ses blessures.

Message reçu 5 sur 5

Né à Athènes le 13 février 1933 et venu à Paris en 1949, Costa-Gavras réalisa son premier film (*Compartiment tueurs*) en 1964. Passionné par le sujet du livre de Vassilikos, il rencontra d'innombrables difficultés avant de pouvoir en réaliser l'adaptation. Aucun producteur français ne voulait entendre parler d'un sujet aussi politisé. Toutefois, Costa-Gavras gagna le soutien de l'acteur Jacques Perrin. Après avoir créé Reggane

Le juge d'instruction (Jean-Louis Trintignant) interr un témoin (Georges Géret).

Films, ce dernier finit par emporter l'accord de l'Office national pour le commerce et l'industrie cinématographique algérien. Le tournage en extérieurs se déroula en majorité à Alger durant l'été 1968. Le film n'eut pas d'audience immédiate ; mais peti à petit, le public afflua et l'exclusivité atteignit le record de 36 semaines. Phénomène rare, le public applaudissait spontanément à la fin de la projection.

Un cinéaste engagé

Comme *Z*, les autres films de Costa-Gavras sont autant d'appels vibrants à la conscience des peuples pour la défense de la démocratie contre le totalitarisme stalinien (*L'Aveu*, 1970), l'impérialisme américain (*État de siège*, 1973 ; *Missing*, 1982), le régime vichyste (*Section spéciale*, 1975), le racisme et le fascisme (*Hanna K.*, 1983 ; *La Main droite du diable*, 1988 ; *Music Box*, 1990 ; *Amen.*, 2002).

Délivrance

Retour brutal à la Nature

1972

Delivrance, film d'aventures de John Boorman, avec Jon Voight (Ed), Burt Reynolds (Lewis), Ned Beatty (Bobby), Ronny Cox (Drew) • Sc. James Dickey, d'après son roman • Ph. Vilmos Zsigmond • Mus. Eric Weissberg • États-Unis • Durée 109'

Quatre citadins descendent en canoë une rivière perdue dans la forêt. Ils sont agressés par des montagnards et ce qui devait être une partie de plaisir se transforme en cauchemar sanglant.

Pour Bobby (Ned Beatty), Lewis (Burt Reynolds), Drew (Ronny Cox) et Ed (Jon Voight), l'aventure commence…

Messieurs Tout-le-Monde

« Brave type » grassouillet et timoré, Bobby sera la première cible des montagnards. Il est la caricature du citadin jouisseur et repu, avec ses chairs molles et blanchâtres mises à nu par son violeur. Lewis, le « bravache » du groupe, mettra fin au calvaire de Bobby en tuant son bourreau. Parfaitement équipé – caoutchouc, cuir, arc, flèches et muscles – pour affronter la Nature, il s'en prétend le défenseur, masquant sous une écologie simpliste son profond mépris des idées et des hommes qui remettent en question la loi du plus fort, la sienne. Drew, en revanche, est ouvert au dialogue avec les misérables autochtones que ses camarades méprisent ostensiblement. Il accompagne même à la guitare un jeune joueur de banjo. Il sera le seul à s'opposer à ce que le meurtre du montagnard, même justifié par la légitime défense, soit dissimulé à la police. Il n'aura pas gain de cause et sera l'unique victime de l'équipée, comme si le droit et la raison qu'il semble incarner ne pouvaient que s'effacer derrière la force brutale dès que la « civilisation » est en péril. Drew mort, Lewis blessé dans le naufrage d'un canoë, Bobby humilié, Ed prend la direction des opérations. Avec les qualités et les défauts de ses compagnons, il est « l'Américain moyen », aventureux, mais pas trop, héroïque par chance autant que par inconscience, honnête dans la limite de son intérêt, pragmatique

Les quatre amis sont bientôt confrontés à la violence et à la mort.

plutôt qu'idéaliste. Comme les autres, il est devenu une bête féroce, un loup, en tuant un autre montagnard qu'il croit être l'assassin de Drew. Avec la complicité de ses amis survivants, il saura convaincre la police qu'il ne s'est rien passé, qu'une série d'accidents. Certes, la nuit, des cauchemars viendront le hanter. Mais la « civilisation » a encore vaincu !

Les baladins du monde occidental

Sûrs de leur bon droit et bardés de bonne conscience, quatre baroudeurs ont décidé d'affronter, pour le plaisir, une Nature sauvage condamnée par la civilisation dont ils se prétendent les hérauts. En effet, la rivière qu'ils vont descendre traverse une région forestière bientôt inondée sous les eaux d'un gigantesque barrage. Pour fournir à Atlanta, la grande ville, plus de courant électrique, explosifs, excavatrices et bulldozers saccagent méthodiquement le cadre de vie d'une population, jugée arriérée, qui devra s'exiler et tenter de survivre ailleurs. De ceux-là, nos quatre héros n'ont cure. Et s'ils n'ont rien oublié de tout le matériel nécessaire à la réussite de leur odyssée, ils n'ont jamais songé que la Nature et les montagnards qui y vivent, pauvres, ignorés mais américains comme eux, pourraient résister, se venger et les contraindre à se comporter en bêtes sauvages.

Ed s'apprête à immerger le corps de Drew.

Un long fleuve peu tranquille

« Une des raisons pour lesquelles ce paysage est totalement vierge est qu'il est pratiquement inaccessible. Chaque jour, nous faisions une heure, une heure et demie de jeep en emportant les canoës jusqu'à la rivière. Nous étions huit : quatre acteurs, le cameraman, deux techniciens et moi, répartis dans chaque canoë, et nous passions la journée à tourner dans et sur l'eau et, à la fin de la journée, on revenait nous chercher un peu plus loin en aval » (John Boorman).

L'Homme de marbre

Quand le soleil se levait à l'Est

1977

Czlowiek z marmuru, drame d'Andrzej Wajda, avec Jerzy Radziwilowicz (Birkut), Krystyna Janda (Agnieszka) • Sc. Aleksander Scibor-Rylski • Ph. Edward Klosinski • Mus. Andrzej Korzynski • Prod. Films Polski • Pologne • Durée 165' • Prix de la critique internationale au Festival de Cannes

Une jeune cinéaste, Agnieszka, entreprend un documentaire sur un héros du travail, Mateusz Birkut, qui connut son heure de gloire en Pologne dans les années cinquante. Au fil de son enquête, elle découvrira l'inexorable déchéance d'une victime du totalitarisme.

Mateusz Birkut (Jerzy Radziwilowicz), un héros du travail.

30 509 briques

En URSS, pendant le deuxième plan quinquennal (1933-1937), le mineur Alekseï Stakhanov aurait extrait, en six heures, 102 tonnes de charbon, soit quatorze fois la norme. Ce jour-là était né, en Union Soviétique et dans les pays satellites, un nouveau type de héros, le stakhanoviste ou travailleur de choc, donné en exemple à la classe ouvrière pour l'inciter à accélérer la construction d'un monde nouveau. En Pologne, dans la fiction imaginée par Wajda, Mateusz Birkut fut l'un de ces héros du travail pour avoir, avec quatre équipiers, monté en huit heures un mur de 30 509 briques, record absolu dans l'industrie du bâtiment. Or, de ce travailleur modèle ne reste plus, abandonnée dans la cave d'un musée, qu'une statue de marbre. Que s'est-il passé, entre la gloire et l'oubli, dans la vie de Birkut et quel homme était-il vraiment? C'est tout l'objet de l'enquête menée par Agnieszka, la cinéaste-journaliste

qu'aucune mise en garde, de ses employeurs ni des autorités, n'arrêtera dans sa recherche de la vérité cachée derrière la légende. Dénonciation virulente du stakhanovisme, des mensonges de la propagande, de la corruption de la classe dirigeante, *L'Homme de marbre* fut accueilli avec enthousiasme par les Polonais. La première projection, en février 1977 à Wroclaw (Basse Silésie), fut ponctuée d'applaudissements et s'acheva sur l'hymne national chanté par le public tout entier. Durant les six semaines qui suivirent, 2 700 000 spectateurs vinrent le voir, parfois en achetant les billets au marché noir à dix fois leur valeur…

Agnieszka (Krystyna Janda) défend son projet.

Du marbre au fer

Aux dernières images de *L'Homme de marbre*, le jeune Maciek, fils de Birkut, accepte de compléter l'enquête d'Agnieszka en témoignant de la lutte menée par son père, sa vie durant, pour conquérir sa dignité d'homme. Ce final appelait une suite : ce fut *L'Homme de fer*, tourné avec la même équipe en 1981, dans un contexte de relative liberté lié aux conquêtes du mouvement Solidarnosc fondé par Lech Walesa. Comme dans *L'Homme de marbre*, l'imaginaire et le réel s'interpénètrent pour brosser le tableau d'une révolte ouvrière menée par Maciek. *L'Homme de fer* représenta officiellement la Pologne au Festival de Cannes, où il obtint la Palme d'Or.

Birkut sur le chantier.

Andrzej Wajda

Ayant su faire coïncider sa démarche artistique et son époque, Andrzej Wajda (né en 1926) est avec Andrzej Zulawski le représentant le plus connu des cinéastes polonais. Contraint de subir la censure du pouvoir en place, il fut l'un des premiers à critiquer le stalinisme, l'antisémitisme de certains de ses compatriotes, et prit fait et cause pour les ouvriers de Solidarnosc et Lech Walesa – à qui il fit jouer son propre rôle dans *L'Homme de fer*. Son œuvre témoigne, parallèlement à son engagement politique, d'une veine romantique, sensible et nostalgique. Parmi ses acteurs favoris, citons Zbigniew Cybulski, le « James Dean polonais », disparu prématurément, Daniel Olbrychski et Krystyna Janda. Wajda a réalisé notamment *Kanal* (1957) et *Cendres et diamants* (1958), sur la Résistance polonaise, à laquelle il a appartenu, *Les Noces* (1973), *La Terre de la grande promesse* (1974), *Sans Anesthésie* (1978), *Les Demoiselles de Wilko* (1979), *Le Chef d'orchestre* (1979), avec John Gielgud, *Danton* (1982), tourné en France avec Gérard Depardieu, *Korczak* (1989)…

Midnight Express

L'enfer carcéral

1978

Midnight Express, drame d'Alan Parker, avec Brad Davis (Billy Hayes), Randy Quaid (Jimmy), John Hurt (Max), Tex (Bo Hopkins), Hamidou (Paul Smith) • Sc. Oliver Stone • Ph. Michael Seresin • Mus. Giorgio Moroder • Prod. Columbia • États-Unis • Durée 118' • 2 Oscars : adaptation et musique

Istanbul, 1970. Un jeune touriste américain, Billy Hayes, est arrêté par la douane turque alors qu'il tente de quitter le pays avec cinq livres de haschisch cachées sous sa chemise. Il est incarcéré dans une horrible geôle, attendant sa mort.

L'arrestation de Billy (Brad Davis) par les douaniers de l'aéroport d'Istanbul.

Jimmy (Randy Quaid), Max (John Hurt) et Billy préparent leur évasion par « l'express de minuit ».

Le huitième cercle de l'Enfer

Parmi les très nombreux films dont l'action se déroule en milieu carcéral, *Midnight Express* est sans conteste celui qui a été le plus loin dans la description d'un univers qui, parfois, n'hésite pas à détruire toute trace d'humanité chez le prisonnier pour le réduire à l'état de brute avide de vengeance et de sang. Le scénario d'Oliver Stone – par ailleurs cinéaste hyperréaliste de la violence contemporaine sous toutes ses formes, celle de la délinquance quotidienne (*Tueurs nés*), de la guerre (*Platoon*), de la politique (*JFK*), du sport (*L'Enfer du dimanche*) – s'inspire du récit écrit par le véritable Billy Hayes sur son enfermement dans les geôles turques. Et les images conçues par Alan Parker à partir de ce scénario sans concessions plongent le spectateur horrifié au cœur même de l'enfer. Des corps mutilés à force de coups et de tortures, couverts de sueur et de crasse, tanguent, rampent, gisent, créatures fantomatiques, dans les boyaux, les dédales, les caveaux de la prison, dont les recoins obscurs retentissent de râles, de gémissements, de blasphèmes. Une brume jaunâtre, poisseuse, celle d'une chaleur écrasante, envahit les rares évasions que s'autorise le cinéaste à l'air libre d'une cour de prison où la mini-société des exclus retrouve ses habitudes : trafics, drogue, bagarres, meurtres à l'arme blanche. Comment ne pas songer, à la vision de ces images d'un autre monde, au huitième et dernier cercle de l'Enfer décrit par Dante dans « La Divine Comédie », ce point de l'univers le plus éloigné de Dieu puisqu'on y aperçoit Lucifer en personne ?

Billy, à demi-fou, reçoit la visite de Suzanne (Irene Miracle), sa fiancée.

La copie vaut l'original

Pour des raisons évidentes, il était impossible de tourner à l'intérieur de la prison turque de Sagmalcilar. C'est donc après des recherches en Espagne, en Italie, en Sicile, à Chypre, en Crète, en Israël, qu'Alan Parker découvrit dans l'île de Malte le décor naturel qu'il recherchait : le fort de Saint-Elmo, site du légendaire siège de Malte en 1565, qui sera minutieusement transformé en copie conforme de la prison de Sagmalcilar. C'est là que fut tournée la majeure partie du film. En visite sur les lieux, Billy Hayes réagit vivement : « Je suis entré dans la cellule avec un sentiment de danger. Le travail des cinéastes était parfait, jusque dans les moindres détails. Il y avait des graffitis en turc, des images de femmes découpées dans les journaux et épinglées sur les murs, comme dans la véritable prison. Je me suis étendu sur l'une des couchettes, j'ai levé les yeux, regardé les ressorts de la couchette du dessus, et j'ai commencé à transpirer. Tout était si vrai que j'ai eu le sentiment d'étouffer, de ne plus pouvoir respirer. »

Racisme ou cri d'espoir ?

Face à ses juges qui l'ont condamné à la prison perpétuelle, Billy Hayes se livre à une violente diatribe : « Je hais les Turcs, votre nation, votre peuple. Vous êtes tous des porcs. » En réponse, à la sortie du film, l'ambassade de Turquie fit publier cette déclaration : « Sous prétexte d'attaquer le système pénitentiaire turc (...) ce film constitue en fait un outrage à la Turquie (...). Ce film raciste, malveillant, hostile et choquant, porte outrage à tout un peuple (...) car il semble paradoxal de présenter comme des héros des trafiquants prêts à détruire des milliers de vies humaines. » Alan Parker réfuta cette accusation : « *Midnight Express* est un film sur l'hypocrisie des condamnations pour trafic de drogue, sur la brutalité de la vie carcérale, sur l'effroyable chemin vers la folie ; il affirme, surtout, que l'important est de ne jamais désespérer. »

Billy devant ses juges.

Raging Bull

Sur le ring de la vie, avec ses deux poings

« Champion du monde, Jake La Motta ! ».

1980

Raging Bull, drame de Martin Scorsese, avec Robert De Niro (Jake La Motta), Joe Pesci (Joey La Motta), Cathy Moriarty (Vickie) • Sc. Paul Schrader • Ph. Michael Chapman • Prod. United Artists • États-Unis • Durée 129' • 2 Oscars : acteur (Robert De Niro) et montage

De 1941 à 1954, Jake La Motta a connu sur les rings de boxe les matches truqués, la gloire et le déclin. Brutal et jaloux, il est abandonné par son épouse, Vickie. Compromis avec la pègre, il fait de la prison pour détournement de mineure puis se reconvertit dans le music-hall.

Plus près de toi, mon Dieu

Adolescent, le véritable Jake La Motta avait connu la délinquance avant de se lancer dans la boxe, sa mafia et ses combines. Surnommé « le Taureau du Bronx » à cause de son étonnante résistance aux coups, il fut en 1949 champion du monde des poids moyens après sa victoire sur le Français Marcel Cerdan. Il perdra son titre en 1951 face à Ray « Sugar » Robinson. « Je n'ai jamais vraiment aimé la boxe », avait déclaré Martin Scorsese avant d'entreprendre ce film.

Jake et Vickie (Cathy Moriarty) en famille.

Des kilos pour un Oscar

Robert De Niro s'est identifié à son personnage au point de subir un entraînement au terme duquel Jake La Motta lui-même l'avait classé parmi les vingt meilleurs poids moyens du monde. Il poussa la conscience professionnelle jusqu'à disputer trois combats (il en remporta deux). Puis, pour ressembler à La Motta vieilli, l'acteur avait grossi d'une trentaine de kilos pour en peser, bouffi, essoufflé et mal dans sa peau, plus de cent sept. Sa prestation lui valut l'Oscar du meilleur acteur.

Le « Taureau du Bronx » (Robert De Niro).

Le cinéaste le confirme en filmant les combats non pas comme un reporter enthousiaste, mais en témoin horrifié au spectacle de la violence inhérente à ce sport. En effet, sous l'œil de la caméra, les matches se transforment en ballets tragiques dont la chorégraphie a pour thème la destruction des corps : les os se brisent sous l'impact des coups, le sang gicle, les chairs se tuméfient et, peu à peu, La Motta en vient à ressembler au « taureau furieux » de sa légende. Le propos du film n'est ni la boxe, ni un boxeur, mais le chemin de croix d'un être fruste, quasi animal, qui, sur le ring de sa vie, croit pouvoir exister par la seule force de ses poings et perd sa dignité, son honneur, ceux qu'il aime, avant de se retrouver, en prison, face à lui-même. C'est alors qu'il est « plus proche de Dieu qu'il ne l'a jamais été », conclut Scorsese dont tous les films, et en particulier celui-ci, sont empreints d'une religiosité anxieuse héritée de sa vocation de jeunesse, la prêtrise.

Crochets, directs et uppercuts

Avec ses apparences de tragédie classique dont il respecte la règle des trois unités – de lieu, de temps et d'action – le match de boxe doit à son intensité et à sa photogénie d'avoir servi de climat dramatique à d'innombrables films dont certains sont des classiques du cinéma. Ainsi *Gentleman Jim* (Raoul Walsh, 1942) où Errol Flynn, élégant et racé, incarne Jim Corbett,

le premier champion du monde de boxe selon les règles du « noble art ». Chaplin (*Charlot boxeur*, 1915), Buster Keaton (*Le Dernier Round*, 1926) ou Jacques Tati (*Soigne ton gauche*, 1937) ont carrément joué la carte du burlesque en montant sur le ring. Dans le registre dramatique, *Nous avons gagné ce soir* (Robert Wise, 1949) fait recouvrer sa dignité à un pugiliste qui refuse de perdre un combat truqué. Dans *Fat City* (John Huston, 1972), c'est le monde des boxeurs de seconde zone qui est dépeint avec réalisme tandis que la série des *Rocky* (1976-1990), conçue, interprétée et réalisée – trois films sur cinq – par Sylvester Stallone, décrit l'itinéraire tumultueux d'un Américain moyen en route, à coups de poings, vers la gloire. D'autres films se sont attachés à faire revivre d'authentiques champions de l'histoire de la boxe, comme La Motta dans *Raging Bull*. Rocky Graziano a pris les traits de Paul Newman dans *Marqué par la haine* (Robert Wise, 1956) ; Marcel Cerdan, dans *Édith et Marcel* (Claude Lelouch, 1982), s'est réincarné dans la personne de son fils ; et c'est Will Smith qui, dans *Ali* (Michael Mann, 2001), interprète Muhammad Ali / Cassius Clay. Des femmes, enfin sont montées sur le ring, comme Hilary Swank dans *Million Dollar Baby* (Clint Eastwood, 2004).

Joey (Joe Pesci) et son frère Jake.

Do the Right Thing
Discorde et racisme à Brooklyn

1989

Do the Right Thing, drame de Spike Lee, avec Spike Lee (Mookie), Danny Aiello (Sal), John Turturro (Pino), Richard Edson (Vito), Rosie Perez (Tina), Ossie Davis (Da Mayor), Samuel L. Jackson (Mister Señor Love Daddy) • Sc. Spike Lee • Ph. Ernest Dickerson • Mus. Bill Lee • Prod. Spike Lee / Universal • États-Unis • Durée 119'

À Brooklyn, la pizzeria de Sal et de ses fils Pino et Vito est fréquentée majoritairement par la population noire du quartier. Grâce à Mookie, le livreur de pizzas, la cohabitation interraciale est tumultueuse mais pacifique... jusqu'à l'explosion de la haine.

L'équipe de la pizzeria au complet : Mookie (Spike Lee), Sal (Danny Aiello), Vito (Richard Edson), Pino (John Turturro).

Tina (Rosie Perez) secoue son fainéant de Mookie.

La rue chaude

Unité de temps et d'action : vingt-quatre heures dans la vie d'une petite communauté urbaine à majorité afro-américaine. Unité de lieu : une rue et quelques extérieurs, une pizzeria en particulier, au cœur d'un ghetto écrasé de chaleur. Le film se présente donc comme une tragédie classique, mais du quotidien moderne, ponctuée d'éclats de rire, d'instants de tendresse, d'explosions de haine ; peuplée de personnages émouvants et pittoresques, frères américains des Français naguère dépeints par Jean Renoir ou Marcel Pagnol. Tragi-comédie sur laquelle plane une fatalité bien contemporaine, le racisme, gangrène que Spike Lee examine avec le souci d'en comprendre la pathologie avant de proposer une médication.

Malcolm X ou Martin Luther King ?

Au générique final de son film, après les images de l'intervention meurtrière de la police – un manifestant est tué – et l'incendie de la pizzeria, Spike Lee, sans prendre parti, fait se succéder à l'écran deux déclarations sur la violence. L'une est signée par le pasteur Martin Luther King, assassiné en 1968, qui recommande la non-violence pour obtenir l'intégration des Afro-américains dans la société américaine. L'autre émane de Malcolm Little, dit Malcolm X, assassiné en 1965, et justifie l'usage de la force pour imposer la création d'un État noir souverain au cœur des États-Unis. Cette apparente neutralité fut reprochée au cinéaste, coupable, aux yeux de certains, de ne pas proposer de solution. Spike Lee leur répondit : « Vous croyez qu'on peut, avec un film, proposer une solution pour en finir avec le racisme ? La seule chose qu'on puisse faire, c'est mettre tout le monde en garde, montrer le chaos et la folie qui nous menacent assurément si nous ne faisons rien pour changer le cours des choses, si nous ne faisons pas les bonnes choses (« Do the right thing »). »

Sur les murs de la pizzeria, des photos d'Italiens célèbres. « Et les Noirs ? », revendiquent les clients.

Hollywood et la ségrégation

À ses débuts et pendant trois décennies, le cinéma américain était totalement « blanc » puisque les personnages, toujours secondaires, de Noirs étaient joués par des Blancs maquillés. Au cours des années trente, Hollywood emploie un nombre croissant de comédiens noirs qu'il cantonne dans des rôles de serviteurs, cireurs de chaussures, garçons d'écurie ou nourrices ; Hattie McDaniel, la « nounou » d'*Autant en emporte le vent*, remporte le premier Oscar, celui du second rôle, décerné à un comédien afro-américain. Après la seconde guerre mondiale apparaissent les premières vedettes noires : Sidney Poitier (*Dans la Chaleur de la nuit*), les chanteurs Harry Belafonte et Dorothy Dandridge (*Carmen Jones*). Aujourd'hui, plusieurs acteurs noirs tiennent le haut de l'affiche : les robustes Danny Glover (*L'Arme fatale*) et Samuel L. Jackson (*Shaft*), le comique Eddie Murphy (*Le Flic de Beverly Hills*), le rappeur Will Smith (*Men in Black*, *Ali*), les charismatiques Morgan Freeman (*Seven*) et Denzel Washington (*Malcolm X*, *Philadelphia*), lauréat de deux Oscars et Jamie Foxx, Oscar du meilleur acteur pour *Ray* (2004). Côté féminin, Whoopi Goldberg, tour à tour comique (*Sister Act*) ou tragique (*La Couleur pourpre*), et Halle Berry, première Noire à avoir remporté l'Oscar de la meilleure actrice (*À l'Ombre de la haine*). Quant à Spike Lee, né en 1956, auteur complet, acteur, producteur de ses films, il est, à l'aube du XXIᵉ siècle, l'un des plus actifs cinéastes du cinéma américain.

Petits Meurtres entre amis

Cadavres à la pelle... et au marteau

1993

Shallow Grave, comédie dramatique
de Danny Boyle, avec Kerry Fox (Juliet),
Christopher Eccleston (David), Ewan
McGregor (Alex), Keith Allen (Hugo) •
Sc. John Hodge • Ph. Brian Tufano •
Mus. Simon Boswell • Prod. Film Four
International/ Figment Film •
Royaume-Uni • Durée 95'

Trois amis, un intrus. Un cadavre,
un magot. Deux truands. Scies, couteaux,
perceuse, marteaux. Deux cadavres
de trop. Police. Polémique autour
du magot. Les amis deviennent ennemis.
Fiasco : plus de magot !

Trois amis à la recherche d'un colocataire : David (Christopher Eccleston), Juliet (Kerry Fox), Alex (Ewan McGregor).

Réalisme macabre

De la même manière que nombre de
cinéastes, à partir des années soixante-dix,
avaient fait reculer les limites de la pudeur
en filmant l'acte sexuel avec toujours plus
de réalisme, d'autres (et parfois les mêmes)
ont fait tomber le tabou de la non-
représentation du corps humain lorsque
la violence l'a réduit à l'état de chairs
tuméfiées et sanguinolentes. Ces derniers
ouvraient ainsi la voie à un courant de
réalisme macabre dont l'humour avait pour
mission de désamorcer les critiques de tous
ceux qui estiment qu'il y a des bornes
à ne pas franchir. Et le sérieux avec lequel
l'horreur est montrée, passé le malaise,
provoque le rire – jaune ? – du spectateur.
Avec *Sang pour sang* (1984), les frères Joel

et Ethan Coen furent parmi les premiers
à s'engouffrer dans cette voie qui n'était pas encore
une mode. Quentin Tarantino, avec *Reservoir Dogs*
(1992) puis *Pulp Fiction* (1994), leur emboîta le pas,
reprenant la tradition du Grand-Guignol où l'excès
est roi, mais aussi – variante moderne – décrétant
que tous les coups sont permis dès lors que l'Éthique
et la Morale ont été remisées au placard des illusions
perdues sur la nature humaine. Au pays de l'humour
noir – le Royaume-Uni – le réalisme macabre devait
rapidement trouver son chantre : ce fut Danny Boyle,
avec *Petits Meurtres entre amis*.

Hugo, le colocataire, est mort.

On arrose le magot au champagne.

Ça va saigner...

Petits Meurtres entre amis est bien un film
britannique, même si ses producteurs revendiquent
pour lui la nationalité écossaise. En effet, alors que
les productions hollywoodiennes situent fréquemment
leurs intrigues dans la pègre, comme si les malfrats
étaient seuls capables de perpétrer des horreurs,
Boyle choisit ses protagonistes parmi les gens
ordinaires, bien intégrés. Alex est journaliste, David
comptable et Juliet médecin. Ils habitent un vaste
appartement, coloré, confortable, d'une propreté
et d'une hygiène ostentatoires. Tuer, pour eux,

est simple : c'est une réaction de défense
instinctive, comme celle des animaux
de la jungle. Faire disparaître les corps
est une autre affaire : couper les mains
et les pieds, trop faciles à identifier ; scier
le tronc, les membres, répartir les morceaux
dans des sacs poubelles ; écraser les visages
à coups de marteau jusqu'à les réduire
en bouillie ; creuser une tombe jamais assez
profonde. Certes, ils vomissent, hoquettent,
ahanent en accomplissant cette besogne
bouchère mais leurs difficultés, grimaces,
mines dégoûtées font rire le spectateur bien
plus qu'elles ne l'écœurent. L'hémoglobine
qui ruisselle des blessures, qui s'étale
sur le parquet ciré, les coups de marteau
portés par Juliet sur le manche du couteau
fiché dans la poitrine d'Alex pour l'enfoncer
un peu plus, autant d'effets sanglants
« hénaurmes » se voulant comiques. Face à
ce déferlement d'atrocités ordinaires, certains
– les plus nombreux sans doute – prennent
le parti d'en rire, alors que d'autres, au nom
de la morale, brandissent la menace
de la censure. Comme dirait l'autre, personne
n'est parfait !

La Haine

Le Black, le Blanc, le Beur

1995

Drame de Mathieu Kassovitz, avec Vincent Cassel (Vinz), Hubert Koundé (Hubert), Saïd Taghmaoui (Saïd) • Sc. Mathieu Kassovitz • Dist. MKL Distribution • France • Durée 95' • Prix de la mise en scène au Festival de Cannes; 3 Césars: film, montage et producteur (Christophe Rossignon)

Vingt-quatre heures dans la vie de trois jeunes d'une cité de la banlieue parisienne.

Vinz (Vincent Cassel), Saïd (Saïd Taghmaoui) et Hubert (Hubert Koundé): trois copains de cité.

La cité sans voiles

La démarche chaloupée, mains dans les poches et cou dans les épaules, ils déambulent sans fin entre les barres de béton de leur « téci » (cité). Et la caméra de Mathieu Kassovitz, qui ne veut rien perdre de leurs errances, colle aux talons de leurs baskets. Ils n'ont rien à faire, aujourd'hui comme hier, et ils n'imaginent pas que ça puisse changer demain. Guère

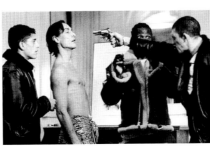

Hubert tente de calmer Vinz…

de famille, sinon celle des potes, pas d'école ni de travail et même pas de « meufs » (femmes) dans leur univers en noir et blanc, couleur des murs, de leur blouson, de leur bonnet; couleurs de leur peau: noire pour Hubert, le sage, brune pour Saïd, le « tchatcheur », blanche pour Vinz, le meneur du trio. Et la photographie de Philippe Aïm atténue les contrastes au profit d'une grisaille qui confond la « caillera » (racaille) et les « keufs » (flics) que seul distingue leur brassard, Police, et qui gomme les frontières entre l'ordre et le désordre, le Bien et le Mal. Les transistors, par les fenêtres ouvertes, hurlent rap et raï; les mobylettes pétaradent

et, sur ce fond sonore discordant, Vinz, Saïd, Hubert haussent le ton, jurent, s'insultent, dans un « verlan » dont le sens échappe en partie au spectateur. Et les micros du preneur de son enregistrent cette symphonie baroque des bruits de la vie, contrepoint idéal, par son agressivité, aux images d'une violence latente, contenue jusqu'à l'explosion finale des armes à feu. Mathieu Kassovitz, jeune cinéaste de 26 ans, a filmé sur le vif le « malaise des banlieues ». Il a réalisé son film en virtuose de l'image et du son, ce qui lui a valu le Prix de la Mise en scène au Festival de Cannes.

…que la possession d'une arme à feu surexcite.

Jusqu'ici tout va bien

Projeter de tourner un film intitulé *La Haine* dans une cité de banlieue, s'y installer plusieurs semaines, comédiens, techniciens et matériel, tenait de la gageure, sinon de la provocation. Prudents, Kassovitz et son producteur se mirent en quête d'une municipalité de la région parisienne qui leur donne l'autorisation de tournage. Craignant des désordres, une bonne douzaine refusa. Celle qui donna son accord exigea qu'aucune publicité ne fût faite sur son nom avant, pendant et après la réalisation. Le cinéaste et son équipe vécurent, un mois avant le tournage et pendant la durée

de celui-ci, dans deux appartements loués au cœur de la cité. Tous les figurants furent recrutés sur place, payés sur la base de 360 F brut par jour. Les CRS, également interprétés par les habitants de la cité, furent « noyautés », pour que leurs interventions restent pacifiques, par des « grands frères » respectés par l'ensemble des jeunes. Au total, la cohabitation et la collaboration de ces derniers avec les gens du cinéma ne donnèrent lieu à aucun incident. Le cinéaste d'ailleurs, fort justement, donné la raison de cette bonne entente: « Mon film n'est pas un appel à la haine, en ce sens qu'il ne va pas réveiller les mômes de banlieue. Les mecs de quartier n'ont pas besoin d'un film pour savoir. Par contre, les mecs des ministères, mon père, ma mère, eux, ne savent pas, et plein de gens comme eux… ». Et en conclusion de son film, Kassovitz intervient en voix off pour préciser ce qu'il faut savoir: « C'est l'histoire d'une société qui tombe et qui, au fur et à mesure de sa chute, se répète sans cesse, pour se rassurer, jusqu'ici tout va bien. L'important, c'est pas la chute, c'est l'atterrissage. »

Elephant

Attention! Danger... École!

Elias (Elias McConnell) prend John en photo dans un couloir du lycée.

Papotage entre filles à la cafétéria.

Docu-fiction ?

Fin des années 1990. Parmi plusieurs cas de folie meurtrière qui ensanglantent des lycées américains, le plus connu reste celui de Columbine : deux élèves en tuent douze autres et un professeur. Van Sant a rapidement l'idée d'un film de télévision sur le sujet. Il ne concrétisera le projet qu'en 2003, un an après *Bowling for Columbine*, le documentaire de Michael Moore, qui a une tout autre approche. Moore pose des questions et donne des réponses sur la violence, la vente d'armes, la permissivité, l'auto-défense, etc. ; Van Sant, quant à lui, présente dans son film, produit par la chaîne de télévision américaine à péage HBO, les faits sous forme de fiction avec une fausse froideur, une certaine distance, manière de masquer une véritable émotion, et il ouvre des perspectives face auxquelles il abandonne volontairement le spectateur.
Dans l'édition DVD du film, une élève française de terminale, intéressée par *Elephant*, se dit satisfaite que le Prix de l'éducation nationale soit allé « à un film qui n'est pas moralisateur, mais nous laisse notre liberté d'interprétation ; ça prouve qu'on a un peu confiance dans la jeunesse. »

La parabole des aveugles

Le titre est mystérieux. Il fait allusion à un moyen métrage du Britannique Alan Clarke, intitulé lui aussi *Elephant*, tourné en 1988, sur des meurtres commis de sang-froid, dans le contexte des troubles d'Irlande du Nord, filmés sans recul ni commentaire. Il renvoie aussi à la parabole bouddhiste des aveugles et de l'éléphant : les aveugles, confrontés à l'animal, en perçoivent des détails par le toucher, mais les interprètent mal car ils n'ont pas idée de la masse d'ensemble. Ici, Van Sant aborde les différents moments de la journée sanglante et ne prétend pas donner de leçon sur la globalité des événements et des problèmes qu'ils révèlent.
Le film enregistre des comportements, des habitudes quotidiennes : « La routine peut mener à la folie », nous suggère Gus Van Sant.

Alex (Alex Frost), un des deux futurs tueurs.

Michelle (Kristen Hicks), une fille complexée.

2003

Elephant, drame de Gus Van Sant, avec Alex Frost (Alex), Eric Deulen (Eric), John Robinson (John), Elias McConnell (Elias), Kristen Hicks (Michelle), Timothy Bottoms (le père de John) • Sc. Gus Van Sant • Ph. Harry Savides • Mus. Beethoven, Hildegard Westerkamp • Dist. MK2 Diffusion • États-Unis • Durée 81' • Palme d'or, Prix de la mise en scène et Prix de l'Éducation nationale au Festival de Cannes

Une journée ordinaire dans le lycée d'une petite ville américaine. Tout bascule quand deux élèves, Eric et Alex, pénètrent dans les lieux avec des armes à feu et massacrent les lycéens et les professeurs qu'ils trouvent sur leur chemin. Puis Alex tue Eric, abat encore deux personnes et se suicide.

John (John Robinson) et son père (Timothy Bottoms).

Gus Van Sant, Portland, Oregon

Né en 1953, il habite Portland, où il situe ou tourne la plupart de ses films. C'est un artiste pluridisciplinaire (cinéma, poésie, roman, peinture, photo, musique) qui joue aussi bien la carte du cinéma indépendant (*Mala Noche*, 1985, son premier film) que celle de la production classique (*Prête à tout*, 1995, avec Nicole Kidman). Il est attiré par l'adolescence masculine et la marginalité (*Drugstore cow-boy*, 1989 ; *My Own Private Idaho*, 1991, avec River Phoenix et Keanu Reeves ; *Last Days*, 2005, sur la mort de Kurt Cobain), s'intéresse au savoir et à l'éducation (*Will Hunting*, 1997 ; *À la Recherche de Forrester*, 2000). Il surprend toujours et reste inclassable, voire expérimental (*Psycho*, 1998, clonage du film d'Hitchcock ; *Gerry*, 2002, fascinante traversée d'un désert).

A History of Violence
Une tragédie américaine... universelle

2005

A History of Violence, suspense de David Cronenberg avec Viggo Mortensen (Tom Stall / Joey Cusack), Maria Bello (Edie Stall), Ed Harris (Carl Fogarty), William Hurt (Richie Cusack), Ashton Holmes (Jack Stall) • Sc. Josh Olson • Ph. Peter Suschitzky • Mus. Howard Shore • Dist. Metropolitan FilmExport • États-Unis • Durée 95'

Un paisible père de famille, Tom Stall, élimine avec dextérité deux malfrats qui attaquaient son bar, mais sa vie bascule quand sa soudaine popularité l'oblige à affronter les secrets de son passé.

La vie de la famille Stall est bouleversée par l'irruption du passé du père, Tom.

Une métaphore de l'Amérique

Qui est Tom Stall ? Un homme ordinaire en osmose avec sa famille et sa communauté ou, Joey Cusack, le tueur sociopathe reconnu à la télévision par ses anciens collègues mafieux ? Les deux, bien sûr, qui révèlent les névroses, les contradictions et la part d'ombre tapie au fond de chacun. La résurgence d'un passé enfoui et son effet amplificateur obligent cet honnête citoyen, qui ne songe qu'à protéger les siens, menacés, à redevenir l'exterminateur de sa jeunesse tourmentée.

Sur la trame basique d'un innocent pris pour un autre et contraint de faire face, David Cronenberg brosse le portrait d'une famille bouleversée qui s'enfonce dans la paranoïa jusqu'au sein intimité. C'est aussi celui de l'Amérique poursuivie et rattrapée par son histoire ou, plutôt, la version fantasmée de celle-ci, selon Cronenberg. Assumant les résonances politiques de son sujet, il mène une réflexion aiguë sur les conséquences de la pratique de l'autodéfense sur l'individu, le couple et la société. Cette analyse froide, spectaculaire, mais non dénuée d'humour, établit un constat implacable

Richie (William Hurt), le frère de Joey.

sur la violence comme composante fondamentale de l'être humain. Elle nous interpelle aussi sur la condition humaine, son ambivalence, la notion d'identité et de normalité jusqu'au vertige. Cette œuvre ambiguë, thriller retors et efficace, sonde de façon quasi fantastique l'apparence de la réalité et, en évoquant les mythes fondateurs de l'Amérique, s'interroge sur les limites de l'inconscient universel. Profil serein et détermination impavide, Viggo Mortensen, à la ville poète, photographe, musicien et... pacifiste, livre un portrait d'anti-héros à multiples résonances.

Le mystérieux Carl Fogarty (Ed Harris) rend visite à Tom.

Tom (Viggo Mortensen) est-il Joey ?

David Cronenberg, un styliste de genre

Depuis toujours, ce cinéaste étrange et magistral, scénariste de presque tous ses films, s'inscrit dans des genres codifiés, horreur, science-fiction... qui posent des questions métaphysiques, pour mieux en pervertir les clichés et en dégager une trajectoire mentale et morale. Né en 1943 à Toronto (Canada), il manifeste de l'intérêt pour la littérature et la musique, en marge de ses études médicales, ce qui le mène de manière empirique au cinéma. Il réalise *Frissons* (1975), son premier long métrage, sur les effets d'un virus, lequel inaugure

une série de films sur les mutations et les métamorphoses physiques : *Rage* (1976), *Chromosome 3* (1979), *Scanners* (1980) et *Vidéodrome* (1982). « Le genre est protecteur – dit-il – Il permet de faire des choses interdites et subversives ». Avec *Dead Zone* (1983), porté par Christopher Walken, et le triomphe de *La Mouche* (1986), il accède au statut international. Il oriente ensuite son œuvre dans une direction plus psychologique mais toujours liée à la biologie et la génétique. Ainsi *Faux-Semblants* (1988), où excelle Jeremy Irons ou *Crash* (1996), qui fait scandale au Festival de Cannes mais décroche le Prix du jury pour son audace et son innovation. Il anticipe sur l'emprise des jeux vidéos dans *eXistenZ* (1999), Ours d'argent au festival de Berlin, puis se penche dans *Spider* (2002) sur un schizophrène atteint de troubles de la mémoire. « Le désir d'un artiste, comme celui d'un scientifique – explique-t-il – est de ne pas se limiter à la surface des choses, c'est de savoir ce qui est réel, de comprendre les multiples épaisseurs de la réalité ».

Le Cauchemar de Darwin

On achève bien les poissons

2004

Darwin's Nightmare, documentaire de Hubert Sauper • Ph. Hubert Sauper • Dist. Ad Vital • France-Autriche-Belgique • Durée 107' • César du meilleur premier film

En Tanzanie, l'introduction de la perche du Nil dans le lac Victoria a provoqué la disparition d'une grande partie de la faune mais engendré une industrie prospère. Cependant, la ville de Mwanza, que cette activité fait vivre, souffre de la pauvreté, de la prostitution et du sida. Son aéroport voit les avions livrer des armes et repartir avec des caisses de poisson.

En Tanzanie, les enfants se battent parfois pour quelques grains de riz.

De l'encensement au dénigrement

Le tournage dura plus de trois ans et le réalisateur fut parfois contraint de se cacher sous une fausse identité. Sorties en fraude grâce à des pots-de-vin, les bobines du *Cauchemar de Darwin* révèlent les limites extrêmes du principe darwinien : quand les forts imposent leur loi aux faibles, la situation vire

Que transportent ces pilotes ? Des armes ?

Une catastrophe humaine

La perche du Nil est un prédateur vorace, responsable de la destruction de l'écosystème du lac Victoria, berceau de l'humanité. Ce nouveau tueur en série introduit dans les années 1960, à titre d'expérimentation scientifique a, en même temps que se développait l'industrie du poisson, contribué à la prolifération de tous les maux dont souffre l'humanité. C'est cette réalité que dénonce l'Autrichien Hubert Sauper, en même temps qu'il laisse peser des soupçons de trafic d'armes. Au directeur d'usine fier de ses mille employés répondent les victimes d'un véritable fléau : filles vendant leur corps au premier venu, femmes défigurées par les odeurs d'ammoniaque, gamins se battant pour une poignée de riz ou respirant des vapeurs hallucinogènes résultant de la fusion des plastiques industriels, veilleur de nuit avec son arc et ses flèches au curare espérant une guerre qui le sortira enfin de son cauchemar. Tandis que passe le bal ininterrompu des avions-cargos de l'ex-URSS et ses pilotes ukrainiens.

Le directeur de l'usine d'emballage de poisson.

au cauchemar. Refusant le pathos et la compassion, le film montre une réalité à la limite de l'insoutenable. Pas d'indignation vertueuse, mais des questions « objectives », sèches. Pas de jugement de valeur apparent, mais l'énoncé, par les protagonistes, d'un désespoir sans issue. À l'inverse d'un Michael Moore omniprésent, Huber Sauper s'efface devant son sujet – des individus broyés par la mondialisation et la mécanique du profit à tout prix. Le succès du film fut immédiat : plus de 450 000 spectateurs en France, de nombreux prix, dont une nomination à l'Oscar du meilleur documentaire et le César du meilleur premier film. Dans le même temps, la polémique enflait : on accusa le réalisateur d'avoir manipulé les images, d'avoir connecté entre eux des éléments distincts dans le temps et l'espace (le trafic d'armes et le marché du poisson), falsifiant ainsi la réalité, d'avoir négligé l'aspect « nourricier »

La consécration du documentaire

Jamais le documentaire, né avec *La Sortie des usines Lumière* en 1895, consacré avec *Nanouk, l'esquimau* de Robert Flaherty (1922), devenu dans les années 1930 un courant spécifique du cinéma britannique avec John Grierson, n'avait eu autant le vent en poupe. En l'espace de quelques années, les films de Michael Moore dont *Fahrenheit 9/11* (2004) notamment – qui, près d'un demi-siècle après *Le Monde du Silence* (1956) reçut la Palme d'Or du Festival de Cannes –, de Nicolas Philibert (*Être et avoir*, 2002) ou de Luc Jacquet (*La Marche de l'Empereur*, 2005, couronné par l'Oscar du meilleur documentaire à Hollywood, où concourait également *Le Cauchemar de Darwin*), participèrent au succès inattendu d'un genre ignoré ou, au mieux, réservé aux premières parties de programmes.

pour l'économie tanzanienne du commerce du poisson. Hubert Sauper s'en défend dans un entretien publié dans le journal « Le Monde » (4 mars 2006) : « Le poisson crée des emplois, mais, derrière cette façade, dans l'arrière-pays, une véritable catastrophe a lieu. Il y a deux fois plus de gens qui meurent de faim en Tanzanie qu'il y a deux ans, quand j'ai fait le film ». Force est de constater en tout cas que *Le Cauchemar de Darwin* est une réussite cinématographique : par son parti-pris de non-dramatisation, il donne au tragique de la situation tanzanienne toute son ampleur.

Fahrenheit 9/11

Dénonciation d'un mensonge d'État

2004
Fahrenheit 9/11, documentaire satirique de Michael Moore, avec Michael Moore, John Conyers, Blaine Ober, Gordon Bobbitt et la participation (involontaire) de George W. Bush • Sc. Michael Moore • Ph. Mike Desjarlais • Mus. Jeff Gibbs • Dist. Mars Distribution • États-Unis • Durée 112′ • Palme d'Or au Festival de Cannes

Lorsque deux avions détournés par des terroristes détruisent les tours jumelles de Manhattan, le président George W. Bush, se croyant investi d'une mission divine – éradiquer le Mal de la surface de la Planète –, entraîne son pays dans une guerre préventive contre l'Irak qui, affirme-t-il, possède des armes de destruction massive…

9:05 AM

11 septembre 2001. Le président Bush vient d'apprendre l'attaque sur le World Trade Center.

Michael Moore interwieve la mère d'un soldat parti en Irak.

Un virulent pamphlet anti-gouvernemental

Neuf ans plus tôt, Michael Moore avait réalisé *Canadian Bacon* (1995), une fiction dans laquelle le président des États-Unis, pour redorer le blason des fabricants d'armes, envisageait de déclarer la guerre au Canada… Il ne pensait sans doute pas alors que cette farce à la limite du délire deviendrait un jour réalité ! Car, pour Michael Moore, les motivations des gens du Pentagone qui sont derrière la décision d'attaquer l'Irak répondent aux mêmes exigences de profit. En dénonçant tout à la fois les magouilles qui ont précédé l'élection de George W. Bush au poste de président, les intérêts financiers communs des familles Bush et Ben Laden, les relations étroites qui lient les proches du président à l'Arabie Saoudite, les douteuses affirmations du Pentagone concernant la menace que faisait peser l'Irak sur l'Occident, et la politique des nouveaux recruteurs qui cherchent dans les couches sociales défavorisées des soldats volontaires, ce « professionnel de l'indignation »

qui n'hésite pas à prendre de sérieux risques, s'attaque donc à un mensonge d'État et sa démarche s'apparente ouvertement à celle du film engagé, voire de propagande.

Le film comme arme électorale

Michael Moore s'empressa en effet de terminer son film avant les élections présidentielles de novembre 2004 dans l'espoir de provoquer la défaite de Bush. Mais, bien que tout ait été mis en œuvre dans cette perspective – Quentin Tarantino, président du jury du Festival de Cannes cette année-là et lui aussi farouchement opposé à la politique de Bush, usa de toute son influence pour que la Palme d'or soit décernée au film de Michael Moore –, *Fahrenheit 9/11* n'eut pas le même impact dans l'Amérique profonde que dans la majorité des pays opposés à la politique extérieure américaine, et ne réussit pas à convaincre la majorité des électeurs. Toutefois, la Palme d'Or permit une diffusion, auparavant très problématique, du film aux États-Unis. Notons que le titre *Fahrenheit 9/11* fait allusion au roman de Ray Bradbury « Fahrenheit 451 », qui décrit une société ayant sombré dans le totalitarisme.

Michael Moore rencontre le sénateur John Tanner.

Le phénomène Michael Moore

Né en 1954, journaliste et chroniqueur, animateur de radio et de télévision, le turbulent et audacieux Michael Moore se découvre des talents de pamphlétaire lorsqu'il tourne *Roger et moi* (1989), documentaire dans lequel il dénonce la politique de la General Motors, qui a choisi de fermer plusieurs de ses usines – dont celle de Flint, ville où il a passé sa jeunesse. Il récidive avec *The Big One* (1999), où il part en croisade contre les injustices sociales qu'il rencontre dans plusieurs grandes villes au cours d'une tournée de promotion pour un livre, puis *Bowling for Columbine* (2002), où il critique avec virulence la vente libre et la prolifération des armes à feu aux États-Unis, cause d'innombrables meurtres et massacres, et se voit décerner à la fois le Prix du 55e anniversaire du Festival de Cannes et l'Oscar du meilleur documentaire.

Le président Bush mouille sa chemise au golf.

Million Dollar Baby
La ballade de Frankie et Maggie

Pour Frankie Dunn (Clint Eastwood) et Maggie Fitzgerald (Hilary Swank) le jour du grand combat est arrivé.

2004

Million Dollar Baby, drame de Clint Eastwood avec Clint Eastwood (Frankie Dunn), Hilary Swank (Maggie Fitzgerald), Morgan Freeman (Eddie Scrap) • Sc. Pau Haggis d'après le roman « Rope Burns » de F. X. Toole • Ph. Tom Stern • Mus. Clint Eastwood • Dist. Mars Distribution • États-Unis • Durée 132' • 4 Oscars : meilleurs film, réalisateur, actrice et second rôle masculin ; César du meilleur film étranger

Un entraîneur de boxe taciturne, Frankie Dunn, poussé par son vieux complice, Eddie Scrap, prend en charge la carrière de Maggie, débutante habitée par la rage de vaincre.

En attendant la reprise…

Un mélodrame intemporel

Le pivot du film, c'est la relation affective qui se développe entre un homme mûr, angoissé d'avoir rompu avec sa fille, et une jeune femme avide de s'accomplir qui va se substituer à elle. Deux grands solitaires qui vont peu à peu s'apprivoiser et vivre une déchirante histoire d'amour filial. Quand Frankie accepte de conduire Maggie au championnat du monde de boxe, c'est le rêve américain qui se matérialise et une rédemption qui s'accomplit. Puis le mélodrame se met en place quand Maggie est grièvement blessée lors du dernier match. Leur rêve brisé, Frankie accède au désir de mort de Maggie et lui prouve ainsi cet attachement resté dans le non-dit. Le parcours de Maggie est décrit comme une bouleversante passion où la souffrance fait entrer les trois héros, liés par une vraie loyauté, dans une sorte de trinité de la douleur. Ici, il ne s'agit pas de boxe, mais d'êtres humains rompus et Eastwood, tel un ascète, contemple avec compassion ses personnages qui s'enfoncent dans la nuit. D'une simplicité trompeuse, la force du film naît de son style épuré jusqu'à la stylisation et de sa grâce intemporelle. Il crée une relation intime avec chaque spectateur subjugué tant par sa fulgurante beauté que par sa noirceur romantique. Avec l'énergie du désespoir, Hilary Swank livre mieux qu'une éclatante performance, une incarnation poignante qui transcende ses partenaires, Clint Eastwood en entraîneur amer puis régénéré et Morgan Freeman en vieux noir borgne, éternel sage qui a tout compris.

Une tragédie crépusculaire

Figure emblématique devenue une icône, Eastwood accomplit depuis quatre décennies un parcours unique et sans faute d'acteur, réalisateur, producteur et compositeur. Inébranlable et riche de son vécu en franc-tireur, il ne souhaite qu'une chose : surprendre le public et toujours progresser. Le film a été maintes fois récompensé et pourtant, une fois encore, son auteur a peiné pour en trouver le financement. Son obstination a eu raison des producteurs qui ont condescendu à le suivre eu égard à sa carrière et à son âge vénérable. Avec un plan de travail au cordeau, calé dans le budget, car le cinéma

Conversation entre Frankie et Eddie (Morgan Freeman).

c'est comme la boxe, d'abord de l'argent ! Eastwood tourne comme un apesanteur ; chaque plan, chaque geste, chaque ombre ou lumière trouve sa place et sa justification dans la grande tradition classique du cinéma à hauteur d'homme. Il ose tout, dit tout, et nous livre le film d'une vie, un testament universel qui clôt le cycle des histoires qui lui ressemblent : *Honkytonk Man* (1982), *Bird* (1988), *Impitoyable* (1992) ou *Mystic River* (2003). À sa sortie, il se retrouve pourtant au centre d'une polémique ourdie par la droite chrétienne américaine qui l'accuse d'encourager l'euthanasie ou le suicide assisté. L'église catholique soulève une objection morale et des associations de handicapés se joignent au concert d'insultes, alors qu'Eastwood souligne qu'il a seulement voulu montrer le caractère précaire de la vie et sa tragique beauté : « Les gens peuvent dire ce qu'ils veulent, et chacun est libre de ses opinions, mais jamais je ne prêche dans mes films ; mes personnages doivent faire des choix qui les mettent à l'agonie. L'histoire de *Million Dollar Baby* m'a littéralement aspiré dans ses méandres ».

D'abord réticent, Frankie a accepté d'entraîner Maggie.

The Constant Gardener

L'Afrique est mal partie

2005

The Constant Gardener, suspense de Fernando Meirelles, avec Ralph Fiennes (Justin Quayle), Rachel Weisz (Tessa Quayle), Hubert Koundé (le docteur Arnold Bluhm), Danny Huston (Sandy Woodrow) • Sc. Jeffrey Caine, d'après le roman de John Le Carré • Ph. César Charlone • Mus. Alberto Iglesias • Royaume-Uni - Allemagne • Dist. Mars Distribution • Durée 129' • Oscar du meilleur second rôle féminin à Rachel Weisz

Un diplomate britannique enquête sur la mort de sa femme, avocate sauvagement assassinée qui s'apprêtait à dénoncer une multinationale pharmaceutique testant un médicament mortel sur des Kenyans.

Justin (Ralph Fiennes) voit apparaître Tessa, sa femme défunte (Rachel Weisz).

Amour et engagement

« Le fait que je pouvais m'en prendre à un pan de l'industrie pharmaceutique n'est que l'une des trois raisons qui m'ont donné envie de mettre en scène *The Constant Gardener*. Il y avait aussi l'opportunité – ou plutôt la décision – de tourner au Kenya. Enfin, et surtout, il s'agit d'une histoire d'amour profondément originale : un homme épouse une femme plus jeune que lui, et ce n'est qu'après sa mort qu'il tombe vraiment amoureux d'elle et part à sa recherche. C'est une magnifique histoire, et un peu existentielle aussi », déclara le réalisateur

brésilien Fernando Meirelles, révélé par *La Cité de Dieu* (2002), âpre chronique sociale d'une favela de Rio. Pour écrire son roman, paru en 2001, John Le Carré s'était inspiré d'Yvette Pierpaoli, une militante d'une organisation internationale d'aide aux réfugiés, qui consacra toute sa vie aux plus démunis. Rachel Weisz, récompensée par l'Oscar du meilleur second rôle féminin, joue avec énormément de conviction cette idéaliste passionnée, prête à remuer ciel et terre pour combattre la misère du monde. Tout aussi remarquable est l'interprétation de Ralph Fiennes en diplomate d'abord quelque peu effacé, indifférent aux malheurs de l'humanité mais qui, pris de remords, met tout en œuvre pour comprendre pourquoi sa femme a été tuée.

Le docteur Bluhm (Hubert Koundé) accompagne Tessa.

Le Kenya, troisième protagoniste

À cette histoire d'amour s'achevant en tragédie s'ajoute une dimension purement politique. Le film prend quelquefois des allures de thriller palpitant mettant en cause des fonctionnaires britanniques haut placés, viscéralement attachés à leurs privilèges. Il dénonce ainsi l'exploitation coloniale dont sont victimes les Africains les plus pauvres sur qui on teste, sans vergogne, des médicaments à risques. Un récit que le cinéaste a filmé au plus près de la réalité, en refusant par exemple de le tourner en Afrique du Sud, où l'industrie cinématographique, en plein essor, jouit pourtant d'une infrastructure très solide. Avec la même énergie qu'il filmait une favela de son pays, il capte avec une précision toute documentaire la misère des Kenyans, une démarche qui n'est pas sans évoquer celle d'Hubert Sauper dans *Le Cauchemar de Darwin* (2004). Associée au tournage – les gens de Kbera travaillèrent sur le plateau –, la population put, malgré tout, bénéficier d'une légère amélioration de ses conditions de vie : terrain de football, aire de jeux, pont au-dessus d'un vaste égout, réparation du toit de l'église. Une contribution du cinéma à la vie même.

John Le Carré

Les romans de l'écrivain britannique John Le Carré qui, pour la plupart, se déroulent pendant la Guerre froide, notamment ceux mettant en scène George Smiley (interprété à la télévision par Alec Guinness), décrivent avec réalisme le monde des agents secrets et s'opposent à la mythologie de l'espion à la James Bond. Parmi les films adaptés de ses romans : *L'Espion qui venait du froid* de Martin Ritt (1965) avec Richard Burton, *M 15 demande protection* de Sidney Lumet (1966) avec James Mason, *La Maison Russie* de Fred Schepisi (1990) avec Sean Connery, *The Tailor of Panama* de John Boorman (2001), interprété par Pierce Brosnan, et dont John Le Carré était également le producteur exécutif.

Tessa venait en aide aux Kenyans.

Justin et Lorbeer (Pete Postlethwaite) fuient les pillards.

Va, vis et deviens
Le rude chemin vers l'intégration

Celui qui ne s'appelle pas encore Schlomo, à neuf ans (Moshe Agazai) et sa mère (Meskie Shibru Sivan).

2005

Drame de Radu Mihaileanu avec Yaël Abecassis (Yaël), Roschdy Zem (Yoram), Moshe Agazai (Schlomo enfant), Moshe Abebe (Schlomo adolescent), Sirak M. Sabahat (Schlomo adulte) • Sc. Radu Mihaileanu • Ph. Rémy Chevrin • Mus. Armand Amar • Dist. Les Films du Losange • France - Israël • Durée 140 • César du meilleur scénario original

Pour sauver son fils de neuf ans de la famine et de la mort, une Éthiopienne de confession catholique le fait passer pour juif afin qu'il puisse trouver refuge en Israël. Il y grandira au sein de sa famille adoptive, objet, parce qu'il est noir, d'un racisme qui multiplier les obstacles sur son chemin vers l'intégration.

Les Falashas

En 1984, des centaines de milliers de réfugiés frappés par la famine s'entassent dans des camps, au Soudan. Parmi eux, des milliers de Juifs qui présentent cette caractéristique unique dans la communauté juive mondiale d'être noirs. On les a longtemps connus sous le nom de « Falashas » qui signifie, en éthiopien, « sans terre ». Ils étaient en effet, en Éthiopie, considérés comme des étrangers à qui il était interdit de posséder la moindre terre. Des historiens affirment qu'ils sont les descendants des Hébreux qui ont quitté l'Égypte au temps de Moïse. D'autres les considèrent comme les descendants des tribus d'Israël qui escortèrent vers le royaume d'Axoum, ancêtre de l'Éthiopie, le prince Ménélik.

Dans les bras de sa mère adoptive (Yaël Abecassis).

L'Opération Moïse

Interdits d'émigration, les Juifs éthiopiens quittent le pays à pied, décidés à gagner la terre de leur origine, Israël. Des milliers mourront en route. À leur arrivée au Soudan, il leur faut cacher leur identité juive pour se fondre dans la masse des centaines

Schlomo, adulte (Sirak M. Sabahat) avec sa fiancée Sarah (Roni Hadar).

de milliers de réfugiés qui, comme eux, ont fui la sécheresse et la faim. C'est alors que les États-Unis et Israël, en novembre 1984, lancent une opération, baptisée Moïse, de rapatriement par voie aérienne de quelque 8 000 Juifs éthiopiens. En 1991, l'« Opération Salomon », permettra le rapatriement en Israël de 15 000 Juifs.

Catholique, noir et juif à la fois

Le petit Éthiopien baptisé Schlomo à son arrivée en Israël était en réalité catholique. Sa mère, qu'il retrouvera à la fin du film dans un camp où, devenu médecin, il soigne les victimes d'une misère rigoureusement semblable à celle qu'il a connue vingt ans plus tôt, lui a permis de prendre un avion de l'Opération Moïse – « Va, vis et deviens », lui dit-elle – en le faisant passer pour juif. Tout en subissant le racisme anti-noir qui sévit, aussi, en Israël, Schlomo

Yoram (Roschdy Zem) danse avec Yaël.

devra donc cacher, tout au long de son adolescence et jusqu'à la maturité, sa confession catholique. Radu Mihaileanu, d'origine roumaine, a fui en 1980 la dictature de Ceaucescu pour devenir français. Il a réalisé en 1998 Train de vie, une fable tragi-comique qui imaginait le détournement d'un train de la mort par une poignée de Juifs déguisés en Allemands, le personnage-clé s'appelant déjà Schlomo. Pour réaliser ce film antiraciste qui prône la compréhension et la solidarité entre individus d'origine et de religion différentes, le cinéaste s'est entouré de comédiens qui sont le reflet de ses intentions : l'actrice israélienne Yaël Abecassis, connue en France par les films d'Amos Gitaï, Kadosh (1999) et Alila (2003) qui joue la mère adoptive de Schlomo ; Roschdy Zem, français d'origine marocaine et de religion musulmane dans le rôle d'un Israélien, époux de Yaël ; Sirak M. Sabahat, Juif éthiopien arrivé en Israël à la faveur de l'Opération Salomon. Comme une tour de Babel moderne !

Monstres, vampires et Cie

Nosferatu le vampire

Terreur muette

1922

Nosferatu, eine Symphonie des Grauens, film fantastique de Friedrich Wilhelm Murnau, avec Max Schreck (le comte Orlock, alias Nosferatu), Gustav von Wangenheim (Jonathan Hutter), Greta Schroeder-Matray (Ellen), John Gottowt (le professeur Bulwer) • Sc. Henrik Galeen, d'après le roman *Dracula* de Bram Stoker • Ph. Fritz Arno Wagner • Mus. Hans Erdman • Prod. Prana-Film • Allemagne • Durée 110'

Hutter, jeune clerc de notaire, se rend en Transylvanie chez le comte Orlock afin de conclure une vente. Dès la première nuit, Orlock jette le masque : il est le vampire Nosferatu. Effrayé, Hutter regagne Viborg, mais Nosferatu l'y a précédé, semant terreur et peste. Et bientôt, Ellen, l'épouse de Hutter est la proie du vampire…

Nosferatu (Max Schrek) vogue vers Viborg à bord du voilier « Demeter ».

Le premier vampire du cinéma

Nosferatu le vampire est une transposition à peine déguisée de l'ouvrage de Bram Stoker « Dracula », publié en 1897. C'est Henrik Galeen qui en écrivit l'adaptation, modifiant noms et lieux et allégeant le récit. L'emprunt trop flagrant valut un procès aux producteurs de la part des héritiers de Stoker, qui exigèrent la destruction du négatif et de toutes les copies. Certaines furent heureusement sauvées et, à ce jour, c'est la copie de 110 minutes qui est la plus proche de l'original. « Nosferatu », qui signifie en roumain « le non-trépassé », « le non-mort », démarquait le « Dracula », « le petit dragon » de Bram Stoker. Toutefois, le vocable « nosferatu » apparaît dans l'ouvrage de Stoker.

Le sacrifice d'Ellen (Greta Schroeder-Matray).

Le comte Orlock découvre le portrait d'Ellen, la femme de Hutter (Gustav von Wangenheim).

Quand il passa le pont, les fantômes vinrent à sa rencontre

L'inquiétude prend corps lorsque Hutter rencontre le comte Orlock, qui se nourrit de sang. Elle ira en s'amplifiant avec la traversée en pleine tempête, les rats porteurs de peste, l'ombre maléfique qui s'étend sur hommes et bêtes. Et jusqu'à ce que le soleil se lève dans la chambre d'Ellen, la tension dramatique ira crescendo dans une atmosphère fantastique. Comme c'était toujours le cas au temps du cinéma muet, le spectateur est tenu informé des événements par les intertitres où figurent la correspondance des protagonistes et les dialogues. L'action est filmée sur un rythme assez rapide,

Au petit matin…

surprenant pour l'époque, et Murnau tourne volontiers en extérieurs. L'éclairage contrasté et les décors étranges aux angles insolites, peuplés d'êtres grotesques, relèvent de l'expressionnisme allemand, (*Le Cabinet du Docteur Caligari*, Robert Wiene, 1919 ; *Le Golem*, Paul Wegener et Carl Boese, 1920)

Variations modernes sur Nosferatu

En 1978, Werner Herzog réalise *Nosferatu, fantôme de la nuit*, avec Klaus Kinski, Isabelle Adjani et Bruno Ganz. Il a lui-même assuré l'adaptation d'après le roman de Stoker et le film de Murnau. Certains lieux de tournage utilisés en 1922 ont été retrouvés et utilisés par Herzog. Mais le réalisateur allemand apporte sa touche personnelle : le récit assez lent et les décors somptueux en font une œuvre envoûtante, magnifiée par les musiques de Richard Wagner et de Charles Gounod. « Il s'agit d'une version tout à fait nouvelle. Le contexte et les personnages y sont différents. L'histoire elle-même est quelque peu différente. Mais néanmoins je me sens encore très proche de Murnau », précisa Werner Herzog.
Le film de Murnau continue de marquer les cinéastes contemporains : Abel Ferrara en montre un extrait dans *King of New York* (1990), avec Christopher Walken, et dans *Batman - Le défi* (1992), Tim Burton baptise Max Schreck le personnage interprété par… Christopher Walken. Max Schreck, très étrange interprète de Nosferatu, fut incarné par Willem Dafoe dans *L'Ombre du Vampire* (E. Elias Merhige, 2000), consacré au tournage de *Nosferatu*, avec John Malkovich dans le rôle de Murnau.

Frankenstein
L'apprenti sorcier

1931

Frankenstein, science-fiction de James Whale, avec Colin Clive (le docteur Henry Von Frankenstein), Boris Karloff (le Monstre), Mae Clarke (Elizabeth), John Boles (Victor), Edward Van Sloan (le professeur Waldmann), Dwight Frye (Fritz) • Sc. Garrett Fort, Robert Florey, Francis Edward Faragoh, adapté par Robert Florey, John L. Balderston, d'après la pièce de Peggy Webling, tirée du roman de Mary W. Shelley • Ph. John Mescall • Mus. Franz Waxman • Maquil. Jack Pierce • Prod. Carl Laemmle Jr. • États-Unis • Durée 75'

Henry Von Frankenstein, jeune savant surdoué, veut créer la vie par des moyens artificiels. Aidé de son serviteur bossu, il assemble des membres humains recueillis dans un cimetière...

La créature (Boris Karloff, maquillé par Jack Pierce).

Le Monstre surprend Elizabeth la jeune mariée (Mae Clarke).

Un monstre qui vient de loin

C'est à de fâcheuses conditions météorologiques que nous devons « Frankenstein ». Juin 1816 : Lord Byron, accompagné de son secrétaire Polidori, Percy Bysshe Shelley et sa jeune femme Mary, alors qu'ils séjournaient sur les rives du lac de Genève, furent empêchés de sortir à cause d'un temps exécrable. Les deux poètes ainsi que Mary Shelley firent alors le pari de rédiger chacun un conte fantastique. Le beau temps revenu, Mary acheva « Frankenstein ou le Prométhée moderne », inspiré, dit-elle, par un cauchemar qui l'avait impressionnée : l'éprouvante histoire d'un savant genevois qui crée un homme, lequel ne parvient pas à s'intégrer dans la société des humains.

Le baron von Frankenstein (Colin Clive) et Fritz (Dwight Frye).

Créature et créateur

C'est à partir de l'adaptation théâtrale que fut réalisé en 1910 chez Edison un *Frankenstein* par Searle Dowley, ainsi que *Life Without Soul* par Joseph W. Smiley en 1915. En 1920, le cinéma italien offre *Il Mostro di Frankenstein* (sic) par Eugenio Testa, toutes œuvres très frustes bien en deçà de ce que réalisait Georges Méliès dès le début du siècle. Enfin vient le *Frankenstein* de James Whale. Le film fut tourné dans les décors du village qui avait servi à la réalisation de *À l'Ouest, rien de nouveau* (Lewis Milestone, 1930). Dans le public, la confusion persiste : le monstre est bien souvent appelé Frankenstein, alors que c'est son créateur qui porte ce nom. Bela Blasko, alias Bela Lugosi, Hongrois émigré, ne fut pas retenu pour le rôle et c'est le Britannique Boris Karloff qui incarna la créature.

Une descendance prolifique... et inégale

Le *Frankenstein* de 1931 était un film d'horreur. Depuis, le côté horrifique de l'œuvre s'est émoussé, mais il reste une intense poésie, et le terrifiant visage couturé de la créature incite aujourd'hui à la compassion : ce sont les hommes qui refusent d'accepter le monstre. Le succès immédiat amena *La Fiancée de Frankenstein* du même James Whale (1935), toujours avec Boris Karloff : Elsa Lanchester y interprète Mary Shelley et la seconde créature, la fiancée. Puis *Le Fils de Frankenstein* (Rowland V. Lee, 1939), après lequel Karloff renonce à son rôle le plus célèbre. *Le Spectre de Frankenstein* (1942), *Frankenstein rencontre le Loup-garou* (1943), *La Maison de Frankenstein* (1944) laissent penser que le charme est rompu. La couleur venue, la Hammer Films britannique s'empare du mythe et le renouvelle : *Frankenstein s'est échappé* (Terence Fisher, 1957) avec Christopher Lee en créature. Suivront notamment *La Revanche de Frankenstein* (T. Fisher, 1958), *Frankenstein créa la femme* (T. Fisher, 1966), *Frankenstein et le monstre de l'enfer* (T. Fisher, 1973), *Dr. Frankenstein* (Jack Smight, 1973), *Frankenstein Junior* (Mel Brooks, 1974), désopilante parodie. Enfin, le *Frankenstein* de Kenneth Branagh (1994, avec Robert De Niro), fidèle au roman de Mary Shelley.

M le Maudit

M comme monstre

Le meurtrier « M » (Peter Lorre) a choisi sa nouvelle victime.

1932

M, drame de Fritz Lang, avec Peter Lorre (Hans Beckert, surnommé « M »), Otto Wernicke (le commissaire Lohmann), Gustav Gründgens (Schränker, chef de la pègre), Ellen Widmann (Madame Beckmann) • Sc. Thea von Harbou, Fritz Lang, d'après un article de Egon Jakobson • Ph. Fritz Arno Wagner • Mus. motif orchestral, puis sifflé de « Peer Gynt », d'Edvard Grieg • Prod. Nero Film • Allemagne • Durée 90'

Un tueur en série assassine de jeunes enfants. La pègre ne veut pas que sa réputation soit teintée de sang et s'affaire à rechercher le meurtrier, parallèlement aux efforts vains de la police.

Une œuvre prophétique

Tourné au début des années trente, à l'aube du parlant triomphant, cette œuvre illumine le cinéma et son histoire par sa perfection formelle et son sens profond. *M* (initiale de « Der Mörder », le meurtrier) fut exploité initialement sous le titre *Les Assassins sont parmi nous*. Interdit par les Nazis dès 1933, et également en Italie fasciste, le film s'inspire du cas de Peter Kürten, connu sous le nom de « Vampire de Dusseldorf », assassin en série. Fritz Lang a dit que son film avait été conçu avant que soient découverts les méfaits de Kürten. « Bien des choses prévues pour le film se sont trouvées réalisées. Je n'ai personnellement emprunté (…) à la réalité (…) que la pègre, décidée à supprimer l'homme qui la gênait dans son travail. »

L'ombre de l'assassin menace Elsie Beckmann (Inge Landgut).

Un des maîtres du cinéma

D'abord scénariste, Fritz Lang débute dans la réalisation dès 1919 et son inspiration, fortement marquée par l'Expressionnisme, s'oriente vers le fantastique (*Les Trois Lumières*, 1921), le feuilleton d'aventures (*Les Araignées*, 1919), la mythologie germanique (*Les Nibelungen*, 1924), la science-fiction et l'allégorie (*Metropolis*), mais aussi le réalisme social, avec une vision aiguë et impitoyable de l'Allemagne de Weimar pré-hitlérienne : c'est *Dr Mabuse* (1922) et *M le Maudit*, ce dernier étant « tout entier un reportage » a-t-il dit. Il poursuivra sa carrière aux États-Unis après un bref passage en France (*Liliom*, 1934), puis tournera à nouveau en Allemagne après la guerre.

Les juges et l'assassin

Cette parodie de « procès », en quelques séquences, fait celui d'une société en perdition, préfigure ceux truqués des Nazis, pose le problème de la peine de mort, des droits de la défense, des assassins psychopathes qui ne peuvent dominer leur instinct meurtrier. Procès de la société allemande en marche vers le nazisme, mais qui atteint à l'universel : M (admirable Peter Lorre) expliquant comment, littéralement poursuivi par lui-même, il ne pouvait pas

La parodie de procès, dans les sous-sols d'une usine désaffectée.

« M » est traqué.

ne pas tuer, comment aussi, ayant tout oublié, il lisait avec horreur dans les journaux le récit de ses propres crimes. Lang et Thea von Harbou font aussi parler les parents des petites victimes : malade certes, mais l'homme est et reste un tueur, c'est toute la problématique.

Autres maudits

En 1951, Joseph Losey réalise un second *M le Maudit*, sur un scénario de Norman Reilly Raine, évidemment d'après Thea von Harbou, avec une photographie d'Ernest Lazlo et une musique de Michel Michelet. Le scénario est traité en film noir, et reprend certains plans du chef d'œuvre de Lang. David Wayne (« M ») et Howard Da Silva (le policier) assurent très honorablement leur rôle. Robert Hossein a tourné un *Vampire de Dusseldorf* en 1964, sur le même thème, mais dans un registre légèrement différent – les victimes étant des adultes.

Freaks / La Monstrueuse Parade
« Le laid, c'est le beau »

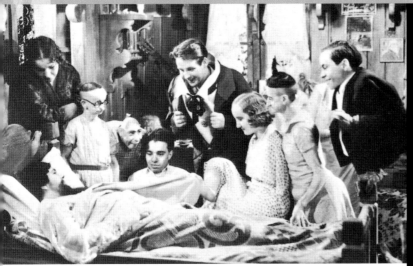

La femme à barbe (Olga Roderick) a mis un enfant au monde. Ses amis viennent la féliciter.

1932

Freaks, drame de Tod Browning, avec Wallace Ford (Phroso), Lelle Hyams (Vénus), Olga Baclanova (Cléopâtre), Henry Victor (Hercule), Harry Earles (Hans), Daisy Earles (Frieda) et la troupe des phénomènes de foire du cirque Barnum • Sc. Willis Goldbeck et Leon Gordon, d'après l'ouvrage de Tod Robbins • Ph. Merrit B. Gerstad • Prod. Metro-Goldwyn-Mayer • États-Unis • Durée 64'

Fiancé à Frieda l'écuyère naine, Hans le lilliputien est en admiration devant Cléopâtre la belle trapéziste, maîtresse d'Hercule. Apprenant que Hans vient d'hériter d'une très grosse somme, Cléopâtre joue la comédie de l'amour. Bientôt Hans l'épouse. Au repas de noces, Cléopâtre, ivre, dévoile son jeu.

Phénomènes de foire

C'est après mûre réflexion qu'Irving Thalberg producteur à la MGM prit sa décision : pour se distinguer des autres productions fantastiques du moment, il fallait une histoire de cirque. Il trouva dans les cartons de sa société une nouvelle de Tod Robbins, « Spurs » (« Éperons »), que Cedric Gibbons, le directeur artistique, avait achetée pour 8 000 dollars. Pour la mise en scène, Tod Browning était tout indiqué. Réalisateur d'un *Dracula* qui avait mis l'Amérique au diapason de l'épouvante, il fut débauché de l'Universal. Browning, passionné de cirque, avait déjà conversé avec le lilliputien allemand Harry Earles, qu'il avait fait jouer (un rôle de bébé !) dans *Le Club des Trois* (1925).

Cléopâtre (Olga Baclanova) minaude devant Hans (Harry Earles), éperdu d'amour.

Mais les phénomènes de foire filmés par Browning étaient si terrifiants que la critique éreinta le film et que le public le bouda. La censure s'en mêla, et le Royaume-Uni l'interdit jusqu'en 1963.

Une étrange poésie

Thalberg fut l'initiateur de l'un des films les plus dérangeants. En effet, l'horreur à l'écran s'était radicalement transformée, et les effets spéciaux autorisaient toutes les violences spectaculaires. Bien qu'en étant dépourvu, *Freaks* reste aujourd'hui encore à la limite du soutenable, car les « monstres » du film existent, faits de chair et d'os, d'humanité aussi. Ajoutons à cela une histoire habilement racontée, et le message limpide de l'inhumanité – cupidité, cruauté, mépris – des « normaux » face à ces oubliés de la vie, qui instille au film une étrange poésie.

Cléopâtre est bien méprisante vis-à-vis de Frieda (Daisy Earles).

Le cirque à l'écran

Le paradoxe de *Freaks* est qu'il ne décrit en aucune manière le cirque où travaillent les personnages. Pourtant le cinéma a souvent pris ce milieu pour toile de fond : le drame passionnel (*Variétés*, E. A. Dupont, 1925 ; *Les Gens du voyage*, Jacques Feyder, 1936, *Les Trois Codonas*, A. M. Rabenalt, 1940 ; *Trapèze*, Carol Reed, 1956), le sourire aux lèvres et la larme à l'œil (*Le Cirque*, Charles Chaplin, 1928), le mystère (*Charlie Chan au cirque*, Harry Lachman, 1936), le rire, rien que le rire (*Un jour au cirque*, Edward Buzzell, avec les Marx Brothers, 1939), l'amour du cirque (*Les Clowns*, Federico Fellini, 1971 ; *Les Ailes du désir*, Wim Wenders, 1987 ; *Roselyne et les lions*, Jean-Jacques Beineix, 1989), et bien sûr le grand spectacle (*Sous le plus grand chapiteau du monde*, Cecil B. De Mille, 1952 ; *Le Plus Grand Cirque du monde*, Henry Hathaway, 1964).

Roscoe (Roscoe Ates) agrafe la robe des sœurs siamoises (Daisy et Violet Hilton).

King Kong

La huitième merveille du monde

Au sommet de l'Empire State Building, King Kong affronte la chasse américaine.

1933

King Kong, film fantastique de Merian C. Cooper et Ernest B. Schoedsack, avec Fay Wray (Ann Darrow), Robert Armstrong (Carl Denham), Bruce Cabot (John Driscoll), Frank Reicher (le capitaine Englehorn) • Sc. James Creelman et Ruth Rose, d'après une idée de Merian C. Cooper et Edgar Wallace • Ph. Eddie Linden, Vernon Walker et J. O. Taylor • Mus. Max Steiner • Eff. spéc. Willis O'Brien • Prod. RKO • États-Unis • Durée 103'

Ann Darrow, comédienne au chômage, se joint à une équipe de cinéastes en partance pour la Malaisie, précisément pour l'île Skull, où vivrait un singe géant. L'animal existe bel et bien et la jeune femme devient bientôt sa captive...

Deux aventuriers

C'est le 15 septembre 1933 que *King Kong* fut présenté en première projection à Paris, mais il fallut patienter jusqu'en 1965 pour voir le film en sa totalité : pendant vingt-trois ans, l'œuvre diffusée en France resta amputée des huit premières minutes, fondamentales pour la compréhension du film. Le public américain fut également privé de certaines scènes, réinsérées en 1972. C'est néanmoins un énorme succès que rencontra dès sa sortie le film réalisé par Merian C. Cooper (1893-1973) et Ernest B. Schoedsack (1893-1979), deux associés qui s'étaient rencontrés en 1920 en Pologne avant de tourner des documentaires exotiques. Puis Schoedsack réalisa avec Irving Pichel *La Chasse du comte Zaroff* (1932), que Cooper produisit.

Le roi Kong.

Une création exclusivement hollywoodienne

Alors que d'autres mythes célèbres proviennent du théâtre ou de romans, tels Dracula, Frankenstein, la Momie ou le Loup-garou, King Kong est une création – et une créature – imaginée par et pour le cinéma. Ayant coûté la somme considérable de 650 000 dollars de l'époque, pour 55 semaines de tournage, le film fut très vite bénéficiaire, sans compter l'apport des droits dérivés : bandes dessinées, jouets, publicité. Il convient de mentionner Willis H. O'Brien, qui dirigea l'équipe technique de *King Kong* : trucages et effets photographiques – animation image par image, transparence, cache mobile, peinture sur verre, ajoutés

à divers modèles réduits à diverses échelles de King Kong –, ainsi qu'un buste, une main et un pied géants, tous articulés. O'Brien reçut un Oscar pour *Monsieur Joe* du même Schoedsack (1949), un descendant direct de King Kong.

Ann Darrow (Fay Wray) dans les pattes de Kong.

De King Kong à Godzilla

Le succès aidant, *Le Fils de King Kong* est réalisé par Schoedsack dès 1933. Il faut attendre 1949 pour que le mythe renaisse avec *Monsieur Joe*, puis *Konga*, de John Lemont (1961). Inoshiro Honda anime à nouveau King Kong dans *King Kong contre Godzilla* (1962) et *La Revanche de King Kong* (1967). Le renouveau vient avec un *King Kong* réalisé par John Guillermin, « modernisé » et en couleur. John Guillermin et King Kong reprirent du service avec *King Kong II* (1987). En 2005, c'est le Néo-Zélandais Peter Jackson qui remit King Kong au goût du jour, avec Naomi Watts, Adrien Brody et d'innombrables effets spéciaux numériques. Inoshiro Honda est l'initiateur des films japonais de monstres – on lui doit *Godzilla* (1954), du nom d'un monstre antédiluvien fossilisé, puis « réveillé » par les explosions-tests de bombes H américaines. La parenté avec *King Kong* est évidente. Pour faire passer une critique implicite de la présence militaire américaine au Japon, diverses scènes sont tournées en 1956 avec des acteurs américains (dont Raymond Burr). Le film, salué pour ses trucages, remporte un succès mondial, et donne lieu à une descendance où figure une galerie de monstres, dont sept Godzilla. Roland Emmerich s'empare en 1998 du mythe Godzilla, avec une nouvelle version interprétée par Jean Reno et Matthew Broderick.

Dr Jekyll et Mister Hyde
L'enfer, c'est l'autre

1941

Dr. Jekyll and Mr. Hyde, film fantastique
de Victor Fleming, avec Spencer Tracy
(le docteur Henry Jekyll / Mr. Hyde),
Ingrid Bergman (Ivy Peterson), Lana
Turner (Beatrix Emery) • Sc. John Lee
Mahin, d'après le roman de Robert Louis
Stevenson • Ph. Joseph Ruttenberg •
Mus. Franz Waxman • Maquil. Jack Dawn
• Prod. Paramount • États-Unis •
Durée 114′

Le docteur Jekyll, savant respectable
et respecté, absorbe une drogue
de sa composition qui provoque
une division radicale de la personnalité.
Ainsi émerge le monstrueux Mister
Hyde. Qui va l'emporter, du bon Jekyll
ou du diabolique Hyde ?

Le bon docteur Henry Jekyll (Spencer Tracy).

De la schizophrénie

Le dédoublement de la personnalité a fait
l'objet d'études sérieuses au cours
du XXᵉ siècle, mais que Stevenson, dès
le siècle précédent, ait abordé le sujet avec
le succès que l'on sait dans son court roman
« Le Docteur Jekyll et M. Hyde » (1885),
témoigne d'une forte inspiration prophétique.
D'autant qu'à l'analyse de la division radicale
et manichéiste de la personnalité pressentant
la révélation des pulsions inconscientes,
essentiellement sexuelles, qui feront
le bonheur de la psychiatrie moderne et de
la psychanalyse, s'ajoutait une grande habileté
narratrice. D'où l'intérêt du théâtre –
une adaptation par Thomas Russell Sullivan
en 1887 – et du cinéma pour cette œuvre.
Lorsqu'en 1941, Victor Fleming entreprend
à son tour l'adaptation du roman
de Stevenson, il cherche à se démarquer de la
précédente version signée Rouben Mamoulian
(1932), qui a alors disparu des écrans, mais
dont le souvenir reste vivace.

Ivy, Beatrix, Jekyll, Hyde

C'est Robert Donat, acteur anglais, qui avait
été pressenti pour interpréter l'imprudent
docteur, finalement joué par Spencer Tracy.
Un rôle relativement inhabituel pour
ce comédien, dont la performance prouvera
l'étendue de son registre. À l'origine, Lana
Turner devait tenir le rôle de la fille de basse
extraction, alors qu'Ingrid Bergman aurait
personnifié la très bourgeoise fiancée
de Jekyll. C'est Ingrid Bergman qui insista
auprès de Fleming pour que les partitions
soient inversées – ce qui fut une réussite,
tout en instillant une certaine ambiguïté dans
les personnages.

Pour l'anecdote : Spencer Tracy aurait déclaré
qu'il aurait aimé avoir Katharine Hepburn comme
partenaire dans les deux rôles de Beatrix et d'Ivy,
idée originale qui aurait sans doute porté un autre
éclairage sur le mythe de Jekyll et Hyde. Les quatre
transformations de Jekyll en Hyde sont réussies,
encore que relativement moins effrayantes que dans
la précédente version, ce qui s'explique par le fait
que Fleming avait désiré minimiser le visage de Hyde
par rapport à celui de Jekyll : au point que l'écrivain
Somerset Maugham, visitant le plateau lors
du tournage, s'exclama : « Lequel est-ce à présent,
Jekyll ou Hyde ? »

Du brouillard londonien émerge la silhouette noire
de Mr. Hyde…

Jekyll et Hyde à l'écran

Le court roman de Stevenson a été
tourné et interprété à de nombreuses
reprises. En 1920, John S. Robertson
tourne une version muette avec John
Barrymore en docteur Jekyll, et la même
année, Louis Mayer une autre version
avec Sheldon Lewis en vedette. Puis,
en 1932, c'est la première version sonore,
signée Rouben Mamoulian, avec Fredric
March, Miriam Hopkins et Rose Hobart.
Citons encore *Der Januskopf*
(F. W. Murnau, 1920), *Le Testament
du docteur Cordelier* (Jean Renoir, 1961),
Les Deux Visages du docteur Jekyll
(Terence Fisher, 1960), *Docteur Jekyll and
Sister Hyde* (Roy Ward Baker, 1972), et,
pour mémoire, un réjouissant *Dr. Pyckle
and Mr. Pride* avec Stan Laurel (1925).
Mais les versions de Mamoulian
et Fleming restent celles de référence.
Jerry Lewis adaptera habilement l'œuvre
à son univers avec *Docteur Jerry et
Mister Love* (1963).

Elephant Man

« Je ne suis pas un animal ! »

Arraché à ses bienfaiteurs, John Merrick (John Hurt) est à nouveau exhibé aux foules par Bytes (Freddie Jones).

1980

The Elephant Man, drame de David Lynch, avec Anthony Hopkins (le docteur Frederick Treves), John Hurt (John Merrick, l'Homme Éléphant) John Gielgud (Carr Gomm), Anne Bancroft (Madge Kendal), Freddie Jones (Bytes) • Sc. Christopher De Vore, Eric Bergen et David Lynch, d'après deux ouvrages de Sir Frederick Treves et Ashley Montagu • Ph. Freddie Francis • Mus. John Morris • Maq. Christopher Tucker • Prod. Brooksfilms • États-Unis • Durée 125' • Grand Prix au Festival d'Avoriaz ; César du meilleur film étranger

John Merrick, affecté d'une neurofibromatose aiguë qui l'a rendu monstrueux, est arraché à son cirque pour être hospitalisé. Le docteur Treves, fasciné par son cas, entreprend de le soigner.

De la monstruosité à l'humanité

Fouetté, exhibé, le monstre de foire repoussant se révélera au fil de la narration un être sensible, débordant d'amour, en quête d'affection, ouvert à la culture et même à la sociabilité, grâce au docteur de l'hôpital général de Londres qui saura prouver à ses confrères ce que masque la terrifiante apparence de John Merrick.

Frederick Treves (Anthony Hopkins) et Carr Gomm (John Gielgud) hébergeront Merrick dans leur hôpital.

Certainement à contre-courant, Lynch nous montre une bourgeoisie et une aristocratie anglaises qui accueillent avec sollicitude et modernisme d'esprit cet être difforme, faisant d'un être à part un homme à qui l'on dédie une soirée théâtrale à succès. En contrepoint tragique, l'avidité, la méchanceté stupide des classes en bas de l'échelle sociale. Et sans doute, provocation suprême, ce sont des monstres (« freaks ») qui aideront John à échapper aux griffes de son tortionnaire et à regagner Londres. Enfin, leçon de cinéma, la dernière séquence où John, qui a retrouvé amis et sérénité, John, qui se sait condamné à terme, débarrasse son lit des multiples oreillers

Dans une gare de Londres, Merrick est harcelé par des enfants.

nécessaires à un sommeil assis, s'allonge paisiblement, se condamnant ainsi à la lente asphyxie, à la mort. Cette séquence qui arrache les larmes est merveilleusement soutenue par l'« Adagio pour cordes » de Samuel Barber.

Une histoire vraie

Les monstres à l'écran sont en général le fruit de l'imagination d'un auteur ou d'un scénariste, alors que l'histoire de John Merrick est véridique. Il s'appelait en fait Joseph et dut subir plusieurs opérations avant de pouvoir parler. Il souffrait du syndrome de Protée et avait lui-même décidé de s'exhiber dans les foires, conscient que c'était là son seul moyen d'existence. Le noir et blanc confère un ton documentaire à l'œuvre, d'une extrême qualité narrative, qui maintient le spectateur en haleine du début à la fin, tout en étant un vigoureux plaidoyer en faveur de ceux qui sont différents en l'occurrence d'un « monstre ». La direction d'acteurs et la très grande qualité des interprètes sont évidentes : John Hurt (*Midnight Express*, 1983 ; *La Porte du Paradis*, 1980 ; *Osterman Week-end*, 1983 ; *The Hit*, 1984), admirable de sensibilité, Anthony Hopkins, bien avant *Le Silence des agneaux*, John Gielgud, vétéran de l'Old Vic Theatre, lumineuse Anne Bancroft – l'épouse de Mel Brooks, le producteur du film, qui ne fit

Le visage terrifiant et attendrissant de John Merrick.

pas figurer son nom au générique de crainte que le public croie qu'il s'agissait d'un film burlesque –, et de remarquables seconds rôles font de ce film un chef-d'œuvre.

David Lynch, un réalisateur à part

Né en 1946, formé à l'École des beaux-arts de Pennsylvanie, auteur de courts métrages (*The Alphabet*, 1968 ; *The Grandmother*, 1970), lancé par *Eraserhead* (1976), œuvre fascinante et insolite, il ne signera plus que des films d'auteur de grande envergure : *Blue Velvet* (1986), *Sailor et Lula* (1990), *Lost Highway* (1996), *Mulholland Drive* (2001). Américain jusqu'au bout des ongles, il a pourtant merveilleusement rendu l'Angleterre victorienne et sa société dans *Elephant Man*.

La Mouche
Métamorphose imprévue

1986

The Fly, film fantastique de David Cronenberg, avec Jeff Goldblum (Seth Brundle), Geena Davis (Veronica Quaife), John Getz (Stathis Borans), David Cronenberg (le gynécologue) • Sc. Stuart Cornfeld, Charles Edward Pogue, David Cronenberg, d'après la nouvelle de George Langelaan • Ph. Mark Irwin • Mus. Howard Shore • Maquil. Chris Walas • Prod. Brooksfilms • États-Unis • Durée 94' • Oscar du meilleur maquillage ; Prix spécial du Jury au Festival d'Avoriaz 1987

Seth Brundle, brillant biologiste, poursuit ses recherches sur la « téléportation », technique permettant de transporter instantanément un objet d'un point à un autre. Pour ce faire, il a construit deux caissons étanches, qu'il expérimente bientôt sur lui-même, à l'insu de son amie Veronica. Mais l'expérimentateur n'a pas tout prévu...

Contrarié par une querelle avec Veronica, Seth Brundle (Jeff Goldblum) procède seul à la première téléportation.

Approche métaphysique

C'est *La Mouche noire*, de Kurt Neumann (1958), avec Vincent Price, qui inspira David Cronenberg. Il déclara avoir vu ce film lorsqu'il avait quinze ans, à une époque où la censure était omniprésente, où il fallait donc ruser et jouer d'artifices (« On ne pouvait que suggérer ! »). C'est dans la perspective de se libérer des tabous que Cronenberg a tourné *La Mouche*, précisant : « Ce qui a tout changé, c'est mon approche métaphysique du sujet et la sexualité que j'y ai injectée ». De fait, seule l'horreur physique – l'homme à tête de mouche, la mouche à tête d'homme – ou morale – l'épouse que l'on voit sombrer dans la démence – sont présentes dans le film de 1958, qui se déroule d'ailleurs au Canada : alibi pour « faire passer » l'éprouvante terreur de certaines scènes aux yeux des censeurs embusqués ? Et les effets de la téléportation sont radicalement différents : si dans le premier film, il s'agit d'une substitution quasi immédiate d'une partie du corps de deux êtres animés, dans *La Mouche* de Cronenberg, c'est la fusion progressive des éléments constitutifs d'un homme et d'une mouche (laquelle s'est introduite dans le caisson au cours de l'expérience) qui est en jeu et c'est à ce processus que nous assistons.

Mutations

Cronenberg (qui s'est amusé à apparaître dans la scène du rêve en gynécologue faisant accoucher Veronica d'un monstre) pousse plus loin l'analyse psychologique : il étudie l'évolution mentale et psychique de Seth Brundle, et aussi sa vie sexuelle, elle-même en mutation. Les terrifiantes transformations de tous ordres dont souffre Seth sont décrites avec la minutie d'un entomologiste. Le réalisateur expose aussi les incertitudes douloureuses de Veronica face à cette situation qui la dépasse : comment pourrait-elle imaginer l'hérésie génétique résultant de la fusion de son fiancé avec une mouche ? Au-delà de la monstruosité, l'amour, cependant, est toujours présent.

La spectaculaire transformation de Seth.

L'amour est né entre Seth et Veronica (Geena Davis).

Du burlesque au fantastique

Le producteur inattendu de ce film a priori éloigné de son univers burlesque n'est autre que le réalisateur-comédien Mel Brooks (*Le Shérif est en prison*, 1972 ; *Le Grand Frisson*, 1977). Pourtant, si *Frankenstein Junior* (1974) parodiait le film fantastique classique, il lui rendait aussi un hommage sincère. Et Brooks avait déjà produit *Elephant Man* (David Lynch, 1980), lui aussi à des années-lumière des gags « brooksiens ».

Mouches en série

La Mouche 2 de Chris Walas (1989), avec Eric Stoltz et Daphne Zuniga, est la suite du film de Cronenberg : le fils de Seth Brundle grandit dans un milieu agréable mais totalement clos, suivi par une équipe scientifique inquiète de son A.D.N. à risques. Jeune homme, il s'interroge sur son père et s'éveille aussi à l'amour. *La Mouche noire* avait donné lieu à deux suites : *The Return of the Fly* (Edward L. Bernds, 1959), toujours interprété par Vincent Price, et *Curse of the Fly* (Don Sharp, 1965), avec Brian Donlevy, tous deux en noir et blanc alors que le premier était en couleurs.

C'est un monstre qui sort du caisson de réception lors de la dernière téléportation effectuée par Seth.

Dracula

Le saigneur de la nuit

1992

Bram Stoker's Dracula, film fantastique de Francis Ford Coppola, avec Gary Oldman (le comte Dracula), Winona Ryder (Mina Murray/ Elisabeta), Anthony Hopkins (le professeur Abraham Van Elsing), Keanu Reeves (Jonathan Harker)• Sc. James V. Hart, d'après le roman de Bram Stoker (1897) • Ph. Michael Ballhaus • Mus. Wojciech Kilar • Déc. Thomas Sanders • Maq. Michele Burke, Greg Sanders • Prod. American Zoetrope/ Osiris Films • États-Unis • Durée 125' • 3 Oscars: costumes, maquillage et effets sonores

1897. Jonathan Harker, jeune clerc de notaire, se rend chez le comte Dracula en Transylvanie, ce dernier désirant acheter un terrain à Londres. En voyant la photo de la fiancée de Jonathan, Mina, il retrouve les traits de sa femme Elisabeta. Tandis que Jonathan est retenu prisonnier en Transylvanie, à Londres, Dracula, vampire immortel, décide de séduire Mina.

Mina (Winona Ryder) est tombée sous l'emprise de Dracula.

Une histoire d'amour

Le mythe du vampire – personnage puisant son immortalité dans le sang de ses victimes – trouve sa source dans le roman de Bram Stoker, et si de nombreux films sur le vampirisme ont été tournés depuis 1921, certains s'étaient très éloignés de l'œuvre originale. Ainsi, dans les films de vampires, le non-mort (no-sferatu) ne survit pas à la lumière solaire: c'est Henrik Galeen, le scénariste de *Nosferatu*, qui avait imaginé ce talon d'Achille. Francis Ford Coppola reste près du roman, tout en apportant une touche personnelle. Il réalisa son film, préparé par de nombreux croquis signés Peter Ramsey et Jim Strenko, en quinze semaines. Cinquante-huit décors furent construits et l'œuvre fut entièrement tournée en studio.
L'origine de la malédiction est explicitée: sa femme Elisabeta s'étant suicidée après l'avoir cru mort au combat, Dracula a renié Dieu

et est devenu vampire. Le film est en fait une histoire d'amour fou entre Mina et Dracula, amour partagé en dépit de la fidélité de la jeune fille à son fiancé.

Hommages et références

Si les références à *Nosferatu le vampire* de F. W. Murnau (1922), au *Vampyr* de Carl Dreyer (1932) et au *Dracula* de Tod Browning (1931) sont claires, il faut voir aussi un hommage au cinématographe lorsqu'à Londres, le comte Dracula le présente à Mina comme « une merveille du monde civilisé ». La très belle scène où les larmes de la jeune fille se transforment en diamants renvoie à *La Belle et la Bête*. Les intempérances sexuelles de Mina, et les lettres SIN (le péché) qui apparaissent sur la bouteille d'abSINthe seraient-elles une allusion au relâchement des mœurs? Film aux hommages multiples, *Dracula* est une mise à jour du mythe qui ne cesse d'inspirer les cinéastes.

Le comte Dracula (Gary Oldman) s'intéresse à la photo de Mina, la fiancée de Jonathan Harker (Keanu Reeves).

Dracula (Christopher Lee), dans *Dracula et les femmes* (Freddie Francis, 1968).

Le mythe se perpétue

Parmi les films ayant représenté des vampires, citons, outre *Vampyr ou l'Étrange Aventure de David Gray*, chef-d'œuvre d'étrangeté et d'inquiétude, et *Dracula*, tiré de la pièce de H. Deane et J. Balderston d'après Bram Stoker, un des grands « films d'épouvante » qui marque le début de la carrière de Bela Lugosi, *La Marque du vampire*, du même Tod Browning (1935), *La Fille de Dracula* (Lambert Hillyer, 1936), avec Gloria Holden, *Son of Dracula* (Robert Siodmak, 1943), avec Lon Chaney, et la série des *Dracula* de la Hammer britannique, avec Christopher Lee, inaugurée par *Le Cauchemar de Dracula* (1958),

la parodie de Roman Polanski *Le Bal des vampires* (1967), *Dracula* de John Badham (1979), avec Frank Langella et Laurence Olivier, une version burlesque enfin, *Dracula mort et heureux de l'être*, signée Mel Brooks (1995).

Le docteur Seward (Richard E. Grant) et le professeur Van Helsing (Antony Hopkins) au chevet de Lucy (Sadie Frost), vampirisée.

Jurassic Park
Quand les dinosaures reprennent vie

1993

Jurassic Park, film de science-fiction de Steven Spielberg, avec Sam Neill (Alan Grant), Laura Dern (Ellie Sattler), Jeff Goldblum (Ian Malcolm), Richard Attenborough (John Hammond) • Sc. Michael Crichton, David Koepp, d'après le roman de Michael Crichton • Ph. Dean Cundey • Mus. John Williams • Eff. spéc. animatroniques Stan Winston, Dennis Muren, Phil Tippett, Michael Lantieri • Prod. Universal • États-Unis • Durée 127' • 3 Oscars : son, effets sonores et effets spéciaux

Dans une île au large du Costa Rica, le richissime John Hammond se prépare à ouvrir un parc d'attractions peuplé d'animaux préhistoriques recréés à partir de leur ADN. Avant l'ouverture au public, il invite trois scientifiques, ainsi que ses petits-enfants, Tim et Lex. À la suite d'un acte de malveillance, la barrière électrifiée qui assurait l'enfermement des animaux devient inopérante.

Le tyrannosaure épouvante Ian Malcolm et ses amis, dans *Jurassic Park*.

Film spectaculaire et de réflexion

Universal acheta les droits du roman de Crichton avant même qu'il fût en librairie, pariant délibérément sur le succès de l'entreprise. Le tournage débuta le 24 août 1992 après que, deux ans durant, Steven Spielberg ait supervisé la construction des décors et la conception des effets spéciaux (images de synthèse, maquettes animées). En septembre, un ouragan détruisait les installations ; le film fut pourtant bouclé en quatre mois et sans dépassement de budget. Bénéficiant d'effets spéciaux numériques, et d'un solide scénario, Steven Spielberg réalise là un film de genre assez terrifiant racontant une histoire qui ne manque

Alan Grant (Sam Neill) cerné par les vélociraptors, dans *Jurassic Park III*.

ni de tendresse – le paléontologue qui se prend d'affection pour Tim et Lex – ni de réflexion sur les risques que font encourir la bioéthique et les manipulations génétiques. « Vous maniez le pouvoir génétique comme un môme qui a trouvé un flingue », dit le mathématicien à Hammond. Ou encore : « Deux espèces séparées par 65 millions d'années d'évolution se trouvent face à face : comment savoir ce qui va se passer ? » La réponse est dans le film.

Jan Malcolm (Jeff Goldblum) et ses amis découvrent des stégosaures, dans *Le Monde perdu : Jurassic Park*.

Deux suites

Le Monde perdu : Jurassic Park, réalisé par Spielberg en 1997, n'est pas sans rappeler *King Kong* : une longue marche au milieu des périls dans une île inhospitalière peuplée de monstres, et la troupe est décimée. Un inconscient – le neveu de John Hammond – ramène à San Diego un tyrannosaure et son « petit » : la ville sinistrée est en proie à la panique. Jeff Goldblum et Richard Attenborough sont les seuls rescapés du premier film. Dans *Jurassic Park III*, réalisé par Joe Johnston en 2001, Sam Neill et Laura Dern sont de retour. On forcera quelque peu la main du premier pour porter secours à un jeune garçon perdu dans une deuxième île peuplée d'animaux préhistoriques. Nouveauté : les vélociraptors communiquent entre eux par télépathie.

Ellie (Laura Dern) va donner des soins à un tricératops malade, dans *Jurassic Park*.

Les premiers dinosaures

Les monstres préhistoriques – dinosaures, ptérodactyles et autres tricératops – sont apparus pour la première fois à l'écran dans *Le Monde perdu* (Harry Hoyt, 1925), d'après le roman de Conan Doyle, que l'on a souvent considéré comme le brouillon du célèbre *King Kong*. Ils étaient animés par la technique vieille comme le cinéma de l'image par image. Ce n'est que plus tard que l'on eut l'idée de maquiller d'authentiques lézards et dragons du Komodo pou en faire des monstres antédiluviens dans *Voyage au centre de la Terre* (Henri Levin, 1959), d'après Jules Verne, et dans le remake du *Monde perdu* (Irwin Allen, 1960).

La Momie

Du rififi chez les pharaons

Rick (Brendan Fraser), Evelyn (Rachel Weisz), et Jonathan (John Hannah) : première expédition, premier souterrain, première menace.

1999

The Mummy, film fantastique de Stephen Sommers, avec Brendan Fraser (Rick O'Connell), Rachel Weisz (Evelyn), John Hannah (Jonathan), Kevin J. O'Connor (Beni), Arnold Vosloo (Imhotep) • Sc. Stephen Sommers • Ph. Adrian Biddle • Mus. Jerry Goldsmith • Eff. Spéc. John Berton-ILM, Chris Corbould, Nick Dudman • Prod. Alphaville / Universal • États-Unis • Durée 125'

En 1719 avant notre ère, le grand prêtre Imhotep est emmuré vivant pour avoir séduit la favorite du pharaon. 1923 : un aventurier sympathique, une égyptologue et son frère se mettent à la recherche du trésor des Pharaons, ce qui déclenche l'accomplissement d'une terrible et singulière malédiction.

Evelyn et Rick font connaissance avec la momie…

Péril en la demeure

Si *La Momie* de 1999 reprend le schéma classique du genre – une momie revenant à la vie pour se venger –, son ton est différent : les ingrédients habituels y sont assaisonnés de clins d'œil parodiques, l'humour venant désamorcer les efficaces effets horrifiques, un peu à la façon des *Aventuriers de l'arche perdue*, dans lequel des fouilles se déroulaient près du Caire. Une égyptologue curieuse et agréablement fofolle, son frère, poltron sympathique, un aventurier qui se joint à eux presque par hasard, quelques pilleurs de trésor enfin, voilà ceux qui, pénétrant dans des tombes et découvrant des secrets inconnus, vont réveiller des morts-vivants et faire planer sur l'humanité un péril mortel. Des acteurs peu connus mais excellents, le rythme soutenu des duels parfaitement réglés, des affrontements en nombre impressionnant, des effets spéciaux époustouflants font de ce film, tourné dans les studios anglais de Shepperton, ainsi qu'à Marrakech et dans la province marocaine d'Errachidia – avec le concours de la population locale – un film d'aventures digne des productions hollywoodiennes de la grande époque.

La Momie (Arnold Vosloo) crache des milliers de scarabées.

Retour d'un genre

Vers la fin des années quatre-vingts, Joe Dante (*Hurlements*, 1980), George Romero (*La Nuit des morts-vivants*, 1968), Clive Barker (*Cabal*, 1980), tous réalisateurs de films fantastiques, avaient été pressentis pour tourner un « film de momie ». C'est finalement la société de production Alphaville qui mit au point le projet avec Stephen Sommers à la réalisation. Ce dernier n'était pas un nouveau venu dans le genre « horrifique » puisqu'il venait de terminer *Un Cri dans l'océan* (1998), dans lequel un monstre sous-marin s'attaque à l'équipage d'un navire. *La Momie* devait sortir le 21 mai 1999 aux États-Unis, c'est-à-dire le même jour que *Star Wars Épisode 1 - La Menace fantôme*, une concurrence plutôt rude. Les producteurs avancèrent judicieusement la sortie au 7 mai : du coup, le film remporta un succès aussi énorme qu'inattendu, rapportant 43 millions et demi de dollars les trois premiers jours d'exploitation.

Une longue lignée de bandelettes

Cette momie en couleurs avait bien des prédécesseurs ; le coup d'envoi à l'écran fut *La Momie*, dirigée par Karl Freund (1933), avec Boris Karloff, le Monstre de *Frankenstein*. Le film est franchement éprouvant et le réveil, puis les errances de la momie ressuscitée, au visage inquiétant et douloureux de Karloff, sont impressionnants. Cette histoire d'amour fou qui défie le temps fut reprise maintes fois : dans *La Main de la Momie* (1940), *The Mummy's Tomb* (1942), *Le Fantôme de la Momie* (1944), *The Mummy's Curse* (1944), avec Lon Chaney dans les trois derniers. Puis, produits par la célèbre Hammer, dans *La Malédiction des Pharaons* (1959), *Les Maléfices de la Momie* (1964), *Dans les Griffes de la Momie* (1966), *Blood for the Mummy's tomb* (1971). Enfin *Le Retour de la Momie* de Stephen Sommers (2001), avec les mêmes personnages, s'appuie encore sur plus de combats singuliers ou collectifs et d'effets spéciaux sidérants.

Hamunaptra, la Cité des Morts, s'effondre…

Sexe, mensonges, etc.

Un Tramway nommé Désir

En route pour l'enfer des sens

1951

A Streetcar Named Desire, drame d'Elia Kazan, avec Vivien Leigh (Blanche Dubois), Marlon Brando (Stanley Kowalski), Kim Hunter (Stella Kowalski), Karl Malden (Mitch) • Sc. Tennessee Williams, d'après sa pièce • Ph. Harry Stradling • Mus. Alex North • Prod. Warner Bros. • États-Unis • Durée 122' • 4 Oscars: actrice (Vivien Leigh), seconds rôles masculin (Karl Malden) et féminin (Kim Hunter), décors

Blanche, beauté raffinée sur le retour, trouve refuge à La Nouvelle-Orléans chez sa sœur Stella. Elle se heurte à son beau-frère Stanley, être fruste qui l'attire et la dégoûte à la fois.

Stella (Kim Hunter) et son mari Stanley (Marlon Brando).

Ceux par qui le scandale arrive

En 1947, à la création dans un théâtre new-yorkais d'« Un Tramway nommé Désir », le puritanisme est encore étouffant, la morale sexuelle conventionnelle, donc les ligues de vertu s'indignent. On gomme alors l'homosexualité du mari de l'héroïne, qui explique pourtant sa conduite, et on coupe la scène capitale du viol de Blanche par Stanley, rétablie ensuite. Cependant, la pièce triomphe et passe à l'écran en 1951. Tennessee Williams impose son univers ambivalent peuplé de héros mus par les pulsions irrépressibles de leur libido,

Les mauvaises manières… et les bonnes…

Mitch (Karl Malden) et Blanche (Vivien Leigh).

qui les rendent tour à tour victimes et bourreaux, Amérique schizophrène qu'Elia Kazan dissèque avec une précision clinique. « La sexualité, dit le cinéaste, est comme un microscope : à travers elle, on voit quelles sont les motivations profondes d'une personne. » Kazan soulignera les siennes dans sa biographie, « Une Vie » (1988), où sa propre activité sexuelle obsessive,

présentée comme négative, voire destructrice, est aussi appréhendée comme source de régénération et de connaissance de soi.

Le jeu malsain du chat et de la souris

Tout le talent de Williams et de Kazan ne serait rien sans les stupéfiantes compositions des acteurs. La transformation de Vivien Leigh, qui, en moins de douze ans, est passée de l'irrésistible Scarlett d'*Autant en emporte le vent* à la pathétique Blanche, frappa les spectateurs. L'expressionnisme de son jeu porté jusqu'à l'incandescence lui vaudra d'ailleurs un second Oscar. Déjà interprète du rôle à Londres sous la direction de son mari Laurence Olivier, elle est Blanche autant que Scarlett : les deux femmes sont des romantiques hantées par le regret poignant du passé. Nymphomane flétrie rattrapée par la vérité, l'héroïne d'*Un Tramway nommé Désir* s'accroche à ses illusions et ses fantasmes la mènent à la déchéance et à la folie, prémonition de ce qui arrivera à l'actrice elle-même. Son face-à-face avec Brando débouche sur un cruel affrontement, jeu subtil, presque félin, avant sa mise à mort.

Marlon Brando (1924-2004), monstre sacré et hors-la-loi

Découvert par Kazan, il se forme à l'Actor's Studio de New York. Dans *Un Tramway nommé Désir*, sa force physique primitive mais aussi son fameux tee-shirt humide et déchiré l'imposent comme symbole sexuel. Sa beauté est unique, son jeu aussi. Kazan le dirige encore dans *Viva Zapata !* (1952) et *Sur les quais* (1954). Il s'illustre aussi dans *Jules César* (1953) et *Blanches Colombes et Vilains Messieurs* de Joseph L. Mankiewicz (1955), *La Poursuite impitoyable* d'Arthur Penn (1965), *Reflets dans un œil d'or* de John Huston (1967)… Il réalise et interprète en 1961 *Vengeance aux deux visages*, étrange western masochiste. À partir de 1970, ses rôles, plus rares, sont toujours marquants (*Le Parrain*, *Le Dernier Tango à Paris*, *Apocalypse Now*). Il rejette Hollywood, combat les injustices, s'engage en faveur des Indiens d'Amérique. Mais les désastres de sa vie privée et l'éclatement de sa famille (son fils arrêté pour meurtre) ont raison de lui. Il n'apparaît plus sur les écrans que de temps à autre, cabotinant pour de somptueux cachets (*L'Île du docteur Moreau*, 1996 ; *The Score*, 2001). Pour beaucoup, il demeure le plus grand acteur de sa génération.

Belle de jour
Bourgeoise et prostituée

1967

Comédie dramatique de Luis Buñuel, avec Catherine Deneuve (Séverine), Jean Sorel (Pierre), Michel Piccoli (Husson), Geneviève Page (Mme Anaïs), Francisco Rabal et Pierre Clémenti (les truands) • Sc. Luis Buñuel, Jean-Claude Carrière, d'après le roman de Joseph Kessel • Ph. Sacha Vierny • Prod. Paris Film Production / Five Film • France - Italie • Durée 100' • Lion d'or au Festival de Venise

Les fantasmes masochistes de Belle de jour.

Séverine, jeune bourgeoise mariée à Pierre, est la proie de fantasmes sexuels. Quand Husson, un ami libertin, lui fait découvrir la « maison » de Mme Anaïs, elle y devient prostituée et ne travaille que l'après-midi, d'où son surnom, Belle de jour…

La double vie de Séverine

Le film fait le portrait d'une jeune femme sexuellement insatisfaite et psychiquement perturbée, qui trouve un équilibre paradoxal et cruel en se laissant entraîner presque malgré elle au bout de ses fantasmes. Même si tout semble aller bien entre Séverine et son mari, des problèmes perturbent manifestement leurs relations intimes. Lui est attentionné, elle souvent lointaine, envahie par des pulsions masochistes que Buñuel filme comme s'il s'agissait de scènes réalistes. Aucune différence sur le plan visuel entre les rêves du personnage, la matérialisation de ses obsessions, ses souvenirs et la vision de son quotidien. Là réside l'originalité de Belle de jour : tout est mis sur le même plan, pour le plus grand trouble et la plus grande fascination du spectateur, une manière d'accentuer encore l'opposition entre la vie conjugale terne et l'autre vie, beaucoup plus perverse, qui se déroule chez Mme Anaïs.

L'énigmatique client chinois (Iska Khan) et sa mystérieuse boîte…

Qu'y a-t-il dans la boîte du Chinois ?

Belle de jour est adapté d'un roman de Joseph Kessel paru en 1929 que Buñuel et son scénariste Jean-Claude Carrière transformèrent beaucoup. L'écrivain ne leur en tint pas rigueur et exprima sa satisfaction et son admiration. Dans le film, tout semble couler de source, alors que, pourtant, de nombreux détails, objets, scènes ou répliques gardent volontairement leur mystère. Bruit de grelots, miaulements de chat, graines d'asphodèles… À quoi servira l'encrier réclamé par un client masochiste ? Pourquoi le cercueil bouge-t-il chez le duc nécrophile ? Que contient la boîte bourdonnante du client chinois ? Et ces mots étranges de Husson à sa maîtresse : « Je t'aime. Les cicatrices te vont bien. » Comme le notait Raymond Lefèvre dans son livre sur Buñuel : « Chaque spectateur donne sa réponse. C'est la bonne. » Catherine Deneuve aura la chance de tourner dans un autre grand film de Buñuel, Tristana (1970).

Belle de jour (Catherine Deneuve) et son premier client, M. Adolphe (Francis Blanche).

Pierre (Jean Sorel) aime sincèrement Séverine.

Luis Buñuel (1900-1983), la liberté n'a pas de frontières

Son entrée dans le cinéma est française, sous la bannière des Surréalistes, avec deux fictions, Un Chien andalou (1928) et L'Âge d'or (1930), et un essai documentaire, Terre sans pain (1932). Après les guerres en Espagne et en Europe, on le retrouve au Mexique de 1947 à 1955, pour de modestes productions inventives (Susana la perverse, 1950 ; La Montée au ciel, 1951…) ou des titres qui l'imposent internationalement (Los Olvidados, 1950 ; El, 1952 ; La Vie criminelle d'Archibald de la Cruz, 1955…). Viennent ensuite les grands films, entre Mexique et France, accessoirement États-Unis et même son Espagne natale, où il n'est pas en odeur de sainteté sous le régime franquiste : La Mort en ce jardin, 1956 ; Nazarin, 1958 ; Viridiana, 1961 ; Le Journal d'une femme de chambre, 1963 ; Le Charme discret de la bourgeoisie, 1972… À sa mort, « Libération » écrit :

« Un génie espagnol, un bon cinéaste mexicain et l'un des meilleurs metteurs en scène français viennent de s'éteindre dans un seul corps de 84 ans, celui de Luis Buñuel. Cela faisait déjà longtemps qu'on ne pouvait plus raconter l'histoire du siècle sans lui. »

Le Dernier Tango à Paris
Éros et Thanatos

1972

Ultimo Tango a Parigi, drame de Bernardo Bertolucci, avec Marlon Brando (Paul), Maria Schneider (Jeanne), Jean-Pierre Léaud (Tom), Massimo Girotti (Marcel), Maria Michi (la mère de Rosa) • Sc. Bernardo Bertolucci, Franco Arcalli • Ph. Vittorio Storaro • Mus. Gato Barbieri • Prod. Pea (Rome)/ Artistes Associés (Paris) • Italie - France • Durée 126'

Alors que sa femme vient de se suicider, Paul rencontre Jeanne, par hasard, dans le grand appartement vide qu'elle veut louer. Ils font l'amour sans même avoir échangé leurs prénoms...

Jeanne (Maria Schneider) et Paul se rencontrent dans l'appartement qu'elle veut louer.

Opportunité et enchaînement de succès

Fils d'un poète et critique de cinéma, Bernardo Bertolucci est l'assistant d'un ami de son père, Pier Paolo Pasolini, sur son premier film (*Accatone*, 1961). Alors que Pasolini doit tourner son deuxième film, il se détourne du projet qu'il a écrit et c'est Bernardo Bertolucci qui le réalise. Ce premier opus, *La Commare secca* (1962), obtient un net succès auprès de la critique au Festival de Venise. Malgré un échec commercial, Bernardo Bertolucci reçoit un prix de la jeune critique au Festival de Cannes pour *Prima della Rivoluzione* (1964). *Le Conformiste* (1970), dans lequel il dirige Jean-Louis Trintignant, lui ouvre les portes de la production commerciale. Cela lui permet de tourner *Le Dernier Tango à Paris* et d'établir sa renommée sur une idée à la fois crue et romantique.

Paul et Jeanne prennent un dernier verre dans un dancing où se déroule un concours de tango.

Références du cinéaste

Bernardo Bertolucci se réfère à l'auteur argentin Jorge Luis Borges, dont il avait déjà emprunté le thème de *La Stratégie de l'araignée* (1970), en définissant le tango comme « une manière de cheminer dans la vie ». Le réalisateur s'appuie aussi sur la peinture de Francis Bacon, dont un tableau ouvre le film. *Le Dernier Tango à Paris* contient également des références cinématographiques : La bouée qui coule porte le nom du film de Jean Vigo *L'Atalante* (1934) et Tom, incarné par Jean-Pierre Léaud, réalisateur qui tourne un sujet sur Jeanne, sa fiancée, est une évocation de Jean-Luc Godard.

Jeanne et Paul font l'amour sans même se connaître.

Paul (Marlon Brando) erre dans Paris.

L'après-tango

La réussite commerciale du *Dernier tango à Paris* met en confiance les distributeurs (Artistes Associés) qui investissent dans son prochain sujet, *1900* (1976). Cette fresque de quatre heures constituera l'événement majeur du Festival de Cannes. Bernardo Bertolucci deviendra une valeur internationale, qui, par la suite, raflera neuf Oscars pour *Le Dernier Empereur* (1987).

Parfum de scandale

Le Dernier Tango à Paris choqua par son réalisme et parce qu'un acteur de l'envergure de Marlon Brando y était impliqué. Pour la première fois, une star acceptait de tourner des scènes érotiques crues et parlait du désir sans détour. C'est d'ailleurs pourquoi Jean-Louis Trintignant avait refusé le rôle. À la même période, *La Grande Bouffe* (Marco Ferreri, 1973), représentant la France au Festival de Cannes, alimenta de très violentes polémiques. Et *La Maman et la Putain* (Jean Eustache, 1973), dans lequel Jean-Pierre Léaud jouait aussi, fit à son tour parler de lui. S'ils furent l'objet d'un scandale, ces trois films iconoclastes et novateurs contribuèrent chacun à sa façon à illustrer l'évolution des mœurs en France. Maria Schneider, fille de Daniel Gélin, devint célèbre du jour au lendemain. À cause de cette œuvre dérangeante, l'actrice, agressée de toutes parts, se réfugia à New York. Elle s'éloigna momentanément des tournages. On la retrouvera notamment dans *Bunker Palace Hotel* (Enki Bilal, 1989), *Au Pays des Juliets* (Mehdi Charef, 1992) et *La Repentie* (Laetitia Masson, 2002).

Emmanuelle

Star érotique des années soixante-dix

1974

Film érotique de Just Jaeckin, avec Sylvia Kristel (Emmanuelle), Alain Cuny (Mario), Marika Green (Bee), Daniel Sarky (Jean), Christine Boisson (Marie-Ange) • Sc. Jean-Louis Richard, d'après le roman d'Emmanuelle Arsan • Ph. Robert Fraisse • Mus. Pierre Bachelet • Prod. Yves Rousset-Rouard • France • Durée 90' • Interdiction aux moins de 18 ans en 1974

Emmanuelle va rejoindre son mari à Bangkok et, dans l'avion, se donne à deux passagers. En Thaïlande, elle rencontre de jeunes Occidentales désœuvrées prêtes à toutes les expériences galantes. Jean, son mari, est compréhensif. Mario, quinquagénaire libertin, initie Emmanuelle au plaisir avec la complicité de beaux indigènes...

Mario (Alain Cuny) initie Emmanuelle (Sylvia Kristel) au libertinage.

Emmanuelle en plein (septième) ciel...

Des joies du tennis à celles du sexe...

Du beau monde au générique

La large diffusion du poster montrant Emmanuelle poitrine nue, assise dans un fauteuil en rotin, a largement contribué à la mode de ce mobilier et des colifichets exotiques, surtout ceux qui sont fabriqués en Thaïlande. Relu aujourd'hui, le générique révèle quelques surprises. Ainsi Marika Green, une des très perverses initiatrices de Sylvia Kristel, avait-elle fait ses débuts dans l'austère *Pickpocket* de Robert Bresson (1959). Christine Boisson, elle, débutait ici, mais on la retrouvera plus tard dans des œuvres bien différentes, *Extérieur nuit* de Jacques Bral (1980) ou *Identification d'une femme* de Michelangelo Antonioni (1982), avant qu'elle devienne une grande actrice de théâtre défendant des auteurs contemporains. Mais la palme revient à Alain Cuny, l'un des deux *Visiteurs du soir* de Marcel Carné (1942), l'impressionnant Frollo du *Notre-Dame de Paris* (1956) de Jean Delannoy, l'intellectuel tourmenté de *La Dolce Vita* de Federico Fellini (1960), et dont la carrière, surtout théâtrale, est liée essentiellement aux pièces de Paul Claudel.

Érotisme, esthétisme, exotisme

En 1963, dans la France gaullienne, un roman écrit par une femme fait scandale : Emmanuelle Arsan y valorise le plaisir, loin des tabous et de la morale, comme un marquis de Sade qui privilégierait le point de vue féminin. Le livre, alors interdit, circule sous le manteau. Par la suite, Yves Rousset-Rouard, producteur avisé, se lance dans sa transposition cinématographique avec Just Jaeckin, réalisateur issu de la photo de mode et de la télévision, et Sylvia Kristel, jeune actrice néerlandaise. Sorti en plein débat sur la libéralisation des mœurs et de la censure, peu après l'élection de Valéry Giscard d'Estaing, le film connaît quelques ennuis avec la commission de contrôle, est enfin diffusé et ...devient le grand succès de l'année. Certes tout y est « soft » (actes sexuels simulés) et depuis, dans un cinéma émancipé, même des œuvres d'auteur ont recours à des scènes « hard » (actes non simulés), *L'Empire des sens* de Nagisa Oshima (1976) étant le chef-d'œuvre du genre. Mais au moment d'*Emmanuelle*, l'important était un érotisme convenable et esthétique. On parlait alors de liberté d'expression et de refus de la censure, et là, le film a joué son rôle. Il n'était pas encore question de tourisme sexuel.

...et dans un fauteuil.

Six fois Emmanuelle

Cinq séquelles furent réalisées par d'autres cinéastes, titrées *Emmanuelle 2, 4, 5 et 6* (1978, 1983, 1986 et 1988). La troisième, *Goodbye Emmanuelle* (1978), bénéficie d'une musique de Serge Gainsbourg, qui chantait : « Emmanuelle est une manuelle, pas une intellectuelle »... Sylvia Kristel, qui ne joue pas dans les deux dernières versions, est restée prisonnière de ce personnage, malgré ses rôles dans *Alice ou la dernière fugue* (Claude Chabrol, 1977) et *René la Canne* (Francis Girod, 1977), notamment. Elle retrouvera Just Jaeckin pour *L'Amant de Lady Chatterley* (1981).

291

L'Empire des sens
L'amour à mort

1976

Ai no corrida, drame de Nagisa Oshima, avec Eiko Matsuda (Sada Abe), Tatsuya Fuji (Kichizo), Aoi Nakajima (la femme de Kichizo), Taiji Tonoyama (le vieux mendiant) • Sc. Nagisa Oshima • Ph. Hideo Ito • Mus. Minoru Miki • Prod. Oshima Productions / Argos Films Japon - France • Durée 104'

Japon, 1936. Kichizo, propriétaire d'une auberge, et Sada, une des servantes, tous deux portés sur le sexe, sont attirés l'un par l'autre et se livrent à des joutes amoureuses de plus en plus intenses qui vont les mener loin. Très loin.

Kichizo (Tatsuya Fuji) et Sada (Eiko Matsuda) sous l'empire de leurs sens.

Hara-kiri sexuel et fait divers

Kichizo et Sada tentent de vivre pleinement des relations uniquement fondées sur les rapports sexuels, y intégrant ce qui, au regard des principes moraux dominants, passe pour des perversions (adultère, sodomie, gérontophilie, nymphomanie, etc.), mais leur comportement prouve aussi au passage que la mise en application littérale de la maxime libertaire « Jouissez sans entraves » ne se fait pas sans risques. « La pornographie, pour une fois, donne une image de sainteté. Elle est comme un parcours initiatique sans issue. Qui s'y engage trouve la passion comme une épreuve, le plaisir comme une angoisse. » Ainsi s'exprime la réalisatrice française Catherine Breillat, grande admiratrice d'un film qui a ouvert la voie à ses propres réalisations, par exemple *Romance* (1999) ou *À ma sœur!* (2001). À l'origine de *L'Empire des sens*, dont le titre original signifie « la corrida de l'amour », on trouve un fait divers survenu à Tokyo en 1936,

dans un Japon militariste en pleine période d'expansionnisme étatique : une servante d'auberge avait assassiné et castré son amant, un homme marié, et exhibé en place publique, trois jours durant, ses attributs virils. Emprisonnée, elle devint une figure mythique de la libération sexuelle, dans un pays où n'existait pas de revendication féministe, dont Sada incarnait certains aspects de façon paradoxale et extrême. Des livres lui furent consacrés et même un film, *La Véritable Histoire d'Abe Sada* de Nobiru Tanaka (1975), beaucoup plus anecdotique que celui d'Oshima.

Kichizo et les servantes.

Un couple lié par une passion fatale.

Un désir exacerbé…

Oshima, novateur japonais

Nagisa Oshima, né en 1932, marxiste de formation, est considéré comme un des membres fondateurs d'une Nouvelle Vague japonaise. On lui doit des films intéressants comme *La Pendaison* (1968), *Le Petit Garçon* (1970), *La Cérémonie* (1971), *Furyo* (1982) ou *Max mon amour* (1986). En 1978, il réalisa *L'Empire de la passion*, suite libre du film de 1976, où le fantastique prenait le relais de l'érotisme.

Des lettres de noblesse pour le cinéma érotique

Le film présenté dans le cadre de la Quinzaine des Réalisateurs au Festival de Cannes provoqua un grand choc, autant par son sujet que par la franchise avec laquelle il était traité. Profitant de la libéralisation de la censure en Europe, et surtout en France, principal partenaire de production, Nagisa Oshima pouvait présenter à l'écran les scènes de sexe, avec rapports intimes non simulés, en totale cohérence avec le thème traité, bien loin de la fréquente médiocrité des titres qui envahissaient alors les salles spécialisées. Cela n'empêcha pas le film d'avoir des ennuis avec différentes censures, même en France, où il échappa de justesse à l'étiquette « X », qui l'aurait relégué dans les circuits pornographiques. En revanche, la censure japonaise, pourtant libérale sur certains points, restait encore pointilleuse sur de nombreux détails (interdiction de montrer les pilosités des acteurs, par exemple) et le film fut totalement remanié et défiguré. L'auteur fut inculpé pour obscénité et il fallut six ans de bataille juridique avant qu'il fût acquitté.

Une Journée particulière

Histoire d'amour impossible

Gabriele (Marcello Mastroianni) est perplexe.

1977

Una Giornata particolare, comédie dramatique d'Ettore Scola avec Sophia Loren (Antonietta), Marcello Mastroianni (Gabriele), John Vernon (Emanuele), Françoise Berd (la concierge) • Sc. et dial. Ruggero Maccari, Ettore Scola, Maurizio Costanzo • Ph. Pasqualino De Santis • Mus. Armando Trovajoli • Prod. Carlo Ponti • Italie - Canada • Durée 105' • César du meilleur film étranger

Le 6 mai 1938, jour de la visite officielle d'Hitler à Mussolini, Antonietta, épouse soumise d'un fonctionnaire fasciste, mère de six enfants, fait la connaissance de Gabriele, ex-commentateur à la radio, renvoyé pour homosexualité, et sur le point de se suicider.

Grande et petite Histoire

Lorsqu'il entreprend le film, Ettore Scola souhaite traiter de la condition de la femme et de l'homosexuel. En imaginant la rencontre de deux laissés-pour-compte, il a l'idée de situer son récit dans une époque de répression. Lui-même ayant bien connu cette période, gardait un souvenir précis de la visite d'Hitler à Rome pour signer l'accord sur l'axe Rome-Berlin. « Je suis allé

Un film de rencontres

Cette rencontre fortuite entre deux êtres que rien ne prédestinait à se connaître, unis par une détresse commune, est mise en scène par Ettore Scola dans une suite quasi ininterrompue de scènes intimistes, la caméra s'attachant continuellement à leurs pas. Accaparée par les tâches ménagères et les enfants, constamment humiliée par un mari qui la méprise, la femme, tout entière vouée au culte du Duce, ne prend conscience de sa servitude que grâce à un homme, victime de la morale sexuelle avouant qu'il ne peut être « ni père, ni mari, ni soldat ». Souvent partenaires, Sophia Loren et Marcello Mastroianni, tous deux à contre-emploi, sont les comédiens inoubliables de ce film bouleversant.

Après lui avoir avoué son homosexualité, Gabriele a rejoint Antonietta (Sophia Loren) sur la terrasse.

Sous les yeux ébahis d'Antonietta, Gabriele fait le pitre.

à la Via dei Fiori Imperiali, j'étais "Fils de la louve", j'ai défilé devant Hitler. J'avais six ans et demi et je me souviens de tout : la fierté, la joie de ce jour, et aussi le martèlement de la propagande qu'il y avait eu » (in « Écran » 77, n° 62, 15 octobre 1977), raconta le cinéaste, qui décrit cette journée par une multitude de détails, restitués non seulement à travers deux êtres meurtris par la vie mais aussi par la présence obsédante de la radio qui retransmet discours et chants à la gloire des deux dictateurs. Ni en noir et blanc ni en couleur, les images sépia illustrent les aléas de la mémoire.

Sophia Loren

Née en 1934, Sophia Loren, de son vrai nom Sofia Scicolone, se fait d'abord remarquer grâce au roman-photo. Mais c'est le producteur Carlo Ponti – son futur mari – qui en fait une vedette de l'écran, où elle débute en 1950. Quatre ans plus tard, elle trouve son premier grand rôle dans *L'Or de Naples* de Vittorio De Sica où elle incarne une femme du peuple. Cette image demeure attachée à ses plus grands rôles, non seulement *Une Journée particulière* mais aussi *La Ciociara* de Vittorio De Sica qui lui vaut l'Oscar de la meilleure actrice en 1961. Auparavant, l'actrice avait entrepris une carrière américaine. Elle fut ainsi la partenaire de Cary Grant (*Orgueil et Passion*, Stanley Kramer, 1957), John Wayne (*La Cité disparue*, Henry Hathaway, 1957), Charlton Heston (*Le Cid*, Anthony Mann, 1961), Gregory Peck (*Arabesque*, Stanley Donen, 1965) et Marlon Brando (*La Comtesse de Hong-Kong*,

Charles Chaplin, 1967). Après l'éclipse des années quatre-vingt, elle retrouve Marcello Mastroianni en 1994 dans *Prêt-à-porter* de Robert Altman.

Victor/Victoria

La comédie des apparences

1982

Victor/Victoria, comédie de Blake
Edwards, avec Julie Andrews
(Victoria/Victor), James Garner (King
Marchan), Robert Preston (Toddy), Lesley
Ann Warren (Norma), Alex Karras
(Squash) • Sc. Blake Edwards, d'après
le film *Viktor und Viktoria* de Reinhold
Schünzel • Ph. Dick Bush • Mus. et chans.
Henry Mancini, Leslie Bricusse • Prod.
Blake Edwards, Tony Adams • États-Unis
• Durée 133' • Oscar de la meilleure
chanson ; César du meilleur film étranger

**Paris, années trente. Malgré sa belle voix
et son physique avenant, Victoria végète
jusqu'à ce que son ami Toddy, artiste
« gay » sur le retour, la transforme
en Victor, un homme qui chante travesti
en femme…**

Victoria (Julie Andrews) se produit sur scène.

Subtile variation sur la confusion des sexes

Une femme joue le rôle d'un homme qui
prétend être une femme… La métamorphose
de Victoria et sa supercherie permettent
à Blake Edwards de remettre en question
beaucoup d'idées reçues sur la conception que
l'homme et la femme se font chacun du sexe
de l'autre, sur leurs propres inhibitions ou leurs
rapports à l'homosexualité. Ce sujet, scabreux
de prime abord, n'empêche jamais
le spectacle de garder son faste, sa fantaisie
et son humour. L'air de rien, le cinéaste donne
une leçon de tolérance en rendant ses
personnages tendres, sensibles et dignes de
respect. Subversif mais jamais vulgaire, il traite
de toutes les sexualités, homo, bi ou hétéro,
livrant une œuvre sur l'ambiguïté et
les apparences, la conquête du bonheur dans
l'affirmation de soi. Il distille au passage
une réflexion ironique et douce-amère sur
la condition féminine, évoque le regard porté
par la société sur les homosexuels, signant
ce qui a tout l'air d'un manifeste en leur faveur.

Un hommage à la femme aimée

Blake Edwards trouve en ses interprètes des
complices efficaces : James Garner, gangster
macho perturbé par une attirance équivoque,
qui aime Victoria alors qu'elle est Victor ;
Robert Preston, impayable en vieil homo
adepte de l'autodérision. Et Julie Andrews,
épouse du cinéaste, lequel pose sur elle un
regard amoureux à chaque image. Formidable
voix aux quatre octaves, allure élancée

qui lui donne une aisance androgyne facile à maquiller
(on pense à Marlene Dietrich), étonnant travail
sur les deux versants de la voix, démarche composée,
classe souveraine, elle fait de sa réserve la plus vive
des provocations pour enrichir son rôle à double-
fond. « Le défi, c'était, dit-elle, d'avoir l'air masculin
en pensant féminin. » Ce grand numéro d'actrice
(ou d'acteur…) lui vaudra une nomination à l'Oscar
et un cinquième Golden Globe. Le film, réflexion
brillante et envoûtante sur les impondérables
de l'amour et les miroitements du show-biz, demeure
une des plus élégants et des plus incisifs
de son auteur.

King Marchan (James Garner) fait sa cour.

Blake Edwards, dernier maître du burlesque

Né en 1922, il est d'abord acteur et
surtout scénariste, souvent de son ami
Richard Quine (le délicieux *Ma Sœur est
du tonnerre*, 1955). Il aborde avec un égal
bonheur tous les genres : en priorité
la comédie (*Opération jupons*, 1959), mais
aussi l'étude de mœurs (*Diamants sur
canapé*, 1961), le film policier (*Allô, Brigade
spéciale*, 1962), le mélodrame social
(*Le Jour du vin et des roses*, 1962,
sur l'alcoolisme, un sujet qui le hante), le
pamphlet pacifiste (*Qu'as-tu fait à la guerre,
Papa ?*, 1966), le film musical (*Darling Lili*,
1970), le western (*Deux Hommes dans
l'Ouest*, 1971), l'autobiographie déguisée
(*That's Life*, 1986), sans oublier une
virulente charge contre Hollywood (*S.O.B.*,
1981). Mais son terrain d'élection reste
le burlesque, associé à Peter Sellers,
inspecteur Clouseau de la série des
Panthère rose (1964-1982), puis figurant
indien égaré à Hollywood dans *La Party*
(1968), film-culte rythmé par la musique
de Henry Mancini. Un Oscar d'honneur
(2004) consacre sa carrière.

Marchan est fatigué de Norma (Lesley Ann Warren).

Victor et Toddy (Robert Preston).

37°2 le matin

Amour fou

1986

Drame de Jean-Jacques Beineix, avec Béatrice Dalle (Betty), Jean-Hugues Anglade (Zorg), Consuelo de Havilland (Lisa), Gérard Darmon (Eddy), Clémentine Célarié (Annie) • Sc. Jean-Jacques Beineix, d'après le roman de Philippe Djian • Ph. Jean-François Robin • Mus. Gabriel Yared • Prod. Constellation / Cargo Films • France • Durée 115' • César de la meilleure affiche

Vivant une histoire d'amour sensuelle et passionnée avec Zorg, Betty prend de plus en plus de place dans son cœur. Mais alors qu'il s'attache à cette fille qui bouleverse sa vie, celle-ci sombre peu à peu dans la folie...

Zorg (Jean-Hugues Anglade) égalise les cheveux de Betty (Béatrice Dalle) après qu'elle les ait massacrés.

Coup de foudre immédiat

Assistant réalisateur de Claude Berri (*Le Cinéma de Papa*, 1970), René Clément (*La Course du lièvre à travers les champs*, 1972) ou Claude Zidi (*L'Aile ou la Cuisse*, 1976), Jean-Jacques Beineix remporte le premier prix au Festival de Trouville pour son court métrage *Le Chien de monsieur Michel* (1977). Il réalise son premier long métrage d'après un roman de Delacorta : grand succès public, *Diva* (1981) obtient quatre Césars et un excellent accueil aux États-Unis. Sélectionné au Festival de Cannes, son deuxième film (*La Lune dans le caniveau*, 1983), réalisé d'après le livre homonyme de David Goodis, est très attendu. Malgré Gérard Depardieu et Nastassja Kinski en tête d'affiche, le film est un échec.
Après un séjour aux États-Unis, Beineix reçoit un manuscrit de Philippe Djian, auteur en vogue qui sera adapté au cinéma la même

année par Yves Boisset avec *Bleu comme l'enfer*. C'est le coup de foudre. Jean-François Robin, directeur de la photographie, choisit la pellicule Fujicolor, qui supporte bien le soleil et donne des tons chauds au film. Jean-Jacques Beineix imagine plusieurs fins et envisage une version longue. Tirant les leçons de l'échec commercial du précédent film, il tourne rapidement et avec un budget plus modeste. Pour éviter que le reste des rushes soit détruit, ce qui a empêché un nouveau montage de *La Lune dans le caniveau*, il crée sa propre maison de production (Cargo Films) avec Claudie Ossard.

Talents en devenir

Le rôle de Zorg, écrivain en proie aux affres de l'amour fou, confirme le talent de Jean-Hugues Anglade, déjà nommé pour le César du meilleur espoir masculin grâce à *L'Homme blessé* (Patrice Chéreau, 1983). *37°2 le matin* révèle Béatrice Dalle, remarquée à la une de « Photo Revue » par le responsable de casting Dominique Besnehard. La débutante n'est pas la seule à être découverte par le public dans ce film. Sont présents, entre autres, Clémentine Célarié en nymphomane et Vincent Lindon dans un court rôle de policier. Après avoir joué dans *Diva*, Gérard Darmon retrouve Jean-Jacques Beineix et apporte un peu de truculence à cette histoire d'amour tragique.

La vie en rose...

Betty Blue

Pour son premier film, Béatrice Dalle échange de nombreuses prises de bec avec Jean-Jacques Beineix, qui refuse qu'elle voie les rushes. Celle-ci rechigne à porter le short rose pour la scène de dispute et de poursuite avec Jean-Hugues Anglade, et déforme son tee-shirt afin qu'on ne la voie pas nue dans la séquence avec le propriétaire vicieux. Le succès de *Betty Blue* (titre du film outre-Atlantique) la propulse sous les feux des médias qui la consacrent « sex-symbol » des années quatre-vingt. Pourtant, le triomphe semble davantage tenir à l'audace des scènes érotiques (dont une en ouverture du film) et au couple romantique formé avec Jean-Hugues Anglade qu'au jeu de Béatrice Dalle, qui dit ressembler à son personnage hystérique et passionné.

Un moment de répit pour Betty...

Bob (Jacques Mathou) et Annie (Clémentine Célarié).

Les Liaisons dangereuses
Perversité décadente

La marquise de Merteuil (Glenn Close) et le vicomte de Valmont (John Malkovich) complotent.

1988

Dangerous Liaisons, drame de Stephen Frears, avec Glenn Close (la marquise de Merteuil), John Malkovich (le vicomte de Valmont), Michelle Pfeiffer (madame de Tourvel), Swoosie Kurtz (madame de Volanges), Uma Thurman (Cécile de Volanges), Keanu Reeves (le chevalier Danceny) • Sc. Christopher Hampton, d'après sa pièce adaptée du roman de Choderlos de Laclos • Ph. Philippe Rousselot • Mus. George Fenton • Prod. NFH Ltd • États-Unis • Durée 120' • 3 Oscars: adaptation, costumes et décors; César du meilleur film étranger

Aristocrates du XVIIIe siècle, l'immoral vicomte de Valmont et l'intrigante marquise de Merteuil échafaudent un plan diabolique pour séduire Cécile de Volanges et faire souffrir la dévote madame de Tourvel.

Adaptation d'un classique

En 1988, Christopher Hampton, dont la pièce adaptée du roman épistolaire « Les Liaisons dangereuses » (1782) de Choderlos de Laclos triomphe aux États-Unis et en France – où elle est jouée par Bernard Giraudeau et Caroline Cellier –, fait appel à Stephen Frears, qui se retrouve vite à la tête d'une production à vocation internationale. Réputé contestataire, le réalisateur britannique jette sur le XVIIIe siècle le même regard qu'il posait sur la société anglaise de Mme Thatcher, dans *Sammy et Rosie s'envoient en l'air* (1987). Il conserva l'essentiel des dialogues du dramaturge tout en s'inspirant du roman pour l'intrigue.

Les Américains libertins

Préférant le jeu émotionnel au jeu formel, Stephen Frears choisit des comédiens américains plutôt qu'anglais. Alors qu'elle aurait dû incarner la marquise de Merteuil, Michelle Pfeiffer hérite du rôle de madame de Tourvel. Après avoir fait sensation dans son troisième film (*Les Aventures du Baron de Munchausen*, Terry Gilliam, 1989), Uma Thurman trouve sa place aux côtés de Keanu Reeves qui, lui, obtient enfin un rôle important. Les rivaux machiavéliques sont tous deux interprétés par des transfuges du théâtre, qui avaient été cités aux Oscars pour leur premier rôle au cinéma: John Malkovich – qui sera à nouveau dirigé par Stephen Frears dans *Mary Reilly* (1996) – avec *Les Saisons du cœur* (Robert Benton, 1984) et Glenn Close pour *Le Monde selon Garp* (George Roy Hill, 1982).

Rude concurrence

Stephen Frears et Milos Forman réalisèrent en même temps leur version du chef-d'œuvre de Laclos. Stephen Frears prit de vitesse son concurrent qui, lui, choisit des acteurs peu connus: Colin Firth (Valmont), Annette Bening (Merteuil), Meg Tilly (madame de Tourvel), Fairuza Balk (Cécile), Henry Thomas (Danceny) interprétèrent *Valmont* (1989), une coproduction franco-britannique. Avec Forman, Jean-Claude Carrière modifia radicalement la fin de l'histoire: madame de Tourvel ne meurt pas et Cécile enceinte ne retourne pas au couvent.

Valmont tente de séduire la dévote madame de Tourvel (Michelle Pfeiffer).

Avant de mourir des suites d'un duel contre le chevalier Danceny (Keanu Reeves), Valmont lui confie des lettres compromettantes.

Le dos de Valmont sert d'écritoire à Cécile de Volanges (Uma Thurman).

De nombreuses adaptations

« Les Liaisons dangereuses » firent l'objet de quatre adaptations. Dans *Les Liaisons dangereuses 1960*, Roger Vadim installe l'histoire dans le temps présent et dirige, entre autres, Gérard Philipe, Jeanne Moreau, Jean-Louis Trintignant et Boris Vian. L'intervention de Roger Vailland est décisive puisqu'il marie Valmont et Merteuil. Mais les ligues de moralité exigent l'interdiction du film et criant à la trahison, la Société des gens de lettres obtient que « 1960 » soit accolé au titre. L'originalité de *Sexe Intentions* (Roger Kumble, 1999), avec Sarah Michelle Gellar, Ryan Philippe et Reese Witherspoon, est de situer l'action dans la société jeune et nantie de New York. Seuls Frears et Forman présentent l'histoire à l'époque où elle a été écrite. Suzanne Durrenberger fut la scripte des *Liaisons dangereuses 1960* et de *Valmont*.

Sexe, mensonges et vidéo

Parlez-moi d'amour

Ann (Andie MacDowell) a décidé de se confier à Graham (James Spader).

1989

sex, lies and videotape, comédie dramatique de Steven Soderbergh, avec James Spader (Graham Dalton), Andie MacDowell (Ann Millaney), Peter Gallagher (John Millaney), Laura San Giacomo (Cynthia Bishop) • Sc. et montage Steven Soderbergh • Ph. Walt Lloyd • Mus. Cliff Martinez • Prod. Outlaw Productions • États-Unis • Durée 100' • Palme d'or, prix d'interprétation masculine (James Spader) et prix de la critique internationale au Festival de Cannes

John et Ann forment un couple en apparence épanoui ; pourtant il la trompe avec Cynthia, sa propre belle-sœur. Arrive un vieil ami de John, Graham, maniaque de la caméra vidéo, qui filme les confessions intimes des femmes qu'il rencontre...

Coup d'essai, coup de maître !

Surprise au Festival de Cannes 1989 : à vingt-six ans, Steven Soderbergh est couronné pour son premier film, au budget dérisoire, tourné en trente jours avec des acteurs quasiment inconnus. Président du jury, Wim Wenders misait sur l'avenir du cinéma et sa force de renouvellement, choix que le public ratifia. Avec une grande maturité, dans un style humoristique, cérébral et moderne, Soderbergh livrait, à travers la radiographie des pulsions et des insatisfactions sexuelles de ses personnages, une image de l'Amérique conservatrice des années quatre-vingt. Entraînés sur les chemins de la névrose par peur de leur sexualité, réfugiés l'une dans l'abstinence, l'autre dans le voyeurisme, Ann et Graham sont les reflets d'une société où la commercialisation du sexe, l'usage du mensonge et l'invasion de la vidéo sont liés. « La vidéo nous isole des autres, nous rend passifs et émousse notre sensibilité. (...) Le film est extrêmement autobiographique mais pas de manière littérale. La notion d'intimité occupe une place centrale et la caméra y a un rôle vedette. Il y a une part de voyeurisme dans cette histoire, mais le film n'a rien d'équivoque. Je ne porte pas non plus de jugement sur les personnages, j'affirme simplement que nous sommes responsables de nos actes. Chacun est libre de gâcher sa vie, mais il en subira un jour les conséquences », déclarait le réalisateur.

John (Peter Gallagher) a pris pour maîtresse Cynthia (Laura San Giacomo).

Ann et la caméra vidéo de Graham.

John regarde la cassette d'Ann.

Andie MacDowell, de la classe à revendre

D'abord mannequin-vedette, elle étudie l'art dramatique puis, en 1984, fait ses débuts dans *Greystoke*. Soderbergh révèle dans *Sexe, mensonges et vidéo* l'éventail de son talent et son personnage énigmatique d'épouse frigide et délaissée lui vaudra le Los Angeles Critics Award. Cette reconnaissance est confirmée avec le succès populaire de *Green Card* (Peter Weir, 1990) et *Un Jour sans fin* (Harold Ramis, 1993), suivi par le triomphe de *Quatre Mariages et un Enterrement* (Mike Newell, 1994). Elle semble s'épanouir autant dans la comédie romantique que dans des rôles plus exigeants, comme ceux de *The Player* (1992) et *Short Cuts* (1993) de Robert Altman, ou encore *The End of Violence* (Wim Wenders, 1997) et *Harrison's Flowers* (Élie Chouraqui, 2000). Elle garde le contact avec son premier métier en étant une des égéries publicitaires d'une grande firme de cosmétiques.

La traversée du désert d'un cinéaste virtuose

En recevant son prix, Soderbergh s'exclama : « Eh bien, plus dure sera la chute ! » De fait, son purgatoire dura presque une décennie, jusqu'à *Hors d'atteinte*, qui le remit en selle en 1998. Pourtant, il était resté élégant, sensible, ironique et intelligent : *Kafka* (1992), *King of the Hill* (1993), *À fleur de peau* (1995) ou *Schizopolis* (1997), parenthèse underground qui prouve qu'il n'a jamais choisi la facilité, s'obstinant à explorer son monde intérieur et à poursuivre une voie refusant toute concession. Rattrapé depuis par des succès réguliers, *L'Anglais* (1999) puis les nombreux Oscars de *Erin Brockovich, seule contre tous* (1999) et de *Traffic* (2000), il s'est orienté avec *Ocean's Eleven* (2001) et *Ocean's Twelve* (2004) vers le divertissement brillant en alternance avec des œuvres exigeantes *Solaris* (2002) ou *Bubble* (2005). « Chacun de mes films, dit-il, doit tuer le précédent ». Associé à George Clooney, il mène depuis 1993 une intense activité de producteur.

Basic Instinct
Étreintes torrides et pic à glace

1991

Basic Instinct, policier de Paul Verhoeven, avec Michael Douglas (Nick Curran), Sharon Stone (Catherine Tramell), George Dzundza (Gus Moran), Jeanne Tripplehorn (Beth Garner) • Sc. Joe Eszterhas • Ph. Jan DeBont • Mus. Jerry Goldsmith • Prod. Carolco / Le Studio Canal + • États-Unis • Durée 130'

Alors qu'il enquête sur un sauvage assassinat commis au pic à glace, Nick Curran, policier cocaïnomane et violent, se sent très vite attiré par la belle Catherine Tramell, riche héritière portée sur les femmes et, surtout, suspecte numéro un.

Nick Curran (Michael Douglas) danse avec la dangereuse Catherine Tramell (Sharon Stone).

Intrigue forte et sulfureuse

Carolco, la compagnie pour laquelle Paul Verhoeven avait déjà signé *Total Recall* (1990), lui propose de mettre en scène le scénario payé 3 millions de dollars à Joe Eszterhas (somme faramineuse jamais offerte jusqu'alors). Sous la pression des féministes et des homosexuelles, le scénariste veut remplacer Nick par une lesbienne et montrer la meurtrière tuer indifféremment les hommes et les femmes. Devant le refus du réalisateur de présenter de nombreuses scènes de sexe, Joe Eszterhas et le producteur délégué Irwin Winkler se retirent du projet. Malgré les souhaits des producteurs, Geena Davis, Ellen Barkin et Mariel Hemingway, effrayées par la teneur du script, refusent d'incarner Catherine Tramell. Paul Verhoeven peut donc imposer son propre choix : Sharon Stone, qu'il avait dirigée dans *Total Recall*. Michael Douglas, star de *Liaison fatale* (Adrian Lyne, 1987), accepte le rôle de l'inspecteur contre quatorze millions de dollars.

Beth Garner (Jeanne Tripplehorn) est à la fois la psy et la maîtresse de Nick.

Verhoeven et Dame Censure

Œuvre onirique et érotique où un écrivain homosexuel était attiré par une meurtrière, *Le Quatrième Homme* (1983) jetait déjà les bases de *Basic Instinct*. Bien que le sexe et les scènes de provocations diverses aient toujours été une composante des films de Verhoeven, les ligues féministes et homosexuelles américaines perturbent le tournage puis le lancement du film en divulguant la chute de l'histoire à l'entrée des cinémas. *RoboCop* (1987) et *Total Recall* avaient déjà été censurés ; *Basic Instinct* n'échappera pas à la censure de la Motion Pictures Association of America, organisme mis en place par les distributeurs américains pour veiller à la bonne tenue morale, civique et chrétienne de leur cinéma. Avec 42 secondes de coupe, les Américains, contrairement aux Européens, n'ont droit qu'à un seul coup de pic à glace, et à des scènes d'amour édulcorées. Et il leur manquera surtout

Le flic et la suspecte brisent la glace...

Nick ne sait pas toujours maîtriser ses nerfs...

la fameuse scène de l'interrogatoire durant laquelle la suspecte montre qu'elle ne porte pas de culotte... Mais alors que *Turkish Delices* (1973) et *Le Quatrième Homme* (1984) avaient été refusés au Festival de Cannes, Paul Verhoeven obtient sa revanche lorsque *Basic Instinct* en fait l'ouverture.

Celle qui n'avait pas froid aux yeux

Ancien mannequin, Sharon Stone débute au cinéma dans *Stardust Memories* de Woody Allen (1980). Après une série de films d'action et érotiques, elle tourne à nouveau pour Paul Verhoeven (*Total Recall*, 1990). Le personnage de l'inquiétante romancière bisexuelle, qu'elle retrouvera dans *Basic Instinct 2* (Michael Caton-Jones, 2006), lui vaut une notoriété internationale, ainsi qu'une citation aux Golden Globes et une place enviable au box-office. Payée 300 000 dollars pour *Basic Instinct*, elle en obtiendra 2 500 000, plus un pourcentage sur les recettes pour *Sliver* (Phillip Noyce, 1993), à nouveau scénarisé par Joe Eszterhas.

Philadelphia

L'honneur d'un homo

1993

Philadelphia, drame de Jonathan Demme, avec Tom Hanks (Andrew Beckett), Denzel Washington (Joe Miller), Jason Robards (Charles Wheeler), Mary Steenburgen (Belinda Conine), Joanne Woodward (Sarah Beckett), Antonio Banderas (Miguel Alvarez) • Sc. Ron Nyswaner • Ph. Tak Fujimoto • Mus. Howard Shore • Prod. Clinica Estetico • États-Unis • Durée 119' • 2 Oscars : meilleur acteur (Tom Hanks), meilleure chanson originale (Bruce Springsteen) ; Ours d'argent (Tom Hanks) au Festival de Berlin

Brillant avocat, Andrew Beckett, tout juste promu au sein du prestigieux cabinet où il travaille, découvre qu'il est atteint du sida. Cela révèle son homosexualité. Renvoyé pour une faute professionnelle inventée par ses employeurs, il réclame justice avec l'aide de Joe Miller, un avocat noir.

Andrew Beckett (Tom Hanks) et son avocat Joe Miller (Denzel Washington).

Une leçon d'humanité

Traité sobrement et sans fausse pudeur, ce premier film hollywoodien consacré au sida rencontra un énorme succès public. Longtemps marginalisés par le cinéma, les homosexuels y étaient souvent montrés en psychopathes travestis, en folles tordues, au mieux en voisins sympathiques. Avec cran, Jonathan Demme brisa un tabou : « J'ai fait ce film pour des gens comme moi, hétérosexuels ayant peur du sida par ignorance, élevés dans le mépris des homosexuels. » La construction du scénario transforme les spectateurs en jurés du procès, les obligeant à affronter leurs préjugés et, tel l'avocat homophobe

mais intègre, à évoluer et à modifier leur point de vue. « *Philadelphia* est un film de cœur », ajoutait Demme, « c'est d'abord l'histoire d'un destin, d'une prise de conscience. C'est un film sur tout ce qui fait la vie, sur la peur de la différence, sur la compassion, sur le courage. »

Convergence de talents pour une juste cause

La force de l'œuvre est indissociable de la qualité globale de l'interprétation, où se distingue Tom Hanks (Oscar du meilleur acteur). Il accepta de perdre progressivement quinze kilos, pour suivre l'avancée de la maladie, ce qui imposa un tournage en continuité, et le film brisait son image habituelle, joviale et romantique, pour imposer une figure de « golden boy » lucide et ambigu. Le rôle fut décisif pour la suite de sa carrière. Antonio Banderas, acteur fétiche de Pedro Almodóvar, jouait son amant, dans ce qui était sa première apparition américaine, justement remarquée. Issu de l'écurie du producteur-réalisateur Roger Corman, grand découvreur de talents dans les années soixante et soixante-dix – on le voit ici dans le petit rôle de Mr. Laird –, Jonathan Demme imposait son regard humaniste qui savait toucher juste, avec le souci légitime d'élargir le débat, sans prêchi-prêcha.

Beckett tente de dissimuler sa maladie.

Au procès, les anciens patrons de Beckett, dont Charles Wheeler (Jason Robards).

Andrew rend visite à sa mère (Joanne Woodward).

Denzel Washington, leader noir charismatique

Né en 1956, il étudie la médecine puis le journalisme avant de se consacrer à l'art dramatique et au théâtre. Il débute au cinéma en 1981 et se fait remarquer dès *Soldier's Story* (Norman Jewison, 1982), qu'il avait créé à la scène. Talent protéiforme, alliant finesse, énergie et intelligence, il témoigne dans chacun de ses rôles des bouleversements de la société américaine, culturellement et racialement : *Cry Freedom* (Richard Attenborough, 1987), *Glory* (Edward Zwick, 1989, Oscar du meilleur second rôle masculin), *Mo' Better Blues* (1990) et *Malcolm X* (1992) de Spike Lee, *Hurricane Carter* (Norman Jewison, 1999)... Cité cinq fois aux Oscars, il l'a emporté pour *Training Day* (Antoine Fuqua, 2001), dominé par son punch. L'Amérique couronnait enfin un acteur noir d'exception, ce qui ne s'était pas vu depuis Sidney Poitier en 1963. Il est brillamment passé à la réalisation avec *Antwone Fisher* (2002).

Gazon maudit

Le mari, la femme et l'amante

Loli (Victoria Abril) partagée entre Marijo (Josiane Balasko) et Laurent (Alain Chabat).

1994

Comédie de Josiane Balasko, avec Victoria Abril (Loli), Josiane Balasko (Marijo), Alain Chabat (Laurent), Ticky Holgado (Antoine), Catherine Hiégel (Dany) • Sc. Josiane Balasko, Telsche Boorman • Ph. Gérard de Battista • Mus. Manuel Malou • Prod. Claude Berri • France • Durée 105' • César du meilleur scénario

Marijo rencontre la belle Loli, mariée depuis de nombreuses années. Séduite, elle la détourne de Laurent, son cavaleur de mari, qui se découvre bientôt prêt à tout accepter pour garder sa femme…

Trio infernal et Cie

Dans sa jolie maison du sud de la France, entre petits plats et enfants en bas âge, la charmante Loli est une femme au foyer négligée par son mari. L'histoire pourrait être banale, sauf que, lorsque l'enfant de Loli dit « Maman, il y a un homme qui te demande », la silhouette en jeans, polo et cheveux courts qui apparaît dans l'embrasure de la porte est celle d'une femme. Entre les deux archétypes, le mari, incorrigible cavaleur, et la camionneuse lesbienne cigarillo au bec,

Antoine (Ticky Holgado) entraîne Laurent, malheureux de découvrir que sa femme a une maîtresse.

Marijo ne partira qu'à condition que Laurent lui fasse un enfant…

Josiane Balasko développe l'idée que l'on peut accepter son rival par amour. Victoria Abril, star du cinéma espagnol, révélée en France par *La Lune dans le caniveau* (Jean-Jacques Beineix, 1983), avait joué en 1986, sous l'égide de Josiane Balasko, au Théâtre de la Porte Saint-Martin avec Gérard Jugnot, membre du Splendid dont elle devait être plusieurs fois la partenaire et l'interprète (*Une Époque formidable…*, 1991 ; *Casque bleu*, 1994). Josiane Balasko offre à Alain Chabat son deuxième rôle au cinéma, qui lui vaut d'être nommé aux Césars comme meilleur acteur. Celui-ci l'invitera à jouer dans son premier film, *Didier* (1996). Dans *Gazon maudit* sont aussi présentes deux sociétaires de la Comédie-Française, Catherine Samie en vieille prostituée et Catherine Hiégel comme ancienne amie de Marijo.

Balasko, femme-orchestre

C'est à partir de 1976 que Josiane Balasko co-signe les textes du Splendid. L'adaptation, par Patrice Leconte, des pièces de la troupe (*Les Bronzés*, 1978) la rend populaire. En 1981, elle co-écrit le scénario des *Hommes préfèrent les grosses* de Jean-Marie Poiré. Puis, tout comme ses camarades du Splendid – Michel Blanc (*Marche à l'ombre*, 1984), Gérard Jugnot (*Pinot simple flic*, 1984) – qui mettent en scène et interprètent leurs propres scénarios, Josiane Balasko réalise son premier film (*Sac de nœuds*, 1985). Pour le quatrième, *Gazon maudit*, elle adopte le titre, à la fois poétique et explicite, proposé par Bertrand Blier. Héroïne de son film *Trop belle pour toi* (1989), elle avait déjà rendu un hommage amical au réalisateur en lui confiant le court rôle du prêtre dans *Ma Vie est un enfer* (1991).

Entre les deux femmes, plus qu'une complicité.

Femmes entre elles

Évolution des mœurs aidant, la représentation au cinéma de l'homosexualité féminine est devenue plus fréquente. Anecdotiques avec une danse dans *Loulou* (Georg Wilhelm Pabst, 1929) ou un baiser donné à Marlene Dietrich dans *Morocco* (Josef von Sternberg, 1930), les relations saphiques seront de plus en plus explicites dans *Les Biches* (Claude Chabrol, 1969) et *Le Renard* (Mark Rydell, 1968). Dans *Coup de foudre* (1983), Diane Kurys se souvient de l'attirance qu'éprouvait sa mère pour une amie. Dans *Les Prédateurs* (Tony Scott, 1982), Susan Sarandon est littéralement vampirisée par Catherine Deneuve, qui devient l'amante de la jeune Laurence Côte dans *Les Voleurs* (André Téchiné, 1996).

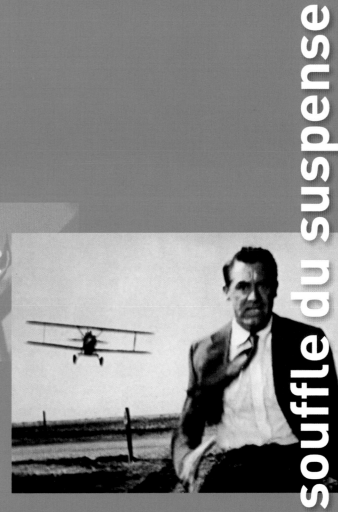

Le souffle du suspense

La Chasse du comte Zaroff

L'homme est un loup pour l'homme

1932

The Most Dangerous Game, suspense d'Ernest B. Schoedsack et Irving Pichel, avec Joel McCrea (Bob Rainsford), Fay Wray (Eve Trowbridge), Leslie Banks (le comte Zaroff), Robert Armstrong (Martin Trowbridge) • Sc. James Ashmore Creelman, d'après une nouvelle de Richard Connell • Ph. Henry Gerrard • Mus. Max Steiner • Prod. David O. Selznick • États-Unis • Durée 63'

Échoué sur une île réputée déserte, un couple est poursuivi dans la jungle par un aristocrate grand chasseur de fauves qui s'est spécialisé dans la chasse du plus dangereux des gibiers : l'être humain lui-même…

Zaroff (Leslie Banks) et ses chiens sur la piste des fugitifs.

Chasse à l'homme dans la jungle de King Kong

Malgré un accueil extrêmement hostile à sa sortie, le film n'a cessé de fasciner plusieurs générations de cinéphiles par son sadisme et sa violence sauvage observés par un œil d'entomologiste. Ernest B. Schoedsack s'était d'abord signalé en réalisant en collaboration avec Merian C. Cooper deux documentaires remarquables, *Exode* (1925), sur la migration des Kurdes en Turquie, et *Chang* (1927), tourné au Siam, ainsi qu'une première version

Eve (Fay Wray) et Bob (Joel McCrea) fuient dans le marais.

Le marquis de Sade revu par Jean Rostand

Le film a suscité les commentaires les plus enthousiastes, des Surréalistes, des intellectuels et des romanciers aux critiques les plus divers : « Un chef-d'œuvre dont je ne me lasse pas » (fait dire Léo Malet à l'un de ses personnages dans un roman), « digne des romans noirs du XVIIIe siècle, onirique à la dixième puissance » (Henri Agel), « …l'on comprend son durable prestige, c'est Sade et Gustave Doré revus et corrigés par Henri Fabre et Jean Rostand » (Claude Beylie). Publiée pour la première fois en 1924, la nouvelle de Richard Connell fut également adaptée dans les années trente à la radio par Orson Welles, qui tenait le rôle de Zaroff, avec Joseph Cotten en Rainsford (le personnage d'Eve Trowbridge n'existe pas dans le texte original). En France, le film a souvent été exploité sous le titre erroné *Les Chasses du comte Zaroff*, notamment pour sa réédition au Studio de l'Étoile en 1969. À noter que le titre original fait intervenir un jeu de mots intraduisible : en effet, « game » veut aussi bien dire « chasse » que « jeu ». Par la suite, Ernest B. Schoedsack signera, seul, trois autres films fantastiques demeurés célèbres, *Son of Kong* (1933), *Dr Cyclops* (1940) et *Monsieur Joe* (1949).

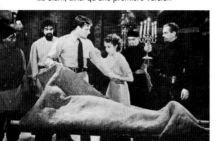

Bob et Eve découvrent le cadavre de Martin.

des *Quatre plumes blanches* (1929) d'après le roman de A. E. W. Mason. En outre, c'est sur le même plateau des studios RKO où avait été érigé, pour la somme relativement modeste de 150 000 dollars, le décor d'une jungle avec marais, falaises et ravins, que les deux hommes tournaient au même moment le célèbre *King Kong* (1933). Fay Wray et Robert Armstrong, qui participaient aux deux films, passaient alternativement de l'un à l'autre durant le tournage ; la première, brune dans *Zaroff*, coiffant une perruque blonde pour *King Kong*, alors que son partenaire échangeait sa tenue de soirée du premier pour des vêtements déchirés d'explorateur pour le second.

Les chasses à l'homme au cinéma

La Chasse du comte Zaroff a donné naissance à deux remakes « officiels » : *A Game of Death* de Robert Wise (1945) – auparavant comte russe en exil, Zaroff y était, cette fois, un nazi en fuite incarné par Edgar Barrier – et *La Course au soleil* de Roy Boulting (1956) – avec Trevor Howard en Anglais traître à son pays durant la guerre. Mais on trouve d'autres mémorables chasses à l'homme, entre autres dans *L'Homme de main* de Ted Tetzlaff (1949) avec George Raft, *Coplan sauve sa peau* d'Yves Boisset (1968), *Deux hommes en fuite* de Joseph Losey (1970) – qui avait songé un temps à tourner un remake de *La Chasse du comte Zaroff* avec Warren Beatty et Elke Sommer –, *La Proie nue* de Cornel Wilde (1966). L'un des derniers en date de ces films est *Chasse à l'homme* de John Woo (1993) avec Jean-Claude Van Damme où, dans le sud des États-Unis, une société très secrète organise, pour des amateurs fortunés, des chasses au gibier humain recruté parmi les sans-abris locaux.

Alors que Ivan (Noble Johnson) le surveille, Bob explore le repaire de Zaroff…

Le Salaire de la peur

Voyage au bout de la nuit

1953

Suspense d'Henri-Georges Clouzot, avec Yves Montand (Mario), Charles Vanel (Jo), Folco Lulli (Luigi), Peter Van Eyck (Bimba), Véra Clouzot (Linda) • Sc. Henri-Georges Clouzot et Jérôme Géronimi, d'après le roman de Georges Arnaud • Ph. Armand Thirard • Mus. Georges Auric • Prod. Louis Wipf • France • Durée 156' • Grand Prix du Festival de Cannes 1953 avec mention spéciale à Charles Vanel

Dans un petit pays d'Amérique centrale, quatre vagabonds acceptent, pour éteindre un puits de pétrole en flammes, et contre une prime importante, de conduire deux camions remplis de nitroglycérine sur 500 kilomètres de pistes.

Le camion de tous les dangers.

Un tournant du cinéma français

Après avoir épousé Véra Amato, fille d'un ambassadeur brésilien rencontrée sur le plateau de son précédent film, *Miquette et sa mère* (1950), Henri-Georges Clouzot était parti en voyage de noces au Brésil dans le but d'y tourner un documentaire. Si le projet, trop ambitieux pour un cinéma français encore timide, ne put aboutir, le cinéaste en rapporta suffisamment d'éléments pour entreprendre l'adaptation du roman de Georges Arnaud en montrant la mainmise des gros trusts pétroliers américains sur certains pays pauvres d'Amérique latine dont ils pillaient les richesses naturelles. Pour la première fois

Au cours du périple, Mario (Yves Montand) et Jo (Charles Vanel) s'affrontent.

Mario secourt Jo, dont la jambe a été broyée par le camion.

dans l'histoire du cinéma français, la production monta en extérieur un décor entier pour représenter la petite ville de Las Piedras, édifiée à Saint-Gilles, à vingt-cinq kilomètres de Nîmes. On construisit des maisons, un cimetière, des carcasses de buildings inachevés, une rue principale défoncée. Pour parfaire sa reconstitution, Clouzot fit importer des vautours du Maroc et des « cucarachas » (d'énormes cafards) du Brésil.

« Un génial coup de pied dans le ventre »

L'œuvre reçut en France un accueil critique enthousiaste, bénéficia d'un grand succès public et se vit décerner maintes récompenses internationales, notamment à Londres et à Berlin. Mais l'Amérique, souvent prête à dénoncer elle-même ses propres injustices, n'accepta pas que la critique vienne d'Europe et, pour la distribution sur son territoire, amputa le film des cinquante premières minutes qui montraient la dictature des cartels pétroliers nord-américains sur les régions sous-développées du tiers-monde. On put lire alors dans le « Times » : « L'un des films les plus malfaisants jamais réalisés… Sur le plan social, l'idée de Clouzot est simple : "Haïssez l'Amérique !" (…) Cette propagande est la plupart du temps vicieuse et irresponsable… » Toutefois, Clouzot n'avait pas seulement voulu fustiger les plans d'hégémonie américaine sur certains pays sous-développés : le bruit de la sirène par lequel se termine le film est aussi le cri de désespoir d'un monde qui souffre de l'absence ou de l'indifférence de Dieu. Au Festival de Cannes, le célèbre comédien américain Edward G. Robinson, membre du jury cette année-là, avait reconnu l'exceptionnelle qualité cinématographique de l'œuvre en s'écriant à la fin de la projection : « Je viens de recevoir un génial coup de pied dans le ventre ! »

Luigi (Folco Lulli) et Bimba (Peter Van Eyck).

En 1977, le cinéaste américain William Friedkin réalisa un remake actualisé du film sous le titre *Le Convoi de la peur*, avec Roy Scheider, Bruno Cremer, Francisco Rabal et Amidou dans les quatre principaux rôles. Le film fut dédié à Clouzot, disparu en janvier 1977. Sollicité par Friedkin, Yves Montand refusa d'y reprendre son personnage.

Montand, un grand chanteur acteur

D'origine italienne, Yves Montand (1921-1991) fut durant quarante années l'une des figures les plus populaires de la scène et du cinéma français. Menant de front une carrière de chanteur, d'acteur de cinéma d'envergure internationale (près de soixante films depuis 1945, dont trois italiens et six américains), il dut également une grande part de sa popularité à ses engagements politiques souvent courageux avec son épouse Simone Signoret. C'est *Le Salaire de la peur* qui marque les vrais débuts de sa carrière d'acteur, qui culminera avec Costa-Gavras (*Compartiment tueurs*, *Z*, *L'Aveu*, *État de siège*, *Clair de femme*) et Claude Sautet (*César et Rosalie*, *Vincent, François, Paul et les autres*, *Garçon !*).

Les Diaboliques
Formule mystificatrice

Drain (Pierre Larquey), Raymond (Michel Serrault), Nicole et Christina face au tyrannique Michel (Paul Meurisse).

1955

Suspense de Henri-Georges Clouzot, avec Simone Signoret (Nicole Horner), Véra Clouzot (Christina), Paul Meurisse (Michel Delasalle), Charles Vanel (le commissaire Fichet), Pierre Larquey (M. Drain), Michel Serrault (M. Raymond • Sc. H.-G. Clouzot, Jérôme Géronimi, René Masson et Frédéric Grendel, d'après un roman de Pierre Boileau et Thomas Narcejac • Ph. Armand Thirard • Mus. Georges Van Parys • Prod. Louis de Masure • France • Durée 111'

Respectivement épouse légitime et maîtresse de Michel Delasalle, Christina et Nicole s'associent pour assassiner l'homme qu'elles ont fini par haïr. Mais leur victime semble revenir du royaume des morts…

À voir et à revoir

De son propre aveu, Clouzot avait été séduit par la « formule mystificatrice » du roman de Boileau-Narcejac, « Celle qui n'était plus », et conçut son film comme une gageure : leurrer le spectateur près de deux heures durant, pour lui faire comprendre son erreur en un seul plan ! Chaque péripétie, chaque rebondissement n'a qu'un seul but : égarer le public. Sous cet angle, *Les Diaboliques* est l'un des rares films criminels qui mérite – voire nécessite… – une seconde vision : une fois connu le dénouement, les actes des principaux personnages prennent une signification différente, encore plus noire et plus misanthrope. Car la suprême habileté de la mise en scène est de ne jamais tromper de façon déloyale : toutes les scènes peuvent se comprendre dans les deux sens – que l'on soit initié ou non…

C'est également avec cette œuvre exemplaire que Clouzot approfondit son sens de la publicité. Dès la sortie du film en exclusivité, il exigea que les portes soient fermées aux retardataires dès le début de la projection. Après la fin, un avertissement demandait aux spectateurs de ne pas dévoiler le dénouement à leurs amis pour ne pas gâcher leur plaisir. Clouzot est le véritable inventeur de cette idée publicitaire très répandue depuis.

La légende du cinéaste tyrannique

Les Diaboliques fut difficile à tourner. Il régnait une tension permanente sur le plateau. C'est à cette époque que la légende d'un réalisateur tortionnaire a commencé à prendre corps. Déjà, Clouzot avait giflé Bernard Blier et fait pleurer Suzy Delair pour certains plans du *Quai des Orfèvres*. Il avait contraint Charles Vanel (à 58 ans) à demeurer des heures dans un bain de pétrole pour les besoins d'une scène célèbre du *Salaire de la peur*. Cette fois, dit-on, Clouzot terrorise sa femme, la fragile Véra, et lui et Simone Signoret ne se parlent plus que lorsque le travail l'exige. De même, il oblige Paul Meurisse à rester une journée entière immergé dans une baignoire d'eau froide et lui impose de parler avec des glaçons dans la bouche pour ne pas faire de buée dans les séquences d'extérieur. Or, les professionnels le savent bien : le tournage d'un film n'est pas une sinécure mais demande, au contraire, beaucoup d'efforts et de ténacité. Si Clouzot était tyrannique sur le plateau, c'était par amour du travail bien fait.

Simone Signoret, une star cosmopolite

De 1941 à 1981, Simone Signoret (1921-1985) a tourné près de soixante films. Mais ce n'est qu'à partir de 1952 avec sa prestation dans *Casque d'or* de Jacques Becker qu'elle est devenue l'une des stars favorites du public. Elle est alors sollicitée par les plus grands cinéastes français (Marcel Carné, Raymond Rouleau, René Clément, Costa-Gavras, Jean-Pierre Melville). Mais elle tourne également dans des films britanniques comme *Les Chemins de la haute-ville* de Jack Clayton (1959) qui lui vaudra – suprême distinction pour une actrice française – un Oscar d'interprétation à Hollywood. Elle a joué dans six autres films anglais dont *Le Verdict*

Christina (Véra Clouzot) et Nicole (Simone Signoret), deux complices en crime.

de Peter Glenville (1962) avec Laurence Olivier et *M.15 demande protection* de Sidney Lumet (1967) avec James Mason. Elle fut également cinq fois la partenaire d'Yves Montand, qu'elle avait épousé en secondes noces, son premier mari ayant été le cinéaste Yves Allégret.

Isabelle Adjani et Sharon Stone dans *Diabolique* de Jeremiah Chechik (1996), remake des *Diaboliques*.

La Nuit du chasseur

Conte des peurs enfantines

1955

The Night of the Hunter, suspense de Charles Laughton, avec Robert Mitchum (Harry Powell), Shelley Winters (Willa Harper), Lillian Gish (Rachel), Evelyn Varden (Icey Spoon), Peter Graves (Ben Harper) • Sc. James Agee, Charles Laughton d'après le roman de Davis Grubb • Ph. Stanley Cortez • Mus. Walter Schumann • Prod. Paul Gregory • États-Unis • Durée 93'

Dans les années trente, un faux pasteur fanatique, assassin de plusieurs veuves très riches, poursuit les enfants d'un voleur rencontré en prison qui, avant de mourir, a caché dix mille dollars dans la poupée de sa petite fille.

Harry Powell (Robert Mitchum) a les mots « amour » et « haine » tatoués sur ses poings.

Échappant à la fureur de Powell, les deux enfants s'enfuient en barque.

John (Billy Chapin) et Pearl (Sally Jane Bruce).

absolu. Par la peur qu'il suscite chez les enfants, il tient du croquemitaine, mais aussi de Barbe-Bleue en épousant des veuves fortunées, et même de l'ogre lorsqu'il engloutit littéralement ses repas. Et si l'on veut poursuivre la comparaison avec les contes pour enfants, la vieille dame touchante qui recueille les orphelins peut être considérée comme la Mère l'Oie ou la bonne fée…

Le mal absolu

Mal accueilli à sa sortie, *La Nuit du chasseur* est à juste titre passé du statut d'œuvre totalement ignorée, méprisée, voire maudite à celui de classique. Unique, le film l'est à bien des titres. C'est le seul réalisé par le comédien Charles Laughton, spécialiste des personnages excessifs, plus grands que nature (Néron, Rembrandt, Charles VIII, le capitaine Bligh, Quasimodo). Il aurait pu interpréter le rôle principal s'il n'avait pas voulu se consacrer entièrement à la réalisation de son film, tâche qui l'impressionnait beaucoup. Laughton fixa son choix sur Robert Mitchum qui, sans être totalement inconnu, était alors cantonné aux westerns et aux films d'aventures de série B : cette « parfaite ordure », pour reprendre l'expression souvent employée par l'acteur, représentait un véritable défi, tant il s'agissait d'un contre-emploi face aux aventuriers cyniques qu'il avait l'habitude d'interpréter. En effet, ce personnage, affichant sur ses mains les mots « haine » et « amour » et poursuivant de sa hargne deux innocents pour s'emparer d'une grosse somme d'argent symbolise le mal

Harry Powell terrifie sa nouvelle épouse (Shelley Winters).

Comme un cauchemar

Échappant à toute classification, le film se rattache tout à la fois au film noir, au merveilleux, voire au fantastique. La beauté de ses images est incomparable. Pour arriver à une telle qualité plastique, Charles Laughton, découvrant les richesses de l'expression cinématographique, avait revu l'œuvre entière de David Wark Griffith (dont Lillian Gish était l'actrice fétiche) afin de retrouver la poésie émanant du cinéma muet. Des images d'un noir et blanc très contrasté baignent *La Nuit du chasseur* d'une atmosphère proprement irréelle versant dans un cauchemar terrifiant qui traduit, mieux que tout autre, les peurs de l'enfance. Son pouvoir de fascination, plus grand à chaque nouvelle vision, transporte le spectateur dans un univers qui n'a guère d'équivalent cinématographique.

Robert Mitchum (1917-1997), acteur anticonformiste

Robert Mitchum considérait *La Nuit du chasseur* comme son film préféré. Il devint l'un des acteurs favoris de Richard Fleischer (*Bandido Caballero*, 1956), John Huston (*Dieu seul le sait*, 1957), Robert Parrish (*L'Enfer des Tropiques*, 1957 ; *L'Aventurier du Rio Grande*, 1959) et Vincente Minnelli (*Celui par qui le scandale arrive*, 1960). À sa mort, il avait à son actif près de cent trente films. Son physique massif et sa voix de baryton lui permirent de tout jouer : policiers, cow-boys, aventuriers, mauvais garçons, rebelles, etc., avec toutefois une prédilection pour les personnages désabusés et nonchalants à l'air absent. D'une sobriété de jeu à toute épreuve, il faisait partie de cette race d'acteurs qu'on a longtemps cru inexpressifs alors qu'il était à l'écran comme dans la vie.

Sueurs froides / Vertigo
Vertige de l'angoisse

Sous le Golden Gate, une femme désespérée…

1958

Vertigo, suspense d'Alfred Hitchcock, avec James Stewart (John « Scottie » Ferguson), Kim Novak (Madeleine Elster / Judy Barton), Barbara Bel Geddes (Marjorie « Midge » Wood), Ton Elmore (Gavin Elster), Henry Jones (le coroner) • Sc. Alec Coppel, Samuel Taylor, Alfred Hitchcock, Maxwell Anderson, Angus McPhail, d'après le roman de Pierre Boileau et Thomas Narcejac, « D'entre les morts » • Ph. Robert Burks • Mus. Bernard Herrmann Prod. Universal • France • Durée 126'

Sujet au vertige, un ex-policier accepte de suivre la femme d'un ami qui menace de se suicider. Il la sauve de la noyade, s'éprend d'elle mais ne peut l'empêcher de se jeter du haut d'un clocher. Sombrant dans la dépression, il rencontre son sosie et la modèle à l'image de la disparue.

Diabolique !

Désormais considéré comme l'un des chefs-d'œuvre d'Alfred Hitchcock, *Sueurs froides* s'inspire d'un roman de Boileau et Narcejac, auteurs des *Diaboliques* que Clouzot venait de ravir au cinéaste américain. Ils auraient spécialement écrit à son intention « D'entre les morts », d'où est tiré un scénario abordant un sujet rarement traité à l'écran :

Scottie (James Stewart) est fasciné par Madeleine (Kim Novak).

la nécrophilie, Hitchcock présentant à François Truffaut l'histoire comme « celle d'un homme voulant coucher avec une morte ». Sans jamais tomber dans le sordide, le cinéaste plonge son héros dans un univers angoissant qui a pour cadre San Francisco filmé dans toute sa splendeur. Et ce, dès la première scène. Il est rare en effet qu'un film débute par une chasse à l'homme se terminant tragiquement. Hitch fait du spectateur son confident et refuse au héros une vérité qu'il ne découvrira que tardivement. Au moment

où l'on s'y attend le moins, le cinéaste fait rebondir l'intrigue tout en réussissant l'exploit de tenir le spectateur en haleine jusqu'à une nouvelle surprise finale.

Entre rêve et réalité

Cette construction diabolique ménage aussi de grands moments de suspense, souvent muets, Hitchcock étant plus que jamais en quête d'un « cinéma pur », que seule l'image, selon lui, pouvait exprimer. Au long d'une intrigue fondée en grande partie sur l'attente, il accompagne son héros qui lui-même suit une femme presque fantomatique. *Sueurs froides*, qui joue beaucoup sur cette frontière ténue entre rêve et réalité, baigne sans cesse dans une atmosphère proche de l'étrange sans toutefois y tomber totalement, tout finissant par trouver une explication rationnelle. Resplendissante de beauté, Kim Novak y est parfaite. Pourtant, Hitchcock, qui n'en voulait pas, l'a filmée dans une lumière irréelle ou dans une sorte de brouillard qui accentue le mystère de l'intrigue. Ce récit d'une obsession oscillant entre amour fou et fascination morbide bénéficie, en outre, d'un travail remarquable sur la couleur, véritable symphonie de verts et de rouges.

Vertige de l'amour…

Scottie, qui croit reconnaître Madeleine, a suivi Judy jusque chez elle.

Deux en un

Telle Kim Novak, blonde et mystérieuse mais aussi brune et sensuelle, le cinéma s'est beaucoup intéressé aux personnages à la double identité. Si l'on excepte la trentaine d'adaptations de « L'Étrange Cas du docteur Jekyll et de M. Hyde » de Robert Louis Stevenson et l'utilisation du double, thème récurrent du cinéma fantastique, on songe non seulement à Anthony Perkins dans *Psychose* (1960) mais aussi à Alain Delon dans *La Tulipe noire* (Christian-Jaque, 1964), *M. Klein* (Joseph Losey, 1976) ou *Plein Soleil* (René Clément, 1960), où son personnage au visage angélique s'imprégnait de la personnalité de sa victime jusqu'à ne plus faire qu'un avec elle. Citons encore John Travolta et Nicolas Cage, changeant de visage et d'identité dans *Volte/Face* (John Woo, 1997).

La Mort aux trousses

Faux coupable en fuite

1959

North by Northwest, suspense d'Alfred Hitchcock, avec Cary Grant (Roger Thornhill), Eva-Marie Saint (Eve Kendall), James Mason (Philip Vandamm), Martin Landau (Leonard), Leo G. Carroll (le professeur) • Sc. Ernest Lehman • Ph. Robert Burks • Mus. Bernard Herrmann • Prod. Alfred Hitchcock • États-Unis • Durée 136'

Roger Thornhill, un publicitaire pris par erreur pour un agent secret par une bande d'espions, ne doit son salut qu'à une fuite éperdue à travers l'Amérique.

Dans une plaine déserte, Roger Thornhill (Gary Grant) est attaqué par un avion.

Le film-catalogue d'Hitchcock

La Mort aux trousses constitue une sorte de catalogue des moments forts du cinéma d'Alfred Hitchcock : la fuite de Roger Thornhill à travers l'Amérique répond à celle de Richard Hannay (Robert Donat) de Londres en Écosse dans *Les Trente-Neuf Marches* (1935) ; les scènes de train rappellent celles d'*Une Femme disparaît* (1938) ; le transfert d'identité, celui du diplomate substitué de *Correspondant 17* (1940) ; et l'innocent accusé à tort, le thème de base de *Cinquième colonne* (1942), dont le final au sommet de la statue de la Liberté se trouve transposé ici sur le site du mont Rushmore. Emprunté à « Hamlet » de Shakespeare, le titre original (« nord nord-ouest ») qui fait allusion à l'orientation de l'itinéraire de Thornhill fuyant de New York vers Chicago, établit une symétrie avec celle du couple fugitif de *Cinquième colonne* qui se dirigeait de la Californie vers New York (« nord nord-est »). Dans un entretien, en décembre 1959, Hitchcock avouait d'ailleurs avoir voulu refaire *Cinquième colonne*, dont il n'était pas satisfait…

Eve (Eva-Marie Saint) en péril au mont Rushmore.

Meurtre au siège de l'ONU.

La « religion de la gratuité »

Le scénario fait appel aux conventions les plus éculées du film d'espionnage. Hitchcock le néglige avec un mépris souverain pour se livrer à une pure expérimentation visuelle. L'exemple le plus éloquent se situe au cours de la tentative d'assassinat de Roger Thornhill à l'aide d'un avion dans une région désertique, une idée qui ne peut naître que dans le cerveau d'un cinéaste, constatait François Truffaut : « Une scène vidée de toute vraisemblance et de toute signification ; le cinéma, pratiqué de cette façon, devient vraiment un art abstrait, comme la musique. »

Cary Grant (1904-1986)

Né en Angleterre, de son vrai nom Archibald Leach, Cary Grant débute au cinéma en 1932 en signant un contrat avec la Paramount. Au milieu des années trente, il devient le roi de la « screwball comedy » : la comédie loufoque et typiquement américaine, avec poursuites et quiproquos. Il y est partenaire des stars de l'époque (Marlene Dietrich, Claudette Colbert, Mae West). Après la guerre, il devient le prototype du séducteur aux tempes grises et, avec James Stewart, l'un des acteurs fétiches d'Alfred Hitchcock qui le dirigera dans trois autres de ses films les plus célèbres :

Hitchcock s'est longuement expliqué sur l'origine de cette scène. Il avait voulu, disait-il, réagir contre un vieux cliché : « L'homme qui se rend dans un endroit où il va probablement être tué. Une nuit « noire », un carrefour étroit, la victime attend dans le halo d'un réverbère, le pavé mouillé par une pluie récente, un gros plan de chat noir courant furtivement le long d'un mur, à une fenêtre le visage de quelqu'un qui regarde dehors, une limousine sombre qui approche lentement, etc. Je me suis demandé : quel serait le contraire de cette scène ? Une plaine déserte en plein soleil, ni musique, ni chat noir, ni visage mystérieux derrière une fenêtre. » Toutefois, Hitchcock s'est inspiré directement d'une péripétie similaire imaginée par le romancier John Buchan dans son roman « Les Trente-Neuf Marches », péripétie que le cinéaste n'avait pas utilisée dans son adaptation cinématographique de 1935.

Thornhill peut-il avoir confiance en Eve ?

Soupçons, *Les Enchaînés* et *La Main au collet*. Pour avoir tourné avec les plus grands cinéastes – Hawks, McCarey, Cukor, Stevens, Capra, Brooks, Mankiewicz, Donen, etc. –, Cary Grant a réussi l'une des plus prestigieuses carrières du cinéma américain.

Plein Soleil

Le crime était presque parfait

À bord du bateau, Philip (Maurice Ronet), Marge (Marie Laforêt) et Tom Ripley (Alain Delon).

1960

Suspense de René Clément, avec Alain Delon (Tom Ripley), Marie Laforêt (Marge), Maurice Ronet (Philip Greenleaf), Elvire Popesco (Madame Popova), Erno Crisa (l'inspecteur Riccordi) • Sc. René Clément, Paul Gégauff, d'après le roman « Monsieur Ripley » de Patricia Highsmith • Ph. Henri Decae • Mus. Nino Rota • Prod. Paris Films / Titanus • France - Italie • Durée 116'

Un jeune Américain sans scrupules, chargé de surveiller le fils d'un riche industriel, le tue au cours d'une croisière en mer, tente de s'emparer de sa fortune, séduit la petite amie de sa victime et s'approprie sa personnalité.

L'étrange Monsieur Ripley

Criminel attirant et ambigu, Tom Ripley est né de l'imagination de Patricia Highsmith, auteur de récits criminels à tendance psychologique. Alfred Hitchcock (*L'Inconnu du Nord-Express*, 1951), Claude Miller (*Dites-lui que je l'aime*, 1977) et Michel Deville (*Eaux profondes*, 1981), notamment, ont été attirés par son univers, et le personnage de Ripley a été joué par Dennis Hopper dans *L'Ami américain*, (Wim Wenders 1977), et Matt Damon dans *Le Talentueux M. Ripley* (1999), remake de *Plein Soleil* signé Anthony Minghella. Quand René Clément engage Alain Delon, l'acteur, qui n'est pas encore une vedette, s'y révèle étonnant dans un rôle de jeune arriviste, cachant sous ses airs de chien battu une âme très noire sachant profiter des largesses d'un fils de milliardaire. Le plus surprenant est que le spectateur n'arrive pas à trouver totalement antipathique ce garçon au visage angélique, voleur, manipulateur et assassin. Il est en effet à peine plus méprisable que son compagnon d'oisiveté éprouvant un plaisir presque sadique à l'humilier.

Tom veut consoler Marge.

Huis clos marin

Suspense psychologique se doublant d'un récit policier, *Plein Soleil* se déroule dans la lumière aveuglante et crue d'une Italie estivale propice au farniente, ce qui était parfaitement inhabituel pour une formidable machination criminelle. Et si, à la façon d'Hitchcock, René Clément a choisi de « faire souffrir le spectateur », le cinéaste y réussit merveilleusement, par exemple lorsque Ripley, suant sang et eau, s'apprête à tuer son compagnon ou lorsque, sur le point d'être surpris à tout moment, il transporte dans un escalier le corps trop lourd de sa victime. Dans *Plein Soleil*, rarement suspense aura été conduit avec autant d'adresse, et bien malin qui, à une première vision, peut deviner le sort réservé au personnage.

Après le meurtre…

Tom se retrouve seul dans l'appartement de Philip.

Alain Delon, un mythe

Venu au cinéma par hasard, Alain Delon a rapidement accédé à la consécration grâce à des choix judicieux qui lui ont valu d'être l'un des rares acteurs français à connaître la gloire internationale. La plupart de ses succès appartiennent au genre policier : *Mélodie en sous-sol* (1963) et *Le Clan des Siciliens* (1969) d'Henri Verneuil, *Deux hommes dans la ville* de José Giovanni (1973), *La Piscine* de Jacques Deray (1968) et surtout *Le Samouraï* (1967) et *Le Cercle rouge* (1970) de Jean-Pierre Melville. Imprégné de ces expériences, il illustra lui-même le genre en devenant réalisateur à son tour avec *Pour la Peau d'un flic* (1981).

Mais il sut aussi remettre en cause son image, non seulement en étant l'interprète de Luchino Visconti (*Rocco et ses frères*, 1960 ; *Le Guépard*, 1963), Michelangelo Antonioni (*L'Éclipse*, 1962) et Jean-Luc Godard (*Nouvelle Vague*, 1989) mais aussi en produisant des films ambitieux : *L'Insoumis* d'Alain Cavalier (1964), *Le Professeur* de Valerio Zurlini (1972) ou *M. Klein* de Joseph Losey (1976). Parmi ses prestations les plus remarquables, figurent le baron Charlus dans *Un Amour de Swann* (1983) et le garagiste de *Notre histoire* (1984), qui lui valut le César du meilleur acteur.

Psychose
Schizophrénie meurtrière

1960

Psycho, suspense d'Alfred Hitchcock, avec Anthony Perkins (Norman Bates), Janet Leigh (Marion Crane), Vera Miles (Lila Crane), John Gavin (Sam Loomis), Martin Balsam (Milton Arbogast) • Sc. Joseph Stefano, d'après le roman de Robert Bloch • Ph. John L. Russell • Mus. Bernard Herrmann • Prod. Alfred Hitchcock • États-Unis • Durée 109'

Alors qu'elle vient de commettre un vol, une secrétaire se réfugie dans un motel isolé, tenu par un sympathique jeune gérant, affligé d'une mère possessive…

Norman habite avec sa mère dans une inquiétante maison…

La direction de spectateur

Alfred Hitchcock aimait à dire combien *Psychose*, l'un de ses films les plus célèbres, lui avait permis d'effectuer ce qu'il appelait la « direction de spectateur » : multipliant les fausses pistes (le vol, la mère présente et invisible…), il entraîne le public où il veut, le surprenant par des scènes inattendues, jusqu'à la révélation finale. La scène du meurtre de Marion sous la douche est devenue légendaire : séquence choc scandée par les coups d'archet de la musique en écho aux coups de couteau, demeurant effrayante après plusieurs visions, elle fut par la suite souvent imitée (*Pulsions*, Brian De Palma, 1980) ou parodiée (*Le Grand Frisson*, Mel Brooks, 1977).

La mort sous la douche.

Marion est descendue dans le motel tenu par Norman Bates (Anthony Perkins).

Marion (Janet Leigh) n'a pas résisté à la tentation du vol.

Psychoses en série

Le rôle de Norman Bates marqua à jamais la carrière d'Anthony Perkins, jusque-là spécialisé dans les personnages de gentils garçons bien sous tous rapports, et qui le reprit dans trois suites : *Psychose II* (Richard Franklin, 1983), *Psychose III* (Anthony Perkins lui-même, 1986) et le téléfilm « Psychose IV » (Mick Garris 1990). En 1998, Gus Van Sant tourna un remake en couleurs, *Psycho*, avec Anne Heche (Marion), Vince Vaughn (Norman), Julianne Moore (Lila) et William H. Macy (Arbogast). Il réutilisa la fameuse musique de Bernard Herrmann, indissociable du premier film. Il existe aussi un téléfilm « Bates Motel ».

Les ruses de « Hitch »

Afin de réserver le maximum de surprise – et donc de suspense – au public, Hitchcock interdit que celui-ci entrât dans la salle si le film était déjà commencé, processus rarissime à l'époque. De même, il avait acquis anonymement les droits du roman de Robert Bloch (inspiré d'un fait divers réel), acheté le plus d'exemplaires possible du livre et tourné son film sous les titres « Production 9401 » et « Wimpy ». Le cinéaste voulait provoquer un électrochoc en faisant assassiner sa vedette féminine au premier tiers du film, ce qui était jusqu'alors impensable. Autant de ruses qui s'avérèrent efficaces et participèrent à la renommée de *Psychose*. Le film, qui coûta 819 000 dollars, en rapporta plus de 40 millions, ce qui en fait le plus grand succès commercial d'Hitchcock.

Sam (John Gavin) et Lila (Vera Miles) recherchent Marion.

Goldfinger

Son nom est Bond, James Bond

1964

Goldfinger, de Guy Hamilton, avec Sean Connery (James Bond 007), Gert Froebe (Auric Goldfinger), Honor Blackman (Pussy Galore), Harold Sakata (Odd-Job) • Sc. Richard Maibaum et Paul Dehn, d'après le roman de Ian Fleming • Ph. Ted Moore • Mus. John Barry • Prod. Harry Saltzman et Albert R. Broccoli • Royaume-Uni • Durée 112' • Oscar des meilleurs effets sonores

L'agent secret James Bond 007 se retrouve prisonnier du richissime homme d'affaires Goldfinger qui projette de faire sauter Fort Knox, la réserve d'or des États-Unis, avec une bombe atomique.

James Bond (Sean Connery) aime joindre l'utile à l'agréable.

James Bond (Roger Moore) bien entouré dans *Moonraker* (1979).

Le triomphe du « cliffhanger »

Avec les exploits de James Bond, le cinéma réinvente une vieille formule du cinéma populaire, le « serial » ou film à épisodes, au cours duquel le héros, invincible et sans peur, se trouve constamment dans une situation critique. L'expression américaine « cliffhanger » définit parfaitement le point fort par lequel doit toujours se terminer chaque épisode : la situation du héros suspendu au bord d'une falaise et qui va lâcher prise… Les péripéties s'enchaînent sans aucun souci de vraisemblance et les dangers rencontrés par le héros sont toujours effroyables (rayon

James Bond (Timothy Dalton) et Kara Milovy (Maryam D'Abo) dans *Tuer n'est pas jouer* (1987).

laser mortel, explosion atomique, crocodiles ou requins affamés, etc.). Les méchants eux-mêmes sont tous de véritables incarnations du Mal : Dr No, dernier avatar de Fu-Manchu, Scaramanga, tueur à gages international, Karl Stromberg et Hugo Drax, nouvelles personnifications de savants fous, sans oublier le plus sinistre et le plus machiavélique de tous, Stavros Blofeld, chef tout-puissant du SPECTRE, une organisation secrète qui pratique la subversion et le sabotage à l'échelle internationale.
Mais la véritable innovation de la série sur le plan du spectacle est l'utilisation d'une grande panoplie de gadgets de haute technicité : une Aston Martin truquée, un scooter sous-marin, un hélicoptère de poche, le plus petit jet du monde aux ailes repliables, etc. Sans compter les cascades spectaculaires ainsi que les armes invraisemblables et sophistiquées dues à l'imagination débordante du directeur artistique Ken Adam.

La série la plus prolifique du cinéma

Ancien des Services secrets de l'Amirauté britannique, Ian Fleming (1908-1964) recevait déjà trois propositions d'adaptation cinématographique dès la publication de son premier roman en 1953. Mais ce n'est qu'en 1962 que l'Américain Broccoli et le Canadien Saltzman emportèrent le marché en achetant les droits de tous les romans, sauf un déjà vendu. *James Bond contre Dr No* (1962) fut le premier fleuron d'une série qui allait devenir championne du box-office avec dix-neuf films en trente ans. On estime que plus d'un milliard de spectateurs dans le monde ont vu au moins un « James Bond » dans leur vie. Les romans (au nombre de quatorze) étaient déjà des best-sellers avec trente millions d'exemplaires vendus entre 1953 et 1964, succès amplifié par la révélation, en 1961 dans le magazine « Life » que « Bons Baisers de Russie » figurait parmi les livres préférés du président Kennedy.

L'un des ennemis de Bond : Auric Goldfinger (Gert Froebe).

Sept 007

Successivement personnifié par Sean Connery (sept films entre 1962 et 1983), George Lazenby (un film en 1969), Roger Moore (sept films entre 1973 et 1985), Timothy Dalton (deux films en 1987 et 1989), Pierce Brosnan (quatre films entre 1995 et 2002) et Daniel Graig (*Casino Royale* en 2006) – sans compter David Niven à la retraite dans le premier *Casino Royale* (1967), parodique et marginal –, James Bond 007 est devenu l'agent secret le plus connu et le plus populaire du monde. Chaque interprète lui a apporté quelques traits de sa personnalité : une séduction très masculine chez Sean Connery – pour beaucoup, sa meilleure incarnation –, un humour et une distanciation chez Roger Moore, une violence exacerbée chez Timothy Dalton, un charme nuancé et irrésistible chez Pierce Brosnan. Parmi les films les plus réussis, citons le premier, *James Bond 007 contre Dr No* (1962), ainsi que *Goldfinger* (1964), *On ne vit que deux fois* (1967), *Rien que pour vos Yeux* (1981), *Octopussy* (1983), *Tuer n'est pas jouer* (1987) et *GoldenEye* (1995).

Le Limier

Le jeu des apparences

1972

Sleuth, suspense de Joseph L. Mankiewicz, avec Laurence Olivier (Andrew Wyke), Michael Caine (Milo Tindle), Alec Cawthorne (l'inspecteur Doppler), Eve Channing (Marguerite) • Sc. Anthony Shaffer, d'après sa pièce • Ph. Oswald Morris • Mus. John Addison • Prod. Morton Gottlieb • États-Unis • Durée 138'

Riche auteur de romans policiers, Andrew Wyke reçoit dans son manoir la visite de Milo Tindle, qu'il accuse d'être l'amant de sa femme. Deux jours plus tard, un inspecteur se présente : il enquête sur la disparition de Milo Tindle…

Au cœur du jardin-labyrinthe…

Andrew Wyke (Laurence Olivier) reçoit la visite de Milo Tindle (Michael Caine).

Laurence Olivier (1907-1989)

Avant tout grand acteur de théâtre, Laurence Olivier conquiert sa notoriété au cinéma sous la férule de William Wyler (*Les Hauts de Hurlevent*, 1939) et d'Alfred Hitchcock (*Rebecca*, 1940) qui en font un jeune premier romantique. Abordant la réalisation, il signera trois des plus belles adaptations cinématographiques de Shakespeare, *Henry V* (1944), *Hamlet* (1948) et *Richard III* (1956). Vers la fin de sa carrière, il révélera un exceptionnel talent de composition dans des rôles aussi opposés que l'inlassable chasseur de nazis de *Ces garçons qui venaient du Brésil* (1978) ou le terrifiant criminel de guerre en fuite de *Marathon Man* (1976). Il fut marié avec les actrices Jill Esmond, Vivian Leigh et Joan Plowright.

De multiples interprétations possibles

Le sujet du film, d'une exceptionnelle richesse, offre plusieurs plans d'interprétations. C'est d'abord un suspense policier construit, comme l'exige le genre, sur d'incessants rebondissements et de surprenants coups de théâtre et qui réussit la gageure de soutenir l'intérêt avec une grande économie de moyens : il n'y a jamais plus de deux personnages en même temps sur l'écran… En second lieu, la confrontation entre le machiavélique et vaniteux Andrew Wyke, auteur de romans policiers – « le divertissement de l'élite » –, et Milo Tindle, un don juan de bas étage, est un symbole de la lutte des classes où s'affrontent les aristocrates « attachés aux règles et aux valeurs héritées du passé, et les parvenus, la nouvelle bourgeoisie, les jeunes loups aux dents longues » (Claude Beylie). En outre, le film est une réflexion sur le spectacle, le jeu, et les conflits entre les humains sur lesquels l'un et l'autre se fondent : « Que sont les rapports humains, sinon des rapports de manipulations ? », expliquait le cinéaste (dans « L'Express »). Enfin, la vision du film fait apparaître une ultime manipulation qu'il est impossible d'évoquer ici sans nuire au plaisir qu'elle est susceptible de procurer au spectateur.

Wyke devient la proie de l'inspecteur Doppler (Alec Cawthorne).

Contre les outrances d'un certain cinéma contemporain…

Après le tournage du gigantesque *Cléopâtre* (1963), qui lui avait valu d'énormes déboires, Mankiewicz rêvait de réaliser, comme il le disait avec humour, « un film avec seulement deux personnages dans une cabine téléphonique » ; en travaillant avec ceux qu'il admirait le plus, les comédiens britanniques. « Je fais appel à des Anglais parce que j'ai besoin d'acteurs, disait-il ironiquement : si j'avais besoin de champions de natation, je prendrais des Américains » (cité par Pascal Mérigeau dans son livre « Mankiewicz », Éd. Denoël, 1993). Condamnant toute une tendance du cinéma moderne plus soucieuse de technique et d'artifices, Mankiewicz était un fervent adepte d'un cinéma fondé sur des scénarios structurés joués par des acteurs talentueux : « Ce que j'aime le plus au monde, c'est le théâtre ; le théâtre dans lequel nous devons vivre, le théâtre que nous projetons sur l'écran, le théâtre que nous présentons à la scène, le théâtre de la vie quotidienne, fait de relations conflictuelles entre les hommes et les femmes qui s'expriment par des bruits intelligents et non des grognements. » *Le Limier* ne gagna pas un seul Oscar, mais fut nommé quatre fois pour la glorieuse récompense : meilleure réalisation, meilleur scénario et meilleurs acteurs pour Laurence Olivier et Michael Caine. Ce fut le dernier film de Mankiewicz (1909-1993) qui tourna vingt films entre 1946 et 1972, dont plusieurs sont devenus des classiques comme *L'Aventure de madame Muir*, *Eve*, *L'Affaire Cicéron* ou *La Comtesse aux pieds nus*.

Les Dents de la mer

Un prédateur au box-office

L'attaque d'un requin provoque la panique sur une plage d'Amity.

1975

Jaws, suspense de Steven Spielberg, avec Roy Scheider (Brody), Robert Shaw (Quint), Richard Dreyfuss (Hooper), Lorraine Gary (Ellen Brody), Murray Hamilton (le maire) • Sc. Peter Benchley, Carl Gottlieb, d'après un roman de Peter Benchley • Ph. Bill Butler • Mus. John Williams • Prod. Richard D. Zanuck, David Brown • États-Unis • Durée 124' • 3 Oscars : musique, son et montage

À quelques jours de la belle saison, les attaques d'un requin mettent en émoi la petite ville d'Amity. Mais pour sauvegarder les intérêts de la station, le maire refuse de fermer les plages...

Le maire (Murray Hamilton) refuse d'écouter Brody et Hooper.

Une vague de terreur

Avant même son arrivée en tête des best-sellers, les producteurs Richard D. Zanuck et David Brown achetèrent les droits d'adaptation du roman de Peter Benchley. L'histoire modifiée, Steven Spielberg en fit son deuxième long métrage de cinéma, après *Sugarland Express* (1974), et provoqua une vague de terreur dans les salles obscures du monde entier. *Les Dents de la mer* profita de la mode des films-catastrophes tels qu'*Airport* (George Seaton, 1970) en alliant grand spectacle et « films de prédateurs » (*Les Oiseaux*, Alfred Hitchcock, 1963). L'homme y perd son statut de chasseur pour devenir une proie, ce qui garantit au film une succession de scènes spectaculaires et d'émotions fortes lors des attaques. En moins de trois mois d'exploitation, *Les Dents de la mer* supplanta *Le Parrain* (Francis Ford Coppola, 1972) à la tête des plus gros succès d'Hollywood et le demeura entre 1975 et 1977. Il gardait, en 1987, la cinquième place des plus grosses recettes de tous les temps.

Alors qu'ils viennent le tuer, Quint (Robert Shaw), Brody (Roy Scheider) et Hooper (Richard Dreyfuss) sont mis en danger par le requin.

Un monstre à la dent dure

Ron et Valerie Taylor, spécialistes des prises de vues sous-marines, assurant la réalisation en Australie, firent comprendre aux producteurs que la totalité du film ne se tournerait pas avec de vrais requins, impossibles à dresser. Les seules images d'authentiques requins sont d'ailleurs celles qu'ils filmèrent dans la séquence de la cage. La réussite de ce plan est due à un accident, un requin blanc ayant détruit la cage en cherchant à se dégager du treuil qui la suspendait et à une astuce, Richard Dreyfuss étant doublé par un nain afin de rendre le squale plus imposant. Bob Mattey, concepteur de la pieuvre géante de *20 000 Lieues sous les mers* (Richard Fleischer, 1954), dut donc construire trois animatroniques (contraction d'animation et d'électronique). Chacun des requins, nommés tous les trois « Bruce », était réalisé en polyuréthane sur une architecture métallique, mesurait plus de huit mètres de long, pesait une tonne et demie et était manipulé par treize personnes. Mais une fois dans l'eau salée, le bruit infernal de la « bête » et ses difficultés de fonctionnement obligèrent Spielberg à la montrer le moins possible. Ces contraintes furent pourtant à l'origine des contre-plongées qui épousent le point de vue du requin épiant les baigneurs. Il en résulta des plans terrifiants, dont celui – anthologique – de la séquence d'ouverture.

Qui sera mangé ?

Steven Spielberg refusa Paul Newman et Charlton Heston pour interpréter Brody, ainsi que Timothy Bottoms et Jeff Bridges pour tenir le rôle d'Hooper. L'idée était que grâce à l'anonymat des acteurs – Roy Scheider et Richard Dreyfuss n'étant pas encore très connus à la sortie du film –, le spectateur ne serait pas en mesure de prédire qui allait survivre ou disparaître, ce qui préservait le suspense.

Ichtyologiste, Hooper (Richard Dreyfuss) examine le requin qui peut être à l'origine du massacre.

Descendance du prédateur

Sortit ensuite *Les Dents de la mer, deuxième partie* (Jeannot Szwarc, 1978), dans lequel on retrouvait Roy Scheider, Lorraine Gary et Murray Hamilton. En 1983, Joe Alves, directeur artistique du premier opus, réalise en 3D *Les Dents de la mer III*, avec Dennis Quaid et Lou Gossett Jr. Et il y eut encore *Les Dents de la mer IV, La Revanche* (Joseph Sargent, 1987) avec de nouveau Lorraine Gary.

La Nuit des masques / Halloween

Sang pour sang

1978

Halloween, suspense de John Carpenter, avec Donald Pleasence (le docteur Sam Loomis), Jamie Lee Curtis (Laurie), Nancy Loomis (Annie Brackett), P. J. Soles (Lynda) • Sc. John Carpenter, Debra Hill • Ph. Dean Cundey • Mus. John Carpenter • Prod. Debra Hill • États-Unis • Durée 91' • Grand Prix de la critique au Festival d'Avoriaz

Quinze ans après avoir tué sa sœur le soir d'Halloween, Michael Myers s'échappe de l'asile psychiatrique et traque bientôt Laurie et ses amies…

Masque blanc et couteau de boucher en main, Michael Myers (Tony Moran) traque ses victimes.

Le docteur Sam Loomis (Donald Pleasence) exprime ses inquiétudes au shérif Brackett (Charles Cyphers).

Renouveau d'un genre

Après un Oscar du court métrage pour *The Resurrection of Bronco Billy* (1970), John Carpenter réalise *Dark star, l'étoile noire* (1974) avec Dan O'Bannon, futur créateur d'*Assaut* (1976) et d'*Alien* (1977). Attirant l'attention d'amateurs, il ne fait pourtant pas recette aux États-Unis. Partant de l'idée qu'un assassin revient toujours sur les lieux de son crime (Michael Myers retournant dans sa ville natale), John Carpenter échafaude le scénario de « The Babysitter Murders », qui devient, sous l'impulsion du producteur Irwin Yablans (distributeur d'*Assaut*), *La Nuit des masques*. Renouveau du cinéma d'horreur, ce film consacre enfin John Carpenter.

Méthode simple pour suspense efficace

La scène d'ouverture, avec vue du meurtre à travers un masque, marque la critique. Parce qu'il a tué sa sœur alors qu'il était déguisé pour Halloween, Michael Myers revient masqué. John Carpenter exploite à fond ce masque qui permet de déshumaniser le tueur. Les coups de couteau et les balles ne lui faisant aucun mal, le film suggère

qu'il est peut-être une sorte d'invincible croque-mitaine qui peut ressurgir à tout instant… Le public se retrouve alors dans l'attente du moment où il frappera à nouveau.

Références et hommages

Lorsque Michael Myers s'introduit dans les maisons, les enfants regardent des films de science-fiction : *Planète interdite* (Fred McLeod Wilcox, 1956), qui, à 9 ans, décida de la vocation de Carpenter, et *La Chose d'un autre monde* (Howard Hawks et Christian Nyby, 1951), dont il fit un remake avec *The Thing* (1982). Le tueur affublé d'un masque et armé d'un long couteau devient la référence de films comme *Vendredi 13* (Sean S. Cunningham, 1980) ou *Scream* (Wes Craven, 1996) dans lequel *La Nuit des masques* est, à son tour, regardé à la télévision par les protagonistes.

Il revient

La Nuit des masques engendra de nombreuses suites. John Carpenter produisit *Halloween II* (Rick Rosenthal, 1981), dont il tourna plusieurs séquences, ainsi qu'*Halloween III : Le Sang du sorcier* (Tommy Lee Wallace, 1983). Donald Pleasence joue dans *Halloween 4 : The return of Michael Myers* (Dwight Little, 1988), *Halloween 5 : The Revenge of Michael Myers* (Dominique Othenin-Girard, 1989) et *Halloween :*

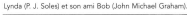

Lynda (P. J. Soles) et son ami Bob (John Michael Graham).

Laurie (Jamie Lee Curtis) ne sait comment échapper au tueur.

The Curse of Michael Myers (Joe Chappelle, 1995). Pour *Halloween, vingt ans après, il revient* (Steve Miner, 1998), c'est Jamie Lee Curtis qui réapparaît, comme dans *Halloween : Résurrection* (Rick Rosenthal, 2002).

De mère en fille

Révélée dans *La Nuit des masques*, son premier film, Jamie Lee Curtis, née en 1955, fille de Janet Leigh et de Tony Curtis, joua ensuite dans *Fog* (John Carpenter, 1979) aux côtés de sa mère, qu'elle retrouvera dans *Halloween, vingt ans après, il revient*. Le succès de ces films la voue, pendant plusieurs années, aux rôles de « victime potentielle » (*Le Bal de l'horreur*, Paul Lynch, 1980), jusqu'à ce qu'elle s'oriente vers la comédie (*Un Fauteuil pour deux*, John Landis, 1983 ; *Un Poisson nommé Wanda*, Charles Crichton, 1988). Elle a notamment eu pour partenaires Mel Gibson (*Forever Young*, Steve Miner, 1992), Arnold Schwarzenegger (*True Lies*, James Cameron, 1994) et Pierce Brosnan (*The Tailor of Panama*, John Boorman, 2001).

Le Nom de la rose

Un Sherlock Holmes médiéval

1986

Suspense de Jean-Jacques Annaud, avec Sean Connery (Guillaume de Baskerville), Christian Slater (Adso de Melk), Valentina Vargas (la fille) • Sc. Gérard Brach, Alain Godard, Howard Franklin, Andrew Birkin, d'après le roman d'Umberto Eco • Ph. Tonino Delli Colli • Mus. James Horner • Dist. AAA • France - Allemagne - Italie - États-Unis - Royaume-Uni • Durée 131' • César du meilleur film étranger

En l'an 1327, le moine Guillaume de Baskerville et son jeune novice, Adso de Melk, mènent une enquête sur la série des morts inexpliquées de l'abbaye qu'ils visitent.

Guillaume de Baskerville (Sean Connery) accompagné de son jeune novice, Adso de Melk (Christian Slater).

Le vénérable Jorge (Feodor Chaliapine Jr.) écoute la lecture de la Poétique d'Aristote…

Sur onze films, Jean-Jacques Annaud a signé cinq adaptations littéraires, parmi lesquelles *La Guerre du feu* (1981), d'après le roman de Rosny Aîné, ou *L'Amant* (1992), adapté de Marguerite Duras. Sorti en France en avril 1982, « Le Nom de la rose », célèbre roman d'Umberto Eco, professeur de sémiologie à l'université de Bologne, reçut le prix Médicis en novembre. Jean-Jacques Annaud n'avait pas fini de le lire qu'il avait déjà rendez-vous avec l'auteur et avec la RAI, qui avait acquis les droits d'adaptation pour une série télévisée. Avec quinze versions du scénario, Jean-Jacques Annaud épuisa Alain Godard et Gérard Brach, et fit intervenir l'Américain Howard Franklin et l'Anglais Andrew Birkin (qui a un rôle dans le film) pour la traduction.

L'incendie de la bibliothèque crée la panique chez les moines.

« Élémentaire mon cher Adso »

Le goût pour la lecture de Jean-Jacques Annaud s'accompagne d'un souci du détail. Pour *Le Nom de la rose*, il lut trois cents livres sur la vie, la pensée et l'art du XIVᵉ siècle. Bien qu'Umberto Eco ne participât pas au scénario, Jean-Jacques Annaud ne cessa de lui poser des questions pour enrichir son projet. Il s'adjoignit le concours de plusieurs historiens. Tous les objets, bijoux, astrolabes, lutrins, manuscrits enluminés furent dessinés et soumis à l'approbation de l'historien Jacques Le Goff, puis fabriqués à l'ancienne par des artisans. Sur les trois mille dessins de décors proposés par Dante Ferretti, seule une centaine fut rejetée.

Guillaume de Baskerville autopsie un cadavre trouvé dans une jarre de sang.

Sean Holmes au Moyen Âge

Sean Connery apporte classe et distance à Guillaume de Baskerville. Pourtant, au départ, malgré les relances de Mike Ovitz, son agent, Jean-Jacques Annaud voulait un inconnu. Ce film de suspense médiéval génère une série d'autres policiers dont l'action se déroule dans le passé, comme la série télévisée britannique « Cadfael » (Graham Theakston, 1995) avec Derek Jacobi, ou encore *Le Pacte des loups* (Christophe Gans, 2001) et *Vidocq* (Pitof, 2001).

Casting de gueules

Puisque les costumes des moines risquaient de rendre identiques les personnages, Jean-Jacques Annaud demanda à des « casting directors » de Paris, Londres, Rome, Madrid, New York, Los Angeles et d'Allemagne de chercher des faciès extraordinaires pour les différencier. Et fit confiance aux maquilleurs dont il avait apprécié les talents dans *La Guerre du feu*, dans lequel jouait déjà Ron Perlman, le bossu polyglotte.

L'abbaye, un rôle à part entière

Jean-Jacques Annaud chercha l'abbaye idéale dans toute l'Europe. Le tournage e finalement lieu dans celle d'Eberbach, près de Francfort. L'église, bâtie en 1145, est tenue pour l'un des plus beaux édifice cisterciens encore existants. L'hôpital ser de salle à manger, car le réfectoire, aménagé en 1720 étant trop récent pour le film. L'extérieur d'Eberbach ne convenant pas, deux cents personnes construisirent, pendant six mois, un décor (dont l'envergure fut comparée à celui de *Cléopâtre* de Joseph L. Mankiewicz, 1963) sur un terrain d'environ cinq hectare et demi (intégralement détruit à la fin du tournage). Le labyrinthe fut, lui, bâti dans les studios de Cinecittà (Italie), à la dimension d'un immeuble de huit étages.

Le Silence des agneaux
Psychothérapie sauvage

1991

The Silence of the Lambs, film policier de Jonathan Demme, avec Jodie Foster (Clarice Starling), Anthony Hopkins (le docteur Hannibal Lecter), Scott Glenn (Jack Crawford), Ted Levine (Jame Gumb), Anthony Heald (le docteur Frederick Chilton) • Sc. Ted Tally d'après le roman de Thomas Harris • Ph. Tak Fujimoto • Mus. Howard Shore • Prod. Orion Pictures • États-Unis • Durée 118' • 5 Oscars : film, acteur, actrice, réalisateur, adaptation

Afin d'obtenir des informations sur un tueur en série surnommé « Buffalo Bill », assassin de plusieurs jeunes filles, Clarice Starling, enquêtrice du F.B.I., accepte courageusement d'interroger en prison Hannibal Lecter, lui-même meurtrier récidiviste...

De sa cellule, Hannibal Lecter (Anthony Hopkins) toise Clarice Starling (Jodie Foster).

Hannibal le cannibale

En 1986, Michael Mann tournait *Le Sixième Sens*, adapté du roman de Thomas Harris « Dragon rouge ». Lecter (rebaptisé Lecktor) n'y était qu'un personnage secondaire, joué par Brian Cox, face à Will Graham (William L. Petersen), enquêteur du F.B.I. en butte à ses démons intérieurs et sur la piste d'un autre tueur en série. Jack Crawford était interprété par Dennis Farina, lui-même ancien policier devenu acteur. Après le triomphe du *Silence des agneaux*, une suite fut rapidement envisagée. Elle prit forme dès la parution du nouveau roman de Harris. Jonathan Demme se désista et Jodie Foster, en désaccord avec l'évolution de son personnage, en fit autant ;

Ligoté, masqué, Lecter semble bien incapable de fuir...

Jack Crawford (Scott Glenn) est le supérieur de Clarice.

D'un tueur en série à l'autre

Dans le cinéma policier comme dans la vie, les enquêteurs ont fréquemment recours à des indicateurs pour traquer plus efficacement les criminels. L'originalité du *Silence des Agneaux*, tiré du roman homonyme de Thomas Harris, tient à ce que l'« indic » est lui-même un assassin intelligent et pervers, ancien psychanalyste de surcroît, qui ne délivre ses renseignements qu'en échange de révélations très intimes de Clarice. Paradoxalement, non seulement il la guidera dans son enquête, mais il l'aidera à résoudre ses conflits personnels, tout en y trouvant son compte... Une certaine estime naîtra même entre les deux personnages, chacun restant toutefois de chaque côté de la loi et de la morale. Film intense et dur, *Le Silence des agneaux* remporta un immense succès critique et public, couronné par les 5 Oscars les plus importants, ce qui ne s'était produit que deux fois auparavant : en 1935 pour *New York-Miami* de Frank Capra et en 1975 pour *Vol au-dessus d'un nid de coucou* de Milos Forman.

Jame Gumb (Ted Levine) ouvre sa porte à Clarice...

Julianne Moore fut choisie pour incarner Clarice Starling sous la direction de Ridley Scott, face à Anthony Hopkins, dans le rôle qui lui avait valu l'Oscar. Le succès d'*Hannibal* (2001) amena son producteur Dino De Laurentiis à concevoir aussitôt un nouveau projet consacré à Lecter, toujours avec Hopkins. En 2002, il produisit *Dragon rouge*, deuxième adaptation du premier roman de Harris, réalisé par Brett Ratner, avec Edward Norton (Graham) et Harvey Keitel (Crawford) ; puis ce fut *Young Hannibal : Behind the Mask* de Peter Webber (2007), avec Gaspard Ulliel en jeune Lecter.

« Serial killers » en série

Le Silence des Agneaux lança dans le cinéma hollywoodien la « mode » des tueurs en série : ce terme désigne des assassins perpétrant une série de meurtres obéissant au même mode d'exécution, suivant souvent en cela une logique personnelle. Bien avant Jonathan Demme, Alfred Hitchcock dans *L'Ombre d'un doute* (1943), et *Psychose* (1960), ou Richard Fleischer dans *L'Étrangleur de Boston* (1968), et *L'Étrangleur de Rillington Place* (1971), traitaient déjà de ce type de criminels avant qu'ils fussent baptisés ainsi. Sans oublier le plus célèbre d'entre eux : Jack l'Éventreur, qui a donné lieu à de très nombreuses représentations au cinéma, de *Loulou* (Georg Wilhelm Pabst, 1928) à *From Hell* (Albert & Allen Hughes, 2001) en passant par *Meurtre par décret* (Bob Clark, 1979). Ensuite vinrent notamment Kevin Spacey, terrifiant John Doe dans *Seven* (David Fincher, 1995) et Ed Harris dans *Juste cause* (Arne Glimcher, 1996)... Le cinéma français a suivi cette vogue avec *Scènes de crimes* (Frédéric Schoendoerffer, 2000) et *Six-pack* (Alain Berbérian, 2000).

315

Mission : impossible
Agents doubles et faux semblants

En dangereux équilibre, Ethan Hunt (Tom Cruise) se procure la liste des espions au siège de la CIA.

1996

Mission : Impossible, suspense de Brian De Palma, avec Tom Cruise (Ethan Hunt), Jon Voight (Jim Phelps), Emmanuelle Béart (Claire), Jean Reno (Krieger), Ving Rhames (Luther) • Sc. David Koepp, Robert Towne, David Zaillian, d'après la série télévisée créée par Bruce Geller • Ph. Stephen H. Burum • Mus. Danny Elfman • Prod. Tom Cruise, Paula Wagner • États-Unis • Durée 110'

Accusé d'être responsable de la mort de toute son équipe, l'agent secret Ethan Hunt va devoir trouver un moyen de confondre la vraie taupe...

Ethan et Krieger (Jean Reno) ont récupéré la disquette.

Pastiches et remakes

Brian De Palma aime se mesurer à des œuvres déjà réalisées, comme *Phantom of the Paradise* (1974), d'après « Le Fantôme de l'Opéra », *Scarface* (1983), remake du film de Howard Hawks (1932) ou *Pulsions* (1980), pastiche de *Psychose* d'Alfred Hitchcock (1960), avec lequel il partage le goût du suspense et du voyeurisme (*Mission : Impossible* est truffé d'écrans de contrôle miniatures). Avant *Mission : Impossible*, Brian De Palma tire déjà *Les Incorruptibles* (1987) d'une série télévisée des années soixante. Le succès mondial de ce film l'a réconcilié avec la critique et avec le public.

Mission accomplie

Fortement influencé par le cinéma d'espionnage des sixties du type James Bond ou d'*Ipcress danger immédiat* (Sidney J. Furie, 1965), « Mission : impossible », créé par Bruce Geller en 1966, fut l'un des feuilletons les plus populaires de la chaîne CBS avec sept « saisons » d'environ vingt-cinq épisodes chacune. Puis sur ABC, à partir de 1988 avec une suite, « *Mission : impossible, vingt ans après* ». Dans le film, les inconditionnels retrouvent le prologue rituel qui désigne le but de l'opération.
La voix off annonce à Jim Phelps : « Votre mission, si vous l'acceptez, consiste à... Cette bande s'autodétruira dans quelques secondes », la disparition de la cassette dans un chuintement de fumée, la musique emblématique (le célébrissime thème composé par Lalo Schifrin est repris par Danny Elfman), l'allumette qui peu à peu se consume...

Infidélité et évolution

Dès le début du film, Brian De Palma fait exploser le mythe télévisé en massacrant l'équipe d'Ethan Hunt. D'autres détails montrent le décalage entre le film et la série (le réalisateur avoua ne l'avoir jamais regardée). Alors que la vieille équipe était soudée par un esprit de groupe, une grande solidarité, dans la version De Palma, chacun lutte pour soi, Ethan Hunt s'en sortant parce qu'il fait cavalier seul. N'étant plus en 1966 mais en 1996, seules les incroyables prothèses faciales sont conservées, les vieux gadgets étant remplacés par Internet ou l'Eurostar.

Ethan Hunt travaille avec Claire (Emmanuelle Béart) et Jim Phelps (Jon Voight).

Ethan échappe à une explosion d'hélicoptère.

Le sourire de Tom

Mission : impossible est le premier projet produit par Tom Cruise et sa partenaire Paula Wagner sous l'enseigne de leur société fondée en 1992. Dès le stade de la pré-production, le chef décorateur Owen Paterson abandonne sa place à Tom Sanders. Puis c'est au tour de Julia Ritchie d'être chargée de la production. Et quelques semaines après le début du tournage, Jeffrey Kimball remplace le directeur de la photographie Andrew Leslie, qui avait démissionné. Si Brian De Palma lutta pour ne pas être « mangé » par la star, John Woo, choisi par Tom Cruise pour réaliser *Mission : impossible 2* (2000) profitera au maximum de cette image. Perdant la complexité troublante du premier opus, Tom Cruise n'a jamais été aussi musclé et charmeur que dans le deuxième. Quant à J. J. Abrams, qui succéda à David Fincher et à Joe Carnahan pour *Mission : impossible III* (2006), il ne fut pas dépaysé par les rebondissements et le suspense, qui abondent dans ses célèbres séries « Alias » et « Lost ».

Scream
Masque mortel

1996

Scream, suspense de Wes Craven, avec Neve Campbell (Sidney), Courteney Cox (Gale), Drew Barrymore (Casey), Skeet Ulrich (Billy), David Arquette (Dewey) • Sc. Kevin Williamson • Ph. Mark Irwin • Mus. Marco Beltrami • Prod. Dimension Films • États-Unis • Durée 110' • Grand Prix du jury et Prix Première du public au Festival de Gérardmer

À Woodsboro, un an après la mort de sa mère, sauvagement violée et assassinée, la jeune Sidney tente de retrouver son équilibre. Mais bientôt, les meurtres reprennent…

Dernier frisson pour Gale (Courteney Cox), Randy (Jamie Kennedy) et Sidney (Neve Campbell)?

Du « giallo » au « slasher »

Inspiré du « giallo », genre policier sanglant conçu dans les années soixante par l'Italien Mario Bava, le « slasher » (du verbe « to slash » : « taillader ») est devenu une spécialité américaine, dans lequel un tueur portant un déguisement, persécute et massacre des adolescents dont la seule occupation est de boire et faire l'amour… Pour rendre hommage aux nombreux films construits sur ce schéma dans les années quatre-vingt à la suite de *La Nuit des masques* (John Carpenter, 1978), les personnages de *Scream* y font constamment allusion. Outre les questions posées aux victimes, les discours cinéphiliques de Randy et les extraits de films, il est fait mention d'un réalisateur nommé Wes Carpenter ; Linda Blair, vedette de *L'Exorciste* (William Friedkin, 1973), apparaît fugitivement en journaliste, ainsi que Wes Craven en Fred K., concierge portant le pull-over rayé et le chapeau de Freddy Krueger, personnage qu'il créa pour *Les Griffes de la nuit* (1984).

Les règles de l'horreur

Selon les conventions du genre, les blondes ne survivent pas aux « slashers », chaque héroïne doit avoir une amie blonde : Tatum pour Sidney dans *Scream*, Linda pour Laurie dans *La Nuit des masques*, Tina pour Nancy dans *Les Griffes de la nuit*. Billy, lui, s'appelle Loomis comme le petit ami de Janet Leigh dans *Psychose* (Alfred Hitchcock, 1960) ou comme le docteur Loomis qui poursuivait Michael Myers dans *La Nuit des masques*. Joseph Whipp interprète le rôle d'un policier dans *Scream* comme dans *Les Griffes de la nuit*. Et lorsqu'il regarde *La Nuit des masques*

à la télévision, Randy crie à l'actrice Jamie Lee Curtis de regarder derrière elle, au moment où le tueur passe derrière lui…
Randy, expert en cinéma fantastique, pour qui « tout le monde est suspect » – depuis Stuart, le fiancé de Tatum, jusqu'à Billy, arrivé inopinément pendant l'agression de Sidney –, explique les règles immuables pour survivre dans un film d'horreur : pas de sexe, d'alcool ou de drogue et ne jamais dire « je reviens », car on ne revient jamais.
Avec ces adolescents amateurs d'horreur qui se font trucider tout en en dénonçant les règles, Wes Craven détourne les fondations du genre horrifique pour mieux faire peur.

Casey (Drew Barrymore) a reçu un appel menaçant.

En compagnie de son amie Tatum (Rose McGowan), Sidney, éternelle victime, répond au tueur.

Gale, la chasseuse de scoops, et Dewey (David Arquette), le flic naïf.

Ça n'est jamais fini

Six mois seulement après le triomphe de *Scream*, Wes Craven tourne *Scream 2* (1997), dont le scénario était déjà écrit à la sortie du premier aux États-Unis. Wes Craven s'amuse à multiplier les mises en abîme : ainsi y a-t-il un film dans le film, « Stab », dont l'intrigue reprend celle de *Scream*. Le dernier volet de la trilogie, *Scream 3* (2000) réunit à nouveau Neve Campbell, David Arquette et Courteney Cox-Arquette (ces deux derniers s'étant mariés entre-temps). D'autres « slashers » suivront dans la foulée de *Scream : Souviens-toi l'été dernier* (Jim Gillespie, 1997) à nouveau écrit par Kevin Williamson, le scénariste du film de Craven, et lui-même donnant lieu à une suite réalisée par Danny Cannon en 1998, et *Urban Legend* (Jamie Blanks, 1998).

Harry, un ami qui vous veut du bien
... avec ou sans votre accord

Harry (Sergi Lopez) s'invite chez Claire et Michel (Laurent Lucas).

2000

Suspense de Dominik Moll, avec Laurent Lucas (Michel), Sergi Lopez (Harry), Mathilde Seigner (Claire), Sophie Guillemin (Prune) • Sc. Dominik Moll, Gilles Marchand • Ph. Matthieu Poirot-Delpech • Mus. David Sinclair Whitaker • Prod. Diaphana Films • France • Durée 117' • 4 Césars : réalisation, acteur (Sergi Lopez), son et montage.

Michel rencontre Harry, un ancien camarade d'école qui semble vouloir l'aider...

Claire (Mathilde Seigner) et Harry, à l'affût.

Sur le chemin des vacances

Rythmé par la chanson « Ramona » interprétée par Dolorès Del Rio, *Harry, un ami qui vous veut du bien* est le deuxième long métrage de Dominik Moll, cinéaste français d'origine allemande. Auparavant, il avait réalisé *Intimité* (1994), adapté d'une nouvelle de Jean-Paul Sartre, et plusieurs courts métrages, dont *The Blanket* (1983), *Visite médicale* (1985) et *Le Gynécologue et sa Secrétaire* (1987).
Un départ en vacances du réalisateur avec son amie et ses deux filles est à l'origine du film. Dominik Moll a tenu à éviter la représentation ordinaire des enfants au cinéma. Car d'après lui, les enfants changent une vie.
Les contraintes de la vie de famille, les nuits d'insomnie créent une perte de repères propice aux bouleversements… Dominik Moll a donc imaginé ce qui se passerait si un étranger s'immisçait dans cette existence en provoquant doutes et frustrations.

Sergi, un ami qui ne vous veut que du bien

Au volant de sa Mercedes et au bras de Prune, sa pulpeuse amie à qui il fait l'amour entre deux jaunes d'œufs, Harry joue les bonnes fées. Installé chez Michel, il tente de l'aider à se réaliser.
Le carburateur de la voiture de son ami rend l'âme ? Harry lui offre un 4x4 climatisé. La vie est simple pour Harry : « Il n'y a pas de problèmes, il n'y a que des solutions ». Dominik Moll n'explique pas les motivations qui poussent Harry à s'introduire dans l'existence de Michel et ce que dissimule cette envie forcenée de le rendre heureux. Il fait le portrait d'un homme a priori ordinaire qui en réalité s'avère être un dangereux psychopathe et trouble l'atmosphère jusqu'à la rendre totalement étouffante.

Prune dort. La menace rôde…

Le choix de l'acteur pour interpréter Michel fut compliqué. Dominik Moll pensa à Alain Chabat. Puis c'est Sergi Lopez qui devait jouer le rôle, mais son apparence sympathique l'imposa pour celui d'Harry, qui ne devait pas être d'emblée effrayant. Sergi Lopez dit ne pas s'être préparé pour Harry, ne pas s'être inventé un passé ou une enfance, ni s'être renseigné sur les psychopathes. Sur le tournage, en montant dans la Mercedes, Harry était là.

Prune (Sophie Guillemin), la gentille et naïve petite amie d'Harry, s'occupe constamment de son apparence.

Hommage aux maîtres du suspense

Les références à Alfred Hitchcock apparaissent dès le titre (*Mais qui a tué Harry ?*, 1955). Le mélange de fascination et de dégoût qui unit Harry et Michel rappelle les rapports ambigus des protagonistes masculins de *L'Inconnu du Nord-express* (1951). L'idée que les vacances peuvent devenir terrifiantes pour une famille était déjà abordée dans *L'Homme qui en savait trop* (1934). C'est aussi une évocation de *Shining* (Stanley Kubrick, 1980) : le plan d'ouverture filmé depuis un hélicoptère, la rencontre dans les toilettes pour hommes comme c'était le cas pour Jack (Nicholson) et le gardien de l'hôtel Overlook. Ainsi que la fièvre créatrice de Michel et la façon dont il envoie promener sa femme lorsqu'elle l'interroge sur ce qu'il écrit. Dans son troisième film (*Lemming*, 2005), Dominik Moll fait rentrer l'irrationnel dans le couple.

Match Point

Parfois, le crime paie

2005

Match Point, suspense de Woody Allen avec Jonathan Rhys-Meyers (Chris Wilton), Scarlett Johansson (Nola Rice), Emily Mortimer (Chloe Hewett Wilton) • Sc. Woody Allen • Ph. Remi Adefarasin • Dist. TFM Distribution • États-Unis - Royaume-Uni - Luxembourg • Durée 123'

Chris Wilton a épousé Chloe Hewett, la fille d'une famille immensément riche. Il entretient par ailleurs une relation adultère avec une actrice sans contrat, Nola Rice. Celle-ci, enceinte, le somme de divorcer. Attaché à son bien-être, Chris tue sa maîtresse. Et l'enquête commence...

Les amants Nola (Scarlet Johansson) et Chris (Jonathan Rhys-Meyers).

Chris rencontre Chloe (Emily Mortimer).

Le bon côté du filet

Au tout début du film, la caméra, placée là où se tient habituellement le ramasseur de balles, au pied de la chaise de l'arbitre, filme le filet d'un court de tennis : on ne voit pas les joueurs, ni les spectateurs, rien que la balle jaune qui va et vient par-dessus ce filet contre le haut duquel, soudain, elle frappe et hésite. Va-t-elle passer de l'autre côté ou retomber sans franchir l'obstacle ? Rien ne vient expliciter ce plan inaugural mais on peut penser que cette balle – de match, selon le titre – tombée du mauvais côté a précipité la décision de Chris Wilton d'abandonner la compétition professionnelle dont il était pourtant un espoir. La malchance a mis fin à sa carrière de tennisman

Chris et Chloe dans leur futur appartement.

mais elle lui a permis de rencontrer Chloe, sa future et riche épouse.

La très désirable Nola Rice, avec qui il a une liaison, met en péril la carrière de « golden boy » de Chris. Tout bien pesé, entre l'amour et la richesse, ce dernier a choisi : Nola doit disparaître. Il déguise en crime crapuleux l'assassinat de sa maîtresse. Il s'est fabriqué un alibi mais, pourtant, tout l'accuse : il a nié devant la police une liaison que Nola a relatée en détail dans son journal intime... Il sera pourtant innocenté : le cadavre d'un clochard, junkie connu de la police, est découvert avec, dans sa poche, une bague ayant appartenu à la voisine. Le bijou avait heurté le haut du parapet par-dessus lequel Chris avait cru jeter son butin : au lieu d'aller à l'eau, il était retombé du mauvais côté, sur le quai. Mais ce mauvais côté s'avérait le meilleur pour l'ex-tennisman meurtrier...

« Tout, sauf une pom-pom girl »

Kate Winslet s'étant désistée, Woody Allen fit appel à Scarlett Johansson, qui venait de triompher dans *Lost in Translation* (2003). Sofia Coppola, réalisatrice de ce film, salua son interprète : « Elle possède un talent pour véhiculer une profondeur incroyable en ne faisant presque rien ». Un jugement confirmé par Woody Allen après *Match Point*, qui la réengagea aussitôt pour son nouveau film, *Scoop*, également réalisé en Angleterre. « Mon père est danois et ma mère a des origines polonaises. Donc je ressemble à tout, sauf à une pom-pom girl », dit d'elle-même Scarlett Johansson, dont le talent s'est également illustré dans *Ghost World* (Terry Zwigoff, 2001) et *La Jeune Fille à la perle* (Peter Webber, 2004).

Nola a Tom (Matthew Goode) pour fiancé.

Machiavélique Woody Allen

Le réalisateur utilise avec roublardise un métier parfaitement maîtrisé. Sa peinture cynique et désabusée de la bourgeoisie dans laquelle évolue Chris, avec son atmosphère surfaite d'ennui de bon ton, est savoureuse. Jusqu'au meurtrier qui a des allures d'enfant sage, propre, candide et discret, à qui l'on donnerait le bon dieu sans confession...
Au-delà de l'intrigue même, on savoure le plaisir acide de cette fable profondément immorale.

Nola se fait pressante...

Ocean's Eleven

Impair et gagne

La bande de Danny Ocean a décidé de récidiver en Europe dans *Ocean's Twelve*.

2001

Ocean's Eleven, policier de Steven Soderbergh avec George Clooney (Daniel « Danny » Ocean), Brad Pitt (Rusty Ryan), Matt Damon (Linus Caldwell), Andy Garcia (Terry Benedict), Julia Roberts (Tess Ocean), Don Cheadle (Basher Tarr), Elliott Gould (Reuben Tishkoff) • Sc. Ted Griffin d'après une histoire de G. C. Johnson et J. G. Russel • Ph. Peter Andrews • Mus. David Holmes • Dist. Warner Bros. • États-Unis • Durée 116'

Libéré de prison, Danny Ocean recrute, avec son bras-droit Rusty, neuf comparses triés sur le volet afin de braquer simultanément trois casinos de Las Vegas appartenant à Terry Benedict qui vit avec Tess, ex-femme de Danny.

Terry Benedict (Andy Garcia) et Saul Bloom (Carl Reiner).

Jackpot et feu d'artifices

Remake de *L'Inconnu de Las Vegas* (Lewis Milestone, 1960), film interprété par les membres du fameux « Rat Pack », Frank Sinatra, Dean Martin, Peter Lawford et Sammy Davis Jr., *Ocean's eleven*, succès mondial, a été suivi de *Ocean's twelve* (2004) et d'*Ocean's thirteen* (2007)… On ne change pas une équipe qui gagne… sans doute grâce

à cette façon paradoxale qu'ont Soderbergh et sa bande de stars copains de respecter totalement le genre, tout en s'amusant. Leur charme joue à fond et le style cool, malin et classe de l'équipe, dominant l'esthétique clinquante des lieux, fait de ce thriller efficace un film d'atmosphère à la mise en scène fluide et rigoureuse, qui chemine avec élégance de la salle des coffres aux tables de jeu. « À Hollywood – déclare Soderbergh – un cinéaste se trouve face à trois options : embrasser le système et en devenir l'esclave, l'ignorer et le combattre ou l'utiliser à son avantage. Je penche pour la dernière ».

Le franc-tireur du cinéma américain

Né en 1963, passionné par l'image et le cinéma, Steven Soderbergh a débuté comme monteur. Il écrit ses scénarios et tient la caméra sous un pseudonyme. Couvert de récompenses, il aime alterner des projets ambitieux comme *Traffic* (2000, quatre Oscars) ou marginaux comme *Bubble* (2005). Il n'en finit pas de nous étonner et évolue avec maestria d'un style

Linus (Matt Damon) et Danny (George Clooney).

à l'autre : réalisateur hollywoodien un jour (*Erin Brockovich : seule contre tous*, 2000), cinéaste expérimental le lendemain (*Full Frontal*, 2002), tous deux avec Julia Roberts. Et quand le succès fait défaut (*Solaris*, 2002), il s'offre une récréation avec les *Ocean's* et remplit son escarcelle pour repartir de plus belle, jamais où on l'attend. Il est aussi un producteur indépendant, associé depuis 200□ avec son ami George Clooney.

George Clooney, un homme en or

« Non seulement ce mec en or est incroyablement beau, intelligent et talentueux, mais en plus il n'a aucun problème d'ego et c'est le plus drôle du monde », voilà l'homme idéal que décrit Catherine Zeta-Jones. Entouré d'un clan d'amis fidèles (Julia Roberts, Brad Pitt, Tarantino…), ce bourreau des cœurs, né en 1961, vrai cinglé de cinéma auquel il sacrifie sa vie privée, réussit depuis *Les Rois du désert* (David O. Russell 1999), un parcours sans faute. Le séduisant docteur Ross de la série culte « Urgences », sorti du sérail mais longtemps à la traîne, est devenu un comédien hors-pair couronné par un Golden

Tess (Julia Roberts) retrouve Danny, son ex.

Globe dans *O'Brother* (Joel et Ethan Coen, 2000) et un Oscar dans *Syriana* (Stephen Gaghan, 2005).

Burlesque dans la « Trilogie des idiots » des frères Coen, *O'Brother*, *Intolérable Cruauté* (2003), *Hail Caesar* (2006), désinvolte ou profond dans ses six films avec Soderbergh de *Hors d'atteinte* (1998) à *The Good German* (2006), il réalise aussi des œuvres personnelles et engagées, *Confessions d'un homme dangereux* (2002) et *Good Night, and Good Luck.* (2005), récompensé à Venise. Sa gentillesse légendaire, sa droiture, son aura et sa maîtrise des différents métiers du cinéma font de lui un grand : « Mon secret – dit-il – ne jamais me prendre au sérieux, mon travail est moins li□ à l'argent qu'à la fierté que j'en tire ».

Sur un air de musique

Chercheuses d'or de 1933

La Dépression en chansons

Le ballet « Pettin' in the Park » voit se multiplier les couples en canotiers et jupons…

1933

Gold Diggers of 1933, comédie musicale de Mervyn LeRoy, avec Dick Powell (Brad Roberts), Ruby Keeler (Polly), Joan Blondell (Carol), Aline MacMahon (Trixie), Warren William (Lawrence Bradford), Ginger Rogers (Fay) • Sc. Erwin Gelsey, James Seymour, d'après la pièce d'Avery Hopwood • Ph. Sol Polito • Chansons Harry Warren, Al Dubin • Chor. Busby Berkeley • Prod. Dar F. Zanuck / Warner Bros. • États-Unis • Durée 96'

Au début des années trente, l'Amérique traverse la plus grave crise économique de son histoire. Tous les secteurs sont touchés, même celui du spectacle : les uns après les autres, les shows de Broadway sont annulés avant même de débuter. Trois choristes, Polly, Carol et Trixie, se retrouvent une fois de plus au chômage. Or, une nouvelle revue doit être montée…

Un schéma classique

A priori, *Chercheuses d'or de 1933* ne se distingue pas des autres comédies musicales de la même époque. Comme c'est le cas dans un bon tiers d'entre elles, elle a pour cadre les milieux du théâtre new-yorkais et pour thème la mise sur pied d'un spectacle qui semble d'abord voué à l'échec, mais finit pourtant par triompher. La présence du tandem Dick Powell-Ruby Keeler, alors très populaire auprès du public, renforce l'effet de familiarité. Il n'allait pas tarder à être supplanté par un autre couple encore plus mythique, celui de Fred Astaire et Ginger Rogers. Celle-ci apparaît dans le rôle secondaire de Fay, la seule vraie « chercheuse d'or » du lot, et sa façon de traquer les messieurs fortunés annonce, avec vingt ans d'avance, Marilyn Monroe dans *Comment épouser un millionnaire*.

Polly Parker (Ruby Keeler) et Brad Roberts (Dick Powell).

Un contexte contemporain

Là où le film détonne, c'est par son ancrage dans la réalité. Sous ses airs de bluette anodine il aborde de front le drame de la grande Dépression que vivaient les États-Unis au moment du tournage. Deux grands numéros traduisent les différentes façons de traiter le problème. En ouverture, l'ironique « We're in the Money », où des girls déguisées en pièces d'or évoluent dans un décor luxueusement consumériste. À la fin, le poignant « Remember My Forgotten Man », en hommage aux milliers d'hommes que la nation envoya à la guerre et dont elle semble aujourd'hui se désintéresser. Devant pareille tragédie, impossible de rester confiné dans l'environnement factice du théâtre : la caméra de Mervyn LeRoy s'évade alors pour retrouver, sur les trottoirs de la ville, l'ambiance réaliste des films noirs que produisaient au même moment les studios Warner.

Busby Berkeley chorégraphe : les girls de *Dames*, Ray Enright (1934).

Les ballets immobiles de Busby Berkeley

Chorégraphe d'une trentaine de films et réalisateur d'une vingtaine d'autres, Busby Berkeley (1895-1976) est l'une des personnalités les plus marquantes de la comédie musicale des années trente. Il inventa un style très original de ballets où les danseuses évoluaient selon des motifs géométriques répétés à l'infini. Des différentes éditions des *Chercheuses d'or* (1933, 1935, 1937…) à *La Danseuse des Folies Ziegfeld*, (1941), la démarche se fit plus radicale et la technique encore plus flamboyante. Les choristes ne bougeant quasiment plus, c'était la caméra qui dansait et virevoltait à leur place. Placée au centre de kaléidoscopes de plus en plus complexes, elle traversait les éléments du décor, montait dans les cintres ou plongeait vers la scène. Pour traduire les mouvements élaborés que lui inspirait son imagination débridée, Berkeley se fit technicien. Il inventa notamment le monorail pour des travellings extrêmement fluides, réglés au centimètre près, et mit au point des systèmes de grues mobiles pour des panoramiques spectaculaires et des plongées verticales d'une audace inouïe.

Les Chaussons rouges

Danser à en mourir

Boleslawsky (Robert Helpmann) et Vicky Page.

Vicky Page (Moira Shearer) danse le ballet des « Chaussons Rouges ».

1948

The Red Shoes, drame musical et chorégraphique de Michael Powell et Emeric Pressburger, avec Moira Shearer (Vicky Page), Anton Walbrook (Lermontov), Marius Goring (Julian Craster), Robert Helpmann (Boleslawsky), Léonide Massine (Ljubov), Ludmilla Tcherina (Boronskaja) • Sc. Michael Powell, Emeric Pressburger, Keith Winter, d'après Hans Christian Andersen • Ph. Jack Cardiff • Mus. Brian Easdale • Chorég. Robert Helpmann, Léonide Massine • Prod. The Archers • Royaume-Uni • Durée 134' • 2 Oscars : musique et décors (Hein Heckroth, Arthur Lawson)

Lermontov, directeur d'une troupe de ballets, engage une danseuse, Vicky Page, et un compositeur, Julian Craster. Homme tyrannique, admiré et détesté à la fois, il tente d'obliger Vicky à tout sacrifier à la danse, même son amour pour Julian. Sous son emprise, Vicky s'identifie à l'héroïne des « Chaussons Rouges », ballet dont elle est la vedette, qui, prisonnière de chaussons ensorcelés, danse jusqu'à en mourir.

Un ballet de plus de quinze minutes

Mal diffusé dans son pays d'origine, mais grand succès aux États-Unis, puis au Japon et dans le monde entier, le film a suscité de nombreuses vocations de danseurs et surtout de danseuses, bien qu'il n'idéalise pas le milieu des troupes de ballet, mais le présente dans toute son exigence et sa violence. « Alors, j'ai vu *Les Chaussons rouges*. J'ai tellement voulu être cette dame, cette jolie rousse », dit une postulante à un show de Broadway dans la comédie musicale « A Chorus Line ». Au cœur du film, le grand ciné-ballet inspiré du conte d'Andersen (« Les Souliers rouges ») parut novateur en son temps et étonne encore aujourd'hui, maelstrom de couleurs, de mouvements, de trucages, superposant plusieurs niveaux : la représentation scénique ; le rapport entre la danseuse, le musicien et le directeur de la troupe ; enfin, dimension plus audacieuse, la plongée dans la subjectivité de la danseuse, qui transforme pour nous, spectateurs de cinéma, le ballet en monologue intérieur dansé.

Tout sacrifier à l'Art

Le défi, pour les réalisateurs, était double : trouver une actrice qui soit en même temps une danseuse – c'est le cas de l'étonnante Moira Shearer, qui faisait alors partie de la troupe du Sadler's Wells Ballet, aux côtés de Margot Fonteyn –, et n'utiliser qu'une musique composée spécialement pour le film – contrat rempli par Brian Easdale, qui devint un fidèle des Archers et de Powell, jusqu'au *Voyeur* (1960).
À travers le trio central, la ballerine ambitieuse, le compositeur talentueux et le directeur de troupe monomaniaque (inspiré par Diaghilev, créateur des Ballets Russes et révélateur de son danseur étoile Nijinski, et remarquablement campé par Anton Walbrook) s'expriment la dévotion à l'Art et la quête de la Perfection, qui peuvent mener jusqu'à la folie et à la mort.

Powell, Pressburger et les Archers

Dans les années 1940, un jeune cinéaste britannique, Michael Powell (1905-1990) rencontre un scénariste hongrois émigré, Emeric Pressburger (1902-1988). C'est le début d'une fructueuse collaboration, quinze films en quinze ans, dont certains sont de grands succès publics et critiques. Leur âge d'or dure aussi longtemps que la compagnie de production qu'ils créent en 1943, Les Archers, symbolisée par la cible où vient se planter une flèche, et par la mention : un film « écrit, produit et réalisé par P. & P. ». Parmi les titres appréciés alors ou redécouverts aujourd'hui par un nouveau public, autour de Martin Scorsese, Francis Ford Coppola, Bertrand Tavernier, etc. : *49e Parallèle* (1941), *Colonel Blimp* (1943), *Une Question de vie ou de mort* (1946), *Le Narcisse noir* (1947)... En 1960, Powell signe seul *Le Voyeur (Peeping Tom)*, incompris en son temps et devenu le prototype du film-culte, qui mêle un thème d'horreur et une réflexion sur le cinéma.

La ballerine, le cordonnier (Léonide Massine) et les chaussons magiques.

Chantons sous la pluie

Hollywood côté coulisses et côté cœur

1952

Singin' in the Rain, comédie musicale de Gene Kelly et Stanley Donen, avec Gene Kelly (Don Lockwood), Donald O'Connor (Cosmo Brown), Debbie Reynolds (Kathy Selden), Jean Hagen (Lina Lamont), Cyd Charisse (la danseuse) • Sc. Betty Comden, Adolph Green • Ph. Harold Rosson • Chansons Arthur Freed, Nacio Herb Brown • Prod. M.G.M. • États-Unis • Durée 103'

Deux stars du muet, Don Lockwood et Lina Lamont, ne s'entendent guère mais, pour les besoins de la publicité, jouent devant les photographes la comédie du parfait amour. Don rencontre une jeune danseuse, Kathy Selden, et en tombe amoureux. Quand survient le parlant, Lina, avec sa voix de crécelle, devrait sombrer rapidement dans l'oubli… Et pourtant…

Don (Gene Kelly), Kathy (Debbie Reynolds) et Cosmo (Donald O'Connor) chantent… sous la pluie.

Une vision ironique

La naissance du film sonore fut sans doute la plus grande révolution qu'Hollywood ait connue. Elle ruina bien des carrières (comme celle de John Gilbert, le partenaire de Greta Garbo), mais permit aussi à des acteurs dotés d'une voix phonogénique de sortir de l'anonymat. Sur ce sujet sérieux, les scénaristes Comden et Green bâtirent un « musical » pétillant d'humour et de drôlerie qui, cinquante ans plus tard, n'a pas pris une ride. Avec un sens aigu de l'autodérision, ils exposent les ridicules et les travers d'un microcosme qu'ils connaissent bien : les tournées calamiteuses des comédiens débutants, l'ego démesuré et les jalousies mesquines des stars entre elles, l'agitation futile des soirs de première, la naïveté d'un public aisément berné…

Un vibrant hommage

Au-delà de la satire, le film exalte la magie du cinéma et la poésie de l'illusion. Dans un studio désert, à l'aide d'un projecteur et de quelques accessoires, Don met en scène sa déclaration d'amour à Kathy. Dans *Chantons sous la pluie* plus que dans toute autre œuvre du même genre, chansons, ballets et saynètes naissent spontanément du contexte. Expression jubilatoire

Don célèbre la « Broadway Melody ».

du pouvoir souverain de l'amour face à l'adversité et aux caprices de la météo, « Singin' in the Rain » est, encore aujourd'hui le plus célèbre de tous les numéros musicaux et l'image emblématique de Gene Kelly pataugeant avec allégresse dans des flaques d'eau demeure pour toujours gravée dans la mémoire des spectateurs.

Rencontre avec une femme fatale (Cyd Charisse).

Lina (Jean Hagen) veut à tout prix chanter sur scène…

Donen-Kelly, un tandem légendaire

L'association de Stanley Donen et Gene Kelly fait partie de ces rencontres magiques où chacun trouve en l'autre son complément naturel et une source inépuisable d'inspiration. Ils commencent à travailler ensemble en 1944 sur le plateau de *La Reine de Broadway* de Charles Vidor. Donen se contente alors d'aider Kelly à mettre au point la chorégraphie, mais tous deux envisagent déjà une forme de comédie musicale moins conventionnelle. Ils concrétisent leur rêve en 1949, réalisant ensemble *Un Jour à New York*, l'histoire de trois marins trouvant l'amour au cours d'une permission dans la métropole. Exceptionnellement, le tournage a lieu en extérieurs et, pour la première fois, les chants et les danses découlent naturellement d'activités quotidiennes. Trois ans plus tard, le tandem se surpasse avec *Chantons sous la pluie*, devenu un grand classique. Leur troisième et dernière collaboration a lieu en 1955 avec *Beau fixe sur New York*, qui raconte les retrouvailles nostalgiques de trois anciens G.I.s. L'insouciance a disparu, la gaîté aussi, mais le parti-pris de réalisme demeure, comme dans le célèbre ballet de Kelly avec des couvercles de poubelles. Donen continuera sur sa lancée avec le délicieux *Drôle de frimousse* (1957) et quelques comédies romantiques sophistiquées (*Indiscret*, 1958 ; *Charade*, 1963 ; *Arabesque*, 1966…). Kelly, pour sa part, ne fera sans doute jamais mieux.

Tous en scène

Éblouissant hommage aux artistes de Broadway

Tony et ses complices Lily Marton (Nanette Fabray) et Jeffrey Cordova (Jack Buchanan) interprètent « Triplets ».

1953

The Band Wagon, comédie musicale de Vincente Minnelli, avec Fred Astaire (Tony Hunter), Cyd Charisse (Gabrielle Gerard), Jack Buchanan (Jeffrey Cordova), Oscar Levant (Lester Marton), Nanette Fabray (Lily Marton) • Sc. Betty Comden, Adolph Green • Ph. Harry Jackson • Chansons Howard Dietz, Arthur Schwartz • Prod. MGM • États-Unis • Durée 112'

Tony Hunter, vedette quelque peu oubliée, retourne à New York où l'attendent ses amis Lester et Lily Marton, auteurs d'une comédie musicale qui devrait lui faire retrouver sa notoriété. La tournée en province est un vrai désastre… Tony convainc ses camarades d'en faire un show sans prétention, dans la grande tradition de Broadway.

Un film référentiel

Au début des années cinquante, le cinéma reçoit de plein fouet la concurrence de la télévision. De tous les genres, le « musical » est le premier touché. Trop coûteux, trop lié au système des grands studios, difficilement exportable sur le marché européen à cause de ses formules un peu désuètes, il semble destiné à disparaître. C'est alors que Vincente Minnelli, un maître en ce domaine, tourne *Tous en scène*. Fred Astaire y joue en quelque sorte son propre rôle de star ayant largement dépassé son heure de gloire, même s'il devait par la suite chanter et danser avec succès dans *Drôle de frimousse* et *La Belle de Moscou*. Dans cet adieu ému à une époque révolue, les allusions aux personnalités du show-business sont nombreuses : Ava Gardner apparaît en tant qu'elle-même ; les scénaristes Betty Comden et Adolph Green sont représentés à travers le pittoresque couple Marton ; Jeffrey Cordova est un composé d'Orson Welles et du flamboyant José Ferrer…

Une profession de foi

Réalisateur au tempérament artiste et délicat, Minnelli prend ici la défense du music-hall traditionnel face aux excès de l'avant-garde et rend hommage au professionnalisme des artisans du spectacle qui, humblement, mettent leur labeur et leur talent au service du public. Deux conceptions de la comédie musicale s'affrontent dans ce film : l'une ambitieuse mais passablement boursouflée ; l'autre modeste,

Tony (Fred Astaire) et Gaby (Cyd Charisse) découvrent l'amour dans Central Park (« Dancing in the Dark »).

Gaby dans le numéro « New Sun in the Sky ».

joyeuse et respectueuse des spectateurs. On devine sans peine où vont les préférences du réalisateur. Le message est clair : en ces temps difficiles, c'est en retournant aux vraies valeurs qu'Hollywood retrouvera son éclat d'autrefois.

Fred Astaire et ses partenaires féminines

Gaby entourée de ses amis : Tony, Jeffrey, Lily et Lester Marton (Oscar Levant).

La première de ses partenaires, Fred Astaire la recruta dans sa propre famille : de 1917 à 1932, sa sœur Adele l'accompagna sur les scènes de Broadway et de Londres dans une douzaine de revues dont plusieurs (« Funny Face », « The Band Wagon », « The Gay Divorce »…) furent par la suite transposées à l'écran. À Hollywood, après un essai peu concluant avec Joan Crawford (*Le Tourbillon de la danse*, 1933), il trouva rapidement la compagne idéale en Ginger Rogers, avec laquelle il tourna une série de films mythiques : *La Joyeuse Divorcée*, *Roberta*, *Sur les Ailes de la danse*… Lorsque Ginger, au début des années quarante, mit fin à leur association, sa remplaçante fut difficile à trouver. Certains duos semblaient fonctionner, comme le couple charmant qu'il formait avec Judy Garland dans *Parade de printemps* de Charles Walters (1948), avec Leslie Caron dans *Papa longues jambes* de Jean Negulesco (1955) ou avec Audrey Hepburn dans *Drôle de frimousse* de Stanley Donen (1956). Mais la plupart du temps, l'essai ne fut pas transformé. Parmi celles qui eurent l'honneur de tourner plus d'une fois avec lui figurent Rita Hayworth, Vera-Ellen et surtout Cyd Charisse, la seule à avoir prouvé à deux reprises (dans *Tous en scène* et dans *La Belle de Moscou* de Rouben Mamoulian, 1957) qu'elle n'avait rien à envier à sa fameuse aînée.

Une Étoile est née

Les embûches de la gloire

La chanteuse Esther Blodgett (Judy Garland) en compagnie d'amis musiciens.

1954

A Star Is Born, drame de George Cukor, avec Judy Garland (Esther Blodgett / Vicki Lester), James Mason (Norman Maine), Jack Carson (Libby), Charles Bickford (Oliver Niles) • Sc. Moss Hart • Ph. Sam Leavitt • Mus. Harold Arlen • Prod. Warner Bros. • États-Unis • Durée 154'

Ancienne vedette de cinéma aujourd'hui en défaveur, Norman Maine noie son amertume dans l'alcool. Il rencontre une jeune chanteuse, Esther Blodgett. Reconnaissant son talent, il décide de l'aider. Sous le nom de Vicki Lester, elle débute au cinéma. Elle tombera amoureuse de son mentor et acceptera sa demande en mariage.

Vicki Lester (Judy Garland) dans le numéro d'anthologie, « Born in a Trunk ».

Un long travail de restauration

Dès la sortie du film, les exploitants exigèrent que sa durée initiale de 181 minutes soit ramenée à 154 minutes. Lors de la diffusion à la télévision, de nouvelles séquences et numéros musicaux furent amputés, notamment « Born in a Trunk », un morceau d'anthologie de 18 minutes où Vicki raconte sa carrière. Dans les années quatre-vingt, à l'aide de la bande-son intégrale, de photos d'archives et de quelques minutes de négatif miraculeusement retrouvées, une version presque complète fut enfin restaurée.

Des accents autobiographiques

George Cukor, un vétéran d'Hollywood possédant une quarantaine de films à son palmarès, s'aventurait ici en terrain inconnu. C'était en effet la première fois qu'il s'essayait à la couleur et au CinémaScope. En revanche, le sujet lui était familier. En 1932, il avait tourné une version non musicale de la même histoire, intitulée *What Price Hollywood* avec Constance Bennett et Lowell Sherman. En 1937, William A. Wellman en avait fait un remake avec Janet Gaynor et Fredric March. Bien plus tard, une version pop et modernisée fut tournée par Frank Pierson en 1977 avec Barbra Streisand et Kris Kristofferson. Pour Judy Garland, qui tentait alors son come-back, les personnages de Norman et de Vicki évoquaient par bien des côtés les vicissitudes de sa propre carrière et elle s'investit totalement dans le projet. Mais, nommée à l'Oscar de la meilleure actrice, elle se vit préférer Grace Kelly dans *Une Fille de la province*, un film aujourd'hui oublié.

Norman Maine (James Mason) présente Esther à Oliver Niles, le responsable du studio.

Vicki et le producteur Oliver Niles (Charles Bickford) à la cérémonie des Oscars.

Judy Garland (1922-1969), entre gloire et tragédie

Judy Garland fait partie, comme Elizabeth Taylor, Jodie Foster ou Drew Barrymore, de ces rares enfants-actrices dont la carrière s'est poursuivie à l'âge adulte. Née en 1922, elle se produit sur scène dès l'âge de trois ans au sein du trio vocal « The Gumm Sisters », avec ses deux sœurs aînées. Dix ans plus tard, elle signe un contrat avec la MGM pour laquelle elle tourne notamment la populaire série des « Andy Hardy », comédies familiales et bon enfant dont la vedette est Mickey Rooney. Elle récupère in extremis le rôle principal du *Magicien d'Oz* (Victor Fleming, 1939) où elle interprète « Over the Rainbow », qui deviendra sa chanson fétiche. Sa rencontre avec le réalisateur Vincente Minnelli marque, sur le plan professionnel, son passage définitif à l'âge adulte. Ils se marient, ont une fille (Liza, qui marchera bientôt sur les traces de sa mère) et tournent ensemble quatre films, dont *Le Chant du Missouri* et *Le Pirate*. Mais deux décennies de labeur ininterrompu, d'abus de tranquillisants, d'amphétamines et de pilules amaigrissantes, de cures de désintoxication et de tentatives de suicide, ont laissé des traces. En 1950, à l'instigation de son troisième mari, l'imprésario Sid Luft (avec lequel elle aura deux autres enfants), elle quitte le cinéma pour donner une série de concerts mémorables. *Une Étoile est née*, qui marque son retour triomphal au cinéma, ne sera pas suivi d'effet. Après une émouvante apparition dans *Jugement à Nuremberg* (Stanley Kramer, 1961) qui lui vaut une nouvelle citation à l'Oscar, elle tourne en 1963 deux derniers films (*Un Enfant attend* de John Cassavetes et *L'Ombre du passé* de Ronald Neame) avant de mourir en 1969 d'une overdose de somnifères.

West Side Story
Roméo et Juliette à New York

1961

West Side Story, drame musical de Robert Wise et Jerome Robbins, avec Natalie Wood (Maria), Richard Beymer (Tony), Russ Tamblyn (Riff), Rita Moreno (Anita), George Chakiris (Bernardo) • Sc. Ernest Lehman • Ph. Daniel L. Fapp • Mus. Leonard Bernstein • Chansons Leonard Bernstein, Stephen Sondheim • Prod. Artistes Associés • États-Unis • Durée 155' • 10 Oscars : film, réalisateur, acteur et actrice de second plan (George Chakiris, Rita Moreno), musique, photographie, décors, costumes, son, montage

Dans un quartier délabré de Manhattan, deux gangs s'affrontent : les « Jets », fils d'immigrants européens, et les « Sharks », nouveaux venus d'origine portoricaine. Au cours d'un bal, Tony, un Jet, tombe amoureux de Maria, la sœur du chef des Sharks.

Anita (Rita Moreno) et ses amies dans le ballet « America ».

Bernardo (George Chakiris) et ses « Sharks » provoquent les « Jets ».

Postérité d'un classique

Encouragé par ce formidable succès critique et populaire, Robert Wise prit goût à la comédie musicale et réalisa par la suite *La Mélodie du bonheur* (1965), et *Star !* (1968) avec Julie Andrews. Natalie Wood récidiva dans le même domaine avec *Gypsy* (1962), biographie de la célèbre strip-teaseuse Gypsy Rose Lee. Les carrières de Richard Beymer et de George Chakiris ne furent pas à la hauteur de ce premier triomphe. Mais l'écho de *West Side Story* (lauréat de 10 Oscars) se fait encore sentir de nos jours, à travers les innombrables reprises de ses airs les plus célèbres (« Maria », « America », « I Feel Pretty », « Somewhere ») et l'impact de sa chorégraphie dans les publicités ou les vidéo-clips.

Un thème éternel revisité

Créée sur scène à Broadway en 1957, la comédie musicale « West Side Story » trouva immédiatement son public grâce à des numéros chantés et dansés débordants d'énergie et d'inventivité. Transposer la Vérone de Shakespeare dans le New York d'aujourd'hui et remplacer les Capulet et les Montaigu par deux bandes rivales d'adolescents permettait de réactualiser l'intrigue tout en l'ouvrant sur des problèmes contemporains tels que la délinquance juvénile, l'immigration et le racisme. Trois ans plus tard, lorsque Robert Wise fut chargé de l'adaptation cinématographique, il n'avait guère d'expérience dans le domaine de la comédie musicale. Il eut donc le bon sens de s'adjoindre, comme co-réalisateur, Jerome Robbins, metteur en scène et chorégraphe de la pièce d'origine. Ils décidèrent de tourner en décors naturels dans le West Side de Manhattan, un quartier alors en démolition, accentuant ainsi le côté réaliste de l'œuvre.

L'affrontement final : Bernardo contre Riff (Russ Tamblyn).

Roméo et Juliette

Images emblématiques de l'amour malheureux, Roméo et Juliette inspirèrent quantité de drames romantiques, dont certains furent des adaptations plus ou moins fidèles de la pièce de Shakespeare. En 1936, George Cukor offrit les rôles aux deux vedettes d'alors, Leslie Howard et Norma Shearer, bien trop âgés pour les personnages. Renato Castellani fit un peu mieux en 1954 en choisissant Laurence Harvey et Susan Shentall. Seul Franco Zeffirelli eut l'audace, en 1968, de prendre deux adolescents (Leonard Whiting et Olivia Hussey) ayant l'âge de leurs rôles. En 1949, André Cayatte s'était déjà essayé à une modernisation de l'œuvre avec *Les Amants de Vérone* interprétés par Serge Reggiani et Anouk Aimée. Baz Luhrmann, pour sa part, revint au texte original, mais imposa sa vision très rock et décapante dans *Roméo + Juliette de William Shakespeare* (1996) avec Leonardo DiCaprio et Claire Danes.

Tony (Richard Beymer) et Maria (Natalie Wood) dans la scène du balcon, remplacé par une échelle de secours.

My Fair Lady

Pygmalion à London

1964

My Fair Lady, comédie musicale de George Cukor, avec Audrey Hepburn (Eliza Doolittle), Rex Harrison (le professeur Henry Higgins), Stanley Holloway (Alfred Doolittle) • Sc. Alan Jay Lerner, d'après George Bernard Shaw • Ph. Harry Stradling • Chans. Frederick Loewe, Alan Jay Lerner • Prod. Warner Bros. • États-Unis • Durée 147' • 7 Oscars : film, réalisateur, acteur (Rex Harrison), photographie, musique, décors, costumes

Éminent linguiste, le professeur Higgins peut situer n'importe quel individu selon la façon dont il parle. Un soir, il entend une marchande de fleurs, Eliza Doolittle, à l'accent atrocement cockney. Il parie qu'après quelques leçons de diction, il la fera passer pour une jeune fille de la meilleure société...

Eliza (Audrey Hepburn) se déchaîne aux courses d'Ascot.

De la scène à l'écran

C'est en 1913 que fut créée à Londres la pièce de George Bernard Shaw, « Pygmalion ». Dans les années trente, elle connut trois versions cinématographiques : deux en Allemagne et une en Angleterre, mise en scène par Anthony Asquith, avec Wendy Hiller dans le rôle d'Eliza et Leslie Howard dans celui du professeur Higgins. En 1956, Frederick Loewe et Alan Jay Lerner en firent une comédie musicale, « My Fair Lady », qui remporta un triomphe à Broadway grâce notamment au talent de son interprète, Julie Andrews. Elle détient le record mondial de durée sur une scène : six ans et demi de représentations sans interruption ! Lorsque huit ans plus tard, « My Fair Lady » fut portée à l'écran, les producteurs, estimant Julie Andrews pas assez connue, choisirent une star confirmée, Audrey Hepburn. Hélas, celle-ci ne savait pas chanter, et elle dut être doublée par une professionnelle, Marni Nixon.

Eliza se laisse courtiser par Freddie (Jeremy Brett), mais c'est Higgins qu'elle aime.

Un feu d'artifice visuel

Si le film occupe une place de choix au panthéon de la comédie musicale, c'est d'abord par la qualité des numéros musicaux : l'ébouriffant « The Rain in Spain », où une leçon de phonétique se transforme en corrida débridée ; l'émouvant « I Could Have Danced All Night », où Eliza découvre qu'elle est amoureuse de son professeur... Mais s'il reste dans les mémoires, c'est aussi grâce à l'extraordinaire travail de Cecil Beaton sur les décors et les costumes. Infidèle, pour une fois, à son couturier habituel, Hubert de Givenchy, Audrey Hepburn, dans son évolution de la vendeuse des rues à l'élégante lady, revêt toute une gamme de tenues époustouflantes, la plus célèbre étant sans doute la robe de guipure blanche ornée d'un large ruban rayé noir et blanc, assortie d'un énorme chapeau surchargé de plumes, nœuds et colifichets, qu'elle porte aux courses d'Ascot.

L'un des plus célèbres costumes de l'histoire du cinéma : la robe créée par Cecil Beaton pour Audrey Hepburn.

Le public n'y vit que du feu et Audrey inscrivit à son palmarès un de ses rôles les plus célèbres.

Le digne professeur Higgins (Rex Harrison).

Interprètes fantômes

Les vedettes que l'on voit à l'écran ne s'expriment pas toujours avec leur propre voix. Ce play-back peut apparaître à certains comme un précieux auxiliaire technique et à d'autres comme une inadmissible tricherie. On peut trouver anormal qu'Audrey Hepburn dans *My Fair Lady* et Natalie Wood dans *West Side Story* aient tiré autant de gloire de rôles constitués pour une bonne moitié de chansons qu'elles auraient été incapables d'interpréter. Celle qui les doublait était Marni Nixon, le plus célèbre « fantôme » de la comédie musicale. En France, pour quelques actrices capables de pousser la chansonnette (Suzy Delair, Danielle Darrieux, Jeanne Moreau, Brigitte Bardot...), nombreux sont les cas où le subterfuge s'avéra indispensable. Ainsi, chez Jacques Demy, Catherine Deneuve est doublée par Danielle Licari (*Les Parapluies de Cherbourg*), ou Anne Germain (*Les Demoiselles de Rochefort, Peau d'âne*). Pour les producteurs, il vaut mieux engager des stars, quitte à les faire doubler par des professionnels, lesquels demeurent la plupart du temps dans un injuste anonymat.

La Mélodie du bonheur

La symphonie des alpages

Maria (Julie Andrews) et les enfants von Trapp : gambades dans les verts pâturages autrichiens.

1964

The Sound of Music, comédie musicale de Robert Wise, avec Julie Andrews (Maria), Christopher Plummer (le capitaine von Trapp), Eleanor Parker (la baronne) • Sc. Ernest Lehman • Ph. Ted McCord • Chans. Richard Rodgers, Oscar Hammerstein II • Prod. 20th Century-Fox • États-Unis • Durée 174' • 7 Oscars : film, réalisateur, photographie, son, adaptation musicale, montage

Venant d'un couvent près de Salzbourg, la jeune Maria se retrouve gouvernante des sept enfants de l'austère et séduisant capitaine von Trapp...

Maria, joviale et dynamique gouvernante, apprend aux enfants à chanter et danser.

Une fantaisie hollywoodienne ancrée dans la réalité

Aussi curieux que cela puisse paraître, l'odyssée de la famille Trapp est inspirée d'une histoire réelle. En effet, Maria Rainer a existé (elle est morte en 1987 à l'âge de 82 ans). Elle fut d'abord incarnée à l'écran par Ruth Leuwerik dans deux films du réalisateur allemand Wolfgang Liebeneiner : *La Famille Trapp* (1956) et *La Famille Trapp en Amérique* (1958). Dans la foulée, Rodgers et Hammerstein en firent une comédie musicale qui tint l'affiche à Broadway pendant plusieurs années, avec Mary Martin (la mère de Larry Hagman, le J.R. de la série « Dallas ») dans le rôle principal. Auréolé du succès de *West Side Story*, Robert Wise fut chargé de l'adaptation cinématographique. Une fois de plus, il choisit de tourner en décors naturels, cette fois à Salzbourg et dans ses environs. La ville profita de *La Mélodie du bonheur* au moins autant que de la notoriété de son résident le plus célèbre, Mozart. Magasins de disques et de souvenirs à l'enseigne de « The Sound of Music », promenades organisées, circuits touristiques, visites des principaux lieux de tournage... Plus de quarante ans après la sortie du film, les fans trouvent encore, sur place, de quoi raviver leur mémoire.

De Mary à Maria

Pour Julie Andrews, Maria s'inscrit dans la continuité de Mary Poppins : une gouvernante qui, par son dynamisme, son énergie et son inépuisable optimisme, gagne l'affection de son entourage et triomphe des vicissitudes de l'existence. Certes, Maria n'est pas dotée

Deux femmes pour un seul homme : Maria et la baronne (Eleanor Parker) se disputent le capitaine von Trapp (Christopher Plummer).

de pouvoirs magiques, mais son échappée belle d'Autriche, alors occupée par les nazis, tient presque du miracle. En cela, le film préfigure *Cabaret* de Bob Fosse (1972), où l'arrière-plan historique est plus nettement dessiné. La bande-son a traversé les décennies grâce à un habile mélange de chansons enfantines (« Do-Ré-Mi »), de classiques maintes fois repris par la suite, y compris par des grands noms du jazz (« My Favorite Things ») et d'un grandiose numéro d'ouverture, filmé depuis un hélicoptère, où l'on voit Maria gambader dans la prairie en chantant à pleins poumons : « The Hills are Alive with the Sound of Music... »

Le triomphe de la famille Trapp.

Julie Andrews, la réussite à force de volonté

Née en 1935, cette Anglaise précoce, à la voix exceptionnelle, débute sur scène à douze ans et, sept ans plus tard, conquiert Broadway dans une production britannique de la comédie musicale « The Boy Friend ». Elle triomphe sur les planches avec « My Fair Lady », mais c'est une vedette, Audrey Hepburn, qui est choisie pour reprendre le rôle à l'écran. Julie se rattrape avec *Mary Poppins* de Robert Stevenson, qui lui vaut un Oscar et fait d'elle une star internationale. S'ensuivent d'autres comédies musicales, comme *La Mélodie du bonheur* ou *Millie* de George Roy Hill (1967), *Star !* de Robert Wise (1968). Loin de se cantonner dans le genre, elle aborde par ailleurs le thriller (*Le Rideau déchiré* d'Hitchcock, 1966), le drame (*Duo pour une soliste* d'Andrei Konchalovsky, 1986) et, sous l'égide de son mari Blake Edwards, la comédie décapante : *Elle* (1979), *S.O.B.* (1981), *L'Homme à femmes* (1984) et surtout *Victor/Victoria* (1982), dont elle fait une création mémorable au cinéma avant de reprendre triomphalement le rôle sur scène. **329**

Les Demoiselles de Rochefort

Chassés-croisés amoureux dans une ville idéalisée

1967

Film musical de Jacques Demy, avec Catherine Deneuve (Delphine Garnier), Françoise Dorléac (Solange Garnier), Danielle Darrieux (Yvonne Garnier), Gene Kelly (Andy Miller), George Chakiris (Étienne), Michel Piccoli (Simon Dame), Jacques Perrin (Maxence) • Sc. Jacques Demy • Ph. Ghislain Cloquet • Mus. Michel Legrand • Prod. Parc Film, Madeleine Film • France • Durée 120'

À Rochefort, où se prepare la grande kermesse annuelle, c'est l'effervescence et, dans le tohu-bohu général, chacun court après l'amour…

La ronde de l'amour : Jacques Perrin, George Chakiris, Catherine Deneuve, Danielle Darrieux, Françoise Dorléac, Michel Piccoli, Grover Dale, Gene Kelly.

Un essai transformé

En 1964, le jury du Festival de Cannes, présidé par Fritz Lang, avait attribué la Palme d'Or aux *Parapluies de Cherbourg*. Ce film, apparu comme un ovni dans le paysage cinématographique français, était en fait le résultat d'une collaboration de longue date entre Jacques Demy et Michel Legrand, remontant à *Lola* (1961), une œuvre que le réalisateur avait envisagée à l'origine comme une comédie musicale tournée en couleurs. Fort de ce succès, Demy met aussitôt en chantier *Les Demoiselles de Rochefort*. Il reprend

sa vedette des *Parapluies*, Catherine Deneuve, et l'entoure de sa propre sœur et de comédiens qui forment sa famille d'élection (Jacques Perrin, Danielle Darrieux, Michel Piccoli…). George Chakiris, encore auréolé de son triomphe dans *West Side Story*, et Gene Kelly, icône de la comédie musicale américaine, apportent au film une touche internationale. Pourtant, le petit monde de Demy reste bien présent, avec son atmosphère poétique et ses extérieurs retravaillés comme un arc-en-ciel de teintes pastel, notamment « les maisons repeintes en bleu tendresse, vert espérance ou rose bonbon », comme l'écrivait Michel Grisolia.

Les sœurs Garnier : Delphine (Catherine Deneuve) et Solange (Françoise Dorléac).

Andy (Gene Kelly) donne un cours de claquettes aux gamins de Rochefort.

« Deux sœurs jumelles, nées sous le signe des Gémeaux »

Catherine Deneuve et Françoise Dorléac incarnent les filles de Danielle Darrieux. Pour le chant, elles sont doublées respectivement par Anne Germain et Claude Parent, tandis que Darrieux interprète elle-même ses chansons. Françoise, sœur aînée de Catherine, avait tourné en six ans une quinzaine de films. Truffaut, qui l'avait choisie pour *La Peau douce*, la considérait comme sa muse. On se demandait laquelle des deux sœurs aurait la plus brillante carrière. La suite ne permit pas de le dire : l'année même où sortait *Les Demoiselles de Rochefort*, Françoise disparaissait dans un accident de voiture.

Le cinéma « en-chanté » de Jacques Demy (1931-1990)

Après deux films intimistes remarqués (*Lola* avec Anouk Aimée et *La Baie des anges* avec Jeanne Moreau), Jacques Demy, cinéaste modeste et discret, conçoit le projet ambitieux de redonner au public français le goût du cinéma musical. À partir de modèles éprouvés (la comédie musicale américaine et l'opérette à la française), il crée, avec Michel Legrand, une formule originale : dans *Les Parapluies de Cherbourg*, les paroles les plus banales sont magnifiées par le chant, les décors

ordinaires et les objets quotidiens sont transcendés par la poésie. Les événements contemporains (en l'occurrence la guerre d'Algérie) apparaissent en filigrane, sans dénaturer le caractère intemporel d'une émouvante histoire d'amour. Le public adhère immédiatement et l'on parle de comédie « en-chantée ». Après *Les Demoiselles de Rochefort*, de la même veine, l'incursion dans le domaine des contes et légendes (*Peau d'Âne*, *Le Joueur de flûte*) apparaît comme un détour logique. Mais parallèlement, Demy continue de tisser des liens entre

ses films par un jeu subtil de correspondances (l'Anouk Aimée de *Lola* se retrouve, huit ans plus tard, exilée à Los Angeles dans *Model Shop*), construisant ainsi un univers très personnel, de plus en plus grave et nostalgique. Lorsqu'arrive *Une Chambre en ville* (1982), sur fond de luttes sociales, le cinéma en-chanté de Jacques Demy est devenu désenchanté. Enfin, *Trois Places pour le 26* (1988) raconte la vie romancée – et musicale – d'Yves Montand.

La Fièvre du samedi soir

La fureur du disco

1977

Saturday Night Fever, film musical de John Badham, avec John Travolta (Tony Manero), Karen Lynn Gorney (Stephanie), Barry Miller (Bobby C) • Sc. Norman Wexler • Ph. Ralf D. Bode • Mus. The Bee Gees • Prod. Paramount • États-Unis • Durée 119'

Le samedi soir, Tony Manero, jeune homme d'origine modeste, se déchaîne avec ses copains dans les discothèques. Son élégance un peu voyante, son sens du rythme et ses déhanchements sexy en font le point de mire de toute l'assistance. Il espère décrocher le premier prix au prochain concours de danse. Mais pour cela, il lui faut une partenaire. Ce sera Stephanie.

Stephanie (Karen Lynn Gorney) et Tony Manero (John Travolta), dans son célèbre costume trois pièces.

Un phénomène sociologique

La Fièvre du samedi soir est au disco des années soixante-dix ce que *Graine de violence* de Richard Brooks (1955) est au rock des années cinquante : une vogue musicale mise en rapport avec un fait de société. Dans les deux cas, une jeunesse insatisfaite ou révoltée trouve dans un certain type de musique et les danses qui l'accompagnent le moyen d'exprimer son identité et ses frustrations. Rien d'étonnant, par conséquent, à ce que le film de John Badham ait pour origine un article à tendance sociologique de Nik Cohn sur « les nouveaux rites tribaux du samedi soir » (l'auteur avoua plus tard l'avoir en grande partie « bidonné »). Robert Stigwood, producteur de *Jésus-Christ Superstar* et de *Tommy*, demanda aux Bee Gees de composer un certain nombre de chansons. Plus que de simples intermèdes ou illustrations musicales, elles devaient être un véritable élément narratif et l'accompagnement constant de l'intrigue.

Tout l'univers du disco : piste fluorescente, lumières scintillantes et couples virevoltants.

Un succès considérable

En six mois, le film dépassa les 186 millions de dollars de recettes. La bande-son, enregistrée pour l'essentiel en France aux Studios d'Hérouville, se vendit à plus de 25 millions d'exemplaires et la plupart des morceaux se classèrent au hit-parade. John Travolta lui-même fut propulsé au rang de vedette et fut nommé à l'Oscar du meilleur acteur. Au vu de la scène d'ouverture, où on le voit arpenter les trottoirs de sa démarche chaloupée, certains n'hésitèrent pas à parler de « nouveau Fred Astaire ». La chanson qui accompagne la séquence, « Stayin' Alive », donna son titre au film *Staying Alive* tourné six ans plus tard par Sylvester Stallone. Après quelques déboires professionnels, Travolta tentait, à travers un rôle similaire, de renouer avec le succès.

John Travolta et ses deux carrières

Avec son physique engageant et son sourire ravageur, John Travolta aurait pu longtemps se cantonner dans les rôles de beau garçon un peu niais (c'était son emploi dans *Carrie* de Brian De Palma en 1976). Son don pour la danse lui permit de dépasser ce stade grâce à deux comédies musicales immensément populaires : *La Fièvre du samedi soir*, et *Grease* de Randal Kleiser (1977). Mais pendant les quinze ans qui suivirent, ses films ne marchèrent guère, à l'exception de la comédie *Allô maman, ici bébé* d'Amy Heckerling (1989). C'est Quentin Tarantino qui le remit en selle en 1994 avec *Pulp Fiction*. Le public redécouvrit alors un acteur dont les ressources avaient été jusque-là à peine exploitées. John Woo mit en valeur sa présence imposante, voire menaçante, dans *Broken Arrow* (1996) et *Volte/Face* (1997). D'autres tirèrent parti de son instinct pour la satire et l'ironie, comme Barry Sonnenfeld dans *Get Shorty / Stars et truands* (1995), Nora Ephron dans *Michael* (1995), Mike Nichols dans *Primary Colors* (1998) ou F. Gary Gray dans *Be Cool* (2005).

Quant à son fameux costume trois pièces blanc, le critique de cinéma Gene Siskel l'acheta 2 000 dollars lors d'une vente aux enchères. Après en avoir pendant plusieurs années fait profiter ses amis (tous demandaient à l'essayer quand ils venaient chez lui), il le revendit 145 500 dollars en 1995.

Tony et Stephanie s'entraînent inlassablement.

Que le Spectacle commence

Aux portes du Paradis : Joe (Roy Scheider) et O'Connor (Ben Vereen) chantent « Bye Bye Love ».

Une mort si belle : Joe et Angelique (Jessica Lange).

Un émouvant testament

Pour ce film – l'avant-dernier qu'il ait réalisé – Bob Fosse s'est choisi de prestigieux modèles : Fellini s'auto-analysant dans *Huit et demi* (1963) et Bergman réfléchissant sur l'au-delà dans *Les Fraises sauvages* (1957). Il se décrit lui-même à travers le personnage de Joe Gideon, épuisé par trop de travail, de femmes, de tabac et d'amphétamines. Les allusions abondent dans ce récit à clés. Comme Joe, Bob Fosse a passé sa jeunesse sur les planches. Il a connu beaucoup d'aventures féminines et de succès professionnels. Il était loin d'avoir atteint la cinquantaine lorsqu'il fut victime d'une crise cardiaque alors qu'il travaillait simultanément au montage de *Lenny* (1975, avec Dustin Hoffman) et à la préparation de son spectacle « Chicago » où figurait son ex-épouse Gwen Verdon, incarnée ici par Leland Palmer. Après cette première alerte, c'était comme s'il voulait, à travers l'art, régler quelques comptes, faire le bilan de sa vie, mettre de l'ordre dans son existence et exorciser l'angoisse de sa fin prochaine.

Bob Fosse (1927-1987)

Enfant de la balle, Bob Fosse débute au cinéma comme acteur, danseur et chorégraphe à la M.G.M. Dans les années cinquante, il participe ainsi à des comédies musicales enjouées (*Embrasse-moi, chérie*, de George Sidney, 1953 ; *Ma Sœur est du tonnerre*, de Richard Quine, 1955 ; *Donnez-lui sa chance* (1953) et *Pique-nique en pyjama* (1957) de Stanley Donen). Sans cesser de travailler pour Broadway, il se lance, à la fin des années soixante, dans la réalisation. Là, le ton est entièrement différent. *Sweet Charity* (1969) reprend l'intrigue douce-amère des *Nuits de Cabiria* (1957) de Fellini (1957). *Cabaret* (1972) décrit la montée du nazisme en Allemagne. Dans les films non-musicaux, l'inspiration est encore plus sombre : *Lenny* (1974) raconte en noir et blanc la brève et douloureuse existence de Lenny Bruce, comique incompris et persécuté ; *Star 80* (1983) se penche sur la carrière encore plus brève de Dorothy Stratten, « playmate » assassinée par son compagnon. Entre les deux, Fosse aura réalisé le prophétique *Que le Spectacle commence*, qui anticipe de sept ans sur sa propre mort, survenue le 23 septembre 1987, d'une crise cardiaque, à l'âge de soixante ans.

Les femmes dans la vie de Joe : sa maîtresse Kate (Ann Reinking), sa fille Michelle (Erszebet Foldi), son ex-femme Audrey (Leland Palmer).

1979

All That Jazz, film musical de Bob Fosse, avec Roy Scheider (Joe Gideon), Ann Reinking (Kate Jagger), Jessica Lange (Angélique / La Mort), Leland Palmer (Audrey Paris), Erszebet Foldi (Michelle), Ben Vereen (O'Connor Flood) • Sc. Bob Fosse, Robert Alan Aurthur • Ph. Giuseppe Rotunno • Mus. Ralph Burns • Prod. Columbia - 20th Century-Fox • États-Unis • Durée 124' • 4 Oscars : musique, décors, costumes, montage ; Palme d'or au Festival de Cannes

Célèbre metteur en scène et chorégraphe, Joe Gideon, en butte aux producteurs de cinéma, aux financiers de Broadway, aux rivaux jaloux, tente parallèlement d'harmoniser sa vie personnelle chaotique. Pour maintenir ce rythme infernal, il se soutient à l'aide d'excitants qui le conduisent inexorablement à l'infarctus. Sur son lit d'hôpital, veillé par une blonde et belle jeune femme représentant la Mort, il se remémore son passé...

Joe sur son lit d'agonie, entouré de girls.

Une comédie musicale atypique

Fosse, qui avait déjà traité de thèmes graves à travers ballets, chansons et paillettes (la prostitution dans *Sweet Charity*, le racisme et le nazisme dans *Cabaret*), pousse ici l'audace à l'extrême en abordant un sujet tabou entre tous : la mort. Pourtant, il nous livre une œuvre tonique et presque optimiste, pleine d'humour et de moments de tendresse, notamment dans les scènes entre Joe et sa fille. *Que le Spectacle commence* est un film coloré sur un sujet noir, une histoire morbide racontée sur un rythme endiablé, une autobiographie sincère s'achevant par un morceau de bravoure : l'agonie joyeuse de Joe sur l'air guilleret de « Bye Bye Love », dans une salle d'hôpital transformée en piste de cirque, au milieu de girls en costumes d'écorchées.

The Blues Brothers

Toute l'énergie du rock

Jake (John Belushi) et Elwood (Dan Aykroyd) Blues, deux sympathiques canailles, amateurs de rock et de courses-poursuites.

1980

The Blues Brothers, comédie burlesque de John Landis, avec John Belushi (Jake Blues), Dan Aykroyd (Elwood Blues), Carrie Fisher (la femme mystérieuse) • Sc. Dan Aykroyd, John Landis • Ph. Stephen M. Katz • Dir. mus. Ira Newborn • Prod. Universal • États-Unis • Durée 130'

Costumes noirs, cravates noires, feutres noirs, lunettes noires… Sous leurs airs d'inquiétants mafiosi ou de sinistres croque-morts, les frères Jake et Elwood Blues sont en réalité de braves garçons, unis par leur amour du rythme et leur passé d'orphelins. Et c'est justement pour sauver leur orphelinat de la faillite qu'ils entreprennent de reformer leur ancien groupe, The Blues Brothers…

Un tournage cauchemardesque

Lorsqu'il entreprit *The Blues Brothers*, John Landis manquait pour le moins d'expérience, n'ayant jusque-là réalisé qu'un pastiche du cinéma fantastique (*Schlock*, 1973) tourné en deux semaines pour soixante mille dollars à peine, puis un film à sketches parodique (*Hamburger Film Sandwich*, 1977) et enfin *American College* (1978) qui révéla John Belushi. Mais, deux ans plus tard, ce dernier était déjà très diminué par la drogue, ce qui entraîna de nombreux retards et un important dépassement de budget. Landis dut à plusieurs reprises affronter sa vedette : il fallut attendre durant des semaines le moment propice pour filmer le simple plan où Belushi ôte enfin ses lunettes et regarde droit dans la caméra.

Là où les Blues Brothers passent, les voitures trépassent.

La ferveur musicale des frères Blues se communique à leur entourage.

Jake et Elwood accompagnés par l'une de leurs idoles : Ray Charles en personne.

Un film anthologique

En dépit de ces difficultés, Landis réussit miraculeusement une œuvre qui, par son dynamisme et sa fraîcheur, a passé sans encombre les années. Sur un scénario désinvolte, où se côtoient policiers acharnés, néonazis en colère, amateurs de country passablement demeurés et une mystérieuse jeune femme (jouée par Carrie Fisher, ex-Princesse Leia de *La Guerre des étoiles* et à l'époque fiancée de Dan Aykroyd), il a bâti un film qui, aujourd'hui, apparaît à la fois comme un hommage aux comédies burlesques de l'époque du muet (chutes spectaculaires, explosions en série, poursuites échevelées, carambolages de voitures…) et comme un florilège de ce que le rock et le rhythm'n'blues ont produit de meilleur ces cinquante dernières années. Au fil des séquences, on rencontre Ray Charles, James Brown ou Aretha Franklin… sans oublier le patriarche Cab Calloway, qui fait le lien avec la glorieuse époque du Cotton Club en reprenant, un demi-siècle plus tard, son immortel succès, « Minnie the Moocher ».

John Belushi (1949-1982) : le comique kamikaze

Né le 24 janvier 1949 dans l'Illinois au sein d'une famille d'origine albanaise (son frère James sera lui aussi acteur), John Belushi se distingue très tôt par une énergie peu commune et une difficulté à canaliser ses multiples centres d'intérêt : le sport, le rock et la comédie. Par son imagination débordante, son don pour l'improvisation, son refus des règles et des tabous, il devient le pilier d'émissions satiriques (« National Lampoon », « Saturday Night Live »…) qui le font connaître du grand public. Sa carrière au cinéma débute en 1978 avec un petit rôle dans le film de Jack Nicholson *En Route vers le Sud*, et avec le personnage de Bluto, l'étudiant grossier et chahuteur d'*American College* de John Landis. Après deux autres emplois secondaires (notamment dans *1941* de Steven Spielberg), il atteint son zénith avec *The Blues Brothers*, immense succès populaire débouchant sur une carrière parallèle de chanteur, avec enregistrements et tournées à la clé. Mais déjà, son penchant pour l'excès et son appétit pour les drogues ont commencé leur travail de sape. Après deux rôles à contre-emploi en 1982 (un journaliste dans *Continental Divide* de Michael Apted et un petit-bourgeois dans *Les Voisins* de John Avildsen), il meurt trop jeune, d'une overdose, le 5 mars 1982 : il n'a que 33 ans.

Amadeus
Déconcertant portrait d'un génie précoce

Le triomphe de Mozart en présence de l'empereur Joseph II (Jeffrey Jones).

Ceci n'est pas une biographie

Lorsque Peter Shaffer présenta sa pièce en 1979 au National Theatre de Londres, il se défendit d'avoir voulu « traiter l'histoire objective de Mozart ». Selon lui, il s'agissait d'une vision subjective, d'une série de variations fantaisistes autour du musicien et de celui qui fut à la fois son admirateur le plus fervent et son ennemi le plus farouche : Antonio Salieri. Milos Forman assista à la création de l'œuvre et souhaita aussitôt la porter à l'écran. Lui qui avait déjà adapté l'un des grands succès de Broadway des années soixante (*Hair*, 1979), trouvait là l'opportunité d'aborder un domaine musical très différent. Le tournage devant se dérouler à Prague, c'était aussi pour lui l'occasion de revoir la Tchécoslovaquie, un pays qu'il avait quitté en 1969 pour émigrer aux États-Unis.

Un affrontement mémorable

Amadeus révéla Tom Hulce et F. Murray Abraham. Le premier fut nommé à l'Oscar et le second (que l'on avait remarqué l'année précédente en trafiquant de drogue dans *Scarface* de Brian De Palma) reçut la statuette. Outre une brassée d'Oscars, le film obtint le César du meilleur film étranger. Il remporta un grand succès à la fois critique et public. Milos Forman, lui aussi récompensé, eut moins de chance par la suite avec un autre film en costumes, *Valmont* (1989), le film de Stephen Frears *Les Liaisons dangereuses* (1988), tiré du même roman, lui ayant volé la vedette. La pièce de Shaffer avait été créée à Paris en 1982 dans une mise en scène de Roman Polanski, qui interprétait Mozart face à François Périer en Salieri.

Le divin Amadeus (Tom Hulce) en pleine inspiration.

Les compositeurs classiques à l'écran

Les musiciens classiques ont rarement été gâtés par le cinéma, ce dernier leur rendant « hommage » à travers des biographies où l'emphase côtoie trop souvent la médiocrité. Mozart connut une bonne dizaine d'interprètes, dont Gino Cervi (futur Peppone) dans *Melodie eterne* de Carmine Gallone (1939). Beethoven

Wolfgang fait la fête.

1984

Amadeus, film historique de Milos Forman, avec Tom Hulce (Wolfgang Amadeus Mozart), F. Murray Abraham (Antonio Salieri), Elizabeth Berridge (Constance Mozart), Jeffrey Jones (l'empereur Joseph II) • Sc. Peter Shaffer d'après sa pièce • Ph. Miroslav Ondricek • Dir. mus. Neville Marriner • Prod. The Saul Zaentz Company • États-Unis • Durée 157' • 8 Oscars : film, réalisateur, acteur (F. Murray Abraham), scénario, décors, costumes, son, maquillage ; César du meilleur film étranger

Pendant des années, le compositeur Antonio Salieri eut la faveur de l'empereur mélomane Joseph II, jusqu'à la venue du jeune Wolfgang Amadeus Mozart. Il semblait immature et se comportait volontiers comme un enfant mal élevé. Mais il avait du génie, et Salieri, devinant le danger, s'employa dès lors à saper la carrière de son rival..

Antonio Salieri (F. Murray Abraham) prétend avoir tué Mozart.

fut mieux servi, notamment par Harry Baur (*Un Grand Amour de Beethoven*, Abel Gance, 1937) et Erich von Stroheim (*Napoléon*, Sacha Guitry, 1955). Charles Vidor s'attaqua successivement à Chopin (Cornel Wilde dans *La Chanson du souvenir*, 1945) et Liszt (Dirk Bogarde dans *Le Bal des adieux*, 1960). Le premier fut plus tard incarné par Hugh Grant (*Impromptu*, James Lapine, 1991) et le second par Roger Daltrey (*Lisztomania*, Ken Russell, 1975). Wagner eut droit à Trevor Howard dans *Ludwig de Visconti* (1973), et Richard Burton dans *Wagner* de Tony Palmer (1983). Mais pour quelques comédiens inspirés, combien tombèrent dans l'excès, depuis Jean-Pierre Aumont en Rimski-Korsakov (*Shéhérazade*, Walter Reisch, 1947) et Fernand Gravey en Johann Strauss (*Toute la ville danse*, Julien Duvivier, 1938) jusqu'à Richard Chamberlain en Tchaïkovski (*Music Lover*, Ken Russell, 1971).

Carmen

L'héroïne de Bizet à l'assaut du grand public

La mort de Carmen (Julia Migenes-Johnson).

1984

Carmen, Opéra filmé de Francesco Rosi, avec Julia Migenes-Johnson (Carmen), Placido Domingo (Don José Lizzarabengoa), Ruggero Raimondi (Escamillo), Faith Esham (Micaëla) • Sc. Francesco Rosi, Tonino Guerra, d'après l'opéra de Georges Bizet • Ph. Pasqualino De Santis • Mus. Georges Bizet • Prod. Gaumont • France - Italie • Durée 152' • César du meilleur son

Impétueuse Andalouse aux yeux de braise et aux courbes aguicheuses, Carmen ne peut s'empêcher de séduire et d'abandonner les hommes qui ont l'infortune de croiser son chemin.

Don José et Micaëla (Faith Esham) se confient pudiquement leur amour.

Le grand retour de l'opéra

Les années soixante-dix et quatre-vingt furent marquées par un regain d'intérêt pour l'opéra, sensible à travers la publication de livres et d'articles, la mise en chantier de bâtiments « ad hoc » (l'Opéra Bastille) et l'organisation d'événements médiatiques tels que la tournée triomphale des « Trois Ténors ». Le cinéma participa au mouvement à travers des œuvres de prestige, réalisées par des cinéastes connus avec la participation des plus grands noms du bel canto. L'intemporel Mozart et l'entraînant Verdi figurent en bonne place, comme en témoignent *La Flûte enchantée* d'Ingmar Bergman (1975), le *Don Giovanni* de Joseph Losey (1979, avec Ruggero Raimondi), *La Traviata* et *Otello* de Franco Zeffirelli (1982

Carmen vampe Don José (Placido Domingo) en roulant lascivement un cigare sur sa cuisse.

et 1986, avec Placido Domingo). Bizet n'est pas en reste grâce à son immortelle « Carmen » dont la plupart des airs sont depuis longtemps connus du grand public, notamment la fameuse « Habanera » (« L'amour est enfant de Bohème… »), déjà fredonnée par Brigitte Bardot dans *Vie privée* de Louis Malle en 1962. Quant aux situations et aux personnages (l'honnête policier Don José, le flamboyant torero Escamillo, la douce fiancée Micaëla, les cigarières, les contrebandiers…) ils sont ancrés dans la mémoire collective.

Escamillo (Ruggero Raimondi) : l'œil noir qui le regarde est celui du taureau.

Un parti pris populaire

En 1983, Carlos Saura avait choisi cet opéra comme point de départ à une réflexion sur la création artistique et s'était livré à un jeu de miroirs entre la fiction et la réalité, entre Carmen le personnage et Carmen l'actrice-danseuse qui l'interprétait. Il avait alors pour co-auteur et interprète principal Antonio Gades, que l'on retrouve, l'année suivante, au générique du film de Rosi comme simple chorégraphe. La distribution des rôles fut particulièrement judicieuse, comprenant les incontournables Domingo et Raimondi et l'impétueuse Julia Migenes, dont tout le monde s'accorda à dire qu'elle correspondait parfaitement,

surtout physiquement, à l'héroïne telle qu'on l'imaginait. Rosi, célèbre dans les années soixante et soixante-dix pour ses films politiquement engagés (*Salvatore Giuliano*, *Main basse sur la ville*, *L'Affaire Mattei*, *Lucky Luciano*, *Cadavres exquis*…) prit le parti de se référer fidèlement à la partition originale et aux indications d'interprétation et de mise en scène consignées par Bizet lui-même.

Carmen au cinéma

Née de l'imagination fertile de Prosper Mérimée, l'irrésistible cigarière devint une héroïne d'opéra grâce à Georges Bizet. Elle reste un des plus parfaits exemples de femme fatale, courant inexorablement à sa perte sur un chemin pavé de cœurs brisés. Étonnamment moderne, elle n'a cessé d'inspirer les cinéastes. À l'époque du muet, elle eut plus d'une douzaine d'interprètes, parmi lesquelles Theda Bara, Pola Negri, Raquel Meller et Dolores Del Rio. Par la suite, il y eut des Carmen françaises (Viviane Romance dans le film de Christian-Jaque en 1944), américaines (Rita Hayworth dans *Les Amours de Carmen* de Charles Vidor en 1948), espagnoles (Sara Montiel en 1959 et Laura Del Sol en 1983), italiennes (Giovanna Ralli en 1962), afro-américaines (Dorothy Dandridge dans *Carmen Jones* d'Otto Preminger, 1954)…

Bird

Les tourments d'une existence vouée au jazz

1988

Bird, drame de Clint Eastwood, avec Forest Whitaker (Charlie Parker), Diane Venora (Chan Parker), Michael Zelniker (Red Rodney), Samuel E. Wright (Dizzy Gillespie) • Sc. Joel Oliansky • Ph. Jack N. Green • Mus. Lennie Niehaus • Prod. Warner Bros. • États-Unis • Durée 163' • Oscar du meilleur son ; Prix d'interprétation masculine au Festival de Cannes (Forest Whitaker)

La vie d'un jazzman noir dans les années cinquante n'était pas toujours rose. S'il avait en outre le malheur d'être attiré par les drogues, trop en avance sur son temps et psychologiquement fragile, son existence devenait un véritable enfer. Ce fut notamment le cas pour Charlie Parker, surnommé « Bird » (« l'Oiseau »).

Charlie Parker reçoit à Paris l'hommage du public.

Une figure exceptionnelle

Au cours de sa brève existence (un peu moins de trente-cinq ans), Charlie Parker connut la pauvreté, le racisme, l'acharnement policier, les drames familiaux, les tourments de la drogue et la méconnaissance de son génie. Déconcertés par ses accords étranges et son phrasé avant-gardiste, rares sont ceux qui apprécièrent à sa juste mesure l'étendue de son talent. Quelques musiciens perspicaces tels que Red Rodney et Dizzy Gillespie ainsi qu'une petite partie du public lui manifestèrent, de son vivant, l'admiration et le respect qu'il méritait. Deux femmes aussi l'aimèrent, chacune à sa façon : Chan, une danseuse qui l'épousa et lui donna des enfants, et la baronne Nica, mécène auprès de laquelle il finit ses jours. Alors que son importance dans l'histoire de la musique afro-américaine en général et dans le mouvement be-bop en particulier fut largement soulignée par les critiques et historiens du jazz, il fallut attendre trente-trois ans après sa mort pour qu'un cinéaste décide de lui consacrer une biographie.

Chan (Diane Venora) et Charlie au début de leur idylle.

L'hommage d'un fan de la première heure

Curieusement, le cinéaste en question se trouva être Clint Eastwood, dont le nom était jusque-là associé à des genres tels que le western ou le film policier. Pourtant, Eastwood fut dès sa jeunesse un grand amateur de jazz. Il apprit dès son enfance à jouer du bugle, du piano et du cornet, et se produisit durant son adolescence dans des night-clubs d'Oakland. Son premier film en tant que réalisateur (*Un Frisson dans la nuit*, 1971) se réfère à un célèbre morceau d'Erroll Garner. Sa collaboration avec le compositeur-arrangeur Lennie Niehaus se poursuivit constamment sur des films comme *L'Inspecteur ne renonce jamais*, *L'Épreuve de force*, *L'Évadé d'Alcatraz*, *Pale Rider*, *Le Maître de guerre*, *La Corde raide* et surtout *Bird*, pour lequel on utilisa un procédé technique très sophistiqué permettant d'isoler et remastériser les solos originaux de Parker en les faisant accompagner, pour les besoins du film, par des musiciens contemporains tels que Monty Alexander,

Parker et Dizzy Gillespie (Samuel E. Wright) : la complicité de deux jazzmen d'élite.

Ray Brown ou Ron Carter. Eastwood s'est également intéressé à la musique populaire du sud des États-Unis, comme on le voit dans *Honkytonk Man*, film dont il est à la fois le réalisateur et l'acteur principal, et qui raconte les derniers jours d'un chanteur country.

Bird (Forest Whitaker) en pleine impro…

Jazz et cinéma

Le Septième Art et le jazz ont toujours fait bon ménage, surtout lorsqu'il s'agit de créer une ambiance de suspense ou de souligner une intrigue policière. La musique composée par Miles Davis pour *Ascenseur pour l'échafaud* (Louis Malle, 1957) est encore dans toutes les mémoires, de même que celles de Sonny Rollins (*Alfie le dragueur* de Lewis Gilbert, 1966), Herbie Hancock (*Blow-up* d'Antonioni, 1967) ou Don Ellis (*French Connection* de William Friedkin, 1971). Otto Preminger eut la main particulièrement heureuse avec Shorty Rogers et Shelly Manne (*L'Homme au bras d'or*, 1955) et Duke Ellington (*Autopsie d'un meurtre*, 1959). Grâce au cinéma, le jazz – musique supposée « élitiste » – touche parfois un vaste public. *L'Arnaque* de George Roy Hill (1973) relança, à travers le répertoire de Scott Joplin, la vogue du ragtime et le thème composé par Claude Bolling pour *Borsalino* de Jacques Deray (1970) devint un immense succès populaire.

On connaît la chanson

Les refrains de la mémoire

Camille (Agnès Jaoui) s'épanche auprès de Simon (André Dussollier), qui l'aime en silence.

1997
Film musical d'Alain Resnais, avec Pierre Arditi (Claude Lalande), Sabine Azéma (Odile Lalande), André Dussollier (Simon), Jean-Pierre Bacri (Nicolas), Agnès Jaoui (Camille), Lambert Wilson (Marc Duveyrier), Jane Birkin (Jane) • Sc. Jean-Pierre Bacri, Agnès Jaoui • Ph. Renato Berta • Mus. Bruno Fontaine • Prod. Bruno Pesery • France • Durée 120' • 7 Césars : film, acteur (André Dussollier), seconds rôles et scénario (Bacri, Jaoui), son, montage ; Prix Louis-Delluc

Dans un Paris en pleine mutation, livré aux pelleteuses et aux engins de démolition, quelques personnages renouent avec leur destin. Leurs rencontres, fortuites ou programmées, se font au rythme des refrains populaires qui ont bercé leur vie.

Claude (Pierre Arditi) et Odile (Sabine Azéma), un couple en crise.

La comédie des erreurs

Ici, personne n'est ce qu'il paraît. Nicolas traîne après lui une réputation d'homme à femmes nullement méritée et son entourage le croit à tort fortuné. Marc, don juan patenté et jeune loup de l'immobilier, est aux yeux de Camille le plus romantique des princes charmants. À l'inverse, Claude, que son épouse Odile trouve plat et ennuyeux, mène secrètement une double vie. À l'image du luxueux duplex convoité par Odile, une façade peut être trompeuse. Le timide Simon, employé souffre-douleur de Marc, est par ailleurs un historien érudit, auteur de pièces radiophoniques…

Immortelles ritournelles

Au milieu de ce jeu de faux-semblants, les héros déboussolés trouvent leur point d'ancrage dans la chanson populaire. Elle seule leur permet de formuler les sentiments authentiques qu'ils n'osent avouer. Dans les moments de doute ou de crise, elle demeure une valeur sûre, permettant d'atténuer la tristesse et de surmonter les épreuves. Resnais,

dont l'intérêt pour la culture populaire (notamment la bande dessinée) ne s'est jamais démenti, use ici d'un procédé inattendu, consistant à faire mimer par les acteurs les paroles de chansons connues, diffusées dans leur version originale. En s'exprimant à travers les voix d'Aznavour, Dalida, Dutronc, Bécaud, Bashung ou France Gall, les comédiens traduisent les pensées les plus intimes de leur personnage. Sans jamais céder à l'ironie mordante (sauf dans le prologue, où Von Choltitz déclame « J'ai deux amours, mon pays et Paris » avec la voix de Joséphine Baker), Resnais réussit l'exploit de faire du vrai avec du faux. Chez lui, le play-back – considéré comme le mensonge par excellence – devient le gage ultime de la sincérité.

Après sa soutenance de thèse, Camille est prise d'une crise de spasmophilie.

La chanson française au cinéma

En marge du film musical ou de l'opérette filmée, la chanson populaire a toujours joué un rôle important dans le cinéma français. En 1936 (l'année du « Front Popu »), dans deux films de Julien Duvivier, Jean Gabin écoute Fréhel fredonner « Où est-il donc ? » (*Pépé le Moko*) et entraîne les clients de sa guinguette à reprendre en chœur « Quand on s'promène au bord de l'eau » (*La Belle Équipe*). Trois ans plus tard, Arletty et Michel Simon font de « Comme de bien entendu » un morceau d'anthologie (*Circonstances atténuantes* de Jean Boyer). Il arrive que certains airs restent plus longtemps dans les mémoires que les films pour lesquels ils ont été créés, ainsi « La Complainte de la Butte » (*French Cancan* de Jean Renoir, 1954) ou « L'Eau vive » de Guy Béart, dans le film homonyme de François Villiers (1958). Même si l'on n'a jamais vu *Les Portes de la nuit* de Marcel Carné (1946), on connaît les deux complaintes du tandem Kosma / Prévert : « Les Enfants qui s'aiment » et « Les Feuilles mortes ». Les années soixante montrent toujours, dans ce domaine, une belle vigueur, grâce à Charles Aznavour (« La Marche

Jane (Jane Birkin) annonce à Nicolas (Jean-Pierre Bacri) qu'elle le quitte.

des anges » dans *Un Taxi pour Tobrouk* de Denys de La Patellière), Maurice Jarre (« Paris en colère » dans *Paris brûle-t-il ?* de René Clément) et les incontournables « chabadabadas » d'*Un Homme et une Femme* de Claude Lelouch. Mais dès les années quatre-vingt, la tendance est à la nostalgie, en particulier chez François Truffaut, qui accompagne le générique du *Dernier Métro* (1980) de « Mon Amant de Saint-Jean », la fameuse goualante de Lucienne Delyle.

337

Ray

Dieu est un musicien noir et aveugle

2004

Ray, film biographique de Taylor Hackford, avec Jamie Foxx (Ray Charles), Kerry Washington (Della Bea Robinson), Regina King (Margie Hendricks) • Sc. James L White • Ph. Pawel Edelman • Mus. Craig Armstrong, Ray Charles • Dist. UIP • États-Unis • Durée 152' • 2 Oscars : meilleur acteur (Jamie Foxx) et son

Une évocation de la vie de Ray Charles, depuis son enfance misérable au temps de la dépression et de la ségrégation jusqu'en 1979 où la Georgie proclame « Georgia on My Mind », hymne officiel de l'État.

Ray Charles (Jamie Foxx) devient vite un des musiciens les appréciés de son temps.

The Genius

Disparu le 10 juin 2004 à 73 ans, Ray Charles eut une vie marquée par quantité de drames personnels : naissance dans une famille misérable d'Albany en Géorgie, noyade de son jeune frère entraînant culpabilité, cécité dès l'âge de sept ans, disparition de sa mère alors qu'il est tout juste adolescent, le tout sur fond de ségrégation raciale. Seul au monde, le jeune Ray part sur les routes avec en tête un conseil de sa mère : « ne jamais mendier ». D'abord pianiste et chanteur, il tente d'imiter le style de Nat King Cole avant de trouver sa voie personnelle dès 1954 où il enregistre « I Got a Woman », inspiré par les sonorités du gospel – sur lequel il place des paroles souvent pleines de sous-entendus sexuels. Tout à la fois mélange de jazz, de blues et de gospel, la « soul music » est née. Ray Charles, c'est aussi une voix chantant la souffrance, la tendresse, la sensualité et capable de toucher tous les publics. Mais loin de se limiter à la musique, son destin croise aussi les chemins de la politique avec le soutien actif à Martin Luther King et à la défense des droits civiques.

Ray a été élevé en Floride par sa mère (Sharon Warren).

Ray Charles on my mind

Grand amateur de musique, le réalisateur Taylor Hackford, à qui l'on doit *Le Temps du rock'n'roll* (1980) et *Chuck Berry Hail Hail Hail Rock'n roll* (1987),

Ray et sa famille s'installent à Los Angeles.

également producteur de *La Bamba* de Luis Valdez (1987), songeait depuis quinze ans à une biographie de Ray Charles. Celui-ci avait auparavant joué son propre rôle dans *Ballad in Blue* de Paul Henreid (1964), fait quelques apparitions, notamment dans *The Blues Brothers* de John Landis (1980) et chanté les thèmes de deux films signés Norman Jewison, *Le Kid de Cincinnati* (1965) et *Dans la Chaleur de la nuit* (1967). Hollywood, féru de « biographical pictures » ou « bio-pics », ne pouvait manquer l'occasion de rendre hommage à l'un de ses plus

La consécration : « Georgia on My Mind » devient l'hymne officiel de Georgie.

grands artistes. Ray Charles suivit donc de près l'écriture du scénario dans lequel, loin de se donner le beau rôle, il ne cache ni ses frasques amoureuses, ni son penchant pour la marijuana et l'héroïne. Également coproducteur, il participa au choix de l'acteur devant tenir son rôle.

Un interprète aux multiples talents

Pratiquement inconnu, Jamie Foxx possédait plus d'une corde à son arc : comique, chanteur et pianiste, il avait également composé le thème principal de *La Fièvre du dimanche* d'Oliver Stone (1999) et allait voler la vedette à Tom Cruise dans *Collatéral* (Michael Mann, 2004). « Nous étions assis chacun devant un piano. Ray improvisa doucement un blues et me laissa poursuivre, reprenant ici ou là quelques accords. Puis il s'est mis à jouer un thème de Thelonious Monk et m'a lâché seul. Au bout d'une minute, il m'a susurré de sa voix douce : « C'est bien mais tu as fait une fausse note ». Puis il s'est tourné vers Taylor et lui a lancé « C'est lui ! Il peut le jouer ! » J'étais à la fois comblé et tétanisé », raconte l'acteur qui, ainsi adoubé, accepta de perdre quinze kilos et s'astreignit à porter des lentilles le rendant aveugle plusieurs heures par jour. La ressemblance physique est frappante. En revanche, c'est bien la voix de Ray Charles qu'on entend et qui, avant de disparaître, eut le temps de « visionner » le film, son interprète jouant lui-même tous les thèmes au piano.

Tranches de vie

Boudu sauvé des eaux

Chienne de vie...

Madame Lestingois (Marcelle Hainia) voit d'un mauvais œil l'arrivée de Boudu (Michel Simon).

1932

Comédie de Jean Renoir, avec Michel Simon (Boudu, le clochard), Charles Granval (Édouard Lestingois, le libraire), Marcelle Hainia (Emma Lestingois, sa femme), Séverine Lerczinska (Anne-Marie, la bonne), Max Dalban (Godin) • Sc. et dial. Jean Renoir, d'après la pièce de René Fauchois • Ph. Marcel Lucien • Mus. Johann Strauss, Léo Daniderff, Raphaël • Dist. Pathé Distribution • France • Durée 83'

Boudu se jette à la Seine après la perte de son chien. Un libraire, qui l'a sauvé de la noyade, l'installe chez lui. Le clochard y sème le trouble...

Le triomphe du non-conformisme

Pour aider son ami Jean Renoir, qui l'avait successivement dirigé dans *Tire-au-flanc* (1928), *On purge Bébé* (1931) et *La Chienne* (1931), ce dernier film se révélant un échec particulièrement cuisant, Michel Simon produisit *Boudu sauvé des eaux*, qu'il avait joué au théâtre une trentaine de fois. Ce fut son unique expérience de producteur.

Au grand dam de l'auteur, Jean Renoir modifia considérablement l'œuvre originale, qui devint une ode à la liberté individuelle. Dans la pièce de René Fauchois, le libraire était le personnage principal et le clochard, peu sympathique, finissait par se plier au conformisme de ses maîtres.

Par son refus des conventions sociales, Boudu symbolise les aspirations de son sauveur, un brave homme étouffant dans son milieu petit-bourgeois, et qui attend la première occasion pour s'en éloigner. L'immoralisme ouvertement affiché du personnage et les incessantes ruptures de ton choquèrent un public guère habitué à des comédies de ce type. Michel Simon, aux idées anarchistes proches de celles de Boudu, se livre ici à un étonnant numéro d'acteur. Qui d'autre que lui aurait pu incarner avec autant de naturel et de vérité, un personnage multipliant mimiques et clins d'œil, jouant avec son corps, au point de faire les pieds au mur avec une joie toute communicative ?

Peu après sa tentative de suicide,
Boudu est recueilli par son sauveur.

Filmé en toute liberté

Se plaisant à mélanger les genres, passant avec une facilité déconcertante de l'humour au tragique, du burlesque au drame, Jean Renoir esquive les règles de la narration traditionnelle, la dramaturgie se trouvant réduite à sa plus simple expression. Une étonnante énergie imprègne une œuvre ô combien moderne où, au huis clos de la librairie évitant le théâtre filmé, le cinéaste oppose la vie grouillante d'un quartier de Paris. Il restitue l'ambiance par l'emploi simultané du son direct et d'une caméra cachée parmi les passants, procédés quelque quarante ans plus tard par les cinéastes de la Nouvelle Vague qui vouèrent, François Truffaut en tête, une admiration sans bornes à l'œuvre de Jean Renoir. Deux remakes, l'un américain de Paul Mazursky, *Le Clochard de Beverly Hills* (1986) avec Nick Nolte, l'autre français de Gérard Jugnot, *Boudu* (2004) où Gérard Depardieu succédait à Michel Simon, ne purent faire oublier l'original.

Boudu va-t-il s'embourgeoiser ?

Michel Simon (1895-1975)

Né en 1895 (comme le cinéma !), Michel Simon a campé, en cinquante ans de carrière, une impressionnante galerie de personnages mémorables, l'acteur marquant le moindre rôle de sa présence écrasante. En dehors de Jean Renoir, c'est peut-être Jean Vigo qui lui a offert son plus grand rôle, celui du père Jules dans *L'Atalante* (1934). Mais, pour Marcel Carné, l'acteur a été un respectable sujet britannique dans *Drôle de drame* (1937), puis un souteneur assassin dans *Le Quai des brumes* (1938) ; pour Julien Duvivier, un pitoyable acteur raté dans *La Fin du jour* (1939), et un marginal injustement accusé de meurtre dans *Panique* (1946) ; pour René Clair, Faust et le Diable (*La Beauté du Diable*, 1949) ; pour Sacha Guitry, un pauvre bougre poussé au crime par son épouse (*La Poison*, 1951), puis un banquier respecté et son frère jumeau dans *La Vie d'un honnête homme* (1953) ; et enfin, pour Claude Berri, un « pépé » antisémite dans *Le Vieil Homme et l'enfant* (1967).

Le Corbeau

Oiseau de malheur!

1943

Drame d'Henri-Georges Clouzot, avec Pierre Fresnay (le docteur Germain), Pierre Larquey (le docteur Vorzet), Micheline Francey (Laura), Helena Manson (Marie Corbin), Ginette Leclerc (Denise) • Sc. Louis Chavance • Adapt. et dial. Louis Chavance et H.G. Clouzot • Ph. Nicolas Hayer • Mus. Tony Aubin • Prod. Continental • France • Durée 93'

Les habitants d'une petite ville de province reçoivent des lettres anonymes contenant des insinuations et des attaques sur leur vie privée et professionnelle. Un médecin confondra le vrai coupable.

Qui peut bien être le corbeau, se demande le docteur Germain (Pierre Fresnay).

Prétextant une maladie, Denise (Ginette Leclerc) a fait appel au docteur Germain.

Henri-Georges Clouzot, cinéaste de la cruauté

Avec seulement dix longs métrages, auxquels il faut ajouter le sketch d'un film collectif et un documentaire sur Picasso, Henri-Georges Clouzot s'est fait une spécialité du film noir. Peu de cinéastes ont en effet une vision aussi sombre et désespérée de la nature humaine, Clouzot se montrant particulièrement cruel à l'égard de ses semblables dans des films empruntant les schémas du récit policier (*L'Assassin habite au 21, Quai des Orfèvres*), du suspense (*Le Salaire de la peur*), du thriller mâtiné d'épouvante (*Les Diaboliques*) ou de l'espionnage (*Les Espions*).

Scènes de la vie de province

Le scénario s'inspire d'une affaire authentique qui, au début des années vingt, mit en émoi la ville de Tulle : une jeune femme envoyait des lettres anonymes à ses concitoyens et c'est seulement après une dictée de plusieurs heures qu'un graphologue était parvenu à la confondre. Henri-Georges Clouzot s'était passionné pour cette histoire qu'il eut néanmoins beaucoup de mal à faire admettre par la société de production Continental, dirigée par les Allemands. En 1943, la dénonciation par lettres anonymes ou par tout autre moyen, était un sujet brûlant d'actualité qu'il semblait inutile d'évoquer, le cinéma français préférant alors se réfugier dans le passé ou la féerie. Le cinéaste ne ménageait aucun de ses personnages, pas même le médecin au passé trouble et qui, détesté de la plupart de ses concitoyens, ne faisait rien pour se rendre sympathique. Quant aux autres, ils constituent un vaste échantillon de refoulés,

Les principaux suspects sont soumis à la dictée.

d'infirmes physiques et moraux allant du psychiatre toxicomane à la petite fille aguicheuse épiant à travers les trous de serrure. Et le coupable est évidemment celui qu'on ne soupçonnait pas. Clouzot met ainsi en garde le spectateur contre les apparences, avec cette fameuse scène

Laura Vorzet (Micheline Francey) a reçu une lettre anonyme l'accusant d'être la maîtresse de Germain.

où le docteur Vorzet balance une lampe en dissertant sur le bien et le mal : « Vous croyez que les gens sont tous bons ou mauvais ? Vous croyez que le bien, c'est la lumière, et que l'ombre, c'est le mal. Mais où est l'ombre, où est la lumière ? »

Une charge au vitriol

À la manière d'un entomologiste, le réalisateur détaille les pires noirceurs de l'âme humaine, plaçant dans la bouche de ses personnages des dialogues particulièrement crus. Ainsi, Denise avoue sans fausse honte aimer les hommes. Il fallait un certain courage en 1943 pour parler si ouvertement de sexualité. Clouzot livre une étude de mœurs singulièrement corrosive, un réquisitoire contre la lâcheté et l'hypocrisie d'une certaine France qui lui valut (ainsi qu'au scénariste Louis Chavance et à Pierre Fresnay) une interdiction de travail pendant deux ans sous prétexte d'avoir conçu une œuvre de propagande anti-française. Quant au film, il ne fut distribué qu'en novembre 1947.

Le Petit Monde de Don Camillo

1952

Comédie de Julien Duvivier, avec Fernandel (Don Camillo), Gino Cervi (Peppone), Sylvie (Madame Cristina), Charles Vissières (l'évêque), Franco Interlenghi (Mariolino Brusco), Jean Debucourt (la voix de Dieu) • Sc. et dial. René Barjavel et Julien Duvivier, d'après le roman de Giovanni Guareschi • Ph. Nicolas Hayer • Mus. Alessandro Cicognini • Prod. Francinex / Rizzoli / Amato • France - Italie • Durée 105' • Victoires du meilleur film français et du meilleur acteur (Fernandel)

Fin 1946, dans un village de la plaine du Pô, Don Camillo, le curé, et Peppone, le maire communiste, anciens compagnons de maquis, unis par une estime réciproque, sont toujours en conflit, sauf quand il s'agit de faire le bonheur de deux amoureux dont leur famille veut empêcher le mariage.

Peppone (Gino Cervi) est venu faire relire une lettre à Don Camillo (Fernandel).

Don Camillo oui… mais Fernandel

Le film de Julien Duvivier remportant un véritable triomphe, une suite, *Le Retour de Don Camillo*, lui fut donnée dès l'année suivante, toujours sous la direction du même réalisateur qui, en 1955, céda la place à Carmine Gallone, auteur de *La Grande Bagarre de Don Camillo* puis *Don Camillo Monseigneur* (1961). Quatre ans plus tard, Luigi Comencini conclut la série avec *Don Camillo en Russie*. La mort de Fernandel en 1971 interrompt le tournage de *Don Camillo et les contestataires*, commencé par Christian-Jaque et entièrement repris par Mario Camerini avec Gastone Moschin et Lionel Stander. Il est peu probable qu'après Terence Hill, acteur, producteur et réalisateur d'un nouveau *Don Camillo* (1983), le personnage revienne sur les écrans, sauf pour servir d'impact publicitaire à une célèbre marque de pâtes…

Des personnages profondément humains

Dans la France d'après-guerre, les démêlés d'un curé de choc et d'un maire communiste fraîchement élu firent les beaux jours d'un film inspiré de l'œuvre de Giovanni Guareschi, auteur de chroniques parues dans un hebdomadaire satirique. René Barjavel et Julien Duvivier eurent la bonne idée d'utiliser certaines d'entre elles pour une continuité dramatique jouant sur les particularismes et les antagonismes locaux. Multipliant des incidents plus drôles et plus vrais les uns que les autres, ils opposèrent ainsi un curé davantage enclin à faire

Don Camillo rend visite à Peppone, qui construit une Maison du peuple.

Entre le curé et le maire les affrontements ne durent jamais bien longtemps.

le coup de poing qu'à prier Dieu (auquel il s'adresse parfois directement) et un brave maire communiste coléreux et emporté. Si *Le Petit Monde de Don Camillo* s'amuse de ce contraste, il n'en demeure pas moins que son succès est surtout dû à la profonde humanité des deux protagonistes qui, quels que soient leurs différends, savent les mettre de côté quand il le faut. Telles étaient d'ailleurs les intentions du cinéaste qui déclarait : « Les deux personnages sont peut-être des types d'exception, mais j'espère qu'ils seront jugés l'un et l'autre sans esprit de parti pris. Ce qui m'a séduit en eux, c'est leur qualité d'homme. Ma préoccupation constante a été d'éviter que l'on puisse dire "c'est la critique d'un parti". Je me suis efforcé de laisser à l'ouvrage son allure bon enfant, son charme humain. Si un incident frôle la satire, il y a toujours à côté une réplique ou un détail pour rétablir l'équilibre » (cité dans « Julien Duvivier » par Yves Desrichard, BiFi-Durante, 2001). Ainsi, rien ni personne et encore moins les convictions religieuses ou politiques ne peuvent ébranler l'amitié de Peppone et Don Camillo. Toute la série, qui connut un succès considérable, est d'ailleurs fondée sur ce principe.

Nous nous sommes tant aimés !

Que reste-t-il de nos amours ?

Antonio (Nino Manfredi), Gianni (Vittorio Gassman), Nicola (Stefano Satta Flores) engagés dans la Résistance.

1974

C'éravamo tanto amati, comédie dramatique d'Ettore Scola, avec Nino Manfredi (Antonio), Vittorio Gassman (Gianni), Stefania Sandrelli (Luciana), Stefano Satta Flores (Nicola), Giovanna Ralli (Elide) • Sc. Age et Scarpelli, Ettore Scola • Ph. Claudio Cirillo • Mus. Armando Trovajoli • Prod. Deautir • Italie • Durée 115' • César du meilleur film étranger

Après la chute du fascisme, trois amis engagés dans la Résistance se séparent. Nicola, professeur dans une petite ville de province, part fonder une revue de cinéma à Rome. Gianni, étudiant en droit renonce à ses idéaux pour épouser la fille d'un grand bourgeois. Brancardier dans un hôpital, Antonio est le seul qui demeure fidèle à ses convictions.

Lendemains qui déchantent

« Nous pensions changer le monde et c'est le monde qui nous a changés. » C'est par cette phrase que se conclut un film désenchanté, voire désespéré, dressant un tableau d'une trentaine d'années de l'histoire de l'Italie (de 1944 à 1974) en proie aux transformations politiques, économiques et sociales. Le pays connaît successivement la lutte contre le fascisme, l'arrivée au pouvoir de la Démocratie Chrétienne et enfin l'apparition de la société de consommation. Les destins individuels de trois personnages représentatifs d'une génération, qui rêvant de changer le monde, a dû renoncer à ses idéaux, rythment le constat douloureux d'un échec. Le réalisateur attire tour à tour l'attention sur chacun d'entre eux avec un regard lucide, parfois même attendrissant, dépourvu de toute trace de méchanceté, voire d'ironie. Le trait qui domine est plutôt la mélancolie attachée à ses personnages : bourgeois, intellectuel, prolétaire, qui tous demeurent profondément humains face au pessimisme affiché par le réalisateur, remarquablement servi par ses interprètes.

Antonio renoue avec Luciana (Stefania Sandrelli).

Le cinéma italien, miroir de la société

Si le cinéma tient ici une telle place, c'est parce que son auteur lie l'évolution de la société italienne à cet art éminemment populaire qui en est à la fois le témoin et le révélateur. D'ailleurs, la première version du scénario se concentrait uniquement sur Nicola, le critique de cinéma qui, après la découverte du *Voleur de bicyclette*, abandonnait tout pour rencontrer Vittorio De Sica. Ettore Scola, pour qui le cinéma est le miroir de son temps, a donc parsemé son film de références. En témoignent notamment la séance de ciné-club, le jeu télévisé et le tournage de la fameuse scène de la fontaine de Trevi dans *La Dolce Vita* de Fellini (1960) et l'évocation des films d'Antonioni à travers le mal de vivre ressenti par l'épouse de Gianni, qui rappelle le personnage de Monica Vitti dans *La Nuit* (1961).

Après vingt-cinq ans de séparation, Gianni, Antonio et Nicola se retrouvent comme au bon vieux temps.

Vittorio De Sica et le néoréalisme

Nous nous sommes tant aimés est dédié à Vittorio De Sica, disparu alors qu'Ettore Scola terminait le mixage de son film. Le cinéaste y fait une courte apparition au cours d'une scène filmée en public où il raconte à des enfants comment il a fait pleurer le petit garçon du *Voleur de bicyclette* (1948). Ce film, vivement attaqué pour sa représentation peu flatteuse de l'Italie d'après-guerre, est avec *Rome, ville ouverte* de Roberto Rossellini (1944) l'une des œuvres-phares du néoréalisme, mouvement qui comprend une centaine de films réalisés entre 1945 et 1956. Vittorio De Sica y a encore contribué avec *Sciuscia*

(1946), *Miracle à Milan* (1950) et *Umberto D* (1951) tout en menant parallèlement une carrière d'acteur international marquée surtout par *Madame de...* (1953) et *L'Adieu aux armes* (1958).

Pain et chocolat

Le miroir aux alouettes

1974

Pane e Cioccolata, comédie dramatique de Franco Brusati, avec Nino Manfredi (Nino Garofoli), Anna Karina (Elena), Johnny Dorelli (l'industriel), Paolo Turco (Gianni, le commis), Ugo d'Alessio (le vieux) • Sc. Franco Brusati, Iaia Fiastri et Nino Manfredi, d'après un sujet original de Franco Brusati • Ph. Luciano Tovoli • Mus. Daniele Patucchi • Prod. Verona Produzione • Italie • Durée 115' • Ours d'argent au Festival de Berlin

Un immigré italien installé en Suisse est renvoyé d'un restaurant où il travaille comme serveur. Engagé par un milliardaire qui, une fois ruiné, se suicide, il s'essaie sans succès à plusieurs métiers...

Nino (Nino Manfredi) tente sa chance dans un élevage de volailles.

Charlot à l'italienne

Construit autour d'une série de rencontres : le serveur turc, la réfugiée politique grecque, le milliardaire ruiné, les éleveurs de volaille, le film met en valeur la solitude de Nino subissant humiliation sur humiliation. « J'ai trouvé que le cas d'un Italien inculte, contraint à travailler dans un pays étranger, froid et cruel, que ce soit conscient ou non, et dont il ne parle pas la langue, s'y prêtait bien. Le film ne désigne pas tant deux pays précis qu'une émigration intérieure, dans l'âme, une crise d'identité qui entraîne la tentative de se fuir soi-même.

À son arrivée en Suisse, Nino est serveur dans un grand palace.

Nino vient en aide au milliardaire ruiné qui l'a aidé.

La Suisse aux Suisses

Malgré le succès remporté en Italie et de nombreuses récompenses internationales, *Pain et chocolat* dut attendre quatre ans avant d'être distribué en France où il bénéficia, tant de la part du public que de la critique, d'un beau succès d'estime. Tenant à la fois de la comédie sociale et de la satire de mœurs, il narre les aventures tragicomiques d'un immigré rejeté par une société qui le méprise. Le titre, qui rappelle une série aussi populaire que les *Pain, amour et...*, fait référence à la fois à la nourriture (le pain) et au bien-être (le chocolat). Au cours d'une séquence marquante, le héros, qui mange à belles dents du « pain et du chocolat », incommode ses voisins par son spectacle, signifiant par là à quel point la Suisse, considérée comme une terre d'accueil, n'est qu'un miroir aux alouettes.

Avec quelques amis émigrés, Nino fait la fête pour oublier son désespoir.

Le drame de l'émigrant est ainsi vu de l'intérieur, traité, dans le film, sur un mode ironique et existentiel, et non politique », déclara le réalisateur Franco Brusati (dans « Le Cinéma italien parle » par Aldo Tassone, Edilig, 1982). Cruauté mais aussi dérision, humour mais aussi tendresse témoignent de son aisance à dénoncer par quelques situations volontairement exagérées les tares sociales et politiques d'une société fondée sur le refus de la différence et le rejet de l'autre. Nino Manfredi (1921-2004), qui participa au scénario, donne à son personnage des airs qui, dans ses meilleurs moments, évoquent tout à la fois la tendresse et les gags de Charlie Chaplin.

Drôles, tendres et méchants

Aux côtés de films engagés politiquement, le cinéma italien des années soixante-dix est marqué par l'avènement de la comédie, dont le point de départ remonte à 1958 avec *Le Pigeon* de Mario Monicelli. Le couple de scénaristes et dialoguistes Age et Scarpelli, des réalisateurs comme Dino Risi, Ettore Scola et Pietro Germi n'hésitent pas à traiter par l'humour et la dérision les sujets les plus dramatiques, mettant en scène les travers du quotidien à travers des portraits de personnages tout à la fois drôles, tendres et méchants, bénéficiant en outre de la capacité d'improvisation de comédiens aussi talentueux que Vittorio Gassman, Marcello Mastroianni, Alberto Sordi, Ugo Tognazzi et Nino Manfredi.

La Dentellière

Une âme simple

Pomme (Isabelle Huppert) croit connaître le grand amour avec François (Yves Beneyton).

1977

Comédie dramatique de Claude Goretta, avec Isabelle Huppert (Pomme), Yves Beneyton (François), Florence Giorgetti (Marylène), Anne-Marie Düringer (la mère de Pomme), Renate Schroeter (l'amie de François) • Sc., adapt. et dial. Claude Goretta, Pascal Lainé, d'après le roman de Pascal Lainé • Ph. Jean Boffety • Mus. Pierre Jansen • Dist. Gaumont • France - Suisse - Allemagne • Durée 108' • Prix du jury œcuménique au Festival de Cannes

En vacances à Cabourg avec son amie Marylène, Pomme, apprentie coiffeuse, fait la connaissance de François, étudiant en lettres. De retour à Paris, ils vivent ensemble mais finissent par se séparer. Pomme tombe alors dans la dépression.

Au petit matin, Marylène (Florence Giorgetti) annonce à Pomme sa rencontre avec un homme.

« Autrefois, elle aurait été lingère, porteuse d'eau ou dentellière »

« (François) sera passé à côté d'elle, juste à côté d'elle, sans la voir. Parce qu'elle était de ces âmes qui ne font aucun signe mais qu'il faut patiemment interroger, sur lesquelles il faut savoir poser le regard », conclut Pascal Lainé, et Goretta avec lui. Le réalisateur ne cesse d'observer la comédienne pour capter le moindre de ses gestes, une manière de se déplacer ou de poser une chemise de nuit sur un lit.

Bonheur éphémère pour Pomme...

Trois solitudes

Dès ses débuts dans le reportage télévisé (« Cinq colonnes à la une »), le réalisateur suisse Claude Goretta a pour ambition de saisir la vie. Le roman de Pascal Lainé, Prix Goncourt 1974, lui fournit ainsi l'occasion d'une série de portraits d'individus ordinaires menant une existence des plus banales. Si le film est centré sur Pomme, le réalisateur s'attache aussi à ceux qui l'entourent. D'abord, son amie Marylène, conditionnée par l'image de la femme soucieuse de plaire à tout prix et qui, à la recherche du grand amour, ne se fait toutefois guère d'illusions sur un bonheur qu'elle ne connaîtra sans doute jamais. À la différence de Pomme, toujours discrète, voire effacée, Marylène cherche à s'affirmer mais tout compte fait, se révèle tout aussi seule et désarmée. Quant à François, intellectuel issu d'un milieu bourgeois, il souffre lui aussi de solitude. D'abord attentionné, il est pourtant incapable de percer la richesse intérieure de Pomme, qu'il juge avec un mépris grandissant.

Après la séparation d'avec François, Pomme vit dans un hôpital psychiatrique.

Car si Pomme parle peu, elle est, en revanche, douée d'un sens de l'observation et d'une capacité d'écoute assez rares. Le milieu modeste d'où elle est issue ne lui a simplement pas donné accès à la culture. En somme, ce qui lui manque, ce n'est pas tant la faculté de communiquer que la maîtrise des mots proprement dite. Stupéfiante de vérité et d'authenticité, Isabelle Huppert y affirmait vraiment pour la première fois l'immense étendue de son talent.

Isabelle Huppert

Née en 1955, Isabelle Huppert débute dans les années soixante-dix par de petits rôles (*Les Valseuses*, 1974 ; *Dupont Lajoie*, 1975). Après *La Dentellière*, elle devient une valeur sûre du cinéma français et tourne notamment sous la direction de Claude Chabrol dans *Violette Nozière* (1978) qui lui vaut son premier Prix d'interprétation au Festival de Cannes, *Une Affaire de femmes* (1988) et *La Cérémonie* (1995) pour lequel elle obtiendra le César de la meilleure actrice. Attirée par le cinéma d'auteur, elle travaille avec André Téchiné, Maurice Pialat, Jean-Luc Godard, Marco Ferreri, Hal Hartley, Raoul Ruiz ou Michael Haneke, grâce à qui elle obtient en 2001, un deuxième Prix d'interprétation à Cannes pour *La Pianiste*. Très à l'aise avec les personnages complexes, elle est aussi capable de légèreté et de fantaisie (*8 femmes*, François Ozon, 2002).

Coup de torchon
Justice est faite à Bourkassa-Ourbangui

Lucien Cordier (Philippe Noiret), sa femme Huguette (Stéphane Audran) et Nono, son « petit frère-amant » (Eddy Mitchell).

1981

Comédie dramatique de Bertrand Tavernier, avec Philippe Noiret (Lucien Cordier), Isabelle Huppert (Rose), Jean-Pierre Marielle (Le Péron et son frère), Stéphane Audran (Huguette Cordier), Eddy Mitchell (Nono), Guy Marchand (Chavasson) • Sc. Jean Aurenche, Bertrand Tavernier d'après le roman de Jim Thompson, « 1275 Âmes » • Ph. Pierre-William Glenn • Mus. Philippe Sarde • Dist. Parafrance • France • Durée 128'

En juillet 1938, en Afrique occidentale française, le policier d'une petite ville coloniale, humilié en permanence par son entourage, élimine un à un tous ses semblables.

Cordier est le souffre-douleur de Le Péron (Jean-Pierre Marielle) et Leonelli (Gérard Hernandez).

Tavernier-Noiret : tandem prolifique

Le père meurtri et accablé par le geste criminel de son fils dans *L'Horloger de Saint-Paul* (1974), revu le temps d'une scène dans *Une Semaine de vacances* (1980) ; le régent Philippe d'Orléans adepte des plaisirs de la table et de la chair dans *Que la Fête commence* (1975) ; le juge gagnant la confiance d'un assassin qu'il envoie à l'échafaud dans *Le Juge et l'Assassin* (1976) ; le policier veule et calculateur de *Coup de torchon* (1981) ; le producteur d'*Autour de minuit* (1986) ; l'officier chargé de la recherche des disparus dans *La Vie et rien d'autre* (1989) et enfin d'Artagnan vieillissant et bedonnant dans *La Fille de d'Artagnan* (1994) : tous ces personnages ont le visage de Philippe Noiret, à qui Bertrand Tavernier a offert ses plus grands rôles.

L'enfer sur terre

« 1275 Âmes » de Jim Thompson fut, en 1966, le numéro 1000 de la « Série Noire ». Réputé inadaptable, ce roman avait néanmoins tenté Alain Corneau qui, le premier, travailla à un scénario en étroite collaboration avec son auteur. Un autre grand admirateur du livre, Bertrand Tavernier parvint à concrétiser le projet. Au sud profond des États-Unis dans les années vingt, il préféra, avec son scénariste Jean Aurenche, transposer l'action dans un cadre spécifiquement français : une bourgade paumée d'Afrique noire à la veille de la seconde guerre mondiale. « Voilà, déclarait le réalisateur, qui me donnait un arrière-plan et me permettait de laisser deviner ce qui allait se passer après le mot "fin" : la guerre, les camps de concentration, Hiroshima… des choses bien plus effrayantes que les meurtres commis par Lucien Cordier. » Débarrassée du pittoresque colonial, l'Afrique apparaît ici sous un jour totalement neuf. À la misère des premières images montrant des enfants cherchant leur nourriture dans le sable puis mourant de froid, succèdent torpeur, ennui, racisme et bêtise.

Cordier offre une arme à Rose, sa maîtresse (Isabelle Huppert).

Anne, l'institutrice (Irène Skobline) épiée par Nono.

L'ange exterminateur

Dans ce monde cauchemardesque, ce village sur lequel le temps ne semble avoir aucune prise, Bertrand Tavernier met en scène une galerie de personnages totalement imprévisibles agissant selon leurs pulsions immédiates et non en fonction de quelque crédibilité psychologique. À commencer par celui de Cordier, froid, cynique et calculateur. Tous les autres personnages, du même acabit, forment un très large échantillon de la bêtise humaine sur lesquels le réalisateur évite de porter le moindre jugement. Épaulé par des comédiens hauts en couleur, tous étonnants, parfois à contre-emploi, telle Isabelle Huppert, le récit abonde en scènes et en répliques cocasses, dérisoires, proches de l'absurde.
Un registre très rare au sein du cinéma français qui donne à *Coup de torchon*, souvent filmé la caméra à l'épaule, une liberté de ton étonnante.

Trois Hommes et un couffin

Lorsque l'enfant paraît...

Jacques (André Dussollier), Michel (Michel Boujenah) et Pierre, trois célibataires endurcis.

1985

Comédie de Coline Serreau, avec Roland Giraud (Pierre), Michel Boujenah (Michel), André Dussollier (Jacques), Philippine Leroy-Beaulieu (Sylvia), Dominique Lavanant (Madame Rapons) • Sc. Coline Serreau • Ph. Jean-Yves Escoffier, Jean-Jacques Bouhon • Mus. Schubert • Dist. AAA • France • Durée 100' • Prix de l'Académie nationale du cinéma ; 3 Césars : film, scénario original, second rôle masculin (Michel Boujenah)

Trois célibataires endurcis élevant seuls le bébé de l'un d'eux cherchent à s'en défaire par tous les moyens, d'autant qu'ils se trouvent mêlés, par erreur, à une affaire de drogue. Quand la mère, qui avait disparu, reprend l'enfant, les trois amis sombrent dans la déprime.

L'enfant-roi

Quand *Trois Hommes et un couffin* sort sur les écrans le 18 septembre 1985, rien ne laisse supposer le triomphe qu'il va connaître. C'est une comédie à petit budget – moins de dix millions de francs – qui va en rapporter dix fois plus. Ses acteurs sont alors loin d'être des vedettes. Quant à sa réalisatrice, remarquée par la critique avec *Pourquoi pas !* (1977), elle est considérée comme une cinéaste aux revendications féministes. Mais il est vrai aussi qu'un film construit autour d'un enfant laisse rarement indifférent. Qu'on songe aux films de Charles Chaplin (*The Kid*), à ceux de François Truffaut (*Les Quatre Cents Coups*, *L'Enfant sauvage*) ou à ces enfants devenus très tôt des vedettes, comme Brigitte Fossey, parfois des stars, Shirley Temple par exemple ! Mais surtout, le sujet abordé est en phase avec son époque : le partage des tâches quotidiennes entre hommes et femmes, le rôle du père, la baisse de la natalité, qui donne alors lieu à une campagne publicitaire.

Le regard d'une femme

En renversant les situations, Coline Serreau fait preuve d'un sens de l'observation qui s'accompagne d'un humour et parfois d'une pointe d'ironie d'où toute trace de méchanceté est exclue. Les hommes qu'elle met en scène sont loin d'être les « machos » qui envahissent alors les écrans (Rambo ou Mad Max), mais seulement « des hommes ordinaires pris de plein fouet par un truc qui est bien en eux et qu'ils dissimulent : la tendresse ». Des hommes – peut-on ajouter – avec leurs faiblesses et leurs lâchetés, égoïstes parfois, surtout le personnage interprété par André Dussollier, et qui n'ont d'autre souci que leur tranquillité. D'où un film qui, mine de rien, se rapproche de la comédie de mœurs et qui a donné lieu à une suite : *18 ans après* (2002) toujours signée Coline Serreau.

Pierre (Roland Giraud) découvre un couffin déposé devant sa porte…

La comédie française à Hollywood

Dès qu'un film connaît le succès, une suite ou un remake voit le jour. Depuis une vingtaine d'années, quelques grands succès de la comédie française ont été refaits par Hollywood. Ainsi, le film de Coline Serreau est devenu *Trois Hommes et un bébé* (Leonard Nimoy, 1987), dans lequel Tom Selleck, Steve Guttenberg et Ted Danson reprenaient les rôles tenus par Giraud, Boujenah et Dussollier. Ted Danson était encore au générique de *Cousins* (1987) filmé par Joel Schumacher d'après *Cousin, Cousine* de Jean Charles Tacchella (1975). Quant à Gene Wilder, il reprit *Un Éléphant ça trompe énormément* d'Yves Robert (1976) sous le titre *La Fille en rouge* (1984) et Billy Wilder *L'Emmerdeur* d'Édouard Molinaro (1973) qui devint *Buddy, Buddy* (1981). Enfin James Cameron, s'inspirant de *La Totale !* de Claude Zidi (1991), connut un énorme succès avec *True Lies* (1994).

Sylvia (Philippine Leroy-Baulieu), la mère de la petite Marie.

Michel et Pierre interrogés par la police qui enquête sur un trafic de drogue.

Le Cercle des poètes disparus

Cueillez dès aujourd'hui les roses de la vie !

1989

Dead Poets Society, drame de Peter Weir, avec Robin Williams (John Keating), Robert Sean Leonard (Neil Perry), Ethan Hawke (Todd Anderson), Josh Charles (Knox Overstreet) • Sc. Tom Schulman • Ph. John Seale • Mus. Maurice Jarre • Dist. Gaumont Buena Vista International • États-Unis • Durée 129' • Oscar du meilleur scénario original ; César du meilleur film étranger

En 1959, dans un collège de prestige formant les élites de la société, John Keating, nouveau professeur de littérature, enseigne des idées à l'opposé de celles qui ont cours. Les élèves, séduits par ses méthodes, reconstituent une « société secrète » où chacun, encouragé à profiter de la vie, peut s'exprimer librement. Ce qui n'est pas du goût des parents ni de la direction du collège.

Neil Perry (Robert Sean Leonard) joue Puck dans « Le Songe d'une nuit d'été ».

Des profs à l'écran

Quelques films célèbres ont présenté des figures d'enseignants aussi charismatiques que Robin Williams : Robert Donat dans *Goodbye Mr. Chips* (Sam Wood, 1940), Bernard Blier dans *L'École buissonnière* (Jean-Paul Le Chanois, 1949), Maggie Smith dans *Les Belles Années de miss Brodie* (Ronald Neame, 1969), Jean-François Stévenin dans *L'Argent de poche* (François Truffaut, 1976). Mais l'enseignant peut aussi être injustement accusé de viol – Jacques Brel dans *Les Risques du métier* (André Cayatte, 1967) –, victime de dépression : Nathalie Baye dans *Une Semaine de vacances* (Bertrand Tavernier, 1980) ou subir les humiliations de ses élèves avant de retourner mourir dans sa classe : Emil Jannings dans *L'Ange bleu* (Josef von Sternberg, 1930). Jean-Claude Brisseau, un ancien instituteur devenu cinéaste, a mis en scène des enseignants dans *De Bruit et de fureur* (1987) et *Noce blanche* (1989).

John Keating (Robin Williams) séduit ses élèves par sa manière inhabituelle d'enseigner la poésie.

Un professeur charismatique

À l'époque où se déroule l'action, le réalisateur Peter Weir, alors âgé de 17 ans, était élève dans un collège de tradition écossaise de Sydney. On comprend qu'à la lecture du scénario, il ait eu envie de le porter à l'écran. Tout en s'inscrivant dans la tradition du film de collège, *Le Cercle des poètes disparus* attache, plus que tout autre, un intérêt particulier à la figure emblématique d'un professeur. John Keating, qui se distingue de ses collègues par un enseignement fondé sur l'épanouissement de la personnalité, dérange une institution séculaire dont les règles ne souffrant aucune exception, se résument en quatre mots : « Tradition, Discipline, Honneur, Excellence. » Le film joue ainsi beaucoup de l'opposition entre deux systèmes éducatifs, l'un rigide, dépassé et mis en accusation, l'autre refusant toute contrainte et donc enclin à séduire des adolescents à la recherche d'eux-mêmes (la devise « carpe diem »). Robin Williams, qui lui aussi fréquenta une institution comparable, s'y révèle en parfaite adéquation avec son personnage.

La recherche du père

Rompant à plusieurs reprises avec le ton de la chronique, Peter Weir développe au moins deux intrigues qui traduisent le trouble s'emparant des personnages. D'abord, la découverte de l'amour, traitée sur le mode léger, presque comique, puis celle de la vocation, s'achevant par une tragédie et qui plus est, doublée du conflit avec l'autorité paternelle. Car c'est bien la recherche du père qui est au centre d'une œuvre passant avec aisance d'un registre à l'autre et dont le réalisateur analyse ainsi l'immense succès : « Ce film a plu, sans doute en partie parce que John Keating apparaît comme une figure paternelle. La génération d'aujourd'hui est issue de celle des années soixante qui a brisé les moules, les lois, les valeurs, les structures morales. Leurs enfants recherchent aujourd'hui désespérément un point de vue, une éthique, une figure archétypale que l'on retrouve incarnée par Keating. » (in « Le Monde », 19 janvier 1990.)

Todd (Ethan Hawke), un garçon solitaire et renfermé.

John Keating au milieu du cercle des poètes disparus.

Cinéma Paradiso

L'amour du cinéma

1988

Nuovo Cinema Paradiso, comédie dramatique de Giuseppe Tornatore, avec Philippe Noiret (Alfredo), Salvatore Cascio (Salvatore enfant), Jacques Perrin (Salvatore adulte), Agnese Nano (Elena) • Sc. Giuseppe Tornatore • Ph. Blasco Giurato • Mus. Ennio Morricone • Italie - France • Dist. Connaissance du Cinéma • Durée 123' • Grand Prix du jury au Festival de Cannes; César de la meilleure affiche; Oscar du meilleur film étranger

Un célèbre réalisateur italien revient dans le village de Sicile où il a passé son enfance pour assister aux obsèques d'Alfredo, le projectionniste qui lui a donné le goût du cinéma. À cette occasion, il évoque ses souvenirs...

Leçon d'Alfredo (Philippe Noiret) à Toto (Salvatore Cascio) pour se servir d'un projecteur.

La foule se presse à l'entrée du cinéma Paradiso.

La dernière séance

Énorme succès populaire, le deuxième film de Giuseppe Tornatore représentait l'Italie au Festival de Cannes en 1989 en même temps que *Splendor* d'Ettore Scola, également consacré à la disparition d'une salle de cinéma. Alors qu'en Italie, *Cinéma Paradiso* avait connu un accueil des plus mitigés, il souleva cette fois l'enthousiasme des festivaliers, qui lui réservèrent des tonnerres d'applaudissements. Entre-temps, le film

s'était vu réduit de plus d'une demi-heure (123 minutes au lieu des 157 initiales), expliquant ainsi la disparition complète du personnage interprété par Brigitte Fossey (l'épouse de Jacques Perrin). Mais lors d'une nouvelle exploitation, les scènes avec la comédienne française furent rétablies.

À travers cette évocation nostalgique inspirée de souvenirs personnels, le cinéaste dépeint la vie d'un petit village de Sicile écrasé de soleil où la seule distraction populaire est une salle paroissiale, lieu de convivialité servant d'exutoire à ses habitants. Certains viennent y manger, d'autres draguer leur voisine et la plupart ne sont là que pour se défouler ou se montrer. Aller au cinéma représente pour eux un véritable événement, et le film y est commenté à voix haute. Pour Giuseppe Tornatore, c'est l'occasion de croquer en quelques traits les portraits de villageois et de silhouettes hautes en couleur, par exemple l'inévitable idiot du village, ou le chef de la mafia locale, tué au cours d'une projection de *Scarface*...

L'enfant du « Paradis »

Mais les spectateurs furent plutôt sensibles à l'histoire d'une amitié entre un enfant et un adulte au grand cœur. L'amour du cinéma qui les unit constitue ainsi une fenêtre ouverte sur le monde en même temps qu'un moyen d'échapper à la réalité pesante de l'Italie d'après-guerre. Leurs rapports faits de tendresse et d'affection culminent – même si Alfredo a depuis longtemps disparu – avec la découverte d'une boîte contenant un montage des scènes de baisers censurées autrefois par le curé du village. Par ailleurs, le film, rempli de nostalgie, met également en lumière l'évolution de la société italienne, où le petit écran a pris la place du cinéma et les parkings, celle des salles populaires.

Les acteurs français à l'étranger

Tout comme Philippe Noiret, de nombreux acteurs français menèrent carrière à l'étranger. Beaucoup ont connu le succès en Italie, notamment Alain Delon, Michel Piccoli, Bernard Blier et Jean-Louis Trintignant ces deux derniers ayant participé à l'essor de la comédie italienne, genre roi des années soixante. D'autres comme Louis Jourdan, Leslie Caron et Charles Boyer se sont partagés entre la France et les États-Unis, sans compter tous ceux qui ont entrepris une carrière en Amérique pendant la seconde guerre mondiale, tels Jean Gabin, Michèle Morgan ou Marcel Dalio.

Salvatore (Jacques Perrin) retrouve sa mère (Pupella Maggio) à l'occasion des obsèques d'Alfredo.

Short Cuts

Les choses de la vie

Doreen (Lily Tomlin) et Earl (Tom Waits) fêtent leur réconciliation.

Gene Shepard (Tim Robbins) et Betty Weathers (Frances McDormand), mariés chacun de leur côté, entretiennent une liaison.

Deux couples amis, les Bush (Lili Taylor et Robert Downey Jr) et les Kaiser (Chris Penn et Jennifer Jason Leigh).

Paul Finnigan (Jack Lemmon) se confie à sa belle-fille Ann (Andie MacDowell), dont il vient de faire la connaissance.

1993

Short Cuts, comédie dramatique de Robert Altman, avec Andie MacDowell, Bruce Davison Jack Lemmon, Zane Cassidy (Ann, Howard, Paul et Casey Finnigan), Julianne Moore, Matthew Modine (Marian et Ralph Wyman) • Sc. Robert Altman, Frank Barhydt d'après neuf nouvelles et un poème de Raymond Carver • Ph. Walt Lloyd • Mus. Mark Isham • Prod. Cary Brokaw • États-Unis • Durée 185' • Lion d'or, prix de la critique internationale et prix d'interprétation à l'ensemble des acteurs au Festival de Venise 1993

Des hélicoptères survolent Los Angeles pour déverser des insecticides sur la ville, menacée par la mouche à fruits. C'est le début du week-end pour des Américains d'origines sociales et de métiers divers dont les destins, sans liens apparents, vont s'entrecroiser.

Les films choraux de Robert Altman

Ce n'était pas la première fois que le brillant réalisateur de *M.A.S.H.* (1970), mêlait les destins contrastés de ses personnages. Le réalisateur aime juxtaposer, au sein d'un même récit, une multiplicité d'histoires situées dans un même lieu où les personnages se croisent, se déchirent ou parfois même s'ignorent. Ainsi, dans *Nashville* (1975), il réunissait vingt-quatre personnages dans la capitale de la musique country, dans *Un Mariage* (1978), quarante-huit invités constituaient un kaléidoscope de la bourgeoisie américaine et dans *The Player*, soixante-cinq personnalités du cinéma interprétaient leur propre rôle...

Des portraits d'Américains

Plusieurs récits de l'écrivain Raymond Carver sont à l'origine de *Short Cuts*, que Robert Altman put entreprendre après le succès de *The Player* (1992). Plutôt qu'une adaptation fidèle, le réalisateur a retenu certains personnages ou certains éléments d'une histoire en vue d'un scénario évoquant, selon son habitude, les destins croisés de maris et femmes, amants et maîtresses, parents et enfants. Ainsi, à la manière d'un observateur lucide et attentif des comportements humains, Altman brosse-t-il une galerie de portraits allant d'un pilote d'hélicoptère se vengeant de la liaison de son ex-femme à une jeune mère de famille, animatrice de téléphone rose à domicile, et son mari jaloux et meurtrier ; d'une chanteuse de jazz alcoolique et sa fille violoncelliste et solitaire à un jeune et brillant chirurgien, jaloux de sa femme, artiste peintre ; et enfin d'un père bourré de remords à une femme clown et son mari au chômage.

Destins croisés

Réunissant des personnages aussi variés, le cinéaste pose sur chacun d'eux un regard qui, loin d'être complaisant, n'en témoigne pas moins d'une certaine estime pour des individus prenant conscience que leur vie, faite de compromis et de renoncements, n'est qu'un échec. Il dresse ainsi un tableau lucide de la « middle class » californienne aux prises avec les drames, les émotions et les hasards de la vie quotidienne. Chaque histoire constitue en soi une ébauche de scénario pouvant donner lieu à de multiples développements, et si Altman donne parfois l'impression de se contenter d'un constat lucide, il nous conduit, sans qu'on y prenne garde, vers une montée dramatique des plus inattendues.

Marian et Ralph Wyman (Julianne Moore et Matthew Modine) font la fête en compagnie de leurs invités Claire et Stuart Kane (Anne Archer et Fred Ward).

The Full Monty / Le Grand Jeu

Les Chippendales au secours du chômage

Gerald (Tom Wilkinson) dirige la chorégraphie.

1997

The Full Monty, comédie de Peter Cattaneo, avec Robert Carlyle (Gaz), Mark Addy (Dave), Steve Huison (Lomper), Tom Wilkinson (Gerald), Paul Barber (Horse), Hugo Speer (Guy) • Sc. Simon Beaufoy • Ph. John De Borman • Mus. Anne Dudley • Prod. Redwave Films / Fox Searchlight • Royaume-Uni - États-Unis • Durée 92′ • Oscar de la meilleure musique

À Sheffield, ville industrielle autrefois prospère du nord de l'Angleterre, six amis chômeurs se débattent avec des problèmes familiaux et professionnels. Ils bravent les préjugés pour créer un spectacle de strip-tease inspiré des Chippendales.

En voyant une affiche des Chippendales, Gaz (Robert Carlyle) a l'idée du spectacle.

Dans la tradition réaliste du cinéma britannique

Énorme succès populaire, *The Full Monty* débute comme un documentaire vantant les charmes de Sheffield. En cela, le film de Peter Cattaneo se conforme à une tradition documentariste qui, depuis « l'école de Grierson » des années trente, a profondément marqué tout le cinéma britannique. Mais l'histoire proprement dite se situe dans l'Angleterre du marasme économique et social provoqué par la politique de Margaret Thatcher. Formé comme de nombreux cinéastes de sa génération à la télévision, qui a beaucoup contribué au renouveau du cinéma dans son pays, le réalisateur brosse un à un le portrait de six chômeurs désœuvrés en quête de petits boulots et finissant par prendre leur destin en mains. Mais c'est aussi le regard des autres qui, dans cette comédie sociale, intéresse tout autant le réalisateur.

Des portraits finement ciselés

Dessinés avec précision, les personnages se révèlent à la fois attachants et maladroits dans leur entreprise. Tous vivent plus ou moins bien leur chômage. À commencer par Gaz, à l'origine du projet et qui, à force de persuasion, réussit à convaincre ses camarades. Vivant au jour le jour de petites combines, Gaz supporte très mal la séparation d'avec sa femme, qui l'a quitté pour un autre homme et ne manque jamais l'occasion de l'humilier publiquement. Pourtant, Gaz demeure optimiste. Dave, le meilleur ami de Gaz, souffre d'un physique trop enveloppé qui le fait hésiter à apparaître nu sur scène. Quant à Gerald, le plus âgé, il fait semblant, chaque jour, de se rendre à son travail, de peur d'avouer sa situation à sa femme. Bien que moins développés, les autres personnages, Lomper, affligé d'une mère impotente, Guy, aux attributs génitaux impressionnants, ou Horse, le retraité au sens du rythme étonnant, demeurent tout aussi émouvants dans leurs difficiles tentatives pour s'arracher aux problèmes du quotidien.

Sur une chanson de Tom Jones, le grand jeu enfin !

Gaz, son fils Nathan (William Snape) et ses amis chômeurs.

Vive la crise !

Six mois à peine avant *The Full Monty*, les spectateurs français découvrent *Les Virtuoses* de Mark Herman (1996) qui, sur fond de crise sociale, de chômage et de difficultés économiques, raconte comment des mineurs ayant perdu leur emploi retrouvent une raison de vivre en participant à un concours de fanfares qui s'achève par une dénonciation de l'économie libérale. Ces deux films rejoignent ainsi ceux précédemment réalisés par leurs compatriotes Ken Loach (*Regards et Sourires*, 1981 ; *Riff Raff*, 1990 ; *Raining Stones*, 1993), Stephen Frears (*My Beautiful Laundrette*, 1985 ; *Liam*, 2000) et Mike Leigh (*Naked*, 1993 ; *Secrets et Mensonges*, 1996) qui, depuis toujours, témoignent de la réalité contemporaine de l'Angleterre. Ils ajoutent toutefois au regard critique un humour acerbe, contribuant au renouveau de la comédie anglaise. La crise économique a paradoxalement aidé au renouveau artistique du cinéma d'Outre-Manche. Mais n'était-ce pas déjà le cas aux États-Unis pendant la grande dépression des années trente ?

Marius et Jeannette

Portrait de groupe sur fond d'Estaque

Tous autour de la télé! Magali (Laetitia Pesenti), Justin, Dédé, Caroline (Pascale Roberts) et Monique (Frédérique Bonnal).

1997

Comédie de Robert Guédiguian, avec Ariane Ascaride (Jeannette), Gérard Meylan (Marius), Pascale Roberts (Caroline), Jacques Boudet (Justin), Jean-Pierre Darroussin (Dédé) • Sc. Jean-Louis Milési, Robert Guédiguian • Ph. Bernard Cavalié • Prod. Agat Films & Cie / La Sept Cinéma / Canal + • France • Durée 102' • Prix Lumière; Prix Louis-Delluc (ex aequo avec *On connaît la chanson* d'Alain Resnais); César de la meilleure actrice (Ariane Ascaride)

Les amours de l'impétueuse Jeannette, qui élève seule et difficilement ses deux enfants, et du taciturne Marius, rongé par un lourd secret. Autour d'eux, le quartier de l'Estaque, les amis, l'aïoli, la chaleur humaine…

Marius (Gérard Meylan) et Jeannette (Ariane Ascaride).

Quand Marius rencontre Jeannette…

…Cela provoque des étincelles! Jeannette tente de voler des pots de peinture oubliés sur la friche dont Marius est le gardien, puis le traite de fasciste lorsqu'il la menace de son arme pour l'en dissuader. La suite montre la naissance de leur amour, l'enthousiasme, les doutes et les hésitations qui l'accompagnent, le tout en relation permanente avec le groupe humain dont fait partie Jeannette et qui va adopter Marius. Une cour, les modestes maisons qui l'entourent, races mêlées, vie communautaire, bonheur d'être ensemble, solidarité et entrecroisement des destins, Guédiguian sait bâtir à partir de ces éléments un film joyeux et lyrique, sous-titré « Un Conte de l'Estaque », qui, comme les sept précédents du cinéaste et les quelques suivants, se déroule dans le quartier populaire du nord de Marseille, où il est né. Et c'est un conte, car le film est délibérément optimiste, même si on n'oublie pas de nous préciser qu'alentour, le chômage et la précarité sont désormais les seuls éléments à prospérer.

Du vrai cinéma de quartier

Le film est placé sous le signe de la peinture : repeindre sa maison à moindres frais est le souci de Jeannette. Marius, d'abord réticent, l'aide puis s'installe chez elle. Lorsque la jeune femme accroche dans son intérieur rénové la reproduction d'une toile de Cézanne, c'est un autre type de peinture qu'elle se réapproprie, cette fois en toute légitimité, celle des artistes inspirés par l'Estaque, « petit port entouré d'usines que les impressionnistes et les cubistes peignaient au début du siècle et qui, grâce à cela, a fait le tour du monde », dit Guédiguian. Ici, c'est le monde qui revient aborder en ce lieu, sous forme d'un ballon-globe terrestre poussé sur l'eau par le vent. Lorsqu'il touche terre, le film peut commencer. À propos de ce cadre, le cinéaste remarqua : « C'est devenu un point de références d'où je peux juger l'évolution du monde. C'est aussi un territoire que j'ai investi de qualités sensuelles faites d'une lumière, de couleurs, d'un décor particuliers que j'appelle mon langage. Tourner ailleurs serait, pour moi, comme écrire dans une langue étrangère. »

Ces dames achètent des sous-vêtements.

Une belle cuite : Marius, Justin (Jean-Pierre Darroussin) et Dédé (Jacques Boudet).

La famille Guédiguian

Entre 1980 et 2006, Robert Guédiguian a signé quatorze films. Il revendique le statut de cinéaste marginal et régionaliste, à travers la permanence du décor social marseillais et un mode de production en équipe quasiment reconduits depuis le début. Exemple le plus repérable : Ariane Ascaride, sa femme, et Gérard Meylan, un ami d'enfance, par ailleurs infirmier, ont joué dans tous ses films. Parmi les autres fidèles, notons Jean-Pierre Darroussin, Jacques Boudet et Pascale Roberts. Son œuvre alterne films légers et films graves. En 2001, *La Ville est tranquille* est d'une noirceur terrifiante malgré son titre rassurant. En 2002, *Marie-Jo et ses deux amours* est sélectionné pour le Festival de Cannes. Il a élargi son inspiration avec *Le Promeneur du Champ de Mars* (2005), sur les derniers jours de François Mitterrand, et *Le Voyage en Arménie* (2006), un retour à ses origines.

Vénus Beauté (Institut)

Du baume à l'âme

1999

Comédie dramatique de Tonie Marshall, avec Nathalie Baye (Angèle), Bulle Ogier (Nadine), Mathilde Seigner (Samantha), Audrey Tautou (Marie), Samuel Le Bihan (Antoine), Jacques Bonnaffé (Jacques), Robert Hossein (l'aviateur) • Sc. Tonie Marshall, avec la collaboration de Marion Vernoux et de Jacques Audiard • Ph. Gérard de Battista • Mus. Khalel Chahine • Dist. Pyramide • France • Durée 105' • 4 Césars : meilleurs film, réalisateur, scénario original, espoir féminin (Audrey Tautou)

À Paris, la vie, les amours, le quotidien des employées d'un petit institut de beauté…

La vie en (blouse) rose pour Angèle (Nathalie Baye), Marie (Audrey Tautou) et Samantha (Mathilde Seigner).

Portrait de groupe avec dames

Un salon et ses coulisses, les trajectoires amoureuses et le travail de trois esthéticiennes, sous la férule de Nadine, la patronne : le sujet semble anodin, mais Tonie Marshall tisse avec grâce, justesse et simplicité les portraits croisés d'hommes et surtout de femmes d'aujourd'hui. Elle explore les bleus à l'âme des clientes et des employées qui n'ont de rose que leur blouse de travail : Samantha, croqueuse d'hommes et rebelle, Marie, ingénue en quête d'un amour sécurisant… Et surtout Angèle, qui mène une vie désenchantée : après un mariage raté, l'amour se résume pour elle au sexe et aux aventures bâclées, mais surgit Antoine, un inconnu qui l'a devinée et lui offre l'amour fou.

Un univers de femmes

Pour sa quatrième réalisation, Tonie Marshall, fille de Micheline Presle et comédienne elle-même, eut toutes les peines du monde à monter son projet. Et pourtant, ce film de femmes fut plébiscité par le public dès sa sortie, reconnu unanimement par la profession et décrocha quatre Césars. Tonie Marshall imposa un style, un ton et une petite musique déjà entendue dans ses films précédents, *Pentimento* (1990) et surtout *Pas très catholique* (1994), avec Anémone qui faisait remarquablement ressortir l'humour grinçant et l'émotion à fleur de peau de son personnage. Elle sait choisir des interprètes confirmés qui rendent la poésie et la détresse de leurs rôles, ici Nathalie Baye, magnifiquement lasse et têtue, ou en révéler d'autres, comme Audrey Tautou, qui dégage un charme ambigu. « C'était du bol » dira la jeune actrice en recevant son César, précisant ce qui la pousse à faire ce métier : « L'émotion, les belles rencontres et le travail en équipe. » Tout

Nadine (Bulle Ogier), qui dirige l'Institut de beauté.

ce qu'a été *Vénus Beauté (Institut)*, qui donna naissance en 2005 à une série télévisée, « Vénus & Apollon », avec Brigitte Roüan et Maria de Meideiros.

Angèle et Jacques (Jacques Bonnaffé).

Nathalie Baye, le juste milieu

Née en 1948, elle se destine d'abord à la danse, entre au Conservatoire et découvre le théâtre. Elle sort de sa chrysalide grâce à François Truffaut dans *La Nuit américaine* (1973), *L'Homme qui aimait les femmes* (1977) et surtout *La Chambre verte* (1978). Suit alors une période faste : *Une Semaine de vacances* (Bertrand Tavernier, 1980), *Le Retour de Martin Guerre* (Daniel Vigne, 1982)… Elle convainc de plus en plus et obtient deux Césars du second rôle : *Sauve qui peut (la vie)* (Jean-Luc Godard, 1980) et *Une Étrange Affaire* (Pierre Granier-Deferre, 1981). *La Balance* (Bob Swaim, 1982) lui vaut le César de la meilleure actrice. Après un détour par le théâtre, elle revient sur les écrans grâce aux femmes réalisatrices : Nicole Garcia (*Un Week-end sur deux*,

Antoine (Samuel Le Bihan) veut revoir Angèle.

1990), Diane Kurys (*La Baule-les-Pins*, 1990), Jeanne Labrune (*Si je t'aime prends garde à toi*, 1998) et Tonie Marshall (*Enfants de salaud*, 1996 ; *France Boutique*, 2003). Elle reçoit un prix d'interprétation au Festival de Venise pour *Une Liaison pornographique* (Frédéric Fonteyne, 1999) et un César pour *Le Petit Lieutenant* (Xavier Beauvois, 2005). Elle sait oser et doser.

Erin Brockovich, seule contre tous
Une David contre un Goliath

Ed Masry (Albert Finney) et Erin présentent triomphalement leur dossier.

2000

Erin Brockovich, comédie dramatique de Steven Soderbergh, avec Julia Roberts (Erin Brockovich), Albert Finney (Ed Masry), Aaron Eckhart (George), Marg Helgenberger (Donna Jensen), Tracey Walter (Charles Embry), Peter Coyote (Kurt Potter), Jamie Harrold (Scott) • Sc. Susannah Grant, Richard LaGravenese • Ph. Ed Lachman • Mus. Thomas Newman • Prod. Jersey Films • États-Unis • Durée 131' • Oscar de la meilleure actrice pour Julia Roberts

Ancienne reine de beauté intelligente et volontaire, divorcée avec trois enfants à charge et sans emploi, Erin Brockovich se fait embaucher par son avocat et l'entraîne dans une croisade contre une puissante compagnie de gaz et d'électricité qui a pollué la région où l'une de ses succursales est implantée.

Quand la réalité n'est pas aussi belle que la légende…

Le film s'inspire d'une affaire authentique au terme de laquelle la véritable Erin Brockovich – qui apparaît brièvement dans le film en serveuse de restaurant – et son employeur ont réussi à obtenir de la Pacific Gas & Electricity 333 millions de dollars de dédommagement pour 650 familles empoisonnées par le chrome exhavalent qui avait pollué la nappe phréatique de la région de Hinkley, en Californie. Le jugement fut rendu le 12 juin 1996 et la somme accordée aux plaignants fut la plus importante jamais versée dans une action directe de toute l'histoire des États-Unis. Mais le film, nouvelle illustration du rêve américain, embellit une réalité qui fut loin d'être aussi idyllique car les avocats gardèrent plus de six mois les indemnités payées par la PG & E, générant ainsi de juteux intérêts, avant de dédommager les familles, qui ne surent jamais les critères de calcul des sommes attribuées à chacune d'elles…

Une interprète idéale

Steven Soderbergh considéra le travail avec son interprète féminine comme très constructif. Julia Roberts, en mère débrouille un peu vulgaire que son combat transcende et affine, est parfaite dans le rôle. Elle apporte son dynamisme, sa pétulance et la note d'humour indispensables à ce qui pourrait n'être, autrement, qu'une fable pleine de bons sentiments et somme toute assez banale.

Erin Brokovich (Julia Roberts).

George (Aaron Eckhart), nouveau compagnon d'Erin.

Erin élève seule ses trois enfants.

Don Quichotte modernes

Seule contre tous : ce sous-titre souligne l'appartenance du film à toute une série d'œuvres, inspirées pour la plupart de faits réels, décrivant la démarche d'une femme solitaire, ardente militante du Droit et de la Justice qui, malgré sa faiblesse, n'hésite pas à s'attaquer à de puissantes entreprises industrielles. Dans cette lignée, on peut citer le parcours de la jeune ouvrière syndicaliste (Sally Field) de *Norma Rae* de Martin Ritt (1979) ; la journaliste (Jane Fonda) qui révèle les mensonges imposés par la direction d'une centrale nucléaire dans *Le Syndrome Chinois* de James Bridges (1979) ; ou encore l'employée de laboratoire (Meryl Streep) qui dénonce les dangers du traitement des matières nucléaires dans *Le Mystère Silkwood* de Mike Nichols (1983). Tandis que, du côté masculin, dans *L'Idéaliste* de Francis Ford Coppola (1997), un jeune avocat ambitieux (Matt Damon) assure la défense de pauvres gens contre une grosse maison d'assurances ; dans *Préjudice* de Steven Zaillian (1998), un avocat (John Travolta) prend pour cible une tannerie dont les déchets ont pollué une rivière ; et dans *Révélations* de Michael Mann (1999), un chimiste licencié (Russell Crowe) s'attaque aux puissants lobbies du tabac avec l'aide d'un journaliste (Al Pacino).

Le Goût des autres

Éloge de la différence

2000

Comédie dramatique d'Agnès Jaoui, avec Jean-Pierre Bacri (Jean-Jacques Castella), Anne Alvaro (Clara), Gérard Lanvin (Franck Moreno), Agnès Jaoui (Manie), Alain Chabat (Deschamps), Christine Millet (Angélique) • Sc. Jean-Pierre Bacri et Agnès Jaoui • Ph. Laurent Dailland • Mus. Jean-Charles Jarrell • Prod. Charles Gassot / Les Films A4 / France 2 Cinéma • France • Durée 112' • 4 Césars : film, second rôle masculin (Gérard Lanvin), second rôle féminin (Anne Alvaro), scénario

Le patron d'une PME tombe amoureux de son professeur d'anglais, également actrice de théâtre. Son manque de culture en fait la risée des amis fréquentés par la jeune femme. Pendant ce temps, son garde du corps séduit une serveuse de café, confidente et amie du prof d'anglais...

Castella tente de briller aux yeux d'Antoine (Wladimir Yordanoff) et surtout de Clara (Anne Alvaro), dont il est tombé amoureux.

Castella (Jean-Pierre Bacri) et Moreno, son garde du corps (Gérard Lanvin).

Des goûts et des couleurs...

Jean-Pierre Bacri et Agnès Jaoui s'étaient d'abord essayés à un scénario de film policier abandonné au bout de quelques mois mais dont ils conservèrent toutefois trois des personnages principaux : le chef d'entreprise, le garde du corps et la serveuse. D'autres personnages issus de différents milieux vinrent s'y ajouter : un chauffeur, une décoratrice, des enseignants, des artistes, des intellectuels de gauche. En somme, des personnages aussi dissemblables que possible, peu faits pour se rencontrer car prisonniers de leur milieu social, mais que le célèbre duo de scénaristes s'est fait un plaisir de confronter, bousculant ainsi les habitudes et brisant les barrières culturelles et sociales. Parfois avec gentillesse, souvent avec une pointe d'ironie, mais sans méchanceté, ils se moquent ainsi de la manière dont « se créent les castes, les chapelles, les snobismes, et comment chacun est toujours le ringard du groupe d'à côté ». C'est sur ce sectarisme généralisé qu'ils ironisent.

Portraits de groupe nuancés

Leur film brosse en quelques traits des portraits fondés sur l'observation juste et percutante des mœurs humaines, soutenus par des dialogues pétillants, souvent pleins de saveur mais dépourvus de mépris pour des personnages qui, sans exception, demeurent sympathiques, voire attachants. Le Goût des autres est une comédie de mœurs caustique qui multiplie les tranches de vie. Car plus qu'une histoire, c'est une multitude de récits, d'anecdotes, de sketches proposant un tableau de notre société en qui chacun peut se reconnaître ou reconnaître des proches qu'Agnès Jaoui, pour ses débuts de réalisatrice, a raconté, dirigeant non seulement des acteurs issus de sa « famille » mais révélant aussi une comédienne de théâtre comme Anne Alvaro. Son film a en effet remporté un succès des plus inattendus : quatre millions d'entrées et quatre Césars, sans compter une nomination à l'Oscar du meilleur film étranger.

Castella s'ennuie avec sa femme Angélique (Christine Millet), qui a transformé leur intérieur en bonbonnière.

Moreno a rencontré Manie (Agnès Jaoui), l'ex-petite amie de Deschamps (Alain Chabat), le chauffeur de Castella.

Gérard Lanvin, l'authentique

Né en 1950, formé à l'école de la vie et du café-théâtre, il débute au cinéma dans Vous n'aurez pas l'Alsace et la Lorraine (1977) de son pote Coluche. Trois films confirment son talent : Extérieur nuit (Jacques Bral, 1980), Une Étrange Affaire (Pierre Granier-Deferre, 1981) et Tir groupé (Jean Claude Missiaen, 1982). Suivent deux énormes succès qui en font une vedette, Marche à l'ombre (Michel Blanc, 1984) et Les Spécialistes (Patrice Leconte, 1985). Imprévisible, il ne joue pas le jeu du star system : « Je savais que cela allait m'isoler du monde, alors que j'ai besoin de lui ». Il tourne quand bon lui semble, pas toujours à bon escient, puis revient en force avec Le Fils préféré (Nicole Garcia, 1994), qui lui vaut un César, et Mon Homme (Bertrand Blier, 1996). Depuis 2002, il choisit la comédie populaire comme Camping (Fabien Oteniente, 2006).

Le Fabuleux Destin d'Amélie Poulain

La petite fée de Montmartre

2001

Comédie de Jean-Pierre Jeunet,
avec Audrey Tautou (Amélie), Mathieu
Kassovitz (Nino), Rufus (le père
d'Amélie), Yolande Moreau (la concierge)
• Sc. Jean-Pierre Jeunet et Guillaume
Laurant • Ph. Bruno Delbonnel •
Mus. Yann Tiersen • Prod. Claudie Ossard
• France - Allemagne • Durée 120' •
4 Césars : film, scénario, musique,
décors ; 3 Trophées Lumière : film,
scénario, Audrey Tautou

Serveuse dans un café-tabac, Amélie,
jeune fille discrète et imaginative, décide
un jour de faire anonymement
le bonheur des autres... à défaut du sien.

Amélie (Audrey Tautou) rêve ; derrière elle, Nino (Mathieu Kassovitz), le commis (Jamel Debbouze) et l'épicier (Urbain Cano...)

Amélie, son père (Rufus) et le nain de jardin…

Au pays des merveilles d'Amélie

Inventif et jubilatoire, *Le Fabuleux Destin
d'Amélie Poulain* prouve qu'on peut faire
de bons films avec de bons sentiments.
Porté par une imagerie poétique, populaire
et pittoresque, avec, pour grande
ordonnatrice une fée malicieuse et tendre,
Jeunet retravaille le moindre décor dans un
Montmartre théâtralisé et intemporel, cisèle
les dialogues et joue en permanence d'effets
visuels imperceptibles ou signifiants
(les photomatons qui parlent, Amélie qui
se liquéfie…), tandis qu'Audrey Tautou, avec
son charme mutin entre Audrey Hepburn
et Giulietta Masina, illumine l'écran. Elle est
solidement épaulée par Mathieu Kassovitz,
tout en décontraction souriante,
et par une étonnante galerie de seconds

Amélie et Dufayel (Serge Merlin).

rôles dont se détachent Rufus (et son nain de jardin !)
et Yolande Moreau, concierge larmoyante régénérée par
une lettre d'amour. Chaque spectateur, en sympathie,
peut s'identifier à eux et trouver le bonheur de vivre.

Nino a reconstitué la photo d'Amélie en Zorro.

« Amélie, c'est moi ! »

Jeunet avoue se reconnaître en une héroïne qu'il a fignolée
trois ans durant. « Construire plutôt que détruire, c'est
un défi intéressant. J'avais envie à ce stade-là de ma vie de
faire un film qui soit léger, qui fasse rêver, qui fasse plaisir.
Le particulier a rejoint le populaire. Pour un metteur en
scène, ce succès-là est le plus beau des cadeaux. » Le film
reprend le jeu des « j'aime, j'aime pas », utilisé déjà par
le cinéaste dans *Foutaises* (1990, César du court métrage
de fiction). Marc Caro et lui avaient réalisé des vidéo-clips
et des courts métrages, dont *Le Manège*, César 1981.
Leur premier long métrage commun est *Delicatessen*
(1991, Césars de la meilleure première œuvre et du
meilleur scénario), Jeunet est considéré comme le poète
fleur bleue, Caro le visionnaire bizarre et ombrageux.
Après l'insuccès de *La Cité des enfants perdus* (1995),
ils se séparent à l'amiable. À Hollywood, Jeunet prend en
charge *Alien, la résurrection* (1997) et s'en tire avec les
honneurs mais résiste aux ponts d'or des grands studios.
Il préfère sa vision artisanale et hexagonale du cinéma.
Le succès d'*Amélie* lui donne raison : plus de vingt millions
d'entrées, tous pays confondus.

Les succès du cinéma français à l'étranger

On retient surtout *Mon Oncle* (Jacques
Tati), *Les Parapluies de Cherbourg*
(Jacques Demy), *Un Homme et
une Femme* (Claude Lelouch), *Ma Nuit
chez Maud* (Éric Rohmer), *Cousin
Cousine* (Jean Charles Tacchella),
Préparez vos mouchoirs (Bertrand Blier),
Indochine (Régis Wargnier),
Le Cinquième Élément (Luc Besson),
Astérix et Obélix contre César (Claude
Zidi) et *Jeanne d'Arc* (Luc Besson).
On trouve aussi *Les Rivières pourpres*
(Mathieu Kassovitz), *Microcosmos*
(Claude Nuridsany, Marie Perennou),
Le Pacte des loups (Christophe Gans),
Le Placard et *Le Dîner de cons* (Francis
Veber) et *Taxi 2* (Gérard Krawczyk).
Les films français progressent chaque
année : derrière *Amélie Poulain*, on
trouve *La Marche de l'empereur*, *Un
Long Dimanche de fiançailles*, *Oliver
Twist* et *Les Choristes*. Vive l'exception
culturelle !

Georgette (Isabelle Nanty), l'hypocondriaque.

L'Auberge espagnole
Aventure humaine

2002

Comédie de Cédric Klapisch avec Romain Duris (Xavier), Judith Godrèche (Anne-Sophie), Audrey Tautou (Martine), Cécile de France (Isabelle), Kelly Reilly (Wendy) • Sc. Cédric Klapisch • Ph. Dominique Colin • Dist. Mars Distribution • France • Durée 120' • César du meilleur jeune espoir féminin pour Cécile de France

Obligé de partir à Barcelone pour finir ses études, Xavier se retrouve dans une bouillonnante co-location internationale.

Les colocataires de Xavier (Romain Duris): William (Kevin Bishop), Wendy (Kelly Reilly), Lars (Christian Pagh), Helmut (Barnaby Metschurat), Isabelle (Cécile de France), Soledad (Cristiana Brondo), Alessandro (Federico D'Anna).

Isabelle, donne de bons conseils à Xavier à propos des filles.

Les voyages forment la jeunesse

Comme Xavier, le personnage de son film, Cédric Klapisch a étudié à l'étranger. Sa sœur cadette, qui se trouvait à Barcelone dans le cadre du programme Erasmus, vivait avec d'autres Européens. Il surnommait cette cohabitation, mélange de confusion et d'harmonie : « l'auberge espagnole ». Cédric Klapisch regroupe pour cet « Euro Pudding » (titre international du film) une sorte de Tour de Babel, pleine d'excitation créatrice. Partager un appartement avec des gens qui parlent des langues différentes peut être la source d'une comédie ou d'un questionnement sur l'Europe et sur la différence. Pour Klapisch, cette expérience permet de dépasser ses préjugés. Il a vécu à New York de 23 à 25 ans et y a côtoyé des Français auxquels il n'aurait jamais parlé en France.

Parcours initiatique

En arrivant, Xavier est quelqu'un d'assez moyen. Il a des problèmes relationnels, notamment avec Martine, son amie qu'il laisse à Paris. À la fin du film, il prendra un peu d'épaisseur : contemplant la photo de l'enfant qu'il fut en se disant qu'il ne veut pas décevoir cet enfant-là, il décide qu'il n'intégrera pas le poste austère auquel

il était destiné et écrira « L'Auberge espagnole ». Tel un roman d'apprentissage, le film offre au personnage un parcours initiatique. Le film n'est pas la suite du *Péril jeune* (1995), où le personnage de Romain Duris trouvait la mort. Mais il mêle, comme dans *Chacun cherche son chat* (1996), notations biographiques et fiction dans une cacophonie chaotique et joyeuse. Les scènes entre Xavier et Isabelle, sa copine belge et homosexuelle, furent véritablement vécues par Cédric Klapisch. Après le succès du film, celui-ci refuse de faire « un coup marketing » avec une suite. Pourtant, toutes les idées qu'il a pour un nouveau film découlent de *L'Auberge espagnole*. Cette envie est réciproque, les acteurs le retrouveront donc dans *Les Poupées russes* (2005).

Xavier retrouve Wendy dans *Les Poupées russes*.

de Romain Duris. Pour le rôle de Xavier, Klapisch impose à Duris de se couper les cheveux : l'acteur quitte ainsi ses rôles branchés (*Déjà mort*, Olivier Dahan, 1998). Il récidivera avec *Arsène Lupin* (Jean-Paul Salomé, 2004) et *De battre mon cœur s'est arrêté* (Jacques Audiard, 2005).

Xavier séduit Anne-Sophie (Judith Godrèche), épouse délaissée et coincée.

Acteur fétiche

Cédric Klapisch retrouve ici Romain Duris, déjà présent dans *Le Péril jeune*, *Chacun cherche son chat*, *Peut-être*. À dix-neuf ans, Romain Duris est repéré à la sortie du lycée par Bruno Lévy. Par la suite, le directeur de casting pensera à Judith Godrèche, en contre-emploi, pour la mariée coincée du film. *Le Péril jeune* a un gros impact sur les 15-25 ans et pas seulement sur la génération

De la déambulation comme un des beaux-arts

L'Auberge espagnole est une sorte de pendant masculin à *Chacun cherche son chat*. Le réalisateur a la volonté d'utiliser la même démarche errante, baladant sa caméra dans les rues de Barcelone, comme il l'avait fait dans le quartier Bastille dans cette chronique de « tous les jours », avec des accélérés et des trucages impossibles en 35 mm et qui donnent l'impression que Xavier les a produits avec son ordinateur. Cédric Klapisch inventa d'ailleurs la scène de la panne d'électricité parce qu'il savait qu'avec le HD Cam on peut filmer avec comme seul éclairage une allumette ou un briquet.

357

Les Invasions barbares

L'heure des bilans

Rémy, son fils et ses amis regardent un émouvant message de Sylvaine, la fille de Rémy, partie en mer.

2003

Les Invasions barbares, comédie dramatique de Denys Arcand, avec Rémy Girard (Rémy), Stéphane Rousseau (Sébastien), Marie-Josée Croze (Nathalie • Sc. Denys Arcand • Ph. Guy Dufaux • Mus. Pierre Aviat • Dist. Pyramide Distribution • Canada - France • Durée 99' • Prix du scénario et prix d'interprétation féminine à Marie-Josée Croze au Festival de Cannes ; Césars des meilleurs film, réalisateur et scénario ; Oscar du meilleur film étranger

Rémy, professeur d'histoire à l'Université de Montréal, est atteint d'un cancer incurable. Son fils Sébastien, avec qui il ne s'est jamais entendu, remue ciel et terre pour apaiser ses derniers jours et réunit autour de lui tous ses amis.

Conversations scabreuses

Dans *Le Déclin de l'empire américain* (1986), Denys Arcand mettait en scène quatre universitaires qui, en attendant le retour de leurs femmes occupées à soigner leur ligne, préparaient, au cours d'un bel après-midi d'automne, un repas dans une maison au bord d'un lac. Tous et toutes n'avaient qu'un seul sujet de conversation : le sexe. Réunis autour de la même table, ils confrontaient leurs

Nathalie (Marie-Josée Croze).

expériences, livraient leurs fantasmes et faisaient assaut d'anecdotes croustillantes. Dans ce film dont le titre initialement prévu était « Conversations scabreuses », tout passait par des dialogues francs, parfois crus, auxquels l'accent québécois enlevait toute trace de vulgarité. Les personnages, issus de milieux intellectuels, permettaient au réalisateur de dresser une série de portraits incisifs d'hommes et de femmes perturbés par une liberté fraîchement acquise et vivant les désillusions amoureuses, sexuelles et politiques. Ils symbolisaient en quelque sorte le déclin des sociétés occidentales annoncé par un titre pouvant paraître énigmatique mais suggérant que l'Amérique vivait, au XXe siècle,

un déclin identique à celui de Rome au début de l'ère chrétienne. Le 11 septembre 2001, jour où l'Amérique a été touchée en plein cœur sur son propre territoire, n'est que le premier signe des nouvelles invasions barbares.

Dix-sept ans après

Le Déclin de l'empire américain connut un succès considérable. Obsédé par l'idée de faire un film sur la mort, – « Mes films sont des autobiographies déguisées. Je suis partout, dans tous les personnages », a-t-il déclaré –, Denys Arcand eut l'idée de les faire revivre dix-sept ans plus tard. On retrouve donc la même joyeuse bande d'intellectuels aisés, amateurs de bons mots, refaisant le monde et commentant volontiers leurs frasques sexuelles. Arrivés à l'heure des bilans, ils ne cachent pas leurs désillusions : « il n'y a pas un isme que nous n'ayons essayé » dit l'un d'eux. Dans ce film auquel l'humour parfois noir évite de sombrer dans le mélodrame, passant constamment du rire aux larmes, le réalisateur jette un regard particulièrement critique sur la société occidentale, marquée par la fin des idéologies et la perte des valeurs. Son regard aigu sur les individus, la chaleur dont il les entoure, l'implication de chacun des comédiens, sont pour beaucoup dans le succès public d'un film présenté en compétition officielle au Festival de Cannes ; faute de récompense suprême, son titre était suivi, lors de sa distribution en salles, de la mention « Palme du cœur ».

Réconciliation entre Sébastien, le fils (Stéphane Rousseau) et Rémy, le père (Rémy Girard).

Vive le cinéma québécois !

Au milieu des années soixante, le cinéma québécois apparaît sur le devant de la scène internationale grâce à la création, en 1956, de l'Office national du film, qui favorise l'émergence d'une culture de langue française. Outre Pierre Perrault et Michel Brault qui, avec *Pour la Suite du monde* (1963), donnent naissance à un cinéma direct en quête d'objectivité, Gilles Carle, réalisateur des *Mâles* (1971), *La Vraie Nature de Bernadette* (1972) et *La Mort d'un bûcheron* (1973) ou Denys Arcand, qui réalise successivement *La Maudite Galette* (1972), *Réjeanne Padovani* (1973), *Le Crime d'Ovide Plouffe* (1983), *Le Déclin de l'empire américain* et *Jésus de Montréal* (1988), témoignent de l'originalité du regard porté sur la société.

Grande conversation entre amis.

Les Choristes
On connaît la chanson

2004

Comédie dramatique de Christophe Barratier avec Gérard Jugnot (Clément Mathieu), François Berléand (Rachin), Kad Merad (Chabert) • Sc. Christophe Barratier, Philippe Lopes-Curval, d'après le scénario de La Cage aux rossignols écrit par René Wheeler et Noël-Noël • Ph. Carlo Varini, Dominique Gentil • Mus. Bruno Coulais • Dist. Pathé • France • Durée 95' • 2 Césars : musique, son

Clément Mathieu, ex-professeur de musique devenu surveillant, tente de redonner le sourire aux enfants d'un internat de rééducation pour mineurs en les faisant chanter.

Clément Mathieu (Gérard Jugnot) a formé une chorale avec les enfants du sinistre « Fond de l'étang ».

De nouveaux rossignols

Engagé par Jacques Perrin, son oncle, Christophe Barratier cherche des idées pour son premier long métrage, ses notes sur l'enfance et la musique le conduisent à se rappeler La Cage aux rossignols (Jean Dréville, 1949) avec Noël-Noël. Le personnage interprété par Gérard Jugnot n'est pas aussi gagnant que celui de Noël-Noël, qui se mariait et voyait son roman publié. Le procédé narratif diffère aussi : dans Les Choristes, Pierre Morhange, l'un des enfants devenu adulte, se remémore celui à qui il doit sa réussite. Pour rendre crédible cette histoire d'un homme qui, grâce au chant, aide des enfants à supporter le système répressif instauré par le despotique directeur, Rachin, Christophe Barratier situe l'histoire dans un passé proche : dans l'après-guerre où ont été ouvertes ces maisons de correction et où l'on cherche à dégager des profils psychologiques de délinquants. Les Disparus de Saint-Agil (Christian-Jaque, 1938) ou La Guerre des boutons (Yves Robert, 1962) ont, comme ce film, ce que Gérard Jugnot définit comme le souvenir de la craie sur le tableau et de l'enfance moisie.

La mélodie du bonheur

Les Petits Chanteurs à la Croix de Bois avaient prêté leurs voix à La Cage aux rossignols. Pour Les Choristes, Christophe Barratier souhaite que seul l'interprète de Pierre Morhange, chanteur soliste, soit tenu par un vrai chanteur. Il sélectionne donc les enfants sur les lieux mêmes du tournage en Auvergne, à l'exception de Maxence Perrin, le fils de Jacques Perrin, de Théodule Carré Cassaigne et de Thomas Blumenthal. C'est en faisant le tour des chorales de France qu'il découvre à Lyon les Petits

Pierre Morhange (Jean-Baptiste Maunier) s'avère avoir une voix exceptionnelle…

Chanteurs de Saint-Marc. Ils enregistreront la bande originale et Jean-Baptiste Maunier, leur soliste, incarnera Pierre Morhange. Non seulement sa voix est exceptionnellement émouvante, mais ses essais de comédiens sont concluants. Bruno Coulais,

aidé pour deux chansons par Christophe Barratier, compose une musique qui joue davantage sur l'émotion que sur la recherche stylistique. Le film remporte un vif succès, est nommé aux Oscars et relance le goût pour le chant choral, les Petits Chanteurs de Saint-Marc effectuant de nombreux galas.

Clément Mathieu est amoureux de Violette (Marie Bunel), la maman de Pierre Morhange.

Clément Mathieu est confronté à l'intolérance de l'autoritaire directeur Rachin (François Berléand).

Monsieur Jugnot

Christophe Barratier pense immédiatement à confier le rôle de Clément Mathieu à Gérard Jugnot, qui devient producteur associé. Pour affiner la psychologie des personnages, Jugnot lui fait rencontrer Philippe Lopes-Curval, avec lequel il avait travaillé sur Monsieur Batignole (2002). Dans les deux films, l'acteur, qui a fait ses débuts dans l'équipe du Splendid, incarne un Français moyen capable d'exploits insoupçonnés. Loin de se cantonner au rôle de perpétuel comique (Les Bronzés, Patrice Leconte, 1978), Gérard Jugnot a su développer d'autres facettes avec des rôles plus sensibles (Tandem, Patrice Leconte, 1987), et en passant derrière la caméra, jouant parfois avec des enfants (Scout toujours, 1985).

Marie-Antoinette
Une ado à Versailles

2006

Marie-Antoinette, film historique de Sofia Coppola avec Kirsten Dunst (Marie-Antoinette), Jason Schwartzman (Louis XVI), Rip Torn (Louis XV), Asia Argento (la comtesse du Barry), Jamie Dorman (le comte Fersen) • Sc. Sofia Coppola d'après le livre d'Antonia Fraser • Ph. Lance Acord • Mus. Air • Dist. Pathé Distribution • États-Unis • Durée 123'

À quatorze ans, Marie-Antoinette, archiduchesse d'Autriche promise au Dauphin de France Louis, arrive à Versailles. Elle découvre un mari distant, falot et un monde hostile et codifié, dont elle s'évade dans l'ivresse des fêtes.

Marie-Antoinette, jeune épouse du Dauphin Louis (Jason Schwartzman), fait l'expérience de l'étiquette à la cour de France.

Une vision fantasmée de l'Histoire

« En lisant le livre d'Antonia Fraser – souligna Sofia Coppola – j'ai eu l'impression d'une Marie-Antoinette confrontée aux mêmes problèmes qu'une lycéenne. Je ne voulais pas faire de grande fresque historique. J'étais plus intéressée par la recherche du propre point de vue de la jeune fille ; une approche très intime, un récit d'apprentissage ». De fait, elle nous livre le fascinant portrait d'une victime

Promenade dans les jardins de Versailles.

Le couple princier connaît quelques difficultés au lit.

des malentendus et de la rumeur, ange déchu, bouc émissaire d'un ras-le-bol politique, une Lady Di avant la lettre. On adhère à ce parti-pris ou non et les puristes historiens peuvent être surpris par l'extravagant mélange de musique classique et contemporaine. En compétition au Festival de Cannes, le film fut sifflé. Mais on ne peut qu'être séduit par sa splendeur visuelle, le soin apporté par la jeune cinéaste à la reconstitution et à sa mise en perspective, aidée par son interprète, délicieusement espiègle et glamour.

Lors d'un bal masqué, le comte Fersen (Jamie Dorman) rencontre Marie-Antoinette (Kirsten Dunst).

Sofia dans la cour des grands

Avec ce film, Sofia Coppola, née en 1971, clôt sa trilogie sur les blondes éthérées, fâchées avec l'âge adulte, et souligne la cohérence de son œuvre naissante : « Il y a un fil commun entre *Lost in Translation* (2003) et *Marie-Antoinette*. Ce film débute là où le précédent s'est terminé et il y a des similarités évidentes avec le personnage de Charlotte, l'épouse délaissée incarnée par Scarlett Johansson. Toutes deux vivent dans un monde étranger, elles essaient d'avancer, de se trouver ». C'est un conte sur la solitude et l'isolement, thèmes déjà récurrents dans *Virgin Suicides* (1999). Volontaire, intuitive et sans doute angoissée, Sofia s'épanouit au cœur d'une « famille » chaleureuse où son frère Roman, son père Francis et les collaborateurs amis attitrés la soutiennent.

Elle est aussi photographe, actrice, incarne l'air du temps et relève les défis avec un style très personnel qui laisse présager, la maturité venant, une réussite exceptionnelle.

Marie-Antoinette à l'écran

Née à Vienne en 1755, morte décapitée à Paris en 1793, cette reine de France impopulaire pour sa prodigalité et son esprit contre-révolutionnaire fut compromise dans une escroquerie dont elle n'était pas responsable : le scandale de l'affaire du collier. Cependant, après la chute de la royauté, elle se racheta aux yeux du monde par la dignité de son attitude face à ses bourreaux. Dans une vingtaine de films, elle a pris les traits, entre autres, de Suzanne Bianchetti (*Napoléon*, Abel Gance, 1927), Lise Delamare (*La Marseillaise*, Jean Renoir, 1938), Norma Shearer (*Marie-Antoinette*, W. S. Van Dyke, 1938), Nina Foch (*Scaramouche*, George Sidney, 1952), Renée Saint-Cyr (*Le Chevalier de Maison Rouge*, Vittorio Cottafavi, 1953), Isabelle Pia (*Madame du Barry*, Christian-Jaque, 1954), Liselotte Pulver (*La Fayette*, Jean Dréville, 1961), Christina Böhm (*Lady Oscar*, Jacques Demy, 1978) ou Ursula Andress (*Liberté, égalité, choucroute*, Jean Yanne, 1985). C'est cependant l'interprétation habitée de Michèle Morgan dans *Marie-Antoinette, reine de France* (Jean Delannoy, 1955, un des rares films à respecter le cheminement historique de son destin tragique), qui frappe par sa sensibilité et son intensité.

Univers futurs

Metropolis
Une hallucinante prémonition de l'Histoire

1927

Metropolis, film de science-fiction de Fritz Lang, avec Alfred Abel (Joh Fredersen), Gustav Fröhlich (Freder Fredersen), Brigitte Helm (Maria), Rudolf Klein-Rogge (Rotwang) • Sc. Fritz Lang et Thea von Harbou • Ph. Karl Freund et Günther Rittau • Mus. Gottfried Huppertz • Prod. UFA • Allemagne • Durée 120' (version intégrale), 84' (version modernisée et colorisée, avec musique et effets acoustiques de Giorgio Moroder, 1984)

Dans Metropolis, cité du XXIe siècle, les élus vivent dans les Jardins éternels de la joie tandis que les esclaves travaillent sans relâche dans les entrailles de la ville. Mais un savant, Rotwang, fabrique une femme-robot qui va semer la révolte dans le cœur des sous-hommes.

Le savant Rotwang (Rudolf Klein-Rogge) crée un robot à l'image de Maria (Brigitte Helm).

Freder (Gustav Fröhlich) prend les esclaves en pitié.

Une préfiguration inconsciente du régime nazi ?

Metropolis est l'un de ces rares films dont les images conçues par un visionnaire – Fritz Lang avait fait des études d'architecte – annoncent les déchaînements de violence futurs. L'édification des camps de concentration et la « solution finale » instituée par le IIIe Reich semblent répondre en écho à la structure du scénario, qui décrit une société puissamment hiérarchisée sur le plan politique et social. De même, on ne manqua pas de remarquer une étoile (à cinq branches) peinte à la main sur la porte du savant occultiste Rotwang, très similaire à celle portée par les Juifs en Allemagne sous le régime nazi. Sans compter les ouvriers que l'on sacrifie en les jetant dans les entrailles de la machine. Pour beaucoup de commentateurs, *Metropolis* est une œuvre fasciste et pré-nazie. Fritz Lang lui-même, dans une interview donnée en 1959, l'a implicitement reconnu en rejetant la morale finale très ambiguë qui prône la réconciliation du Capital et du Travail par l'intermédiaire du Cœur comme « médiateur » : « ...Je n'aime pas *Metropolis*. C'est faux, la conclusion est fausse, je ne l'acceptais déjà pas quand je réalisais le film. » Mais les reportages de l'époque décrivent un cinéaste tournant avec frénésie et enthousiasme...

« La Vie future »

Adolf Hitler et Joseph Goebbels, tous deux cinéphiles, ne cachèrent pas leur enthousiasme pour le film de Fritz Lang, à qui ils proposèrent, dès leur avènement au pouvoir, de prendre la tête du cinéma allemand. Mais Lang, farouchement antinazi, quitta aussitôt son pays pour un exil qui devait durer vingt-cinq ans. C'est à la suite d'un voyage à New York et de la découverte du taylorisme américain qu'il avait eu l'idée de son film d'anticipation. Très influencé par les romans de l'Anglais H. G. Wells, mais aussi par « L'Eve future » de Villiers de l'Isle-Adam et *Le Golem* (1920), film allemand de Paul Wegener et Carl Boese, il écrivit le scénario en collaboration avec son épouse d'alors, Thea von Harbou. Mais le film, qui érige en dogme la frontière entre l'esprit créateur et les bâtisseurs, déplut souverainement à H. G. Wells, qui avait sans doute peur de se voir accusé de l'avoir involontairement inspiré : « En tant que satire sociale, *Metropolis* n'a aucun sens », déclara-t-il.

Dans les bas-fonds de Metropolis, des esclaves travaillent à une immense machine.

La fausse Maria déchaîne les passions et pousse le peuple à la révolte.

Plusieurs générations de robots à l'écran

La Maria de *Metropolis* fut l'un des premiers robots-androïdes du cinéma (le robot est une machine qui s'apparente grossièrement à l'homme, alors que l'androïde est une réplique humanoïde qui peut aisément passer pour un être humain). Parmi les robots les plus spectaculaires qui suivirent, on peut citer Gort, le robot extra-terrestre du *Jour où la Terre s'arrêta* (1951), le sophistiqué Robby de *Planète interdite* (1956), sans oublier C3PO et R2D2 de la saga de *La Guerre des étoiles* (1977, 1980, 1983, 1999, 2002, 2005). Quant aux androïdes les plus célèbres, on les trouve dans *Mondwest* (1973), la série des *Alien* (1979, 1986, 1992, 1997), *Blade Runner* (1982), *Terminator* (1984, 1991, 2003) et plus récemment dans *A. I. Intelligence artificielle* (2001). Enfin, le cyborg de *RoboCop* (1987) représente une synthèse entre le robot et l'humain.

Le Jour où la Terre s'arrêta

Le premier film de science-fiction adulte

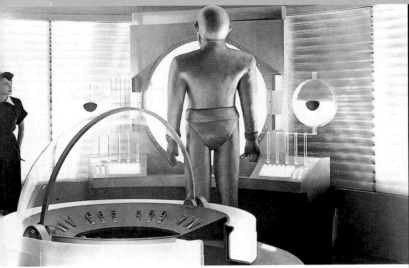

Helen (Patricia Neal) se retrouve face à Gort dans la soucoupe.

1951

The Day the Earth Stood Still, science-fiction de Robert Wise, avec Michael Rennie (Klaatu), Patricia Neal (Helen Benson), Hugh Marlowe (Tom Stevens), Sam Jaffe (le docteur Barnhardt) • Sc. Edmund H. North, d'après une histoire de Harry Bates • Ph. Leo Tover • Mus. Bernard Herrmann • Prod. Julian Blaustein • États-Unis • Durée 92'

Un être venu des étoiles en soucoupe volante demande aux habitants de la Terre de cesser leurs querelles et d'instaurer la paix s'ils ne veulent pas encourir la colère de la communauté planétaire.

Gort, Helen et Klaatu (Michael Rennie).

Une allégorie pacifiste...

Au début des années cinquante, l'Amérique est hantée par la psychose des soucoupes volantes. 1951, c'est aussi l'année où la rivalité Est-Ouest atteint son paroxysme (la guerre de Corée a commencé en juin de l'année précédente). La quasi-totalité des films « d'anticipation » s'acharne à dépeindre, en des termes plus ou moins voilés, la menace communiste. Les habitants des autres mondes représentent implicitement l'impérialisme soviétique ; les extra-terrestres, toujours agressifs, viennent de Mars, que la coutume populaire désigne comme la « planète rouge »... Mais, prenant la mode à contre-courant, un cinéaste audacieux signe une allégorie qui délivre un message pacifiste et ne ménage pas ses attaques envers l'Amérique ! Contrairement aux autres productions similaires – *Le Choc des mondes* (1951), par exemple, où quelques Américains deviennent les élus de Dieu et sont sauvés d'un cataclysme planétaire –, dans *Le Jour où la Terre s'arrêta*, les États-Unis ne sont plus le centre du monde.

... et un message humaniste

La haute tenue du film réside dans le fait que ses auteurs se sont refusés à faire la moindre distinction entre les peuples et les races. Bien mieux, l'Amérique y est fustigée à cause précisément de sa prétendue prédominance morale et de son modernisme. Si l'homme de la rue s'y révèle affable et conciliant, ce sont les dirigeants qui ont instauré ce climat de terreur qui règne sur le monde. Les politiciens sont dépeints comme des êtres bornés, sans imagination ni conscience. Et les militaires

n'ont rien à leur envier : leur confrontation avec l'intelligence et la supériorité de Klaatu souligne leur courte vue et leur stupidité. Car ce missionnaire d'un autre monde sera pourchassé comme un criminel... La traque de Klaatu, c'est la chasse ouverte aux pacifistes qui s'opposent aux plans d'hégémonie des gouvernements ; un symbole évident du maccarthysme qui battait son plein à l'époque. On persécute tous ceux qui ne s'insèrent pas dans le profil utile à la nation. L'exégèse n'exclut pas pour autant une possible signification religieuse. Messager de Dieu venu prêcher à nouveau la paix aux hommes de bonne volonté, Klaatu sera crucifié une seconde fois : il mourra, mais les auteurs n'excluent pas le miracle de la résurrection car le messie moderne sera ramené à la vie au cœur de la mystérieuse soucoupe par les soins de son fidèle robot, quelques heures avant son ascension...

Le docteur Barnhardt (Sam Jaffe) fait face aux militaires.

La grande menace

« La chose la plus importante qui nous a motivés, le producteur, le scénariste et moi, est que nous étions tous antimilitaristes, précisait Robert Wise. Et nous étions persuadés que toutes ces manipulations avec la bombe atomique représentaient une grande

menace. En ce sens, c'était un film très important : "Ne jouez pas avec ça ou vous allez nous anéantir !" » L'Amérique, qui multipliait alors les expériences atomiques en dépit des vigoureuses campagnes menées de par le monde par les savants et les intellectuels pour les interdire, ne voulut pas se reconnaître dans le portrait peu flatteur que lui renvoyait le film. Il a, depuis, pris la place qui lui revient parmi les chefs-d'œuvre de la science-fiction cinématographique.

L'image des « bons » extra-terrestres

Bien que flanqué de Gort, un robot menaçant, Klaatu est la première image du « bon » extra-terrestre qui préfigure ce que seront, trente ans plus tard, celle des bienveillants visiteurs de *Rencontres du 3e type* (1977) et de *E.T.* (1982) de Steven Spielberg.

2001 : l'Odyssée de l'espace

L'an un du cinéma futur

1968

2001 : A Space Odyssey, science-fiction de Stanley Kubrick, avec Keir Dullea (Bowman), Gary Lockwood (Poole), William Sylvester (le docteur Heywood Floyd), Leonard Rossiter (Smyslov), Robert Beatty (Halvorsen) • Sc. Arthur C. Clarke et Stanley Kubrick • Ph. Geoffrey Unsworth • Mus. Richard Strauss, Johann Strauss, György Ligeti, Aram Khatchatourian • Prod. Stanley Kubrick • Royaume-Uni • Durée 139' • Oscar pour les effets spéciaux (Douglas Trumbull)

En l'an 2001, le vaisseau spatial « Discovery » entreprend un long voyage vers Jupiter après qu'un étrange monolithe enfoui dans le sol lunaire a émis une onde électromagnétique en direction de cette planète.

À bord du « Discovery », en route vers Jupiter, Dave Bowman consulte l'ordinateur HAL 9000.

Sommes-nous seuls dans l'Univers ?

Avec ses échappées scientifiques et philosophiques, la science-fiction est l'art littéraire typique du XXe siècle. Mais, jusqu'au film de Kubrick, le cinéma de science-fiction s'était contenté d'illustrer des récits très primaires. Pour la première fois était posée sérieusement la grande question : sommes-nous seuls dans l'Univers ? Pour la première fois, un film donnait à voir, dans un contexte technologique minutieusement reconstitué, la réalité d'un long voyage dans l'espace. Pour la première fois était montrée l'inquiétante confrontation d'un homme avec une intelligence artificielle, l'ordinateur HAL 9000. Pour la première fois enfin, un cinéaste mettait en images un monde aux lois temporelles différentes de celles que nous connaissons (la séquence au cours de laquelle le cosmonaute se « rencontre » à différentes étapes de sa vie).

Aux commandes d'un module, Bowman quitte le vaisseau.

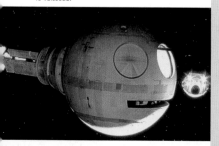

Expérimentation visuelle

Ces quelques exemples situent l'ambition du film et de ses auteurs : tenter, en deux heures et demie de projection, d'évoquer la destinée de notre espèce depuis l'aube de l'humanité, il y a quatre millions d'années. Parallèlement, Stanley Kubrick a opté pour un film « expérimental » : audace de la bande sonore – les longues séquences où l'on n'entend que la respiration des cosmonautes dans l'espace –, utilisation novatrice de la musique classique – l'inoubliable ouverture aux accents de « Ainsi parlait Zarathoustra » et le fameux « Beau Danube bleu » qui accompagne le voyage vers la station orbitale –, recours à des images psychédéliques pour décrire la « plongée dans l'espace ».

L'origine du film est une nouvelle publiée en 1965 et intitulée « La Sentinelle ». Auteur de science-fiction en même temps que d'ouvrages scientifiques de vulgarisation, le Britannique Arthur C. Clarke imagine que l'évolution de l'espèce humaine a eu pour artisan une intelligence extra-terrestre en avance d'un million d'années sur nous. Ces « aliens » que les religions ont revêtu des attributs de la divinité, ont laissé sur la Lune cette « sentinelle » qui doit les avertir lorsque nous serons devenus technologiquement assez avancés pour atteindre notre satellite. Peut-être alors serons-nous prêts à rencontrer nos « créateurs ». Un scénario d'une complexité rare qui, selon la volonté de Kubrick, pose plus de questions qu'il n'offre de réponses : « *2001* est avant tout une expérience non verbale, précisait le cinéaste. Il ne faut pas chercher à tout prix à comprendre. Il faut avant tout croire, entendre et sentir. » Une pure expérimentation visuelle donc, qui tente de mettre en images le vertige de l'homme face à l'univers. En 1984, Peter Hyams signera *2010*, avec Roy Scheider et, de nouveau, Keir Dullea, qui se veut la suite du film de Kubrick.

Laissant son vaisseau loin derrière lui, Dave Bowman (Keir Dullea) contemple d'extraordinaires paysages.

Kubrick, un cinéaste hors norme

Né aux États-Unis mais jaloux de son indépendance créatrice, Stanley Kubrick (1928-1999) émigre très tôt en Angleterre où il réalisera la plus grande partie de son œuvre (treize films en quarante-six ans). Il touche à tous les genres : la parabole pacifiste avec *Docteur Folamour* (1964), le film futuriste avec *Orange mécanique* (1971), le film historique avec *Barry Lyndon* (1975), le film d'épouvante avec *Shining* (1979), le film de guerre avec *Full Metal Jacket* (1987), le drame psychologique avec *Eyes Wide Shut* (1999). S'y font jour sa maîtrise technique et son souci de perfectionnisme, mais aussi son pessimisme fondamental quant à l'avenir du genre humain.

Au terme de son périple, Bowman se retrouve dans un décor inattendu.

La Planète des singes

Le monde à l'envers

1968

Planet of The Apes, science-fiction de Franklin Schaffner, avec Charlton Heston (George Taylor), Roddy Mac Dowall (le docteur Cornelius), Kim Hunter (le docteur Zira), Maurice Evans (le docteur Zaius), Linda Harrison (Nova) • Sc. Michael Wilson, Rod Serling, d'après un roman de Pierre Boulle • Ph. Leon Shamroy • Mus. Jerry Goldsmith • Prod. Arthur P. Jacobs • États-Unis • Durée 112' • Oscar du meilleur maquillage

Des astronautes débarquent sur une planète inconnue, peuplée par une humanité primitive, asservie par des singes très évolués.

Cornelius (Roddy Mc Dowall), Zira et Lucius (Lou Wagner) organisent la fuite de Nova (Linda Harrison) et Taylor (Charlton Heston).

Les docteurs Zira (Kim Hunter) et Zaius (Maurice Evans).

Roman français, production hollywoodienne

Auteur du livre qui inspira le film à succès de David Lean, *Le Pont de la rivière Kwaï* (1957), Pierre Boulle vend à Arthur P. Jacobs les droits de « La Planète des singes » avant même que le roman ne soit publié. Le producteur passe quatre ans à tenter de convaincre, sans succès, les grandes compagnies, jusqu'à ce que Richard D. Zanuck, de la 20th Century-Fox, s'intéresse au projet. Comme Pierre Boulle l'avait accepté, le récit est entièrement modifié, le dénouement étant encore plus imprévu que dans le roman.

Tableau de chasse…

Ce n'est pas aux vieux singes qu'on apprend à faire la grimace

Un des six millions de dollars du budget étant alloué au grimage, une année entière, avant le tournage, est consacrée à l'élaboration de techniques sophistiquées. Soixante-dix-huit experts sont mobilisés sous la direction de John Chambers (1923-2001), spécialiste en chirurgie esthétique et vétéran d'Hollywood, qui met au point une substance spéciale à base de mousse de caoutchouc à laquelle sont rajoutés joues, lèvres, nez, menton et oreilles. Les longs poils sont collés un à un. Les « visages », totalement personnalisés pour les rôles principaux, permettent aux acteurs de respirer et de transpirer, tout en conservant l'éclat du regard et la mobilité des muscles faciaux. Les comédiens sont toutefois contraints au jeûne, leurs larges lèvres artificielles empêchant la mastication. Chaque jour, il leur faut subir trois heures de maquillage et une de démaquillage.

De la suite dans les idées

Devant le succès du film, les producteurs cédèrent à la tentation de faire des suites pour réutiliser masques et décors. Mais, après le cataclysme du *Secret de la planète des singes* (Ted Post, 1970), les scénaristes durent faire de gros efforts d'imagination pour poursuivre l'histoire dans *Les Évadés de la planète des singes* (Don Taylor, 1971). *La Conquête de la planète des singes* (J. Lee Thompson, 1972) révèle comment les singes s'emparèrent de la Terre. Puis vint *La Bataille de la planète des singes* (J. Lee Thompson, 1973). En 2001, Tim Burton mit en scène *La Planète des singes*, relecture complète de l'histoire, avec Mark Wahlberg, Tim Roth, Helena Bonham-Carter

Altar (Michael Clarke Duncan) et Thade (Tim Roth) à la tête de leur armée de singes (dans la version de Tim Burton).

et Estella Warren. Il y eut aussi deux séries pour la télévision : « La Planète des singes » (en 1974) et « Le Retour de la planète des singes » en 1975, ainsi que deux téléfilms, « Retour sur la planète des singes », en 1981 et 1998.

Et si le singe descendait de Charlton Heston ?

C'est Charlton Heston qui proposa Franklin J. Schaffner, lequel l'avait dirigé dans *Le Seigneur de la guerre* (1965), comme réalisateur de *La Planète des singes*. Passant le relais à James Franciscus, l'acteur accepta d'apparaître dans le prologue et l'épilogue du *Secret de la planète des singes*, s'éclipsant au début du film, pour ressurgir à la fin et faire exploser la planète. En guise de clin d'œil et pour une journée de travail, Charlton Heston incarnera le vieux singe moribond doté de sagesse dans le film de Tim Burton.

La Guerre des étoiles
Que la Force soit avec toi !

Darth Vader (David Prowse) et ses troupes investissent le vaisseau de la princesse Leia, dans *La Guerre des étoiles*.

1977

Star Wars, science-fiction de George Lucas, avec Mark Hamill (Luke Skywalker), Carrie Fisher (la princesse Leia Organa), Harrison Ford (Han Solo), Alec Guinness (Obi-Wan Kenobi), David Prowse (Darth Vader) • Sc. George Lucas • Ph. Gilbert Taylor • Mus. John Williams • Prod. Lucasfilm • États-Unis • Durée 121' • 6 Oscars : musique, montage, son, costumes, décors et effets spéciaux

Il y a très longtemps, dans une galaxie très lointaine… Des rebelles luttent contre l'Empire et ses sbires maléfiques…

Conte de fées moderne

Influencé à la fois par l'univers de Tolkien (« Le Seigneur des anneaux ») et les récits des chevaliers de la Table ronde, le film repose sur le même canevas qu'un conte de fées traditionnel : le jeune héros doit se dépasser pour secourir une princesse et triompher des forces du Mal. George Lucas s'est également inspiré de certains thèmes du western (la famille massacrée, les grands espaces déserts, la cantina où l'on se bagarre…). La Force Jedi emprunte au bouddhisme une partie de sa philosophie, et à la tradition judéo-chrétienne la prise de conscience morale et l'esprit de sacrifice. La devise des Jedi « Que la Force soit avec toi ! » renvoie au « Que le Seigneur soit avec vous » des Chrétiens. Fait unique dans l'histoire du cinéma, le rituel Jedi, qui a fasciné certains fans de la saga, est devenue en 2001 une religion officiellement reconnue ! Même si cela semble difficile à croire rétrospectivement, George Lucas et son producteur Gary Kurtz durent se battre pour mener leur projet à terme et obtenir de la 20th Century-Fox un budget : les trois-quarts des effets spéciaux prévus furent ainsi supprimés faute de crédits. Ceux restant, réalisés par la firme créée par George Lucas, Industrial Light and Magic, ou ILM (notamment pour les scènes de batailles spatiales et de combats au sabre-laser), contribuèrent au succès du film et annoncèrent même un tournant dans le cinéma de science-fiction. Un succès dû aussi à ses personnages. Du côté du Bien : la princesse Leia, altesse dynamique ; Luke Skywalker, apprenti pilote initié à la force mystique par l'ancien Jedi Obi-Wan Kenobi ; Han Solo, aventurier cynique mais loyal ; Chewbacca, mi-singe, mi-chien ; C-3PO, robot stylé à l'anglaise, et R2-D2, petit droïde efficace. En face : Darth Vader, redoutable chef des troupes impériales, Jedi passé au service du Mal, mais aussi Boba Fett, l'étrange chasseur de primes.

Saga intergalactique

Grâce au triomphe de *La Guerre des étoiles* (dû à l'immense succès public mais aussi à la commercialisation de produits dérivés : figurines, jouets, tee-shirts, posters, costumes, etc.), George Lucas put enchaîner avec deux suites qu'il se contenta de superviser et de produire : *L'Empire contre-attaque* (1980) et *Le Retour du Jedi* (1983), qui connurent eux aussi un succès mondial et enthousiasmèrent toute une génération. En 1997, Lucas poussa le perfectionnisme jusqu'à établir de nouvelles versions de ces trois films en modifiant certains plans, bénéficiant de l'énorme avancée technologique dans le domaine des effets spéciaux, dont ILM se veut la figure de proue.

Bataille spatiale, dans *Le Retour du Jedi*.

Du côté obscur…

Enfin, Lucas mit en chantier une nouvelle trilogie située avant la première (dont les épisodes furent rebaptisés 4, 5 et 6), réalisée par lui-même et centrée sur l'histoire d'Annakin Skywalker, chevalier Jedi passé du côté obscur de la Force sous le nom de Darth Vader. Il y eut donc *La Menace fantôme* (1999), *L'Attaque des clones* (2002), suivi de *La Revanche des Sith* (2005) montrant la fin des Jedi et le triomphe – provisoire – de l'Empire.

Obi-Wan (Ewan McGregor) et Qui Gon-Jinn (Liam Neeson) affrontent Dark Maul (Ray Park), dans *La Menace fantôme*.

Les héros rebelles : Chewbacca (Peter Mayhew), Han Solo (Harrison Ford), Leia (Carrie Fisher), Luke (Mark Hamill), R2-D2 et C-3PO, dans *La Guerre des étoiles*.

Rencontres du troisième type

Nous ne sommes pas seuls

Quelle apparence auront les visiteurs ?

1977

Close Encounters of the Third Kind,
science-fiction de Steven Spielberg, avec
Richard Dreyfuss (Roy Neary), François
Truffaut (Claude Lacombe), Melinda
Dillon (Jillian Guiler), Teri Garr (Ronnie
Neary), Bob Balaban (David Laughlin) •
Sc. Steven Spielberg • Ph. Vilmos
Zsigmond, William A. Fraker, Douglas
Slocombe • Mus. John Williams • Prod.
Julia & Michael Phillips • États-Unis •
Durées 135', 132' ("édition spéciale",
1980) et 131' (1998) • 2 Oscars:
photographie et montage sonore.

Pour quelques chercheurs, dont le savant
français Claude Lacombe, il devient
évident qu'une intelligence
extra-terrestre tente d'établir un contact
avec la Terre. La rencontre aura lieu
sur une montagne du Wyoming...

Le lieu de la rencontre.

Un vaisseau féerique.

Une approche scientifique des OVNIs

C'est le premier film important et sérieux
consacré aux Objets Volants Non Identifiés
(OVNI) – en anglais « Unidentified Flying
Objects » (UFO). Steven Spielberg ne
considère pas son film comme une fantaisie
mais comme une sorte de vulgarisation
scientifique à propos d'un phénomène
contemporain qui laisse le grand public
indifférent ou incrédule, et sur lequel
les gouvernements observent un silence
inquiétant. La personnalité du conseiller
technique du film, le professeur Allen Hynek,
un astrophysicien qui était sans doute
à l'époque l'un des seuls grands savants
à s'intéresser aux OVNIs – et qui apparaît
dans le film sous sa propre identité –, est
un élément d'importance dans la volonté
de sérieux de l'entreprise. Quant à François
Truffaut, il représente un autre spécialiste
des UFOs, le Français Jacques Vallée, qui était
alors l'un des principaux collaborateurs
du professeur Hynek. Grand admirateur
du cinéaste français, Steven Spielberg
a immédiatement pensé à lui en écrivant

le rôle de Claude Lacombe, même s'il fut proposé
à Lino Ventura et à Jean-Louis Trintignant.
On a prétendu ensuite que son choix avait été
renforcé par la curieuse coïncidence qui veut que
« Truffaut » en anglais se prononce comme « True
UFO », c'est-à-dire « les OVNIs sont une réalité » !

Claude Lacombe (François Truffaut).

Les cinq types de rencontres

C'est Allen Hynek lui-même qui a défini les trois
premières catégories de rencontres avec
les « soucoupes volantes » : vision d'une soucoupe
(rencontre du premier type), traces visibles
de soucoupes sur le sol (deuxième type), rencontre
avec des passagers d'une soucoupe (troisième type).
Depuis, deux autres catégories ont été créées :
enlèvement d'être humains par des extra-terrestres
(quatrième type), implants extra-terrestres dans
le corps d'êtres humains (cinquième type).
Contacté par Steven Spielberg, Richard Dreyfuss,
déjà interprète des *Dents de la mer* (1975), confia :
« C'était une idée géniale. Ce n'était pas seulement
un film de science-fiction ou de monstres. Il s'agissait
de montrer que nous n'étions pas seuls
mais que nous n'avions pas grand-chose à craindre –
ils peuvent être nos amis. Je voulais participer
à ce projet. »

Les soucoupes volantes

C'est le 24 juin 1947 que l'homme
d'affaires américain Kenneth Arnold, aux
commandes de son avion personnel,
rapporta pour la première fois avoir vu
de mystérieux objets au-dessus
d'une région montagneuse de l'État
de Washington qui, selon son estimation,
volaient à plus de 2 700 kilomètres
à l'heure ; et qu'un journaliste les baptisa
soucoupes volantes (« flying saucers »)
à cette occasion. Au cinéma, c'est à bord
d'un appareil de cette nature que l'extra-
terrestre Klaatu vient rendre visite à
la Terre dans *Le Jour où la Terre s'arrêta*
(Robert Wise, 1951). Les mêmes objets
volants deviennent des engins meurtriers
dans *La Guerre des mondes* (Byron
Haskin, 1953), *Les Soucoupes volantes
attaquent* (Fred Sears, 1956), *Mars
Attacks !* (Tim Burton, 1996) et
Independence Day / Le Jour de la riposte
(Roland Emmerich, 1996). Tandis que
les humains du XXIIe siècle utilisent
ce moyen de locomotion dans *Planète
interdite* (Fred McLeod Wilcox, 1956).

Alien / Le 8ᵉ passager

L'envahisseur sans pitié

L'équipage du « Nostromo » au complet: Parker (Yaphet Kotto), Kane, Ripley, Dallas (Tom Skerritt), Lambert (Veronica Cartwright), Brett (Harry Dean Stanton) et Ash (Ian Holm).

1979

Alien, science-fiction de Ridley Scott, avec Tom Skerritt (Dallas), Sigourney Weaver (Ellen Ripley), Veronica Cartwright (Lambert), Harry Dean Stanton (Brett), Yaphet Kotto (Parker), John Hurt (Kane), Ian Holm (Ash) • Sc. Dan O'Bannon • Ph. Derek Vanlint • Mus. Jerry Goldsmith • Prod. Brandywine • États-Unis • Durée 117' • Oscar des meilleurs effets spéciaux

Les sept occupants d'un vaisseau spatial luttent contre une créature extra-terrestre meurtrière.

« Dans l'espace, personne ne vous entend crier »

Alien s'inspire d'au moins trois films de série B: *La Chose d'un autre monde* (Christian Nyby et Howard Hawks, 1951); *It, the Terror beyond Space* (Edward L. Cahn, 1958); et *Terrore nello Spazio* (Mario Bava, 1965). Cette variation moderne sur le thème classique de la Belle et la Bête – qui devait à l'origine être dirigée par Walter Hill, l'un des producteurs – mélange efficacement science-fiction, suspense et horreur. Mais ici, pas de rédemption pour le monstre: il doit être détruit.

Les spectateurs ne furent pas les premiers à être terrorisés par l'intrusion inattendue de la créature: pour la scène où l'Alien perfore le ventre de Kane, Ridley Scott et son équipe n'avaient pas informé tous les acteurs de ce qui allait se passer, et certains d'entre eux furent vraiment épouvantés par cette apparition dans une gerbe de sang… Par ailleurs, Scott avait envisagé un dénouement beaucoup plus sombre: dans la navette, l'Alien tuait Ripley et prenait sa place, envoyant un message à la Terre en imitant sa voix… Mais le studio n'aurait pas apprécié, et les suites n'auraient guère été possibles…

Kane (John Hurt) se penche au-dessus d'un œuf…

Un implacable duel s'engage entre la créature sanguinaire…

La talentueuse Miss Ripley

Le film révéla Sigourney Weaver, qui reprit le rôle de Ripley (un temps prévu pour être un personnage masculin) à trois autres reprises. Dans *Aliens – Le Retour* (James Cameron, 1986), elle se réveille 75 ans plus tard et revient avec un commando de Marines sur la planète fatale pour tenter de sauver quelques colons. Il n'y aura que quatre survivants… Dans *Alien³* (David Fincher, 1992), unique rescapée, elle atterrit sur une planète-prison où les moines-détenus se sacrifieront pour tuer la créature venue avec elle, tandis qu'elle s'immolera après avoir découvert qu'elle avait été fécondée par celle-ci… Dans *Alien – la résurrection* (Jean-Pierre Jeunet, 1997), enfin, Ripley est clonée par des scientifiques véreux. Mais cette fois, elle a de l'Alien en elle, ce qui l'aide à combattre les monstres humains et extra-terrestres, et à quitter le vaisseau en compagnie de quelques pirates, direction: la Terre… En 2004, Paul W. S. Anderson oppose l'Alien à un autre fameux tueur extra-terrestre dans *Alien vs. Predator*. *Alien* fut fréquemment imité (*Léviathan*, George Pan Cosmatos, 1989, *Un Cri dans l'océan*, Stephen Sommers, 1998, etc.). Le succès de la saga entraîna même plusieurs adaptations pour jeux vidéo.

… et Ripley (Sigourney Weaver), bien décidée à survivre.

Ridley Scott, de la publicité au grand spectacle

Après *Duellistes* (1977), *Alien* fut le deuxième film du Britannique Ridley Scott (né en 1941), venu de la publicité et décidé à se frotter à tous les genres. Ont suivi en effet *Blade Runner* (1982), devenu lui aussi un classique du cinéma de science-fiction, *Legend* (1985), conte fantastique interprété par le jeune Tom Cruise, *Traquée* (1987) et *Black Rain* (1989), deux polars crépusculaires, *Thelma et Louise* (1991), "buddy-movie" au féminin, *1492, Christophe Colomb* (1992), film historique, *Lame de fond* (1996), film d'aventures maritimes, *À Armes égales* (1997), sur l'entraînement d'une femme dans un commando d'élite, *Gladiator* (2000), qui a consacré le retour du peplum, *Hannibal* (2001), thriller criminel, et *La Chute du Faucon Noir* (2001), film de guerre situé en Somalie, *Les Associés* (2003), sur des petits arnaqueurs californiens, *Kingdom of Heaven* (2005), récit épique de la conquête de Jérusalem par les Sarrasins, *Une Année en Provence* (2006), adaptation du roman de Peter Mayle.

Mad Max

Voiture, vitesse, violence...

Le policier Max Rockatansky (Mel Gibson) pourchasse les chauffards.

1979

Mad Max, anticipation de George Miller, avec Mel Gibson (« Mad » Max Rockatansky), Joanne Samuel (Jessie), Hugh Keays-Byrne (le coupeur de doigt), Steve Bisley (Mère l'Oie) • Sc. James McCausland, George Miller • Ph. David Eggby • Mus. Brian May • Prod. Byron Kennedy • Australie • Durée 85' • Prix spécial du jury au Festival d'Avoriaz et Licorne d'or ; Grand Prix du Festival de Paris du film fantastique ; six récompenses de l'Australian Film Institute

Dans un futur proche... un policier de la route se lance à la poursuite de la horde de motards qui a assassiné sa femme et son bébé.

Route sanglante

Mad Max est le premier long métrage de George Miller, jeune médecin australien qui avait réalisé un court métrage plein d'humour au titre prémonitoire : *Violence in the Cinema, Part One* (1971). Ayant vu des dizaines de victimes d'accidents graves dans l'hôpital où il exerçait, George Miller considère que nous vivons dans le culte de la voiture et de la vitesse. Cherchant à créer un spectacle qui « a la force d'impact d'un accident de voiture », George Miller évoque la violence afin de l'exorciser. Plutôt que de recourir à une violence explicite, le réalisateur, qui sait que les spectateurs n'ont pas envie de voir du sang sur l'écran, travailla particulièrement le montage. La brutalité ressentie devant *Mad Max* tient moins à ce qui est montré (excepté un plan de deux secondes, tout est suggéré) qu'à la manière dont l'action est présentée au spectateur.

Max est heureux avec sa femme Jessie (Joanne Samuel).

Cascades en série

En douze semaines de tournage, l'équipe parcourt 19 000 kilomètres, consomme 5 700 litres d'essence, utilise 30 000 mètres de pellicule, met hors d'usage quatorze véhicules, trois moteurs et cinq boîtes de vitesse. Trois mécaniciens réparent et préparent les engins et les problèmes de sécurité sont supervisés par Ian Goddard, champion moto européen et vainqueur des 24 heures du Mans moto. Quatorze cascadeurs et pilotes, sélectionnés pour leurs hautes compétences, travaillent sous la direction de Grant Page, qui prend part aux scènes où la Falcon Sedan traverse une caravane à 130 km/h et fait décoller une camionnette sous l'effet d'un choc à 140 km/h.

Le prix de la violence

Le film sera interdit en France pendant plusieurs années pour cause de violence extrême et de cascades meurtrières qui risquaient d'être une incitation pour le jeune public. La censure n'autorisa sa projection qu'en échange de quelques coupes qui lui évitèrent d'être classé X. Le réalisateur, pour qui c'est le climat général qui est violent et non certaines scènes, décréta qu'il fallait interdire tout le film ou rien. La Warner distribua

Max se venge implacablement.

Des bandes de motards sèment la terreur dans le pays.

Mad Max en version intégrale après le succès de *Mad Max 2* qui, tout comme le premier, fut classé par la presse américaine parmi les dix meilleurs films de l'année, et récompensé par un prix au Festival d'Avoriaz.

Miller, Mel et Max

Mad Max est une première pour George Miller et Mel Gibson. Lorsqu'il incarne Max, Mel Gibson a 22 ans et n'a joué que dans deux films (*Summer City*, Christopher Fraser, 1977, et *Tim*, Michael Pate, 1979). Devenu le héros du cinéma d'action des années quatre-vingt, on le retrouvera en flic dans *L'Arme fatale* (Richard Donner, 1987) et ses suites, notamment. En 1981, George Miller réalise *Mad Max 2*. Trois ans après la première aventure, le monde, retourné à la sauvagerie, est victime d'une crise pétrolière. À coup de voitures écrasées, flambées, aplaties ou explosées, ce film bénéficie d'un budget cinq fois plus élevé que le premier. George Miller co-réalise en 1985 avec George Ogilvie *Mad Max, au-delà du dôme du tonnerre*. Mel Gibson reprendra son rôle dans ces deux suites.

Blade Runner

Les androïdes ont-ils une âme ?

Los Angeles 2019 : une mégalopole surpeuplée.

1982

Blade Runner, science-fiction de Ridley Scott, avec Harrison Ford (Deckard), Rutger Hauer (Roy Batty), Sean Young (Rachel), Edward James Olmos (Gaff), Daryl Hannah (Pris), Joanna Cassidy (Zhora) • Sc. Hampton Fancher, David Peoples, d'après un roman de Philip K. Dick • Ph. Jordan Cronenweth • Mus. Vangelis • Prod. The Ladd Company • États-Unis • Durée 114'

Los Angeles, 2019. Deckard, un ancien policier, un « blade runner », est chargé de retrouver et d'abattre quatre androïdes très perfectionnés, révoltés et meurtriers.

Homme ou répliquant ?

Après *2001 : l'Odyssée de l'espace* (Stanley Kubrick, 1968) et avant *RoboCop* (Paul Verhoeven, 1987), *Ghost in the Shell* (Mamoru Oshii, 1996) et *A. I. Artifical Intelligence*, (Steven Spielberg, 2001), *Blade Runner* aborde un thème essentiel de la science-fiction : celui de la frontière entre hommes et robots. Un androïde peut-il acquérir l'humanité ? À partir de quel degré, une machine pensante a-t-elle accès aux sentiments, à la conscience, à l'âme, à tout ce qui constitue l'humain ? *Blade Runner* repose sur cette ambiguïté que Deckard ne peut que constater. Chargé à contrecœur d'éliminer les répliquants, il comprend lui-même à quel point ceux qu'il traque sont proches de lui, puisqu'il tombe amoureux de Rachel, une répliquante qui ignore l'être. Du reste, Ridley Scott déclara en 2000 que, selon lui, Deckard était lui aussi un répliquant…

Un film noir du futur

Intégrant dans un univers d'anticipation plusieurs ingrédients du film noir (désenchantement, enquêteur désabusé, corruption urbaine, pluie incessante, chantage, etc.), Ridley Scott créa un monde

Sebastian (William Sanderson) et l'une de ses créations, Pris (Daryl Hannah).

Harrison Ford, héros à la ville comme à l'écran

S'il doit sa popularité, comme il le remarque modestement, à sa participation à quelques-uns des plus grands succès planétaires des années quatre-vingt, et notamment aux deux trilogies *Indiana Jones* et *La Guerre des étoiles*, signées par ses amis Spielberg et Lucas, Harrison Ford est avant tout un acteur charismatique, incarnation de l'Américain franc, honnête et idéaliste : l'héritier de Gary Cooper. Cet amateur de belle ouvrage – il fut charpentier – préfère ceux de ses films qui reflètent un engagement personnel, et qui ne comptent pas forcément parmi ses plus grands succès : *Mosquito Coast* de Peter Weir (1986), *À propos d'Henry* de Mike Nichols (1991)… D'ailleurs, bien qu'il s'agisse d'un de ses rôles majeurs, Ford ne conserve pas un très bon souvenir de *Blade Runner* : le tournage fut marqué par des dissensions entre

Rachel (Sean Young) vient de sauver la vie de Deckard (Harrison Ford), qu'elle aime.

Ridley Scott et lui, notamment sur leur conception du personnage de Deckard (initialement prévu pour Dustin Hoffman). Notons enfin que l'interprète d'Indiana Jones et de Han Solo ne se contente pas d'incarner des héros dans le cadre de son métier puisqu'il a réellement secouru, à deux reprises, à bord de son hélicoptère, des personnes perdues en pleine nature, dans le Wyoming.

fourmillant de détails contribuant à donner au film son atmosphère si particulière. Scott appelle cela le « saupoudrage » (« layering »). Les rues glauques des bas-quartiers de la mégalopole qu'est devenue Los Angeles accumulent êtres humains, néons, vitrines, écrans publicitaires, véhicules, gadgets électroniques… La ville semble être enfermée sous une chape obscure et désespérante. Pour les effets spéciaux, Ridley Scott fit appel à Douglas Trumbull (*2001 : l'Odyssée de l'espace*) dont l'équipe, Richard Yuricich en tête, réalisa les maquettes. En 1993 sortit la version intégrale et originale du film, conforme aux vœux de Ridley Scott. On n'y entend plus la voix off de Deckard et un « happy end » fait place à une conclusion beaucoup plus incertaine. La durée des deux versions est sensiblement la même. Enfin, signalons qu'un jeu vidéo fut adapté du film.

Batty (Rutger Hauer) veut connaître son créateur.

E.T. l'Extra-terrestre

L'ami étrange venu d'ailleurs

Pour le protéger, Elliott cache E.T. dans le placard de sa chambre.

1982

E.T., The Extra-Terrestrial, science-fiction de Steven Spielberg, avec Dee Wallace (Mary), Henry Thomas (Elliott), Peter Coyote (« Keys »), Robert MacNaughton (Michael), Drew Barrymore (Gertie) • Sc. Melissa Mathison • Ph. Allen Daviau • Mus. John Williams • Prod. Kathleen Kennedy, Steven Spielberg • États-Unis • Durée 114' • 4 Oscars : musique, son, effets sonores, effets visuels

Une soucoupe volante oublie un de ses passagers sur Terre. À la recherche d'un refuge pour échapper à ses poursuivants, E.T. rencontre Elliott, un garçon de 10 ans...

Le conseil de Truffaut

Satisfait de « Scar », un alien créé par Rick Baker, lauréat du premier Oscar des effets spéciaux de maquillage (*Le Loup-garou de Londres*, John Landis, 1981), Steven Spielberg renonça néanmoins à *Night Skies*, projet de film écrit par John Sayles, pour lequel il avait été conçu. Après de multiples « méga succès programmés », Steven Spielberg souhaitait enfin concrétiser des idées plus personnelles et suivre le conseil de François Truffaut, qui l'encourageait à tourner avec des enfants. Pensant qu'Hollywood montre les extra-terrestres de manière déloyale, il reprend le thème de *Rencontres du troisième type* (1977), où l'être venu d'ailleurs n'est pas forcément un ennemi. Récupérant la fin de *Night Skies*, où les vilains aliens abandonnent leur congénère, il imagine, avec Melissa Mathison, l'histoire « du petit gars qui a été oublié sur notre planète », qui lui seul peut consoler l'enfant affecté (comme Spielberg jadis) par le divorce de ses parents. Pour imposer le point de vue des enfants, il va jusqu'à filmer à leur hauteur. Enfin, il tourne dans l'ordre chronologique afin que l'émotion des petits acteurs soit réelle lorsque E.T. s'en va...

E.T. et Elliott (Henry Thomas), qui ont retrouvé leurs forces, fuient avec leurs amis à bicyclette.

Donner vie à la créature

Steven Spielberg veut que son extra-terrestre n'ait jamais été vu au cinéma et que le public ne puisse pas imaginer un comédien tassé dans une combinaison de caoutchouc. Au terme de six mois et avec un budget d'1,5 million de francs, Carlo Rambaldi livre quatre modèles de 90 cm. L'un, mécanique, peut exécuter quatre-vingt-cinq mouvements (dont allonger son cou) commandés à distance par une équipe de douze techniciens. Un autre, animatronique, bardé de petits moteurs électriques et de circuits imprimés, peut exprimer une quarantaine d'émotions. Une version radiocommandée sert pour les séquences de marche. Le dernier est un costume qu'enfilent des personnes de petite taille : Tamala De Treaux (93 cm) et Pat Bilon (91 cm). Matthew De Merritt, enfant de douze ans, né sans jambes, se déplace sur les mains pour la scène

Gertie (Drew Barrymore) découvre E.T.

d'ébriété. Le mime Caprice Rothe prête ses mains, boudinées dans des gants très étroits à quatre doigts. E.T. s'exprime grâce au mélange des voix de Pat Welsh et Debra Winger, de cris d'otarie et de grognements de chien.

Michael (Robert MacNaughton) et ses amis face au retour des aliens.

E.T. remis à neuf

Pour ses vingt ans, *E.T., l'Extra-terrestre* subit quelques modifications pour ressortir en salle. La musique de John Williams est remixée numériquement. Une scène inédite où E.T. prend un bain est ajoutée. Une cinquantaine de plans où l'on voit E.T. sont retouchés (expressions faciales corrigées, mouvements harmonisés lorsqu'E.T. s'enfuit dans la forêt et pour le vol des vélos, créé par ILM avec le « Gomotion »). Dans la nouvelle version, les policiers n'ont plus de pistolets, mais des talkies-walkies. La séquence d'Halloween est remontée de manière à être rallongée. En revanche, pensant qu'elle ralentit l'évolution du film, Steven Spielberg n'intégrera pas la scène où Harrison Ford joue le directeur d'école.

Terminator

La machine à tuer venue du futur

Dans une boîte de nuit, le Terminator (Arnold Schwarzenegger) retrouve celle qu'il doit abattre, dans *Terminator*.

1984

The Terminator, science-fiction de James Cameron, avec Arnold Schwarzenegger (le Terminator), Michael Biehn (Kyle Reese), Linda Hamilton (Sarah Connor), Lance Henriksen (Vukovich), Paul Winfield (le lieutenant Traxler) • Sc. James Cameron, Gale Anne Hurd • Ph. Adam Greenberg • Mus. Brad Fiedel, Tryangle • Prod. Hemdale / Pacific Western / Orion Pictures • États-Unis • Durée 106' • Grand Prix du Festival d'Avoriaz

Kyle Reese et le Terminator sont envoyés dans le passé, le premier pour protéger Sarah Connor, le second – un cyborg – pour l'assassiner, car elle est destinée à enfanter l'homme qui dans l'avenir sauvera le monde de la domination des machines.

Sarah Connor (Linda Hamilton), Kyle Reese (Michael Biehn) et le lieutenant Traxler (Paul Winfield), dans *Terminator*.

Débuts d'un novateur

Engagé par Roger Corman dans sa compagnie, James Cameron travaille comme directeur artistique sur *Les Mercenaires de l'espace* (Jimmy T. Murakami, 1980). En attendant de mettre en scène un de ses scénarios, il réalise *Piranha II, les tueurs volants* (1981). Après l'échec de ce film, que l'on omet de mentionner dans les filmographies « autorisées », James Cameron doit se contenter d'un petit budget pour *Terminator*. Le succès de ce thriller futuriste vaut à James Cameron et Gale Anne Hurd (co-scénariste et productrice du film, qu'il devait ensuite épouser) de tourner avec un budget bien plus important *Aliens, le retour* (1986), au générique duquel on retrouvera Michael Biehn, Lance Henriksen et Bill Paxton.

Esprit de synthèse

Lorsqu'il écrit le scénario de *Terminator*, James Cameron imagine un personnage en métal qui pourrait à loisir prendre forme humaine ou redevenir une flaque de mercure liquide. La technologie de l'époque ne

le permettant pas, l'idée reste dans les tiroirs. Après son film *Abyss* (1989), pour lequel le studio d'effets spéciaux ILM crée un personnage constitué d'eau de mer capable de reproduire des visages humains, Cameron reprend l'idée du personnage de métal liquide pour *Terminator 2, le jugement dernier* (1991).

T-1000 (Robert Patrick), nouvel ennemi du Terminator, dans *Terminator 2, le jugement dernier*.

Afin d'obtenir le personnage de T-1000, le corps de l'acteur Robert Patrick est entièrement numérisé. La révolution technologique des logiciels numériques, qui parvient à rendre crédibles toutes les audaces du réalisateur, élève le niveau minimum de magie requis au cinéma et permet à James Cameron de relever le défi qu'il s'était fixé : porter à l'écran le reflet exact de son imagination.

Comparé à *Terminator*, film culte qui ne coûta que 39 millions de francs, *Terminator 2* (dans lequel on retrouve Linda Hamilton et Arnold Schwarzenegger, cette fois dans un rôle héroïque) est une superproduction qui connaît un accès planétaire grâce à son vertigineux budget de 680 millions de francs (dont 90 pour Arnold Schwarzenegger). Malgré le souhait de Schwarzenegger, Cameron refuse de tourner *Terminator 3 - le soulèvement des machines* (Jonathan Mostow, 2003). Terminator y protège Connor contre la Terminatrix (T-X), cyborg féminin.

C'est un Terminator reprogrammé (Arnold Schwarzenegger) qui protège Sarah Connor (Linda Hamilton) et son fils John (Edward Furlong), dans *Terminator 2, le jugement dernier*.

Arnold, l'athlète devenu acteur

Adolescent à la santé fragile, Arnold Schwarzenegger décide de pratiquer la gymnastique de manière intensive. À 19 ans, il devient « Monsieur Europe junior », puis remporte quatre fois le titre de « Monsieur Univers » aux États-Unis. Le comédien d'origine autrichienne obtient un Golden Globe du meilleur débutant pour avoir joué un athlète dans *Stay Hungry* (Bob Rafelson, 1976). Alors qu'il devait jouer le rôle de Kyle Reese – celui du Terminator incombant à O. J. Simpson –, l'acteur insiste pour incarner le premier « méchant » de sa carrière et s'inspire du robot-tueur interprété par Yul Brynner dans *Mondwest* (Michael Crichton, 1973). Après le triomphe de *Conan le barbare* (John Milius, 1982) dans lequel il avait déjà le premier rôle, *Terminator* confirme son statut de star.

Brazil

L'horreur de la paperasserie

Sam (Jonathan Pryce) fait la connaissance du très recherché Harry Tuttle (Robert De Niro), plombier résistant et clandestin.

1985

Brazil, science-fiction de Terry Gilliam, avec Jonathan Pryce (Sam Lowry), Robert De Niro (Harry Tuttle), Michael Palin (Jack Lint), Kim Greist (Jill Layton), Katherine Helmond (la mère de Sam) • Sc. Terry Gilliam, Tom Stoppard, Charles McKeown • Ph. Roger Pratt • Mus. Michael Kamen • Prod. Arnon Milchan / 20th Century-Fox • États-Unis • Durée 142'

Dans un État monstrueux, Sam, petit fonctionnaire sans ambition, employé par le tout-puissant Ministère de l'information, rêve de bonheur et d'idéal. Il rejoint par amour une révolutionnaire dans son combat.

« 1984 » selon Gilliam

En 1969, l'Américain Terry Gilliam et ses compères britanniques John Cleese, Terry Jones, Eric Idle, Graham Chapman et Michael Palin créent un groupe comique et débutent à la BBC en réalisant des sketches au vitriol pour l'émission « Monty Python's Flying Circus ». Le succès les amène à réaliser plusieurs longs métrages, dont *Pataquesse* (Ian Mac Naughton, 1971), constitué de petites scènes parodiant la BBC, ou *Monty Python Sacré Graal* (Terry Gilliam, Terry Jones, 1975). Le groupe se désagrège dans les années quatre-vingt et Gilliam, l'inventeur du revolver mou, poursuit son chemin de cinéaste en solitaire en remaniant les éléments de son univers : dans *Jabberwocky* (1977), une population est exploitée dans une forteresse. À quelques semaines d'intervalle, *Brazil* est tourné dans les mêmes studios que *1984* de Michael Radford (1984). Terry Gilliam s'en prend à la réalité contemporaine et raconte l'histoire d'une Métropolis infernale où la chute d'un insecte grippe la machine bureaucratique et bouleverse la vie de son anti-héros.

Une si douce musique

Dans *Brazil*, pas de carnaval, de samba ou de plage de sable chaud, les personnages vivent dans des immeubles infiniment oppressants. La musique revêt une telle importance pour Terry Gilliam qu'il consacre cinq mois à la choisir. Le film naît d'une image : un homme assis sur une plage noire, recouverte d'une fine poussière de charbon. Immobile dans une lumière crépusculaire, l'homme écoute à la radio une chanson populaire des années trente de Xavier Cugat, « Brazil », dont les sonorités exotiques suggèrent, très loin des tours d'acier, des usines et des chaînes de montage, l'existence d'un monde verdoyant et merveilleux… Scandant les étapes du parcours de Sam, la rengaine revient sans cesse ; lorsqu'il est torturé par son « ami » Jack Lint, il ne lui reste que l'échappée du rêve et de cette chanson évoquant des lendemains plus heureux. Dans le monde où il vit, le songe qui habite Sam est à la fois sa seule force et son unique faiblesse. Dans *Bandits, bandits* (1981), Terry Gilliam crée une réalité presque aussi riche en péripéties que le monde du sommeil. Dans le réel sordide de *Brazil*, la seule solution est de plonger dans le rêve, si possible sans retour.

Dans ses rêves, Sam (Jonathan Pryce) combat un énorme samouraï fait de pièces de transistor qui incarne la monstruosité de la technique japonaise.

Le mot de la fin

Alors que le film, sorti en France en première mondiale, est bien accueilli en Europe, les studios Universal bloquent la copie aux États-Unis. Pensant que cette « vision trop pessimiste » risque de choquer les Américains et nécessite une longue campagne de sensibilisation, les distributeurs demandent au réalisateur d'effectuer des coupes et de changer la fin. À Deauville, Terry Gilliam propose une version courte qui comporte une fin plus ambiguë où triomphe l'imagination du héros. Mais il n'est pas question pour lui de transformer davantage l'esprit du film. C'est grâce à des projections clandestines qui lui vaudront les prix du meilleur film, de la mise en scène et du scénario décernés par l'Association des critiques de cinéma de Los Angeles, qu'il obtient que les studios autorisent enfin la sortie du film dans son intégralité.

Sam est en butte à l'État-machine.

Jill (Kim Greist), femme angélique des rêves de Sam, souhaite vivement rectifier l'erreur du bureau de recoupement.

RoboCop

Mi-flic, mi-machine

1987

RoboCop, film de science-fiction de Paul Verhoeven, avec Peter Weller (Alex J. Murphy / RoboCop), Nancy Allen (Anne Lewis), Dan O'Herlihy (le Vieux), Ronny Cox (Dick Jones), Kurtwood Smith (Clarence J. Boddicker), Robert DoQui (le sergent Reed) • Sc. Edward Neumeier, Michael Miner • Ph. Jost Vacano • Mus. Basil Poledouris • Prod. Orion Pictures • États-Unis • Durée 103'

Pour remédier à la violence et au crime qui règnent dans la cité industrielle de Détroit, Murphy, laissé pour mort lors d'une arrestation, est transformé en RoboCop, invincible policier du futur…

Autrefois simple policier, Alex J. Murphy (Peter Weller) est devenu l'indestructible RoboCop.

« Le Hollandais violent »

Déjà connu à la télévision néerlandaise, Paul Verhoeven bat les records d'entrées avec son premier long métrage (*Qu'est-ce que je vois ?*, 1971). Malgré plusieurs succès commerciaux et des récompenses dans les festivals d'Avoriaz et de Chicago pour *Le Quatrième Homme* (1983), le réalisateur fait scandale aux Pays-Bas. N'ayant plus de subventions, il tente une carrière aux États-Unis avec *La Chair et le Sang* (1985). Puis il récupère le script du « policier transformé en cyborg » refusé par George Pan Cosmatos (*Rambo II : la mission*, 1985). *RoboCop* installe Paul Verhoeven à Hollywood. Notons que le réalisateur s'amuse à apparaître en train de danser dans la scène de la discothèque lors de l'arrestation de Leon.

RoboCop et Anne Lewis (Nancy Allen), son équipière.

Dick Jones (Ronny Cox) devant le ED-209, super-machine répressive destinée à assainir la ville.

Il faut souffrir pour être robot

Alors que Nancy Allen est une habituée de l'univers de Brian De Palma (*Pulsions*, 1980), dont elle fut la femme, et des films de science-fiction (*Philadelphia Experiment*, Stewart Raffill, 1984), c'est à un inconnu que l'on confie le rôle du héros. Les producteurs recherchent un comédien sportif capable d'endosser la cuirasse de *RoboCop*, que Rob Bottin et son équipe ont mis six mois à concevoir. Peter Weller, coureur de fond ayant participé à plusieurs marathons, supporte le poids d'un costume de 20 kg de polyuréthane et caoutchouc, ainsi qu'une température intérieure de 60 °C. Pendant sa longue préparation, il lit des traités de robotique et suit un cours de mime avec Moni Yakim, qui travailla avec Jean-Louis Barrault. Choisissant de se servir du poids du costume et non de lutter contre lui, le Japonais apprend à l'acteur à se mouvoir avec lenteur et à styliser chaque geste.

Critique de la société américaine

L'Amérique, friande d'idéologie sécuritaire, réserve un triomphe à *RoboCop*. Pourtant, Paul Verhoeven, dont le désir est toujours de déranger, évite de justesse le classement X, l'exécution de Murphy ayant fait frémir la commission de censure américaine. Pour le réalisateur, c'est la transformation en robot, symbole de résurrection, qui doit frapper le spectateur. *RoboCop*, s'il contient tous les ingrédients des films d'action, est avant tout une satire de l'Amérique de Reagan et de l'arrivisme frénétique des années quatre-vingt (cadres supérieurs cocaïnomanes prêts à tout pour écraser la concurrence). Paul Verhoeven va jusqu'à entrecouper le film de faux journaux télévisés où l'on vante un jeu permettant de faire exploser une bombe en famille…

Le robot toujours en service

Pris par le projet de *Total Recall* (1990), Paul Verhoeven refusa de réaliser la suite de *RoboCop*. Irvin Kershner, qui avait déjà tourné le deuxième épisode de *La Guerre des étoiles* (*L'Empire contre-attaque*, 1980), mit donc en scène *RoboCop 2* (1990). Cette fois, Chris Walas adapta le costume de RoboCop pour les cascades et utilisa des matériaux résistant aux flammes entrant dans la composition des combinaisons des coureurs automobiles. Alors que l'on retrouvait Peter Weller et Daniel O'Herlihy dans *RoboCop 2*, il ne restait plus pour *RoboCop 3* (Fred Dekker, 1993) que Nancy Allen et Robert DoQui, Robert John Burke succédant à l'acteur principal. *RoboCop* fit aussi l'objet d'une série télévisée et d'une série d'animation.

Men in Black
Hommes en noir et petits hommes verts

1997

Men in Black, science-fiction de Barry Sonnenfeld, avec Tommy Lee Jones (l'agent K), Will Smith (l'inspecteur James D. Edwards / l'agent J), Linda Fiorentino (Laurel Weaver), Vincent D'Onofrio (Edgar) • Sc. Ed Solomon, d'après la bande dessinée créée par Lowell Cunningham • Ph. Don Peterman • Mus. Danny Elfman • Prod. Amblin Entertainment / Columbia Pictures • États-Unis • Durée 98' • Oscar du meilleur maquillage

Les agents K et J sont chargés de protéger la Terre des agressions intergalactiques et de préserver la paix de l'Univers menacée par l'assassinat d'extra-terrestres vivant incognito à New York.

Après chaque intervention, les agents K (Tommy Lee Jones) et J (Will Smith) chaussent leurs lunettes noires et frappent d'amnésie les éventuels témoins, comme Laurel Weaver (Linda Fiorentino).

L'agent J découvre le QG avec K et Z (Rip Torn).

Spécialiste des adaptations

En 1991, le directeur de la photographie Barry Sonnenfeld, qui a beaucoup travaillé avec les frères Coen, réalise son premier film (*La Famille Addams*), adaptation de l'œuvre du dessinateur satirique Charles (Chas) Addams, publiée à partir de 1937. Ces personnages sans nom se voient baptisés de celui de leur auteur par la série télévisée qui, de septembre 1964 à avril 1966, fait fureur sur la chaîne américaine ABC. Le réalisateur réitère l'expérience avec *Men in Black*, avouant pourtant n'avoir lu la bande dessinée qu'après avoir signé le contrat pour mettre le film en scène. Malgré sa noirceur, Barry Sonnenfeld la préfère au premier scénario qu'on lui propose, et qu'il doit longtemps retravailler.

Le monde extra-terrestre

C'est Danny Elfman, compositeur de la musique de *Mars Attacks!* (Tim Burton, 1996), qui écrit celle de *Men in Black*. Le décor du QG est construit chez Sony et les formes ovoïdes que l'on voit un peu partout dans l'architecture et le mobilier

sont censés rappeler la vision que l'on avait du futur dans les années soixante. Afin que les spectateurs s'interrogent sur ceux qui les entourent, Barry Sonnenfeld choisit de fixer l'action à New York qui, d'après lui, est une ville où l'on trouve vraiment des extra-terrestres. Des célébrités comme Steven Spielberg, George Lucas, Sylvester Stallone ou Danny De Vito acceptent d'apparaître sur la dizaine d'écrans montrant des extra-terrestres plus ou moins dangereux, surveillés par les « men in black ».

Wild Wild Will

Deux ans après *Men in Black*, Barry Sonnenfeld dirige de nouveau Will Smith dans *Wild Wild West* (1999), adaptation de la série culte « Les Mystères de l'Ouest » créée par Michael Garrison et interprétée par Robert Conrad. Ayant déjà tourné le second volet de la famille Addams (*Les Valeurs de la famille Addams*, 1993), Sonnenfeld réalise *Men in Black II* (2002). Toujours vêtus de noir (d'où leur nom : les « Men in Black ») Will Smith et Tommy Lee Jones sont confrontés à une nouvelle menace extra-terrestre (incarnée par Lara Flynn Boyle) qui oblige K à reprendre du service.

Arme au poing, J et K combattent la méchante bestiole qui voulait détruire la Terre.

L'homme en noir

Will Smith connaît d'abord la célébrité dans le domaine de la musique où son groupe de rappeurs – Jeff Townes, DJ Jazzy Jeff and The Fresh Prince – remporte des succès internationaux et plusieurs récompenses aux Grammy et American Music Awards. À la télévision, la série « Le Prince de Bel-Air », dans laquelle Will Smith joue son propre rôle,

Le monarque arquilien est dissimulé dans la tête du paisible bijoutier Rosenberg (Mike Nussbaum).

dure de 1990 à 1996. Il fait déjà partie d'un duo de policiers dans *Bad Boys* (Michael Bay, 1995). *Independence Day* (Roland Emmerich, 1996), dans lequel il combat une armée d'extra-terrestres, l'installe en tête du box-office. Comme ce fut le cas pour la chanson de *Men in Black*, primée aux Grammy Awards, Will Smith interprète le générique de *Wild Wild West*, avec Stevie Wonder et Mohanndas Dewese. En 2001, il amorce un tournant dans sa carrière avec *Ali* de Michael Mann, où il incarne le boxeur Cassius Clay / Muhammad Ali.

Matrix
La Matrice de nouveaux films

Neo (Keanu Reeves) et l'agent Smith (Hugo Weaving) disposent des mêmes pouvoirs pour combattre.

1999

The Matrix, science-fiction de Andy et Larry Wachowski avec Keanu Reeves (Neo), Laurence Fishburne (Morpheus), Carrie-Anne Moss (Trinity), Hugo Weaving (l'agent Smith), Gloria Foster (l'oracle), Joe Pantoliano (Cypher) • Sc. Andy et Larry Wachowski • Ph. Bill Pope • Mus. Don Davis • Prod. Joel Silver • États-Unis • Durée 135' • 4 Oscars : montage, son, effets spéciaux et effets sonores

Neo est-il l'élu qui libérera l'humanité de l'emprise de la « Matrice », laquelle plonge les hommes dans un univers virtuel afin de dominer le monde « réel » ?

Chorégraphie dans l'espace

Les frères Wachowski mirent cinq ans pour écrire le scénario de *Matrix*. Entre-temps, ils réalisèrent *Bound* (1996), un thriller érotique qui leur valut la réputation d'auteurs indépendants. Les deux derniers volets de la trilogie « Matrix », Matrix Reloaded et Matrix Revolutions, sortirent en 2003. C'est après avoir vu *First of Legend* (Gordon Chan, 1994) qu'ils engagèrent Yuen Woo Ping pour régler les combats. Ancien cascadeur des frères Shaw, il est un des premiers chorégraphes à s'interroger sur la délimitation de l'espace comme le font les concepteurs de jeux vidéo. Les acteurs bénéficièrent de six mois d'entraînement intensif pour accomplir leurs propres cascades. Et les kilos de muscles pris à cette occasion furent perdus grâce à un régime strict pour les autres scènes. Le tournage eut entièrement lieu en Australie. Et pour rendre le décor anonyme, l'Opéra et le pont de Sydney, trop facilement identifiables, furent effacés.

Trinity (Carrie-Anne Moss) a une technique particulière pour éliminer ceux qui s'opposent à sa mission.

Le temps d'une balle

Souvent parodié ensuite (notamment dans *Scary Movie*, Keenen Ivory Wayans, 2000), le plan dans lequel Neo esquive les balles en se penchant en arrière, demanda deux ans de travail à l'équipe de John Gaeta. Pour cette technique du « flow mo » (mouvement fluide ou « temps d'une balle »), 120 appareils photos sont placés sur une plate-forme. Les images sont ensuite montées en continuité à la manière des « cellulos » des films d'animation, des « intervalles » générés par ordinateur assurant la fluidité des mouvements.

Morpheus (Laurence Fishburne) explique à Neo ce qu'est la « Matrice ».

Chacun son rôle

Matrix comporte de nombreuses figures archétypales telles que l'élu, le maître, le mal, l'apprentissage, les épreuves, le voyage, le sacrifice, la résurrection, le combat final… Et Cypher n'est pas sans rappeler le nom du personnage Louis Cyphre (Lucifer) interprété par Robert De Niro dans *Angel Heart* (Alan Parker, 1987). Quant à Smith, agent de la « Matrice » qui peut intégrer le corps de n'importe quel humain, il porte le nom le plus usité aux États-Unis.

Trinity face à Neo.

Le film dont vous êtes le héros

Divertissement de masse, le jeu vidéo inspire des adaptations au cinéma (*Lara Croft : Tomb Raider*, Simon West, 2001) et engendre une nouvelle façon d'aborder le récit. Ainsi, *Matrix* est construit sur une série de choix, auxquels le spectateur peut s'identifier : se faire arrêter par la police ou fuir en passant par un échafaudage, prendre la pilule bleue pour arrêter ou la rouge pour continuer. En matière de narration, *Matrix* est « overplotté », c'est-à-dire qu'il comporte plus d'informations que nécessaire, évidence pour les jeux vidéo, illogisme pour le cinéma américain contemporain, mais occasion d'esquisser l'idée que chaque possibilité est à visiter : on aurait vu la cité de Zion en prenant un autre chemin. C'est ce qui pousse le « gamer » à jouer, encore et encore, car il sait qu'en empruntant une autre voie à la prochaine partie, il atterrira ailleurs.

Achevé d'imprimer en Espagne par Graficas Estella.
N° de projet 11006875
Dépôt légal : janvier 2008